P9-BYJ-826

Qué esperar
cuando se está esperando

Qué esperar cuando se está esperando

Heidi E. Murkoff, Arlene Eisenberg y Sandee E. Hathaway, B.S.N.

Traducción
Margarita Acosta, Victoria Tarrida
y Mariana Perdomo Páez

GRUPO
EDITORIAL

norma

Bogotá, Barcelona, Buenos Aires, Caracas, Guatemala,
Lima, México, Panamá, Quito, San José,
San Juan, Santiago de Chile, Santo Domingo

Eisenberg, Arlene
   Qué esperar cuando se está esperando / Arlene Eisenberg, Heidi E.
Murkoff y Sandee E. Hathaway; traductores Mariana Perdomo Páez,
Margarita Costa y Victoria Tarrida. — Bogotá: Grupo Editorial Norma, 2005.
   768 p. ; 23 cm.
   Título original. What to Expect When You Are Expecting.
   ISBN 958-04-9056-2
Embarazo 2. Embarazo - Cuidado e higiene 2. Gimnasia para
mujeres embarazadas I. Murkoff, Heidi E. II. Hathaway, Sandee E.
III. Costa, Margarita, tr. IV. Perdomo Páez, Mariana, tr. V. Tarrida,
Victoria, tr. VI. Tít.
618.2 cd 20 ed.
A1072300

   CEP-Banco de la República-Biblioteca Luis Ángel Arango

Título original en inglés:
WHAT TO EXPECT WHEN YOU'RE EXPECTING
de Heidi E. Murkoff, Arlene Eisenberg & Sandee E. Hathaway, B.S.N.
Una publicación de Workman Publishing Company, Inc.
708 Broadway, New York, New York 10003, U.S.A.
Copyright © 2005 por Heidi Murkoff, Arlene Eisenberg &
Sandee Hathaway, B.S.N.

Copyright © 2005 para Latinoamérica
por Editorial Norma S. A.
Apartado Aéreo 53550, Bogotá, Colombia.
http://www.norma.com
Reservados todos los derechos.
Prohibida la reproducción total o parcial de este libro,
por cualquier medio, sin permiso escrito de la Editorial.

Impreso por Cargraphics S.A.
Impreso en Colombia — Printed in Colombia
Junio de 2009

Edición, Natalia García Calvo, Adriana Martínez-V
Armada electrónica, Nohora E. Betancourt

Este libro se compuso en caracteres AGaramond

ISBN: 958-04-9056-2

ISBN Actualizado 978-958-04-9056-2

Tanto que agradecer
y los agradecimientos continúan…

Durante estos dieciocho años, desde cuando nos pusimos manos a la obra para escribir la primera edición de *Qué esperar cuando se está esperando*, aprendimos mucho, no solamente sobre qué se necesita para tener un bebé sano, sino también qué se necesita para hacer un libro sobre un bebé sano desde el embarazo. Lección número uno: no lo hubiéramos podido hacer solos. Son muchos los amigos y colegas que nos han ayudado, apoyado y guiado en la creación y recreación de este libro. Han ayudado más de lo que podemos mencionar, han estado presentes en cada capítulo de esta tercera edición. Les agradecemos inmensamente a todos, incluyendo a:

Suzanne Rafer, la mejor amiga y editora que he tenido, gracias por el entusiasmo, la dedicación que le dio a los detalles, su buen humor, sus increíbles comentarios, su amor y su cuidado y sobre todo, por estar siempre ahí cuando la necesitamos.

Meter Workman, un publicista extraordinario, gracias por su compromiso con la excelencia en la publicidad y su compromiso con los pequeños detalles. Realmente no lo hubiéramos podido hacer sin ti, o sin…

Lisa Hollander, gracias por el nuevo diseño; Judith Cheng, gracias por crear la "Mona Lisa" del embarazo y traerla de manera hermosa al siglo XXI; Judy Francis, gracias por las nuevas ilustraciones, quedaron increíbles. Gracias a Jenny Mandel, Carolan Workman, Bruce Harris, Kate Tyler, Jim Eber, Pat Upton, Saundra Pearson, Beth Doty y a todos los miembros de la familia Workman que han sido tan especiales, besos y abrazos para todos ustedes. También quiero dar las gracias a todos los que ayudaron con la primera y la segunda edición pero que ya no están en este trabajo.

Sharon Mazel, gracias por salvar el día, por tus esfuerzos incansables (incluso cuando estabas exhausta), por tus investigaciones y comentarios que no solamente hicieron posible esta edición, sino que la ayudaron a que fuera mucho mejor. También quiero agradecer a Kira por estar en el útero correcto en el momento correcto, gracias también a Daniella y a Arianne por compartir a su mamá.

Lisa Bernstein, directora ejecutiva de la fundación What to Expect, gracias por absolutamente todo lo que hizo, que es prácticamente todo. Nadie hizo tanto y nadie lo hizo mejor, te amamos por eso y por otro millón de razones. También quiero agradecer a Zoe y a Oh-That-Teddy Bernstein, también a Dan Dubno por su paciencia y comprensión y sobre todo por dejar que mamá hablara tanto por teléfono.

Al médico Richard Aubry, profesor de obstetricia y ginecología y nuestro estimado consejero médico. El conocimiento y el cuidado de Dick lo hacen no solamente un médico notable, un excelente profesor y un gran tutor para mujeres embarazadas y sus bebés, sino que constituye una fuente invaluable para nosotros.

Marc Chamlin, gracias por ser el mejor abogado e incluso un mejor amigo. Gracias a Ellen Goldsmith-Vein por manejarlo todo, por creer siempre en el proyecto y por ser tan simpática y divertida. Gracias a Alan Nevins por ser lo mejor. Gracias también a todos mis otros amigos en el grupo Artists Management Group.

Gracias a toda la gente maravillosa y dedicada del Colegio Americano de Ginecología y Obstetricia y gracias a la gente en la Academia Americana de Pediatría por darnos siempre las respuestas que necesitamos para mantener actualizados los libros de *Qué Esperar*. Gracias a los innumerables médicos que aclararon puntos, contestaron preguntas, llenaron cuestionarios y que ayudaron a hacer de este libro lo mejor posible.

Gracias a tres hombres quienes sin su presencia hubiera sido imposible hacer este libro (y los que siguen): Howard Eisenberg, Eric Murkoff y Tim Hathaway, ustedes son los mejores padres y esposos que hay, siempre los vamos a amar. Gracias a Mildred y Harry Scharaga, a Victor Shangai y John Aniello por su amor y apoyo.

Gracias a todos los que colaboraron en el éxito de nuestra primera y segunda edición, incluyendo al médico Henry Eisenberg, a Elise y Arnold Goodman, a Susan Stirling y a Carol Donner.

Gracias a todos los doctores, parteras y enfermeras que cuidan a las mujeres embarazadas y sobre todo, gracias a nuestros lectores, que son y siempre serán nuestra mejor fuente e inspiración.

Acerca de la fundación What to Expect®

Estamos orgullosos de anunciar el nacimiento de la fundación What to Expect, una organización sin ánimo de lucro dedicada a proveer información, apoyo y herramientas para las mujeres embarazadas que lo necesiten. De tal forma que lo que cada madre pueda esperar sea un embarazo y un bebé saludable.

Para mayor información, visite nuestra página de Internet en esta dirección:

www.whattoexpect.org

Contenido

PRIMERA PARTE
Al principio

Análisis de embarazo ◆ Pedir la primera cita ◆ La fecha programada

Una mirada hacia atrás ◆ ¿Qué tipo de paciente soy? ◆ ¿Obstetra? ¿Médico de familia? ¿Partera? ◆ Tipo de consulta ◆ Encontrar un candidato ◆ Formas alternativas de dar a luz ◆ Haciendo la selección ◆ Sacar el máximo partido de la relación paciente-médico

El historial ginecológico ◆ Abortos provocados previos ◆ El historial obstétrico se repite ◆ Embarazos demasiado seguidos ◆ La segunda vez ◆ Tener una familia numerosa ◆ Repetición de las cesáreas ◆ Parto vaginal después de una cesárea ◆ Obesidad ◆ Incompatibilidad de RH ◆ La madre soltera ◆ Tener un bebé después de los 35 ◆ La edad y el test del síndrome de Down ◆ La edad del padre ◆ Fibromas ◆ Endometriosis ◆ Cérvix incompetente ◆ Fecundación in vitro (FIV) ◆ Herpes ◆ Otras ETS (enfermedades de transmisión sexual) ◆ Miedo al sida ◆ Niveles de anticuerpos de rubéola ◆ Hepatitis B ◆ Un dispositivo intrauterino en la matriz ◆ Pastillas de control de la natalidad en el embarazo ◆ Espermicidas ◆ Medroxiprogesterona ◆ Dietilestilbestrol (DES) ◆ Vivir a una gran altitud ◆ Falta de un seguro médico ◆ Preceptos religiosos y los cuidados médicos ◆ Historial familiar ◆ Problemas genéticos ◆ La oposición al aborto provocado

Exámenes prenatales ◆ El examen del primer trimestre ◆ El examen del segundo trimestre ◆ Ultrasonidos ◆ Exámenes de diagnóstico ◆ Análisis de las vellosidades coriónicas (AVC) ◆ Amniocentesis ◆ Otros tipos de diagnóstico prenatal

Alcohol ◆ Fumar cigarrillos ◆ Cuando otras personas fuman ◆ Marihuana ◆ Consumo de cocaína y otras drogas ◆ Cafeína ◆ Té de hierbas ◆ Sustitutos del azúcar ◆ El gato de la familia ◆ Deportes ◆ Baños muy calientes y saunas ◆ Exposición a las microondas ◆ Mantas eléctricas y esterillas ◆ Teléfonos celulares ◆ Rayos X ◆ Peligros en el hogar ◆ Contaminación del aire ◆ Peligros en el lugar de trabajo

SEGUNDA PARTE

Nueve meses y contando:

De la concepción al parto

TERCERA PARTE

El último pero no el menos importante

CUARTA PARTE

Preocupaciones especiales

QUINTA PARTE
El próximo bebé

Otras palabras del doctor

Nunca pensé que fuera posible. Lo bueno se vuelve ahora aún mejor.

En mi posición de profesor y de proveedor diario de cuidados de maternidad por más de cuarenta años, me he dado cuenta de la importancia fundamental de la crianza de niños saludables y la vitalidad de esta para la sociedad. Cuando estas preciosas nuevas vidas, son alimentadas por padres amorosos, se vuelven miembros saludables y activos de la sociedad y de una nueva generación. No hay un libro que prepare mejor a los padres para ese importante trabajo frente a esas nuevas vidas (un trabajo que comienza incluso antes de que la esperma encuentre al óvulo) que este libro: *Qué esperar cuando se está esperando*.

Durante diecisiete años he visto el desarrollo de las ediciones pasadas de *Qué esperar*; he visto el impacto que han tenido en una generación de padres que esperan bebé, incluyendo los que estuvieron bajo mi cuidado. Como consejero médico, he hablado con los autores, he leído los manuscritos y he dado mi opinión sobre los conceptos biológicos y anatómicos. Cuando la primera edición revisada llegó a mi escritorio hace unos diez años, me maravillé con las mejoras que se le habían hecho a un libro que originalmente ya era pionero en su categoría. Con esta nueva tercera edición, me maravillo una vez más.

Es difícil entender todo lo que hay detrás de la velocidad con la que avanza el campo de la obstetricia y es más difícil aún recopilar tanta información compleja de tal forma que una mujer (y sus compañeros), que no sea profesional en medicina, pueda entenderla, relacionarse con ella y sentirse segura. En este caso, los autores lo lograron. A lo mejor es todavía más difícil proporcionar estos consejos médicos detallados a manera de argumentos y no como conflictos. Una vez más, los autores han sido exitosos. Al igual que antes, *Qué esperar cuando se está esperando*, lo van a consultar tanto futuros padres como quienes cuidan de las mujeres embarazadas. No solamente se recomienda (o se regala) a los nuevos pacientes de miles de ginecólogos y parteras sino que ellos mismos lo utilizan con su pareja en su casa. Mis residentes jóvenes (y muchos otros en diferentes programas en todo el país) lo leen para saber qué es lo que los pacientes se preguntan y qué es lo que les preocupa, y así se preparan mejor para cuando empiecen su propia práctica.

Finalmente, esta edición de *Qué esperar cuando se está esperando* sigue con la tradición de alegrar a los futuros padres mientras se aventuran a tener esta experiencia que les cambiará la vida, inspirándolos para que sepan que "pueden hacerlo".

Los milagros existen; mucha suerte con el suyo.

Doctor Richard Aubry.
M.P.H

Por qué este libro
nace una y otra vez

Hace dieciocho años nacieron mi hija y un libro, con pocas horas de diferencia. Alimentar estos dos bebés, Emma y *Qué esperar cuando se está esperando* (al igual que a mi hijo Wyatt y junto con mis coautores, las secuelas de la fundación *Qué esperar*, y la serie para niños de *Qué esperar*) hasta que crecieran y evolucionaran a través de los años, ha sido una tarea satisfactoria y a la vez extenuante, enriquecedora y ardua, amorosa y enloquecedora. Ha sido un viaje increíble (lleno de retos para resolver) y como cualquier padre, no cambiaría ni un día. (Claro que hubo una semana cuando Emma tenía trece años…).

Y ahora estamos pariendo otra vez: una nueva tercera edición de *Qué esperar cuando se está esperando*. Aunque muchas editoriales nos dejan actualizar nuestros libros con información importante y nueva, el nacimiento de esta tercera edición nos ha permitido tener la grata oportunidad de escribir de principio a fin una revisión, sumando, quitando e incorporando lo último en innovaciones obstetricas, desde la última tecnología hasta lo complementario y lo alternativo, esto es para que *Qué esperar cuando se está esperando* pueda seguir siendo tan comprensible y tan actualizado como lo necesiten los futuros padres.

Hay muchos cambios con los que estamos emocionados. Hicimos el libro todavía más práctico, incorporamos secciones para las futuras madres que trabajan, consejos de cuidados para las familias, más consejos para estar bella por dentro y por fuera mientras se está embarazada, más consejos para el embarazo del segundo (y tercer) bebé y una sección extensa con estrategias de preconcepción para los padres y madres que están listos para hacer un bebé. En nuestra nueva edición hay más preguntas acerca de más síntomas, un pequeño monitoreo mensual para usted y su bebé y un capítulo más largo y mejor (creemos) sobre el papel de padre. También diseñamos una mejor dieta de embarazo, más suave y más realista. Esperamos que sea más fácil seguir esta dieta y que sea más fácil aplicarla a su nueva vida. Incluso la mujer de la cubierta es nueva. Después de diecisiete años ya era hora de que ella tuviera un cambio.

Pero más importante que lo que hemos cambiado en esta tercera edición, es lo que hemos conservado exactamente igual. Cuando co-escribí por primera vez *Qué esperar cuando se está esperando* vi mi trabajo como una cruzada personal con una meta: no quería que los futuros padres se preocuparan tanto como yo (y mi esposo Erik) me preocupé en mi embarazo. Ese sentimiento todavía se mantiene y la tercera edición de *Qué esperar cuando se está esperando* se escribió, al igual que la primera, para informar, dar seguridad y ayudar a los padres a dormir mejor, por lo menos mientras el sistema urinario, los calambres y el dolor de espalda lo permita.

Claro que seguramente mientras se seca la tinta de esta tercera edición, se estará preparando la cuarta. Mientras hacemos eso, como siempre, recibimos todas las sugerencias que ustedes quieran hacer.

Qué esperar cuando se está esperando es, después de todo, un libro que evoluciona constantemente y los padres continúan siendo nuestra fuente más valiosa en este proceso.

Les deseo el mejor de los embarazos y que sean unos padres felices.

Heidi Murkoff

PRIMERA PARTE

Al principio

Capítulo uno

¿Estoy embarazada?

A lo mejor su periodo está atrasado por un día o a lo mejor ya se atrasó tres semanas. A lo mejor su único síntoma es que no tiene la regla o a lo mejor ya pasó todos los síntomas del primer trimestre. A lo mejor le ha dedicado todo a quedar embarazada durante los últimos seis meses o más o a lo mejor esa noche de hace dos semanas fue la primera vez que no utilizó algún método de control natal. O a lo mejor no lo estaba buscando en lo más mínimo. No importa cuáles sean las circunstancias que la trajeron hasta este libro, se debe estar preguntando: ¿estoy embarazada?

RECORDATORIO DE VITAMINAS

Si está tratando de concebir o cree que está embarazada, asegúrese de tomar una pastilla de vitamina *prenatal* que contenga ácido fólico, hierro y calcio (vea la página 128).

QUÉ PUEDE PREOCUPAR

ANÁLISIS DE EMBARAZO

"Mi médico ha dicho que el examen y el test de embarazo indican que no estoy embarazada, pero yo siento que sí lo estoy".

Por muy notable que sea la ciencia médica moderna, en lo que se refiere al diagnóstico del embarazo, esta queda aún a veces en segundo lugar detrás de la intuición de una mujer. La exactitud de los distintos exámenes de embarazo es variable, y ninguno de ellos es exacto en esa fase tan precoz en la que algunas mujeres "sienten" que están embarazadas –a veces a los pocos días de la concepción–.

El test del embarazo en casa, al igual que la prueba de la orina realizada en el laboratorio o en la consulta del médico, diagnostica el embarazo detectando la presencia de la hormona GCh (gonadotropina coriónica humana) en la orina. Algunos tests permiten saber si se está embarazada más o menos desde los catorce días después de la concepción (o tan pronto como el primer día que le falte su período). Los resultados, sin embargo, serán más precisos si espera a que su periodo esté por lo menos con unos días de retraso (una o dos semanas después es todavía mejor). Un test en casa es casi tan preciso como un análisis de orina hecho en la consulta médica o en el laboratorio, siendo los resultados positivos mucho más probable que sean ciertos que los negativos. Los tests en casa tienen la ventaja de hacerse en privado y con resultados prácticamente inmediatos. Y dado que proporcionan un diagnóstico preciso muy pronto –posiblemente antes del momento en que la embarazada consideraría la posibilidad de consultar al médico– le ofrecen la oportunidad de empezar a cuidarse de forma óptima unos días después de la concepción, aproximadamente desde el momento en que el óvulo fecundado se implanta en el útero. Estos tests, sin embargo, pueden ser relativamente caros, debido a que es menos probable que la embarazada confíe en los resultados, y que crea conveniente realizar un segundo test, que aumentaría los costos. (Algunas marcas incluyen en el envase el material para realizar un segundo test).

El principal inconveniente de los tests del embarazo en casa es que si producen un resultado negativo falso y la mujer está realmente embarazada, puede que esta posponga su visita al médico y los cuidados apropiados. E incluso, con un resultado positivo, puede ser que la embarazada retrase la visita al consultorio, porque asume que obtener un resultado positivo es la única razón para ver al médico en esa fase. Por lo tanto, si la mujer utiliza un test de este tipo, deberá tener en cuenta que no ha sido pensado para reemplazar una consulta y un examen con un profesional de la medicina. Es esencial que el test tenga un seguimiento médico. Si el resultado es positivo, debería ser confirmado por un examen médico y la embarazada debería recibir una revisión prenatal completa. Si el resultado fuera negativo usted y su doctor necesitan saber por qué. Y mientras resuelven ese punto, usted deberá actuar como si estuviera embarazada, es decir, evitar los cigarrillos, el alcohol, etcétera, hasta que esté segura de que no lo está.

El test de orina en el laboratorio o la consulta. Al igual que el test que se hace en casa, esta prueba detecta la presencia de GCh en la orina, con una exactitud de casi el 100% –y en un plazo tan corto como de siete a diez días después de la concepción. A diferencia del test casero, este es efectuado por un profesional, que es más probable que lo realice correctamente, al menos en teoría. El test realizado en la consulta no requerirá la primera orina de la mañana. Los análisis de orina suelen ser menos caros que los de sangre, pero no se suelen utilizar con tanta frecuencia, dado que no proporcionan la misma información.

El análisis de sangre. Los análisis más completos de sangre pueden detectar el embarazo con una precisión de prácticamente el 100% desde una semana después de la concepción (si se excluyen los errores en el laboratorio) utilizando únicamente algunas gotas de sangre. También pueden ayudar a datar un embarazo, midiendo la cantidad exacta de GCh en la sangre, dado que dichos valores se alteran al ir avanzando el embarazo. La mayoría de los médicos puede pedir ambos análisis, de orina y sangre, para estar doblemente seguro del diagnóstico.

El examen médico. Sea cual fuere el test elegido, las probabilidades de que el embarazo sea diagnosticado correctamente aumentan si el test va seguido de un examen médico. Los signos físicos del embarazo –reblandecimiento y aumento de tamaño del útero, y cambio de consistencia del cuello uterino– pueden ser evidentes para un médico o una partera a las seis semanas de embarazo. No obstante, al igual que sucede con los tests, el diagnóstico de "embarazada" por parte del médico es más probable que sea correcto que uno de "no embarazada". Sin embargo los resultados negativos falsos no son muy comunes si se ha hecho un examen médico completo.

Si se experimentan los síntomas de las primeras etapas de un embarazo (ausencia de una o dos menstruaciones, pechos hinchados y sensibles, mareos matutinos, micción frecuente, cansancio) y se siente que se está embarazada, digan lo que digan los tests y los exámenes, lo mejor es actuar como si se estuviera en estado hasta que se demuestre definitivamente lo contrario. Ni los tests ni los médicos son infalibles. La mujer conoce su propio cuerpo –por lo menos externamente– mejor que su médico. Se puede pedir un nuevo test (preferiblemente un análisis de sangre) y un nuevo examen unas semanas más tarde; ya que es posible que fuera demasiado pronto para un diagnóstico correcto. Más de un bebé ha llegado siete y medio u ocho meses después de que un test de embarazo y/o un médico hicieran creer que su madre no estaba embarazada.

Si los tests continúan siendo negativos pero la mujer aún no ha empezado a menstruar, ésta deberá hablar con el médico para descartar un embarazo ectópico, es decir, que tenga lugar fuera del útero. (Vea la página 169 para los signos de aviso de este tipo de embarazo.)

Naturalmente, es posible que una mujer experimente todos los signos y síntomas de un inicio de embarazo y sin embargo no esté embarazada. Ninguno de ellos, por sí sólo o incluso combinados, es una prueba positiva de embarazo. Después de que dos pruebas de embarazo y un segundo examen médico hayan descartado la posibilidad de un embarazo, usted y su médico deben investigar otras causas biológicas de sus síntomas, y si estas también se descartan, debe considerar que su "embarazo" puede tener bases sicológicas, posiblemente por querer profundamente tener un bebé, o no tenerlo.

PEDIR LA PRIMERA CITA

"La prueba de embarazo casera que me acabo de hacer salió positiva. ¿Cuándo tengo que pedir la primera cita con el doctor?"

Un buen cuidado prenatal es uno de los ingredientes más importantes para tener un bebé sano, así que no se tarde. Tan pronto como sospeche que está embarazada o cuando tenga una prueba casera que le dio positiva, llame a su médico y pídale una cita. El momento en que le den la cita va a depender del tiempo del doctor y de las políticas que se manejen. Algunos doctores le darán la cita inmediatamente, mientras que otros muy ocupados no van a poder atenderla en semanas e incluso en más tiempo. En otros consultorios lo normal es esperar a que la mujer tenga seis semanas de embara-

---

REALIZAR EL TEST CON EFICACIA

Las pruebas de embarazo caseras ahora son más fáciles de usar y son más confiables que nunca. Los siguientes consejos pueden parecer obvios, pero en la emoción del momento (¿estaré o no estaré embarazada?), no olvide:

• Leer concienzuda y cuidadosamente las instrucciones del prospecto del test antes de usarlo, y seguirlas con exactitud (incluso si ya ha utilizado estas pruebas o se ha hecho otros exámenes antes). Vuélvalo a leer después, para estar más segura.

• Tener listo un reloj fácil de leer de forma que pueda cronometrar con exactitud.

• Asegurarse de que los recipientes, vari-

llas graduadas o cualquier otro material que deba usarse estén limpios y libres de contaminación antes de empezar a usar el test. No vuelva a utilizar los mismos recipientes si desea volver a intentarlo.

• Si se precisa un tiempo de espera, colocar la muestra lejos del calor y en un lugar donde no se altere.

• Leer el test después del tiempo que se recomienda, hacerlo antes o mucho después, puede afectar el resultado.

• Si el equipo que la mujer ha adquirido contiene un segundo test, o si ella compra un segundo equipo, espere algunos días antes de utilizarlo.

Posibles signos de embarazo

Signo	Cuándo aparece	Otras posibles causas
Amenorrea (ausencia de menstruación)*	Generalmente en todo el embarazo	Viajes, cansancio, estrés, temor a un embarazo, problemas hormonales o enfermedad, aumento o pérdida extremos de peso, haber dejado de tomar la píldora, lactancia
Mareos matutinos (en cualquier momento del día)**	2-8 semanas después de la concepción	Intoxicación alimentaria, tensión, infección y diversas enfermedades
Micción frecuente	Generalmente 2-3 semanas después de la concepción	Infección del tracto urinario, diuréticos, tensión, diabetes
Pechos sensibles, hinchados, con picazón	Incluso a los pocos días de la concepción	Pastillas para el control de la natalidad, tensión premenstrual
Oscurecimiento de la areola (zona) que rodea el pezón y aparición de diminutas glándulas alrededor del pezón	Primer trimestre	Desequilibrio hormonal o consecuencia de un embarazo anterior
Líneas azules y rosadas debajo de la piel en los pechos y más tarde en el abdomen	Primer trimestre	Desequilibrio hormonal o consecuencia de un embarazo anterior
Antojos de comida	Primer trimestre	Dieta pobre, imaginación, estrés o menstruación inminente
Oscurecimiento de la línea que va del ombligo al pubis	4.º o 5.º mes	Desequilibrio hormonal o consecuencia de un embarazo anterior

* Algunas mujeres tienen manchas o sangrado durante los primeros meses de embarazo, otras mujeres puede tener sangrado durante la implantación del embrión en el útero.

** Más de la mitad de todas las mujeres tiene náuseas en la mañana.

SIGNOS PROBABLES DE EMBARAZO

SIGNO	CUÁNDO APARECE	OTRAS POSIBLES CAUSAS
Cambio de color en el tejido vaginal o cervical, de azulado a violeta*	Durante el primer trimestre	Retraso en la menstruación
Reblandecimiento del útero y del cuello del útero*	2-8 semanas después de la concepción	Un retraso de la menstruación
Aumento de tamaño del útero* y del abdomen	8-12 semanas	Tumor, fibroides
Contracciones indoloras intermitentes	Primeros tiempos del embarazo, frecuencia creciente al avanzar este	Contracciones intestinales
Movimientos fetales	Percibidos por primera vez a las 16-22 semanas de embarazo	Gases, contracciones intestinales

* Signos de embarazo vistos en exámenes médicos.

SIGNOS POSITIVOS DE EMBARAZO

SIGNO	CUÁNDO APARECE	OTRAS POSIBLES CAUSAS
Visualización del embrión mediante ultrasonidos*	4-6 semanas después de la concepción	Ninguna
Latido cardíaco del feto*	A las 6-10 semanas**	Ninguna

* Signos de embarazo vistos en exámenes médicos.   ** Depende del instrumento utilizado

zo para darle la primera cita prenatal. Pero incluso si su cuidado prenatal donde el doctor tiene que posponerse, eso no significa que usted misma no pueda cuidarse y cuidar al bebé. Independientemente de cuándo vaya a ver al médico, desde el momento en que vea que la prueba casera dio positiva, empiece a tomar su vitamina prenatal (si es que no lo ha hecho ya) y empiece a actuar como una mujer embarazada (no tome alcohol, no fume, coma bien, etcétera). Si cree que puede tener un embarazo de alto riesgo (por herencia de abortos o embarazos ectópicos) o si se siente más cómoda pidiendo una cita más pronto de lo que el médico recomienda, llame al consultorio para saber si puede ir antes (para mayor información sobre qué esperar de su primera visita prenatal, vea la página 147).

LA FECHA PROGRAMADA

"Estoy intentando planificar mi baja por maternidad. ¿Cómo puedo saber si la fecha del parto es correcta?"

La vida sería mucho más simple si se pudiera saber, desde el comienzo del

SI NO ESTÁ EMBARAZADA…

Si su prueba de embarazo salió negativa esta vez, pero tiene muchas ganas de quedar embarazada pronto, empiece a tomar las medidas necesarias para la preconcepción (vea el capítulo veintiuno). Una buena preparación de preconcepción le ayudará a asegurar el mejor de los embarazos posibles cuando conciba.

embarazo, el día exacto en que se dará a luz. Pero la vida no es a menudo así de simple. De acuerdo con algunos estu-

EL CONTEO DEL EMBARAZO

Mientras que la mayoría de las mujeres cuenta su embarazo en meses, su doctor o su partera harán sus cálculos en semanas. Ahí es donde las cosas pueden confundirse. Un embarazo promedio dura cuarenta semanas, pero como el conteo empieza desde el último día de su último periodo (y la ovulación y la concepción no suceden sino dos semanas después de eso –si sus periodos son regulares-) usted queda embarazada realmente en la semana tres de su embarazo. En otras palabras, usted ya sumó dos semanas desde que el esperma llegó al óvulo. Esto puede sonar muy confuso, pero mientras su embarazo progresa y se va acostumbrando al conteo por semanas (el latido del corazón se escucha-

rá alrededor de la semana número diez, la parte superior del útero llegará a su ombligo alrededor de la semana veinte), todo tendrá más sentido.

Como este libro está organizado en capítulos que van por meses, también le proveemos la información en semanas. Tenga en cuenta: las semanas de la uno a la trece (aproximadamente) constituyen el primer trimestre e incluyen los meses del primero al tercero. Las semanas de la catorce a la veintisiete (aproximadamente) constituyen el segundo trimestre e incluyen los meses del cuarto al sexto y las semanas de la veintiocho a la cuarenta (aproximadamente) constituyen el tercer trimestre e incluyen los meses del séptimo al noveno.

dios, tan sólo cuatro mujeres de cada cien dan a luz exactamente en su fecha de vencimiento. La mayoría de las otras mujeres dan a luz en un período comprendido entre dos semanas antes y dos semanas después de esta fecha, debido a que un embarazo normal a término puede durar entre 38 y 42 semanas.

Hay muy pocas mujeres que dan a luz en la fecha programada, y eso causa mucha ansiedad innecesaria, por lo cual alguna gente del campo de la obstetricia propone que a las mujeres mejor se les asigne una "semana para dar a luz". Para las primerizas la semana asignada sería la semana cuarenta o cuarenta y uno. Pero mientras se implanta este método, la mayoría de los médicos se aferran a una sola fecha programada (la fecha estimada para el parto). La fecha que le de su médico es solamente un estimativo que se calcula generalmente así: sustraiga tres meses desde el primer día de su último periodo menstrual. Por ejemplo, piense que su último periodo fue el 11 de abril, cuente tres meses hacia atrás, lo que la lleva a enero y después sume siete días: su fecha tentativa sería el 18 de enero.

Este sistema de conteo funciona bien para las mujeres que tienen un periodo menstrual regular. Pero si el ciclo es irregular, este sistema puede no funcionar en absoluto. Pongamos por ejemplo que una mujer no haya tenido la menstruación durante tres meses, y queda embarazada. ¿Cuándo se produjo la concepción? Debido a que una fecha de salida de cuentas fiable es importante, la embarazada y su médico deberían intentar averiguarla. Incluso si la mujer no puede determinar con exactitud la fecha de la concepción o ignora la de su última ovulación (algunas mujeres saben cuándo ovulan debido a un dolor o calambre en el costado que dura unas pocas horas, por su mucus vaginal claro y viscoso, y si están siguiendo su temperatura basal, por una bajada característica y la subida inmediatamente posterior), existen algunos indicios que pueden ser de gran ayuda.

El primero de los indicios, el tamaño de su útero, se observará durante su primer examen ginecológico interno. Debería estar en concordancia con las sospechas de la mujer sobre la duración del embarazo: el primer momento en que se oye el latido cardíaco del feto (aproximadamente a las 10 o 12 semanas con un aparato de ultrasonidos o entre las 18 a 22 semanas con un estetoscopio); la primera palpitación de vida (aproximadamente a las 20 o 22 semanas cuando se trata del primer hijo, o a las 16 o 18 semanas en los hijos siguientes); la altura del fondo del útero (la parte superior de la matriz) en cada visita (por ejemplo, llegará al ombligo a las 20 semanas).

Si todas estas indicaciones parecen coincidir con la fecha calculada por la mujer y por el médico, se podrá tener la certeza de que dicha fecha es bastante exacta —es decir, que es bastante probable que el parto se produzca entre dos semanas antes y dos semanas después de ella. Pero si no hay coincidencia, el médico puede decidir que se efectúe una ecografía entre las 12 y 20 semanas (algunos creen que la mejor información se obtiene entre las 16 y 20 semanas), para determinar más exactamente la edad del feto. Algunos facultativos ordenan rutinariamente que se haga la ecografía, para tener una fecha lo más precisa posible.

A medida que se aproxima el parto se presentan otros indicios de la fecha del gran acontecimiento: contracciones indoloras que se vuelven más frecuentes (e incluso desagradables), el feto se desplaza hacia la parte inferior de la pelvis (a lo que llamamos encajamiento), el cuello uterino empieza a afinarse y a acortarse (borramiento) y, finalmente, empieza a dilatarse. Estos indicios son útiles, pero no definitivos —tan sólo el bebé sabe con certeza cuál será su día de nacimiento (y el bebé no puede decirnos nada).

QUÉ ES IMPORTANTE SABER:
Escoger y colaborar con el médico

Todos sabemos que son necesarias dos personas para concebir un bebé, pero se necesitan como mínimo tres —la madre, el padre y por lo menos un profesional sanitario— para hacer que la transición desde el óvulo fecundado hasta el niño ya nacido resulte un proceso seguro y con éxito. Admitiendo que la pareja se haya ocupado ya de la concepción, el siguiente paso consiste en seleccionar al tercer miembro del equipo de gestación, y en asegurarse de que sea una elección en la que se pueda confiar y con la que se pueda trabajar. Lo ideal, es hacer esta elección incluso antes de concebir.

UNA MIRADA HACIA ATRÁS

La selección de la ayuda médica para el embarazo no era un gran problema para las futuras madres de hace 30 años. Era la época de la asistencia obstétrica "sin preguntas", en la que las pocas decisiones a tomar sobre el nacimiento de un hijo eran dejadas en manos de la partera o del médico. En lo referente a la elección de un obstetra, todos parecían más o menos iguales. Y, por otro lado, puesto que lo más probable era que la mujer estuviera inconsciente durante el parto, tampoco importaba demasiado que tuviera una buena relación con el médico. En lugar de ser un miembro participativo del equipo, la futura madre era algo así como un espectador, sentada obedientemente en la banqueta mientras su obstetra dirigía el juego.

Actualmente existen casi tantas elecciones posibles en el embarazo y el parto como médicos en las páginas amarillas de la guía telefónica. La cuestión estriba en encontrar al médico más apropiado.

¿QUÉ TIPO DE PACIENTE SOY?

El primer paso en la búsqueda del médico más apropiado consiste en pensar un poco sobre el tipo de paciente que es una misma.

¿Creo que el médico "siempre lo sabe mejor"? (finalmente, él o ella ha estudiado en una facultad de medicina) ¿Prefiero que el médico tome todas las decisiones sin consultarme y me siento más segura cuando se emplea en mí toda la tecnología médica más moderna? En mis sueños y fantasías, ¿corresponde el médico en bata blanca que me toma el pulso al estilo del Dr. Welby o el Dr. Kildare y otros héroes de series televisivas? En este caso, es probable que me sienta más a gusto con un obstetra con una consulta tradicional y con una dedicación inflexible a su propia filosofía médica.

¿O bien, creo que mi cuerpo y mi salud son asunto mío y de nadie más? ¿Tengo ideas claras acerca del embarazo y el parto y opino que preferiría llevar la voz cantante, desde la concepción hasta el parto, con un mínimo de interferencias del médico? Entonces es mejor prescindir de los Welbys y los Kildares y buscar un médico o una partera que esté dispuesto a renunciar al papel principal y a servir de consejero en la gestación del bebé. Alguien que te deje tomar tantas decisiones como sea médicamente posible y que sea dogmático sólo cuando se trate de dar al paciente un voto de control.

O quizás prefiero el término medio, un médico que me asigne el papel de socia; es decir, que tome las decisiones basándose en su propio conocimiento y experiencia, pero que siempre me incluya en el proceso. Si es así, el facultativo que se precisa probablemente sea uno de los que ven su papel en el embarazo como algo entre la estrella y el consultor, alguien que no es ni un esclavo del evangelio médico ni arcilla en manos de su paciente; alguien al que le gustaría poderle proporcionar a la mujer el parto "natural" que desea, pero que no dudará en practicar una cesárea si la seguridad del bebé está en juego.

¿OBSTETRA? ¿MÉDICO DE FAMILIA? ¿PARTERA?

La definición del médico ideal según uno de los tres tipos básicos facilita la búsqueda, pero los modales, junto a la mesa de exámenes y la filosofía son importantes, aunque no lo son todo. Es necesario pensar también en el tipo de título médico que se ajusta más a nuestras exigencias.

El obstetra. ¿Está buscando un médico que esté entrenado para manejar cada pequeño aspecto del embarazo, el periodo del parto y del posparto, desde la pregunta más obvia hasta la más oscura complicación? Entonces está buscando un ginecobstetra. Los ginecobstetras no solamente le proporcionan el cuidado obstetra, también se puede hacer cargo de todas sus necesidades de salud de mujer no embarazada. Algunos ofrecen cuidado médico general y pueden convertirse en su médico de cabecera. Si su embarazo es de alto riesgo*. Seguramente tendrá que recurrir a un ginecobstetra, a lo mejor hasta quiera buscar a un doctor más especializado, es decir un obstetra especializado en embarazos de alto riesgo y que esté certificado en medicina fetal materna. Pero si su embarazo se ve bastante normal y dentro de la rutina, puede escoger un obstetra para que la cuide, más del 80% de las mujeres lo hacen. Si ha estado frecuentando un ginecobstetra que le gusta, que respeta y con el que se siente cómoda para sus cuidados ginecoló-

gicos, no hay razón para cambiar de doctor ahora que está embarazada. Si no tiene un ginecobstetra de confianza o si no está segura de querer que él la atienda durante su embarazo, es hora de empezar a buscar.

El médico de familia. Como el médico general de hace muchos años, un médico familiar de hoy se encarga de la salud de la familia. Al contrario del obstetra que ha tenido entrenamiento de postgrado solamente en salud general y reproducción, el médico de la familia ha tenido entrenamiento en cuidados primarios, obstetricia y pediatría, después de obtener el grado de médico. Si la elección recae en un médico de familia, éste podrá ser el internista, el obstetra/ginecólogo y, cuando llegue el momento, el pediatra. El médico de familia llegará a conocer la dinámica de la familia, se interesará por todos los aspectos de nuestra salud y no sólo por el embarazo, y nos dará la impresión de que el embarazo es sólo una parte normal de la vida y no un estado patológico. Si se presentan complicaciones, el médico de familia podrá llamar a consulta a un especialista, pero con frecuencia permanecerá a cargo del caso.

La enfermera partera titulada. Si se desea un especialista que haga énfasis en la persona y no en la paciente, que dedique mucho tiempo a hablar con nosotras acerca de los sentimientos y los

---

*   Tradicionalmente un embarazo de alto riesgo es ese en el que la madre ha tenido un problema anterior en otro embarazo, tiene un problema médico preexistente como diabetes, hipertensión, enfermedad auto inmune, una enfermedad cardíaca o problemas genéticos o de Rh.

problemas, que esté orientado hacia el nacimiento "natural", la persona adecuada puede ser una enfermera partera titulada (aunque, evidentemente, existen también muchos médicos que cumplen estos requisitos). Aunque una enfermera partera es una profesional médica, bien adiestrada para tratar a las mujeres con embarazos de bajo riesgo y para atender los partos sin complicaciones (ya que han recibido estudios y entrenamiento especiales), es más probable que considere el embarazo como un estado humano más que médico. Si se elige una partera, asegúrese de que sea titulada; una que no lo sea no puede proporcionar los cuidados óptimos ni a la madre ni al bebé.

TIPO DE CONSULTA

Una vez recaída la elección en un obstetra, un médico de familia o una enfermera partera, el siguiente paso consiste en decidir el tipo de consulta en que una se sentirá más cómoda. Los tipos más habituales de consulta, y sus ventajas e inconvenientes son:

Consulta médica individual. El médico trabaja para sí mismo, utilizando los servicios de otro médico para los casos en que se halle ausente o ilocalizable. Un obstetra o un médico de familia pueden tener una consulta individual; una enfermera partera suele tener que trabajar en colaboración con un médico. La principal ventaja de la consulta individual estriba en que la mujer encuentra al mismo médico en cada consulta, con lo que llega a conocerle mejor y se siente más cómoda antes del parto (aunque escoger el médico que la atenderá en el parto con anticipación es mejor). La consulta individual puede constituir también un problema si a mediados del embarazo nos damos cuenta de que el médico no nos acaba de gustar. Si esto llega a suceder y usted decide cambiar de doctor, tienen que empezar desde cero a buscar a alguien que satisfaga sus necesidades.

Consulta de participación o de grupo. En este tipo de prácticas, dos o más médicos de la misma especialidad se ocupan conjuntamente de las pacientes, visitándolas de un modo rotatorio. También en este tipo de consulta se pueden encontrar obstetras y médicos de familia –a veces los dos especialistas en un mismo grupo. La ventaja de esta consulta estriba en que, al ver un médico diferente en cada visita, se llega a conocerlos a todos y se sabe que cuando los dolores del parto empiecen a ser intensos y frecuentes habrá una cara conocida en la habitación. El inconveniente reside en que quizás no todos los médicos de la consulta resultarán igualmente agradables y en que no se podrá escoger al que asista al parto. Además, dependiendo de que la embarazada lo encuentre tranquilizador o inquietante, oír diferentes puntos de vista de distintos profesionales puede constituir una ventaja o un inconveniente.

Consulta combinada. Se trata de una consulta de grupo que incluye a uno o varios obstetras y a una o varias enfermeras parteras. Las ventajas e inconvenientes son similares a los de cualquier consulta de grupo. Además presenta la ventaja de que en muchas de las visitas se dispondrá de una partera que nos podrá dedicar más tiempo y atención, mientras que en otras visitas se contará con la seguridad de la experiencia de un médico. También se podrá contar con los beneficios de un parto asistido por una partera, con la seguridad de que si se presenta cualquier problema acudirá un médico conocido.

Centros de maternidad. Se trata de lugares donde enfermeras parteras tituladas llevan a cabo la mayor parte de los cuidados y a los que el médico acude si se le requiere. Algunos centros de maternidad se hallan en los hospitales y poseen habitaciones especiales para dar a luz, y otros son unidades separadas. Todos los centros de maternidad proporcionan asistencia únicamente a pacientes de bajo riesgo.

La ventaja de este tipo de práctica es evidentemente mejor para esas mujeres que prefieren contratar parteras certificadas como su primera opción. La principal desventaja estriba en que si surgen complicaciones durante el embarazo (como sucede del 20 al 30% de las veces), la paciente deberá cambiar de profesional, poniéndose en manos de un médico, y empezando de nuevo a establecer una relación de equipo; si surge un problema durante la dilatación o la expulsión (como en el 10 al 15% de los casos), podría ser necesario llamar a un médico, que puede resultar un perfecto extraño. Y finalmente, si surgen complicaciones en un centro de maternidad que no se halle integrado a un hospital, puede que la parturienta deba ser transportada al hospital más cercano, para recibir las atenciones de urgencia.

ENCONTRAR UN CANDIDATO

Cuando se tiene ya una idea sobre el tipo de especialista que se desea y sobre la clase de consulta que parece más adecuada, es necesario encontrar algunos candidatos. Las siguientes son buenas fuentes de nombres:

* El ginecólogo o el médico de familia (suponiendo que no atiendan partos) o el internista, siempre que se esté satisfecha con su modo de ejercer la medicina. (Los médicos tienden a recomendar a otros doctores con una filosofía similar a la suya.)

* Amigos que hayan tenido bebés recientemente y cuyas filosofías sobre el parto sean similares.

- Una enfermera obstétrica, si se tiene la suerte de conocer a una.

- El colegio de médicos, que puede proporcionar listas de nombres de médicos que pueden asistir en los partos, además de información sobre su formación, especialidad, intereses especiales y tipo de práctica. Es posible que el colegio también pueda indicar en cada caso particular si es necesario un especialista y si es así, qué tipo de especialista.

- *La Guía de Especialidades Médicas*, que a menudo se puede encontrar en la biblioteca pública o en la consulta del médico (preguntar por ella a la ayudante).

- Un hospital cercano cuyas instalaciones nos agraden; por ejemplo, una unidad de cuidados neonatales intensivos, habitaciones para dar a luz, hospedaje, participación del padre. Allí se pueden obtener los nombres de los médicos que trabajen en él.

- Un centro de maternidad.

- Las páginas amarillas, si falla todo lo otro, bajo "médicos", "obstetricia" y "ginecología".

Si su seguro médico restringe las opciones a solamente algunos médicos, trate de buscar referencias con amigos, conocidos u otros médicos para encontrar el que más le convenga. Si esto no es posible, visite y conozca a algunos de los médicos personalmente. En la mayoría de casos, la mujer encuentra el que es compatible. Si no lo hace, puede, si las finanzas lo permiten, ver si puede cambiar de planes.

FORMAS ALTERNATIVAS DE DAR A LUZ

Nunca antes habían tenido las mujeres tanto control sobre el proceso de dar a luz. Durante milenios fueron los caprichos de la naturaleza los que decidieron el destino obstétrico de las mujeres; luego, a principios de este siglo, era el médico el que decidía cómo éstas debían dar a luz. Hoy en día, por fin, aunque la naturaleza aún tiene algunos de los triunfos y los médicos todavía tienen algo que decir, la decisión recae cada vez más en las mujeres y sus esposos. Las mujeres tienen cada vez más posibilidades de elegir el momento de la concepción (gracias a la mejora de los métodos de control de la natalidad y de los dispositivos para predecir la ovulación) y a menudo, salvo en casos de complicaciones, cómo van a dar a luz. La cantidad de opciones que tiene el parto es mareante, incluso en el ámbito del hospital. Si dejamos de lado el hospital, aún existen más alternativas.

Aunque las preferencias preliminares de la embarazada en cuanto al parto no deberían ser su único criterio al elegir el facultativo, desde luego deberían tener un peso importante. (Hay que tener en cuenta, no obstante, que no puede hacerse ninguna decisión firme hasta que la gestación esté bien avanzada, y a veces incluso hasta el mismo parto). Las siguientes opciones son aquellas a las que una futura madre puede tener acceso hoy en día, y sobre las que podría querer preguntar antes de tomar una decisión final sobre el facultativo y el hospital:

Cuidados enfocados a toda la familia. Lo que muchos creen que sería ideal en las unidades de maternidad de los hospitales, los cuidados enfocados a toda la familia, todavía no es una realidad en muchos hospitales, aunque existe una tendencia clara en ese sentido. ASPO/Lamaze ha instituido criterios para este ideal, que incluyen una política oficial del hospital de cuidados centrados en la familia; programas de educación para el parto que reflejen dicha política; dirección del parto sin interferencias tecnológicas innecesarias y con atención a las necesidades psicosociales; una atmósfera en la que se estimulen las preguntas, la autoayuda y el autoconocimiento, en la que se puedan hacer adaptaciones según las diferencias culturales, y en la que se estimule la lactancia natural antes de transcurrir una hora tras el parto a menos que existan contraindicaciones médicas; y un programa que asesore a la madre en cuanto a los cuidados básicos del bebé y determine un inicio sa-

tisfactorio a la lactancia, si fuera posible, antes del alta. Las habitaciones de las pacientes deberían tener una puerta (para tener intimidad) un mobiliario confortable, un cuarto de baño privado con baño o ducha, así como espacio suficiente para acomodar a la familia (incluyendo los hermanos del recién nacido) y otras personas que prestasen ayuda, personal profesional y equipo médico, los objetos personales, una cuna para el bebé y el ajuar necesario y también una cama sofá para los miembros de la familia que se queden a dormir. También debería existir una zona cercana para que el personal de ayuda pudiera hacer una relajante pausa fuera de la escena de trabajo. Muchos hospitales y la mayoría de centros para dar a luz (las facilidades son independientes, están cerca de un hospital en donde las mujeres dan a luz y se recuperan) proporcionan este tipo de cuidado centrado en la familia.

Habitaciones para dar a luz. Durante la mayor parte del siglo XX, las mujeres que estaban a punto de tener un hijo dilataban en la sala de dilatación, parían en la sala de partos, y se recuperaban en la sala de posparto. El recién nacido era apartado inmediatamente de ella después del nacimiento y era ingresado a la unidad para bebés, donde se le cuidaba detrás de un escaparate. Hoy en día, la disponibilidad de las habitaciones para dar a luz, existentes en muchos hospitales, hace posible que las mujeres permanezcan en la misma cama desde la dilatación hasta la recuperación, a veces incluso durante toda su estancia en el hospital, y que los bebés permanezcan a su lado desde el momento de su nacimiento.

Algunas habitaciones se utilizan únicamente para partos y recuperaciones de partos, si se utiliza una sala de estas, la nueva mamá (y su bebé si puede quedarse con ella) se pasa de esa sala a una de pospartos después de una hora de contacto familiar ininterrumpido. Pero cada vez en más hospitales, la sala del trabajo de parto, la recuperación y el posparto hace posible para las madres y los bebés (y a veces los padres y hermanitos) que todos estén presentes.

Muchas de las salas tienen el aspecto "hogareño" de una habitación de la casa, con sillas mecedoras, papel de colgadura, cuadros en las paredes, cortinas en las ventanas y camas que parecen sacadas de un catálogo y no de un hospital. Como las salas están equipadas para embarazos de bajo riesgo y emergencias inesperadas, generalmente el equipo médico se deja fuera de la vista, lo guardan tras las puertas de los armarios y otros lugares de la habitación. El espaldar de la cama se puede ajustar para sostener a la madre en una posición inclinada o semi-inclinada y las patas de la cama se pueden quitar para permitir el trabajo de las enfermeras. Después del parto se cambian las sábanas, se hacen algunos arreglos y en pocos minutos, se está de nuevo en la cama. Algunos hospitales también ofrecen duchas y/o jacuzzis dentro o junto a la habitación, éstos pueden ofrecer hidroterapia mientras el parto. En algunos hospitales también tienen tinas para nacimientos en agua (vea más adelante para mayor información sobre nacimientos en el agua).

Las habitaciones para dar a luz se suelen destinar sólo a las mujeres con poco riesgo de complicaciones en el parto. Debido a que la cantidad de habitaciones de este tipo que ofrecen algunos hospitales es ampliamente superada por la demanda, a menudo se asignan según van llegando las pacientes, así que es posible que la futura madre tenga que sufrir la decepción de no poder disponer de una. Por suerte, también en algunas instalaciones médicas más tradicionales, podrá tener una dilatación y expulsión orientados a toda la familia, sin precipitaciones ni intervenciones innecesarias.

Silla de partos. Dicha silla ha sido diseñada para que la mujer se acomode en ella en posición sentada durante el parto. Dado que en esta postura se puede contar con la ayuda de la fuerza de la gravedad, lo que en teoría acelera el parto, resulta atractiva para algunas madres y facultativos que las atienden. Otra ventaja: las madres pueden ver más en esta posición.

Sistema Leboyer. Cuando el obstetra francés Frederick Leboyer expuso por primera vez su teoría sobre el parto sin violencia, fue el hazmerreír de la comunidad médica. Hoy en día, muchos de los procedimientos que propuso, destinados a que el recién nacido tenga una llegada al mundo más tranquila, son de práctica común. Muchos bebés nacen en habitaciones para dar a luz, sin la intervención de luces brillantes que otrora se juzgaron necesarias, según la teoría de que una iluminación suave puede hacer que la transición desde la oscuridad del útero hacia la claridad del mundo exterior sea más gradual. Ya no es una práctica de rutina poner al bebé cabeza abajo y darle palmadas, y se da preferencia a procedimientos menos violentos para establecer la respiración, cuando ésta no se inicia por sí misma. En algunos hospitales, el cordón umbilical no se corta de inmediato; este último lazo de unión física entre madre e hijo permanece intacto mientras ambos se conocen por primera vez. Y aunque el baño caliente que recomendaba Leboyer para suavizar la llegada y la transición de un medio acuático a otro seco no es común, el que se coloque al bebé en manos de la madre de inmediato sí lo es.

A pesar de la creciente aceptación de muchas de las teorías de Leboyer, un verdadero parto de Leboyer –con música suave, luces tenues y un baño caliente para el bebé– no puede llevarse a cabo en muchos lugares. Si a la madre le interesa esta posibilidad, deberá preguntar sobre el tema cuando entreviste a los facultativos.

Nacimiento bajo el agua. La técnica de parir bajo el agua para simular el medio ambiente de la matriz no ha tenido demasiada aceptación en la comunidad médica. Los adeptos del nacimiento en agua dicen que el agua facilita el paso del bebé de un ambiente mojado y tibio a otro ambiente mojado y tibio, lo que ofrece una comodidad familiar después del estrés de salir afuera. El bebé se saca del agua y se pone en las manos de la madre inmediatamente después del nacimiento. Y como la respiración no comienza hasta que el bebé está en contacto con el aire, hay muy poco riesgo de que se ahogue. Los partos en agua se pueden hacer en casa, en algunos centros y en algunos hospitales. Muchas parejas ayudan a la madre en la tina, generalmente la sujetan por detrás para darles apoyo.

Muchas mujeres con embarazos de bajo riesgo escogen un parto en agua; sin embargo, si usted tiene un embarazo de alto riesgo, esta no es una buena opción y es improbable que encuentre a alguien que la anime a tener un parto en el agua.

Aunque no le parezca muy llamativa la idea de tener un bebé en el agua (o no tiene esta opción abierta), a lo mejor puede pensar en dar a luz en un jacuzzi. Muchas mujeres no solamente creen que el agua provoca relajación sino que además facilita el proceso de parto. Algunos hospitales y centros ofrecen tinas en las salas de parto.

Parto en casa. Para algunas mujeres resulta desagradable la idea de ser hospitalizadas cuando están enfermas. Si usted es una de ellas, es bueno que considere un parto en casa. El recién nacido llegará en medio de familia y amigos en un ambiente cálido y amoroso. Lo malo es que si algo inesperadamente sale mal, las facilidades para una cesárea de emergencia o los equipos de resucitación para el bebé, no estarán a la mano. Por esta razón, muchas mujeres prefieren acudir a centro de maternidad o a hospitales. Allá pueden combinar la atmósfera íntima del parto en el hogar, con el respaldo tecnológico de un hospital.

Si usted está considerando tener un parto en casa, debería seguir esta guía:

- Pertenecer a una categoría de bajo riesgo, es decir que no debe tener hipertensión, diabetes u otros problemas médicos crónicos. Tampoco debe tener una historia de un parto difícil anteriormente.

- La debe atender un médico o una partera, si escoge a la partera, debe haber un médico disponible, ojalá uno que haya visto a la madre durante el embarazo y que haya trabajado con la partera.*

---

* Muchas parteras atienden el parto sin el apoyo de un médico.

- Tenga disponible un medio de transporte y trate de estar cerca de un hospital, considere el tráfico y el estado de las vías.

HACIENDO LA SELECCIÓN

Una vez encontrado el nombre del futuro médico o de la futura partera, se llama por teléfono y se concreta una cita para una visita preliminar. Se acude a ella con una serie de preguntas que nos permitan notar si nuestras filosofías concuerdan y si nuestras personalidades se ajustan bien. No debemos esperar que nuestras opiniones coincidan en todos los puntos —esto no sucede ni en el más feliz de los matrimonios. Sí es importante que el médico sepa escuchar bien o dar explicaciones claras. ¿Cumple este médico dichas exigencias? Si se está preocupada por los aspectos emocionales del embarazo, ¿lo está también el médico? Le preguntaremos su opinión acerca de cualquiera de los temas siguientes que nos parezcan importantes: parto natural o con anestesia o con alivio del dolor en caso necesario; lactancia natural; inducción del parto; utilización de un monitor fetal; enemas; fórceps; o cualquier otra cosa que resulte preocupante (vea *Un plan para dar a luz* en la página 364 para encontrar más puntos de discusión). De este modo se evitan las sorpresas desagradables cuando ya es demasiado tarde para volverse atrás.

Quizás lo más importante que se puede hacer en esta primera visita es permitir que el médico llegue a saber el tipo de paciente que somos. De sus respuestas podremos deducir si el especialista se encontrará cómodo con nosotras.

Es probable que la mujer desee saber también algo sobre el hospital al que está afiliado el médico. ¿Posee las características que nos resultan importantes, tales como salas de partos bien equipadas, habitaciones para dar a luz, posibilidad de alojar a la madre con el niño, sillas de partos, instalaciones adecuadas para un parto de Leboyer, una unidad de cuidados intensivos neonatales y el equipo de monitor fetal más moderno? ¿Se muestran flexibles en cuanto a las rutinas que afectan a la paciente, tales como afeitado y enemas? ¿Permiten la presencia de los hermanos durante el parto y en la sala de operaciones incluso durante una cesárea?

Antes de tomar la decisión final se debe pensar en si el médico inspira una sensación de confianza. El embarazo es uno de los viajes más importantes que la mujer hace en su vida —para él, deseará tener un capitán en el que depositar toda su confianza.

SACAR EL MÁXIMO PARTIDO DE LA RELACIÓN PACIENTE-MÉDICO

La elección del médico apropiado es sólo un primer paso. Para la gran mayoría de las mujeres, que no están dispuestas a ceder toda la responsabilidad al médico ni tampoco a asumirla toda por sí mismas, el siguiente paso es desarrollar una buena relación de trabajo con el especialista. He aquí cómo se consigue:

◆ Si entre dos visitas surge algo que puede ser importante, es mejor anotarlo en una lista (o al final de este libro en el organizador de *Qué esperar cuando se está esperando*) que se llevará a la visita siguiente. (Resulta útil colocar un par de listas en lugares convenientes —la puerta de la nevera, el monedero, la mesa de la oficina, la mesita de noche— para que siempre se encuentre una a la mano; haga una lista resumen antes de cada visita al médico.) Esta es la única manera de estar segura de recordar todas las preguntas y todos los síntomas. Y de no perder el tiempo, ni hacérselo perder al médico, al intentar recordar la pregunta que se deseaba hacer. Junto con la lista de preguntas se llevará a la consulta un bloc de notas (o el organizador para embarazadas) y un lápiz, para poder tomar notas de las indicaciones del médico. Si el médico no ofrece información voluntariamente, es necesario preguntarle antes de marcharse, para no encontrarse con confusiones una vez en casa. Se debe preguntar por cosas como los efectos secundarios de un tratamiento, el tiempo que deberá tomar el medicamento prescrito, el momento en que se deberá volver para el control de un problema. Si es posible, revise rápidamente sus notas con el doctor para asegurarse de que todo está bien.

- Aunque la embarazada no vaya a llamar al médico a cada punzada en la pelvis, ésta no deberá dudar en llamar para manifestarle las preocupaciones que no pueda resolver consultando un libro como éste, y que crea que no puedan esperar hasta la siguiente visita. No tenga miedo de que sus inquietudes parezcan tontas. A menos de que su médico acabe de salir de la facultad, las habrá oído todas antes. Esté preparada para ser muy específica en cuanto a los síntomas. Si sufre dolor, deberá precisar bien su localización, duración, calidad e intesidad (¿es un dolor agudo, sordo, de tipo retorcijón?). Si es posible, explíquele qué es lo que lo mejora o empeora –cambiar de postura, por ejemplo. Si se presenta flujo vaginal, describa el color (rojo brillante, rojo oscuro, pardusco, rosado, amarillento), cómo empezó y su intensidad. También se deberá informar de los síntomas acompañantes (tales como fiebre, náuseas, vómitos, escalofríos, diarrea). (Vea *Cuándo se debe llamar al medico*, página 177.)

- Manténgase actualizado. Pero también tenga en cuenta que no se pue-

de fiar de todo lo que lee. Cuando lea sobre alguna novedad obstétrica, no hace falta que exhiba el artículo ante su facultativo durante la siguiente visita, diciendo "Quiero esto". Es preferible que le pregunte a su médico si le otorga algún valor al nuevo procedimiento o si está de acuerdo con la nueva teoría. A menudo, los medios de comunicación informan prematuramente sobre los avances médicos antes de que se haya demostrado su inocuidad y eficacia mediante estudios controlados. Si efectivamente se ha dado un auténtico avance, puede que el médico ya esté al corriente de él o que desee informarse más. En todo caso, tanto la paciente como el médico pueden aprender algo mediante un intercambio de opiniones.

- Si se oye decir algo que no corresponde con lo que ha dicho el médico, se le preguntará su opinión acerca de ello. No de un modo provocador, sino tan sólo para obtener más información.

- Si se sospecha que el médico puede estar equivocado en algún punto (por ejemplo, dando el visto bueno a las relaciones sexuales si la paciente tiene un historial de abortos), lo mejor es decírselo. No se puede asumir que, aún con la ficha en la mano, recuerde siempre todos los aspectos de su historial médico y personal, por lo que la embarazada comparte con el médico la responsabilidad de asegurarse de que no se cometan errores.

◆ Pida explicaciones. Averigüe cuáles son los efectos secundarios de las medicinas que le prescriben. Asegúrese de saber por qué le ordenan los exámenes que le ordenan, a qué conllevan, cuáles son sus riesgos y cuándo y cómo sabrá los resultados.

◆ Si le parece que su médico no tiene el tiempo de responder a todas sus preguntas o preocupaciones, trate de darle una lista escrita. Si no es posible que usted consiga una respuesta completa en su cita, pregunte si puede obtener las respuestas que necesita por teléfono o por e-mail o con una visita más larga la próxima vez.

◆ Diga toda la verdad, no le diga a su médico cosas falsas o a medias. Asegúrese de que sepa todo: drogas que tomó, prescritas o no, incluyendo marihuana, ilegales o legales, medicinales o recreacionales. Mencione el alcohol y el tabaco que fumó o tomó recientemente o hace poco. También cuéntele de todas las enfermedades y operaciones que ha tenido. Recuerde que lo que cuente en la consulta es confidencial, nadie más podrá saberlo.

◆ No deje de lado los ultrasonidos recomendados, los exámenes o las medicinas a menos de que tenga una

> **PARA QUE NO SE LE OLVIDE**
>
> Como habrá momentos en que quiera tomar nota de su lectura, anotar un síntoma para comentárselo al doctor, hacer una anotación del peso de esta semana para compararlo con el de la próxima, en fin, anotar lo que necesite para recordarlo, encontrará páginas de notas al final de esta edición, en la página 723.

razón médica o personal muy sólida que le haga tomar esa decisión. Discuta sus razones con el médico.

◆ Siga cuidadosamente las instrucciones de cualquier procedimiento médico.

◆ Siga las recomendaciones de su médico en cuanto a las citas, el peso, el descanso, el ejercicio, las medicinas, las vitaminas, etcétera.

◆ Informe al doctor de cualquier efecto adverso de una medicina o un tratamiento, informe también de cualquier síntoma que le preocupe durante su embarazo.

◆ Cuídese usted misma, siga la dieta de las embarazadas (vea el capítulo 4), descanse bien y haga ejercicio y evite totalmente el alcohol, el cigarrillo y las medicinas y drogas que no tienen prescripción médica. Haga esto desde el día en que sepa que está embarazada, o mejor, desde el día de la concepción.

• Si tiene alguna queja (por haber tenido que esperar demasiado o por no obtener respuesta a sus preguntas), deberá airearla. De lo contrario se podría poner en peligro la relación médico-paciente.

• Las compañías de seguros generalmente sirven de mediadores entre paciente y médico cuando hay algún conflicto o alguna queja. Si tiene un problema con su doctor que no pueda resolver comunicándose con él tranquilamente, contacte a alguien de su seguro médico para que la ayuden.

Si siente que no puede seguir las instrucciones de su médico o no puede seguir el curso del tratamiento recomendado, claramente es porque tiene poca fe en la persona que escogió para cuidar de usted y de su bebé durante el embarazo y el parto. En ese caso (o si, por cualquier otra razón, su relación con su médico se viene abajo definitivamente) todo estará mejor si busca un reemplazo (asumiendo que financieramente lo pueda hacer y que su plan médico lo permita).

CAPÍTULO DOS

Ahora que estoy embarazada

Los resultados del examen ya llegaron, las noticias ya están aquí, la emoción crece y también crece la lista de preocupaciones: ¿qué efecto ejercerá mi edad o la de mi marido en el embarazo y en nuestro hijo? ¿Cómo le afectarán los problemas médicos crónicos o los problemas genéticos familiares?

¿Tienen alguna importancia nuestros modos de vida pasados? ¿Se puede repetir mi anterior historial obstétrico? ¿Qué puedo hacer para disminuir cualquiera de los riesgos que plantea mi historial?

Ahora que está embarazada buscará respuestas para estas preguntas y otras más, así que siga leyendo.

QUÉ PUEDE PREOCUPAR

EL HISTORIAL GINECOLÓGICO

"No le mencioné a mi obstetra un embarazo anterior debido a que tuvo lugar antes de que yo estuviera casada. ¿Existe alguna razón por la que hubiera debido hacerlo?"

Este es uno de los momentos en los que no debe dejar de lado su pasado. Embarazos anteriores, pérdidas de bebés, abortos, cirugías o infecciones pueden no tener un impacto en lo que pase en este embarazo, pero cualquier información que pueda proporcionar, o cualquier aspecto de su historial obstétrico o ginecológico, el médico debe saberlo. Entre más sepa el doctor de usted, mejor podrá cuidarla. Su historia será completamente confidencial. No se preocupe sobre lo que piense el médico. Su misión es ayudar a madres e hijos, no juzgarlos.

ABORTOS PROVOCADOS PREVIOS

"He sufrido dos abortos provocados. ¿Afectará ello a este embarazo?"

Todo es cuestión de tiempo, los abortos que se tuvieron durante el primer trimestre de embarazo no deberían tener ninguna repercusión en los embarazos siguientes, así que si sus abortos se hicieron antes de la semana catorce, lo más probable es que no tenga nada de qué preocuparse. Parece ser que haber sufrido

---

ESTE LIBRO ES PARA USTED

Mientras lee *Qué esperar mientras se está esperando*, notará muchas referencias a relaciones tradicionales familiares (como "esposas", "esposos", "maridos"). Estas referencias no quieren excluir a aquellas madres (y familiares) que no son tan tradicionales, por ejemplo los solteros, las parejas del mismo sexo, o los que escogieron no casarse. Estos términos que utilizamos son más bien para evitar frases más largas, como por ejemplo "su esposo o su compañero de vida", y más difíciles de leer. Nuestra meta es que usted mentalmente cambie la palabra por la que mejor le convenga y por la que mejor se adapte a su situación.

---

múltiples abortos durante el segundo trimestre (14 a 26 semanas), no obstante, hace aumentar el riesgo de tener un parto prematuro. Si la paciente sufrió los abortos después del tercer mes, deberá consultar la página 358 para reducir los riesgos de un parto prematuro.

En cualquier caso, deberá asegurarse de que su obstetra sepa lo de los abortos. Cuanto más familiarizado él éste con el historial obstétrico de la paciente, mejores cuidados recibirá la futura madre.

EL HISTORIAL OBSTÉTRICO SE REPITE

"Mi primer embarazo me resultó muy incómodo —debí experimentar todos los síntomas de este libro. ¿Volveré a tener tan mala suerte?"

En general, el primer embarazo resulta una buena forma de predecir los siguientes. Así, la paciente que hace esta pregunta tiene menos probabilidades de disfrutar de un embarazo fácil que una mujer que ya lo ha tenido. No obstante, siempre existe la esperanza de que su suerte cambie para mejorar. Todos los embarazos, al igual que todos los bebés, son diferentes. Si, por ejemplo, el primer embarazo estuvo lleno de mareos matutinos y de caprichos alimentarios, puede que durante el segundo casi ni se noten (o viceversa, desde luego). Mientras que el azar, la predisposición genética y el hecho de que la mujer haya experimentado ciertos síntomas antes tienen mucho que ver con que su embarazo sea fácil o incómodo, otros factores, incluyendo algunos que están bajo su propio control, pueden alterar el pronóstico hasta cierto punto. Dichos factores son:

Estado general de salud. Estar en buenas condiciones físicas constituye un buen punto de partida para tener un embarazo fácil. Sería ideal que la mujer cuidara de sus problemas crónicos (alergias, asma, problemas de espalda) y resolviera infecciones persistentes (tales como las del aparato urinario o la vaginitis) antes de la concepción. Una vez que esté embarazada, deberá continuar cuidándose.

Dieta. Aunque no puede garantizarse, el seguimiento de la dieta para embarazadas (vea el capítulo 4) proporciona a toda mujer embarazada las mejores posibilidades de tener un embarazo fácil. No sólo puede evitar o minimizar las molestias de los mareos matutinos y la indigestión, sino que puede ayudar a luchar contra una fatiga excesiva, combatir el estreñimiento y hemorroides, prevenir las infecciones del aparato urinario y la anemia por deficiencia de hierro, así como los calambres en las piernas. (E incluso si de todos modos el embarazo de vuelve incómodo, la embarazada habrá dotado a su bebé de las mejores posibilidades de desarrollarse bien y de nacer con salud.)

Aumento de peso. Ganar peso de forma escalonada y mantener el aumento dentro de los límites recomendados (entre 1 y 16 kilos) puede aumentar las posibilidades de evitar o bien minimizar inconvenientes como las hemorroides, las venas varicosas, las estrías, el dolor de espalda la fatiga, la indigestión y las dificultades respiratorias.

Ejercicio. Con el ejercicio adecuado y en cantidad suficiente (vea la página 258 para las directrices) se puede contribuir a mejorar el bienestar general de la embarazada. El ejercicio es especialmente importante durante el segundo embarazo y los siguientes, debido a que la musculatura abdominal tiende a estar más laxa, haciendo a la mujer más susceptible a diversos tipos de dolores, sobre todo al lumbar.

Ritmo de vida. Llevar un ritmo de vida frenético, como el de muchas mujeres de hoy en día, puede agravar, o a veces incluso provocar, uno de los síntomas de embarazo más incómodos –los mareos matutinos– y exacerbar otros como la fatiga, el dolor de espalda y la indigestión. Tener alguna ayuda para las tareas de la casa, hacer más pausas lejos de todo lo que agote los nervios de la embarazada (incluyendo los demás niños, si los tiene), reducir las responsabilidades del trabajo, o dejar las tareas que no sean prioritarias para después, podría proporcionar algún alivio (vea la página 171 para más consejos).

Los demás niños. Algunas mujeres embarazadas que tienen otros niños en casa notan que cuidar de sus hijos las mantiene tan ocupadas que apenas tienen tiempo de percibir las molestias del embarazo, más o menos importantes. No obstante, para muchas otras, tener uno o dos niños mayores tiende a agravar los síntomas del embarazo. Por ejemplo, el mareo matinal puede aumentar durante los momentos de tensión (las prisas para ir al colegio o para servir la comida en la mesa, por ejemplo); la fatiga puede aumentar porque no parece que haya tiempo para descansar; los dolores de espalda pueden agravarse si no tiene oportunidad de ir al baño en el momento en que siente la necesidad. También es más probable que se enferme de gripa o de otras enfermedades que se le peguen de su hijo mayor (para lidiar y prevenir estas enfermedades, vea el capítulo 18).

¿Cuál es la clave para que pueda manejar su embarazo con un hijo mayor? Busque más tiempo para cuidar de sí misma. Aproveche cualquier ayudante en potencia que pueda encontrar (pagado o voluntario) que aligere su carga y le ayude a tener más tiempo libre.

"Mi primer embarazo fue duro, con diversas complicaciones serias. Ahora que estoy de nuevo embarazada, estoy muy nerviosa".

Que un embarazo haya sido complicado no significa que el siguiente haya de serlo. A menudo, una mujer que ha tenido que aguantar un gran temporal la primera vez, es recompensada la siguiente con una gran calma. Si las complicaciones fueron causadas por un hecho puntual, tal como una infección o un accidente, no es probable que vuelvan a presentarse. Tampoco lo harán si fueron provocadas por un estilo de vida que la embarazada ha cambiado esta vez (como por ejemplo fumar, beber o consumir drogas), por estar expuesta a un peligro ambiental (tal como el plomo) al que ya no lo está, o por no haber solicitado ayuda médica al inicio del embarazo (si esta vez la mujer sí lo ha hecho).

Si la causa fue un problema de salud crónico, tal como la diabetes o la hipertensión, si se corrige o controla la situación desde antes del embarazo o al iniciarse éste, los riesgos de que se repitan las complicaciones quedarán notablemente reducidos.

Si la embarazada sufrió una complicación específica durante el primer embarazo, que desea evitar la segunda vez, sería una buena idea que discutiera de ello con el médico para ver lo que se puede hacer para prevenirla. No importa cuál fuera el problema o sus causas (incluso si fue etiquetado como "de causa desconocida"), los consejos que hemos dado en respuesta a la pregunta anterior podrán ayudar a que su embarazo sea más cómodo y seguro, tanto para la madre como para el bebé.

"Con mi primer hijo, tuve un embarazo muy cómodo y sin complicaciones. Por ello, la dilatación, que duró 42 horas y las 5 horas del parto constituyeron una conmoción para mí. ¿Es esto mismo lo que me voy a encontrar de nuevo?

Relájese, disfrute del embarazo y aparte los pensamientos sobre otro parto difícil. El segundo parto y los siguientes son, a menos que el feto esté en una posición incorrecta o se presente alguna otra complicación imprevista, casi siempre más fáciles que el primero, gracias a que el útero es más experto y el canal del parto está más laxo. Todas las fases del parto tienden a ser más cortas, y las veces que se ha de pujar son muchísimas menos.

EMBARAZOS DEMASIADO SEGUIDOS

"Quedé embarazada de mi segundo hijo a las 10 semanas justas de haber tenido el primero. Me preocupa el efecto que esto pueda tener sobre mi salud y sobre el niño que espero".

Una nueva concepción antes de que el cuerpo se haya recuperado totalmente de un embarazo y un parto recientes constituye ya un esfuerzo suficiente para que además se le añadan los efectos debilitantes de la inquietud. Por consiguiente, lo primero es *tranquilizarse*. Aunque la concepción durante los tres primeros meses de posparto es rara (casi un milagro si el bebé es alimentado exclusivamente al pecho), ha cogido por sorpresa a más de una mujer. Y la mayoría han dado a luz a bebés normales y sanos, sin un importante desgaste para ellas mismas.

De todos modos, es necesario tener conciencia del precio que pueden cobrarse dos embarazos demasiado seguidos y hacer todo lo posible para compensarlo. La concepción dentro de los tres primeros meses después de un parto coloca al nuevo embarazo en la categoría de alto riesgo, lo que en este caso no es de tan mal agüero como parece, particularmente si se recibe el cuidado apropiado y se toman las precauciones indicadas. Estas incluyen:

- La mejor atención prenatal, que deberá empezar tan pronto se sospe-

che de un embarazo. Al igual que en cualquier embarazo de alto riesgo, lo mejor es probablemente acudir a un obstetra o bien a una enfermera partera que ejerza con un obstetra. Se deben seguir escrupulosamente las órdenes del médico y no saltarse ninguna visita.

- Seguir la dieta para embarazadas (vea el capítulo 4), si no religiosamente, por lo menos con fidelidad. Es posible que el cuerpo de la embarazada no haya tenido oportunidad de reconstruir sus reservas y que ésta se encuentre, incluso algún tiempo después del parto y particularmente si está amamantando, en desventaja en cuanto a la nutrición. Por lo tanto deberá procurarse una compensación alimenticia para asegurarse de que tanto ella como el bebé que lleva en su seno no sufran carencias. Hay que poner especial atención en las proteínas (ingerir al menos 100 g o cuatro raciones diarias de la dieta ideal) y el hierro (se debería tomar un suplemento).

- Un aumento de peso suficiente. Al nuevo feto no le interesa en absoluto si su madre ha perdido ya o no los kilos de más que le quedaron tras el parto de su hermanito. Tanto la madre como el futuro hijo necesitan el mismo aumento de peso de 9-14 kilos durante este embarazo. Por consiguiente, no se deberá pensar en perder peso, ni tan siquiera en los primeros meses. Un aumento gradual de peso, cuidadosamente controlado será relativamente fácil de solucionar de nuevo después del parto, particularmente si se consiguió mediante una dieta de la mejor calidad y especialmente si la mujer debe cuidarse de dos niños. Además, la madre deberá asegurarse de que la falta de tiempo o energías no le impidan comer lo suficiente. Alimentar y cuidar al niño que ya tiene no deberían evitar que ella alimentara y cuidara al que aún no ha nacido. Hay que vigilar cuidadosamente el aumento de peso, y si éste no progresa como debiera (vea la página 215).

◆ Compartir el alimento de manera justa. Si está amamantando a su hijo mayor, puede seguir haciéndolo el tiempo que quiera si se siente bien. Si se siente exhausta puede suplementar con fórmula o destetar al niño completamente. Discuta las opciones con su médico. Si decide continuar amamantando, asegúrese de obtener calorías extras para poder alimentar tanto a su bebé como al feto (de quinientas a ochocientas calorías extras diarias), también asegúrese de tomar las dosis necesarias de proteínas (cinco servidas) y fluidos (una taza cada hora durante las horas en que está despierta). También necesitará mucho descanso.

Para mayor información, puede leer *El primer año del bebé.*

◆ Descansar —más de lo que sea humanamente posible (sobre todo para una madre reciente). Esto exigirá toda la determinación de la mujer, pero también la ayuda del marido y posiblemente incluso de otras personas. Hay que establecer prioridades: dejar sin hacer el trabajo o los quehaceres domésticos menos importantes, y obligarse a recostarse cuando el bebé está durmiendo entre horas. Dejar que el padre se ocupe de la alimentación del bebé durante la noche, así como de gran parte del trabajo de la cocina, de la casa y de los cuidados del bebé (en particular las tareas que exigen levantar al bebé).

◆ Ejercicio —sólo el necesario— para mantener la línea y relajarse, pero no tanto como para sobrecargarse. Si la embarazada no tiene tiempo suficiente para practicar los ejercicios para embarazadas con regularidad, deberá integrar la actividad física a las tareas diarias con el bebé. Lo llevará a dar un paseo activo en el cochecito o en una mochila para transportar bebés. O bien se inscribirá en un curso de gimnasia para embarazadas o nadará en un club que ofrezca servicio de guardería. No obstante, deberá evitar el *jogging* o cualquier otro tipo de ejercicio extenuante.

◆ Eliminar o minimizar todos los demás factores de riesgo del embarazo, tales como el alcohol o el tabaco. El cuerpo de la embarazada y el bebé no deberían verse sujetos a ningún factor de estrés adicional.

LA SEGUNDA VEZ

"Este es mi segundo embarazo. ¿En qué será diferente al primero?"

Como ningún embarazo es exactamente igual, no hay manera de predecir cuáles serán las diferencias (o cuales las similitudes) de estos nueve meses. Sin embargo existen algunas generalidades que parecen ciertas acerca del segundo embarazo y los que sigan, al menos la mayoría de las veces. Como todas las generalidades, ninguna va a ser cierta todo el tiempo:

◆ Probablemente se "sienta" embarazada antes. Muchas de las embarazadas por segunda vez están más atentas a los síntomas del embarazo y son más aptas para reconocerlos. Los síntomas pueden cambiar de un embarazo a otro, puede que sienta menos o más náuseas por la mañana, puede que sienta más o menos indigestión o problemas de estómago. A lo mejor se siente más cansada (especialmente si durante el primer embarazo pudo dormir siestas pero ahora rara vez puede sentarse) o menos cansada (probablemente por-

que está muy ocupada para darse cuenta de cuán cansada está realmente o porque está muy acostumbrada a estar cansada). A lo mejor tiene más ganas de ir al baño o menos (aunque es probable que aparezcan antes).

Algunos síntomas que son típicamente menos pronunciados en el segundo embarazo y los que siguen, son: ansiedad y aversión, dolor y sensibilidad de pechos y preocupación (como usted ya pasó por eso, como usted ya lo hizo y vivió para contarlo, es menos probable que el embarazo le produzca pánico).

◆ Se "verá" embarazada antes. Gracias a que sus músculos abdominales y uterinos ahora son más blandos, seguramente se dará cuenta de que está embarazada antes que la primera vez. También notará que maneja a su bebé de manera diferente a como lo hizo con su primer hijo. El bebé número dos (o número tres, o cuatro) puede que sea más grande que el que nació primero, así que tendrá más que cargar. Otro resultado potencial de tener los músculos más blandos es que el dolor de espalda y otros dolores típicos del embarazo pueden disminuir.

◆ Sentirá los movimientos antes. Es algo que debe agradecerle a los músculos blandos. Es muy probable que sienta las patadas de su bebé antes que la vez pasada, más o menos a la semana dieciséis o dieciocho, también sabrá que se trata de una patada cuando la sienta porque ya lo ha vivido.

- Es probable que no se sienta tan emocionada. Claro que está dichosa de estar otra vez embarazada, pero seguramente notará que el nivel de emoción (y esa compulsión de contarle a todo el mundo que está en cinta) no es tan alto ahora. Esta es una reacción completamente normal (ya ha pasado por este proceso) y de ninguna manera afecta el amor que siente por el bebé.

- Probablemente tendrá un trabajo de parto más suave y más fácil. Esa es la mejor parte de haber dejado ablandar esos músculos. Todas las partes que se ablandaron (particularmente las que tienen que ver con el nacimiento del niño), combinadas con la experiencia que ahora tiene su cuerpo, pueden ayudar a que el proceso sea más rápido con el segundo bebé. Cada una de las fases del trabajo de parto será seguramente más corta y el tiempo en que tenga que pujar será seguramente menor (esto sucede, por supuesto, si no existen circunstancias complicadas como una mala posición del bebé).

- Seguramente se pregunta cómo debe decirle al bebé número uno que va a llegar un bebé número dos. Durante el embarazo debe preparar al niño para decirle esto de manera realista y enfática, recuerde que lo que le diga debe ser en proporción a la edad del niño, es un cambio de vida, una transición de único hijo a segundo hijo, por eso debe empezar a contarle desde que sepa que está embarazada. Para mayor información consulte los libros: *El primer año del bebé* y *Qué esperar en los años de infancia*. También puede preparar a su hijo leyén-dole los libros: *Qué esperar cuando mamá va a tener un bebé* y *Qué esperar cuando el nuevo bebé llegue a casa*.

"Tuve un primer bebé perfecto, ahora que estoy embarazada otra vez, no puedo evitar el miedo de sentir que no voy a tener tanta suerte ahora"

Las probabilidades de tener otro bebé perfecto son excelentes. Una madre que ha tenido un bebé "perfecto" no solamente tiene las probabilidades de tener otro hijo igual sino que sus posibilidades son mayores de las que tuvo la primera vez. Con cada embarazo que siga, suben las probabilidades de tener hijos "perfectos" ya que está eliminando mucho de lo negativo: fumar, tomar alcohol, consumir drogas. Y está aumentando mucho de lo positivo: una dieta adecuada, ejercicio y cuidado médico.

TENER UNA
FAMILIA NUMEROSA

"Estoy embarazada por sexta vez. ¿Constituye esto un riesgo adicional para mi bebé y para mí?"

Una teoría médica consagrada mantenía que la práctica en dar a luz no sólo no hacía perfecta, sino que podía hacer imperfecta. Durante mucho tiempo se ha creído en los círculos médicos que las mujeres que tenían cinco hijos o más ponían cada vez más en peligro tanto a sus bebés como a sí mismas con cada embarazo. Esto pudo haber sido cierto antes de los avances de los cuidados obstétricos modernos –y probablemente hoy en día también es cierto en el caso de las mujeres que reciben cuidados inadecuados– pero el hecho es que las mujeres que reciben buenos cuidados prenatales tienen excelentes posibilidades de tener bebés normales y sanos incluso en los embarazos quinto y posteriores. En un estudio reciente, el único riesgo que se descubrió que aumentaba durante el quinto embarazo y los siguientes era un pequeño aumento en la incidencia de nacimientos múltiples (mellizos, trillizos, etcétera.) y de bebés que presentaban la trisomía 21, un trastorno cromosómico (aunque todavía no es claro si esto tiene que ver con la edad de la madre o el número de embarazos que haya tenido).

Por lo tanto, esta mujer debe disfrutar de su embarazo y de su gran familia, aunque tomando unas pocas precauciones:

- Tener en cuenta la posibilidad de hacerse un test prenatal si tiene 30 años de edad o más (mejor que esperar a tener 35), ya que la incidencia de descendientes con problemas cromosómicos parece que aumenta antes en las mujeres con muchos embarazos.

- Asegurarse de tener toda la ayuda de la que pueda disponer o que se pueda pagar. Dejar los quehaceres no esenciales durante el embarazo. Enseñar a los niños mayores a ser autosuficientes (incluso los niños que empiezan a andar pueden vestirse o desnudarse solos, recoger juguetes, etcétera.) Quedar exhausta es malo para cualquier embarazada, y especialmente para las que tienen que cuidar de una gran familia.

- Vigilar el peso. No es raro que las mujeres que han pasado por varios embarazos vayan ganando unos pocos kilos más con cada bebé. Si así fuera, se deberá ser particularmente cuidadosa en comer eficientemente y en no ganar demasiado peso. El sobrepeso hace aumentar algunos riesgos, particularmente el de tener un parto difícil, y podría complicar un parto por cesárea y su recuperación. Por otra parte, la embarazada deberá asegurarse de no estar tan ocupada como para no comer lo suficiente para ganar bastante peso.

REPETICIÓN DE LAS CESÁREAS

"No puedo tener un parto vaginal porque mi pelvis presenta una forma anormal. Deseo tener seis hijos como los tuvo mi madre, ¿existe un límite en el número de cesáreas que una mujer puede tener?"

El tamaño de su pelvis no afecta necesariamente el tamaño de su familia. Hoy en día no existe un límite en el número de cesáreas que una mujer puede hacerse, de hecho es una opción más segura de lo que era antes. Todo depende del tipo de incisión que le hayan practicado, ahí radica la seguridad y en las cicatrices que tenga después de la cirugía. Discuta esta preocupación con su obstetra, porque solamente alguien muy familiarizado con su historia clínica, puede predecir si hay algún factor que le impida tener una gran familia.

Si la mujer ha sufrido múltiples cesáreas, debido a las numerosas cicatrices podría darse un incremento del riesgo de rotura uterina causada por las contracciones. Por ello, debería estar particularmente pendiente de los posibles signos de que se acerca el parto (contracciones, pérdidas, rotura de membranas; vea la página 438) en los últimos meses del embarazo. Si estos se dieran, hay que informar al médico o acudir al hospital de inmediato. También se le debería comunicar en *cualquier* momento del embarazo la existencia de pérdidas o de dolor abdominal persistente inexplicable.

PARTO VAGINAL DESPUÉS DE UNA CESÁREA

"Tuve a mi último bebé por cesárea, estoy embarazada otra vez y quiero saber cuáles son las posibilidades de tener un parto vaginal."

Hasta hace muy poco una realidad obstétrica era: "una vez con cesárea, siempre con cesárea", esto aplicaba también para mujeres que habían tenido uno o más partos con cirugías. Ahora se sabe que, para la mayoría de las mujeres, las cesáreas repetidas no se consideran rutinarias y que el parto vaginal después de una cesárea generalmente vale la pena, al menos bajo las circunstancias correctas. La experiencia demuestra que el 60% de las mujeres que han tenido cesárea pueden tener un parto normal y pueden tener un parto vaginal las siguientes veces. Incluso las mujeres que han tenido más de una cesárea o que esperan gemelos pueden dar a luz por parto vaginal, siempre y cuando se tomen las medidas necesarias.

Si usted es una buena candidata para el parto vaginal, dependerá del tipo de incisión que le hayan practicado en su cesárea y de la razón por la que su bebé nació bajo cirugía. Si tiene una incisión uterina profunda y transversal (a través de la parte baja del útero) como el 95%

de las mujeres de hoy, la probabilidad de tener un parto vaginal es alta; si tiene la incisión vertical clásica (en la mitad del útero), como se usaba anteriormente y todavía en algunos casos se necesita, probablemente no podrá tener un parto vaginal debido al riesgo de ruptura del útero. Si la razón de su cirugía no es algo que se pueda repetir (agotamiento fetal, separación prematura de la placenta, infección, preeclampsia), es muy posible que pueda tener un parto vaginal. Si se trató de una enfermedad crónica (diabetes, hipertensión, problemas del corazón) o de un problema incorregible (una pelvis contraída, por ejemplo), seguramente necesitará otra cesárea. No se confíe de lo que recuerda de su cesárea para determinar qué tipo de incisión le practicaron, vaya a ver a su médico y revisen los registros médicos de su parto anterior.

Si el deseo de tener un parto vaginal esta vez es muy fuerte, y si su historia médica o su obstetra no la descalifican inmediatamente, discuta las posibilidades con su médico desde ahora. También es bueno que discuta (y que su médico esté de acuerdo) un estudio reciente que reabre el argumento de las cesáreas repetidas rutinariamente. Existieron algunos doctores que apoyaron el parto vaginal en el pasado y que ahora están replanteando su postura. El estudio muestra un riesgo mayor de ruptura del útero y otras complicaciones entre las mujeres que tuvieron partos vaginales después de una cesárea, el riesgo era tres veces mayor cuando el parto era espontáneo, cinco veces mayor cuando se inducía el parto sin prostaglandinas y quince veces mayor cuando era inducido con prostaglandinas. De todas maneras, el riesgo relativo de esas complicaciones durante el parto vaginal, aunque era estadísticamente significativo, era bajo: aproximadamente cinco de cada mil mujeres que tuvieron partos espontáneos y aproximadamente veinticuatro de cada mil mujeres que fueron inducidas con prostaglandinas en el parto. Algunas mujeres sacarán la conclusión (después de hablarlo con su médico) de que los riesgos de un parto vaginal no valen la pena y que es mejor someterse de nuevo a una cesárea. Otras mujeres pensaran que definitivamente el parto vaginal es la opción ya que los riesgos de problemas potenciales son bajos si se evita la inducción.

Para que el parto vaginal sea todo un éxito, debe tener el apoyo total del doctor, y tener claro que su papel para asegurar un parto sano también es importante. Para esto, usted debe:

◆ Asegurarse de que su doctor tiene los detalles de su cesárea pasada.

◆ Estar informada. Aprender todo lo que pueda sobre el parto vaginal, incluyendo sus opciones. Puede obtener información de distintas organizaciones y de su médico.

- Tomar algunas clases de educación al respecto y tomarlas seriamente para que pueda tener un parto lo más eficiente posible para minimizar el estrés en su cuerpo.

- Tratar de tener a su bebé en un hospital completamente equipado y dotado para emergencias de cesáreas por si se necesitara.

- Pedirle al doctor que, de ser posible, evite las prostaglandinas u otros estimulantes hormonales para inducir el parto. Tenga en cuenta que si su parto termina por necesitar inducción, su médico puede dejar de lado el parto vaginal por su seguridad.

- Hablar con su médico acerca de la medicina contra el dolor, decidir si la quiere o no. Algunos médicos limitan este medicamento durante el parto vaginal para evitar ocultar los signos de una ruptura. De todas maneras los estudios demuestran que la epidural es segura en los partos vaginales si están monitoreados constantemente.

- Asegurarse de que su doctor estará con usted durante todo el parto para monitorear los riesgos potenciales.

Sus posibilidades de tener un parto vaginal seguro y normal son buenas, especialmente si se toman las medidas correctas. Incluso las mujeres que nunca han tenido una cesárea tienen un 20% de probabilidades de necesitar una.

Así que no se decepcione si, a pesar de sus mejores esfuerzos (y los de su médico) debe repetir una cesárea. Después de todo, lo más importante es procurar el nacimiento más seguro para ese maravilloso bebé.

Tampoco se sienta culpable si decide desde antes (con el consentimiento de su médico) que quiere someterse a una segunda cesárea en lugar de tener un parto vaginal. Un tercio de todas las cesáreas se repiten y muchas se hacen por petición de la madre. Otra vez, lo que importa es lo que es mejor para su bebé y para usted.

OBESIDAD

"Peso unos 25 kilos de más. ¿Correremos mi bebé y yo más riesgos durante el embarazo".

La mayoría de madres con sobrepeso* y sus bebés pasan por el embarazo y el parto sanos y salvos. Sin embargo, los riesgos para la salud se multiplican al mismo tiempo que los kilos, ya sea durante el embarazo o fuera de él. El riesgo de hipertensión y de diabetes, por ejemplo, aumenta cuando el peso es excesivo, y ambas pueden complicar el embarazo (en forma de preeclampsia y diabetes gestacional). Determinar con exactitud la edad del feto puede ser dificultoso,

---

* Las definiciones varían, pero generalmente una mujer se considera obesa si su peso es 20% mayor del peso ideal y se considera muy obesa si su peso es 50% mayor del peso ideal.

debido a que en las mujeres obesas la ovulación suele ser errática y a que uno de los criterios que tradicionalmente usan los médicos para estimar la fecha de la concepción (la altura del fondo del útero, el tamaño de éste) pueden quedar enmascarados por las capas de grasa. Un abdomen con demasiada grasa también puede hacer imposible que el médico determine manualmente el tamaño y posición del feto, por lo que podría ser necesario aplicar procedimientos tecnológicos para evitar sorpresas durante el parto. Y pueden presentarse complicaciones en este si el feto es mucho mayor que el tamaño promedio, lo que a menudo sucede cuando la embarazada es una obesa (aunque no haya comido demasiado durante el embarazo). Finalmente, si se precisara una cesárea, el gran volumen abdominal podría complicar tanto el proceso quirúrgico como la recuperación.

La buena noticia es que, como con otros embarazos de alto riesgo, las medicinas y el cuidado pueden minimizar los riesgos que atañen tanto a la madre como al hijo. Desde un buen principio la embarazada obesa tendrá que pasar más pruebas que las embarazadas de bajo riesgo: una ecografía al principio para datar el embarazo con mayor exactitud, y más tarde para determinar el tamaño y la posición del feto; al menos un test de tolerancia a la glucosa o para eliminar la posibilidad de una diabetes gestacional, probablemente al final del segundo trimestre; y hacia el final del embarazo, se pueden practicar otros exámenes de diagnóstico para monitorear la condición de su bebé.

Los cuidados que tendrá la propia madre también son importantes. Su médico probablemente le habrá advertido que no fume y que reduzca todos los demás riesgos para el embarazo que ella misma pueda controlar. Se le habrá avisado que se ponga a régimen, pero que tampoco gane demasiado peso. La mayoría de las veces, las mujeres obesas pueden ganar menos que los 11 a 15 kilos recomendados sin que ello tenga efectos adversos sobre el peso o la salida de sus fetos. Pero su dieta más baja en calorías debe contener por lo menos 1.800 diarias y estar dotada de alimentos con gran cantidad de vitaminas, minerales y proteínas (véase *La dieta de la embarazadas* en el capítulo 4). En este caso es especialmente importante tener en cuenta todo lo que se come, y tomar un suplemento de vitaminas y minerales para embarazadas. Hacer ejercicio con regularidad, dentro de las líneas dictadas por el médico, también ayudará a mantener el aumento de peso controlado, sin tener que reducir drástica-mente la ingestión de alimentos.

Para el siguiente embarazo, si es que desea otro hijo, la mujer obesa deberá intentar estar lo más cerca posible del peso ideal antes de la concepción. Así su embarazo será más fácil.

INCOMPATIBILIDAD DE RH

"Mi doctor dice que mis exámenes de sangre muestran que soy Rh negativo. ¿Qué significa esto para la salud de mi bebé"

Significa que hay problemas potenciales, pero afortunadamente son problemas que se pueden prevenir fácilmente. Un poco de biología le ayudará a entender por qué.

Cada célula del cuerpo tiene numerosos antígenos, o estructuras de antena, en su superficie, uno de esos antígenos es el factor Rh. Todos heredamos células sanguíneas que tienen el factor Rh (lo que hace a la persona Rh positiva) o que no lo tienen (lo que hace a las personas Rh negativo). En un embarazo, si las células sanguíneas de la madre no tienen el factor Rh (ella es Rh negativo) y las células sanguíneas del feto si lo tienen (lo que hace al bebé Rh positivo), el sistema inmunológico de la madre reconocerá al feto (y a sus células sanguíneas Rh positivo) como un "extranjero". En una respuesta inmune normal, su sistema movilizará ejércitos de anticuerpos para atacar al "extranjero". Esto se conoce como incompatibilidad de Rh.

A todas las mujeres embarazadas se les hace un examen de factor Rh al principio, generalmente en la primera cita prenatal. Si la mujer resulta Rh positivo, como el 85% de las mujeres, el tema de la incompatibilidad se termina porque no importa si el feto es Rh positivo o Rh negativo, no existen antígenos extranjeros en las células sanguíneas del feto, así que el sistema inmunológico de la madre no tendrá que movilizarse.

Cuando el factor de la madre resulta Rh negativo, como usted, se le hace un examen al papá del bebé para determinar si es Rh positivo o negativo. Si su esposo resulta Rh negativo, el feto también será Rh negativo (ya que dos papás negativos no pueden tener un bebé positivo), lo que significa que su cuerpo no lo reconocerá como "extranjero". Pero si su esposo es Rh positivo, es posible que el feto herede el factor Rh de su padre y así se cree la incompatibilidad entre el bebé y usted.

Esta incompatibilidad ni siquiera es un problema potencial en el primer embarazo, el problema empieza si llega a entrar un poco de la sangre del bebé al sistema circulatorio de la madre durante el parto (o durante un aborto o pérdida de un bebé). El cuerpo de la madre, en esa respuesta inmune natural de protección, produce anticuerpos contra el factor Rh. Los anticuerpos por sí solos son inofensivos, hasta que queda embarazada otra vez de un bebé Rh positivo. Durante ese segundo embarazo, estos nuevos anticuerpos pueden cruzar la placenta, llegar al sistema circulatorio del bebé y atacar los glóbulos rojos. Esto puede causar daños leves (si los niveles de anticuerpos de la madre son bajos) o daños muy serios (si son altos) como anemia en el feto. Es muy raro el caso en que estos anticuerpos formados en el primer embarazo, en reacción con la sangre del feto, salgan de la placenta al sistema circulatorio de la madre.

Cuando existe incompatibilidad de Rh, lo mejor que se puede hacer para proteger al feto, es evitar el desarrollo de anticuerpos Rh. La mayoría de los médicos utilizan lo siguiente: a las veintiocho semanas, a una mujer embarazada, Rh negativo, se le pone una inyección de globulina Rh-inmune, conocida como Rhogam, para evitar la formación de anticuerpos. Se administra otra dosis 72 horas después del parto si los exámenes de sangre muestran que el feto es Rh positivo. Si el bebé es Rh negativo, no se necesita ningún tratamiento. El Rhogam también se administra después de la pérdida de un bebé, después de un embarazo ectópico, un aborto, aminocentesis, sangrado uterino o un trauma durante el embarazo. La ingesta de este medicamento puede ser un problema serio en embarazos futuros.

Si a una mujer Rh negativo no le dieron Rhogam durante su embarazo anterior y los exámenes muestran que desarrolló anticuerpos Rh capaces de atacar a un feto Rh positivo, se puede utilizar la aminocentesis para ver el tipo de sangre del feto. Si es Rh negativo, la madre y el niño tienen tipos de sangre compatibles y no hay de qué preocuparse ni se necesita tratamiento. Si es Rh positivo y por lo tanto incompatible con el tipo de

sangre de la madre, los niveles de anticuerpos maternos deben monitorearse regularmente. Si los niveles se vuelven peligrosamente altos, se harán exámenes para saber la condición del feto. Si en algún momento la seguridad del bebé se ve comprometida por que se desarrolló alguna enfermedad hemolítica o de Rh, probablemente se necesitará una transfusión de sangre Rh negativa hacia el feto. Cuando la incompatibilidad es severa, lo que es raro, la transfusión puede hacerse mientras el feto todavía está en el útero. Pero lo más común es que se pueda esperar hasta inmediatamente después de que la madre de a luz. En casos leves, cuando los niveles de anticuerpos son bajos, es probable que no se necesite una transfusión. Pero los doctores deben estar listos para hacerla si se necesitara después del parto.

El uso del Rhogam ha disminuido gratamente la necesidad de transfusiones en embarazos con incompatibilidad de Rh a menos del 1% y en el futuro este procedimiento se verá como un milagro médico del pasado.

Otra incompatibilidad similar puede aparecer con otro factor en la sangre, el antígeno Kell, (otra de las "antenas" que se encuentran en las células de la sangre), aunque es mucho menos común que la incompatibilidad de Rh. Si el padre tiene el antígeno y la madre no lo tiene, existen problemas potenciales. Un chequeo estándar, como parte del primer examen de sangre rutinario, busca la presencia de anticuerpos anti-Kell circulando en la sangre de la madre. Si se encuentran los anticuerpos anti-Kell, se le hace un examen al padre del bebé para saber si él es Kell-positivo, en caso de que lo sea, el procedimiento es el mismo que se sigue si hay incompatibilidad de Rh.

LA MADRE SOLTERA

"Soy soltera, estoy embarazada y muy contenta de estarlo —pero también estoy un poco nerviosa por tener que pasar por esto yo sola".

El solo hecho de no tener un marido no significa que tenga que pasar el embarazo sola. El tipo de apoyo que la mujer precisa puede provenir de otras fuentes aparte del esposo. Un buen amigo o un pariente al que se sienta muy unida y muy cómoda con él (la madre, una tía, hermana o prima) puede intervenir y echarle una mano, tanto emocional como físicamente, durante todo el embarazo. Esta persona puede hacer el papel del padre de muchas formas durante los nueve meses y más adelante —acompañándola a las visitas prenatales y a las clases de educación para el parto, prestándole oídos cuando precise hablar sobre sus preocupaciones y miedos así como sus jubilosas esperanzas, ayudándola a tener lista tanto su casa como su vida para el recién llegado y haciendo de tutor, apoyo y abogado durante la dilatación y el parto.

Hay algo que las futuras madres solteras deberían tener en cuenta al leer este libro: las numerosas referencias al "marido" o "futuro padre" no se han concebido para excluirlas. Debido a que la mayoría de nuestras lectoras forman parte de una familia tradicional, es más fácil usar estos términos que tratar de incluir todas las demás posibilidades existentes. Esperemos que estas mujeres lo comprendan, y que al leer este libro sientan que está dedicado tanto a ellas como a las futuras madres casadas. También puede considerar la posibilidad de acudir a un grupo de ayuda para madres solteras durante y después del embarazo.

TENER UN BEBÉ DESPUÉS DE LOS 35

"Tengo 38 años y estoy embarazada de mi primer —y probablemente último— bebé. Me parece importantísimo que sea sano, pero he leído muchas cosas acerca de los riesgos de un embarazo después de los 35".

Un embarazo después de los 35 años la pone a una en buena y creciente compañía. Mientras que la tasa de embarazos ha descendido entre las mujeres de menos de 30 años, ha aumentado extraordinariamente entre las que tienen más de 35. Y aunque el número de bebés que nacen de mujeres de cuarenta años es relativamente bajo, las estadísticas se han doblado en los últimos años.

Si uno ha vivido durante más de 35

años, sabe que no hay nada en la vida que esté exento de riesgos. Es evidente que el embarazo, a cualquier edad, no lo está. Y aunque hoy en día los riesgos son muy pequeños, aumentan ligeramente al hacerlo la edad. Pero la mayoría de las madres maduras opinan que los beneficios de iniciar una familia en el momento que les resulte apropiado superan ampliamente los riesgos. Estas mujeres se sienten animadas por el hecho de que los nuevos descubrimientos médicos reducen casi a diario estos riesgos.

El principal riesgo reproductivo al que puede enfrentarse una mujer de este grupo de edad es el de no quedar embarazada debido a un descenso de la fertilidad. Una vez haya superado este obstáculo y haya concebido, el riesgo más común y notorio es el de tener un bebé con el síndrome de Down. El riesgo aumenta con cada año que pasa: 1 entre 10.000 para las madres de 20 años, aproximadamente 3 entre 1.000 para las madres de 35 años y 1 entre 100 para las madres de 40 años. Se dice que esta y otras anomalías cromosómicas, aunque bastante raras, son más comunes en las mujeres mayores porque sus óvulos (cada mujer nace con los óvulos para toda la vida) tienen también más edad y han estado más expuestos a los rayos X, los medicamentos, las infecciones, etcétera. (Aunque actualmente se sabe que el óvulo no es siempre responsable de dichas anomalías cromosómicas). Se calcula que por lo menos

un 25% de los casos de síndrome de Down se deben a un defecto del espermatozoide paterno.

Mientras que el síndrome de Down no puede ser prevenido por el momento, puede ser diagnosticado, al igual que muchas otras enfermedades genéticas, en el útero materno mediante un diagnóstico prenatal (vea la página 63). Esta prueba de diagnóstico es ahora una medida rutinaria para las madres de más de 35 años y para las que pertenecen a categorías de alto riesgo, incluyendo las que tienen unos valores de SMAFP bajos.

Además de un mayor riesgo de tener un bebé con el síndrome de Down, las madres de más de 35 años tienen más posibilidades de desarrollar una hipertensión (especialmente si su peso está por encima de lo debido), diabetes o una enfermedad cardiovascular –todas las cuales son más frecuentes en los grupos de más edad en general y suelen ser controlables. Las madres de más edad también son algo más propensas a los abortos espontáneos, a menudo debido a que el embrión era demasiado defectuoso para desarrollarse más. Debido a que los estudios son contradictorios, no ha quedado claro si la dilatación y el parto son en promedio más largos, más dificultosos o más complicados en las madres mayores que en las más jóvenes. Pero si efectivamente lo son, las diferencias probablemente serán pequeñas. En algunas mujeres mayores, un descenso del tono muscular y de la flexibilidad de las articulaciones puede contribuir a crear dificultades de dilatación, pero en muchas otras, gracias a las excelentes condiciones físicas que son el resultado de estilos de vida sanos, no existe este problema.

Pero a pesar de los riesgos –que, tal como hemos visto, son mucho menos amenazadores de los que supone mucha gente– las madres mayores de nuestros días tienen mucho a su favor. La ciencia médica, por ejemplo. Los defectos congénitos pueden detectarse en el útero mediante amniocentesis, biopsia de las vellosidades coriónicas, la ecografía y otros procedimientos más modernos (vea *El diagnóstico prenatal,* página 63) por lo que pueden reducirse los riesgos de ser portadora de un niño con un defecto congénito grave a niveles comparables a los de las mujeres más jóvenes. Los fármacos y el seguimiento médico de cerca pueden a veces prevenir un parto prematuro. El control monitorizado del feto durante el parto puede detectar el sufrimiento fetal, lo que permite adoptar medidas de urgencia para protegerlo de traumas posteriores.

Por grandes que hayan sido los éxitos de estos procedimientos en la reducción de los riesgos del embarazo pasados los 35 años, quedan en segundo término frente a las medidas que pueden adoptar las madres mayores para mejorar su suerte y la de su bebé, a través del ejercicio, la dieta y la asistencia prenatal de calidad. La edad avanzada, por sí sola, no coloca a la madre en una categoría de alto riesgo, pero sí lo hace una acumulación de muchos riesgos individuales. Cuando la madre mayor realiza un esfuerzo positivo para eliminar o reducir al máximo tantos factores de riesgo como sea posible, puede por decirlo así "quitarse años de encima" en cuanto al embarazo y hacer que sus probabilidades de dar a luz a un bebé sano sean prácticamente iguales a las de una madre más joven.

Además, pueden existir algunas ventajas adicionales. Existe la teoría de que esta nueva categoría de mujeres –mejor educadas (más de la mitad de las madres de mayor edad han recibido educación superior), con una carrera y más asentadas– son mejores madres, dada su madurez y estabilidad. Debido a que son mayores y a que probablemente ya han vivido la parte más agitada de sus vidas, es probable que se resientan menos de sentirse atadas por un bebé. Un estudio demostró que estas madres generalmente aceptaban mejor la maternidad y tenían más paciencia y otras virtudes que eran beneficiosas para el desarrollo de sus hijos. Y aunque puede que tengan menos energía que cuando eran más jóvenes, la alegría de ser padres supera cualquier falta de energía.

Así que relájese y disfrute su embarazo. Nunca ha existido un mejor momento para tener 35 años y estar esperando un bebé.

LA EDAD Y EL TEST
DEL SÍNDROME DE DOWN

"Tengo 34 años de edad, y saldré de cuentas justo dos meses antes de cumplir 35. ¿Debería someterme al test para detectar el síndrome de Down?"

Las probabilidades de tener un bebé con el síndrome de Down no aumentan abruptamente el día que una mujer cumple 35 años. El riesgo aumenta gradualmente a partir de los veinte y poco años, con un gran salto cuando la madre pasa de los 40. Por lo tanto, no existe una respuesta científica clara sobre si tiene sentido o no recurrir al diagnóstico prenatal cuando la futura madre está a punto de cumplir los 35 años. El límite de los 35 es simplemente una edad arbitraria, seleccionada por los médicos que intentan detectar la mayor cantidad posible de fetos con el síndrome de Down, sin exponer a más madres y bebés de los necesarios al pequeño riesgo que suponen ciertos tipos de diagnóstico prenatal. Algunos facultativos aconsejan a las mujeres que van a cumplir 35 años durante el embarazo que consideren la posibilidad del diagnóstico prenatal; otros no.

En muchos casos, el facultativo sugerirá que la mujer de menos de 35 años se someta en primer lugar a un test de SMAFP (vea la página 64), antes de efectuarse la amniocentesis. Si de este simple análisis sanguíneo resultan unos niveles bajos, existirá la posibilidad, pero no la probabilidad, de que el feto sufra el síndrome de Down, por lo que la realización de una amniocentesis será una buena idea. Y aunque dicho test no detecta todos los casos del síndrome, constituye una valiosa herramienta de diagnóstico. Si los valores de SMAFP son normales, por otra parte, la amniocentesis se vuelve algo menos necesaria, asumiendo que no existan otras causas para realizarla, además de la edad avanzada (vea la página 69). La mujer deberá discutir estas opciones, y sus preocupaciones, con su médico o consejero genético.

LA EDAD DEL PADRE

"Tengo sólo 31 años, pero mi marido ha pasado ya de los 50. La edad avanzada del padre, ¿significa un riesgo para el bebé?"

A lo largo de la historia se ha creído que la responsabilidad del padre en el proceso reproductivo se limitaba a la fecundación. Tan sólo en el presente siglo (demasiado tarde para aquellas reinas que perdieron la cabeza por no conseguir dar a luz un heredero varón) se descubrió que el espermatozoide del padre ostentaba el voto genético decisivo en la determinación del sexo del bebé. Y únicamente en los últimos años se ha empezado a pensar que el espermatozoide de un padre de edad avanzada podría contribuir a defectos congénitos como el síndrome de Down. Al igual que los óvulos de la madre mayor, los espermatocitos primarios (espermatozoides inmaduros) del padre de edad avanzada han envejecido y han estado expuestos durante más tiempo a los peligros ambientales y es posible que contengan genes o cromosomas lesionados o alterados. Unos pocos estudios realizados sobre este tema permiten deducir que un 25 o 30% de los casos de síndrome de Down son atribuibles a un cromosoma defectuoso del espermatozoide. Parece también que existe un mayor riesgo de síndrome de Down cuando el padre tiene más de 50 años (o de 55, según el estudio que se trate), aunque la relación es más débil que en el caso de la edad de la madre.

Pero las pruebas no son concluyentes aún sobre todo a causa de la insuficiencia de la investigación realizada hasta el momento. El establecimiento de los estudios a gran escala, necesarios para llegar a resultados concluyentes, ha sido difícil por el momento debido a dos causas. En primer lugar, el síndrome de Down es relativamente raro (aproximadamente 1 de cada 700 nacimientos vivos). En segundo lugar, un padre de esta edad está casado en la mayoría de los casos con una madre también mayor, lo que dificulta esclarecer el papel que desempeña entonces la edad del padre.

Así pues, la pregunta de si la edad paterna avanzada está relacionada o no

con el síndrome de Down y con otros defectos congénitos queda aún por contestar. Los expertos creen que probablemente existe una conexión (aunque no está claro aún a qué edad comienza), pero que es casi cierto que el riesgo es muy reducido. Por el momento, los especialistas en asesoramiento genético no recomiendan una amniocentesis por la sola razón de que el padre sea de edad avanzada. Pero si la futura madre va a pasarse todo el embarazo preocupada por los posibles –aunque improbables– efectos de la edad del esposo sobre la salud del bebé, lo mejor es que hable de sus temores con el médico, para determinar si se justifica una amniocentesis.

FIBROMAS

"He tenido fibromas durante varios años, y jamás me causaron problemas. Pero ahora que estoy embarazada, me preocupan."

Es muy posible que su fibrosis no intervenga entre usted y su embarazo sin complicaciones. De hecho, la aparición de esos fibromas no malignos en las paredes internas del útero (y que son más comunes entre las mujeres mayores de 35 años) casi nunca afectan el embarazo.

Sin embargo, en ocasiones, los fibromas sí causan problemas y aumentan el riesgo de perder el bebé, de tenerlo antes de tiempo, de acelerar el nacimiento y de sufrir otras complicaciones. Para minimizar estos riesgos usted debe:

- Estar bajo vigilancia médica.

- Hablar de los fibromas con el médico para que se informe mejor de la condición general y de los riesgos que existen en su caso particular.

- Reducir otros riesgos en el embarazo.

- Estar particularmente atenta a los signos que puedan significar una señal de alerta (vea la página 177).

A veces, una embarazada con fibromas nota una presión o dolor en el abdomen. Aunque esto se debe notificar al médico, generalmente no hay por qué preocuparse. Por regla general bastará con reposo en cama y analgésicos seguros (pídale a su médico que le recomiende uno).

En ocasiones, los fibromas se degeneran o se retuercen, lo que provoca dolor abdominal y fiebre. En algunas raras ocasiones, se precisará de cirugía para extirpar un fibroma que se degenera o que está causando cualquier tipo de problema. Si los médicos sospechan que los fibromas podrían ser un obstáculo para un parto vaginal seguro, puede que opten por practicar una cesárea.

"Me extrajeron un par de fibromas hace unos años. ¿Será ello un problema ahora que estoy embarazada?"

En la mayoría de los casos, la cirugía practicada para extraer pequeños fibromas uterinos no afecta a los embarazos siguientes. Una operación quirúrgica extensa para los fibromas grandes podría, no obstante, debilitar el útero lo suficiente como para que no pudiera tolerar la fase de dilatación. Si, al revisar el historial quirúrgico, el médico decide que este es su caso, él podría decidir que el parto sea por cesárea. La embarazada deberá familiarizarse con los signos del inicio de la dilatación, por si las contracciones se presentan antes de la fecha señalada para la cesárea (vea la página 497). Además, debería tener un plan de emergencia para llegar de inmediato al hospital.

ENDOMETRIOSIS

"Después de muchos años de sufrir de endometriosis, finalmente quedé embarazada. ¿Tendré problemas con este embarazo?"

La endometriosis generalmente se asocia con dos puntos: la dificultad para concebir y el dolor. ¡Felicitaciones! Estar embarazada significa que ya superó el primer punto. Las buenas noticias continúan: estar embarazada puede ayudar a superar el segundo punto.

Los síntomas de la endometriosis, incluyendo el dolor, mejoran durante el embarazo, esto parece que se debe a los cambios hormonales. Cuando para la ovulación, los implantes endométricos generalmente se achican y se hacen menos suaves. También existen los beneficios sicológicos. Como el embarazo es algo que pide el cuerpo de la mujer de manera natural, alguien que ha luchado contra la endometriosis se sentirá "normal" otra vez, cuando seguramente no se sentía así desde la pubertad.

La mejoría es más notable en unas mujeres que en otras. Algunas mujeres pierden los síntomas durante todo el embarazo, otras sentirán el aumento de incomodidad a medida que el feto crece, especialmente si las patadas del bebé llegan a zonas muy sensibles. Sin embargo, afortunadamente, tener endometriosis no representa ningún riesgo para el embarazo o para el parto (a menos de que haya tenido alguna cirugía intrauterina, en ese caso el riesgo de ruptura de útero crece).

La mala noticia es que el embarazo solamente es un respiro para los síntomas de la endometriosis; no es la cura. Después del embarazo y el parto (y a veces antes), los síntomas generalmente regresan.

CÉRVIX INCOMPETENTE

"Sufrí un aborto espontáneo durante el quinto mes de mi primer embarazo. El médico me dijo que la causa había sido una cérvix* incompetente. El test del embarazo acaba de darme un resultado positivo y me aterroriza poder tener el mismo problema."

Ahora que le han diagnosticado cérvix incompetente, el médico debería ser capaz de tomar medidas para prevenir un nuevo aborto. Se estima que existe una cérvix incompetente, la que se abre prematuramente bajo la presión del útero y el feto, que aumentan de tamaño, en un uno o dos por ciento de los embarazos; se cree que ésta es la causa del 20 al 25% de los abortos espontáneos del segundo trimestre. Una cérvix incompetente puede ser el resultado de un debilitamiento de la cérvix (el cuello uterino) de causa genética; de un útero malformado, la exposición de la mujer al DES (dietilestilbestrol, vea la página 57) cuando estaba en la matriz de su madre; de una hiperextensión o laceraciones graves de la cérvix durante uno o varios partos anteriores; de cirugía cervical o terapia con rayos láser; de partos o abortos provocados traumáticos (particularmente los anteriores a 1973). Ser portadora de más de un feto también puede producir una cérvix incompetente, pero si este fuera el caso, no se suele repetir en embarazos siguientes con un solo feto.

La cérvix incompetente se suele diagnosticar cuando una mujer sufre un aborto espontáneo durante el segundo trimestre, tras experimentar un borramiento (adelgazamiento) y dilatación indoloros y progresivos del cuello sin contracciones uterinas aparentes o pérdidas vaginales. Para los médicos sería ideal poder diagnosticar este problema antes de que ocurriera el aborto, para poder diagnosticar las medidas oportu-

---

* La cérvix es la salida del útero, por donde sale el bebé.

nas. Recientemente se han realizado prometedores intentos de diagnosticar mediante ultrasonidos la apertura prematura de la cérvix.

Si el médico que la está viendo durante su embarazo no sabe todavía de su condición, asegúrese de contarle de inmediato. Es probable que se le pueda hacer un cerclaje (sutura de la abertura del cuello uterino) a principios del segundo trimestre (a las 12 o 16 semanas) para evitar que se repita la tragedia. Este simple procedimiento se practica en el hospital después de que se haya confirmado por ultrasonidos el nuevo embarazo. Tras doce horas de reposo en cama, se suele autorizar a la paciente para que se levante para ir al baño, y 12 horas más tarde puede reanudar su vida normal. Puede que se prohiban las relaciones sexuales durante todo el embarazo y que se precisen exámenes frecuentes por parte del médico. En algunas raras ocasiones, en sustitución del cerclaje se prescribe reposo total en cama y el uso de un dispositivo especial para sostener el útero, denominado pesario. También puede darse el caso de que el tratamiento se inicie cuando, mediante ultrasonidos o por examen vaginal, se constate que la cérvix se está abriendo, incluso si no existen precedentes de aborto espontáneo tardío.

Si se quitarán las suturas y en qué momento se hará, dependerá en parte de las preferencias del médico y en parte del tipo de suturas. En general se suelen extraer unas pocas semanas antes de la fecha estimada del parto; en algunos casos no se quitan hasta que empieza la dilatación, a menos que exista infección, pérdidas o una rotura prematura de las membranas.

Cualquiera que sea el tratamiento aplicado, las posibilidades de que el embarazo llegue a término son grandes. No obstante, la embarazada deberá estar alerta sobre los signos de un posible problema durante el segundo trimestre o principios del tercero: presión en la parte inferior del abdomen, flujo vaginal con o sin sangre, orinar con una frecuencia indebida, o la sensación de tener una protuberancia en la vagina. Si experimenta alguno de ellos, la mujer deberá presentarse de inmediato en la consulta del médico o a una unidad de urgencias. (Para más detalles sobre el aborto durante el segundo trimestre, vea la página 650).

FECUNDACIÓN IN VITRO (FIV)

"Mi hijo fue concebido mediante fecundación in vitro. ¿Tengo las mismas posibilidades de tener un hijo sano que las demás?"

El hecho de que el bebé haya sido concebido en un laboratorio en vez de en una cama aparentemente no afecta a las posibilidades de que sea sano. Los estudios más recientes han demostrado que, siendo iguales las demás condiciones (edad, exposición al DES, las condiciones del útero y el número de fetos, por ejemplo), no existe un aumento significativo de complicaciones en las madres FIV. Tampoco parece que existan más riesgos de que el bebé sufra de alguna normalidad. Existe una tasa ligeramente más elevada de abortos espontáneos, pero ello se debe probablemente al hecho de que las mujeres con FIV son controladas tan de cerca, que se les diagnostica todo embarazo, con lo que todo aborto es también detectado. Desde luego, este no es el caso en la población general, en la que muchos abortos suceden antes de 'ser diagnosticado el embarazo, y tienen lugar inadvertidamente o no se informa de ellos.

No obstante, existen algunas diferencias, al menos en los inicios. Debido a que un resultado positivo del test no significa necesariamente que haya embarazo, y que volver a intentarlo puede ser costoso, emocional y financieramente, y debido a que no se sabe en seguida cuántos de los embriones del tubo de ensayo se van a desarrollar dando lugar a fetos, durante las seis primeras semanas de un embarazo por FIV generalmente existe más tensión. Además, si la mujer que es sujeto de FIV ha sufrido abortos en intentos anteriores, se le podrán restringir las relaciones sexuales y otras actividades físicas, e incluso se le podrá prescribir reposo absoluto en cama. También puede que se le recete la hormona progesterona para ayudar a mantener el embarazo durante los dos primeros meses. No obstante, una vez transcurrido este período, la mujer puede esperar que su embarazo sea parecido al de cualquier otra –a menos que sea portadora de más de un feto, como en el 5 al 25% de las madres por FIV. (Si así fuera, vea la página 222).

Y como sucede con todas las demás, las posibilidades de tener un bebé sano pueden aumentar significativamente mediante buenos cuidados médicos, una dieta excelente, un aumento de peso moderado, una proporción sana entre reposo, ejercicio y evitar el alcohol, el tabaco y los fármacos no prescritos por un médico.

HERPES

"Estoy muy feliz de estar embarazada, pero también estoy preocupada porque tengo herpes genital ¿Mi bebé se puede contagiar?"

Es delicado tener herpes genital durante el embarazo, pero no es para que se asuste. Es cierto que los bebés pueden contraer esta enfermedad de transmisión sexual a través de un canal infectado y que la condición puede ser seria en recién nacidos porque tienen sistemas inmunológicos inmaduros, pero las probabilidades de que su hijo sea sano y completamente libre de herpes, especialmente si usted y su médico tomaron medidas preventivas durante el embarazo y el parto, son excelentes.

Primero que todo, las infecciones en recién nacidos no son comunes. El bebé solamente tiene el dos o tres por ciento de probabilidades de ser infectado a través de la madre, si esta tiene infecciones recurrentes durante el embarazo (esto es, si ha tenido herpes antes). Segundo, como una infección primaria (la que aparece por primera vez) aumenta el riesgo de perder al bebé o de un nacimiento prematuro, este tipo de infección no es común. Incluso en los bebés con alto riesgo (que sus madres tuvieron el primer brote de herpes cerca al parto) existe un 75% de probabilidades de salvarse de la infección. Finalmente, esta enfermedad, aunque sigue siendo seria, parece ser más suave en los recién nacidos de hoy que en los recién nacidos de otros tiempos.

Por lo tanto, si usted contrajo el herpes antes del embarazo, que es lo más probable, el riesgo para el bebé será bajo. Y con un diagnóstico apropiado y buenos cuidados médicos, aún puede disminuir más.

Para proteger a sus bebés, las mujeres que tienen un historial de herpes y tienen lesiones activas en el momento del parto, son atendidas por cesárea. Algunos doctores hacen controles médicos a quienes tienen lesiones activas

---

SIGNOS Y SÍNTOMAS DEL HERPES GENITAL

Dado que es durante un episodio primario cuando es más probable que el herpes genital pase al feto, el médico debería ser informado si la paciente sufre los siguientes síntomas: fiebre, jaqueca, malestar e incomodidad durante dos o tres días, acompañadas de dolor y prurito genital, dolor durante la micción, flujo vaginal y uretral, y sensibilidad en la ingle (adenopatía inguinal), así como lesiones que forman ampollas y luego una costra. La curación se produce generalmente al cabo de dos o tres semanas, durante las cuales puede producirse la transmisión de la enfermedad.

Si la mujer padece de herpes genital, deberá tener cuidado de no transmitírselo a su pareja (y él también debería tener precaución si está infectado). Se evitarán las relaciones sexuales cuando uno de los dos tenga las lesiones; las manos se lavarán concienzudamente con agua y un jabón suave tras usar el baño o tener contacto sexual; se tomará una ducha o baño diario; las lesiones se mantendrán limpias, secas y empolvadas; se recomiendan braguitas de algodón y evitar aquella ropa que constriña la zona de la entrepierna.

Si el examen de herpes es negativo, tome medidas para prevenir una primera infección (tenga sexo seguro si no tiene una relación monógama), es importante.

cuando se acerca el momento del parto y siguen haciendo cultivos durante el parto. Hay otros que simplemente buscan lesiones activas (o signos de que existe la posibilidad de una pronta erupción) cuando comienza el parto. Las dos aproximaciones reducen el riesgo de que se haga una cesárea innecesaria. Cuando el saco amniótico cubre al bebé, este está menos expuesto a la infección, por eso la cesárea se hace entre cuatro y seis horas después de la ruptura de las membranas si hay lesiones activas.

Los recién nacidos con un riesgo de presentar herpes suelen ser aislados de otros recién nacidos para evitar un posible contagio. Si se diera la infección, se administraría un fármaco antivírico para reducir el riesgo de daños permanentes. Si la madre padece una infección en fase activa, podrá cuidar del bebé y amamantarlo si toma precauciones especiales.

OTRAS ETS (ENFERMEDADES DE TRANSMISIÓN SEXUAL)

"He oído decir que el herpes puede ser peligroso para el feto. ¿Sucede lo mismo con otras enfermedades de transmisión sexual?"

La mala noticia: sí, existen otras ETS que representan un peligro para el feto (y para la madre también). La buena noticia: son fáciles de detectar y de tratar, incluso durante el embarazo. Pero como las mujeres casi nunca saben que están infectadas, los centros de control de enfermedades recomiendan que todas las mujeres embarazadas se hagan por lo menos estos exámenes: clamidia, gonorrea, hepatitis B, sida y sífilis.

Recuerde que las enfermedades de transmisión sexual no solamente le dan a un grupo específico de personas o a gente de un cierto nivel económico. Puede aparecer en mujeres (y hombres) de todas la edades, de todas las razas, de todos los niveles socioculturales. Hombres y mujeres que viven en pequeñas y grandes ciudades. Las enfermedades de transmisión sexual más comunes son:

Gonorrea. Se sabe desde hace tiempo que la gonorrea provoca conjuntivitis, ceguera e infección generalizada grave en el feto que nace a través de un canal del parto infectado. Por esta razón, todas las mujeres embarazadas son examinadas rutinariamente sobre esta enfermedad durante su primera visita prenatal (vea la página 147). A veces, particularmente en el caso de mujeres con un alto riesgo de padecer enfermedades de transmisión sexual, el test se repite más tarde durante el embarazo. Si se encuentra una infección por gonorrea, se prescribe de inmediato un tratamiento con antibióticos. Este se sigue de otro cultivo, para asegurarse de que la mujer está libre de la enfermedad. Como protección suplementaria, al recién nacido se le aplican gotas de nitrato de plata o una pomada antibiótica en los ojos. (Este tratamiento puede retrasarse una hora, pero no más, si la madre desea tener primero contacto con su hijo.)

Sífilis. El examen de sífilis (que puede causarle al bebé una variedad de defectos al nacer e incluso antes) también es obligatorio en la primera cita prenatal con el médico.

El tratamiento con antibióticos antes del cuarto mes, momento en que la infección suele empezar a atravesar la barrera placentaria, impedirá que el feto resulte afectado. La excelente noticia es que el paso de la enfermedad de madre a hijo ha disminuido considerablemente.

Infección por clamidia. Esta enfermedad ha sido reconocida más recientemente como un riesgo potencial para el feto, y hoy en día se notifica al Centro para el Control de las Enfermedades más a menudo que la gonorrea. Es la infección más común que pasa de la madre al feto –por lo que es una buena idea realizar un test para descartarla durante el embarazo, particularmente si la mujer ha tenido múltiples parejas sexuales en el pasado (lo que aumenta las probabilidades de infección). Debido a que aproximadamente la mitad de las mujeres con infección por clamidia no experimentan sus síntomas, a menudo esta enfermedad no es diagnosticada.

El tratamiento rápido de la clamidiasis antes o durante el embarazo puede evitar que la enfermedad (neumonía, que afortunadamente suele ser benigna, e infección ocular, que a veces puede ser grave) sea transmitida de la madre al bebé durante el parto. Aunque el mejor momento para el tratamiento es antes de la concepción, la administración de antibióticos a la embarazada infectada también puede prevenir eficazmente la infección infantil. El uso de una pomada antibiótica tras el nacimiento protege al recién nacido.

Vaginosis bacterial. Esta enfermedad de transmisión sexual puede causar complicaciones en el embarazo como la ruptura prematura de las membranas e infecciones intraamnióticas, lo que puede llevar a un parto prematuro. También se puede asociar con bajo peso en el bebé. Los posibles síntomas de la enfermedad son: olor vaginal fuerte, feo, intenso y/o una descarga delgada y lechosa o grisácea. La picazón y la irritación no son comunes y muchas mujeres ni siquiera notan los síntomas. Aunque la vaginosis bacterial puede ser transmitida sexualmente, también ocurre en mujeres que no son sexualmente activas. Todavía no es claro cómo la contraen. Mientras que algunos doctores sólo examinan a las mujeres de alto riesgo de parto prematuro, otros piensan que todas las mujeres embarazadas deberían hacerse el examen para saber si tienen vaginosis bacterial, así que este puede ser uno de los controles que le pidan en la primera cita prenatal. El tratamiento con antibióticos para esta enfermedad, es efectivo.

Verrugas venéreas o genitales. Estas verrugas de transmisión sexual pueden aparecer por toda el área genital y son causadas por el virus del papiloma humano. Su apariencia puede variar desde una lesión apenas visible a un bulto blando y aterciopelado o una excrecencia parecida a una coliflor. El color de las verrugas es de rosa pálido a rosa oscuro. Siendo muy contagiosas, es muy importante tratarlas, no sólo porque pueden ser transmitidas al bebé o incluso bloquear el parto, sino porque de un 5 al 15% de los casos producen inflamación del cuello uterino, que puede derivar a cáncer de cérvix. El tratamiento suele incluir una medicación tópica prescrita –no se debe usar cualquier medicamento para las verrugas que se pueda comprar en la farmacia. Si el médico lo considera necesario, las verrugas de gran tamaño se suprimirán más adelante, por electro cauterización o mediante rayos láser. Este tratamiento debe posponerse hasta después del parto.

Tricomonas. Los síntomas de esta enfermedad causada por parásitos son: descarga verdosa y espumosa con un olor desagradable, a veces produce picazón. La mitad de las mujeres afectadas no tienen síntomas. Aunque esta enfermedad generalmente no causa problemas serios, puede predisponer a la mujer embarazada a tener un parto prematuro. El tratamiento es importante. La medicina oral que se prescribe generalmente, se considera segura, incluso en los primeros meses de embarazo.

Síndrome de inmunodeficiencia adquirida (sida). La infección durante el embarazo con el virus VIH, que causa el sida, constituye una amenaza no sólo para la futura madre, sino también para su hijo. Una gran proporción (las cifras van del 20 al 65%) de los bebés de las madres VIH positivas desarrollan la infección en el plazo de seis meses, y se sospecha que el embarazo mismo podría acelerar el progreso de la enfermedad en la madre. Por estas razones, algunas mujeres infectadas deciden poner fin a su embarazo. Antes de tomar cualquier medida, cualquiera cuya prueba del VIH haya resultado positiva debería volvérsela a hacer (los test no siempre son precisos, y a veces pueden resultar positivos en individuos que no son portadores del virus especialmente si ha dado a luz a varios hijos). Si el segundo test da positivo, es absolutamente imprescindible recibir consejo médico sobre el sida. Existen medicinas que pueden disminuir considerablemente el riesgo de pasar la enfermedad al bebé, aparentemente sin ningún efecto secundario dañino, por ejemplo la Zido-vudina o Retrovir u otras drogas antirretrovirales y, posiblemente, la vitamina A. Dar a luz por cesárea si así se decide (antes de que empiecen las contracciones y antes de la ruptura de las membranas), puede reducir el riesgo de transmisión casi por completo.

Si sospecha que ha sido contagiada con una infección de transmisión sexual, deberá hablar con su médico para saber si se le han practicado las pruebas; si no fuera así, deberá solicitar que se las hagan. Si un test da un resultado positivo, deberá asegurarse de recibir –al igual que su pareja– el tratamiento. Éste no sólo protegerá su salud, sino también la del bebé.

MIEDO AL SIDA

"Tanto mi marido como yo hemos tenido muchos compañeros sexuales antes de encontrarnos. Dado que he oído que el sida a veces pasa inadvertido durante años, ¿cómo puedo estar segura de que no lo tengo y que no voy a pasárselo a mi bebé?"

Las posibilidades de que esta mujer y su marido hayan contraído el sida antes de encontrarse son escasas si ninguno de los dos pertenece a un grupo de alto riesgo (hemofílicos, usuarios de drogas intravenosas, los que han tenido relaciones sexuales con hombres homo o bisexuales o usuarios de drogas intravenosas). Lo más probable es que un examen de sida la deje tranquila. En el caso desafortunado de que el examen salga positivo, usted puede tratarse inmediatamente, lo que puede ayudarla no solamente a usted sino al

---

VACUNAS EN EL EMBARAZO

Como hay muchas infecciones provenientes de distintas fuentes que pueden causar problemas durante el embarazo, es buena idea tener en cuenta todas las vacunas necesarias antes de concebir. Muchas de las vacunas que utilizan virus vivos no se recomiendan durante el embarazo. Tampoco se recomienda vacunas como paperas, sarampión y rubéola y varicela. Hay otras vacunas, de acuerdo con el Centro de Control de Enfermedades en los Estados Unidos, que no deberían ser de rutina pero sí se pueden proporcionar si se necesitan. Estas son: hepatitis A y la vacuna de neumococos. También la pueden vacunar de manera segura contra estas enfermedades después del primer trimestre: tétano, difteria y hepatitis B, con vacunas que contengan virus no activos o muertos. El Centro de Control de Enfermedades en los Estados Unidos también recomienda que todas las mujeres que estén en su segundo o tercer trimestre en época de gripa, se vacunen contra ella incluso estando embarazadas. Consulte con su doctor para saber qué vacunas son seguras durante el embarazo y cuales necesita.

bebé (vea más información sobre sida en la página 52).

"Me sorprendí cuando el médico me preguntó si deseaba hacerme el test del virus VIH, pues no creo que pertenezca a una de las categorías de alto riesgo".

Cada vez es más corriente que las mujeres embarazadas reciban este ofrecimiento, tanto si han tenido un comportamiento anterior de alto riesgo como si no. Por lo tanto, no hay que ofenderse; hay que estar satisfecha de que el médico se preocupe por ofrecerle esta oportunidad.

NIVELES DE ANTICUERPOS DE RUBÉOLA

"A mí me vacunaron contra la rubéola cuando era una niña, pero mis exámenes prenatales muestran que mis niveles de rubéola están bajos. ¿Debo preocuparme?

No, pero debe tener cuidado, especialmente durante el primer trimestre, donde el riego de que un bebé sufra daños serios por una rubéola son mayores (vea la página 611), cuídese de no estar cerca de la enfermedad, aléjese, no es tan difícil ya que casi todos los niños y adultos tienen la vacuna.

Como no la pueden vacunar durante el embarazo, le darán una nueva vacuna justo después del parto, antes de que deje el hospital. Aunque esté amamantando, es mejor así.

HEPATITIS B

"Soy portadora de hepatitis B, y acabo de saber que estoy embarazada. ¿Será que esto lastimará a mi bebé?

Saber que la mujer es portadora de la hepatitis B es el primer paso para asegurarse de que ello no afectará al bebé. A pesar de que los hijos de algunas portadoras (las que con toda seguridad poseen el antígeno) tienen grandes probabilidades de infectarse, si se les trata durante las primeras 12 horas de vida con la vacuna de la hepatitis B e inmunoglobulinas, casi siempre se puede prevenir la infección. Por lo tanto, la mujer deberá asegurarse de que el médico sepa que es portadora, de que se realice una prueba para saber cuán contagiosa es, y de que el bebé reciba el tratamiento necesario. Para más información sobre las hepatitis, vea la página 612.

UN DISPOSITIVO INTRAUTERINO EN LA MATRIZ

"Tengo un DIU desde hace dos años y ahora he descubierto que estoy embarazada. Deseamos tener este hijo, ¿es posible?"

Quedar embarazada mientras se utiliza un método de control de la natalidad es siempre algo inquietante, pero puede suceder. Las probabilidades de que ello suceda mientras se está usando un DIU son de 1-2 casos de cada 100, según el tipo de dispositivo empleado y según si fue introducido correctamente. Una mujer que quede embarazada mientras lleva el DIU y no desee interrumpir su embarazo tiene dos caminos posibles, de los que deberá hablar tan pronto como sea posible con su médico: dejar el DIU donde está o quitarlo. La elección suele depender de si durante el examen se ve el cordón de tracción sobresalir visiblemente del cuello uterino o no. Si no es visible, existen muchas posibilidades de que el embarazo prosiga sin incidentes con el DIU situado en su lugar. Éste será empujado hacia arriba contra las paredes del útero al expandirse el saco amniótico que rodea al bebé y durante el parto, lo más probable es que sea expulsado junto con la placenta. Si, no obstante, el cordón del DIU es visible al principio del embarazo, la seguridad será mayor si el dispositivo es extraído lo más pronto posible tras confirmarse la concepción. Si no fuera así existen probabilidades significativas de que se produzca un aborto espontáneo, en cambio, si se elimina el DIU, el riesgo es de sólo un 20%. Esto no parece muy tranquilizador, pero se debe tener en cuenta que la tasa de aborto en todos los embarazos conocidos se calcula en un 15 o un 20%.

Si se continúa el embarazo con el DIU colocado, se deberá prestar atención especial, durante el primer trimestre, a los signos como hemorragias, calambres o fiebre, ya que el DIU significa un mayor riesgo de complicaciones en los primeros tiempos del embarazo. (Vea

el embarazo ectópico, página 169 y el aborto, página 165). Se avisará inmediatamente al médico si se presentan estos síntomas.

PASTILLAS DE CONTROL DE LA NATALIDAD EN EL EMBARAZO

"Quedé embarazada mientras tomaba pastillas anticonceptivas. Continué tomándolas porque no tenía idea de que estaba esperando. ¿Esto afectará a mi bebé?

En el caso ideal, se debería dejar de tomar anticonceptivos orales tres meses antes de quedar embarazada o por lo menos permitir que se produjeran dos ciclos menstruales normales antes de la concepción. Pero la concepción no siempre espera a que se den las condiciones ideales, y a veces una mujer queda embarazada mientras se está tomando la pastilla. A pesar de lo que se haya podido leer en el prospecto que acompaña a estas pastillas no hay motivo de alarma. Desde el punto de vista estadístico, existe un aumento muy pequeño del riesgo de ciertas malformaciones fetales cuando la madre ha quedado embarazada mientras tomaba contraceptivos orales. Una charla con el médico acerca de este problema aliviará toda ansiedad.

ESPERMICIDAS

"Quedé embarazada cuando utilizaba un espermicida junto con el diafragma, y lo

utilicé varias veces antes de saber que estaba en estado. ¿Puede este producto químico haber dañado a los espermatozoides antes de la concepción o más tarde, al embrión?"

Se calcula que entre 300.000 y 600.000 mujeres que quedaron embarazadas cada año utilizaron espermicidas en la época de la concepción y en las primeras semanas del embarazo, antes de darse cuenta de que estaban en estado. Por consiguiente, la pregunta acerca de los efectos que pueden ejercer los espermicidas durante la concepción y el embarazo tiene una gran importancia para un número muy elevado de parejas que esperan un hijo —y para aquellas que eligen este método de control de la natalidad.

Afortunadamente, hasta el momento las respuestas han sido tranquilizadoras. Por ahora no existe más que una débil hipótesis acerca de una posible relación entre el uso de los espermicidas y la incidencia de ciertos defectos congénitos, específicamente el síndrome de Down y las deformaciones de las extremidades. Y los estudios más recientes y convincentes indican que no existe incremento en la incidencia de dichos defectos incluso con el uso reiterado de espermicidas a principios del embarazo. Por consiguiente, y de acuerdo con la mejor información que se dispone, tanto esta embarazada como las otras 299.999 a 599.999 futuras madres pueden tranquilizarse.

Sin embargo, es posible que esta mujer se sienta más cómoda con un método diferente y quizá más fiable de control de la natalidad en el futuro. Y puesto que cualquier agente químico puede ser perjudicial para el embrión o el feto, lo mejor es pensar en dejar de usar el espermicida antes de decidirse por esperar otro hijo —siempre y cuando este último embarazo haya sido planificado.

MEDROXIPROGESTERONA

"El mes pasado, mi médico me recetó Progevera para provocar una menstruación que se retrasaba. El prospecto que acompaña al medicamento advierte que las mujeres embarazadas no deben tomar nunca este fármaco. ¿Puedo tener un hijo con malformaciones? ¿Debo pensar ahora en un aborto?"

La ingestión de Progevera durante el embarazo, aunque no es recomendable, no constituye una razón para pensar en el aborto —tal como dirá también el obstetra. Ni tan sólo es una razón para preocuparse. Las advertencias de la empresa farmacéutica no son sólo para proteger a las clientes, sino también para proteger a dicha empresa en caso de juicio. Es verdad que ciertos estudios demuestran un riesgo de 1 entre 1.000 de que se produzcan determinados defectos congénitos en el embrión o el feto que ha quedado expuesto a la Progevera, pero este riesgo es sólo mínimamente superior al que existe en cualquier embarazo.

Ni siquiera es seguro aún que la ingestión de este gestágeno provoque o no defectos congénitos. Algunos médicos que prescriben Progevera para prevenir el aborto creen que sólo producen defectos *aparentemente*, permitiendo que la mujer mantenga un embarazo con un embrión defectuoso, que de otro modo hubiera terminado espontáneamente. Probablemente se necesitarán años de estudio de cientos de miles de mujeres embarazadas para poder determinar de modo categórico los efectos –si existen– que ejercen los gestágenos en el feto. Pero por lo que se sabe hasta ahora, se cree que si Progevera es realmente un teratógeno (una sustancia que puede dañar al embrión o al feto) sus efectos son muy débiles. (Vea ser conciente de los riesgos, página 109.) Ésta es una preocupación que puede ser borrada de la lista de ansiedades del embarazo.

DIETILESTILBESTROL (DES)

"Mi madre tomó DES cuando me estaba esperando. ¿Puede esto afectar de alguna manera a mi embarazo o a mi bebé?"

Antes de que se conocieran los peligros de la utilización del estrógeno sintético dietilestilbestrol (DES) para evitar el aborto, llegaron a tomarlo más de un millón de mujeres embarazadas. Sus hijas, muchas de las cuales nacieron con anomalías estructurales del tracto reproductor (casi siempre anomalías tan ligeras que carecen de importancia ginecológica u obstétrica), han llegado ahora a la edad de tener hijos y se preocupan por los efectos que el DES pueda ejercer sobre sus propios embarazos. Afortunadamente, estos efectos parecen ser mínimos –se ha calculado que por lo menos un 80% de las mujeres expuestas al DES han sido capaces de tener hijos.

Sin embargo, las mujeres con las anormalidades más severas, sí parecen tener un alto riesgo de ciertos problemas de embarazo tales como el embarazo ectópico (probablemente debido a una malformación de las trompas de Falopio), abortos durante el segundo trimestre o partos prematuros (generalmente debido a la debilidad o incompetencia de la cérvix, que bajo el peso de un feto que va creciendo puede abrirse prematuramente). Debido a los riesgos implicados por todas estas complicaciones, es importante que la mujer advierta a su médico si ha sido expuesta al DES*. También es importante que esté alerta en cuanto a los síntomas de estos accidentes del embarazo, para poder notificarlos de inmediato en caso de que se presentaran. Si se sospecha de un cuello uterino incompetente, probablemente se aplicará

---

* Debido al bajo riesgo de complicaciones en el embarazo, las mujeres que están expuestas a esta enfermedad, es mejor que consulten con un obstetra que les proporcione el cuidado necesario durante su embarazo.

uno de los dos tratamientos: bien se realizará una sutura preventiva alrededor de la cérvix entre las semanas 12 y 16 del embarazo, o bien se examinará esta con regularidad para detectar los signos de una apertura prematura; si estos se detectan, se tomarán medidas para prevenir que el fenómeno progrese desembocando en un parto prematuro (vea la página 46).

VIVIR A UNA GRAN ALTITUD

"Estoy preocupada porque vivimos a gran altitud y he oído decir que ello puede provocar problemas durante el embarazo".

Dado que esta mujer está habituada a respirar el aire de su lugar de residencia, que es menos denso, es mucho menos probable que sufra un problema inducido por la altitud que si se acabara de trasladar allí después de pasar treinta años al nivel del mar. Aunque las embarazadas que viven a grandes alturas tienen unas probabilidades muy ligeramente más elevadas de desarrollar complicaciones tales como la hipertensión y retención de líquidos, y de dar a luz a bebés algo menores que el promedio, unos buenos cuidados prenatales, acompañados de otras medidas llenas de sentido común (una dieta de la mejor calidad, ganar el peso adecuado, abstenerse de tomar alcohol y otras drogas) pueden minimizar en gran medida estos riesgos. Así sucede si la mujer evita el humo del tabaco –el suyo y/o de otras personas. Fumar, que priva al bebé

del oxígeno y del grado de desarrollo óptimo a cualquier altitud, parece que es todavía más perjudicial a grandes altitudes, siendo el descenso del peso del bebé con respecto al promedio de más del doble. El ejercicio extenuante a grandes altitudes también puede robarle al bebé el oxígeno, así que la mujer preferirá un paseo enérgico al *jogging*, por ejemplo, y se detendrá antes de quedar exhausta (desde luego esto es válido para todas las embarazadas).

Aunque la mujer que vive a gran altitud no debería tener problemas, las que acostumbran vivir a baja altura pueden tener dificultades durante su embarazo si éste tiene que desarrollarse muy por encima del nivel del mar. Algunos médicos sugieren que la embarazada posponga un traslado o visita planeados (vea la página 300) a una localidad a gran altitud hasta después del parto. Y desde luego, intentar escalar una montaña está totalmente fuera de lugar.

FALTA DE UN SEGURO MÉDICO

"Estoy embarazada y estoy emocionada por eso, pero no tengo seguro médico y no estoy segura de poder pagar un doctor para el parto"

Tener un bebé hoy en día realmente puede salirse de las proporciones económicas de muchos. De todas maneras una madre embarazada no puede pasar su embarazo y su parto sin los cuidados apropiados, incluso si no tiene seguro médico. Si no puede pagar un seguro médico ahora, busque otras opciones que sí pueda pagar. Busque con amigos, conocidos o familiares, busque en las páginas amarillas, acuda al seguro social de su país, vaya a los hospitales y centros de salud para recibir más información y así poder tomar una buena decisión.

PRECEPTOS RELIGIOSOS Y LOS CUIDADOS MÉDICOS

"Debido a mis creencias religiosas, soy contraria a buscar ayuda médica, y especialmente en el caso del embarazo, que después de todo es un proceso natural. La familia de mi marido insiste en que esto es peligroso".

Tienen razón. Puede ser peligroso. Aunque el embarazo es un proceso natural, puede ser riesgoso para la madre y el bebé, si no se toman los cuidados necesarios. Usted tiene que decidir si tomar ese riesgo realmente vale la pena. Además de los riesgos personales, ¿está dispuesta a enfrentar los riesgos legales si su hijo sufre algún daño por no haber cuidado de él durante el periodo prenatal? En Estados Unidos, algunos tribunales consideran a las madres responsables de los comportamientos que son potencialmente peligrosos para los fetos que llevan en su seno.

No es probable que la familia política de esta mujer esté diciendo que sus principios religiosos no son importantes, lo que está en juego en este caso es la vida humana y no los principios religiosos. No sólo la vida de ella, sino también la de su querido bebé.

Finalmente, podrá serle de gran ayuda saber que casi todas las convicciones religiosas son totalmente compatibles con unos buenos y seguros cuidados obstétricos. La embarazada debería discutir sobre sus convicciones con dos o tres profesionales. Es muy posible que pueda encontrar un médico o enfermera partera que sea capaz de encontrar la forma de adaptar de manera segura sus cuidados prenatales con los preceptos de su religión.

HISTORIAL FAMILIAR

"Hace poco descubrí que mi madre y una hermana suya perdieron sus bebés poco después del parto. Nadie sabe por qué. ¿Me podría pasar a mí?"

Antiguamente estas historias familiares de enfermedades y muerte infantil se solían ocultar, como si perder un bebé o un niño fuera algo pecaminoso o de lo que había que avergonzarse. Sin embargo, hoy en día sabemos que explicando la historia de las generaciones pasadas se puede ayudar a que la actual se mantenga sana. Aunque la muerte de los dos bebés bajo circunstancias similares puede ser una simple coincidencia, desde luego tendría mucho sentido visitar a un consejero genético o un especialista en medicina materno-fetal en busca de consejo. El médico puede recomendarnos uno.

Sería prudente que cualquier pareja que no tuviera información sobre los posibles defectos hereditarios de sus familias hiciera un esfuerzo por saber más, posiblemente preguntando a los miembros de la familia de más edad. Debido a que es posible tener un diagnóstico prenatal de muchos trastornos hereditarios, estar armados con dicha información con antelación hará posible prevenir los problemas antes de que se den o tratarlos cuando lo hagan.

"Existen diversas historias en nuestra familia sobre bebés que parecían estar muy sanos al nacer, pero que luego empezaron a estar más y más enfermos. Finalmente fallecían durante su primera infancia. ¿Debo preocuparme?"

Entre las principales causas de enfermedad y muerte infantil durante los primeros días o semanas de vida se encuentran los llamados errores metabólicos congénitos. Los bebés que nacen con este tipo de defecto genético carecen de un enzima u otra sustancia química, que hace imposible que metabolicen un elemento de la dieta en particular; dependiendo del enzima de que se trate, será un elemento u otro. Irónicamente, la vida del bebé se pone en peligro tan pronto como empieza a alimentarse.

Afortunadamente, la mayoría de trastornos de este tipo pueden ser diag-

nosticados antes del nacimiento y muchos de ellos pueden ser tratados. Hay muchos exámenes disponibles que se pueden hacer en el momento del nacimiento (aunque estos exámenes no son de rutina y los padres deben pedirlos específicamente, ver la página 384). Hay pruebas de que un diagnóstico temprano y una intervención a tiempo hacen una gran diferencia en la progresión de las enfermedades. Así que considérese afortunada por conocer esa historia familiar desde antes y asegúrese de discutirlo con su médico. Incluso si se lo recomiendan, hable también con un consejero genético.

PROBLEMAS GENÉTICOS

"Me pregunto si soy portadora de un problema genético sin saberlo. ¿Debo acudir a una consulta genética?"

Probablemente todas nosotras llevamos por lo menos un gen portador de un problema genético. Pero afortunadamente, la mayoría de estos trastornos requieren la presencia de un gen defectuoso de la madre y de uno también defectuoso del padre, por lo que rara vez se manifiestan en nuestros hijos. El padre o la madre, o ambos, pueden ser sometidos a un análisis para detectar estos trastornos antes del embarazo o durante éste. Pero estos exámenes sólo tienen sentido cuando existe una posibilidad más elevada de lo normal de que tanto el padre como la madre sean portadores de un trastorno en especial. La clave es a menudo de origen étnico o geográfico. Por ejemplo, recientemente se ha recomendado que todos los caucásicos se hagan el examen de fibrosis cística también, las parejas judías cuyas familias proceden originariamente de Europa oriental deberían someterse a un examen para detectar la enfermedad de Tay-Sachs. (En la mayoría de los casos, el médico recomendará efectuar el análisis en el padre o en la madre; el segundo análisis sólo es necesario si el primero ha resultado positivo.)

Las enfermedades que pueden ser transmitidas por un portador (hemofilia) o por el padre o la madre afectados (corea de Huntington) generalmente se habrán ya manifestado con anterioridad en la familia, pero puede que no sean conocidas por todos los miembros. Esta es la razón de la importancia de llevar un historial de sanidad de la familia.

Afortunadamente, la mayoría de las parejas que están esperando un hijo presentan un riesgo bajo en lo referente a los problemas genéticos y no necesitan acudir a una consulta genética. En muchos casos, el obstetra hablará con la pareja acerca de los temas más comunes, remitiéndola a una consulta genética si es necesario un mayor asesoramiento:

- Parejas cuyo análisis de sangre muestra que ambos son portadores de un trastorno genético y que pueden pasarlo a sus hijos.

- Parejas que ya han tenido uno o más hijos con algún defecto genético.

- Parejas que conocen la existencia, en una o en ambas familias, de defectos hereditarios. En algunos casos, como sucede con ciertas talasemias (anemias hereditarias comunes en los pueblos mediterráneos), la realización de tests de DNA a los padres antes del embarazo hace que la interpretación de las pruebas que posteriormente se realizan al feto sea más fácil.

- Parejas con uno de sus miembros con un defecto congénito (tal como una enfermedad cardíaca congénita).

- Mujeres embarazadas que han dado un resultado positivo en los tests sobre la presencia de un defecto fetal (vea la página 64).

- Parejas en que el padre y la madre están estrechamente emparentados, ya que el riesgo de enfermedades heredadas en la descendencia es más elevado cuando los padres están emparentados (por ejemplo, en un caso de cada nueve cuando se trata de primos hermanos).

- Mujeres de más de 35 años.

Un consejero genético es una especie de corredor de apuestas de la herencia, especializado en calcular las probabilidades que tienen estas parejas de dar a luz a un hijo sano, y en ayudarles a tomar la decisión de tener o no hijos. Si la mujer está ya esperando un hijo, este especialista puede sugerir los exámenes prenatales apropiados.

El asesoramiento genético ha salvado a cientos de miles de parejas de alto riesgo de la tragedia de dar a luz a niños con problemas graves. El mejor momento para acudir a esta consulta es antes de quedar embarazada o en el caso de parientes próximos, antes de casarse. Pero no es demasiado tarde una vez confirmado el embarazo.

Si los exámenes revelan la existencia de un defecto grave en el feto, los futuros padres se ven enfrentados con la decisión de llevar o no adelante el embarazo. Aunque la decisión deberá tomarla la pareja, el consejero genético puede proporcionarles importante información.

LA OPOSICIÓN
AL ABORTO PROVOCADO

"Mi marido y yo no somos partidarios del aborto. ¿Por qué tengo que pasar por un diagnóstico prenatal solamente porque tengo treinta y siete años?"

Para la gran mayoría de los futuros padres, la mejor razón del diagnóstico prenatal es la tranquilidad que casi siempre les aporta. La gran mayoría de los bebés de madres que se someten a este examen, no tendrá ningún problema.

Y aunque muchas parejas optan por acabar con el embarazo cuando hay malas noticias, el test también puede ser valioso cuando no se considera la posibilidad de abortar. Si el defecto descubierto ha de resultar fatal; los padres tendrán tiempo de lamentarse antes del nacimiento y se eliminará la conmoción de más adelante. Cuando existe otro tipo de defectos, les proporciona a los padres un buen comienzo para preparar su vida con un niño enfermo o imposibilitado. El examen también le ayudará a decidir en dónde, cuándo y cómo debe nacer el niño.

Los padres también pueden empezar a manejar las inevitables reacciones (negación, resentimiento, culpa) que desencadena el saber que su hijo tiene un problema. Es mejor que esperar hasta después del parto cuando esos sentimientos puedan comprometer la relación padres-hijo y afectar la relación de pareja. Los padres podrán investigar con adelanto y estar preparados para tomar medidas que aseguren una vida lo mejor posible para el nuevo bebé. Incluso es posible que descubrir un defecto durante el embarazo permita el tratamiento intrauterino o tomar precauciones especiales en el momento del parto o tras él, que mejoren las posibilidades de que el bebé esté bien.

Así, si el diagnóstico prenatal está indicado, no se deberá rechazar sin meditarlo. Se debería hablar con el médico, un consejero genético o un especialista en medicina materno-fetal que ayude a clarificar las opciones antes de tomar la decisión. No se deberá dejar que la oposición al aborto prive a los padres o al médico de una información potencialmente valiosa.

QUÉ ES IMPORTANTE SABER:
El diagnóstico prenatal

¿Será un niño o una niña? ¿Tendrá el cabello rubio como la abuela, los ojos verdes como el abuelo? ¿Tendrá la voz de papá y la habilidad para los números de mamá o, el cielo no lo permita, al revés? Las preguntas que surgen durante el embarazo son mucho más numerosas que las respuestas y proporcionan un interesante tema de conversación durante nueve meses, para las charlas de después de cenar, y las habladurías en la oficina.

Pero hay una pregunta que no es tema para las charlas superficiales. Una de las que la mayoría de las parejas casi ni se atreve a hablar: "¿Está sano mi hijo?"

Hasta hace poco, esta pregunta no podía ser contestada hasta el momento del nacimiento. Actualmente puede ser contestada hasta cierto punto ya a las seis semanas de la concepción mediante el diagnóstico prenatal.

Debido a sus riesgos inherentes, por pequeños que sean, el diagnóstico prenatal no se efectúa a todas las mujeres embarazadas. La mayor parte de las parejas continuarán esperando con la feliz seguridad de que tienen la abrumadora probabilidad de que el bebé esté realmente bien. Pero para aquellas parejas cuya preocupación va más allá del suspenso prenatal normal, los beneficios del diagnóstico prenatal pueden superar con mucho sus riesgos. Las mujeres que son buenas candidatas para un diagnóstico prenatal son aquellas que:

- Tienen más de 35 años.

- Tienen un historial familiar de enfermedad genética y/o se ha demostrado que son portadoras de una de dichas enfermedades.

- Tienen ellos mismos un desorden genético (como fibrosis cística o problemas cardíacos congénitos).

- Se han visto expuestas a infecciones (tales como la rubéola o la toxoplasmosis) que podrían causar un defecto congénito.

- Desde la concepción se han visto expuestas a una sustancia o sustancias que temen que puedan haber sido dañinas para su bebé. (Consultar con el médico puede ayudar a determinar si el diagnóstico prenatal está justificado en cada caso en particular).

- Anteriormente han tenido embarazos que no han llegado a buen término, o han tenido hijos con defectos congénitos.

- Alguno de los exámenes prenatales salió positivo.

EXÁMENES PRENATALES

La mayoría de las mujeres se somete a exámenes prenatales antes de decidirse por el diagnóstico prenatal, esto lo hacen ya que existen riesgos potenciales ligados a ciertas formas de diagnósticos prenatales. Mientras que algunos médicos ofrecen estos exámenes a mujeres mayores de treinta y cinco años o a mujeres que están en una categoría de alto riesgo, hay otros que recomiendan que estas mujeres se salten estos exámenes y pasen derecho al análisis de las vellosidades coriónicas o aminocentesis. Los exámenes más comunes son: el triple (SMAFP* que siempre se hace durante el segundo trimestre) y el ultrasonido (que se hace más que todo durante el segundo trimestre, pero también se puede hacer antes o después). Hacer estos exámenes durante el primer trimestre es un nuevo y prometedor intento que todavía no se hace en todas partes del mundo. Los médicos esperan que esto se convierta en un estándar de cuidado.

EL EXAMEN
DEL PRIMER TRIMESTRE

El primer examen para descartar síndrome de Down es un ultrasonido que busca exceso de fluido detrás de la nuca del feto y un examen de sangre para buscar niveles de plasma de la proteína A altos y CGh (gonadotropina coriónica humana), dos hormonas que produce el feto y pasan a la sangre de la madre. Las investigaciones también están buscando si la ausencia de un hueso en la nariz del feto, como lo muestra el ultrasonido, también indica un riesgo mayor de síndrome de Down. Las mujeres que tengan un resultado anormal tendrán la opción de la aminocentesis.

¿Cuándo se hace? Entre las semanas diez y catorce.

¿Cómo se hace? Los dos, el ultrasonido (ver página 65) y el examen de sangre son procedimientos simples.

EL EXAMEN
DEL SEGUNDO TRIMESTRE

El triple
El examen triple es un examen de sangre que mide tres hormonas que produce el feto y que pasan al sistema sanguíneo de la madre: la alfafetoproteína, CGh (gonadotropina coriónica humana) y estriol. Algunos doctores también miden otra hormona, los inhibidores A. Se investigan también otras sustancias

---

* Suero Materno de Alfafetoproteína

en la sangre de la madre, y eventualmente éstas se agregarán al examen de sangre para aumentar las probabilidades de detectar defectos en el feto. Los niveles elevados de vellosidades coriónicas (SMAFP) en la sangre de la madre, pueden indicar un defecto en el tubo neural en el bebé como la espina bífida (una deformidad de la columna vertebral)*. Los niveles anormales, sugieren un aumento en las posibilidades de síndrome de Down u otros defectos cromosomáticos. Este examen no puede diagnosticar un defecto de nacimiento, solamente puede indicar un mayor riesgo. Como este es sólo un test de prueba, cualquier resultado anormal simplemente significa que se necesitan más exámenes en el futuro. De hecho los resultados positivos en estos exámenes son muy altos, solamente una o dos de cada cincuenta mujeres con lecturas negativas tienen un bebé enfermo. En las otras cuarenta y ocho mujeres, los exámenes que siguen demostrarán que la razón por la que los niveles de vellosidades coriónicas fueron anormales, fue porque había más de un feto, porque el feto es algunas semanas mayor o menor de lo que se pensó o porque los resultados de los exámenes simplemente estaban equivocados. Si la mujer sólo carga

un feto y el ultrasonido muestra que las fechas son las correctas, se le puede practicar una aminocentesis.

¿Cuándo se hace? Entre las semanas quince y dieciocho. Los resultados se demoran más o menos una semana.

¿Qué tan seguro es? Como este examen sólo requiere una muestra de sangre, es completamente seguro. El mayor riesgo del examen es que un resultado positivo falso, puede llevar a procedimientos que son más riesgosos y, en casos muy raros, puede llevar a un aborto terapéutico o accidental de un feto normal. Antes de tomar cualquier decisión basada en el resultado del examen, asegúrese de que un médico experimentado o un consejero genético evalúe los resultados. Pida una segunda opinión si no se siente segura.

ULTRASONIDOS

La aplicación de la ultrasonografía ha convertido a la obstetricia en una ciencia mucho más exacta y al embarazo en una experiencia mucho menos preocupante para muchas parejas. Mediante el uso de ondas sonoras que rebotan en las estructuras internas, permite la visualización del feto sin los peligros de los rayos X. Si el aparato utilizado dispone de una pantalla parecida a la de TV, proporciona la oportunidad de "ver" al bebé —y quizás incluso de tomar una fotografía ultrasónica del niño

---

* Los estudios muestran que el riesgo de tener un bebé con un defecto de tubo neural se reduce considerablemente si la mamá toma vitaminas que tengan ácido fólico en el periodo prenatal y antes y durante las primeras semanas de embarazo.

para enseñarla a la familia y a los amigos– aunque se necesita la experiencia del especialista para sacar algo en claro de la imagen borrosa que se observa.

Para datar el embarazo se suele realizar una ecografía de nivel 1. La ecografía de nivel 2, más detallada, se utiliza con propósitos diagnósticos más sofisticados. Los ultrasonidos se pueden recomendar cuando la madre tiene un historial obstétrico malo; por ejemplo, cuando ha tenido un embarazo ectópico (tubárico), una mola hidatiforme (la placenta se desarrolla formando una masa arracimada de quistes, que no puede mantener al embrión en desarrollo), una cesárea o un bebé con un defecto congénito o una enfermedad genética. También se pueden usar para:

- Determinar las causas del sangrado en el embarazo temprano o medio-tardío.

- Localizar un DIU que estaba colocado en el momento de la concepción.

- Localizar el feto antes de proceder a una amniocentesis y durante la biopsia de las vellosidades coriónicas.

- Determinar el estado del bebé si no se ha oído su latido cardíaco a las 14 semanas del embarazo mediante el aparato de Doppler o si no se han detectado movimientos fetales a las 22 semanas.

- Determinar si la madre carga más de un feto.

- Medir la cantidad de líquido amniótico.

- Si el crecimiento uterino es anormal, buscar posibles fibroides.

- Determinar el tamaño del feto cuando se contempla la posibilidad de un parto prematuro o cuando se cree que el bebé es tardío.

- Detectar cambios cervicales que puedan predecir un parto anticipado.

- Identificar el lugar, el tamaño, la madurez o las posibles anormalidades de la placenta.

- Evaluar el estado del feto por observación de la actividad fetal, los movimientos respiratorios y el volumen del fluido amniótico (véase perfil biofísico, página 428).

- Verificar la presentación de nalgas o cualquier otra posición no habitual del feto antes del parto.

¿Cuándo se hace? En cualquier momento durante el embarazo, dependiendo de la razón por la que se haga.

¿Cómo se realiza? El examen ultrasónico puede llevarse a cabo a través del abdomen o de la vagina; a veces, cuando existen requerimientos especiales, el médico puede utilizar ambas técnicas. Estos procedimientos son rápidos (de cinco a diez minutos) e indoloros, a excepción de la necesidad de tener la vejiga llena para el examen transabdominal (que al parecer es la causa de que la mayoría de las mujeres prefieran la ecografía transvaginal). Durante ellos, la futura madre permanece acostada de espaldas. Para la ecografía transabdominal, su abdomen desnudo es untado con una capa de aceite o gel que mejorará la propagación del sonido. Luego, un transductor se desplaza lentamente por encima del abdomen. Para la ecografía transvaginal, se inserta una sonda en la vagina. Los instrumentos registran los ecos de las ondas sonoras que rebotan contra los órganos del bebé. Con la ayuda de un técnico o un médico la madre podrá identificar el corazón que late, la curva de la espina dorsal, la cabeza, los brazos y las piernas. Incluso podrá ver como el bebé se chupa el pulgar. A veces incluso se distinguen los órganos genitales y puede predecirse el sexo, aunque con menos de un 100% de fiabilidad. (Si la futura madre no desea saber aún el sexo de su hijo, deberá informar al médico con anticipación.)

¿Es peligrosa? Después de muchos años de uso médico e investigaciones, no existen riesgos conocidos y en cambio se han obtenido numerosos beneficios del uso de la ecografía ultrasónica. Sin embargo, debido a la pequeña posibilidad de que aparezcan efectos secundarios en el futuro, los expertos de Estados Unidos suelen recomendar que los ultrasonidos se usen en el embarazo sólo cuando existan indicaciones válidas.

Las investigaciones recientes muestran que es posible que los fetos escuchen los sonidos generados por la ecografía. Parece que los sonidos de las ondas del ultrasonido llegan al oído del feto con frecuencias comparables con las notas altas de un piano. Ese sonido no afecta al bebé cuando lo escucha, pero puede estimular sus sentidos tanto que se puede mover durante el examen. Como el sonido es muy localizado, el feto puede evitarlo solamente con mover su cabeza.

EXÁMENES DE DIAGNÓSTICO

Junto con el ultrasonido (que puede utilizarse como herramienta para controles o diagnósticos), hay una variedad de exámenes prenatales de diagnóstico que le pueden ofrecer durante su embarazo. Los dos exámenes de diagnóstico más comunes son el análisis de las vellosidades coriónicas y la aminocentesis.

ANÁLISIS DE LAS VELLOSIDADES CORIÓNICAS (AVC)

Como este análisis se hace durante el primer trimestre, puede que de resultados (y más que todo puede proporcionar seguridad) antes que los resultados de una aminocentesis, que se aplica más o menos después de la semana dieciséis. Un diagnóstico más temprano ayuda particularmente a quienes pueden llegar a considerar terminar su embarazo (terapéuticamente); o cuando hay algo realmente grave, y un aborto a tiempo es menos complicado y menos traumático.

Se cree que con el tiempo el análisis de las vellosidades coriónicas será capaz de detectar prácticamente la totalidad de los aproximadamente 3.800 trastornos de los que son responsables los genes o los cromosomas. Y en el futuro hará posible el tratamiento y la corrección *in utero* de muchos de estos trastornos. Actualmente, el AVC es útil sólo en la detección de los desórdenes para los cuales ya existe tecnología, tales como la enfermedad de Tay-Sachs, la anemia falciforme, la mayoría de los tipos de fibrosis cística, las talasemias y el síndrome de Down. Generalmente sólo se suele realizar la prueba para enfermedades específicas (distintas del síndrome de Down) cuando existe un historial familiar de la enfermedad o se sabe que los progenitores son portadores. Las indicaciones para realizar este test son las mismas que para la amniocentesis. A veces se precisa de la amniocentesis y el AVC. (vea *Aminocentesis* en la página 69).

¿Cuándo se efectúa? Entre las semanas diez y trece del embarazo.

¿Cómo se efectúa? En el AVC transcervical, la futura madre se acuesta sobre la mesa de examen, y se le inserta un tubo delgado y largo a través de la vagina hasta el útero. Guiado por las imágenes ultrasónicas, el médico coloca el tubo entre el revestimiento del útero y el corión, la membrana fetal que con el tiempo formará la parte fetal de la placenta. Entonces se recorta o se succiona una muestra de las vellosidades coriónicas (proyecciones digitiformes del corión) para su estudio diagnóstico.

En el AVC transabdominal, la paciente también se acuesta boca arriba sobre la mesa. Se utilizan ultrasonidos para determinar la localización de la placenta y para detectar las paredes uterinas. Éstos también ayudan al médico a encontrar una zona segura en donde insertar la aguja. Dicha zona es lavada y desinfectada, y luego se le inyecta un anestésico local. También con la guía de los ultrasonidos, se inserta una aguja guía a través del abdomen y de la pared uterina hasta el borde de la placenta. Luego, por el interior de la aguja guía se inserta una aguja más fina, que extraerá las células. La aguja fina es girada y es desplazada hacia dentro y hacia afuera 15 o 20 veces por muestreo, y luego se retira con la muestra de células a estudiar.

Dado que las vellosidades coriónicas son de origen fetal, examinándolas se puede obtener un cuadro completo de la dotación genética del feto en desarrollo. Los resultados estarán disponibles entre tres y cinco días.

¿Qué margen de seguridad tiene? Aunque la mayoría de los estudios han sacado la conclusión de que el AVC es seguro y fiable, existen informes de al menos un centro de análisis que lo relaciona con deformidades de las extremidades del feto. Este procedimiento también aumenta ligeramente el riesgo de aborto espontáneo (más que la amniocentesis). Y existe un pequeño riesgo de que acabe con el embarazo basándose en una información incorrecta, ya que puede detectarse una anormalidad llamada mosaicismo en las vellosidades, que no exista en el feto. Este problema se puede eliminar volviendo a comprobar un diagnóstico de este tipo mediante amniocentesis. Estos riesgos deben ser sopesados frente a los beneficios del diagnóstico precoz mediante AVC. Los peligros pueden reducirse eligiendo un centro de diagnóstico con buenos porcentajes de seguridad.

Tras el AVC pueden darse pérdidas sanguíneas vaginales, que no debieran ser causa de preocupación, aunque se debiera informar al médico de ellas. Éste también debería ser informado si las pérdidas duran tres días o más. Como existe un ligero riesgo de infección, la mujer deberá notificar si tiene fiebre durante los primeros días que siguen a la prueba.

Dado que muchas mujeres se sienten agotadas tanto física como emocionalmente tras un AVC (no es raro que caigan en la cama y duerman doce horas seguidas), se suele recomendar que busquen la ayuda de alguien que las lleve de vuelta a casa y que no hagan ningún otro plan para el resto del día.

AMNIOCENTESIS

Las células fetales y los microorganismos del fluido amniótico que rodea al feto proporcionan una gran cantidad de información —composición genética, estado actual, nivel de madurez— del nuevo ser humano. Así, al poderse extraer y examinar algo de fluido mediante la amniocentesis, se ha realizado uno de los avances más importantes del diagnóstico prenatal. La aminocentesis tiene una credibilidad del 99% en su diagnóstico de síndrome de Down. Se recomienda cuando:

◆ La madre tiene más de 35 años. Entre un 80 y un 90% de todas las amniocentesis se practican únicamente debido a la avanzada edad de la madre, especialmente para determinar si el feto sufre el síndrome de Down, que es más frecuente entre los hijos de madres mayores. Los doctores están investigando nuevos y más avanzados exámenes. Probablemente, en un futuro cercano, estos exámenes puedan eliminar la necesidad de la aminocentesis que se hace basada únicamente en la edad.

◆ La pareja ha tenido ya un hijo con una anomalía cromosómica, como el síndrome de Down o con un trastorno metabólico, como por ejemplo el síndrome de Hunter.

• La pareja tiene ya un hijo o un pariente con un defecto del tubo neural.

• La madre es portadora de un trastorno genético ligado al cromosoma X, como por ejemplo la hemofilia, que trasmitirá en el 50% de los casos al hijo que está esperando. La amniocentesis puede identificar el sexo del feto, aunque no puede determinar si este ha heredado el gen.

• Ambos padres son portadores de trastornos hereditarios autosómicos recesivos, tales como la enfermedad de Tay-Sachs o la anemia falciforme, y así tienen una probabilidad de 1 entre 4 de que el hijo esté afectado.

• Se sabe que uno de los progenitores tiene una enfermedad tal como la corea de Huntington, que se transmite por herencia autosómica dominante, con lo que el bebé tendrá una probabilidad de 1 entre 2 de heredarla.

• Se sospecha la presencia de toxoplasmosis, la quinta enfermedad u otra infección fetal.

• Los resultados de los tests de criba (generalmente SMAFP, ecografía, estriol y/o GCh) resultan ser anormales y la evaluación del fluido amniótico es necesaria para determinar si se trata en realidad de una anormalidad fetal o no.

• Es necesario determinar la madurez de los pulmones fetales (ya que se cuentan entre los últimos órganos que están preparados para funcionar por sí mismos).

¿Cuándo se efectúa? La amniocentesis de diagnóstico del segundo trimestre se suele realizar entre las 16 y las 18 semanas de embarazo, aunque ocasionalmente se efectúa ya a las 14 semanas o se retrasa hasta las 20 semanas. Los estudios de aminocentesis anteriores (entre las semanas once y catorce) muestran un aumento significativo en las complicaciones. Los resultados generalmente están listos en una semana. La aminocentesis también se puede hacer

---

COMPLICACIONES
DE LA AMNIOCENTESIS

A pesar de que dichas complicaciones son raras, se estima que tras aproximadamente un 1% de las amniocentesis existe algo de pérdida de fluido amniótico. Si la mujer nota dicho flujo vaginal, deberá informar a su médico de inmediato. Existen muchas probabilidades de que este se detenga al cabo de pocos días, pero en general se recomienda reposo en cama y una observación cuidadosa hasta que cese.

en el último trimestre para asegurarse de la madurez de los pulmones del feto.

¿Cómo se efectúa? Después de cambiar su ropa por una bata de hospital y de vaciar su vejiga, la futura madre se coloca, tendida de espaldas, sobre la mesa de exámenes, con el cuerpo envuelto de tal modo que sólo su abdomen quede al descubierto. A continuación se localizan el feto y la placenta mediante ultrasonidos, para que el médico pueda evitarlos durante la intervención. (Anteriormente se habrá realizado una ecografía más detallada para identificar cualquier anormalidad fetal fácilmente visible). El abdomen es tratado con una solución antiséptica y en algunos casos es anestesiado con una inyección de anestésico local parecido a la novocaína utilizada por los dentistas. (Dado que esta inyección es tan dolorosa como el paso de la misma aguja de la amniocentesis, muchos médicos no la aplican). A continuación se inserta una larga aguja hueca a través de la pared abdominal hasta penetrar en el útero y se extrae una pequeña cantidad de líquido amniótico. El ligero riesgo de pinchar accidentalmente al feto durante esta parte del proceso se reduce mucho con el uso simultáneo de la ecografía. Los signos vitales de la madre y los sonidos cardíacos del feto son examinados antes y después de la intervención que, en total no debería durar más de 30 minutos. Las mujeres Rh negati-vo suelen recibir una inyección de Rh-inmunoglobulina tras la amniocentesis, para asegurar que el proceso no producirá problemas de Rh (vea la página 29).

A menos de que sea una arte necesaria del diagnóstico, los futuros padres tienen la opción de no ser informados sobre el sexo del niño una vez obtenidos los resultados, y de saberlo más tarde, al modo antiguo, en la sala de partos. (Téngase en cuenta que, aunque son poco frecuentes, los errores pueden ocurrir.)

¿Es peligrosa? La mayoría de las mujeres no sufren otra cosa que unas pocas horas de calambres después de la intervención; algunos médicos recomiendan reposo para lo que queda del día, mientras que otros no lo hacen. En algunos pocos casos se produce una ligera hemorragia vaginal o una pérdida de líquido amniótico. En muy pocos casos las mujeres sufren una infección y otras complicaciones que conducen al aborto. La amniocentesis, al igual que la mayoría de las pruebas para el diagnóstico prenatal, debería ser aplicada únicamente cuando sus beneficios son mayores que sus riesgos.

OTROS TIPOS DE DIAGNÓSTICO PRENATAL

El campo del diagnóstico prenatal está creciendo tan rápidamente que constantemente se están evaluando nuevos métodos. Además de los más comunes mencionados más arriba, existen otros

CUANDO SE ENCUENTRA UN PROBLEMA

En más de un 95% de los casos, el diagnóstico prenatal no revela ninguna anomalía aparente. En los casos restantes, el descubrimiento de que algo no va bien no resulta agradable para la pareja. Pero esta información, analizada con la ayuda de un consejero genético experimentado, puede ayudar a tomar decisiones vitales sobre este embarazo y sobre los embarazos futuros. Entre las opciones se cuentan:

Continuar con el embarazo. A menudo se elige esta opción cuando el defecto descubierto es tal que la familia cree que tanto ellos como el bebé que están esperando podrán vivir con él, o cuando los padres son contrarios al aborto bajo cualquier circunstancia. Tener idea sobre lo que les espera permite que la familia haga los preparativos (tanto emocionales como de orden práctico) tanto para recibir en la familia a un niño con necesidades especiales como para enfrentarse al nacimiento de un niño que es poco probable que sobreviva, o para considerar una adopción.

Terminar con el embarazo. Si las pruebas sugieren la existencia de un defecto que será fatal o extremadamente incapacitante, y un nuevo test, y/o la interpretación de un consejero genético confirman el diagnóstico, muchos padres optan por acabar con el embarazo. En tal caso, es obligatorio un cuidadoso examen de los productos del embarazo, que podrían ayudar a determinar las posibilidades de que la anormalidad se repita en futuros embarazos. La mayoría de las parejas, armadas con esta información y con la guía de un médico o un consejero genético, hacen un nuevo intento, con la esperanza de que los resultados de los tests prenatales –y por lo tanto las consecuencias del embarazo– serán favorables. Y lo más probable es que lo sean.

Tratamiento prenatal del feto. Esta opción sólo es posible en unos pocos casos, aunque cabe esperar que en el futuro sea más y más frecuente. El tratamiento puede consistir en una transfusión sanguínea (como en la enfermedad del Rh), en una operación quirúrgica (para limpiar una vejiga obstruida, por ejemplo) o en la administración de enzimas o medicamentos (tales como esteroides para acelerar el desarrollo pulmonar en el feto que debe nacer antes de tiempo).

Con los avances tecnológicos también podrán ser de uso común más tipos de cirugía prenatal, manipulación genética y otros tratamientos fetales.

Donación de órganos. Si el diagnóstico indica que los defectos fetales no son compatibles con la vida, como cuando falta la mayor parte o todo el cerebro, será posible donar uno o más de los órganos a un recién nacido que los precise. Con ello, algunos progenitores encuentran al menos un poco de consuelo por su propia pérdida. Un especialista en pediatría neonatal de un centro médico local podría proporcionar la

Continúa en la página siguiente…

...Viene de la página anterior

información necesaria en esta situación. Desde luego es importante recordar que nada es perfecto, ni siquiera el diagnóstico prenatal de alta tecnología. Por ello, todos los resultados que indiquen que algo va mal en el feto, deberían ser confirmados por otras pruebas o mediante consulta con otros profesionales. Actuar demasiado de prisa al poner fin a un embarazo a veces ha tenido como consecuencias el aborto de un feto normal.

Tan pronto como llegue el diagnóstico prenatal recuerde que no es infalible. Los errores ocurren incluso en los mejores laboratorios y con las mayores facilidades, incluso cuando los mejores médicos utilizan la más alta tecnología. Casi siempre hay más errores dando mayores positivos que mayores negativos. Es por eso que se deben hacer los siguientes exámenes y/o consultas con otros profesionales para confirmar el resultado que indica que hay algo mal con el feto.

También es importante tener en cuenta que para la gran mayoría de parejas esto no pasa. La mayoría de madres que se someten a exámenes prenatales recibirán el diagnóstico que esperan desde un principio: que todo está bien con su bebé y con su embarazo.

que están siendo usados experimentalmente o sólo en ciertas ocasiones. Éstos incluyen:

Muestra percutánea de sangre umbilical. Este examen para sacar sangre del cordón umbilical del feto se hace después de la semana dieciocho de embarazo. Es buena para diagnosticar varias enfermedades sanguíneas y de piel que la aminocentesis no puede detectar. También se utiliza para buscar resultados erróneos de la aminocentesis, causas diagnosticadas de retraso en el crecimiento al final del embarazo o para saber si el feto está infectado con una enfermedad potencialmente grave como rubéola, toxoplasmosis o la quinta enfermedad. Como este examen es nuevo, no hay investigaciones definitivas que demuestren su credibilidad, pero parece que es muy acertado.

Este examen se hace de manera parecida a la aminocentesis, excepto porque la aguja del ultrasonido es insertado en un vaso sanguíneo del cordón umbilical del bebé y no en el saco amniótico, así se obtiene la pequeña muestra de sangre fetal. Generalmente los resultados están en tres días.

Los riesgos de este examen son ligeramente mayores a los de la aminocentesis y se asocia con un riesgo un poco mayor de parto prematuro o ruptura prematura de las membranas.

♦ **Análisis sanguíneo materno para determinar el sexo** del feto, que aunque se halla en experimentación, podría ser valioso en la detección de ciertas enfermedades hereditarias que sólo afectan a la descendencia masculina.

- **Muestreo de piel fetal**, en el que se toma una diminuta muestra de piel fetal para ser estudiada. Este método es particularmente útil para detectar ciertas enfermedades de la piel.

- **Análisis de sangre fetal**, o cordocentesis, en el que se extrae sangre del cordón umbilical o de la vena hepática fetal para su estudio. Es algo más segura que la fetoscopia cuando se hace bajo la guía de ultrasonidos, y puede detectar las mismas enfermedades.

- **Resonancia magnética.** Este método todavía está bajo investigación pero ofrece ser capaz de proporcionar un panorama claro de la condición del feto y de cualquier anormalidad que pueda proporcionar un ultrasonido. Los investigadores están trabajando para mejorar el equipo para que las imágenes salgan más rápido. Ahora mismo, conseguir una imagen útil no es muy fácil (porque los fetos no se quedan quietos por mucho tiempo). Su uso durante el embarazo parece ser seguro.

- **Ecocardiografía.** Este es un método con el que se pueden detectar defectos en el corazón del feto. Se utiliza un ultrasonido dirigido que también muestra el flujo de sangre dentro y alrededor del corazón.

CAPÍTULO TRES

A lo largo de todo el embarazo

Las mujeres embarazadas se han preocupado siempre. Pero los motivos de preocupación han cambiado considerablemente entre las generaciones, a medida que la ciencia obstétrica –y los futuros padres– van descubriendo más y más detalles acerca de lo que afecta y lo que no afecta a la salud del futuro bebé. Nuestras abuelas, influidas por diversos cuentos de viejas, temían que si veían a un mono durante el embarazo tendrían hijos con aspecto de monos, o que si se colocaban las manos sobre el vientre como reacción ante un susto, sus hijos poseerían manchas de nacimiento en forma de mano.

Nosotras hemos recibido la influencia de una serie de cuentos de los medios modernos de información (por lo general igualmente alarmantes y a veces infundados) y tenemos otros temores: ¿estoy respirando un aire demasiado contaminado o bebiendo agua poco saludable? ¿Será un peligro para la salud de mi bebé el que mi marido fume, la taza de café que he bebido esta mañana o el ejercicio de mi profesión? ¿Y qué pasa con la radiografía que me han hecho en la consulta del dentista? Como razones de preocupación, estas preguntas pueden convertir el embarazo en un proceso innecesariamente exasperante. Como razones para actuar nos pueden proporcionar un mejor sentido de control y pueden aumentar en gran medida las probabilidades de tener un bebé sano.

QUÉ PUEDE PREOCUPAR

ALCOHOL

"Tomé un par de bebidas alcohólicas en diversas ocasiones antes de saber que estaba embarazada. ¿Será que el alcohol le ha hecho daño a mi bebé?"

"He aquí que concebirás y darás a luz un hijo, y ahora no bebas vino ni licor", le dijo el ángel a la madre de Sansón en el libro bíblico de los Jueces. ¡Afortunada mujer! Pudo empezar a pedir agua mineral cuando Sansón era aún una ilusión en la mente de su padre. Pero no son muchas las mujeres que reciben tales noticias adelantadas acerca de su embarazo. Y puesto que generalmente no sabemos que estamos embarazadas hasta el segundo mes de gestación, es posible que hayamos hecho cosas que no habríamos hecho de haberlo sabido. Como por ejemplo beber un poco en demasiadas ocasiones. De ahí que esta preocupación es una de las que surgen con mayor frecuencia durante la primera visita prenatal.

Afortunadamente es también una de las preocupaciones que puede ser descartada con más facilidad. No existen pruebas de que un poco de bebida en algunas ocasiones durante las primeras semanas de embarazo resulte perjudicial para el bebé.

Continuar bebiendo mucho durante el embarazo, no obstante, se asocia con una gran variedad de problemas de la descendencia. No es sorprendente, si consideramos que el alcohol penetra en el torrente sanguíneo fetal aproximadamente en las mismas concentraciones que se halla en la sangre materna; cada bebida que toma la madre, la comparte con el bebé. Dado que el feto tarda el doble que su madre en eliminar el alcohol de su sangre, el bebé puede estar a punto de morir cuando la madre sólo está un poco alegre.

Beber en exceso (generalmente se considera que es consumir diariamente cinco o seis raciones de vino, cerveza o bebidas destiladas) durante el embarazo puede tener como resultado, además de muchas complicaciones obstétricas serias, lo que se conoce como síndrome alcohólico fetal (SAF). Descrita como una resaca que dura toda la vida, esta enfermedad produce bebés que nacen con un tamaño menor al normal, generalmente con deficiencias mentales, con múltiples deformidades (particularmente de la cabeza y la cara, las extremidades, el corazón y el sistema nervioso central), y una alta tasa de mortalidad neonatal. Más adelante, los afectados por el SAF tienen dificultades de aprendizaje a partir de la experiencia y generalmente no tienen la habilidad del juicio de sonidos. Entre más pronto deje de tomar (durante el embarazo) alguien que toma mucho, será menor el riesgo para el bebé.

Los riesgos de beber alcohol continuamente están por supuesto relacionados con la dosis: cuanto más beba la madre, mayor será el riesgo potencial para el bebé. Pero incluso el consumo moderado (tres o cuatro tomas diarias o en ocasiones cinco o más) durante el embarazo se relacionan con una serie de problemas serios, incluyendo un mayor riesgo de aborto espontáneo, parto prematuro, peso escaso al nacer, y complicaciones del parto. También se ha asociado a un efecto alcohólico fetal (EAF) algo más sutil, que se caracteriza por numerosos problemas del desarrollo y la conducta. Incluso parece que una o dos tomas diarias aumentan el riesgo de aborto espontáneo, de dar a luz un mortinato, de anormalidades del comportamiento y de problemas del desarrollo.

Aunque algunas mujeres beben un poco durante el embarazo –un vaso de vino por la noche, por ejemplo– y tienen bebés aparentemente sanos, no se puede estar seguro de que esta sea una práctica sensata. Todo lo que se sabe sobre alcohol y embarazos lleva a esto: aunque no se debería preocupar de lo que tomó antes de saber que estaba embarazada, sí debe abstenerse durante el resto del embarazo.

Para ciertas mujeres, esto resulta tan fácil de hacer como de decir, ya que sienten aversión por el alcohol desde los primeros días del embarazo hasta después del parto. Para otras, en especial aquellas que se "relajan" con un coctel al final del día o que toman vino con la cena, la abstinencia puede exigir un esfuerzo continuado, posiblemente incluso en combinación con un cambio en la forma de vivir. Si una mujer bebe para relajarse, por ejemplo, puede intentar sustituir el alcohol por otros métodos de relajación: la música, un baño caliente, un masaje, ejercicio, lectura. Si la bebida forma parte de un ritual diario que no se desea abandonar, se puede probar una copa sin alcohol en el aperitivo, un vaso de sidra burbujeante o una bebida de malta no alcohólica durante la cena, etcétera. (Vea las ideas de bebidas no alcohólicas en las páginas 142-143) –sirviendo estas bebidas en el momento acostumbrado, en las copas habituales y con el ceremonial de costumbre*. Si el marido se une también a esta campaña (por lo menos en presencia de la esposa embarazada), el esfuerzo resultará considerablemente más llevadero.

FUMAR CIGARRILLOS

"Fumo desde hace 10 años. ¿Perjudicará esto a mi bebé?"

Afortunadamente no existe una evidencia clara de que el fumar antes del embarazo –incluso durante 10 o 20 años– pueda perjudicar al feto en desarrollo. Pero está bien probado que si se continúa fumando durante el embarazo –particularmente después del tercer mes– es peligroso.

De hecho, cuando usted fuma, su feto queda confinado en una matriz llena de humo, las palpitaciones del corazón aumentan, el bebé tose y escupe y, lo peor de todo, no crece ni se desarrolla como debería debido a la falta de aire en sus pulmones.

Los resultados pueden ser catastróficos. El hecho de fumar se ha ligado a más de 115,000 pérdidas de bebés y más de 5,600 muertes infantiles en un año.

---

* Aunque para alguien que no toma mucho es bueno cambiar las bebidas alcohólicas por sustitutos, para un bebedor fuerte puede que dichos sustitutos provoquen ganas de tomar; si es su caso, evite esas bebidas que le recuerdan el alcohol.

También aumenta el riesgo de otras complicaciones durante el embarazo, entre las más serias se encuentran: el sangrado vaginal, el embarazo ectópico, la implantación anormal de la placenta, el hecho de que se suelte prematuramente la placenta, la ruptura prematura de las membranas y el parto prematuro. Por lo menos el 14% de los partos prematuros en los Estados Unidos se deben a madres fumadoras.

Existen también pruebas consistentes de que una futura madre que fuma afecta adversa y muy directamente al desarrollo intrauterino de su bebé. El riesgo más extendido es el del bajo peso al nacer. En las naciones industrializadas, tales como los Estados Unidos y Gran Bretaña, se culpa al tabaco de la tercera parte de todos los bebés que han nacido con un peso inferior al normal. Y haber nacido demasiado pequeño es la principal causa de enfermedad infantil y muerte perinatal (la que sucede justo antes, durante o después del parto).

Sin embargo, también existen otros riesgos potenciales. Los bebés de madres fumadoras tienen más probabilidades de sufrir de apnea (suspensión transitoria de la respiración) y tienen una probabilidad doble de morir del síndrome de la muerte súbita del recién nacido (SMSRN, o muerte en la cuna), que los hijos de las no fumadoras. En general, los bebés de las fumadoras no son tan sanos al nacer como los de las no fumadoras. Las de "tres paquetes al día" presentan también un riesgo cuatro veces superior de un resultado poco favorable en la valoración de Apgar (escala estándar utilizada al evaluar el tono muscular, el llanto y la respiración a los recién nacidos). Y existe evidencia de que, por término medio, no llegan nunca a alcanzar a los hijos de las no fumadoras, de que presentan déficits físicos e intelectuales a largo plazo y de que a menudo son hiperactivos, especialmente si los padres continúan fumando cerca de ellos. Estos niños son particularmente propensos a infecciones de oídos, tuberculosis, alergias a las comidas, asma, baja estatura y problemas en la escuela, incluyendo la hiperactividad. Los estudios también muestran que las mujeres embarazadas que fuman son más propensas a tener hijos que son anormalmente agresivos en la pubertad y que siguen teniendo problemas de comportamiento en la edad adulta. Los niños de madres que fumaron durante el embarazo son más propensos a que los hospitalicen más seguido en su primer año de vida que los niños de madres no fumadoras. Estos niños también son más propensos al cáncer y tienen más disposición para fumar cuando grandes.

Se creía que la razón de las dificultades de estos niños se hallaba en una mala nutrición prenatal: sus madres fumaban en lugar de comer. Pero estudios recientes han demostrado que esto no es así:

las madres fumadoras que comen igual y aumentan igual de peso que las no fumadoras dan a luz a bebés más pequeños. Parece que la causa estriba en el envenenamiento con monóxido de carbono y en la reducción del oxígeno que pasa hasta el feto a través de la placenta.

Los estudios demuestran que los efectos del tabaco, como los del alcohol, están relacionados con la dosis: el tabaco reduce el peso de los bebés al nacer en proporción directa al número de cigarrillos fumados. La fumadora de un paquete al día tiene 30% de probabilidades de dar a luz un bebé con un peso inferior. Así, reducir el número de cigarrillos que se fuman puede ser de alguna ayuda. Pero dicha reducción puede ser aparente, debido a que la fumadora a menudo la compensa con caladas más profundas y frecuentes y fumando más de cada cigarrillo. Esto también puede suceder cuando la mujer intenta reducir los riesgos consumiendo cigarrillos bajos en nicotina o en alquitrán.

Pero no todas las noticias son malas. Algunos estudios demuestran que las mujeres que dejan de fumar en los primeros tiempos del embarazo –antes de los cuatro meses– pueden reducir el riesgo de dañar al feto hasta el nivel de riesgo de las madres no fumadoras. Cuanto más pronto mejor, pero dejar de fumar incluso en el último mes puede ayudar a preservar el abastecimiento de oxígeno del feto durante el parto. Para algunas mujeres fumadoras, dejar este hábito no será nunca tan fácil como al principio de un embarazo, ya que experimentan una súbita aversión por los cigarrillos –probablemente se trata de un aviso de la intuición del propio cuerpo. Si no es tan afortunada y no desarrolla esa aversión natural, lea los consejos para dejar de fumar en la página 83.

La mayoría de los que dejan de fumar, experimentan síntomas de privación, aunque estos y su intensidad varían de una persona a otra. Algunos de los más comunes incluyen ansias de fumar, irritabilidad, ansiedad, inquietud, hormigueo o entumecimiento de las extremidades, mareos y fatiga y trastornos gastrointestinales y del sueño. Algunas personas también sienten al principio que su rendimiento físico y mental se ve perjudicado. Muchos experimentan que durante un tiempo tosen más, debido a que súbitamente sus cuerpos son más capaces de expectorar todas las secreciones que se han acumulado en los pulmones.

Para intentar hacer más lenta la liberación de la nicotina y el nerviosismo que puede resultar de ello, se deberá aumentar la ingestión de fruta, zumos de fruta, leche y verduras variadas, y reducir durante un tiempo la carne, las aves, el pescado y el queso; habrá que evitar la cafeína, que añadiría más nerviosismo. Se descansará mucho (para

Un regalo anticipado para el bebé

Dejar de fumar no es nada fácil, como seguramente ya lo sabe si ha tratado de dejarlo en el pasado, pero un medio ambiente libre de humo, en el útero y fuera de él, es el mejor regalo que le puede dar a su bebé.

combatir la fatiga) y se hará mucho ejercicio (para reemplazar la energía que se obtenía de la nicotina). Hay que dejar relajar la mente durante unos pocos días, si fuera necesario y posible, llevando a cabo tareas que requieran poca concentración; también es buena idea ir al cine o a otros lugares donde esté prohibido fumar. Si siente una depresión seria como parte de todo este proceso, hable con su médico inmediatamente.

Los peores efectos de la privación durarán de unos pocos días a unas pocas semanas. Los beneficios, sin embargo, durarán toda la vida —tanto para la madre como para el bebé.

"Mi cuñada fumó dos paquetes diarios durante sus tres embarazos y no tuvo complicaciones y sus bebés fueron grandes y sanos. ¿Debo dejar de fumar?"

Todos hemos oído sugerentes historias de alguien que ha vencido la adversidad —un paciente de cáncer con unas esperanzas de supervivencia del 10% que ha vivido hasta una edad avanzada, o la víctima de un terremoto que fue encontrada viva tras haber estado atrapada bajo los escombros durante días sin nada que comer ni beber. Pero es mucho menos sugerente la historia de una embarazada que conscientemente acumula probabilidades en contra de sus futuros hijos al elegir fumar, y que consigue vencer la adversidad y producir de todos modos una descendencia sana.

No hay nada seguro cuando se trata de hacer un bebé, pero existen muchas maneras de mejorar sus posibilidades. Y dejar de fumar es una de las formas más tangibles de que la futura madre pueda aumentar las probabilidades de tener un embarazo y un parto sin complicaciones así como un hijo sano. Aunque también es posible que esta mujer que nos consulta pueda tener bebés vigorosos que nazcan a término incluso fumando durante todo el embarazo, también existe un riesgo significativo de que el bebé sufra alguno o todos los efectos detallados en la página 77. La cuñada de esta mujer tuvo mucha suerte (y hasta cierto punto, esta suerte pudo haberse basado en factores hereditarios o de otro tipo de los que quizá la que nos ha escrito no se beneficie); ¿realmente vale la pena apostar a que se tendrá tanta suerte? Y, de nuevo, puede que no haya tenido tanta suerte como parece a simple vista. Algunas de las deficiencias físicas e intelectuales que afligen a los hijos de las fumadores no se manifiestan de inmediato. El bebé aparentemente sano puede dar lugar a un niño que esté con frecuencia enfermo, que sea hiperactivo o que tenga problemas de aprendizaje.

Además de los efectos que fumar durante el embarazo puede tener en el bebé, existen las consecuencias que tendrá una vez éste haya salido del abdomen lleno de humo para pasar a las habitaciones también llenas de humo. Los hijos de progenitores (madres y/o padres) que fuman, están enfermos más a menudo que los bebés de los no fumadores y es más probable que sean hospitalizados durante su infancia. También son más propensos a morir del síndrome de muerte súbita.

De todo ello se deduce, que la mejor apuesta que se puede hacer es la de dejar de fumar.

CUANDO OTRAS PERSONAS FUMAN

"He dejado de fumar, pero mi marido continúa fumándose sus dos paquetes diarios y algunos de mis colaboradores fuman como chimeneas. ¿Esto le hará daño a mi bebé?

Cada vez resulta más evidente que el fumar no afecta únicamente a la persona que se lleva el cigarrillo a los labios, sino a toda persona que se encuentre cerca de ella, incluido el feto en desarrollo cuya madre se encuentra cerca de la persona que fuma. Por consiguiente si el marido (o cualquier otra persona que viva en la casa o que trabaje en la mesa del lado) fuma, el cuerpo del bebé absorberá casi tanta contaminación de los productos secundarios del humo del tabaco como si usted hubiera encendido el cigarrillo.

Si el marido opina que no puede dejar de fumar, la mujer embarazada puede pedirle que por lo menos fume siempre fuera de casa o en una habitación diferente. Evidentemente sería mejor que dejara de fumar, no sólo en benefi-

---

AUMENTO DE PESO Y CIGARRILLO

Aunque muchas mujeres fuman para mantener bajo su peso, no hay ningún estudio que avale esto. Muchos fumadores tienen sobrepeso pero es cierto que *algunos* fumadores no todos, aumentan de peso cuando lo dejan. En promedio las mujeres aumentan 3 Kg en los primeros cuatro meses (los hombres aumentan 2 Kg en promedio). Algunas aumentan más, otras no aumentan nada. Es interesante que las mujeres que aumentan de peso cuando dejan de fumar generalmente tienen más éxito que las otras y además bajan de peso fácilmente después. Tratar de hacer dieta cuando se está dejando de fumar no es una buena opción porque generalmente se falla en las dos cosas.

cio de su propia salud, sino también del bienestar del bebé a largo plazo. Los estudios realizados sobre el tema han demostrado que el hábito de fumar, del padre o de la madre puede provocar problemas respiratorios en el bebé y el niño y perjudicar más tarde el desarrollo de sus pulmones. También puede aumentar las probabilidades de que los mismos niños acaben siendo fumadores.

Posiblemente la embarazada no podrá hacer que sus amigos y colaboradores dejen el hábito, pero quizá consiga que fumen menos en su presencia. Si donde vive o trabaja hay leyes que protegen a los no fumadores, será relativamente fácil conseguirlo. Si no las hubiera, deberá intentar persuadirles con tacto –quizá mostrándoles el material de este libro sobre el peligro que el tabaco representa para un feto. Si esto fallara, se intentará que en el lugar de trabajo se establezca una regulación que limite unas zonas donde se pueda fumar, tales como un salón y prohiba fumar cerca de los no fumadores. Si todo esto fracasara, la mujer intentará mudarse de oficina durante el embarazo.

MARIHUANA

"Durante unos años he sido una fumadora 'social' de marihuana, ya que sólo fumaba en las fiestas. ¿Es posible que esta costumbre haya afectado al bebé que estoy esperando? ¿Es peligroso fumar hierba durante el embarazo?"

Al igual que con e cigarrillo, no todos los efectos de la marihuana se conocen. En consecuencia, todos lo que escogieron fumar marihuana hoy, se atienen a las consecuencias de ingerir una sustancia cuyos peligros no están completamente documentados y seguramente no lo estarán en un buen tiempo. Como la marihuana atraviesa la placenta, las madres que la fuman durante el embarazo también se están arriesgando con su bebé que viene en camino.

Generalmente se recomienda que las parejas que estén tratando de concebir no fumen marihuana ya que puede intervenir con la concepción. Pero si usted ya está embarazada no necesita preocuparse de su pasado como fumadora, no existe ninguna evidencia de que vaya a afectar al feto.

Continuar fumando marihuana cuando ya se sabe que se está embarazada, no obstante, podría provocar una historia con un final menos feliz. Algunos estudios, aunque no todos, indican que las mujeres que consumen marihuana durante el embarazo, incluso tan poco frecuentemente como una vez al mes, tienen mayores probabilidades de: que el aumento de peso sea inadecuado; sufrir de hiperémesis (fuertes vómitos crónicos), que puede afectar seriamente a la nutrición prenatal si no es tratada; tener una dilatación peligrosamente rápida, o bien demasiado prolongada o interrumpida, o tener que

Para vencer el hábito de fumar

Identificar la motivación para dejarlo. Cuando se está embarazada, la motivación es evidente.

Escoger el método de dejarlo. ¿Quiero dejarlo de un modo brusco o bien de un modo gradual? En todo caso, señalaremos un "último día" no demasiado lejano. Para dicha fecha estableceremos un día lleno de actividades, de cosas que no vayan asociadas con el hecho de fumar.

Identificar la motivación de fumar. Por ejemplo, ¿fumamos por el placer, como estimulación o para relajarnos? ¿Para reducir la tensión o la frustración, para tener algo en las manos o en los labios, para satisfacer las ansias? Quizá fumamos de modo rutinario, encendiendo los cigarrillos sin darnos cuenta. Una vez comprendidas las motivaciones, será más fácil sustituir los cigarrillos por otras satisfacciones:

Intentar sublimar el deseo de fumar. Se pueden aplicar uno o todos los trucos siguientes, si pensamos que pueden servirnos:

- Si fumamos principalmente para mantener las manos ocupadas, debemos poder jugar con un lápiz, con unas cuentas, con un palito: podemos hacer punto, limpiar la plata, crear una nueva y sabrosa receta, escribir una carta, tocar el piano, aprender a dibujar, hacer crucigramas o rompecabezas, desafiar a otra persona a una partida de ajedrez o de damas –cualquier cosa que nos haga olvidarnos de encender un cigarrillo.

- Si fumamos como gratificación oral, podríamos sustituir los cigarrillos por: verduras crudas. Palomitas de maíz, un pedazo de pan integral, una goma de mascar sin azúcar, un palillo, una boquilla vacía. Evitaremos en lo posible los bocaditos que sólo tienen calorías.

- Si fumamos como estimulación, podemos intentar animarnos con un paseo a buena marcha, un libro absorbente, una conversación interesante.

- Si fumamos para reducir la tensión o relajarnos, podemos sustituir los cigarrillos por el ejercicio, por técnicas de relajación, por escuchar una música que nos sea agradable, por un largo paseo, por un masaje o por hacer el amor.

- Si fumamos por el placer, buscaremos el placer en otras cosas: iremos al cine, recorreremos tiendas de artículos para el bebé, visitaremos nuestro museo favorito, iremos a un concierto o al teatro, cenaremos con una amiga que sea alérgica al humo. O bien podemos probar algo más activo, como una clase prenatal.

- Si fumamos por hábito, se evitarán los lugares en los que se fumaba actualmente y los amigos fumadores; en vez de ello se frecuentarán lugares en donde no se permita fumar.

- Si para nosotras el fumar está relacionado con una bebida, o un alimento en particular, procuraremos evitar estas bebidas y

Continúa en la página siguiente…

...viene de la página anterior

comidas. Si lo está con una circunstancia especial, evitaremos esta circunstancia. (Pongamos por caso que acostumbramos a fumar dos cigarrillos con el desayuno, pero que nunca fumamos en la cama. La solución será tomar el desayuno en la cama durante algunos días).

♦ Cuando notemos un gran afán de fumar, respiraremos profundamente varias veces, con una pausa entre cada respiración. Aguantaremos el aliento mientras encendemos una cerilla. Pensaremos que se trataba de un cigarrillo y lo apagaremos.

Si nos dejamos tentar y encendemos un cigarrillo, no debemos desesperarnos. En vez de ello procuraremos continuar con nuestro programa de abstinencia, sabiendo que cada cigarrillo que *no* fumamos ayuda a nuestro bebé.

Considerar el tabaco como un tema no negociable. Cuando fumábamos, no podíamos hacerlo en el teatro, o en el metro, o en una tienda o incluso en ciertos restaurantes. Era un hecho aceptado. Ahora debemos decirnos que no podemos fumar y punto. Debe ser un hecho aceptado.

Si al principio no lo logramos... Trate, trate, trate de nuevo, hay mucha gente que no lo logra al primer intento pero lo hacen si siguen intentándolo. Pregúntele a su médico sobre recursos locales en donde la puedan ayudar. Trate con hipnosis, acupuntura y técnicas de relajación, eso le ayuda a mucha gente. Si se siente cómoda con la idea de una terapia grupal busque esa opción en Internet, con amigos o conocidos que la guíen para saber en dónde buscar.

Nota: utilizar parches de nicotina o parches durante el embarazo representa un riesgo pero los riesgos de fumar mucho a veces son peores. Hable de eso con su médico.

---

pasar por una cesárea; tener un bebé de poco peso (aunque el aumento del riesgo es pequeño); sufrimiento fetal durante la dilatación y tener un bebé que precise reanimación tras el parto. Aunque no existen pruebas definitivas de un aumento en la incidencia de malformaciones en los bebés de las consumidoras de marihuana, existen informes sobre características similares a las del síndrome alcohólico fetal (vea la página 75), así como temblores, anormalidades de la visión y un llanto parecido al del síndrome de abstinencia durante el período postnatal. También se ha visto que la marihuana afecta adversamente a la función de la placenta y al sistema endocrino fetal, pudiendo obstaculizar el curso normal del embarazo.

Así que no fume si no es bajo prescripción médica, es lo mismo que haría con cualquier otra droga. Si ha fumado antes del embarazo, no se preocupe. Si no puede controlar el hábito, hable con su doctor o busque ayuda profesional lo más pronto posible.

CONSUMO DE COCAÍNA Y OTRAS DROGAS

"Tomé algo de cocaína una semana antes de saber que estaba embarazada. Ahora me preocupan los efectos que esto pueda tener sobre mi bebé".

Esta mujer no debe preocuparse de la cocaína que ya ha consumido; se limitará a asegurarse de que haya sido la última. Mientras que las buenas noticias son que no es probable que la droga que se ha tomado antes de saber que se está embarazada afecte al feto, las malas noticias son que continuar consumiéndola podría ser catastrófico. La cocaína no sólo atraviesa la placenta, la puede dañar, reduciendo el flujo sanguíneo hacia el feto y retardando su crecimiento, especialmente el de la cabeza. También puede llevar a que la madre pierda el bebé, a que haya un parto prematuro, a que el bebé muera, a que se ahogue y a tener numerosos problemas en los pulmones para toda la vida. El niño puede sufrir de: diarrea crónica, irritabilidad, llanto excesivo, problemas de comportamiento y problemas neurológicos (como dificultad con el control del impulso o dificultades para poner atención y responder a otros), déficit en el desarrollo motor y bajos puntajes en los exámenes de inteligencia. Evidentemente, entre más frecuente sea el consumo de la madre embarazada, es mayor el riesgo para el bebé. Pero cualquier consumo durante el embarazo es muy peligroso. Por ejemplo, un solo "pase" durante el primer trimestre puede provocar contracciones y un latido fetal anormal.

Cuéntele al doctor de cualquier consumo de cocaína que haya tenido desde que concibió, háblele de todos los aspectos de su historial médico, entre más sepa el doctor o la partera, el cuidado para usted y para su hijo será mejor. Si tiene problemas para dejar definitivamente la cocaína, busque ayuda profesional inmediatamente.

Las embarazadas que consumen drogas o fármacos de cualquier tipo –que no sean los prescritos por un médico que sepa de su estado– también están poniendo en juego la salud de sus bebés. Todas las drogas conocidas (incluyendo la heroína, la metadona, el crack, el "ice", el LSD y el PCP), y el uso indebido de cualquier fármaco (incluyendo los narcóticos, tranquilizantes, sedantes y píldoras adelgazantes) pueden causar serios daños al feto y/o al embarazo. Hable con su médico o con cualquier otro médico competente de *cualquier* droga que haya utilizado durante el embarazo o llame a cualquier centro de ayuda. Busque en las páginas amarillas o trate de encontrar una línea de ayuda hablando con amigos o conocidos, en hospitales o centros de salud, para saber qué efectos van a tener en el bebé. Ahora, si todavía consume drogas, busque ayuda profesional (desde un consejero certificado o un adictólogo, hasta un centro de tratamiento especializado) para que le ayuden a dejarlas. Inscríbase YA en algún programa de embarazo sin drogas, eso puede hacen una enorme diferencia en el proceso de su embarazo.

CAFEÍNA

"Tomo café para mantenerme activa todo el día. ¿Debo dejar la cafeína mientras estoy embarazada?

Aunque hay evidencia que sugiere que tomar café para mantenerse activa todo el día no es la mejor idea cuando se está embarazada, parece que tomar café *light* no es un problema. La cafeína (que se encuentra en el café, el té, las colas y otras bebidas refrescantes) y su prima hermana la theobromina (que se encuentra en el chocolate) cruzan la placenta y entran en la circulación sanguínea fetal. Pero qué tanto café, qué dosis afecta al feto, eso no se sabe a ciencia cierta. Los últimos estudios indican que las mujeres que toman dos o hasta tres tazas de café al día probablemente no están arriesgando a sus bebés; sin embargo, la posibilidad de perder al bebé aumenta levemente en las mujeres que toman cinco o seis tazas de café diarias.

Se están realizando cada vez más y más estudios de los efectos de la cafeína en el feto. Mientras que los resultados salen a la luz, es mejor prevenir problemas, y evitar la cafeína durante el embarazo o limitar su ingesta a no más de dos tazas diarias. Para calcular su ingesta recuerde que la cafeína no solamente está en el café, también está en algunas bebidas suaves, en los yogures de café, en el té, en el chocolate (aunque la cantidad varía dependiendo del producto). También tenga en cuenta que el café que toma fuera de casa tiene más porcentaje de cafeína y que el café instantáneo tiene menos cafeína que el resto.

Existen algunas razones válidas para dejar de tomar café cafeinado (y té y colas) durante el embarazo. En primer lugar, la cafeína tiene un efecto diurético, haciendo que se liberen fluídos y calcio –ambos vitales para la salud materna y fetal. Si la mujer ya tiene el problema de orinar frecuentemente, la ingestión de cafeína lo agravará. En segundo lugar, el café y el té, especialmente cuando se toma con leche y azúcar, llenan y satisfacen sin ser nutritivos y pueden agotar el apetito de la embarazada, que se debería destinar a alimentos nutritivos. Las colas no sólo llenan, también pueden contener productos químicos dudosos además de azúcar innecesario o endulzantes artificiales. En tercer lugar, la cafeína puede exacerbar los cambios de humor normales de la embarazada, y también impedir el reposo adecuado, especialmente si lo toma después de medio día. Cuarto, la cafeína puede impedir la absorción de hierro que tanto la madre como el bebé necesitan.

¿Cómo romper la costumbre de tomar café? El primer paso, consistente en encontrar la motivación, es fácil durante el embarazo: el motivo estriba aquí en proporcionar al bebé un comienzo lo más sano posible. El segundo paso consiste en determinar la razón que nos impulsa a beber café, y qué bebida puede sustituirlo. Si se trata simplemente del sabor o de la agradable sensación de una bebida caliente, podemos sustituir el café o el té por una bebida sin cafeína (que contiene una mínima cantidad de cafeína), claro que no deje que estas bebidas remplacen su leche, el jugo de naranja u otras bebidas nutritivas.

Si toma bebidas con cafeína como parte de un ritual diario (la pausa para tomar café, para leer el periódico o para ver la televisión) le quedará bien la opción de cambiar a una bebida descafeinada.

Si la mujer bebe cola por su sabor, podrá sustituirla de vez en cuando por bebidas refrescantes descafeinadas, pero dichas bebidas no deben tener un lugar asegurado en la dieta de la embarazada. En vez de ello, ésta podrá explorar los diversos sabores de los jugos de fruta al 100% no azucarados (de papaya, fruto de la pasión, mango, cereza, frutos del bosque, etcétera., en sus innumerables combinaciones)*. Si se desea una bebida refrescante, los zumos y el agua natural o con gas apagan mucho mejor la sed que las colas.

Si lo que busca es el estímulo de la cafeína, se obtendrá un estímulo más natural y duradero haciendo ejercicio y alimentándose bien, sobre todo ingiriendo carbohidratos complejos y proteínas, o bien dedicándose a algo que resulte divertido: bailar, pasear o hacer el amor. Aunque es muy probable que la mujer embarazada se note un poco decaída durante los primeros días de no tomar cafeína, pronto se encontrará mejor que nunca. (Naturalmente no por ello dejará de experimentar el cansancio normal de los primeros tiempos del embarazo).

Minimizar los síntomas de privación de cafeína. Como sabe muy bien cualquier adicto al café, al té o a la cola, una cosa es querer dejar la cafeína y otra conseguirlo. La cafeína es una sustancia que produce adicción; los grandes consumidores que cortan su consumo de golpe deben soportar los síntomas de abstinencia, incluyendo dolores de cabeza, irritabilidad, fatiga y letargo. Esta es la razón por la que probablemente sea más sensato dejar la cafeína gradualmente –empezando por reducirla hasta el nivel seguro de dos tazas (tomadas con la comida para amortiguar sus efectos) durante unos días. Luego, una vez que el cuerpo se ha habituado a las dos tazas, se irá re-

---

* Uno de los jugos frutales más comunes es el jugo de manzana que ofrece una nutrición mínima. Mire los niveles de nutrición de los jugos que contengan de manera natural (o que están fortificados) algunas vitaminas como la C y la A, además de calcio, potasio y/o hierro.

duciendo gradualmente la dosis diaria (asumiendo que quiera dejarla por completo), cada vez en un cuarto de taza, hasta llegar a una sola taza, y finalmente, cuando la necesidad de cafeína haya bajado, a ninguna. También se puede cambiar durante un tiempo a una bebida mitad cafeinada mitad descafeinada durante el período de habituación, aumentando gradualmente la proporción de bebida descafeinada hasta que la taza esté completamente vacía de cafeína.

Si las papilas gustativas echan de menos el aroma del café, se podrá continuar satisfaciéndolas tomando café descafeinado. No es necesario optar por las variedades más caras procesadas al agua –parece que los cafés procesados químicamente no ofrecen riesgos para la salud. Incluso los amantes del *espresso* pueden apaciguarse con *espressos* descafeinados, que son casi tan ricos y aromáticos como los que contienen cafeína.

La abstinencia será menos incómoda y más fácil de manejar si la mujer adopta estas sugerencias vigorizantes.

- Mantener alto el nivel de azúcar en sangre, y con ello el nivel de energía. Hay que comer con frecuencia pequeñas raciones que sean ricas en proteínas e hidratos de carbono de cadena larga. Además, hay que asegurarse de tomar los suplementos de vitaminas del embarazo.

- Hacer ejercicio apropiado para embarazadas todos los días (vea la página 258) y si puede salga de su casa para hacerlo.

- Dormir lo suficiente –cosa que probablemente será más fácil si se ha prescindido de la cafeína.

TÉ DE HIERBAS

"Tomo mucho té de hierbas y me pregunto si es seguro seguir tomándolo mientras estoy embarazada"

Desafortunadamente, como el efecto de los tés de hierbas en el embarazo no han sido muy investigados, no hay una respuesta definitiva a su pregunta todavía. Hasta que se conozca más sobre el tema, se recomienda mucha precaución en el consumo de té de hierbas durante el embarazo y la lactancia. Muchas mujeres han tomado una gran variedad durante el embarazo sin problemas, pero es mejor mantenerse alejado de los tés de hierbas, o por lo menos limitar el consumo, mientras esté embarazada, a menos de que se los haya recomendado su médico o él mismo le haya dado permiso para tomarlos.

Para asegurarse de que su taza de té no tiene ninguna de las hierbas que le aconsejó no tomar el doctor, lea cuidadosamente las etiquetas. Algunos tés que parecen ser a base de frutas, también contienen una variedad de hierbas. Consuma el té negro que es el más generalizado (preferiblemente sin cafeína), ese té ya viene saborizado o haga el té usted misma, agregando cualquiera de los siguientes ingredientes en agua hirviendo o té descafeinado: naranja, manzana, piña o el jugo de otra fruta; rodajas de limón, lima, naranja, manzana, pera o cualquier otra fruta; hojas de menta, canela o clavos. Es mejor que limite el consumo de té verde durante el embarazo, ya que *podría* interferir con el desarrollo celular y el crecimiento. Nunca haga un té con algo que haya sembrado en su jardín a menos de que esté completamente segura de lo que es y de que es seguro para tomarlo durante el embarazo.

SUSTITUTOS DEL AZÚCAR

"Estoy intentando no ganar demasiado peso. ¿Puedo utilizar sustitutos del azúcar?"

A menudo constituye una sorpresa desagradable para los esperanzados seguidores de los regímenes, pero el uso de los sustitutos del azúcar rara vez ayuda a controlar el peso. Ello quizá se deba a que el que utiliza un sustituto en el té, imagina que ha dejado de ingerir suficientes calorías como para tomarse unas galletas con él. Incluso si los sustitutos del azúcar pudieran garantizar el control del peso, las futuras madres deberían tomarlos con precaución. Primero que todo, como muchos de los productos endulzados artificialmente en el mercado, no son nutritivos (están lle-

nos de aditivos y sin nada de nutrientes), usted debe ser selectiva a la hora de escogerlos. Escoja los que le ofrezcan nutrición y placer (por ejemplo el yogur *light* o los *muffins* de grano integral). Segundo, las investigaciones acerca de algunos de estos endulzantes, especialmente en mujeres embarazadas, no son adecuadas. A continuación le contamos cómo están los endulzantes artificiales hasta el momento:*

Aspartame (NutraSweet). El aspartame se utiliza en bebidas, yogures y postres fríos pero no se utiliza en alimentos cocinados (no sobrevive cuando se calienta por mucho tiempo). Hay estudios industriales que muestran que no hay daños por el uso del aspartame (compuesto por dos aminoácidos comunes, la fenilalanina y el ácido aspártico, más metanol) durante el embarazo** claro que hay algunos expertos que cuestionan la calidad de dichos estudios y sugieren que, hasta que no se conozca más sobre el tema, las mujeres embarazadas deben tener precaución con la ingesta de esos endulzantes. Muchos médicos le darán el visto bueno para consumir cantidades moderadas de productos *light* durante el embarazo. Agre-

---

* Si usted tiene diabetes gestacional o ya tenía diabetes antes de estar embarazada, hable con su médico para saber cuáles son los endulzantes artificiales que más le convienen.

** Las mujeres con fenilcetonuria deben limitar su ingesta de fenilalanina y generalmente se les aconseja no comer aspartame.

gar un sobrecito al té o tomar un yogur endulzado con aspartame, está bien, tomar constantemente bebidas endulzadas o postres endulzados, no está bien.

Sacarina. No se han hecho muchas investigaciones sobre el consumo de sacarina en el embarazo, pero los estudios en animales muestran un aumento de cáncer en las crías de los animales que ingieren el químico. No se sabe bien si este mismo riesgo lo corren los humanos. De todas maneras hay que tener en cuenta que el endulzante atraviesa la placenta en los humanos y se elimina muy lentamente de los tejidos fetales. Estos estudios lo que sugieren es que se evite el consumo de sacarina desde que se piensa en la concepción y durante el embarazo. Sin embargo no se preocupe por la sacarina que consumió antes de saber que estaba embarazada, ya que los riesgos, si es que existen, son muy pocos.

Sucralosa (Splenda). Viene del azúcar, este endulzante se ha utilizado en otros países diferentes a los Estados Unidos durante años sin efectos aparentes. Los estudios que se han hecho en Estados Unidos han mostrado que es seguro. Se puede encontrar en muchos productos: bebidas, alimentos cocinados y helados. Como no es algo que el cuerpo pueda absorber, provee dulce con muy pocas calorías. También está aprobado para que lo consuman las personas con diabetes.

Concentrados de jugo de frutas

Los concentrados de jugo de frutas son incuestionablemente seguros y nutritivos, son los mejores endulzantes que puede utilizar durante su embarazo. Son muy versátiles en la cocina (puede sustituir el azúcar por esto en muchas recetas. Vea las recetas que empiezan en la página 136) y se consiguen fácilmente en los supermercados. Búsquelos en productos comerciales como jamones, gelatinas, galletas de grano entero, *muffins*, cereales, barras de granola, pasteles, yogures y refrescos. A diferencia de muchos productos endulzados con azúcar o sustitutos del azúcar, la mayoría de los productos con endulzantes de jugo de frutas se hacen con ingredientes nutritivos como granos, pocas grasas sanas y no tiene aditivos. Pero lea la lista de ingredientes cuidadosamente ya que los concentrados de jugo ocasionalmente se utilizan para endulzar productos que no son nutritivos.

Acesulfame-K (Edulcolorantes). Este endulzante, 200 veces mas dulce que el azúcar, está aprobado para que se utilice en comida cocinada, postres como la gelatina, los chicles y las bebidas suaves. Hasta que no se realicen estudios confiables (no hay investigaciones que digan que es seguro), es mejor que no tome nada con este endulzante mientras está embarazada.

Sorbitol. Este es un relativo de azúcar que se encuentra de manera natural en muchas frutas y bayas. Tiene la mitad de dulce que el azúcar y se utiliza en una variedad grande de alimentos y bebidas. Es seguro utilizarlo de manera moderada en el embarazo, pero presenta problemas si se consume en mayor cantidad, ya que puede producir diarrea.

Manitol. Es menos dulce que el azúcar. Al manitol lo absorbe el cuerpo en muy pequeñas proporciones y por eso provee menos calorías que el azúcar. Al igual que el sorbitol, es seguro si se toma en cantidades pequeñas, y malo si se toma en grandes cantidades, puede producir diarrea.

Lactosa. Este azúcar de la leche es un sexto de dulce que el azúcar de mesa y no agrega mucho dulce a las comidas. En los intolerantes a la lactosa puede provocar síntomas desagradables, de otra manera, es seguro.

EL GATO DE LA FAMILIA

"Tengo dos gatos en casa. He oído que los gatos son portadores de enfermedades que pueden dañar el feto. ¿Tengo que desprenderme de ellos?"

Probablemente no. Dado que esta mujer ha vivido con gatos durante bastante tiempo, tiene muchas posibilidades de haber contraído ya la enfermedad, la toxoplasmosis (vea la página 604), y de estar inmunizada contra ella. Se ha calculado que aproximadamente el 40% de la población americana ha sido infectada y las tasas de infección son mucho mayores entre la gente que tiene gatos al igual que entre la gente que come frecuentemente carne cruda o toma leche sin pauterizar, las dos pueden transmitir la infección. Si a esta mujer no se le hizo la prueba de la toxoplasmosis antes del embarazo, es muy poco probable que se le haga ya, a menos que presente síntomas de la enfermedad (hay médicos que realizan tests de rutina a las mujeres embarazadas que viven con muchos gatos).

Si a esta mujer se le hizo la prueba antes de quedar embarazada y no era inmune, o si no está segura de si lo es o no, deberá tomar las siguientes precauciones:

* Hacer que el veterinario les haga una prueba a los gatos para saber si tienen la infección activa. Si uno o ambos animales se hallan en dicha situación, habrá que buscarles una plaza en un hotel para animales de compañía o pedirle a un amigo que los cuide al menos durante seis semanas —el período durante el cual se puede transmitir la infección. Si los gatos no tuvieran la enfermedad, hacer que sigan así, sin permitirles comer carne cruda, pasear fuera de

casa o cazar ratones o pájaros (que les podrían transmitir la toxoplasmosis), o confraternizar con otros gatos. No se deberá tocar el cajón donde los animales hacen sus necesidades. Si debe hacerlo usted misma, utilice unos guantes y lávese las manos cuando termine y también cuando toque a un gato. Debe cambiar el cajón del gato todos los días.

♦ Llevar guantes al cuidar el jardín. No trabajar el suelo, ni dejar que los niños jueguen en la arena, donde haya posibilidades de que los gatos hayan depositado sus heces. Lavar la fruta y la verdura, especialmente la cultivada en el jardín de casa, con detergente (enjuagando muy bien) y/o pelarla o cocerla.

♦ No comer carne cruda o poco hecha o leche no pasteurizada; un termómetro insertado en el centro de la carne cuando sale del horno debería registrar al menos 60°C. En los restaurantes, se pedirá la carne bien hecha.

♦ Lávese las manos inmediatamente después de manipular carnes crudas.

Algunos médicos abogan por la realización de tests de rutina antes de la concepción o muy al principio del embarazo, de forma que las mujeres que den un resultado positivo puedan quedar tranquilas sabiendo que son inmunes, y las que den negativo pueden tomar las precauciones necesarias para prevenir la infección. Otros médicos creen que los costos de tales tests no compensan los beneficios que pueden proporcionar.

DEPORTES

"Me gusta jugar tenis y nadar. ¿Es seguro seguir haciéndolo?"

En la mayoría de los casos, estar embarazada no significa que tenga que dejar su vida deportiva, simplemente recuerde que lleva otra nueva vida en su vientre y que por tanto, debe moderarse. Algunos médicos no solamente permiten sino que incentivan a las madres embarazadas (cuyo proceso es normal) a hacer ejercicio, estos son eficientes y prácticos. Debe tener en cuenta lo siguiente: consulte siempre a su médico antes de seguir o empezar un programa de ejercicios y nunca se ejercite hasta el punto de fatiga (para mayor información, vea *Ejercicio durante el embarazo* en la página 258).

BAÑOS MUY CALIENTES Y SAUNAS

"Tenemos una tina. ¿Es seguro utilizarla durante el embarazo?

Esta mujer no deberá cambiar a las duchas frías, pero probablemente sea una buena idea evitar los baños calientes largos. Todo lo que haga subir la temperatura corporal por encima de los 38,9°C y la mantenga a ese nivel durante un tiempo —ya sea darse un baño muy caliente, una sesión de sauna o de baño de vapor demasiado prolongados, una sesión de gimnasia demasiado entusiástica en tiempo caluroso, o un virus— es potencialmente dañino para el desarrollo del embrión o del feto, particularmente durante los primeros meses. Algunos estudios han demostrado que los baños muy calientes no hacen subir la temperatura corporal de la mujer a niveles peligrosos de inmediato —se tarda al menos 10 minutos (más si no se sumergen los hombros y los brazos o si el agua está a una temperatura de 38,9 °C o menos)— pero debido a que las respuestas individuales y las circunstancias varían, esta mujer tendrá que guardar un buen margen de seguridad manteniendo el vientre fuera de la bañera. Pero podrá mojarse libremente los pies.

Si la embarazada ya ha tenido algunas breves sesiones en la bañera muy caliente, probablemente no habrá motivo de alarma. Los estudios indican que la mayoría de las mujeres salen espontáneamente de la bañera antes de que su temperatura corporal alcance los 38,9°C, ya que se encuentran muy incómodas. Es probable que la mujer que nos consulta también lo haya hecho. No obstante, si está preocupada, deberá hablar con el médico sobre la posibilidad de que se le haga una ecografía u otro test prenatal para quedarse tranquila.

Las estancias prolongadas en la sauna quizá tampoco sean muy sensatas. Una mujer embarazada es más propensa a la deshidratación, al mareo y a la baja presión en general y estos síntomas pueden aumentar si está en un sauna. Al igual que con la tina, las mujeres embarazadas deben evitar todo lo que aumente su temperatura corporal.

Para mayor información sobre la seguridad de otros tratamientos (masajes, aromaterapias, etcétera), vea la página 288.

EXPOSICIÓN A LAS MICROONDAS

"He leído que la exposición a los hornos de microondas resulta peligrosa para el feto en desarrollo. ¿Debo dejar de utilizar el horno hasta que el bebé haya nacido?"

El horno de microondas puede ser el mejor amigo de la futura madre que trabaja, ya que le ayuda a preparar rápidamente comidas nutritivas. Pero como muchos de nuestros milagros modernos, se dice que podría ser también una amenaza moderna. Los posibles peligros de las microondas son aún un tema muy controvertido. Antes de conocer la respuesta se deberán efectuar muchas investigaciones. De todos modos, se creen que dos tipos de tejidos humanos —el feto en desarrollo y el ojo— son particularmente vulnerables a los efectos de las microondas porque tienen una capacidad muy reducida para disipar el calor que generan dichas ondas. Por lo tanto, en lugar de dejar de usar el horno de microondas, es mejor tomar ciertas precauciones.

En primer lugar, asegurarse de que el horno no tiene fugas. No se deberá manejar si la junta de alrededor de la puerta está dañada, si el horno no cierra bien o si algo ha quedado atrapado en la puerta. Debido a que los dispositivos caseros baratos para medir la radiación no son fiables, la embarazada no intentará medir las posibles fugas ella misma. Deberá consultar en un centro de servicios para electrodomésticos, la oficina de protección del consumidor de su ciudad o región, o el departamento de salud pública local. Quizás ellos puedan realizar la prueba, o recomendar a alguien que lo haga. En segundo lugar, nunca deberá estar delante del horno cuando éste esté funcionando. Finalmente, seguirá las recomendaciones del fabricante al pie de la letra.

MANTAS ELÉCTRICAS Y ESTERILLAS

"Utilizamos una manta eléctrica durante todo el invierno. ¿Es seguro para el bebé que estamos esperando?"

En vez de eso, la embarazada deberá abrazarse a su pareja, o si sus pies están tan fríos como los de ella, deberá adquirir un edredón de plumón, subir el termostato o calentar la cama con la manta eléctrica y desenchufarla antes de acostarse. Las mantas eléctricas pueden elevar demasiado la temperatura corporal, y aunque su uso no se ha asociado claramente con daños al feto, la teoría sigue estando ahí. Además, aunque los estudios han sido contradictorios, algunos investigadores han sugerido que existen algunos riesgos potenciales debidos al campo electromagnético. Por lo tanto, lo más prudente sería encontrar formas alternativas de calentarse. No obstante, la embarazada no deberá preocuparse por las noches que ya haya pasado bajo la manta eléctrica –las probabilidades de que su bebé haya resultado afectado son muy remotas, incluso en teoría.

También se deberá tener cuidado al usar la esterilla. Si el médico se la ha recomendado para tratar algún problema, ésta se envolverá en una toalla para reducir el calor, se limitará la aplicación a 15 minutos, y no se dormirá con ella.

TELÉFONOS CELULARES

"Paso muchas horas del día hablando en mi celular. ¿Esto puede tener algún efecto en el bebé?"

Los celulares se han convertido casi en un accesorio indispensable que nos mantiene en contacto sin importar el lugar en el que estemos. Puede que para una madre embarazada que se la pasa de un lado a otro, este aparato resulte particularmente importante, el teléfono le permite estar disponible a cualquier hora (y no tiene que estar en casa) para esa llamada del doctor o de la partera, le permite hacer consultas o citas con los pediatras mientras espera al obstetra, le permite llamar a su esposo si llega a sentir el primer síntoma de contracciones sin tener que buscar un teléfono público. Un teléfono celular también le permite ser más flexible en sus días laborales y en la cantidad de tiempo que maneja en la oficina, esto se traduce en más tiempo de descanso y relajación o en más tiempo para los preparativos del nacimiento.

Todavía es controversial el tema de si las radiaciones de los celulares son dañinas o no. Sin embargo, incluso el riesgo teórico solamente afectaría al usuario del celular, no se ha ligado a ningún caso de pérdidas de bebés o ha defectos en el feto.

De todas maneras los celulares sí representan un riesgo que no es hipotético: manejar y hablar por teléfono es inseguro a *cualquier* velocidad y bajo cualquier circunstancia (además es ilegal en algunos lugares), y es particularmente peligroso cuando una de las hormonas del embarazo hace que usted esté más distraída. Incluso una conversación en un celular de manos libres representa un riesgo si esta le quita la atención que necesita para manejar. Lo que puede hacer es orillarse cuando le entre una llamada.

RAYOS X

"Antes de saber que estaba embarazada, me hicieron una serie de radiografías en el dentista. ¿Es posible que esto haya perjudicado a mi bebé?"

Los rayos X de rutina en el dentista generalmente se suspenden hasta después del parto si se sabe que la mujer está embarazada. No hay razón para preocuparse. En primer lugar, el aparato de rayos X del dentista va dirigido a una zona muy alejada del útero. En segundo lugar, un delantal de plomo protege con gran eficacia al útero y al bebé contra cualquier radiación.

La determinación de la inocuidad de otros tipos de rayos X durante el embarazo es más complicada, pero está claro que los rayos X usados para diagnosticar rara vez representan una amenaza para el embrión o el feto. Tres son los factores que determinan si los rayos X pueden ser dañinos.

♦ **La cantidad de radiación.** Los daños graves al embrión o el feto sólo se dan cuando las dosis son muy altas (de 50 a 250 rads). Parece que son inocuos a dosis inferiores a 10 rads. Dado que los modernos equipos de rayos X raras veces producen más de 5 rads durante un examen de diagnóstico típico, dichos exámenes no deberían representar ningún problema durante el embarazo.

◆ **Cuándo tiene lugar la exposición.** Incluso a grandes dosis, parece que no existen riesgos teratogénicos para el embrión antes de la implantación (del sexo al octavo día después de la concepción). Existe un riesgo algo mayor durante el período temprano del desarrollo de los órganos del bebé (las semanas tercera y cuarta después de la concepción), y un cierto riesgo continuado de daño del sistema nervioso central durante todo el embarazo. Pero, de nuevo, sólo a altas dosis.

◆ **Si existe una exposición real del feto.** Los equipos de rayos X de hoy en día son capaces de apuntar con gran precisión a la zona que debe visionarse, lo que protege el resto del cuerpo. La mayoría de las veces la exploración se puede realizar con el abdomen y la pelvis de la madre, y por lo tanto el útero, protegidos por un delantal de plomo. Pero incluso una exploración abdominal tiene pocas probabilidades de ser nociva, dado que prácticamente nunca es de más de 10 rads.

Desde luego sigue siendo poco aconsejable correr riesgos innecesarios, por pequeños que éstos sean, por lo que generalmente se recomienda que las exploraciones con rayos X se pospongan si ello es posible hasta después del parto. Los riesgos necesarios ya son otra cuestión. Dado que las probabilidades de dañar al feto por exposición a los rayos X son pequeñas, la salud de la futura madre no deberá ponerse en peligro descartando una exploración que generalmente es precisa. Y los riesgos ya mínimos de los rayos X durante el embarazo pueden reducirse si observamos las siguientes reglas:

◆ Informar siempre del estado de gestación al médico que prescribe la radiografía y al especialista que la lleva a cabo.

◆ No hacerse una radiografía si puede practicarse un procedimiento de diagnóstico alterno.

◆ No hacerse una radiografía si se puede utilizar otro método más seguro de diagnóstico.

◆ Si es necesaria una radiografía, asegurarse de que la realiza un especialista competente. El equipo deberá ser moderno, estar en buenas condiciones y ser manejado por un técnico cuidadoso, bajo la supervisión de un radiólogo. El haz de rayos X deberá ser ajustado de modo que, en lo posible, sólo afecte al área mínima necesaria; el útero deberá ser protegido con un delantal de plomo.

◆ Seguir atentamente las indicaciones del especialista, cuidando sobre todo de no moverse en el momento de ser tomada la radiografía, para que no sea necesario repetir el proceso.

♦ Si la mujer embarazada fue sometida a una radiografía o necesita una radiografía, no vale la pena que se preocupe por las posibles consecuencias. El futuro bebé corre un peligro mayor cada vez que su madre se olvida de abrocharse el cinturón de seguridad del automóvil.

PELIGROS EN EL HOGAR

"¿Qué tanto debo preocuparme por los peligros en el hogar como los productos de limpieza y la fumigación para insectos? ¿Y qué pasa con el agua del grifo? ¿Es seguro tomarla mientras estoy embarazada?

Hay que tener un poco de perspectiva cuando se está embarazada. Sí, hay riesgos medioambientales que debe considerar, incluso los hay en su propio jardín, pero no hay comparación con lo que les tocó vivir a nuestras abuelas, cuando la obstetricia moderna no existía. Todos los peligros actuales medioambientales juntos (excluyendo el alcohol, el tabaco y las otras drogas) resultan mucho menos amenazantes para la madre y el hijo que lo que representaba para nuestros antepasados una partera inexperimentada con las manos sin lavar. Por ello, a pesar de todo lo que se dice acerca de los peligros que nos rodean, repetimos aquí: el embarazo y el nacimiento no habían sido nunca tan seguros como ahora. De todos modos, si bien no es necesario abandonar el hogar y trasladarse a una sala esterilizada, vale la pena tomar algunas precauciones en cuanto a los peligros domésticos:

Productos del limpieza. Puesto que muchos de los productos de limpieza se han venido utilizando desde hace mucho tiempo y nunca se ha podido establecer una relación entre los hogares limpios y los defectos congénitos, es poco probable que el hecho de desinfectar el baño o de abrillantar la mesa del comedor pueda comprometer de algún modo la salud del bebé. De hecho, es probable que sea cierta la afirmación contraria: la eliminación de las bacterias con cloro, amoníaco y otros productos de limpieza puede proteger al bebé al prevenir las infecciones. No hay estudios que prueben que los incidentes ocasionales al inhalar productos de limpieza caseros, puedan tener un efecto en el desarrollo del feto. Así que no hay razón para que se preocupe. Pero para el resto de su embarazo, limpie con cuidado. Deje que su nariz y los siguientes consejos sean su guía para evitar los químicos que representan un riesgo potencial:

♦ Si el producto tiene un olor intenso o desprende humo, se evitará respirarlo directamente. Se utilizará en un lugar bien ventilado, o se evitará por completo su uso durante el embarazo.

♦ Es mejor utilizar vaporizadores de bombeo en lugar de aerosoles.

- Nunca (incluso cuando no se está embarazada) se mezclará amoníaco con productos a base de cloro: la combinación desprende unos vapores mortales.

- Se procurará evitar el uso de productos tales como los limpiadores del horno y los productos de limpieza en seco cuyas etiquetas llevan un aviso sobre su toxicidad.

- Llevar guantes durante las tareas de limpieza. No sólo protegen la piel de las manos, sino que además impedirán que los productos químicos potencialmente peligrosos sean absorbidos a través de la piel.

Plomo. Durante los últimos años se ha descubierto que el plomo –desde hace tiempo se sabe que reduce el CI de los niños que lo ingieren con la pintura que salta de los objetos– también puede afectar a las mujeres embarazadas y a sus fetos. Una fuerte exposición a este mineral puede poner a la mujer en un mayor peligro de desarrollar una hipertensión gestacional, e incluso de aborto. Representa para el bebé el riesgo de sufrir diversos trastornos, que van desde serios problemas conductuales y neurológicos a defectos congénitos relativamente leves. Los peligros se multiplican cuando el bebé es expuesto al plomo en el útero y continúa siéndolo después de nacer.

Por fortuna, es bastante fácil evitar la exposición al plomo, junto con todos los problemas que puede causar. Así se hace:

- Dado que beber agua es una forma común de ingerir plomo, la mujer deberá asegurarse de que la suya no lo contiene (vea abajo).

- La pintura vieja es una fuente de plomo. Si su hogar data de 1955 o es anterior, y por cualquier razón se tiene que rascar la pintura, la mujer deberá alejarse de la casa mientras se realizan los trabajos.

- Otra fuente común de plomo son los alimentos o bebidas contaminados por plomo que se han lixiviado de los objetos de barro, loza o porcelana. Si la mujer tiene platos o jarros de confección casera, importados, antiguos o sólo viejos, o de inocuidad cuestionable por otros motivos, no deberá usarlos para servir ni para almacenar, particularmente los alimentos o bebidas ácidos (limón, vinagre, tomate, vino, bebidas refrescantes).

Agua del grifo. Entre las cosas esenciales para la vida, el agua se halla en segundo lugar, después del oxígeno. Aunque morirse de hambre no está médicamente recomendado, desde luego, los seres humanos pueden sobrevivir por lo menos una semana sin comer, pero sólo unos pocos días sin beber. En otras palabras, es más preocupante que la madre *no* beba el agua del grifo.

Es cierto que antiguamente el agua suponía una amenaza grave para las mismas vidas que sustentaba, ya que transmitía la fiebre tifoidea y otras enfermedades mortales. Pero el tratamiento moderno de las aguas ha eliminado esta amenaza, por lo menos en los países desarrollados del mundo. Aunque muchas veces el agua de la llave se puede tomar (no se puede tomar en países como México por ejemplo), hay ocasiones en las que, incluso en los Estados Unidos, el agua está contaminada con plomo ya que pasa por tubos viejos que se fundieron con plomo. El agua a veces también viene contaminada con bacterias (como la E-*Coli*, la Shigella o la salmonela), virus o parásitos y en algunas áreas hay desechos de fábricas como químicos, desperdicios tóxicos, basura de agua estancada, etcétera. El agua que proviene de una fuente subterránea está al menos tan sujeta a una contaminación de este tipo como el agua de ríos, lagos y arroyos. Para asegurarse de que cuando se llena un vaso de agua ésta será potable, se hará lo siguiente:

- Preguntaremos en la oficina local de protección del medio ambiente, o en la oficina de sanidad acerca de la pureza del agua potable de la comunidad. Si no tenemos confianza en las respuestas, también podremos consultar con un grupo local de ecologistas. Si existe la posibilidad de que la calidad del agua de nuestro hogar sea diferente que la del resto de la comunidad (a causa del deterioro de las conducciones, debido a que la casa se halla cerca de un vertedero, o debido a su sabor o color extraño).

- Si el agua del grifo parece sospechosa o tiene un sabor "raro", es aconsejable adquirir un filtro de carbón para el grifo de la cocina. (Durará más si sólo lo usamos para el agua de beber y cocinar, y no para el agua de lavar los platos, por ejemplo.) O emplearemos agua embotellada para beber y cocinar.

No obstante, hay que tener en cuenta que no toda el agua embotellada que se anuncia como "pura" está libre de impurezas automáticamente. Algunas aguas embotelladas están tan contaminadas como el agua del grifo, y la mayoría no contiene fluoruros, que podrían ser importantes para los huesos y dientes de la madre, y más tarde los del bebé.

- Si sospechamos que hay plomo en el agua de la casa, o si los análisis revelan la existencia de niveles altos, cambiar las cañerías sería la solución ideal, pero esto no siempre es factible. Para reducir los niveles de plomo en el agua que bebemos es recomendable usar tan sólo el agua fría para beber y cocinar (con el calor se libera más plomo de las cañerías) y dejar correr el agua fría durante unos cinco minutos por la mañana (así como cada vez que el agua haya estado cerrada durante seis horas o más) antes de usarla. Puede decirse que el agua fresca de la calle ha alcanzado nuestro grifo cuando ha pasado de fría a más caliente y de nuevo a fría.

◆ Si el agua de la casa huele y/o tiene sabor a cloro, se conseguirá que este producto se evapore en gran parte hirviéndola o dejándola reposar durante 24 horas.

◆ Si sospecha que el agua que usted toma puede tener plomo o si siente niveles altos de este producto cuando la prueba, la solución ideal sería cambiar la tubería, pero no siempre es lo más fácil. Para reducir los niveles de plomo en el agua que toma, utilice solamente agua hervida para tomar y para cocinar y cuando saque agua del grifo déjela caer por cinco minutos antes de cogerla.

◆ Si el agua que toma huele y/o sabe a cloro, hiérvala o déjela reposar, sin taparla, durante veinticuatro horas, eso evaporará la mayor parte del químico.

Insecticidas. Aunque algunos insectos, como por ejemplo algunas mariposas, constituyen un peligro considerable para los árboles y las plantas y otros, tales como las cucarachas y las hormigas, lo son para nuestra sensibilidad estética, rara vez representan una amenaza para la salud de los seres humanos –incluso de las mujeres embarazadas. Y por lo general es menos peligroso vivir con ellos que eliminarlos mediante el uso de insecticidas químicos, algunos de los cuales han sido relacionados con defectos congénitos.

Evidentemente, los vecinos y/o el arrendatario (a menos que se trate de una mujer embarazada o con niños pequeños) pueden no estar de acuerdo. Cuando se fumigue con insecticidas en el vecindario, se evitará en lo posible permanecer fuera de la casa hasta que los olores químicos se hayan disipado, al cabo de dos o tres días. Dentro de casa se mantendrán las ventanas cerradas. Si el arrendatario está tratando los apartamentos con insecticidas, para eliminar las cucarachas u otros insectos, se le puede pedir que omita hacerlo en el nuestro. Si no fuera posible, nos aseguraremos de que todos los armarios roperos y de la cocina estén cerrados herméticamente para prevenir que se contamine su contenido, y que todas las superficies donde se prepara la comida estén cubiertas. La embarazada se mantendrá fuera del apartamento durante un día o dos si es posible, y se mantendrán las ventanas abiertas tanto tiempo como se pueda. Los productos químicos son potencialmente peligrosos sólo mientras duran sus emanaciones. Una vez que la fumigación se haya asentado, una persona distinta de la futura madre limpiará todas las superficies donde se prepara la comida que estén cercanas o dentro de la zona fumigada.

Cuando sea posible, intentaremos controlar las plagas de forma natural. Arrancaremos las hierbas en vez de pulverizarlas. La embarazada hará que otra persona quite a mano las larvas de la lagarta u otros insectos de los árboles y plantas, y que las deposite en un bote con queroseno. Algunas plagas pueden eliminarse del jardín y de las plantas de la casa pulverizándolas con la manguera a toda presión o con una mezcla de jabón insecticida biodegradable, aunque quizá se deba repetir este procedimiento varias veces. También es posible adquirir (en algunas tiendas especializadas en jardinería) un ejército de catarinas u otros depredadores beneficiosos que combaten algunas plagas.

En el interior de la casa pueden usarse trampas, que hay que situar estratégicamente en los lugares donde haya un denso tráfico de hormigas o cucarachas; en los armarios roperos se usarán bloques de cedro en vez de bolas de naftalina; también se usarán otros tipos de control de plagas que no sean tóxicos. Si la embarazada tiene hijos pequeños o animales de compañía, evitará el ácido bórico, que puede ser tóxico al ser ingerido. Para más información sobre el control natural de las plagas, se consultará a un grupo ecologista local.

Si una mujer embarazada ha estado expuesta accidentalmente a insecticidas o herbicidas, no es necesario que se alarme. Una exposición breve e indirecta no es probable que haya perjudicado a su futuro hijo. Lo que incrementa el riesgo son las exposiciones frecuentes a largo plazo que comportaría el trabajar durante todo el día con estos productos químicos (como sucede en las fábricas o los campos que han sido fumigados a fondo).

Emanaciones de pintura. En todo el reino animal, el período que precede al nacimiento (o la puesta de los huevos) transcurre en una febril preparación de la llegada de los retoños. Las aves cubren con plumas el interior de sus nidos, las ardillas revisten sus hogares en los troncos de los árboles con hojas y ramitas, y los padres y madres humanos se mueven delirantemente a través de grandes cantidades de muestras de papel de empapelar y tapicerías.

Y casi invariablemente se procede a pintar la habitación del bebé. En la época de las pinturas a base de arsénico o plomo, esto podría haber supuesto un cierto peligro para la salud del futuro hijo. Durante mucho tiempo se creyó que las pinturas modernas de látex eran mucho más seguras, pero hace poco se ha sabido que contienen cantidades de mercurio poco recomendables. Hoy en día, las normativas en muchos países instan a que en las fórmulas de las pinturas no se incluya el mercurio. Pero debido a que no sabemos qué nuevos peligros aparecerán en las pinturas, lo mejor es considerar que la vocación de pintora no es la más apropiada para una embarazada –incluso la que está tratando desesperadamente de distraerse durante sus últimas semanas de espera. Además, subirse a la escalera de mano y mantener allí el equilibrio es siempre inseguro, como mínimo, y el olor de la pintura puede provocar náuseas. En vez de ello, intentaremos que el futuro padre u otra persona, se ocupe de este aspecto de los preparativos.

Mientras se está pintando la habitación, es mejor que la mujer embarazada permanezca fuera de la casa. Tanto si se queda allí como si no, se asegurará de que las ventanas se dejen abiertas para una rápida ventilación (por ello, lo me-

DEJA RESPIRAR LA CASA

Aunque hacer que la casa sea lo más hermética posible hará bajar la factura del combustible, también aumentará el peligro de que el aire de su interior esté contaminado. Por lo tanto, será mejor no tapar todas las grietas ni poner burlete en todas las puertas. Hay que permitir la entrada de algo de aire fresco y la salida de algo del aire del interior. Si el tiempo lo permite, dejaremos alguna ventana abierta.

LA SOLUCIÓN VERDE

No existe forma de eliminar por completo la polución del interior de nuestras casas. Los muebles, pinturas, alfombras y los revestimientos pueden emitir emanaciones invisibles y polucionar el aire que respiramos en casa. Aunque no existen pruebas de que los niveles normales de dicha polución sean dañinos para la embarazada y su bebé, estaremos más tranquilos si sabemos que estamos haciendo algo para reducirlos. Eso se consigue de forma muy fácil y efectiva llenando la casa de plantas. Estas tienen la capacidad de absorber las emanaciones nocivas del aire y de producir oxígeno, y además embellecer el entorno. Otra de las ventajas es que se puede ver el milagro de la naturaleza todos los días. Sin embargo, a la hora de seleccionar las plantas, asegúrese de no comprar plantas que sean tóxicas cuando se comen, como la filidendro o la hiedra. Seguramente usted no querrá estar masticando las plantas, pero no puede decir lo mismo del futuro bebé.

jor es que las renovaciones en el nido humano, como también sucede en gran parte del reino animal, tengan lugar durante los suaves días de primavera). Evitaremos por completo exponernos a los productos destinados a hacer saltar la pintura, que son muy tóxicos, y nos alejaremos cuando este proceso tenga lugar (ya sea mediante productos químicos o con papel de lija), particularmente si la pintura que vamos a quitar tiene mercurio o plomo en su composición.

CONTAMINACIÓN DEL AIRE

"Parece que ni tan sólo respirar es prudente cuando se está embarazada. ¿Perjudicaría la contaminación del aire a mi bebé?"

Evidentemente, vivir en un terminal de autobuses o dormir cada noche en la caseta de peaje de una autopista congestionada significaría exponer al feto a un exceso de contaminantes y privarle del oxígeno necesario. Pero respirar en una zona normal de una gran ciudad no es tan arriesgado como se podría pensar. Millones de mujeres viven y respiran en las grandes ciudades del mundo y dan a luz a millones de bebés sanos.

Por lo tanto, el aire que respiramos normalmente no ejerce efectos perjudiciales en el futuro del bebé. Incluso una cantidad de monóxido de carbono suficiente para hacer enfermar a la madre parece no tener efectos negativos sobre el feto en las primeras etapas del embarazo (aunque sí puede tenerlo una intoxicación con monóxido de carbono en una fase posterior del embarazo.) De todos modos, es de sentido común que la mujer embarazada hará bien en evitar exponerse a dosis extraordinariamente elevadas de los elementos contaminantes. Siga los siguientes consejos:

- Evitar los lugares cerrados, llenos de humo, durante períodos prolongados y repetidos. Se debe recordar que los cigarros puros y las pipas, al no ser inhalados, emiten incluso más humo que los cigarrillos. Como el humo del tabaco es uno de los elementos que se *sabe* que afecta al feto (vea la página 77), la mujer podrá pedir a la familia, a sus invitados y a sus compañeros de trabajo que se abstengan de fumar en su presencia.

- Hacer revisar el tubo de escape del coche, para asegurarse de que no tiene fugas de vapores tóxicos. No poner nunca en marcha el coche dentro del garaje con la puerta cerrada; mantener cerrada la puerta trasera de una camioneta cuando ésta se halla en marcha; evitar las esperas en la cola de la gasolina, ya que los otros coches emiten monóxido de carbono; mantener cerrada la ventilación del coche cuando se conduce entre un tráfico denso.

- Si se produce una alerta de contaminación en la ciudad, se permanecerá dentro de casa todo lo posible, manteniendo cerradas las ventanas y con el aparato de aire acondicionado, si se tiene, en marcha. Seguir las instrucciones del ayuntamiento para los residentes que tienen un riesgo especial. Si quiere ejercitarse, vaya al gimnasio o haga una caminata larga en un centro comercial al aire libre.

- No se debe andar, correr ni ir en bicicleta por las carreteras congestionadas, ni hacer ejercicio al aire libre cuando hay una alerta de contaminación, ya que se inspira más aire –y más contaminación– cuando se hace ejercicio.

- Asegurarse de que las estufas de gas o de leña y las chimeneas de la casa funcionen bien. Si no fuera así, podrían llenar el aire de monóxido de carbono u otros gases posiblemente nocivos. Asegúrese también de que los ductos de la chimenea estén abiertos antes de encenderla.

- Intente la "solución verde". Las plantas y el aire purificado que nos proveen, pueden ayudarla a respirar mejor adentro y afuera.

- Mantener el aire que nos rodea más limpio con la ayuda de las plantas. Estas mejoran la calidad del aire que rodea la casa y su interior.

- Si la embarazada trabaja en una terminal de autobuses o en el peaje de una autopista muy concurrida, debería considerar la posibilidad de pedir una transferencia temporal a un puesto en una oficina para eliminar incluso los hipotéticos riesgos que la polución podría significar para el bebé.

PELIGROS EN EL LUGAR DE TRABAJO

"Se habla mucho acerca de los peligros existentes en el trabajo, pero ¿cómo se puede saber si el lugar en el que se trabaja es seguro?"

La mayoría de los trabajos son completamente compatibles con el trabajo de alimentar y cargar un bebecito. Esta es una buena noticia para los millones de madres embarazadas que deben trabajar tiempo completo en las dos labores. Las investigaciones siguen en curso (como debe haber notado, cuando se trata de obstetricia, el trabajo de los investigadores es infinito). Lo que se sabe hoy en día es que la mayoría de lugares de trabajo son lugares seguros para las mujeres embarazadas y sus bebés. Hay algunos que presentan riesgos como las fábricas químicas y los departamentos de rayos X, pero estos se pueden evitar con las precauciones correctas o cambiando las actividades con alguien que trabaje dentro de la empresa. Algunos otros lugares no se han estudiado mucho así que no se puede hablar de su seguridad.

A continuación consignaremos un breve informe sobre lo que se sabe (y lo que no se sabe) sobre la seguridad de ciertos trabajos durante el embarazo:

Sólo trabajo y nada de diversión

No se haga el tonto, todos sabemos que no es sano para el embarazo que todo sea trabajo y nada sea diversión. No importa cuál sea su trabajo, ni cuántas horas lo haga, asegúrese de tener la suficiente energía física y emocional para su trabajo de madre y cuidar de usted y de su feto. Para mayor información, vea la página 153.

Trabajo en una oficina. Afortunadamente, el monitor de pantalla de los computadores (y de los portátiles también) no representa ningún riesgo para las mujeres embarazadas, como se creía antes. En los años ochentas los monitores de pantalla se convirtieron el foco de atención de los medios y el público, cuando los reportes los ligaban a problemas de embarazo. Se hicieron muchos estudios desde entonces y ninguno fue capaz de ligar los bajos niveles de las radiaciones (menores a las del sol) que emanaban los computadores, con la pérdida de bebés u otros problemas ligados al embarazo. Además, a pesar de los millones de mujeres que han estado expuestas a las radiaciones en los últimos años, no ha habido un aumento de problemas en el embarazo durante este tiempo.

Como no hay ninguna evidencia de que trabajar o jugar en un computador cause problemas en el embarazo, sí es cierto que puede causar ciertas incomodidades físicas en los ojos, el cuello, las muñecas, brazos, espalda, mareo y dolores de cabeza; todo esto puede aumentar las incomodidades propias del embarazo. Para minimizar los posibles riesgos, deberá tener en consideración lo siguiente:

- Tome descansos frecuentes durante el día y cambie de posición, incluso ir al baño o pararse para entregar un papel le ayudará.

- Estírese y/o haga ejercicios de relajación de manera periódica durante el tiempo que permanezca frente al computador.

- Utilice una silla de altura regulable con un respaldo que sujete la parte inferior de la espalda. Y asegúrese de que el teclado y el monitor estén a la altura conveniente. La parte superior debe estar nivelada con sus ojos y debe estar por lo menos a un brazo de distancia. Utilice un teclado ergonómico que esté diseñado para reducir el riesgo de tendinitis (vea la página 323) y si es posible utilice un descansador de muñecas. Cuando ponga las manos en el teclado, estas deben estar más abajo que sus codos y sus antebrazos deben estar paralelos al suelo.

Personal sanitario. Desde que el primer médico cuidó del primer paciente, el personal sanitario (médicos, dentistas, veterinarios, enfermeras, técnicos de laboratorio y de rayos X) ha aceptado riesgos sobre sus propias vidas para salvar o mejorar la calidad de las vidas de los demás. Y aunque algunos de dichos riesgos son una parte inevitable de su trabajo, sería sensato que el personal sanitario, y especialmente las mujeres embarazadas, se protegiera a sí mismo en todo lo posible. Los riesgos potenciales incluyen la exposición a los gases anestésicos residuales (ya sean los emanados en el quirófano o los exhalados por el paciente que se halla en la sala de recuperación), a productos químicos (tales como el óxido de etileno y el formaldehído) usados para esterilizar el equipo, a radiaciones ionizantes (tales como las usadas en el diagnóstico o tratamiento de las enfermedades), a los fármacos anticancerosos, y a las infecciones, tales como la hepatitis B y el sida. Muchos de los técnicos que trabajan con dosis bajas de rayos X para diagnóstico, no están expuestos a niveles peligrosos de radiación. Sin embargo se recomienda que las madres que trabajan con altas dosis de radiación, utilicen trajes especiales que las mantengan alejadas de las exposiciones diarias, para asegurar que la exposición anual no exceda los niveles seguros.

Dependiendo del riesgo particular al que usted se exponga, debe escoger si tomar medidas seguras de precaución, como lo recomiendan los organismos de seguridad, o cambiar de trabajo.

Trabajo en la industria. La calidad de las condiciones de trabajo de una fábrica depende de lo que se fabrique en ella y, hasta cierto punto, de los principios de las personas que la gestionan. En algunos países hay publicadas listas de aquellas sustancias que las mujeres embarazadas deberían evitar en el trabajo, averigüe cuáles de los productos a los que está expuesta debe evitar, algunos son: productos químicos tales como los agentes alquilantes, el arsénico ,el benceno, el monóxido de carbono, los hidrocarburos clorados, el sulfóxido dimetilado, los compuestos orgánicos de mercurio, el plomo , el litio, el aluminio, el arsénico, el óxido de etileno, la dioxina, y los bifenilos, policlorados. En los lugares en los que se cumplen los protocolos de seguridad apropiados, se podrá evitar la exposición a los productos tóxicos. El sindicato u otra organización laboral puede ayudar a de-

---

**TENER A MANO
LA AYUDA NECESARIA**

Si no sabe a qué se expone en su lugar de trabajo, busque alguna institución o institutos que le informen sobre los riesgos de los químicos o compuestos a los que está expuesta.

SILENCIO POR FAVOR

El ruido es quizás el riesgo ocupacional más predominante, y desde hace tiempo se sabe que es causante de pérdidas auditivas en los que están expuestos a él con regularidad. Los estudios recientes sugieren que la exposición regular al ruido excesivo* Durante el embarazo, también puede causar pérdida de audición en el feto y también se asocia con un mayor riesgo de tener un bebé prematuro, retraso del crecimiento intrauterino y bajo peso al nacer.

Las investigaciones deben continuar, pero mientras tanto las futuras madres que trabajan en un medio extremadamente ruidoso (como un lugar en donde la música se escuche muy alto, en el metro, en una fábrica en donde se necesiten tapones –no puede ponerle esos tapones al feto–) o están expuestas a vibraciones fuertes y desean tener una seguridad completa, deberían considerar la posibilidad de pedir un traslado temporal. Todas las mujeres embarazadas deben evitar escuchar música muy duro (especialmente en un lugar cerrado como un carro) o asistir a conciertos de rock.

---

* ¿Qué es el ruido excesivo? Generalmente es más seguro evitar pasar más de ocho horas bajo una exposición continua a ruidos de más de 80 o 90 decibeles (como un cortacésped o el tráfico); más de dos horas diarias de exposición a ruidos mayores a 100 decibeles (como una sierra eléctrica, un carro de nieve); más de quince minutos de exposición continua a ruidos mayores a los 115 decibeles (como la que produce la música muy fuerte, los exhostos de los carros).

---

terminar la seguridad en el trabajo y asimismo los organismos oficiales deben proporcionar información apropiada. También puede informarse en los centros de seguridad.

Trabajo a bordo de un avión. El riesgo de perder un bebé aumenta *ligeramente* cuando las mujeres embarazadas trabajan en aviones (como las aeromozas o los pilotos), especialmente si pasan mucho tiempo volando. Todavía no se sabe muy bien por qué es un riesgo, pero parece que tiene que ver con la exposición a la radiación del sol durante los vuelos de mucha altitud. La radiación es más intensa cerca de los polos y disminuye al acercarse al ecuador. Aunque de momento parece que el riesgo es ínfimo, las que generalmente pasan mucho tiempo volando a grandes alturas, particularmente cerca de los polos, deberían considerar la posibilidad de cambiar, durante la gestación, a rutas más cortas en las que se vuele a menor altura, o a un trabajo en tierra. Si la embarazada está preocupada por todo lo que ha volado antes de saber que lo estaba, deberá discutirlo con su médico –lo más probable es que éste la tranquilice.

Trabajo físico fatigoso. El trabajo que implique levantar mucho peso, ejercicio físico, trabajar muchas horas seguidas, turnos rotatorios o estar continuamente de pie puede aumentar algo el riesgo de parto prematuro. Si la embarazada realiza este tipo de trabajo, debería, a partir de la semana veinte a la veintiocho, pedir ser transferida a un puesto donde el trabajo no sea tan extenuante, hasta después de la recuperación del posparto. (Vea la página 333 para las recomendaciones de hasta cuándo es seguro realizar los distintos trabajos fatigosos mientras se está embarazada).

Trabajos emocionalmente estresantes. El estrés en algunos lugares de trabajo parece apoderarse de todo el mundo, sobre todo de las mujeres embarazadas. Hay estudios que sugieren que los niveles muy altos de estrés en mujeres embarazadas pueden resultar problemáticos (al igual que los altos niveles de estrés pueden causar problemas de salud en cualquier momento). Así que es bueno bajarle al estrés lo más que pueda, especialmente ahora. Una manera obvia de hacerlo es cambiar a un trabajo más relajado o pedir la licencia de maternidad desde antes o por más tiempo. Evidentemente estas opciones no son viables para todo el mundo. Si dejar el trabajo le trae problemas financieros o profesionales, es posible que se estrese más si lo deja.

En vez de eso, debe buscar la mane-ra de bajar el estrés, puede recurrir a una medicina diaria, ejercicio y diversión (puede ver una película en vez de trabajar hasta las diez de la noche). A lo mejor es bueno que hable con su jefe y le explique que trabajar demasiado por largo tiempo y con tanto estrés, puede afectar su embarazo; eso puede ayudarla. Dígale que le de más espacio en su trabajo, así su embarazo será más cómodo y llevadero (este tipo de estrés parece aumentar los dolores de espalda y otros efectos secundarios en el embarazo), eso le ayudará a hacer mejor su trabajo. La decisión debe ser suya, escoja la que más le convenga a usted y a su bebé.

Otros trabajos. Las maestras o asistentas sociales que tratan con niños pequeños podrían entrar en contacto con infecciones potencialmente peligrosas, tales como la rubéola. Las que manejan animales, despiezan la carne o la inspeccionan podrían estar expuestas a la toxoplasmosis (pero muchas de ellas ya habrán quedado inmunizadas, y por lo tanto sus bebés no estarán en peligro) y las empleadas de las lavanderías a diversas infecciones. Si la embarazada trabaja donde hay riesgo de infección, se asegurará de estar inmunizada a lo que sea preciso (vea la página 53) o de tomar las precauciones adecuadas, tales como usar guantes, máscaras, etcétera.

Las artistas, y fotógrafas, las que trabajan con productos cosméticos, químicos, en tintorerías, en la agricultura, etc., pueden verse expuestas a diversos productos químicos que podrían ser dañinos. Si la embarazada trabaja con alguna sustancia sospechosa, deberá tomar las precauciones apropiadas, lo que en algunos casos podría significar evitar la parte del trabajo que implique el uso de dichos productos. No deberá preocuparse excesivamente sobre haber estado ya expuesta a ellos, ya que en la mayoría de los casos en que el contacto con las toxinas no ha sido lo suficientemente importante para causar una enfermedad en la madre, no se producen daños al feto.

QUÉ ES IMPORTANTE SABER:
Ser consciente de los riesgos.

Quiere que su bebé nazca sano y hará todo lo humanamente posible para que esto sea así. Deje de fumar y de tomar alcohol, trate de comer bien, vaya al médico desde antes y vaya seguido, piense dos veces antes de tomarse una medicina que no le prescribieron.

¿Qué pasa con los riesgos que no puede controlar?, ¿Las medicinas, las copas o los cigarrillos que se fumó antes de saber que estaba embarazada?, ¿Los químicos a los que estuvo expuesta antes de darse cuenta que podrían ser peligrosos durante el embarazo?, ¿El virus que le dio una fiebre terrible?

Virtualmente, todas las mujeres embarazadas encuentran un teratógeno (una sustancia que es potencialmente dañina para un embrión o un feto en evolución) en algún momento de su embarazo. Afortunadamente la mayoría de las veces las sospechas son completamente infundadas y no hay efectos en el embarazo. Para averiguar si existe algún riesgo y cuál es, considere lo siguiente:

¿Qué potencia tiene el teratógeno? Sólo unos pocos fármacos tienen un efecto teratogénico fuerte. Por ejemplo: la talidomida, un fármaco utilizado a principios de los años sesenta, provocaba deformaciones muy graves en todos los fetos que quedaban expuestos a ella en el útero materno en un momento determinado de su desarrollo (1 de cada 5 bebés expuestos en cualquier momento antes del nacimiento) y el medicamento para el acné Accutane, un teratógeno identificado más recientemente, causaron defectos a casi 1 de cada 5 niños expuestos. En el otro extremo se encuentran los fármacos tales como la hormona Progevera —una progesterona— que se cree que causa defectos sólo en raras ocasiones (se estima que en 1 de cada 1.000 fetos expuestos). La mayoría de los fármacos se encuentran en algún punto entre los dos extremos, y afortunadamente pocos son tan potentes como la talidomida y el Accutante (y compuestos similares). A menudo es muy difícil decir si un fármaco es tetarogénico, incluso cuando su uso parece estar relacionado con la incidencia de ciertos defectos congénitos. Digamos, por ejemplo, que un defecto aparece en bebés cuyas madres tomaron un cierto antibiótico para una infección acompañada de fiebres muy altas; la causa del defecto podría resultar ser la fiebre o la infección, y no la medicación.

¿Es el feto genéticamente susceptible a los teratógenos? Del mismo modo que no todas las personas expuestas a los gérmenes de la gripe sucumben a ellos, no todos los fetos expuestos a un teratógeno son susceptibles a sus efectos.

¿Cuándo se vio expuesto el feto al teratógeno? El período de gestación durante el cual la mayoría de los teratógenos pueden causar daños es muy breve. Por ejemplo, la talidomida no causó ningún daño si se tomó después del día 52 del embarazo. Igualmente, el virus de la rubéola daña a menos de un 1% de los fetos si la exposición tiene lugar después del tercer mes. Durante los primeros seis a ocho días después de la concepción (antes de que la mujer ni siquiera haya podido notar la ausencia de la menstruación), el óvulo fecundado, que crece formando una agrupación de células y baja por las trompas de Falopio hasta el útero, es insensible en gran parte a los envites de lo que pase en el cuerpo de la madre, y raramente sufre de malformaciones. De hecho, si sufre el menor daño, tiene capacidad de repararse a sí mismo. El único riesgo en ese momento es que no pueda sobrevivir debido a un error genético o a que sea destruido por ciertos factores externos, tales como una dosis muy fuerte de radiación. El período durante el cual se están formando los órganos –desde la implantación del óvulo fecundado en el útero alrededor del sexto a octavo día hasta el final del tercer trimestre– es el que conlleva un mayor riesgo de malformación. Después del tercer mes, el riesgo de este tipo de daños se reduce mucho; cualquier daño suele afectar a la tasa de crecimiento del feto o a su sistema nervioso central.

¿Qué tanta exposición se produjo? La mayoría de los efectos tetarogénicos dependen de la dosis. Una breve radiografía de diagnóstico es muy poco probable que cause problemas. Pero sí podría tener consecuencias un tratamiento con dosis elevadas de radiación. Fumar unos cuantos cigarrillos durante los primeros meses probablemente no dañará al feto; pero fumar mucho durante todo el embarazo incrementa de modo significativo diversos riesgos.

¿Cuál es el estado general de nutrición de la madre? Del mismo modo que cualquier persona resistirá mejor los ataques del virus del resfriado si está bien alimentada y no agotada, el feto resistirá mejor a los teratógenos si se encuentra bien alimentado –a través de la madre, evidentemente.

¿Fue afectada la madre por la exposición? Es muy tranquilizador saber que la exposición a productos químicos que no son lo suficientemente tóxicos para causar síntomas en la madre generalmente no es tan tóxica como para causar problemas en el feto.

¿Existen varios factores que se combinen aumentando el riesgo? El trío de una mala alimentación, el consumo de cigarrillos y el abuso del alcohol, el dúo del tabaco y los tranquilizantes, y otras "combinaciones perdedoras" pueden aumentar el riesgo de forma bastante considerable.

¿Está actuando algún factor de protección desconocido? Incluso cuando todos los factores parecen idénticos, no todos los fetos quedan afectados del mismo modo. En unos experimentos con fetos de ratones de cepas genéticamente idénticas y que eran expuestos a los mismos teratógenos en fases idénticas del desarrollo y en dosis idénticas, tan sólo 1 de cada 9 nació con malformaciones. Nadie conoce exactamente la razón de ello, aunque la ciencia médica llegará quizás a encontrar la solución de este misterio.

SOPESAR LOS RIESGOS Y BENEFICIOS

Enfrentémoslo: la vida está llena de riesgos y beneficios. Prácticamente todo lo que hace, desde cruzar la calle hasta tomarse una pastilla para la gripa, tiene los dos factores. Algunas actividades traen más beneficios, otras traen más riesgos y otras están bien balanceadas. En la mayoría de los casos, hay maneras de reducir el riesgo sin comprometer los beneficios, en pocos casos no se puede.

Lo que debe hacer es tratar de sobreponer los beneficios a los riesgos, así la vida será más segura. Esto es cierto, especialmente durante el embarazo en donde muchas de las decisiones que tome no solamente afectan su seguridad sino la del futuro bebé. Por ejemplo debe decidir si tomar una copa de vino o tomar agua con su comida, debe decidir si quitar las papas fritas o el dulce del menú y en vez de eso comer un sandwich y una ensalada o incluso, decidir si prender o no un cigarrillo. Todo eso genera un balance entre los niveles de riesgos y beneficios. ¿Vale la pena correr el riesgo de tomar, fumar y comer mal?

En la mayor parte de los casos, la respuesta será negativa. Pero de vez en cuando es posible que la mujer decida que vale la pena exponerse a un pequeño riesgo. Un vaso de vino, por ejemplo, para brindar el día de su aniversario. El riesgo para el bebé es prácticamente nulo. Y el beneficio (un aniversario más festivo) es realmente importante. O un gran pedazo de pastel el día de su cumpleaños –ciertamente representa una buena cantidad de calorías vacías. Pero por una vez, esta "falta dietética" no privará al bebé de los nutrientes que necesita durante mucho tiempo, y después de todo, ¡se trata de su cumpleaños!

Algunas decisiones de este tipo, de sopesar beneficios y riesgos, son fáciles de tomar. Por ejemplo, el consumo regular e intenso de alcohol durante todo el embarazo puede dañar al bebé de por vida (vea la página 75). Renunciar al placer que significa la bebida puede costar un esfuerzo considerable, pero los riesgos de no hacerlo son claros. Otro ejemplo: supongamos que la futura madre ha contraído una infección y tiene una fiebre suficientemente alta para significar una amenaza para el bebé. El médico no dudará en prescribir una medicación segura para bajar la fiebre. En este caso, los beneficios de la administración del fármaco son muy superiores al posible daño. Por otro lado, una fiebre no demasiado alta no dañará al bebé y ayudará al cuerpo de la madre a luchar contra el virus de la gripe. Por ello, antes de recurrir a la medicación, es probable que el médico le dé al cuerpo de la embarazada la posibilidad de

curarse por sí mismo, considerando que el posible riesgo de la administración de un fármaco supera a los beneficios potenciales de éste.

Otras decisiones no son ya tan claras. ¿Qué sucede en el caso de un terrible resfriado, con un dolor de cabeza que no ha dejado dormir a la mujer en toda la noche? ¿Deberá esta tomar una pastilla contra el resfriado para poder descansar un poco? ¿O bien deberá pasar varias noches de insomnio, cosa que no le beneficia a ella ni tampoco a su futuro hijo? La mejor manera de enfocar estas decisiones consiste en:

◆ Determinar si existen modos alternativos de bajo riesgo, de obtener los beneficios deseados –quizá con medidas no medicamentosas (vea el *Apéndice* en la pagina 713). Probar estas alternativas. Si no funcionan, pensar de nuevo en la primera opción, en este caso las pastillas contra el resfriado.

◆ Preguntar al médico los riesgos y beneficios. Es importante recordar que no todos los fármacos provocan defectos de nacimiento y que muchos pueden ser utilizados sin problemas durante el embarazo. Los nuevos estudios que se están realizando proporcionan diariamente más información acerca de los riesgos y la seguridad de los medicamentos. El médico tiene acceso a esta información.

◆ Investigar un poco por nuestra cuenta, informándonos en organizaciones que dispongan de datos fiables (vea el *Apéndice* en la página 713).

◆ Determinar si existen modos de incrementar los beneficios y/o de reducir los riesgos (tomar el analgésico más seguro y más eficaz, en la dosis más reducida posible y durante el menor tiempo posible) y asegurarse de que si corre el riesgo se obtendrán también realmente los beneficios (tomar la pastilla para el resfriado en el momento de irse a la cama, para asegurarse de obtener el reposo deseado).

◆ En colaboración con el médico (y, si va a tomar una decisión muy complicada, consulte un consejero genético o un especialista en medicina fetal-materna), revisar toda la información que se haya podido obtener –sopesando los riesgos y los beneficios– y luego tomar la decisión.

Durante el embarazo existen docenas de situaciones en las que se deberá tomar una decisión inteligente, comparando los riesgos y los beneficios. Casi cada decisión tomada influirá sobre las posibilidades de tener un bebé sano. Pero no es probable que una decisión errónea ocasional tenga consecuencias catastróficas –sólo cambiará ligeramente las probabilidades. Si la mujer ha tomado ya algunas de estas decisiones no demasiado acertadas y no hay manera de remediarlas, lo mejor será olvidarse de ellas e intentar tomar decisiones más correctas durante el resto del embarazo. Y recuerde ¡todas las probabilidades están a favor de su bebé!

CAPÍTULO CUATRO

La dieta

Un ser diminuto se está desarrollando en nuestro cuerpo. Una buena noticia: las probabilidades de que nazca sano son ya bastante elevadas. Una mejor noticia: tenemos la posibilidad de aumentar considerablemente estas probabilidades, de acercarnos mucho a tener la garantía de que el bebé no sólo tendrá buena salud, sino incluso una salud excelente, Por lo menos podemos hacerlo tres veces al día comiendo bien.

Las mujeres embarazadas deben tener una dieta adecuada, acá le ofrecemos un plan de alimentación dedicado a darle a su bebé el mejor comienzo de vida posible. Si sigue esta guía de dieta nutritiva es posible que aumenten las probabilidades de tener un parto normal, además de mejorar el desarrollo del cerebro del bebé y reducir el riesgo de ciertos defectos de nacimiento. Es probable también que su hijo crezca siendo una persona más sana.

Su hijo no va a ser el único beneficiado, esta dieta también aumenta las probabilidades de que usted tenga un embarazo saludable (algunas complicaciones como la anemia y la preeclampsia son más comunes en mujeres que no se alimentan bien), confortable (una dieta sensible puede reducir el mareo en las mañanas, la fatiga, la constipación y muchos otros síntomas del embarazo) y un estado emocional balanceado (una buena alimentación puede ayudar a moderar los cambios de ánimo). También le ayudará a tener un parto bueno (generalmente, las mujeres que han tenido buenas dietas son menos propensas a tener partos anticipados) y tendrá una recuperación más rápida (un cuerpo bien alimentado puede recuperarse más fácil y más rápido y el peso que aumentó, que no debió ser enorme, podrá bajarlo con mayor facilidad).

Por supuesto, el someterse a una dieta de estas, o a cualquier otra, requiere compromiso y cierta autodisciplina. También requiere, al menos para la mayoría de mujeres, cambiar mucho los patrones de alimentación. En otras palabras, para el comensal promedio, seguir esta dieta puede ser un reto.

La manera en que las madres embarazadas responden al reto es diferente en cada una. A lo mejor usted va a seguir el programa sin dudarlo y si reservas, va a parecer un atleta olímpico en su entrenamiento; a lo mejor, después de la leer la lista de requerimientos, va a estar un poco menos entusiasta. A lo mejor no siga la dieta al pie de la letra pero puede escoger algunas de las cosas que le ofrecemos para adaptarlas a su estilo de nutrición. A lo mejor le echa un vistazo a los puntos diarios de la dieta y sale corriendo al restaurante de comidas rápidas más cercano.

Sin importar cuál sea su reacción, esta dieta puede ocupar un lugar en su embarazo. Ojalá que intente seguirla de cerca, al menos la mayor parte del tiempo. A lo mejor la sigue sin mucho interés todo el tiempo. Pero incluso si su preferencia siguen siendo las hamburguesas y las papas fritas, puede que de vez en cuando haga una receta que les permita a usted y a su bebé estar un poco más sanos durante los próximos nueve meses.

Tenga en cuenta, mientras decide cómo va a manejar su dieta, que los hábitos alimenticios (incluso los que ha tenido durante años) se pueden cambiar, eso puede hacer que se apegue a esta dieta más fácilmente a medida que pasan los meses. Supongamos que nunca ha probado el pan de grano entero, después de que lo coma por unos meses, es probable que le quede gustando más que el que comía antes. A lo mejor usted es de las personas que no desayuna desde la secundaria, haga del desayuno algo obligatorio en las mañanas,

es probable que termine por preguntarse cómo hacía para pasar todo el día sin él. ¿Siempre ha considerado el azúcar como su ingrediente favorito? Cambiar de endulzantes durante nueve meses puede llevarla a la conclusión de que tratase bien y alimentar bien a su bebé no son cosas aparte. Deje sus viejos hábitos e introduzca los nuevos gradualmente y seguramente la dieta se convertirá en un reto fácil de manejar.

NUEVE PRINCIPIOS BÁSICOS PARA NUEVE MESES DE COMER SALUDABLEMENTE

Cada bocado cuenta. No disponemos más que de nueve meses de comidas y bocados para proporcionar a nuestro bebé el mejor comienzo posible en la vida. Por lo tanto, cada comida cuenta. Antes de llevarnos el tenedor a la boca, deberíamos pensar: "¿Es lo mejor que le puedo dar a mi bebé?" Si el bocado ha de ayudar al bebé, adelante, si no le ayuda, trate de buscar algo que valga más la pena. Aunque la mayoría de lo que coma debe ser saludable, algunos bocados debe comerlos por puro placer. Si la comida que escoge no es nutritiva, por lo menos que sea algo que usted realmente disfruta (vea *Pecar sin culpas* en la página 119).

No todas las calorías fueron creadas igual. Por ejemplo, las 150 calorías vacías de un pastelito de fabricación industrial no son iguales que 150 calorías de un panecillo de salvado integral endulzado con zumo de frutas. Ni son iguales las 100 calorías de 10 papas fritas a 100 calorías de una patata asada con piel (o de una ración de papas fritas de la dieta ideal. Vea la página 137). Así, elegiremos las calorías con cuidado, prefiriendo la calidad a la cantidad. El bebé se beneficiará mucho más de 2.000 calorías ricas en nutrientes al día que de 4.000 calorías en su mayor parte vacías. Su cuerpo también notará la diferencia en la etapa posparto.

Si pasa hambre la madre, pasa hambre el hijo. Del mismo modo que ni se nos ocurriría hacer pasar hambre al bebé después de nacer, tampoco debemos pensar en matarle de hambre cuando está en el útero*. El feto no puede desarrollarse bien a partir de la carne de la madre, por muchas que esta tenga. Necesita recibir una nutrición regular a intervalos regulares. La futura madre no debe nunca saltarse una comida. Incluso cuando no tiene hambre, su futuro hijo sí que está hambriento. Así que no se salte ninguna comida. De hecho, comer constantemente puede que sea la mejor manera de mantener al feto bien alimentado. De acuerdo a investigaciones recientes, las madres que comen por lo menos cinco veces al día (por ejemplo, tres comidas más dos alimentos entre comidas o cinco comidas pequeñas) son más propensas a dar a luz en el tiempo correcto.

Comer expertamente. Debemos satisfacer nuestras necesidades nutricionales diarias del modo más eficaz posible dentro de nuestra ración calórica. Comer seis cucharadas soperas de margarina vegetal (si es que alguien consigue tragarlas) aporta 750 calorías, o sea aproximadamente el 25% de la dosis calórica diaria, y es un modo considerablemente menos eficaz de obtener 25 gramos de proteína que comer 100 gramos de atún en conserva o al natural con 125 calorías. Y tomar una taza y media de helado (unas 450 calorías) es una manera bastante menos eficaz de obtener 300 miligramos de calcio que beber un vaso de leche descremada o comer un yogur descremado (100 calorías). Las grasas, que tienen más del doble de calorías por gramo que las proteínas o los hidratos de carbono, constituyen una fuente de calorías particularmente poco eficaz. Se preferirán las carnes magras a las carnes grasas, la leche y los productos lácteos descremados a los enteros, los alimentos hervidos a los fritos; untar el pan solamente con una delgada capa de mantequilla o al preparar un guiso salteado se empleará una cucharadita de grasa en lugar de un

---

* Tampoco se debe ayunar durante el embarazo. Un estudio israelí demuestra que justo después del Yom Kippur, el día de la Expiación, se da un aumento de los partos, lo que sugiere que ayunar durante la última fase del embarazo podría desencadenar un parto prematuro.

cuarto de taza. Siempre trate de escoger comida que llene más de uno de los requerimientos a la vez, así obtendrá mayor nutrición y menos calorías (vea el cuadro de arriba a la derecha).

La eficacia también es importante, si la embarazada tiene problemas para ganar suficiente peso. Para un aumento de peso más saludable, se elegirán alimentos ricos en nutrientes y calorías –los aguacates, nueces, y frutos secos, por ejemplo– que pueden satisfacer a la madre y al bebé, sin llenarla demasiado. Y se evitarán tales alimentos como las palomitas de maíz o las grandes ensaladas, que tendrán justo el efecto contrario.

Los carbohidratos son un tema complejo. Algunas mujeres, preocupadas por no aumentar demasiado de peso durante el embarazo, prescinden erróneamente en la dieta de los hidratos de carbono, como por ejemplo de las papas hervidas. Es cierto que los carbohidratos simples y/o refinados (como el pan blanco, el arroz blanco, los cereales refinados, los pasteles, las galletas, el azúcar y los jarabes) son pobres desde el punto de vista nutritivo. Pero los hidratos de carbono complejo no refinados (pan integral y cereales integrales, arroz integral, hortalizas, judías blancas y guisantes y, evidentemente, las papas –especialmente con la piel–) y los frutos frescos proporcionan elementos esenciales como las vi-

> ### Redoble la nutrición, no las calorías
>
> Cada vez que le sea posible, escoja alimentos que llenen más de un requerimiento (por ejemplo, el yogurt para el calcio y la proteína o el brócoli para los vegetales verdes, la vitamina C y el calcio). Esta manera de comer le hará todo más fácil y podrá seguir los doce puntos diarios de la dieta sin problemas. Ver la página 120.

taminas B, los minerales traza, proteínas y fibra. Además son buenos no solamente para el futuro bebé, sino también para la madre, a la que ayudarán a combatir las náuseas y el estreñimiento, y debido a que llenan, pero no engordan (siempre y cuando que no estén bañados en salsas a base de mantequilla o ricos y sabrosos aderezos) porque son ricos en fibra, también la ayudarán a que el aumento de peso esté bajo control. Las investigaciones más recientes sugieren otra ventaja para las consumidoras de hidratos de carbono complejos: consumir gran cantidad de fibra puede reducir el riesgo de desarrollar una diabetes gestacional. Tenga cuidado al pasar de una dieta con bajo contenido en fibra a una dieta con alto contenido en fibra, hágalo despacio para evitar problemas estomacales.

Nada más que dulces: nada más que problemas. Ninguna caloría es tan vacía y por consiguiente tan desperdiciada como una caloría de azúcar. Y aunque comer estas cosas está bien de vez en cuando, aún cuando se está embarazada, le hacen subir de peso más rápido de lo que se imagina y deja menos espacio en su dieta para los productos nutritivos. Además, parece que las investigaciones demuestran que el azúcar puede no sólo estar desprovisto de valor, sino que puede ser perjudicial. Las investigaciones sugieren que, además de causar caries dental, pueden estar implicados en la diabetes, las enfermedades cardíacas, la depresión y el cáncer de colon. Quizá lo peor que pueda decirse del azúcar es que muy a menudo se encuentra en alimentos totalmente insolventes desde el punto de vista de la nutrición, a veces solamente se agrega para mejorar el sabor de alimentos cuyos ingredientes no lo hacen, como la salsa de tomate que no tienen muchos tomates que digamos.

La azúcar refinada se vende con muchos nombres en los supermercados. El azúcar sin refinar, como la miel no es mucho más nutritiva por sí sola que los productos refinados. Así que mejor busque comidas más nutritivas en las secciones saludables de los supermercados. Trate de limitar la ingesta de todo tipo de azúcar la mayor parte del tiempo y así puede comerse algo más placentero de vez en cuando sin sentirse culpable.

Para endulzar de forma exquisita y nutritiva es preferible sustituir el azúcar por frutas y concentrados de jugo de fruta (jugos congelados no diluidos de manzana, naranja, mango, uva, etcétera). Son casi tan dulces como el azúcar, pero contienen más vitaminas y elementos fotoquímicos (químicos de las plantas que pueden ayudar a que el cuerpo se defienda solo contra la edad y la enfermedad). Los productos endulzados con ellos están hechos casi invariablemente con harinas integrales y grasas sanas, y carecen de los cuestionables aditivos químicos. La embarazada podrá confeccionar sus propios dulces en casa usando recetas como las que se encuentran en este capítulo o en *Qué comer cuando se está esperando*, o elegirlos entre la oferta cada vez más abundante que podrá encontrar en las tiendas de alimentos macrobióticos y los supermercados. Parece que algunos sustitutos de azúcar de bajas calorías, son sanos durante el embarazo, especialmente la sucralosa (o Splenda). Para mayor información vea la página 89.

Los buenos alimentos recuerdan aún de dónde proceden. Si hace meses que las zanahorias vieron por última vez el campo en que crecieron (habiendo sido hervidas, guisadas, conservadas y enlatadas después de la cosecha), probablemente no les queda gran cosa de su valor original para ofrecerle al bebé. Es mejor elegir hortalizas y frutas frescas cuando es la época, o congeladas frescas cuando no lo sean o cuando no haya tiempo para prepararlas (son tan nutritivas como las frescas, porque son congeladas inmediatamente después de ser cosechadas). Intentaremos comer algunos vegetales y/o frutos cada día. Cocinaremos las verduras al vapor o las saltearemos ligeramente, para que conserven las vitaminas y minerales. Maceraremos la fruta en zumos sin añadirle azúcar. Es conveniente evitar los alimentos preparados, que se han llenado de productos químicos, azúcar y sal en la cadena de producción; a menudo tienen un valor alimentario muy bajo. Elegiremos una pechuga fresca de pollo en vez de un rollito de pollo de confección industrial; una cazuela preparada con ingredientes frescos en vez de una mezcla deshidratada de ingredientes procesados y productos químicos; copos de avena fresca hechos de avena pasada por el rodillo (que se puede aromatizar con canela y frutos secos a trocitos) en vez de las variedades instantáneas azucaradas.

La comida sana debería ser un asunto de familia. Si en casa existen elementos subversivos que nos piden galletas de chocolate o papas *chips*, lo más seguro es que la dieta ideal no resista esos ataques. Lo mejor es convertir a toda la

PECAR SIN CULPAS

La fuerza de voluntad es importante, especialmente cuando está embarazada. De todas maneras todos debemos poder caer en la tentación de vez en cuando sin tener que sentirnos culpables. Así que una vez al día (menos seguido si está aumentando de peso muy rápido o si tiene problemas para cumplir con los requerimientos) puede comerse algo que a lo mejor no es lo más nutritivo pero que tiene algo de saludable, puede ser un yogur o un *muffin* (que puede tener más azúcar que otra cosa). Algunas veces a la semana puede disfrutar de algo que puede que no ofrezca mucho desde el punto de vista de la nutrición pero que no es tampoco terrible, por ejemplo una hamburguesa. De vez en cuando trate de comerse algo que simplemente satisfaga su apetito: una rosquilla, un helado o un dulce.

Siempre que haga trampa, trate de hacerla de manera selectiva, escoja productos *light* o bajos en grasa. Una buena estrategia también es mantener las porciones de estos alimentos bajas. Puede compartir sus anillos de cebolla en lugar de comerse unos sola, coma un pedazo pequeño de pastel en lugar de uno grande y no desperdicie sus trampas, haga trampa con las cosas que realmente le gustan y se le antojan. Y no haga trampa si sabe que una vez que empieza no puede parar.

familia en aliada, poniendo a todos sus miembros a la misma dieta que la futura madre. Se pueden preparar galletas de avena con chispas de chocolate (página 141) en lugar de galletas de chocolate; se comprarán galletas saladas de trigo entero o semillas de girasol tostadas en lugar de papas chips. Además de conseguir un bebé más sano y una madre relativamente más esbelta, se obtendrá como premio adicional un esposo y unos hijos mayores (si los hay) más activos y sanos. La madre debería continuar la dieta ideal para toda la familia después del parto, con lo que aumentarían las probabilidades de una vida más larga y sana para todos los miembros del hogar. Las investigaciones asocian una buena dieta no solamente con un mejor parto sino con un menor riesgo de enfermedades como la diabetes adulta y el cáncer.

Los malos hábitos que pueden sabotear la dieta. La mejor dieta prenatal del mundo se ve fácilmente socavada si la futura madre no hace caso del consejo de eliminar de su vida el alcohol, el tabaco y otras drogas o fármacos que no son seguros. Lea sobre estos saboteadores en el capítulo 3, y si no lo ha hecho, cambie sus hábitos.

LOS DOCE PUNTOS DIARIOS DE LA DIETA

Calorías. El viejo proverbio de que una mujer embarazada debe comer por dos es cierto. Pero es importante recordar que uno de estos dos es un diminuto feto en desarrollo cuyas necesidades calóricas son significativamente menores que las de la madre; tan sólo 300 calorías diarias más o menos. Así, si la mujer tiene un peso promedio, precisará sólo unas 300 calorías más que las necesarias para mantener el peso de antes del embarazo*. Durante el primer trimestre podrá precisar menos de 300 calorías extra diarias, a menos que esté intentando compensar por haber empezado el embarazo con un peso demasiado bajo. Dado que el metabolismo se acelera más adelante, quizá necesitará algo más de esas 300 calorías extra diarias. A pesar de las numerosas dietas para el embarazo que puedan caer en manos de la embarazada, y que parecen estar recomendadas para que coma lo necesario para alimentar a una familia de cuatro, consumir más calorías de lo que el bebé precisa para crecer y lo que la madre necesita para producirlo, no sólo es inútil, sino también poco sensato. Por otra parte, consumir menos calorías no sólo es poco sensato, sino potencialmente peligroso; las mujeres que

---

* Para determinar aproximadamente cuántas calorías precisa la embarazada para mantener el peso de antes del embarazo, se multiplicará el peso por 12 si lleva un estilo de vida sedentario, por 15 si éste es moderado y hasta por 22 si lleva una vida muy activa. Debido a que la tasa a la que se queman las calorías varía de una persona a otra, incluso durante el embarazo, los requerimientos calóricos también lo hacen, y por lo tanto los valores calculados constituyen sólo una aproximación.

no tienen un aporte calórico suficiente durante el embarazo –particularmente durante el segundo y tercer trimestres– pueden obstaculizar seriamente el desarrollo de sus bebés.

Existen cuatro excepciones de esta fórmula básica. En cada uno de estos casos, la futura madre deberá hablar con su médico acerca de sus necesidades calóricas: la mujer con exceso de peso que, con una buena orientación dietética, necesitará quizá menos calorías; la mujer con un déficit grave de peso, que con seguridad necesitará más calorías; la adolescente, que aún está creciendo y tiene unas necesidades nutricionales especiales; y la mujer que tiene fetos múltiples y que deberá añadir 300 calorías a su dieta por cada uno de los fetos.

La obligación de tomar 300 calorías adicionales al día parece el sueño del amante de la comida, pero desgraciadamente no lo es. Una vez ingeridos los cuatro vasos de leche (con un total de 380 calorías) o el equivalente en alimentos ricos en calcio, y las raciones extra de proteína necesarias, lo más probable es que se haya sobrepasado el límite de calorías permitidas. Ello significa que en vez de añadir tentadores suplementos, lo más probable es que se deban suprimir aquellos a los que la embarazada está acostumbrada, para alimentar adecuadamente al bebé y mantener el aumento de peso dentro de los límites razonables. Para asegurarse de que se obtiene el mayor rendimiento en cuanto a nutrientes de las calorías que se ingieren, lo mejor es convertirse en un experto en dietética (vea la página 115).

Aunque las calorías cuentan durante el embarazo, estas no deben ser contadas. En vez de preocuparse con complicados cómputos en cada comida, es mejor pesarse en una báscula de confianza cada semana para comprobar el aumento. La mujer se pesará cada vez a la misma hora del día, desnuda o llevando la misma ropa (o ropa que pese aproximadamente lo mismo), de forma que los cálculos no se vean falseados por una comida abundante una semana o un suéter muy pesado a la siguiente. Si el peso va aumentando según las previsiones (un promedio de unos 400 g semanales durante el segundo y tercer trimestres; vea la página 230), la embarazada habrá estado consumiendo el número adecuado de calorías. Si el aumento es inferior a este valor, estará infringiendo demasiado pocas; si es superior, estas serán demasiadas. Se mantendrá o ajustará la ingestión de calorías según sea preciso, pero siempre teniendo cuidado de no suprimir nutrientes necesarios junto con las calorías.

Proteínas: tres raciones diarias. Las proteínas están constituidas por unas sustancias denominadas aminoácidos, que son las piezas que forman las células humanas; son particularmente importantes en la formación de las células de un nuevo ser. Las investigaciones han demostrado que una ingestión inadecuada de proteínas en las futuras madres, al igual que una ingesta calórica insuficiente, puede tener como resultado bebés de un tamaño más pequeño

---

LAS PROTEÍNAS

Para la mayoría de las mujeres, llenar el requerimiento de proteínas durante el embarazo no es un reto. Pero si llega la noche y usted no ha comido la proteína necesaria puede hacerlo antes de dormirse. Por ejemplo, puede comer una ensalada de huevo (media porción de proteína si se la come con un huevo y dos claras) con galletas de grano entero. Una malteada de la dieta sugerida (2/3 de porción de proteína, vea la página 140) o $^3/_4$ de queso cottage bajo en grasa (una porción completa de proteína) con una salsa de fruta fresca, pasas y canela o con tomate y albahaca (si lo quiere caliente). Sin embargo no debe tomar suplementos altos en proteína para cumplir con sus requerimientos, estos pueden contener ingredientes que no son seguros en el embarazo, tienen exceso de calorías y además son caros. Además puede que termine tomando *demasiadas* proteínas.

---

que el normal. Por lo tanto, la mujer embarazada deberá intentar ingerir al menos de 60 a 75 gramos de proteína diarios. Es posible que 100 gramos, la cantidad que a menudo se recomienda en los embarazos de alto riesgo, sea un valor más adecuado, dado que ingerir más proteínas puede ayudar a prevenir que un embarazo pase a ser de alto riesgo. Aunque un objetivo de 100 gramos de proteína puede parecer una cantidad excesiva, la mayoría de americanos consumen esta cantidad o más a diario. Para obtener los 100 gramos diarios, todo lo que tiene que hacer la mujer es ingerir un total de cuatro raciones de Alimentos proteicos de los grupos de selección de alimentos de la dieta ideal (vea la página 130). Al hacer el recuento de las raciones proteicas, no se deberá olvidar contabilizar las proteínas que se encuentran en muchos de los alimentos ricos en calcio: un vaso de leche y 30 gramos de queso proporcionan cada uno un tercio de una ración proteica; un yogur es igual a media ración; 115 gramos de salmón enlatado, equivalen a toda una ración.

Alimentos con vitamina C: tres raciones diarias o más. Tanto la madre como el bebé precisan vitamina C para la reparación de los tejidos, la cicatrización de las heridas y otros procesos metabólicos (que utilizan nutrientes). El bebé también la precisa para un crecimiento adecuado y para el desarrollo de unos huesos y dientes fuertes. La vitamina C es un nutriente que el cuerpo no puede almacenar, por lo que se precisa un suministro diario. Es mejor consumir los alimentos ricos en vitamina C frescos y crudos, ya que la exposición a la luz, el calor y el aire acaba destruyendo la vitamina con el tiempo. Tal como podemos ver en la lista de *Alimentos con vitamina C* de la página 133, el tradicional jugo de naranja, está lejos de ser la única, e incluso la mejor, fuente de esta vitamina esencial.

Alimentos con calcio: cuatro raciones diarias. Probablemente en la escuela elemental ya aprendimos que los niños que están creciendo necesitan mucho calcio para tener unos huesos y dientes fuertes. Lo mismo sucede con los fetos que van camino a convertirse en niños que crecen. El calcio también es vital para el desarrollo de la musculatura, el corazón y los nervios, la coagulación de la sangre y la actividad enzimática. Pero no sólo es el bebé el que sale perdiendo cuando la madre no ingiere suficiente calcio. Si los suministros son inadecuados, en el proceso de fabricación del bebé se extraerá calcio de los huesos de la madre, para ayudar a cubrir sus necesidades, condenándola a sufrir de osteoporosis más adelante. Por lo tanto, la embarazada tomará diligentemente las cuatro raciones diarias de alimentos ricos en calcio. Y no se preocupará si los cuatro vasos de leche no le atraen

en absoluto. El calcio no tiene por qué ser servido en un vaso. Puede serlo en forma de un yogur, un pedazo de queso, o una gran porción de queso Cheddar (hoy en día algunos de los quesos Cottage tienen extra calcio). Puede esconderse en sopas, guisos, panes, cereales, postres; ello es especialmente fácil cuando se toma en forma de leche descremada en polvo o evaporada (1/3 y 1/2 taza* respectivamente. Mida hasta alcanzar un vaso de leche completo, o una porción completa de calcio). Y si la embarazada opta por el vaso, podrá duplicar su cantidad de calcio añadiéndole 1/3 de taza de leche descremada en polvo. O aumente la proporción de calcio agregando 1/3 de taza de leche descremada seca (vea *Aumente su malteada*, en la página 140).

Para las que no están seguras de ingerir suficiente calcio con su dieta, podría ser recomendable tomar un suplemento de calcio. (Por ejemplo, un vaso de jugo de naranja fortificado con calcio, provee eficientemente a la madre con calcio y vitamina C). La lista de comidas con calcio de la página 130 ofrece una variedad de productos no lácteos. Para las mujeres que son vegetarianas o intolerantes a la lactosa o que por otras razones sienten que no tienen el suficiente calcio (1.200 mg

---

* La cantidad necesaria para llenar una taza varía.

diarios) en sus dietas, les recomendamos un suplemento de calcio.

Hortalizas, frutas amarillas y de hoja verde: tres raciones diarias o más. Estos alimentos preferidos por los conejos proporcionan la vitamina A en forma de betacaroteno, que es vital para el crecimiento celular (las células del bebé se multiplican a una velocidad fantástica), una piel, huesos y ojos sanos, e incluso puede reducir el riesgo de algunos tipos de cáncer. Estos alimentos también suministran vitaminas esenciales (vitamina E, riboflavina, ácido fólico, vitamina B), numerosos minerales (muchas hortalizas de hoja verde proporcionan gran cantidad de calcio así como elementos traza), y fibras que ayudan a combatir el estreñimiento. Podemos encontrar una generosa selección de las fuentes naturales de vitamina A más eficaces en la lista de Hortalizas y frutas de la página 133. Las que no sientan ninguna inclinación por las hortalizas quedarán sorprendidas al descubrir que las zanahorias y espinacas no son las únicas fuentes de vitamina A, y que de hecho, esta vitamina se encuentra empaquetada en algunos de los más tentadores dulces que nos ofrece la naturaleza: albaricoques secos, melocotones, melones y mangos (vea la página 142 para la receta del *smoothie* de mango), por ejemplo. Y aquellas a las que les gusta beber las hortalizas, se alegrarán de saber que de vez en cuando podrán

tomar un vaso de cóctel de jugo de hortalizas, que contará para su ración de hortalizas, frutas amarillas y de hoja verde. No todas las frutas y verduras deben tomarse en los jugos ya que algunas carecen de suficiente fibra y tenga cuidado con los jugos que no son más que fruta.

Otras frutas y hortalizas: dos raciones diarias o más. Además de los alimentos ricos en las vitaminas A y C y betacaroteno, la embarazada precisa al menos dos tipos más de frutas u hortalizas al día –para obtener más fibra, vitaminas y minerales. Muchas de ellas son ricas en potasio y/o magnesio, ambos muy importantes para la buena salud de la embarazada, y boro, cuya importancia está empezando a descubrirse. Hay algunas que también son ricas en fotoquímicos y las que son de color rojo (por ejemplo la sandía y las uvas rojas) son ricas en antioxidantes. En la página 134 se sugieren varias de estas frutas y hortalizas.

Cereales integrales y legumbres: de seis a siete raciones diarias o más. Los cereales integrales (trigo, avena, centeno, cebada, maíz, arroz, mijo y soya, etcétera) y las legumbres (judías y guisantes secos) están dotados de nutrientes, particularmente de vitaminas del grupo B*, que son necesarios para todas y cada

---

* Excepto la vitamina B12, que solamente se encuentra en alimentos animales.

una de las partes del cuerpo del bebé en desarrollo. Estos hidratos de carbono complejos concentrados también son ricos en elementos traza, tales como el zinc, el selenio y el magnesio, que se ha demostrado que son muy importantes en el embarazo. Los alimentos que tienen almidón también pueden ayudar a reducir los mareos matinales.

Aunque estos alimentos tan vitales tienen muchos nutrientes en común, cada uno tiene sus propios poderes. Para obtener unos beneficios máximos, se incluirá toda una variedad de hidratos de carbono complejos en la dieta. Seamos atrevidos; rebocemos el pescado con salvado de avena sazonado con finas hierbas y queso parmesano. Añadamos triticale al arroz pilaf. Usemos cebada molida en nuestra receta favorita de galletas de avena. Sustituyamos las alubias de la sopa por fríjoles. No se considera que los cereales refinados (panes o copos hechos con harina blanca, por ejemplo) cumplen con estos requisitos. Aunque es-tán "enriquecidos", aún carecen de la fibra y

Lo bueno de las grasas

¿Cree que todas las grasas traen malas noticias? Algunas, como el ácido polisaturado Omega-3 (ácido decosahexaenoico) de hecho parece que es saludable. Parece que baja los niveles de colesterol y la presión sanguínea, también reduce los riesgos de enfermedades cardiacas, eso es una buena noticia para los que sufren del corazón. Pero las buenas noticias sobre esto son mejores para las mujeres embarazadas y las nuevas madres. Como esta grasa es un componente mayor del cerebro y la retina, es esencial para un crecimiento sano del cerebro y el desarrollo de los ojos en fetos y bebés jóvenes. Así que tomar suficiente de esta grasa mientras está embarazada (especialmente durante los últimos tres meses, cuando el cerebro del bebé crece rápido) y durante la lactancia es muy importante. Le damos otra razón para que la consuma: los expertos sospechan que puede haber una conexión entre una baja ingesta de esta grasa y la depresión posparto.

No hay un requerimiento diario recomendado todavía para la ingesta de esta grasa porque todavía se están haciendo investigaciones. Mientras tanto trate de comer cosas que la contengan, se encuentra en pescados aceitosos como el salmón, la trucha, las anchoas y las sardinas, así como en los huevos y en las nueces. También se encuentra, en menores proporciones, en el pollo, los huevos, el atún, el cangrejo, los camarones y el hígado. Como no hay evidencia de que las cápsulas de aceite de pescado sean seguras para el embarazo, es mejor que tome esta grasa directamente de los alimentos y no de los suplementos.

de más de una docena de vitaminas y elementos traza que se encuentran en los originales. Hay una lista de granos y legumbres en la página 134.

Alimentos ricos en hierro: algunos cada día. Para la formación de la sangre del feto son esenciales grandes cantidades de hierro, y también para el aumento del volumen sanguíneo de la propia madre; por ello ésta precisará más de este mineral durante estos nueve meses que en cualquier otra etapa de su vida. La dieta será todo lo rica en hierro posible (véase la lista de la página 135). Al ingerir alimentos ricos en vitamina C al mismo tiempo que alimentos ricos en hierro, la absorción de este último aumentará.

Debido a que a menudo es difícil suministrar todo el hierro que requiere una embarazada únicamente mediante la dieta, se recomienda que a partir de aproximadamente de la decimosegunda semana esta tome a diario un suplemento de 30 miligramos de hierro ferroso. Para estimular la absorción del hierro del suplemento, este debería tomarse entre las comidas con un zumo de frutas ricas en vitamina C, o con agua (pero no con leche, té o café). Si las reservas de hierro de una mujer embarazada son bajas, puede que el médico le prescriba de 60 a 120 miligramos.

Grasas y alimentos ricos en grasas: cuatro raciones completas u ocho medias raciones diarias, o una combinación equivalente. Según las líneas directrices de la nutrición generalmente aceptadas, de las calorías que ingiere un adulto, no más del 30% debiera provenir de las grasas (en la dieta media de los americanos, el 40% de las calorías son de origen graso). Las mismas directrices se aplican a las embarazadas. Ello significa que si el peso de una mujer es de aproximadamente 57 kg y necesita unas 2.100 calorías diarias (vea el *Apéndice*, en la página 713 si el peso de la lectora es distinto), no más de 630 de dichas calorías deberán provenir de las grasas. Dado que sólo se precisan 70 gramos de grasa (los que se ingieren con una tajada gruesa de quiche) para contabilizar las 630 calorías, este requerimiento es claramente el más fácil de cubrir, y de sobrepasar. Y aunque no hay nada malo en tomar un par de alimentos de más del grupo de los que contienen vitamina C o del de las hortalizas de hoja verde, o incluso más cereales integrales o alimentos ricos en calcio, demasiadas raciones de grasa podrían representar demasiados kilos de peso. Sin embargo, aunque es una buena idea mantener la ingestión de grasas a un nivel moderado, eliminarlas por completo de la dieta podría ser peligroso. La grasa es vital para el bebé que se está desarrollando; los ácidos grasos esenciales que se le proporcionan son justamente eso, esenciales. Los ácidos grasos Omega-3 son especialmente beneficiosos durante el tercer trimestre (vea el cuadro de la página 125).

Lleve un registro de las grasas que come, llene su cuota diaria pero trate de no excederla. No deberá olvidar que las grasas que se utilizan para cocinar y preparar los alimentos también cuentan. Si se han frito unos huevos en media cucharada de margarina (media ración) y se ha mezclado atún con una cucharada sopera de mayonesa (una ración), se incluirán estas cantidades en el cómputo diario.

Si la gestante no está ganando bastante peso, y si aumentar las cantidades de otros alimentos nutritivos no ha dado resultado, intentará ingerir a diario una ración extra de grasa (pero no más); las calorías concentradas le ayudarán a conseguir el peso óptimo.

Para más información sobre la grasa y el colesterol durante el embarazo, vea la página 193. Tenga en cuenta que el sustituto de grasa Olestra (también lo llaman Olean) que se encuentra en algunos alimentos procesados como las papas, pueden producir dolor de estómago, algo que las mamás embarazadas no necesitan.

Alimentos salados: con moderación. La medicina prescribía antes una limitación de la sal (cloruro sódico) durante el embarazo, ya que esta sustancia contribuye a la retención de agua y al hinchamiento de los tejidos. Pero actualmente se cree que un cierto aumento del volumen de líquido corporal es necesario y normal, y que para el mantenimiento de un nivel adecuado de líquidos se precisa una cantidad moderada de sodio. De todos modos, las cantidades muy elevadas de sal y los alimentos muy salados (tales como embutidos, salsa de soya y papas fritas) no son buenos para nadie, independientemente de si se está o no embarazada. Una ingestión elevada de sodio está estrechamente relacionada con una presión sanguínea alta, trastorno que puede ocasionar diversas complicaciones potencialmente peligrosas durante el embarazo y el parto. Aunque la deficiencia de yodo no constituye un problema en los Estados Unidos, la embarazada quizá desee usar sal yodada para asegurarse de cubrir sus necesidades, que han aumentado con el embarazo. Como regla general, en vez de salar la comida mientras se prepara, se salará al gusto cuando ya esté en la mesa. Échele un poquito mientras lo prueba pero trate de no echarle medio tarro y, a menos de que su médico recomiende otra cosa (por ejemplo porque tiene hipertiroidismo), utilice sal yodada para asegurarse de llegar a los niveles necesarios de yodo en el embarazo.

Líquidos: al menos 8 vasos grandes al día. La embarazada no sólo está comiendo para dos, también debe beber para dos. Si esta ha sido siempre una de esas personas que pasa el día sin apenas tomar un sorbo, ahora ha llegado el momento de cambiar de hábito. Durante el embarazo aumenta la cantidad de líquido corporal, y por ello debe aumentar también la ingestión de líquidos. También el bebé necesita líquido. La mayor parte de su cuerpo, como el de cualquier persona, está compuesto

---

¿Qué hay en una pastilla?

No existen unas normas estándar establecidas por la Asociación de Ginecólogos al menos en Estados Unidos sobre lo que debe contener una pastilla de lo que se denomina un suplemento prenatal. Los facultativos prescriben a menudo suplementos, y en general las fórmulas recetadas son superiores a las que se pueden comprar directamente en la farmacia (no descarte las vitaminas prenatales de antemano, casi siempre contienen la misma fórmula que las otras y cuestan menos. Revise los niveles y compárelas)

Si la mujer desea elegir ella misma un suplemento de vitaminas y minerales, buscará una fórmula que contenga:

* No más de 4.000 UI de vitaminas A; Las que pasen de 10.000 UI pueden ser tóxicas. Muchos laboratorios han reducido la cantidad de vitamina A en los suplementos vitamínicos o los han remplazado con betacaroteno, una fuente mucho más segura de vitamina A.

* Al menos 400 a 600 mcg de ácido fólico.

* 250 mcg de calcio. Si no hay suficiente calcio en su dieta (ver página 123), usted necesita un suplemento adicional para alcanzar los 1.200 mg que se necesitan en el embarazo. No más de 250 mg de calcio elemental o 25 mg de magnesio, si la fórmula también contiene hierro, dado que las grandes cantidades de uno de estos dos minerales pueden inferir hasta cierto punto en la absorción de hierro. (Si el médico ha recetado dosis mayores de calcio y/o magnesio, se tomarán al menos dos horas antes o después del suplemento que contiene hierro.)

* 30 mg de hierro

* 80 mg de vitamina C

* 15 mg de zinc

* 2 mg de cobre

* 2 mg de vitamina B6

* No más de 400 UI de vitamina D

* La mayoría de los suplementos prenatales contienen dos a tres veces más el CDR de vitamina E, tiamina, riboflavina, niacina y vitamina B_{12}. No se conocen efectos dañinos de estas dosis.

* Algunas preparaciones también pueden contener magnesio, flúor, biotina, fósforo y ácido pantoténico.

de agua. Además, una mayor cantidad de bebida significa para la madre la posibilidad de mantener la piel suave, de combatir el estreñimiento, de eliminar las toxinas del cuerpo y de reducir la hinchazón excesiva y el riesgo de contraer una infección del tracto urinario. Hay que asegurarse de tomar al menos 8 vasos (de 220 cc cada uno) al día —y más si están reteniendo muchos líquidos (paradójicamente, una ingesta abundante de líquido puede hacer que los fluidos excesivos abandonen el cuerpo). Evidentemente, no es necesario que estos vasos de líquido provengan directamente del grifo. Las necesidades de líquido se pueden cubrir también, en parte, con leche (que está constituida por dos terceras partes de agua), jugos de frutas, de vegetales, café descafeinado natural o té, y también con sopas o agua mineral con gas. No obstante, la embarazada se asegurará de que todos los fluidos que ingiere no sean portadores de calorías para no acabar el día con un exceso calórico.

Si se usan vasos o tazones de 330 cc cada vez que se ingieren líquidos, se tomará cada vez una taza y media de golpe, con lo cual no se deberá beber tan a menudo. Se repartirá la ingesta de líquidos durante todo el día, y no se tomará más de dos vasos en una sola comida.

Suplementos: una fórmula para embarazadas que se toma a diario. La teoría de que una gestante sana puede obtener prácticamente todo lo que necesita para alimentarse en la mesa de la cocina es muy común. Y, efectivamente, así podría ser si la mujer viviese en un laboratorio donde su comida se preparara para asegurar que las vitaminas y minerales fuesen retenidos y medidos para asegurar una ingesta diaria adecuada, si nunca comiera con prisas o estuviera demasiado mareada para comer, y si estuviera completamente segura de esperar un solo hijo y de que su embarazo en ningún momento se convertiría en uno de alto riesgo. Pero en el mundo real, el suplemento constituye un seguro de salud adicional y las mujeres que desean seguridad se sentirán más tranquilas con él.

Sin embargo, un suplemento es sólo un *suplemento*. Ninguna pastilla, sea cual fuere, puede sustituir a una buena dieta. Es necesario que la mayor parte de las vitaminas y minerales procedan de los alimentos, ya que este es el modo en que los nutrientes pueden ser aprovechados mejor. Los alimentos frescos (no procesados) contienen no sólo los nutrientes que conocemos y que pueden ser sintetizados en una pastilla, sino también otros muchos que aún están por descubrir. Hace treinta años un suplemento para el embarazo no contenía zinc ni otros minerales que hoy sabemos que son necesarios para una buena salud. Pero el pan de trigo integral siempre los ha contenido. Además, los alimentos proporcionan fibra y agua (en grandes cantidades en las frutas y verduras) e importantes calorías y proteínas –elementos que no vienen incluidos en las pastillas. (Dicho sea de paso, es importante desconfiar de las pastillas que aseguran sustituir toda la ración necesaria diaria de vegetales; esta propaganda es totalmente fraudulenta).

Y tampoco se debe pensar que ya que un poco es bueno, mucho será mejor. Las vitaminas y minerales a altas dosis actúan en el cuerpo como si fueran fármacos, y de hecho deberían ser tratadas como tales, especialmente en el caso de las futuras madres; unas pocas, como las vitaminas A y D, son tóxicas a niveles que sobrepasan muy poco la CDR (cantidad diaria recomendada). Deberían tomarse sólo bajo vigilancia médica, le hacemos la misma advertencia para el consumo de hierbas y otros suplementos. Tampoco debe tomar más de la dosis recomendada, eso también es peligroso.

GRUPOS DE SELECCIÓN DE ALIMENTOS DE LA DIETA IDEAL

Muchos alimentos suministran más de un requerimiento de nutrientes, de forma que los Grupos de Selección de alimentos podrán intercambiarse. Los mismos tres vasos de leche, por ejemplo, proporcionarán tres raciones de calcio y una de proteína. Puede hacer intercambios las veces que quiera para ahorrar calorías y dejar espacio en el estómago.

ALIMENTOS PROTEICOS

Se tomarán cada tres de las raciones siguientes, o bien una combinación de estos alimentos que equivalga a cuatro raciones. Cada ración contiene entre 18 y 25 gramos de proteína, y la mujer embarazada debe consumir entre 75 y 100 gramos de proteína al día. Tenga en cuenta que la mayor parte de las opciones con lácteos también llenan los requisitos de calcio, por eso son una opción muy especial.

3 vasos de leche entera, descremada o semidescremada o de mantequilla baja en grasa

1 $^3/_4$ tazas de yogur bajo en materia grasa

$^3/_4$ de taza de requesón o bien de cuajada o queso de Burgos

75 gramos de queso tipo parmesano, edam o manchego curado

85 gramos de queso suizo o cheddar, queso de bola tipo emmental, gruyére o manchego fresco

5 claras de huevos grandes

2 huevos enteros grandes más 2 claras de huevo

100 gramos de atún o bonito

135 gramos de pescado o bien calamares, langostinos, gambas, camarones, cigalas, langosta, bogavante, centollo, nécoras y caracoles

200 gramos de almejas, chirlas, mejillones, pulpo, ostras y percebes

100 gramos de jamón

100 gramos de ternera, buey o cerdo magro

100 gramos de pollo o aves

100 gramos de cordero magro o hígado

120 gramos de carne de vacuno o cerdo, semigraso

120 gramos de vísceras exceptuando el hígado anteriormente citado

145 o 175 gramos de pasta de soya

1 ración de proteína vegetal texturizada o carnes "falsas" (verifique los niveles de los contenidos de proteína)

ALIMENTOS RICOS EN CALCIO

Se tomarán diariamente cuatro raciones de estos alimentos o cualquier combinación de ellos equivalente a cuatro raciones. Se necesitan 1.200 miligramos de calcio diarios. Cada ración de lo que se señala a continuación contiene unos 300 miligramos de calcio y muchos de ellos también llenan los requerimientos de proteína.

250 mililitros de leche o suero de leche descremada o semidescremada* (Utilice leche desalctosadas si es intolerante a la lactosa o tómese una tableta para reducir la lactosa, antes de consumir productos lácteos).

2 yogures semidescremados o descremados

1/2 taza de leche evaporada descremada o baja en grasa

1 $^3/_4$ tazas de requesón bajo en grasa

50 gramos de queso roquefort o similar

30 gramos de queso manchego curado

40 gramos de queso manchego semi curado

65 gramos de queso manchego fresco

40 gramos de gruyére

75 gramos de camembert

65 gramos de queso de bola

150 gramos de requesón o queso de Burgos** de yogur congelado sin grasa

$^1/_3$ de taza de leche en polvo sin grasa

170 gramos de leche con suplemento de calcio

170 gramos de jugo de naranja con suplemento de calcio

120 gramos de salmón en conserva

85 gramos de sardinas en lata con espinas

2 o 3 cucharadas soperas de semillas de sésamo molidas

Leche y proteína de soya

1 taza de hojas verdes de col

1 $^1/_2$ taza de col fresca cocida

---

* Trate de tomar leche sin grasa la mayor parte del tiempo.

** El contenido de calcio varía. Revise la etiqueta de nutrientes para estar segura de que el producto contiene más del 30% del valor diario por porción.

PROTEÍNAS VEGETARIANAS

Ya no es necesario que las vegetarianas estrictas que no comen productos animales combinen diferentes tipos de proteínas vegetales (por ejemplo granos y vegetales) en una sola comida, siempre y cuando coman una de cada tipo todos los días (los vegetarianos deben comer cuatro raciones diarias). Para estar segura de hacer esto, redoble o escoja dos medias porciones de la lista que está abajo (que contiene de 10 a 13 gramos de proteína cada uno). Para los alimentos que no están en la lista (como las hamburguesas vegetarianas y de soya o "carnes" con gluten, que varían enormemente en su contenido proteínico), revise el tamaño de la porción y el contenido de proteínas y ajuste su ración dependiendo de eso.

Nota: muchos de estos alimentos cumplen con los requerimientos de granos, legumbres y proteínas.

Las siguientes combinaciones son buenas para todas las embarazadas; no obstante, las no vegetarianas también pueden disfrutarlas.

LEGUMBRES (media porción de proteína)

1 taza de habas

$^3/_4$ de taza de judías secas

$^3/_4$ de taza de semillas o harina de soya

1 taza de garbanzos

$^2/_3$ de taza de lentejas

CEREALES (media porción de proteína)

1 $^1/_2$ tazas de cereales*: arroz integral, sémola, cebada, mijo

1 $^1/_3$ tazas de arroz silvestre

60 gramos (en crudo) de pasta de soya

60 a 120 gramos (en crudo) de pasta de trigo integral (según su contenido proteico)

60 gramos (en crudo) de pasta de soya

$^2/_3$ de taza (en crudo) de avena

$^3/_4$ de taza de semillas: sésamo, girasol, calabaza

$^1/_2$ taza de nueces o cacahuetes

60 gramos de almendras, avellanas, nueces o pistachos

$^1/_3$ de taza de germen de trigo

NUECES Y SEMILLAS (media porción de proteína)

$^3/_4$ de taza de semillas: girasol o calabaza

$^1/_2$ taza de nueces del Brasil o cacahuates

2 onzas de nueces o pistachos

2 $^1/_2$ a 3 cucharadas soperas de mantequilla de maní

PRODUCTOS LÁCTEOS Y HUEVOS (media porción de proteínas)

1 $^1/_4$ taza de leche descremada

60 gramos de queso bajo en grasa, cheddar, americano o suizo

$^1/_2$ taza de requesón

$^1/_4$ de taza de queso parmesano

$^1/_3$ de taza de leche en polvo no grasa más 2 cucharadas soperas de germen de trigo

1 $^1/_4$ yogur bajo en grasa

1 huevo más 2 claras de huevo

2 huevos

---

* Estos granos son bajos en proteínas. Puede agregarle dos cucharadas soperas de germen de trigo por porción.

1 $^1/_2$ taza de hojas verdes frescas, cocidas, de mostaza, nabo o remolacha

2 tazas de brócoli

2 $^1/_2$ cucharadas soperas de melaza oscura

250 gramos de acelgas

300 gramos de espinacas

150 gramos de perejil

150 gramos de semillas de soya

10 higos secos

3 tazas de judías secas hervidas

2 tortillas de maíz*

ALIMENTOS CON VITAMINA C

Se tomará por lo menos tres de las siguientes raciones cada día. El cuerpo no puede almacenar esta vitamina, por lo que es necesario e imprescindible proporcionársela cada día. Tenga en cuenta que muchos alimentos con vitamina C también cumplen los requerimientos de algunos vegetales y frutas.

$^1/_2$ pomelo

$^1/_2$ taza de jugo de pomelo

1 taza de jugo de lima

2 naranjas pequeñas

$^1/_2$ taza de jugo de naranja

2 cucharadas soperas de jugo de naranja concentrado

250 gramos de mandarina

$^1/_2$ mango mediano

$^1/_2$ taza de papaya cortada a dados

$^1/_2$ melón pequeño

$^1/_2$ taza de fresas

1 $^1/_3$ taza de zarzamoras o frambuesas

$^1/_2$ tomate grande

1 taza de zumo de tomate

3/4 de taza de jugo de verduras

1 $^1/_2$ tazas de col cruda en tiras (o de ensalada de col fresca)

$^1/_2$ pimiento rojo o verde pequeño (mejor el verde)

$^2/_3$ de taza de brócoli hervido

$^3/_4$ de taza de coliflor hervida

$^3/_4$ de taza de col fresca cocinada o coles de Bruselas

1 taza de hojas verdes de berza, congeladas y picadas

$^3/_4$ de taza de colinabo hervido

3 tazas de espinacas crudas

100 gramos de kiwis

250 gramos de nabos crudos

250 gramos de espárragos frescos

HORTALIZAS Y FRUTAS

Son necesarias tres o más raciones cada día, y una de ellas se consumirá cruda (para obtener más fibra). Es aconsejable comer diariamente algunas amarillas y algunas verdes. Recuerde que muchos de estos alimentos también cumplen con el requerimiento de vitamina C.

$^1/_8$ de melón (de unos 12 cm de largo)

2 albaricoques grandes frescos o secos

$^1/_2$ mango mediano

1 taza de papaya cortada a dados

---

* El contenido de calcio varía. Revise la etiqueta de nutrientes para estar segura de que el producto contiene más del 30% del valor diario por porción.

$^1/_2$ caqui mediano

1 nectarina o melocotón grande

1 cucharada sopera de calabaza enlatada sin azúcar

$^3/_4$ de taza de brécol o grelos hervidos

$^1/_2$ zanahoria cruda o 1/3 de taza de zanahoria hervida

$^1/_2$ taza de espinacas crudas, o 1/4 de taza de espinacas hervidas

$^1/_3$ de taza de hojas verdes de remolacha cocidas

$^3/_4$ de taza de brócoli o de hojas de nabos cocidos

$^1/_2$ taza de hojas verdes de col cocidas

1 taza y media de endibias o escarola

$^1/_3$ de taza de hojas de mostaza o col rizada

8 a 10 hojas grandes de lechuga de color verde oscuro

1 boniato o ñame pequeño

$^1/_3$ de taza de acelgas

OTRAS FRUTAS Y HORTALIZAS

Se tomarán por lo menos dos de los productos de la siguiente lista:

1 manzana

1 plátano pequeño o medio plátano grande

1 taza de brotes de soya

$^3/_4$ de taza de judías verdes

$^2/_3$ de taza de arándanos

$^2/_3$ de taza de coles de Bruselas

$^2/_3$ de taza de cerezas frescas deshuesadas

$^2/_3$ de taza de uvas

1 taza de setas frescas

1 melocotón o nectarina medianos

$^1/_2$ taza de perejil

1 pera mediana

1 rodaja mediana de piña fresca o enlatada no endulzada

1 papa mediana

$^2/_3$ de taza de calabacín

CEREALES INTEGRALES Y LEGUMBRES

La dieta diaria deberá incluir de seis a once (cerca de seis si está aumentando de peso rápido y cerca de once si está aumentando de peso lentamente) elementos de la siguiente lista:

1 rebanada de pan integral de trigo, de centeno o de otro cereal integral, o de pan de soya

$^1/_2$ taza de arroz integral cocido

$^1/_2$ taza de arroz silvestre cocido

$^1/_2$ taza de cereales integrales cocidos (harina de avena, etcétera.)

30 gramos de cereal integral listo para comer, no endulzado

2 cucharadas soperas de germen de trigo

$^1/_2$ taza de mijo, trigo sarraceno, copos de avena

$^1/_2$ taza de pasta de cereal integral, soya o de pasta del tipo alto en proteínas

1 bollo de 5 x 5 x 2,5 cm de maíz (preparado con harina provista de germen)

$^1/_2$ taza de habas o guisantes cocidos

ALIMENTOS RICOS EN HIERRO

En casi todas las frutas, las verduras, los cereales y la carne que se come diariamente se encuentran pequeñas cantidades de hierro. Pero es aconsejable incluir en la dieta alguno de los siguientes alimentos, que son muy ricos en hierro, además de tomar el suplemento. Muchos de los alimentos ricos en hierro también cumplen con otros de los requerimientos al mismo tiempo.

Pato sin piel

Buey, cortes magros

Hígado y otras vísceras (no muy a menudo)

Ostras (cocinadas; no comerlas crudas)

Sardinas

Col rizada y grelos

Aguaturmas

Calabazas

Papas con piel

Espinacas

Spirulina (alga)

Legumbres (guisantes, garbanzos, lentejas, judías secas, por ejemplo)

Semillas de soya y sus productos

Harina de algarrobas

Melaza negra

Frutos secos

ALIMENTOS RICOS EN GRASAS

La futura madre deberá consumir a diario cuatro raciones enteras (de 14 gramos cada una más o menos) u ocho medias raciones (alrededor de 7 gramos cada una) o una combinación de ambas, si su peso es de unos 57 kilos (véase el Apéndice de la página 713 si la lectora pesa algo más o menos). No deberá excederse de esta cantidad a menos que el peso vaya aumentando demasiado despacio; no reducirá esta cantidad a menos que aumente de peso demasiado de prisa. La mayoría de los días, no deberían consumirse más de dos raciones de grasas puras, tales como la mantequilla, la margarina o el aceite.

Medias raciones

30 gramos de queso (tipo suizo, provolone, mozzarella, cheddar)

40 gramos de mozzarella descremado

2 cucharadas soperas de parmesano rallado

$1 \frac{1}{2}$ cucharada sopera de crema de leche líquida

1 cucharada sopera de crema más espesa o a medio batir

2 cucharadas soperas de nata batida

2 cucharadas soperas de crema de leche agria

1 cucharada sopera de queso cremoso

1 taza de leche entera

$1 \frac{1}{2}$ taza de leche al 2%

$\frac{2}{3}$ de taza de leche entera evaporada

$\frac{1}{2}$ taza de helado corriente

1 yogur de leche entera

1 cucharada sopera de margarina *light*

1 cucharada sopera de mantequilla de cacahuete

$\frac{1}{2}$ taza de salsa blanca

$\frac{1}{3}$ de taza de salsa holandesa

1 huevo o 1 yema de huevo

$^1/_4$ de aguacate pequeño

2 raciones de panecillos, pasteles o galletas de la dieta ideal

170 gramos de tofu

200 gramos de pavo o pollo de carne blanca, sin piel

100 gramos de pavo o pollo de carne oscura, sin piel

110 gramos de salmón fresco o enlatado

80 gramos de atún enlatado en aceite

Raciones enteras

1 cucharada sopera de aceite vegetal

1 cucharada sopera de margarina o mantequilla corriente*

1 cucharada sopera de salsa mayonesa normal

2 cucharadas soperas de aliño para la ensalada normal**

100 a 200 gramos de carne magra (varía según la pieza)

$^3/_4$ de taza de ensalada de atún

RECETAS

¿Tiene antojo de unas papas fritas y una malteada? ¿O quiere unas galletas para mojar en su leche? ¿Qué le parece una bebida amigable para el bebé o un desayuno diseñado para embarazadas ganadoras? A continuación presentamos algunas recetas destinadas a satisfacer las ganas de comer dulces o que se pueden servir como desayuno o en las fiestas entre amigos.

SOPA DE CREMA DE TOMATE

Para tres raciones

1 cucharada sopera de margarina o mantequilla

2 cucharadas soperas de harina integral de trigo

1 $^3/_4$ de taza de leche descremada evaporada

3 tazas de zumo de tomate o de hortalizas

$^1/_4$ de taza de puré de tomate

Sal y pimienta al gusto

Orégano y albahaca frescos o secos al gusto (opcional)

Aderezos opcionales

6 cucharadas soperas de requesón ($^1/_2$ ración de proteína) o 2 cucharadas soperas de queso parmesano rallado ($^1/_4$ de ración proteína; 1/2 ración de calcio) o 1 cucharada sopera de germen de trigo ($^1/_2$ ración de cereales integrales).

---

* Para consumir menos grasas utilice una margarina suave en spray o, aún mejor, utilice una margarina baja en grasa.

** Debido a que el contenido en grasa de los aliños para ensaladas que se venden preparados varía, se leerán las etiquetas; cada 14 gramos de grasa equivale a una ración. En los aliños hechos en casa, cada cucharada sopera de aceite es igual a una ración.

1. En una cacerola, derretir a fuego lento la margarina. Añadir la harina y remover durante 2 minutos a fuego muy lento. Verter la leche gradualmente y continuar cociendo a fuego lento removiendo de vez en cuando, hasta que la mezcla espese.

2. Añadir el zumo y la salsa de tomate junto con los condimentos y remover hasta que quede una pasta suave. Continuar cociendo a fuego lento durante 5 minutos removiendo con frecuencia.

3. Servir la sopa caliente y aderezada si se desea con el requesón, el queso parmesano o el germen de trigo.

1 ración = 1 ración de alimento rico en calcio; 1 ración de vitamina C; 1 ración de hortalizas de hoja verde si se utiliza zumo de hortalizas.

PAPAS FRITAS DE LA DIETA IDEAL

Para 2 raciones

1 ¹/₂ cucharada sopera de aceite vegetal
2 papas grandes
2 claras de huevo
Sal gruesa y pimienta al gusto

1. Precalentar al horno a una temperatura de 220°C. Engrasar una fuente de hornear con el aceite vegetal.

2. Pelar y limpiar concienzudamente las papas bajo el chorro del grifo; secarlas inmediatamente. Cortarlas longitudinalmente en rodajas de 1/2 cm de grosor, y luego en bastoncitos del tamaño deseado. Secar.

3. En un recipiente mediano, batir las claras de huevo con un tenedor o batidor de mano, hasta que estén espumosas. Añadir las papas y mezclarlas con las claras hasta que queden recubiertas.

4. Poner las papas formando una sola capa en la fuente de hornear. Dejar algo de espacio entre ellas para que no se peguen. Cocerlas hasta que estén crujientes, de un color pardo claro, y tiernas, durante 30 a 35 minutos. Salpimentar y servir de inmediato.

1 ración = 1 ración de otras hortalizas.

HARINA DE AVENA COCIDA

Para 1 ración

1 ¹/₄ taza de agua
¹/₂ taza de avena molida
2 cucharadas soperas de germen de trigo (que pueden sustituirse, si hay problemas de estreñimiento, en parte o totalmente por salvado no tratado)
Sal al gusto (opcional)
1/3 de taza de leche en polvo instantánea descremada

1. llevar el agua a ebullición en una cazuela pequeña. Añadir la avena, el germen de trigo y la sal, si se desea, removiendo para que se mezcle bien.

Bajar el fuego y cocer durante 5 minutos o más, según la textura deseada, añadiendo más agua si fuera necesario.

2. Quitar la cazuela del fuego y añadir la leche evaporada. Servir de inmediato.

VARIANTE DULCE:

Añadir 2 cucharadas soperas de pasas y 1 cucharada sopera de zumo de manzana concentrado (o al gusto) al añadir la avena, o durante el último minuto de cocción si se desea que las pasas no se ablanden; agregar canela en rama y/o sal al gusto (ambas son opcionales)al añadir la leche.

VARIANTE SALADA:

Añadir pimienta, queso parmesano o cheddar rallado (15 gramos = 1/2 ración de calcio) al añadir la leche.

VARIANTE MULTIGRANO:

Utilice una combinación de granos (hojuelas de centeno, hojuelas de cebada, hojuelas de trigo. Todas se consiguen en las tiendas de alimentos sanos o en la sección de comida sana de los supermercados) y sustitúyala por toda, o parte de la avena.

1 ración = 1 ración de proteínas; 1 ración de cereales integrales; 1 ración de calcio; gran cantidad de fibra.

PANECILLOS DE SALVADO

Para 12 a 16 panecillos

Grasa vegetal para hornear

$^2/_3$ de taza de pasas
1 taza de concentrado de zumo de manzana
$^1/_4$ de taza de concentrado de zumo de naranja
1 $^1/_2$ taza de harina de trigo integral
$^1/_2$ taza de germen de trigo
1 $^1/_2$ taza de salvado no tratado
1 $^1/_4$ cucharada de bicarbonato de sodio
$^1/_2$ taza de nueces picadas
1 cucharada de canela en polvo (opcional)
1 $^1/_2$ taza de suero de leche descremada
2 claras de huevo, ligeramente batidas
$^1/_3$ de taza de leche en polvo instantánea descremada
2 cucharadas soperas de margarina o mantequilla, derretida y enfriada

1. Precalentar el horno a 175°C, engrasar ligeramente los moldes de los panecillos con el aceite vegetal o margarina.

2. En una cazuela pequeña, mezclar las pasas, 1/4 de taza de concentrado de zumo de manzana y el zumo de naranja. Dejar hervir al fuego lento durante 5 minutos, removiendo de vez en cuando.

3. Mezclar en un recipiente la harina, el germen de trigo, el salvado, el bicarbonato de sodio, las nueces picadas y la canela.

4. En otro recipiente, batir juntos el suero de leche, las claras de huevo,

la leche en polvo, la margarina y el concentrado de zumo de manzana restante.

5. Reunir los ingredientes líquidos y sólidos, mezclando concienzudamente con unos pocos golpes. Añadir las pasas con su jugo de cocción. Llenar los moldes ya preparados en sus dos terceras partes.

6. Hornear hasta que al pinchar con un palillo en el centro, éste salga limpio; unos 20 minutos aproximadamente.

VARIANTE DE FRUTAS:
Añadir dos manzanas o peras medianas, cortadas a dados, junto con las nueces. Si no existen problemas de estreñimiento, sustituir el salvado no procesado por 1 taza de avena, salvado de avena o también copos de cebada.

1 panecillo grande (se obtienen 12 con la receta) = 1 1/2 ración de cereales integrales; 1/2 ración de proteína; mucha fibra. La variante con frutas añade además una ración de otras frutas.

PANQUEQUES DE SUERO DE LECHE Y TRIGO INTEGRAL

Se obtienen aproximadamente 12 panqueques (3 raciones)

Nota: Deje una hora para la preparación, así se asienta la masa.

1 taza de suero de leche semidescremada

1 cucharada de concentrado de zumo de manzana
$^3/_4$ *de taza de harina de trigo integral*
5 cucharadas soperas de germen de trigo
$^1/_3$ *de taza de leche en polvo descremada*
Una pizca de sal al gusto (opcional)
Canela en rama al gusto (opcional)
2 cucharadas de levadura en polvo
2 claras de huevo grandes
Margarina o mantequilla

ADEREZOS OPCIONALES:
Zumo de manzana sin endulzar (1 ración más de otras frutas)
Compota o mantequilla de manzana sin endulzar (sólo la fruta)
$^1/_2$ *taza de yogur semidescremado ($^1/_2$ ración de calcio)*

1. Mezclar todos los elementos excepto las claras de huevo, la margarina y el aderezo en una batidora hasta reducirlos a puré.

2. En un recipiente, batir las claras de huevo a punto de nieve. Añadir y batir rápidamente la mezcla de suero de leche y harina con las claras de huevo. Dejar reposar durante una hora.

3. Calentar un sartén antiadherente y cuando esté caliente, recubrir con una ligera capa de margarina o mantequilla. Verter la masa y darle forma con la cuchara hasta formar panqueques de 7 cm de grosor. Cuando la superficie de los panqueques em-

piece a burbujear y la parte inferior esté ligeramente tostada, dar la vuelta y dorar por el otro lado. Continuar haciendo panqueques, poniendo más margarina en la sartén cada vez, hasta que se termine la masa. Servir los panqueques con alguno o todos los aderezos.

VARIANTE:

Añadir a la masa alguno de los siguientes ingredientes:

$^1/_4$ de taza de pasas ($^1/_2$ ración de otras frutas)

6 albaricoques secos enteros en dados (algo de hierro; 1 ración de frutos amarillos)

$^1/_2$ plátano, pera o manzana, en rodajas ($^1/_2$ ración de otros frutos)

$^1/_4$ de taza de nueces picadas ($^1/_4$ de ración de grasa; algo de proteína).

$^1/_3$ de la receta = 1 ración de cereales integrales; 1 ración de proteína; $^1/_2$ ración de calcio; mucha fibra.

BATIDO DE LECHE DOBLE

Para 1 ración.

Nota: Congelar un plátano bien maduro, pelado y envuelto, 12 o 24 horas antes de hacer este batido.

1 taza de leche descremada o semidescremada

$^1/_3$ de taza de leche en polvo descremada

1 plátano bien maduro congelado, cortado en pedazos

1 cucharada de extracto de vainilla

1 pizca de canela en rama o al gusto (opcional)

Reducir a puré todos los ingredientes en una batidora. Servir de inmediato.

VARIANTE DE BAYAS:

Añadir 1/2 taza de frambuesas, frescas o congeladas sin endulzar, y 1 cucharada sopera de concentrado de zumo de manzana congelado (descongelados) antes de batir; si se desea, omitir la canela.

VARIANTE DE NARANJA:

Añadir 2 cucharadas soperas de zumo de naranja concentrado congelado (descongelado); omitir la canela.

1 batido = 2 raciones de calcio; $^2/_3$ de ración de proteína; 1 ración de otros frutos. La variante de bayas añade 1 ración de otros frutos, y 1 ración de vitamina C si se utilizan fresas. La variante de naranja añade $^1/_2$ ración de vitamina C.

PASTELITOS DE HIGOS

Se obtienen unos 36 pastelitos de higos.

Aceite vegetal o grasa vegetal de hornear

1 cucharada sopera de fructosa

4 cucharadas soperas ($^1/_2$ barra) de mantequilla o margarina

1 taza más 2 cucharadas soperas de concentrado de zumo de manzana caliente

1 $^1/_2$ taza de harina de trigo integral

1 taza de germen de trigo
1 ¹/₂ cucharada de extracto de vainilla
450 g de higos secos, troceados
2 cucharadas soperas de almendras u otros frutos secos

1. Poner el concentrado del jugo en un recipiente y calentarlo a fuego lento hasta que se caliente.

2. Mezclar en un recipiente la fructosa y la margarina. Añadir ¹/₂ taza más dos cucharadas soperas de concentrado de jugo de manzana y continuar batiendo.

3. Añadir la harina, el germen de trigo y la vainilla, y mezclar hasta formar una masa. Dividir esta en dos, formando con cada mitad una barra rectangular. Envolver las barras por separado, con papel encerado y enfriar durante 1 hora.

4. Precalentar el horno a 175°C. Engrasar ligeramente una bandeja de hornear antiadherente con aceite o grasa vegetal para hornear.

5. Mezclar los higos y el resto de concentrado de zumo de manzana en una cazuela y cocer a fuego lento hasta que la mezcla se ablande. Quitar del fuego y mezclar los frutos secos removiendo hasta formar una mezcla homogénea.

6. Extender con el rodillo una de las barras rectangulares de masa sobre la bandeja de hornear ya preparada, hasta formar una capa muy fina, allanando los bordes todo lo posible. Extender la mezcla de higos uniformemente sobre la masa. Extender con el rodillo el segundo rectángulo de masa entre dos capas de papel encerado hasta que alcance el mismo tamaño que el primer rectángulo. Quitar una capa de papel encerado y colocar la masa tan nivelada como sea posible sobre la mezcla de higos. Presionar ligeramente, y recortar los bordes con un cuchillo afilado donde sea necesario.

7. Cocer en el horno hasta que la masa esté ligeramente dorada, de 25 a 30 minutos. Cortar en cuadrados o diamantes mientras esté caliente. Déjelos enfriar antes de consumirlos.

3 pastelitos = 1 ración de cereales integrales; 1 ración de otros frutos; algo de hierro; mucha fibra.

GALLETAS DE AVENA Y FRUTA

Se obtienen 24 galletas de 5 cm.

Aceite vegetal o grasa vegetal para hornear
10 dátiles deshuesados
6 cucharadas soperas de concentrado de zumo de manzana
2 cucharadas soperas de aceite vegetal
1 ¹/₂ taza de avena molida con el ro-

dillo (o una mezcla de avena y copos de trigo crudo)
1 taza de pasas
$^1/_4$ a $^1/_2$ taza de nueces troceadas
Canela en rama al gusto
1 clara de huevo

1. Precalentar el horno a 175°C. Engrasar ligeramente una bandeja de hornear antiadherente con aceite o grasa vegetal para hornear.

2. Mezclar los dátiles y el concentrado de zumo de manzana en una cazuela, y cocer a fuego lento hasta que la fruta se haya ablandado. Reducir la mezcla a puré en una batidora y verterla en un tazón. Añadir las 2 cucharadas de aceite y la avena, las pasas, las nueces y la canela.

3. En otro tazón, batir la clara de huevo a punto de nieve. Mezclarla despacio con el contenido del primer tazón. Poner la masa a cucharadas en la fuente de hornear ya preparada.

4. Cocer hasta que esté ligeramente dorada, de 10 a 12 minutos.

3 pastelitos = 1 ración de otras frutas; $^1/_2$ ración de cereales integrales; algo de hierro; mucha fibra.

VARIACIÓN CON CHIPS DE CHOCOLATE: Omita la canela y las pasas y añada media taza de chips de chocolate.

YOGUR DE FRUTAS

Para 1 taza, aproximadamente.

$^3/_4$ de taza de yogur bajo en grasa
$^1/_2$ cucharada pequeña de piel de naranja recién rallada
$^1/_2$ taza de fresas frescas o congeladas (descongeladas), no endulzadas
1 cucharada sopera de concentrado de zumo de naranja
5 cucharadas de concentrado de zumo de manzana
$^1/_2$ cucharada pequeña de canela molida o al gusto (opcional)

Reducir todos estos ingredientes a la consistencia de un puré en la batidora. Se sirve solo, o como salsa para acompañar la fruta, los pastelitos o los panqueques.

1 taza = una ración de vitamina C; $^3/_4$ de ración de calcio.

SMOOTHIE DE FRUTAS

Para una ración
Nota: pele la fruta, córtela o téngala en rodajas para poder llenar una taza.

1 taza de mangos, fresas, melones, duraznos, bananos y/o papaya
$^1/_2$ tazas de jugo muy frío (naranja, manzana, mango, pera o cualquier otro jugo de pura fruta) o tres cucharadas soperas de concentrado de jugo
$^1/_2$ tazas de hielo picado (opcional)

Ponga las frutas, el jugo y el hielo, si lo desea, en la licuadora y lícuelos. Después disfrútelo.

1 taza=2 raciones de otra fruta, dependiendo de la fruta

FALSO DAIQUIRÍ DE FRESAS

Para 4 raciones.

2 tazas de fresas frescas, lavadas, o fresas congeladas (no endulzadas) (o bien 2 plátamos muy maduros, cortados en rodajas finas)
1 taza de cubitos de hielo triturados (sólo $^1/_2$ taza si se emplean fresas congeladas)
$^1/_4$ de taza de concentrado de zumo de manzana, o al gusto
1 cucharada sopera de zumo fresco de lima
1 cucharada pequeña de extracto puro de ron (opcional)

Reducir todos estos ingredientes a puré en una batidora. Servir frío en vasos altos.

VARIACIÓN CON PLÁTANO: Sustituya las fresas por dos bananos cortados en pequeños trozos.

1 ración = 1 ración de otros frutos; 1 ración de vitamina C o 2 raciones de otros frutos si se utilizan plátanos.

SANGRÍA VIRGEN

Para 5 o 6 raciones.

3 tazas de zumo de uva no endulzado
$^3/_4$ de taza de concentrado de zumo de manzana
1 cucharada sopera de zumo de limón fresco
1 limón pequeño con su piel, cortado en rodajas y sin las semillas
1 naranja pequeña con su piel, cortada en rodajas y sin las semillas
1 manzana pequeña con su piel, cortada en octavos y sin el corazón
$^3/_4$ de taza de agua con gas (soda no salada)

Verter todos los ingredientes menos el agua con gas en una jarra grande. Mezclar bien y enfriar. Añadir el agua con gas justo antes de servir. Servir con hielo en vasos de vino.

1 ración = 1 ración de otros frutos.

SEGUNDA PARTE

Nueve meses y contando

De la concepción al parto

CAPÍTULO CINCO

El primer mes

De la semana 1 a la 4 aproximadamente

¡Felicitaciones y bienvenida a su embarazo! Aunque seguramente todavía no se ve embarazada, probablemente ya se sienta embarazada, aunque solamente sienta los pechos suaves o mucha fatiga, usted está experimentando los síntomas del embarazo, su cuerpo se está preparando para los nueve meses que siguen. A medida que pasen las semanas, notará cambios en diferentes partes de su cuerpo (como en su ombligo), cambios que usted espera y otros que ni se imagina (sus pies y sus ojos). También notará cambios en la forma en que vive y ve la vida. Pero trate de no pensar (o leer) en lo que viene muy adelante. Por ahora simplemente siéntese, relájese y disfrute el comienzo de una de las etapas más emocionantes y satisfactorias de la vida.

QUÉ SE PUEDE ESPERAR
En la primera visita prenatal

Seguramente su primera visita prenatal será la más larga mientras esté embarazada y seguramente será también la más comprensible. Habrá más exámenes, procedimientos* (incluyendo los que se harán únicamente durante esa cita) y averiguaciones (una historia médica completa). Habrá mucho tiempo para preguntas (preguntas que usted le tiene al doctor, preguntas que él le tiene a usted) y respuestas. También deberá seguir muchos consejos, desde qué debe comer (y que no debe comer) y qué suplementos debe tomar (y cómo) hasta si debe o no hace ejercicio. Así que asegúrese de llevar su lista de preguntas y dudas, lleve también lápiz y papel para escribir lo que necesite.

Las rutinas de los médicos pueden variar levemente de una a otra. Generalmente, el examen va a incluir:

Confirmación del embarazo. El médico deseará comprobar lo siguiente: los síntomas de gestación que muestra la

---

* Vea el *Apéndice* en la página 713, para saber más sobre los exámenes y procedimientos.

paciente; la fecha de su último período menstrual normal, para determinar la fecha calculada de parto (FCP) o la salida de cuentas (vea la página 9); examinará el cuello uterino y el útero para detectar los signos de gestación y la posible duración del embarazo. Si existe alguna duda, prescribirá una prueba de embarazo (de orina o de sangre).

Historial completo. El médico deseará tener la mayor cantidad de información posible, para poder cuidar mejor de la paciente. Es conveniente acudir a esta primera visita habiendo consultado las anotaciones que se tienen en casa acerca de los siguientes datos: historial médico personal de la embarazada (enfermedades crónicas, enfermedades graves o intervenciones quirúrgicas anteriores, medicación que se está tomando en este momento o que se tomaba en la época de la concepción, alergias conocidas, incluidas las alergias a los medicamentos); historial médico de la familia (trastornos genéticos y enfermedades crónicas); historial social (edad, ocupación, costumbres como tabaco, alcohol, ejercicio, dieta); historial ginecológico y obstétrico (edad del primer período menstrual, duración habitual del ciclo menstrual, duración y regularidad de los períodos menstruales; abortos, abortos espontáneos y partos normales anteriores; características de los embarazos y partos anteriores*).

Examen físico completo. Incluirá: determinación de la salud general de la futura madre mediante el examen del corazón, los pulmones, los pechos, el abdomen; medición de la presión sanguínea: este valor se tomará como base de comparación en las visitas posteriores; medición de la altura y el peso (presente y durante el embarazo); inspección de las extremidades para detectar posibles varices y edemas (hinchazón debida a un exceso de líquido en los tejidos), como base de comparación para las visitas ulteriores; examen y palpación de los genitales externos; examen de la vagina y el cuello uterino con un espéculo insertado internamente; examen de los órganos pélvicos bimanualmente (una mano en la vagina y otra sobre el abdomen) y también a través del recto y la vagina; determinación del tamaño y la forma de los huesos de la pelvis (por donde su hijo va a salir eventualmente).

Colección de análisis. Algunas pruebas se realizan rutinariamente a todas las embarazadas; otras sólo son obligadas en ciertas regiones o países o según el criterio de algunos médicos y no de otros; algunas sólo se llevan a cabo cuando las circunstancias lo justifican. Los tests prenatales más comunes son:

---

* No deje de mencionar los abortos anteriores, no importa cuáles hayan sido sus razones. Es importante que el médico lo sepa y los factores de su vida personal que pudieran afectar al embarazo.

* Un análisis sanguíneo para determinar el tipo de sangre y el estatus del Rh (vea la página 38), los niveles de hCG y saber si hay anemia (vea la página 254)

* Análisis de orina para saber si hay azúcar, albúmina, glóbulos blancos, sangre o bacterias

* Tests sanguíneos para averiguar si hay inmunidad a enfermedades tales como la rubéola

* Tests para descartar la presencia de infecciones tales como la sífilis, la gonorrea, la hepatitis por Chlamydia y, en algunos casos, el sida

* Tests genéticos para la detección de fibrosis cística, la anemia falciforme y la enfermedad de Tay-Sachs u otras enfermedades genéticas si es apropiado (vea la página 60)

* Un frotis de Papanicolau para descartar el cáncer cervical

* Test de la diabetes gestacional, para determinar si hay alguna tendencia hacia la diabetes, particularmente en mujeres que han tenido en anteriores partos bebés de gran tamaño o también en las que ganaron demasiado peso durante un embarazo anterior (permite que las mujeres tengan un examen de glucosa para ver si hay diabetes gestacional alrededor de la semana 28. Vea la página 353)

Una buena oportunidad para el diálogo. Es aconsejable que la futura madre exponga en esta visita todas sus preguntas, problemas y síntomas.

QUÉ SE PUEDE SENTIR

La futura madre puede sentir todos estos síntomas en un momento u otro, o padecer quizá sólo uno o dos de ellos. Lo importante es tener en cuenta desde ahora que cada mujer y cada embarazo son diferentes. Hay muy pocos síntomas que son universales.

FÍSICOS:

* Ausencia de la menstruación (aunque es posible manchar ligeramente cuando se espera el período o cuando el óvulo fecundado se implanta en el útero alrededor de siete o diez días después de la concepción).

* Cansancio y somnolencia

* Necesidad de orinar frecuentemente

* Náuseas, con o sin vómitos, y/o salivación excesiva (ptialismo)

* Acidez de estómago e indigestión, flatulencia e hinchamiento

* Aversión y antojos de alimentos

* Cambios en los pechos (más pro-

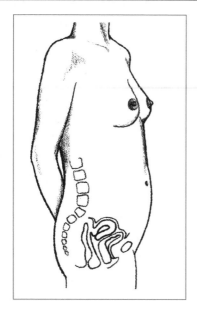

Al final del primer mes de embarazo su bebé (que tiene dos semanas si cuenta desde el momento de la concepción) es un embrión muy pequeñito, mucho más pequeño que un grano de arroz. Aunque está lejos de la figura humana, el embrión ha progresado considerablemente de la masa celular sin forma que era la semana pasada: ahora hay una cabeza (con una boca que se abre), un corazón primitivo que ya palpita y un cerebro rudimentario. El principio de los brazos y las piernas pronto aparecerá.

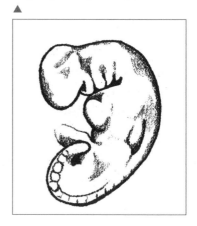

Todavía no hay cómo reconocer el embarazo en su conjunto. Aunque pueda reconocer en usted algunos cambios físicos (sus pechos crecen un poco y su estómago está algo más redondo) nadie más lo notará. Asegúrese de ver bien su cintura, puede ser la última vez que la vea en muchos meses.

nunciados en las mujeres que experimentan cambios en los pechos antes de la menstruación): tirantez, pesadez, sensibilidad, hormigueo; oscurecimiento de la areola (zona pigmentada que rodea el pezón); abultamiento de las glándulas sudoríparas de la areola (tubérculos de Montgomery), que toman el aspecto de la piel de gallina; aparece una red de líneas azuladas debajo de la piel, a consecuencia del aumento de irrigación de los pechos (pero estas líneas pueden no aparecer hasta más tarde.

EMOCIONALES:

- Inestabilidad comparable al síndrome premenstrual y que puede incluir irritabilidad, cambios de humor, irracionalidad, tendencia al llanto

- Dudas, temores, alegría, júbilo; por separado o todos juntos

QUÉ PUEDE PREOCUPAR

DAR LA NOTICIA

"¿Cuándo debemos contarle a la familia y a los amigos que estamos esperando un bebé?"

Esta es una de las preguntas que solamente *usted* puede responder. Hay algunas personas que no se aguantan las ganas de contar que van a ser padres (sin contar a las personas a quienes les cuentan en la calle o en la silla de al lado). Hay otras personas que cuentan selectiva-mente al principio, primero a los más queridos y cercanos (seguramente la familia y amigos más cercanos) y esperan hasta que sea algo obvio antes de contarle a todo el mundo. Hay algunos que esperan tres meses para contar, por si hay una pérdida (especialmente si ya se ha perdido un bebé).

Así que háblelo con su pareja y hagan lo que sea más cómodo para ustedes. Sólo recuerde: antes de dar la noticia no olvide discutirlo primero en pareja.

CONTÁRSELO AL JEFE

"En el trabajo nadie sabe todavía que estoy embarazada y no estoy segura de cuándo y cómo debo decirlo, especialmente a mi jefe. No sé cómo vayan a reaccionar".

Como muchas de las madres embarazadas también trabajan, el protocolo del embarazo en las oficinas se ha convertido en algo importante para empleados y empleadores. Las políticas oficiales dependen de cada compañía lo mismo que las políticas informales y con los amigos más familiares. Para escoger cuándo y cómo debe dar la noticia, considere lo siguiente:

Cómo se siente y si lo está demostrando. Si las náuseas la tienen más tiempo en el baño que en su escritorio, si la fatiga del primer trimestre apenas la deja levantar la cara de la almohada en las mañanas, o si está comiendo mucho en el desayuno, probablemente no podrá guardar su secreto por mucho tiempo. En ese caso tiene más sentido dar la noticia rápido que esperar hasta que su jefe (y todos los demás en la oficina) llegue a sus propias conclusiones. Si, por otro lado, se siente muy bien y puede manejar todo normalmente, puede esperar un poco para dar la noticia.

Qué tipo de trabajo hace. Si trabaja bajo condiciones o sustancias que le puedan hacer daño a su embarazo o a su bebé (vea la página 104), necesita dar la noticia (y pedir una transferencia o cambio de actividades) tan pronto como se entere del embarazo.

Cómo va el trabajo. Una mujer que anuncia que está embarazada en el trabajo, desafortunadamente (e injustamente) puede verse perjudicada por frases como: "¿será capaz de cumplir con sus obligaciones?" y "¿le importará estar en el trabajo embarazada?" o "¿Nos dejará a mitad de camino?". Seguramente le dirán esas cosas si da la noticia después de entregar un reporte, hacer un trato, ganar un caso, tener una buena idea o probar que puede ser productiva y estar embarazada a la vez.

¿Hay revisiones de salario pronto? Si teme que su anuncio influya en el resultado de una revisión de salarios, espere hasta que salgan los resultados y después cuente. Así prueba que la decisión de promoverla en su cargo fue basada en sus capacidades antes de saber que estaba embarazada y que pronto será madre y trabajadora.

Los chismosos. Si sus compañeros son chismosos, tenga cuidado. Que no se vaya a enterar su jefe por chismes externos. Habrá problemas de confianza además de la noticia del embarazo. Asegúrese de que su jefe sea el primero en enterarse o que a la gente que le cuente no se le salga el chisme.

La opinión de los demás. Trate de averiguar cuál es la opinión de los demás respecto a los embarazos en la oficina. Hable con otras mujeres que ya hayan pasado por eso, si las hay (pero sea discreta). Revise las políticas de la empresa en ese aspecto si es que las hay

o hable con alguien de la compañía que pueda guiarla, alguien de recursos humanos, por ejemplo. Si ve que la compañía ha apoyado a las mujeres embarazadas, puede hacer su anuncio desde antes, de otro modo ya sabrá a qué enfrentarse.

Tenga un plan. La eficiencia siempre es apreciada en el trabajo y así como la preparación. Así que antes de dar la noticia haga un plan que diga cuánto tiempo piensa estar en la empresa (descartando cualquier problema médico, incluido el parto prematuro), de cuánto será su permiso de maternidad, cómo piensa dejar todo listo antes de irse y cómo piensa dejar que otros le ayuden mientras no está. Si escribe las cosas es menos probable que se le olviden los detalles.

Busque el momento. No le cuente a su jefe mientras está en un taxi rumbo a una reunión o un viernes en la tarde cuando ya todos se van. Haga una cita para que nadie esté distraído ni tenga prisas. Trate de decirlo un día que no sea tan estresante en su oficina y posponga la reunión si las cosas se ponen tensas.

Acentúe lo positivo. No empiece a dar la noticia con disculpas, en lugar de eso, hágale saber a su jefe que no sólo esta contenta con su embarazo sino que se siente confiada en su habilidad para trabajar y tener una familia.

Comodidad y seguridad en el trabajo

Aunque no tenga hijos en casa todavía, quedarse en el trabajo mientras está embarazada requerirá que practique el fino arte de mezclar el trabajo con la familia (o por lo menos la futura familia). Especialmente durante el primer y último trimestre, cuando los síntomas del embarazo la dejan por el suelo y las distracciones se apoderan de usted, esta mezcla puede parecerle extenuante, y a veces, abrumadora; en otras palabras, es una buena preparación para los años de trabajo y maternidad que tiene por delante. Estos consejos no harán que todo fluya fácilmente, pero pueden ayudarla a llevar las cosas con más tranquilidad y seguridad:

♦ Déle tiempo a su barriga. Coma tres veces al día (su mamá nunca estuvo más acertada que ahora al hablarle de la importancia del desayuno) y al menos dos alimentos entre comidas, sin importar qué tan ocupada esté. Puede programar las comidas (y es importante que pueda decidir un poco sobre lo que le sirven). Mantenga cosas saludables en su bolso o en el refrigerador de la empresa, si hay uno.

♦ Vigile su peso. Asegúrese de que el estrés en su trabajo, o la mala alimentación, no le impidan que gane peso.

♦ Tome agua. Tenga un vaso de agua lleno o lleve un termo y téngalo en su escritorio. Tomar siete vasos de agua diarios puede reducir muchos síntomas del embarazo y puede ayudar a prevenir una infección urinaria que se ha ligado a los partos prematuros.

♦ No se aguante. Despejar su vejiga es importante (por lo menos cada dos horas). También ayuda a prevenir una infección urinaria.

♦ Vístase para el éxito y la comodidad. Evite la ropa pegada y las medias que corten la circulación, evite también los tacones muy altos o muy bajos. Lo mejor es utilizar ropa de maternidad para minimizar varios síntomas y es más cómodo si va a estar casi todo el día de pie.

♦ Trate de no estar parada mucho tiempo. Si su trabajo la obliga a estar de pie, trate de sentarse constantemente (con los pies en alto) o caminar. Si es factible, mantenga un pie abajo y una rodilla doblada mientras está parada para que esta reciba algo de la presión de su espalda.

♦ Ponga los pies en alto. Ponga una caja debajo de su escritorio y así lo hará discretamente.

♦ Tome un descanso. Con regularidad. Párese y camine un poco si lleva mucho tiempo sentada. Siéntese con los pies en alto si ha estado mucho tiempo de pie. Si hay un sofá cerca, acuéstese del lado izquierdo por unos minutos. Haga algunos ejercicios de estiramiento, especialmente para su espalda, sus piernas y su cuello.

Continúa en la página siguiente…

...viene de la página anterior

- Cuidado con lo que respira. Manténgase alejada de los fumadores, el humo no solamente perjudica al bebé sino que puede aumentar su fatiga. Evite el humo y los químicos (vea la página 103).

- Tenga cuidado con alzar cosas pesadas. Levante lo que sea necesario pero con cuidado para evitar dolores de espalda (vea la página 284).

- Empaque un cepillo de dientes. Lavarse los dientes después de comer es muy importante cuando está embarazada vea la página 245. Si tiene náuseas este va a ser un punto muy importante para refrescar su aliento. También le ayuda si tiene exceso de saliva (eso es común durante el primer trimestre y puede ser vergonzoso en el trabajo).

- Haga algunos cambios. Hay dos cosas que son muy comunes en las mujeres embarazadas que trabajan: el dolor de espalda y la tendinitis. Vea las páginas 323 y 283 para mayor información.

- Descanse de vez en cuando. Para el bebé no es bueno que sufra de estrés. Así que trate de buscar espacios para relajarse tanto como pueda: lleve audífonos para oír música, cierre los ojos para meditar o pensar en algo tranquilo, haga ejercicios de estiramiento o camine cinco minutos.

- Escuche a su cuerpo. Baje el ritmo si se siente cansada, regrese a casa temprano si está exhausta.

Sea flexible (pero no se deje ganar). Tenga su plan hecho pero deje espacio para la discusión. Después comprométase (deje espacio para la negociación), haga algo realista y aférrese a eso.

Deje todo por escrito. Una vez que estén listos los detalles de su embarazo y su permiso de maternidad, deje todo por escrito para que después no haya confusiones o malentendidos (como "yo nunca dije eso").

Nunca subestime el poder de los papás. Si su compañía no resultó ser tan amigable como esperaba, considere la opción de unir fuerzas para pedir las cosas. Tenga en cuenta que probablemente se topará con hostilidades de parte de los empleados sin hijos; hay mucha gente resentida cuando no ven los beneficios propios. También le puede ayudar el hecho de reunir a empleados que necesiten tiempo para cuidar a parientes enfermos, entre más gente, mejor.

FATIGA

"Estoy siempre cansada. Me temo que no podré continuar trabajando."

Lo sorprendente sería que la mujer no estuviera cansada. De algún modo, el cuerpo de la embarazada está trabajando con mayor intensidad que el de una mujer no embarazada que sube a una montaña, incluso cuando está descansando; lo que pasa es que este esfuerzo no resulta visible. Por un lado, está fabricando el sistema de soporte de la vida del bebé, la placenta, que no quedará terminada hasta el final del primer trimestre. Por otro, se está ajustando a las otras muchas exigencias físicas y emocionales del embarazo, que son considerables. Una vez adaptado el cuerpo y completada la placenta (hacia el cuarto mes), la mujer experimentará seguramente más energía. Hasta ese momento es posible que deba trabajar menos horas o dejar el trabajo durante unos pocos días si se encuentra realmente extenuada. Pero si el embarazo continúa sin novedad, no existe ninguna razón para que abandone su profesión (siempre que el médico no haya restringido su actividad y/o el trabajo no sea demasiado agotador o peligroso; vea las páginas 104 y 333). La mayoría de las embarazadas se sienten más felices si se mantienen ocupadas.

Puesto que esta fatiga es legítima, lo mejor es no intentar combatirla. Se la considerará como una señal del cuerpo de que se necesita más descanso. Evidentemente, esto es más fácil de sugerir que de llevar a cabo. Pero vale la pena intentarlo.

Mimarse una misma. Si la mujer está esperando su primer bebé, deberá disfrutar de lo que probablemente será su última oportunidad durante mucho tiempo de dedicarse a cuidar de sí misma sin sentirse culpable. Si la embarazada ya tiene uno o más niños, tendrá que dividir su atención. Pero de todos modos, ahora no es el momento de luchar por el puesto de Súper-futuramamá. Descansar lo suficiente es más importante que conseguir que nuestra casa resplandezca de orden y pulcritud o que servir comidas de restaurante de cuatro tenedores.

Procuraremos que las tardes no estén llenas de actividades innecesarias, y las pasaremos en casa leyendo, mirando la TV o buscando el nombre del futuro hijo. Si tenemos hijos mayores, terminaremos el día jugando a algo tranquilo con ellos, o viendo con ellos las clásicas películas de video para niños, en vez de andar por todo el campo de juego. (La fatiga podrá ser más pronunciada cuando hay niños mayores en casa, simplemente debido a que existirán muchas más demandas físicas y mucho menos tiempo para descansar. Por otra parte, se notará menos, dado que una mujer con hijos pequeños suele estar acostumbrada a estar exhausta y/o demasiado ocupada para preocuparse por ello).

Y es mejor no esperar a que se haga de noche para tener un respiro; si una puede permitirse el lujo de una siesta al mediodía, por supuesto la deberá hacer. Si no puede dormir, se acostará acompañada de un buen libro. Naturalmente, no está permitido darse una siestita en la oficina, a menos que se tenga un horario flexible y acceso a un sofá confortable, pero sí se podrán poner los pies sobre la mesa de trabajo o de la sala de descanso durante las pausas o la hora del almuerzo. (Si la gestante elige la hora del almuerzo para descansar, no deberá olvidar que también ha de comer). Hacer la siesta cuando se está cuidando de otros niños también puede se difícil, a menos que se pueda sincronizar el descanso de la madre con la hora de la siesta de los niños, asumiendo que se puedan tolerar los platos sucios y la pelusa debajo de la cama.

Dejar que otros nos mimen. Asegúrese de obtener el apoyo de su esposo, que él haga su parte justa (o más) en la tareas del hogar, incluyendo lavar la ropa y hacer mercado. Los hijos mayores también pueden ayudarla. Aceptar el ofrecimiento de la suegra para aspirar y quitar el polvo de la casa cuando viene a visitarnos. Dejar que el abuelo lleve a los hijos mayores al zoológico el domingo. Dígale a un amigo que le cuide al bebé para que pueda salir de vez en cuando.

Dormir una o dos horas más por la noche. Saltarse las últimas noticias de la TV e irse más pronto a la cama; pedirle al marido que se ocupe del desayuno para poder levantarse más tarde.

Asegurarse de que la dieta no es deficitaria. El cansancio del primer trimestre se ve a menudo agravado por una deficiencia de hierro, de proteínas o simplemente de calorías. Revisar la dieta para asegurarse de que cumple todos los requisitos. Y por muy cansadas que nos sintamos, no debemos caer en la tentación de animarnos con cafeína, caramelos y pasteles. El cuerpo no se deja engañar durante mucho tiempo, y después de un aumento temporal de la vitalidad, el azúcar de la sangre caerá en picado y el cansancio será aún mayor.

Revisar el medio ambiente. La iluminación inadecuada, una mala calidad del aire (síndrome del edificio enfermo) o un ruido excesivo en la casa o el lugar de trabajo pueden contribuir a fatigar a la futura madre. Se deberá estar alerta e intentar corregir estos problemas.

Ir de excursión. O trotar *a marcha lenta*. Dar un paseo hasta la tienda de comestibles o dedicar a diario un tiempo para los ejercicios para embarazadas. Paradójicamente, la fatiga puede aumentar si descansamos demasiado y no tenemos bastante actividad. Pero la mujer jamás debe excederse al hacer ejercicio. Parará antes de verse forzada a bajar el ritmo y, en todo momento, se asegurará de seguir las indicaciones preventivas de la página 258.

Aunque probablemente la fatiga remitirá durante el cuarto mes, es de esperar que reaparezca durante el último trimestre. Es de suponer que es una forma de la naturaleza de preparar a la mujer para las largas noches de insomnio que seguirán al nacimiento del bebé.

Cuando la fatiga sea muy grave, especialmente si va acompañada de palidez, mareos, jadeos y/o palpitaciones, se deberá informar al facultativo lo antes posible. (Vea *Anemia* en la página 254.)

MAREOS MATUTINOS

"No he sufrido ningún mareo matutino. ¿Será que todavía estoy embarazada?"

El mareo matutino, al igual que los antojos de helados o embutidos, es uno de aquellos axiomas referentes al embarazo que no tienen por qué cumplirse. Únicamente entre un tercio y una mitad de las mujeres embarazadas llegan a experimentar las náuseas y/o los vómitos de los mareos matutinos. Si la mujer se cuenta en el grupo de las que no sufre nunca mareos matutinos, puede considerarse a sí misma no sólo embarazada sino además muy afortunada.

"Mis mareos matutinos duran todo el día. Me preocupa no ser capaz de aguantar suficiente comida en el estómago para nutrir adecuadamente a mi bebé".

Afortunadamente, los mareos matutinos (erróneamente denominados así, ya que pueden aparecer por la mañana, durante el día o por la noche o, incluso, en las 24 horas del día) rara vez obstaculizan la nutrición apropiada lo suficiente como para dañar al feto en desarrollo. Y en la mayoría de las mujeres no perduran más allá del tercer mes –aunque en algunas ocasiones, las embarazadas sufren estos mareos a finales del segundo trimestre, y unas pocas, especialmente las que esperan mellizos, gozan de este dudoso placer durante los nueve meses de gestación.

¿Qué es lo que provoca los mareos matutinos? Nadie lo sabe con certeza, aunque existen muchas teorías sobre ello. Se sabe que el centro de mando de las náuseas y los vómitos se encuentra en un área especial del tronco cerebral. Se han sugerido innumerables razones físicas por las que esta área puede ser sobre estimulada durante el embarazo, incluyendo el nivel elevado de la hormona del embarazo GCh en la sangre durante el primer trimestre, el rápido estiramiento de los músculos uterinos, la relajación relativa del tejido muscular del tracto digestivo, que hace que la digestión sea menos eficaz, y por el exceso de ácido en el estómago provocado por la ausencia de comida o por la ingestión de los alimentos equivocados.

No todas las mujeres tienen mareos matutinos y las que los tienen no los experimentan de la misma manera. Algunas los tienen en ocasiones, otras se sienten mareadas todo el tiempo pero nunca vomitan y otras vomitan con frecuencia. Seguramente hay varias razones para esas variantes.

Los niveles hormonales. Los niveles hormonales que están por encima de lo normal (como cuando hay embarazos múltiples) pueden causar náuseas matutinas. Los niveles bajos pueden minimizar el síntoma o hacerlo desaparecer.

La respuesta del comando cerebral para las náuseas y el vómito fija las hormonas del embarazo y otros síntomas. Esto puede responder por qué unas mujeres sienten náuseas y vómito y otras no (y en qué grado las sienten). Hay mujeres que tienen el comando muy sensible (por ejemplo que siempre se marean por cualquier cosa), ellas son más propensas a las náuseas severas y al vómito en el embarazo.

Niveles de estrés. Se sabe que el nivel de estrés muchas veces puede desencadenar problemas en la gestación, así que no es raro que los síntomas aumenten si la persona está estresada.

Fatiga. La fatiga física y la fatiga mental también puede aumentar las náuseas matutinas y exacerbar los síntomas (pero también las náuseas matutinas pueden aumentar la fatiga).

El hecho de que las náuseas matutinas sean más comunes y tiendan a ser más severas en los primeros embarazos soportan la idea de que tanto los factores físicos como los psicológicos están involucrados en el proceso. El cuerpo de una mujer que no ha tenido hijos está menos preparado para el cambio hormonal y los muchos otros cambios que se experimentan. Emocionalmente, las mujeres que no han tenido bebés antes son más propensas a la ansiedad y los miedos que produce el proceso, eso se puede manifestar en el estómago. Además las mujeres que ya tienen un hijo seguramente van a olvidar las náuseas por estar cuidando de su bebé mayor (hay mujeres que sí tienen más náuseas en su segundo embarazo o tercero…).

Sin importar la causa, las náuseas matutinas son muy desagradables para quien las sufre, por eso usted necesita todo el apoyo que le puedan dar, de su esposo, sus amigos, su familia y su médico. Desafortunadamente hoy no hay cura para las náuseas matutinas, la única cura es el paso del tiempo. De todas maneras existen formas de aliviar los síntomas y minimizar sus efectos:

- Seguir una dieta rica en proteínas y en hidratos de carbono complejos, tanto las unas como los otros combaten las náuseas. También es eficaz una buena nutrición, por lo que se deberá comer del modo más equilibrado que permitan las circunstancias.

- Tomar mucho líquido; sobre todo si se pierde líquido a través del vómito. Si los líquidos resultan más fáciles de tragar cuando se tiene el estómago revuelto, se les puede utilizar para obtener los nutrientes necesarios. Se puede tomar cualquiera de las siguientes bebidas que resulte apetecible: batidos de leche doble (vea la página 101); zumos de frutas o de verduras; sopas y caldos. Si la mujer encuentra que los líquidos la hacen sentir aún más incómoda, puede tomar sólidos con un elevado contenido en agua, tales como frutas y verduras frescas –particularmente lechuga, melones y cítricos–. Algunas mujeres encuentran que beber y comer en una misma sesión supone una demanda excesiva para su tracto digestivo; si este fuera el caso, se intentará tomar líquidos sólo entre las comidas.

- Tomar un suplemento vitamínico prenatal (vea la página 128) para compensar los nutrientes que quizás no se ingieran. Pero este suplemento se tomará en el momento en que es menos probable que sea arrojado de nuevo; posiblemente antes de meterse en la cama.

- Evitar la vista, el olor y el sabor de los alimentos que provocan la indisposición. Evite los olores que le causan náuseas, a muchas mujeres les pasa eso porque tienen el sistema olfativo bien desarrollado. No merece la pena ser una mártir y preparar el plato preferido para el marido si ello obliga a correr hacia el lavabo. Si los olores del vecino son ofensivos, ponga disimuladamente unas toallas en las ventanas para que no entre el olor, también puede intentar poner ventiladores en las ventanas, hacia afuera.

La embarazada no se forzará a tomar alimentos que no le apetezcan, o aún peor, que la enfermen. En vez de ello, se dejará que el estómago guíe en la selección de los menús, bajo la flexible dirección del sentido de la responsabilidad. Sólo se elegirán los alimentos dulces si estos son todo lo que la mujer puede tolerar (durante las comidas, se obtendrán la vitamina A y las proteínas de los melocotones y panqueques, en vez de del brécol y el pollo). O los salados sólo si desea un vientre menos tumultuoso (se elegirá un emparedado de queso y tomate caliente para desayunar, en vez de los cereales y el jugo de naranja).

- Comer temprano y con frecuencia, antes de sentirse hambrienta. Cuando el estómago está vacío, su ácido no tiene nada que comer salvo el revestimiento del propio estómago, y esto puede desencadenar las náuseas. También pueden desencadenarlas los bajos niveles de azúcar en la sangre debidos a un período demasiado largo entre las comidas. Seis comidas poco abundantes son mejores que tres comidas copiosas. Es aconsejable llevar consigo tentempiés nutritivos (frutos secos, galletas de cereales integrales) que permitan romper un ayuno demasiado prolongado en un momento dado.

- Comer en la cama, por las mismas razones que se aconseja comer a menudo: para mantener el estómago lleno y el azúcar en sangre en un nivel estable. Antes de acostarse es bueno tomar un tentempié rico en proteínas e hidratos de carbono complejos: un vaso de leche y un bollo de salvado, por ejemplo. Veinte minutos antes de la hora de levantarse, por la mañana, comer un tentempié rico en hidratos de carbono: unas pocas galletas de cereales integrales, o galletas de arroz, o un puñado de pasas, que se dispondrá en la mesita de noche antes de acostarse, para que no sea necesario salir de la cama antes de comer algo, o para el caso de despertarse hambrienta en mitad de la noche. Si empieza a asociar una comida particular con carbohidratos (por ejemplo unas galletas) con las náuseas, cambie esa comida.

- Dormir y relajarse un poco más. Tanto la fatiga física como la emocional incrementan las náuseas matutinas.

- Lavarse los dientes (con una pasta de dientes que no aumente las náu-seas) o aclararse la boca (le pediremos al dentista que nos recomiende un buen líquido de enjuagar y comprobaremos con el obstetra que es inocuo) después de haber vomitado, así como después de cada comida. Esto no sólo ayudará a mantener la boca fresca y a reducir las náuseas, sino que también hará disminuir el riesgo de que se dañen los dientes o las encías, lo que podría suceder cuando las bacterias empiecen a trabajar sobre los restos de material regurgitado que quedan en la boca.

- Eliminar al máximo el estrés. Los mareos matutinos son más comunes entre las mujeres que sufren de mucho estrés, ya sea en el trabajo o en casa. Vea la página 171 para los consejos sobre cómo enfrentarse al estrés durante el embarazo.

- Probar las bandas de acupresión. Estas bandas de unos 2 cm, se colocan a veces en ambas muñecas, presionan sobre la cara interna de estas y a menudo evitan las náuseas. No tienen efectos secundarios y se pueden conseguir en las farmacias y en las tiendas de salud. A lo mejor su médico puede aconsejarle otra forma de evitar las náuseas con este método: una banda para las muñecas con baterías (se llama la banda de alivio) que utiliza la estimulación electrónica.

♦ Intente ver otros acercamientos médicos (vea la página 330) como la acupuntura, la acupresión o la hipnosis que a veces resultan buenas para las náuseas. Para algunas personas también puede ser buena la meditación.

♦ Busque el jengibre, es una de las especias que más ayudan al mareo desde hace siglos. Intente conseguir dulces de jengibre o comidas preparadas con jengibre. Incluso el solo olor del jengibre puede ayudarla.

♦ Si nada más le resulta, pídale al doctor si puede prescribirle B6 y antistaminos que parecen reducir las náuseas en algunas mujeres. No tome ninguna medicina (tradicional o herbal) para las náuseas matutinas sin consultar con su doctor.

Se estima que en 7 de cada 2.000 embarazos, las náuseas y vómitos se hacen tan intensos que se precisa tratamiento médico. Si la embarazada cree que este es su caso, deberá consultar la página 670.

EXCESO DE SALIVA

"Parece que mi boca está siempre llena de saliva y tragarla me produce náuseas. ¿Qué está pasando?"

El exceso de saliva, denominado ptialismo, es otro síntoma común del embarazo. Es desagradable pero no entraña ningún peligro. Por suerte, desaparece después de los primeros meses. Es más común entre las mujeres que también experimentan mareos matutinos, y parece que agrava las náuseas. No existe un remedio seguro, pero cepillarse los dientes a menudo con una pasta de dientes mentolada, aclararse con un líquido mentolado o la goma de mascar pueden ayudar a secar un poco la boca.

MICCIÓN FRECUENTE

"Debo ir al lavabo cada media hora. ¿Es normal tener que orinar con tanta frecuencia?"

La mayoría de las mujeres embarazadas –aunque de ningún modo todas– deben hacer frecuentes visitas al lavabo durante el primero y el último trimestre. Una de las razones del incremento inicial de la frecuencia de micción es el mayor volumen de líquidos corporales y la mayor eficacia de los riñones, que ayudan a eliminar más rápidamente los residuos del cuerpo. Otra de las razones estriba en la presión del útero cada vez mayor, que se encuentra aún en la pelvis, cerca de la vejiga. La presión disminuye a menudo cuando el útero sube hacia la cavidad abdominal, hacia el cuarto mes. Probablemente no reaparecerá hasta que el feto baje en el noveno mes y presione de nuevo contra la vejiga. Pero la disposición de los órganos internos varía ligeramente de una mujer a otra, y por ello la frecuencia de micción también lo hace. Algunas mujeres apenas lo notan, a otras les molesta durante nueve meses.

Inclinarse hacia adelante al orinar ayudará a asegurar que la vejiga quede completamente vacía y ayudará a reducir los viajes al cuarto de baño. Si la embarazada tiene que ir a menudo al lavabo durante la noche, intentará reducir los líquidos a partir de las 6 de la tarde. Por lo demás, no obstante, no limitará los líquidos.

"¿Cómo es que no tengo necesidad de orinar con más frecuencia?"

La ausencia de un aumento perceptible de la frecuencia de micción puede ser totalmente normal, sobre todo si la mujer orinaba con frecuencia antes de quedar embarazada. Sin embargo, es necesario asegurarse de beber suficiente líquido (por lo menos ocho vasos diarios). Una ingestión suficiente de líquidos no sólo puede ser la causa de una micción poco frecuente, sino que, además, también podría conducir a una infección del tracto urinario.

CAMBIOS EN LOS PECHOS

"Casi no reconozco ya a mis pechos; son tan enormes. Y también están sensibles. ¿Continuarán así y quedarán luego debilitados y caídos después del parto?"

Deberemos acostumbrarnos a nuestra silueta "pechugona". Aunque quizá no esté de moda actualmente, es uno de los distintivos del embarazo. Los pechos

están hinchados y sensibles debido al aumento de la cantidad de estrógeno y progesterona que produce el cuerpo. (Este mismo mecanismo actúa antes de la menstruación, cuando muchas mujeres experimentan cambios en los pechos pero dichos cambios son más pronunciados durante el embarazo). Estas transformaciones no se realizan por capricho; tienen por objetivo preparar a la madre para alimentar al bebé cuando llegue. Si son menos acusados en un segundo embarazo o los siguientes (como a menudo sucede), ello no significa que la embarazada sea menos capaz de amamantar.

Además del aumento de tamaño, se notarán otros cambios de los pechos. La areola (el área pigmentada que rodea al pezón) adopta un color más oscuro, se extiende y puede presentar manchas aún más oscuras. Este color más oscuro puede palidecer pero no desaparecer por completo después del parto. Los pequeños bultos que se observan en la areola son glándulas sebáceas (sudoríparas) que se hinchan durante el embarazo y vuelven después a su tamaño normal. El complicado mapa de carreteras de venas azules que atraviesa los pechos –y que a menudo resulta muy visible en las mujeres de piel clara– representa el sistema de abastecimiento de nutrientes y líquidos entre la madre y el hijo. Desaparecerá después del parto o una vez terminada la lactancia.

Afortunadamente, no tendremos necesidad de acostumbrarnos a la extremada sensibilidad, a veces incluso dolorosa, de los pechos. Aunque continuarán aumentando de tamaño durante todo el embarazo –quizás incluso hasta tres tallas– no es probable que continúen siendo sensibles pasado el tercer o cuarto mes. En lo que se refiere a si quedarán debilitados y caídos después del parto, es una cuestión que depende de la propia embarazada, por lo menos en parte. El estiramiento y debilitación de los tejidos del pecho resultan de un soporte defectuoso durante el embarazo –y no del embarazo mismo– aunque la tendencia al pecho caído puede ser genética. Por muy firmes que sean los pechos durante el embarazo, es necesario protegerlos de cara al futuro llevando un buen sujetador. Si los pechos son particularmente grandes o muestran tendencia a caer, es una buena idea llevar el sujetador incluso por la noche.

Si los pechos de la futura madre aumentan de tamaño muy pronto y luego disminuyen súbitamente (y especialmente si también desaparecen otros síntomas de embarazo sin ninguna explicación), ésta deberá ponerse en contacto con su médico.

"Mis pechos crecieron mucho durante mi primer embarazo, pero ahora que estoy esperando mi segundo hijo parece que no han cambiado en absoluto. ¿Estará pasando algo malo?"

Las mujeres de pecho pequeño, que desean que este sea exuberante durante el embarazo, a menudo sufren un desengaño, al menos temporal, durante la segunda gestación o las siguientes. Aunque a algunas les crece tanto al principio como durante el primer embarazo, a otras no quizás debido a que el pecho, gracias a su primera experiencia, no necesita tanta preparación y responde a las hormonas del embarazo menos drásticamente. En dichas mujeres, puede que los pechos crezcan gradualmente, o que esperen a hincharse hasta después del parto, cuando empieza la producción de leche.

SUPLEMENTO VITAMÍNICO

"¿Debo tomar vitaminas?"

Prácticamente ninguna mujer embarazada sigue cada día una dieta perfecta desde el punto de vista nutritivo, en especial durante los primeros tiempos del embarazo en los que el mareo matutino suele quitar el apetito, y cuando los pocos alimentos que la mujer puede conseguir tragar a menudo vuelven a subir de inmediato. Un suplemento vitamínico diario, que no le quite el sitio a una buena dieta prenatal, puede servir a modo de seguro alimentario, garantizando que aunque el cuerpo no coopere o se cometa algún desliz, el bebé no será estafado. Un suplemento vitamínico diario es una póliza de seguros dietética: una garantía de que el futuro bebé no se verá estafado si la madre comete un desliz ocasional. Además, algunos estudios han demostrado que las mujeres que toman un suplemento vitamínico antes del embarazo y durante el primer mes de gestación pueden reducir significativamente el riesgo de problemas en el tubo neural (tales como espina bífida) de sus bebés. Para otras, por lo menos un estudio ha mostrado que tomar un suplemento que tenga por lo menos 10 mg de vitamina B6 antes y durante los primeros meses de embarazo, puede minimizar las náuseas matutinas.

Los suplementos de calidad, especialmente formulados para las futuras madres, se pueden obtener por prescripción facultativa o sin receta médica. (Vea la página 128 para lo que debería contener el suplemento.) No se tomará ningún tipo de suplemento de la dieta que no sea adecuado para embarazadas y recomendado por el médico.

Muchas mujeres encuentran que la toma de suplementos vitamínicos aumenta las náuseas al principio del embarazo, e incluso más adelante. Cambiar la fórmula podría ser de alguna ayuda, así como tomar la pastilla después de las comidas (a menos que sea entonces cuando la mujer suele vomitar). Si la embarazada tiene dificultades para tragar una píldora de tamaño normal, considerará la posibilidad de tomar pastillas de tamaño infantil, un suplemento masticable o una cápsula

que pueda ser abierta y espolvoreada sobre la comida o la bebida. Pero se deberá asegurar de que la fórmula elegida sea parecida a los suplementos concebidos para las embarazadas. Si el suplemento fue prescrito por el médico, se le consultará antes de cambiar. A algunas mujeres, el hierro del suplemento prenatal puede causarles estreñimiento o diarrea. También en este caso cambiar de fórmula podría ser de gran ayuda. Si se toman un suplemento sin hierro y un preparado de hierro por separado (el médico puede prescribir uno que se disuelva en el intestino en vez de en el estómago, que es más sensible), también podrán reducirse la irritación y los síntomas. En cualquiera de los dos casos se pedirá previamente consejo al médico.

"Como muchos cereales y panes enriquecidos, si también estoy tomando un suplemento prenatal ¿será que estoy tomando muchas vitaminas y minerales?"

A veces tomamos mucho de lo que es bueno, pero en este caso no es así, tomar los suplementos prenatales y seguir una dieta promedio que incluye muchos alimentos enriquecidos y fortificados, no lleva a un exceso de vitaminas y minerales. Para eso necesitaría estar tomando otros suplementos además de los prenatales, y eso no debe hacerlo ninguna mujer embarazada, a menos de que se lo dicte el doctor. De todas maneras hay que estar pendientes de que las comidas no estén fortificadas con más de las vitaminas necesarias (vitamina A, D, E y K) ya que pueden ser tóxicas en grandes cantidades. Hay muchas otras vitaminas y minerales que son solubles en agua así que lo que el cuerpo no necesite lo va a eliminar a través de la orina.

PRESIÓN ABDOMINAL BAJA

"He estado sintiendo presión abajo en mi abdomen. ¿Debo preocuparme por una posible pérdida o un embarazo ectópico?"

Parece que conoce bien su cuerpo, lo que puede ser algo bueno (le ayuda a reconocer su ovulación) o algo no tan bueno (cuando la hace preocuparse por tantos cambios y dolores en el embarazo).

No se preocupe, esa presión que siente (sin dolor, sangrado u otros síntomas) no es un síntoma de que va a perder el bebé o de embarazo ectópico y es común, especialmente en primeros embarazos. Lo más probable es que el radar sofisticado de su cuerpo esté percibiendo los cambios de su abdomen, en donde se encuentra el útero. Lo que siente puede ser la implantación, el aumento de flujo sanguíneo, la construcción de novedades en el útero o simplemente el útero que empieza a crecer.

Para estar tranquila hable con su médico en la próxima cita.

ABORTO ESPONTÁNEO

"Entre lo que yo he leído y lo que me ha dicho mi madre, tengo miedo de que todo lo que he hecho, lo que hago y lo que haré pueda provocar un aborto espontáneo."

A muchas mujeres embarazadas, el temor de un aborto espontáneo puede privarles de sentirse felices durante el primer trimestre. Algunas de ellas incluso se abstienen de hablar de la buena noticia hasta el cuarto mes, momento en que se sienten seguras de que el embarazo continuará con éxito. Y esto es realmente lo que sucederá en la mayoría de los casos.

Queda aún mucho por aprender acerca de las razones de un aborto espontáneo precoz, pero existen varios factores de los que se cree que *no* provocan este problema. Entre ellos se cuentan:

◆ Trastornos anteriores con el DIU. La formación de cicatrices en el endometrio (el revestimiento del útero) a causa de una infección desencadenada por el DIU podría impedir que el huevo se implantara en el útero, pero no debe provocar un aborto espontáneo después de la implantación. Tampoco afectan al embarazo las dificultades que se hayan podido experimentar para mantener al DIU colocado en su lugar.

◆ Historial de abortos múltiples.*

◆ Un trastorno emocional debido a una discusión, a la tensión en el lugar de trabajo o a problemas familiares.

◆ Una caída o una lesión accidental menor de la futura madre. Pero una lesión grave podría provocar un aborto, por lo que siempre deberían observarse unas precauciones de seguridad; por ejemplo, abrocharse el cinturón de seguridad en el coche y no subir las escaleras de mano tambaleantes.

◆ La actividad física habitual tal como limpiar la casa; coger a los niños en brazos, cargar la compra u otros objetos moderadamente pesados, colgar cortinas, trasladar muebles poco pesados y un ejercicio sano y moderado.**

◆ Las relaciones sexuales, a menos que la mujer tenga un historial con abortos espontáneos o se halle bajo

otro riesgo que amenace su embarazo.

Sin embargo, *existen* varios factores que parece que podrían incrementar el riesgo de un aborto espontáneo. Algunos de ellos es improbable que se repitan y afecten a los futuros embarazos (por ejemplo: una infección grave como una neumonía; una fiebre alta; la rubéola, los rayos X o los fármacos que dañan al feto; un DIU colocado cuando se produce la concepción). Otros factores de riesgo, si son detectados, pueden ser controlados en los futuros embarazos (una nutrición deficitaria, fumar, insuficiencia hormonal y ciertos problemas médicos de la madre). Unos pocos factores de riesgo de aborto espontáneo resultan aún difíciles de paliar, como por ejemplo, una malformación del útero (aunque en algunos casos puede ser corregida quirúrgicamente) y ciertas enfermedades maternas.

Muy rara vez, los abortos espontáneos repetidos pueden atribuirse al sistema inmunitario de la madre, que rechaza las células paternas del embrión en desarrollo. La inmunoterapia podría corregir este problema y permitir que el embarazo transcurriera normalmente.

Síntomas que no deben preocupar. Es importante reconocer que cada calambre, cada dolor o cada pérdida insignificante no son necesariamente un signo de que se va a producir un abor-

---

* Aunque no son una causa para un aborto precoz, las dilataciones repetidas debidas a los abortos u otras intervenciones pueden ocasionar una debilitación del cuello uterino, que con frecuencia es la causa de un aborto tardío. (Vea la página 46.) La formación de cicatrices en el endometrio a causa de abortos múltiples, al igual que las provocadas por una infección debida al DIU, podrían impedir la implantación, pero por lo demás no pueden ser responsables de un aborto precoz.

** En el caso de un embarazo de alto riesgo, el médico quizá limitará estas actividades o incluso prescribirá un estricto reposo en cama. Pero normalmente, la mujer embarazada sólo debe limitar sus actividades si el médico se lo aconseja.

Posibles signos de aborto espontáneo

Se llamará inmediatamente al médico, por si acaso:

• Cuando se experimenta una hemorragia con calambres o dolor en la parte central del bajo vientre. (El dolor en un lado durante los primeros tiempos del embarazo podría estar desencadenado por un embarazo ectópico y justifica también una llamada al médico, vea la página 169)

• Cuando el dolor es intenso o continúa ininterrumpidamente durante más de un día, incluso sino va acompañado de manchas o hemorragia.

• Cuando la hemorragia es tan intensa como la de una menstruación fuerte, o cuando las manchas continúan presentándose durante más de tres días.

• Cuando se tiene un historial de abortos espontáneos y se experimenta una hemorragia, o bien dolores, o ambos a la vez.

Se pedirá asistencia médica de urgencia:

• Cuando la hemorragia es tan intensa que se empapan varias compresas en una hora, o cuando el dolor es tan intenso que resulta insoportable.

• Cuando la sangre de la hemorragia presenta coágulos o materia grisácea, lo que puede significar que el aborto espontáneo ya ha empezado. Si no se consigue localizar al médico se acudirá al servicio de urgencias más próximo. Es posible que el médico aconseje conservar el material que se expulsa (en un tarro, en una bolsa de plástico u otro recipiente limpio) con el fin de poder determinar si el aborto espontáneo es simplemente inminente, se ha producido ya de modo completo o es sólo parcial y requiere una dilatación y un raspado.

to espontáneo. Prácticamente todos los embarazos normales presentan por lo menos, en un momento u otro, uno de los siguientes síntomas, que, por regla general, suelen ser habitualmente inofensivos, así que no se preocupe si usted tiene:

• Calambres o dolores suaves en uno o ambos lados del abdomen. Probablemente serán debidos al estiramiento de los ligamentos que aguan-

tan el útero. A menos que los calambres sean intensos, constantes o vayan acompañados de hemorragia, no existe motivo de preocupación.

• Manchar un poco en los días en que se habría tenido la menstruación o a los 7 o 10 días de la concepción, momento en que la pequeña bolita de células que se convertirá en el bebé se fija en la pared uterina. Una ligera hemorragia en estos días es habitual y no indica necesariamente que el embarazo presente problemas, siempre que no vaya acompañada de dolor en la parte baja del abdomen.

♦ Manchitas rosadas después de las relaciones sexuales. La cervix de una mujer embarazada es más suave y se llena de vasos sanguíneos a medida que avanza el proceso del embarazo, a veces hay irritación durante la relación sexual y por eso sangra. Este tipo de sagrado es normal y generalmente no indica un problema con su embarazo a menos de que la sangre se vuelva pesada o le den calambres a la vez. Hable con su médico si salen manchas en otro momento.

Si se teme un aborto espontáneo. Si la futura madre experimenta algunos de los síntomas enumerados en el recuadro de arriba, lo mejor es que llame a su médico. Si los síntomas se encuentran en el apartado titulado "Se pedirá asistencia médica de urgencia" y la mujer no consigue localizar a su médico, es aconsejable que le deje un mensaje y que llame a un teléfono médico de urgencias o se desplace hasta el servicio de urgencias más próximo. Mientras se espera la llegada de ayuda, lo mejor es tenderse o por lo menos descansar en una silla manteniendo los pies en alto. Con ello no se evitará el aborto espontáneo si este ya está en marcha, pero ayudará a relajarse. También puede ayudar

a relajarse el recordar que la mayoría de las mujeres que sufren pérdidas sanguíneas en los primeros tiempos del embarazo consiguen llegar a término y dar a luz a bebés sanos y normales.

Si se sospecha o el médico diagnostica un aborto espontáneo, vea la página 645.

"No me siento embarazada. ¿Es posible que haya abortado sin saberlo?"

No se preocupe si no se siente embarazada a estas horas del partido, incluso si ya siente síntomas como las náuseas matutinas o la fatiga, es normal. El temor de haber abortado sin darse cuenta de ello, aunque es muy frecuente, no está justificado. Cuando el embarazo está bien establecido, los signos de una amenaza de aborto no son algo que pueda pasar inadvertido. Además, es muy raro que un embrión en desarrollo muera y no sea expulsado del útero. Generalmente, "no sentirse embarazada" no es un motivo de preocupación; muchas mujeres con embarazos normales no se sienten embarazadas, al menos hasta que empiezan a notar los movimientos del feto. La embarazada compartirá sus preocupaciones con el facultativo a la siguiente visita; sin duda alguna éste será capaz de tranquilizarla.

Si, no obstante, la mujer ha estado experimentando síntomas de embarazo y estos se desvanecen súbitamente y sin explicación, se deberá llamar al médico.

EL ESTADO DEL BEBÉ

"Estoy muy nerviosa porque no puedo notar realmente a mi bebé. ¿Es posible que este muera sin que yo me dé cuenta?"

En este momento, ya que no se ha producido un aumento perceptible del tamaño del abdomen y ya que no existe una actividad fetal evidente, resulta difícil imaginar que dentro del propio cuerpo se encuentra un bebé vivo y que va creciendo. Pero la muerte de un bebé o un embrión sin que sea expulsado del útero en un aborto espontáneo es un caso muy raro. Cuando sucede, la mujer pierde todos los signos de embarazo, incluidos el aumento de tamaño y la sensibilidad anormal de los pechos, y muchas de ellas experimentan unas pérdidas parduscas, aunque no una hemorragia franca. Durante el examen, el médico encontrará que el útero se ha reducido.

Si en cualquier momento de la gestación los síntomas de embarazo desaparecen, se deberá llamar al médico. Esta será una reacción mucho más positiva que quedarse en casa preocupada.

EMBARAZO ECTÓPICO

"He sufrido algunos calambres ocasionales. ¿Es posible que tenga un embarazo ectópico sin saberlo?"

Hay muy pocos embarazos ectópicos; es decir, que se producen fuera del útero, habitualmente en las trompas de Falopio*. Una buena parte de ellos son diagnosticados antes de que la mujer llegue a darse cuenta de que está embarazada. Por lo tanto, si el médico ha confirmado el embarazo por medio de un análisis de sangre y de un examen físico, y si la mujer no presenta signos de embarazo ectópico, lo mejor es que tache este temor de sus preocupaciones.

Existen diversos factores que pueden hacer que una mujer sea más susceptible a los embarazos ectópicos. Entre ellos se cuentan:

- Un embarazo ectópico anterior.

- Una enfermedad inflamatoria anterior de la pelvis, causada por una enfermedad de transmisión sexual.

- Una intervención quirúrgica abdominal o tubárica con cicatrización postoperatoria.

- Una ligadura de trompas desafortunada (esterilización quirúrgica) o una intervención de la ligadura de trompas.

- Un DIU aún colocado en el momento de la concepción (es más probable que un DIU impida la concepción en el útero que fuera de él; de ahí el aumento de embarazos ectópicos en las mujeres que usan un DIU).

---

* Esto suele suceder debido a alguna irregularidad tubárica que bloquea el paso del óvulo fecundado hacia el útero. Muy rara vez, el óvulo fecundado se implanta en el ovario, la cavidad abdominal o la cérvix.

- Posiblemente, abortos múltiples provocados.

- Posiblemente, exposición al dietilestilbestrol (DES) en el seno materno, sobre todo si ello dio lugar a importantes anomalías estructurales del aparato reproductor.

Por muy poco frecuentes que sean los embarazos ectópicos, toda mujer embarazada –y en especial las que tienen un alto riesgo en este sentido– debería estar familiarizada con los síntomas. Los calambres ocasionales, debidos probablemente a un estiramiento de los ligamentos a causa del aumento del tamaño del útero, no se cuentan entre dichos síntomas. A continuación se enumeran estos síntomas; la aparición de uno de ellos, o de todos, exige una visita inmediata al médico. Si la mujer embarazada no consigue ponerse en contacto con su médico, deberá acudir rápidamente a la sala de urgencias del hospital.

- Dolores con cólicos y con sensibilidad anormal, habitualmente en la parte inferior del abdomen; inicialmente en un lado, aunque el dolor puede irradiar a todo el abdomen. Algunas veces el dolor puede agravarse al evacuar, al toser o al moverse. Si se produjera una rotura de la trompa, el dolor se volvería muy agudo y constante durante un breve tiempo, antes de difundirse por toda la región pélvica.

- Manchas vaginales pardas o ligeras hemorragias (intermitentes o persistentes), que bien pueden presentarse varios días o varias semanas antes que los dolores. Puede no existir hemorragia si no se rompe la trompa.

- Fuerte hemorragia si la trompa de Falopio se rompe.

- Náuseas y vómitos en aproximadamente un 25 o 50% de las mujeres, aunque este síntoma puede ser difícil de diferenciar de los mareos matutinos.

- Desvanecimiento o debilidad en algunas mujeres. Si la trompa se rompe, son habituales un pulso rápido y débil, la piel fría y húmeda y los desmayos.

- Dolor en los hombros (que viene de la pelvis), en algunas mujeres.

- Sensación de presión rectal, en algunas mujeres.

Si el embarazo es ectópico, a menudo una intervención quirúrgica inmediata puede salvar la trompa de Falopio y la fertilidad de la mujer (vea la página 652 para el tratamiento de los embarazos ectópicos). De hecho hay estudios que muestran que más de la mitad de las mujeres tratadas por embarazo ectópico, conciben espontáneamente y tienen un embarazo normal.

EL ESTRÉS DE LA VIDA DIARIA

"Mi trabajo conlleva mucha tensión. Todavía no había planeado tener un hijo, pero he quedado embarazada. ¿Tengo que dejar mi trabajo?"

Durante las últimas dos décadas el estrés se ha convertido en un importante sujeto de estudio, debido al efecto que puede tener sobre nuestras vidas. Dependiendo de cómo lo manejemos y respondamos a él, puede ser bueno para nosotros (provocando que rindamos más, que funcionemos con mayor eficacia) o puede ser malo (cuando está fuera de control, desbordándonos y debilitándonos). Si el estrés de trabajo hace que esta mujer trabaje con una eficacia máxima, la excita y desafía, no deberá ser dañino para su embarazo. Pero si la hace estar ansiosa, insomne o deprimida, o si hace que experimente síntomas físicos (tales como jaqueca, dolor de espalda o pérdida del apetito), sí podrá serlo. También podría ser perjudicial si hace que la embarazada quede exhausta (vea la página 154 para los consejos para la fatiga). De hecho, las investigaciones indican que el estrés prenatal maternal *extremo* y las hormonas del estrés que produce, incrementan el riesgo de un parto prematuro o de bajo peso al nacer.

Las reacciones negativas ante el estrés pueden verse agravadas por los cambios de humor que son normales durante el embarazo. Y debido a que reacciones tales como la pérdida de apetito, el atracarse de alimentos poco recomendables y la falta de sueño pueden cobrarse un buen precio en la madre –y, si prosiguen durante el segundo y tercer trimestre, también en el bebé–; aprender a manejar el estrés de forma constructiva debería convertirse en una tarea prioritaria. Los siguientes consejos pueden sernos de gran ayuda:

Hablar de ello. Permitir que las ansiedades afloren a la superficie es la mejor forma de asegurarse de que no se caerá en el desánimo. Tratar de mantener abiertas las líneas de comunicación con la pareja y pasar algún rato al final del día aireando las preocupaciones y frustraciones. (Desde luego, probablemente él también necesite un oído amistoso, así que la mujer estará preparada para escuchar la parte que le toque). Juntos, los miembros de la pareja podrán encontrar algo de alivio, e incluso diversión, al comparar las situaciones respectivas. No obstante, si usted comprueba que se ponen nerviosos el uno al otro trate de hablar con otro miembro de la familia, con el médico, con un amigo o con un sacerdote. Si parece que nada le sirve de ayuda, pida consejo profesional.

Hacer algo al respecto. Hay que intentar identificar los orígenes del estrés en el trabajo y en otras áreas de la vida, y determinar cómo pueden modificarse para reducir el estrés. Si queda claro que la futura madre está intentando trabajar demasiado, habrá que reducir algunas actividades. Si está tomando demasiadas responsabilidades en casa o en el trabajo, establezca prioridades y luego decidirá lo que puede posponerse o pasarse a otra persona. Aprenda a decir que no a los nuevos proyectos o actividades antes de estar sobrecargada.

A veces sentarse con un cuaderno de notas y confeccionar listas de los cientos de cosas que se deben hacer (en casa o en el trabajo), y el orden por el que se van a efectuar puede ayudar a que la mujer considere que tiene mayor control sobre el caos que reina en su vida. Tache de la lista las tareas que se hayan llevado a término por obtener la satisfacción que produce el perfeccionismo.

Consultarlo con la almohada. El sueño es un pasaje para la regeneración de la mente y el cuerpo. A menudo los sentimientos de tensión y ansiedad son inspirados por nuestra propia falta de sueño. Si tiene problemas para dormir, intente seguir los consejos de la página 248.

Alimentarse bien. Un estilo de vida ajetreado puede llevar a un estilo de nutrición inadecuado. Si ello sucede durante el embarazo, las malas consecuencias pueden ser dobles: puede entorpecer la capacidad de enfrentarse al

---

Lo bueno del optimismo

Hace mucho tiempo se dice que la gente optimista vive vidas más largas, saludables y felices. Ahora se dice que la visión optimista de una madre embarazada, puede mejorar la visión del bebé que aun no nace. Un estudio sugiere que ver la vida de manera positiva reduce los riesgos de un parto prematuro o bajo peso al nacer.

Definitivamente un nivel más alto de optimismo y un menor nivel de estrés ayudan a bajar los riesgos. Los altos niveles de estrés se asocian con muchos problemas de salud en el embarazo y fuera de él. Pero el estrés no es el único protagonista de la historia.

Las mujeres optimistas, no es sorprendente que sean las que mejor se cuidan, comen bien, no consumen drogas ni alcohol ni otras sustancias peligrosas. Estos comportamientos positivos (impulsados por un pensamiento positivo) tienen un muy buen efecto en el embarazo y el bienestar del feto.

Los investigadores dicen que nunca es tarde para ser una persona positiva, incluso si ya está embarazada. Aprender a esperar lo mejor puede incluso hacer que las cosas pasen de ese modo.

Es una buena oportunidad para empezar a pensar positivamente.

Una relajación fácil

Existen muchas formas de relajación, incluyendo el yoga. Aquí explicamos un par de técnicas de relajación fáciles de aprender y ejecutar en cualquier lugar y en cualquier momento. Si la embarazada las encuentra útiles, podrá utilizarlas como se presente la ansiedad, o varias veces al día para intentar protegerse de ella.

1. Hay que sentarse con los ojos cerrados. Relajaremos los músculos empezando por los de los pies y subiendo despacio por las piernas, el torso, el cuello y la cara. Debe respirarse únicamente por la nariz (a menos que ésta esté demasiado congestionada, desde luego). Al exhalar el aire, repetiremos la palabra "paz" o cualquier otro monosílabo para nosotras mismas. Continuaremos las repeticiones de 10 a 20 minutos más.

2. Inhalaremos lenta y profundamente por la nariz, empujando el abdomen hacia afuera al mismo tiempo. Contaremos hasta cuatro. Luego, relajando los músculos de los hombros y del cuello, exhalaremos despacio y cómodamente contando hasta seis. Se repetirá esta secuencia cuatro o cinco veces para desterrar la tensión.

---

estrés y puede afectar al desarrollo del bebé. Por lo tanto, la embarazada se asegurará de tomar tres comidas al día y los tentempiés adecuados dentro del marco de la dieta ideal.

Tomar un buen baño. Un baño caliente (pero no demasiado) constituye una excelente forma de aliviar las tensiones. Se recomienda uno después de un día agitado; también nos ayudará a dormir mejor.

Alejarse temporalmente. Hay que combatir el estrés con cualquier actividad que encontremos relajante; deportes (consúltese primero con el médico y tenga en cuenta las líneas directrices de la página 258), lectura, ir al cine, escuchar música (consideraremos la posibilidad de llevar un aparato con auriculares al trabajo, para poder oír música relajante durante la pausa del café o de la comida, o incluso cuando el trabajo lo haga factible), dar largos paseos (o cortos durante las pausas o a la hora de la comida —pero nos aseguraremos de que quede tiempo para comer), meditar (cerrar los ojos e imaginarse una escena bucólica, o mantenerlos abiertos y contemplar una pintura o fotografía tranquilizadoras situadas estratégicamente en el despacho). Practicaremos las técnicas de relajación (vea el cuadro), no sólo porque serán útiles durante el parto, sino que podrán ayudarnos a disipar la tensión en cualquier momento).

Alejarse permanentemente. Quizás el problema no valga el estrés y la ansiedad que está generando. Si se trata del trabajo, se considerará la posibilidad de una baja por maternidad más temprana, o cambiar de puesto durante la gestación para reducir el estrés a un nivel manejable.

Hay que recordar que el estrés aumentará al nacer el bebé; sería muy sensato aprender a manejarlo a partir de este momento.

MIEDOS ABRUMADORES SOBRE LA SALUD DEL BEBÉ

"Ya sé que posiblemente sea irracional, pero no puedo dormir o comer o concentrarme en el trabajo porque tengo miedo de que mi bebé no sea normal."

Todas las futuras madres se preocupan de si su bebé será normal. Pero aunque una dosis moderada de preocupación que no responda a los consejos tranquilizadores (como los que se encuentran en este libro) es un efecto secundario inevitable del embarazo, una preocupación que sea tan absorbente que interfiera con el funcionamiento necesita atención profesional. La mujer deberá hablar con su médico. Quizás este podría ordenar una ecografía del feto para ayudar a calmar los miedos. Muchos facultativos están dispuestos a prescribir un examen de este tipo cuando una paciente está demasiado ansiosa, sobre todo si cree que tiene una razón específica para temer por la salud de su bebé (quizá pasó mucho tiempo en una bañera muy caliente o se dio demasiados baños muy calientes antes de saber que estaba embarazada), o incluso si parece que su inquietud carece de fundamento o es exagerada. Ello se debe a que los posibles riesgos para la madre y el feto de este procedimiento (las investigaciones aún no han puesto de manifiesto ninguno) compensan sobradamente los peligros de esta abrumadora ansiedad (especialmente si impide que la futura madre coma y duerma).

Aunque los ultrasonidos no pueden detectar todos los problemas potenciales, pueden una vez que ha habido un desarrollo fetal significativo, poner al descubierto gran cantidad de ellos. Incluso la silueta, tan borrosa como se ve, de un bebé normal —con todas sus extremidades y órganos en su sitio— puede suponer gran consuelo. Todo ello, junto con las tranquilizadoras palabras del propio médico y quizá del especialista que ha evaluado la ecografía, podrá ayudar a la futura madre a empezar con la importantísima tarea que le espera: cuidar de ella misma y alimentar a su bebé. No obstante, si no fuera así, podría ser necesario buscar ayuda profesional.

DEPRESIÓN

"Ya sé que tendría que sentirme feliz de estar embarazada, pero tengo la impresión de estar sufriendo una depresión posparto prematura".

En primer lugar, esta mujer puede que haya confundido con una depresión los cambios de humor normales del embarazo (esto lo experimentan siete de diez mujeres embarazadas). Dichos cambios pueden ser más pronunciados durante el primer trimestre y en general, en mujeres que normalmente sufren de inestabilidad emocional premenstrual. Los sentimientos de ambivalencia sobre el embarazo, una vez que este se ha confirmado, que son comunes incluso cuando el embarazo ha sido planeado, exagerarán aún más los cambios de humor. Aunque no existe remedio para dichos cambios, evitar el azúcar, el chocolate y la cafeína (todos ellos pueden hacer que un momento bajo lo sea aún más), seguir la dieta ideal, tener un buen equilibrio entre descanso y ejercicio, y siempre que sea posible, compartir con alguien los sentimientos, puede ayudar a la embarazada a atenuarlos lo más posible.

Si los cambios de humor de esta mujer son persistentes o frecuentes, puede que ella se encuentre entre el 10% de embarazadas que deben luchar para moderar las depresiones durante el embarazo. Algunos de los factores que pueden contribuir a dichas depresiones son:

- Un historial personal o familiar de trastornos del estado de ánimo.

- Estrés socioeconómico.

- Falta de respaldo emocional por parte del padre del bebé.

- Hospitalización o descanso en cama debido a complicaciones del embarazo.

- Ansiedad por la propia salud, especialmente si se están sufriendo complicaciones del embarazo o enfermedades durante éste.

- Ansiedad por la salud del bebé, especialmente si existen antecedentes familiares de problemas de nacimiento u otras complicaciones.

Los síntomas más comunes de depresión, además de sentirse hundida, vacía y apagada, incluyen trastornos del

---

Para la otra mitad

No hay ni una página de este libro que no se refiera al embarazo como parte de un papá y una mamá. Como un futuro papá, usted tendrá un panorama más amplio del embarazo (y le dará sentido a todos esos síntomas extraños que ha sentido su pareja) si lee el libro con su pareja a lo largo de los nueve meses. Seguramente usted debe tener preguntas y dudas, hay un capítulo para usted, *la otra mitad:* vea el capítulo 17 *"Los padres también están esperando".*

sueño, cambio de los hábitos alimentarios (no se come nada o se come sin cesar), fatiga prolongada o inusual, pérdida prolongada del interés por el trabajo, los juegos y otras actividades o placeres, y cambios de humor exagerados. Si la lectora está experimentando síntomas parecidos, se recomienda seguir los consejos que se dan para la depresión puerperal o del posparto (vea la página 542).

Si los síntomas persisten durante más de dos semanas, hable con su médico sobre la depresión o pídale referencias sobre algún especialista*.

Es importante conseguir la ayuda apropiada, ya que la depresión la puede llevar a cuidar mal de usted y de su bebé, ahora y después del parto. Para decidir si necesita medicina antidepresiva hable con su médico (y es preferible que hable con el terapista también) para sopesar los posibles riesgos (para usted y para el bebé) y los beneficios. Los estudios recientes muestran que los inhibidores de serotonina como el Prozac y el Zoloft son seguros en madres embarazadas. De todas maneras es necesario que lo consulte con su médico, antes de empezar o de continuar con un tratamiento de estos durante su embarazo.

También debe consultar con el médico si va a seguir cualquier tratamiento alternativo, hay algunos suplementos que no han sido muy estudiados así que no se consideran seguros para las futuras madres. Hay algunos estudios preliminares sobre los beneficios de la terapia *light* (que parece elevar los niveles de serotonina, la hormona que equilibra el estado de ánimo en el cerebro) para tratar la depresión en embarazadas son prometedores, seguramente ofrecerán una alternativa atractiva y segura.

Tener depresión durante el embarazo aumenta los riesgos de tener depresión posparto. La buena noticia es que el tratamiento con antidepresivos durante el embarazo (y/o después del parto), puede prevenir la depresión posparto. Pregúntele a su doctor acerca de esto.

TOMAR EN BRAZOS OTROS NIÑOS

"Tengo miedo de coger en brazos a mi hija de dos años, que pesa bastante, debido a que he oído que el esfuerzo físico puede provocar un aborto."

Tendrá que buscar una excusa mejor para que la niña ande con sus propios pies. A menos que el médico haya dado instrucciones contrarias a ello, no existe ningún problema en llevar pesos moderados (incluso un niño robusto en edad preescolar), aunque debe evitar lle-

---

* Como la depresión también puede ser un síntoma de una mala tiroides –esto requiere tratarse pronto–, debe hacerse un examen de sangre para descartar que su depresión que sea por esto.

gar al punto en que se sienta exhausta (vea la página 284 para mayor información sobre cargar cosas pesadas). Y de hecho, cargar al hermanito que aún no ha nacido con la culpa del rechazo de la madre a llevarla en brazos podría crear sentimientos innecesarios de rivalidad y resentimiento hacia el bebé incluso antes de que aparezca en escena.

Al progresar el embarazo, no obstante, quizá la espalda de la futura madre ya no pueda someterse al esfuerzo de cargar con el feto y con otra criatura, en ese caso evite alzar cosas lo más que pueda. Pero se asegurará de culpar de ello a su espalda y no al bebé, y de compensarlo con muchos abrazos cuando esté sentada.

CUÁNDO SE DEBE LLAMAR AL MÉDICO

Es aconsejable determinar con el médico lo que se deberá hacer en caso de urgencia. Pero si no se ha hablado de ello y se experimenta un síntoma que requiere una atención médica inmediata, se procederá de la siguiente forma. En primer lugar se llamará a la consulta del médico. En caso de que este no pueda pasar al teléfono y no vuelva a llamar al cabo de unos pocos minutos, se llamará de nuevo a la consulta y se le dejará un mensaje explicando cuál es el problema y a qué centro de urgencias se va a acudir. A continuación se irá directamente al centro de urgencias más próximo o se llamará a un servicio médico de urgencias.

Al informar de cualquiera de los síntomas que se enumeran a continuación, es importante no olvidar mencionarle también la existencia de cualquier otro síntoma que se experimente, por muy poco relacionado que parezca estar con el problema del momento. También es importante ser muy exacta al mencionar el momento que

hace que se presente dicho síntoma, la frecuencia con que aparece, lo que parece aliviarlo o exacerbarlo, y lo grave que es:

- Dolor intenso en la parte inferior del abdomen, en uno o en ambos lados, y que no remite: avisar al médico el mismo día; si va acompañado de hemorragia o de náuseas y vómitos, avisarle inmediatamente.

- Fuerte dolor en la zona abdominal superior media, con o sin náuseas e hinchazón de manos y cara: llamar inmediatamente.

- Ligeras pérdidas vaginales: informar al médico el mismo día.

- Hemorragia intensa (especialmente si va acompañada por dolores en el abdomen o la espalda): avisar el mismo día.

- Pérdidas de sangre por los pezones, el recto o la vejiga: avisar el mismo día.

- Expectorar sangre al toser: avisar inmediatamente.

Continúa en la página siguiente…

...viene de la página anterior

◆ Pérdida de líquido en la vagina: llamar inmediatamente.

◆ Aumento súbito de la sed, acompañado por una micción menos frecuente o por la ausencia total de micción durante todo un día: llamar inmediatamente.

◆ Hinchazón de las manos, la cara, los ojos: avisar el mismo día. Si la hinchazón es muy intensa y aparece bruscamente, o va acompañada por dolores de cabeza o dificultades en la visión: llamar inmediatamente.

◆ Dolor de cabeza intenso que persiste durante más de dos o tres horas: llamar el mismo día. Si va acompañado por trastornos de la visión o por hinchazón de los ojos, la cara y las manos: llamar inmediatamente.

◆ Micción dolorosa o ardiente: llamar el mismo día. Si va acompañada de temblores y fiebre superior a los 39°C y/o de dolores de espalda: llamar inmediatamente.

◆ Trastornos de la visión (visión borrosa, visión indistinta, visión doble) que persisten durante dos o tres horas: llamar inmediatamente.

◆ Desmayos o desvanecimientos: informar al médico el mismo día.

◆ Escalofríos y fiebre superior a 38°C (sin síntomas de resfriado o gripe): llamar el mismo día. Fiebre superior a los 39°C: llamar inmediatamente.

◆ Náuseas y vómitos intensos, vómitos con mayor frecuencia de dos o tres veces al día en el primer trimestre, vómitos en fases más avanzadas del embarazo cuando no se habían sufrido con anterioridad: informar al médico el mismo día. Si el vómito va acompañado por dolor y/o fiebre: llamar inmediatamente.

◆ Aumento brusco de peso de más de un kilo y que no parezca estar relacionado con un exceso de comida: informar al médico el mismo día. Si va acompañado de edema de las manos y la cara y/o de dolor de cabeza o trastornos visuales: llamar inmediatamente.

◆ Dejar de notar los movimientos fetales durante más de 24 horas después de la vigésima semana: avisar el mismo día. Menos de diez movimientos por hora (vea la página 325) después de la semana 28, avisar inmediatamente.

QUÉ ES IMPORTANTE SABER:
Una atención médica regular

En la última década, el movimiento de autoatención médica ha instruido a los americanos en todo tipo de cosas, des-

de tomarse uno mismo el pulso y la presión sanguínea hasta el tratamiento casero de las distensiones musculares y el diagnóstico de una irritación de garganta o un dolor de oído. El impacto que ello ha tenido en la eficacia de la atención sanitaria es indudablemente positivo, reduciendo el número de visitas que se hacen al médico y convirtiendo a los ciudadanos en unos mejores pacientes cuando deben acudir al médico. Y sobre todo, nos ha hecho ser conscientes de la responsabilidad que todos nosotros tenemos de nuestra salud y es probable que todos seamos bastante más sanos en años venideros.

Incluso en el embarazo y tal como se demuestra a lo largo de todo este libro, se pueden tomar innumerables medidas para que los nueve meses sean más sanos y cómodos, para que el parto sea más fácil y para que el futuro bebé sea más sano. Pero intentar arreglárselas sola, aunque sólo sea por unos pocos meses, es llevar demasiado lejos el concepto de autoatención médica, que se basa en la relación de cooperación entre el ciudadano y su médico. La intervención regular del médico es crucial en el embarazo. Un importante estudio demostró que las mujeres que acudieron a numerosas visitas prenatales tuvieron bebés más grandes y con una mejor tasa de supervivencia que las mujeres que habían sido sometidas a pocos exámenes prenatales.

PROGRAMAS DE VISITAS PRENATALES

En el caso ideal, la primera visita al médico o a la enfermera partera se debería producir cuando el futuro bebé es aún un proyecto. Pero este es un ideal que muchas de nosotras, especialmente cuando el embarazo no es planeado, no podemos satisfacer. En segundo lugar en cuanto a perfección se halla la visita efectuada tan pronto se sospecha que se ha concebido un bebé*. El examen interno ayudará a confirmar el embarazo, y el examen físico descubrirá cualquier problema potencial que deba ser controlado. Después de ello, el programa de visitas variará en función del médico y en función de si el embarazo es o no de alto riesgo. En el caso de un embarazo de bajo riesgo y sin complicaciones, lo más habitual es una visita mensual al médico hasta las 32 semanas de gestación. Pasado este momento, se suele efectuar una visita cada dos semanas hasta el último mes, durante el cual es habitual una visita semanal.**

Para saber qué esperar de cada visita, vea el capítulo por meses.

---

* Algunos médicos programan la primera cita a las seis semanas de embarazo.

** Los estudios sugieren que las mujeres sanas necesitan más o menos nueve visitas, de todas maneras casi todas las mujeres se sienten más cómodas con más visitas.

CUIDADO
DEL RESTO DEL CUERPO

Durante el embarazo, la mujer se siente comprensiblemente preocupada por el tema de su gestación. Pero aunque sus cuidados deberán empezar por su barriga, no deberían terminar en ella. No debe esperar a que los problemas se presenten. Visitará al dentista: la mayor parte del trabajo de este especialista, sobre todo tipo preventivo, puede ser efectuado sin problemas durante el embarazo (vea la página 245). En caso necesario visitará al especialista en alergias. Lo más probable es que este no prescriba ahora una nueva tanda de inyecciones, pero si las alergias de la embarazada son graves, su especialista deseará controlar su estado. El médico de familia o el especialista deberá también controlar cualquier enfermedad crónica u otros problemas médicos que no caen dentro del radio de acción del obstetra; si la futura madre acude a una enfermera partera para su embarazo, deberá visitar al médico de familia o al ginecólogo para *todos* los problemas médicos.

CUANDO DUDEMOS

A veces las señales del cuerpo de que algo no va bien no son claras. La mujer está más cansada de lo normal, adolorida, no se encuentra del todo bien. Pero no presenta ninguno de los síntomas tan definidos de la lista de las páginas 177-178. Si dormir bien toda la noche y una ración extra de descanso no consiguen que se sienta mejor al cabo de un día o dos, no deberá sentirse violenta por consultarle a su médico.

Es probable que sólo precise más descanso del que se permite. Pero también es posible que esté anémica o incubando una infección de algún tipo. Ciertas infecciones —cistitis, por ejemplo— pueden hacer su sucio trabajo sin causar síntomas obvios. Así que si tiene dudas, hable con su médico.

Si se presentan nuevos problemas en el transcurso del embarazo, es importante no ignorarlos. Incluso si los síntomas parecen relativamente inocuos, en el embarazo es más importante que nunca acudir con rapidez al médico. El bebé necesita una madre *totalmente* sana.

CAPÍTULO SEIS

El segundo mes

De la semana 5 a la 8 aproximadamente

A lo mejor usted planeó su embarazo desde el momento de la concepción y sabe hace semanas que está esperando un bebé. A lo mejor el embarazo la tomó por sorpresa y no se enteró sino hasta el segundo mes. De cualquier manera, usted todavía se está haciendo a la idea de que una vida se está desarrollando en su interior. También se debe estar acostumbrando a las demandas de estar embarazada, desde el aspecto físico (¡por eso estoy tan cansada!), el logístico (el camino más corto al baño es…) hasta la dieta (que tenga vitamina C, que no tenga cafeína, etcétera).

QUÉ SE PUEDE ESPERAR EN LA VISITA DE ESTE MES

Si se trata de la primera visita del embarazo, consultar el apartado correspondiente de la página 147. Si es ya el segundo examen, lo más probable es que el médico efectúe los siguientes controles, aunque puede haber variaciones en función del médico y en función de las necesidades particulares de todas y cada una de las embarazadas*:

◆ Peso y presión sanguínea

◆ Orina, para detectar azúcar y albúmina

◆ Manos y pies, para detectar un edema (hinchamiento) y piernas para detectar venas varicosas

◆ Síntomas que se hayan experimentado, especialmente síntomas poco habituales

◆ Preguntas o problemas que la embarazada desee discutir –llevar a la visita una lista de ellos

---

* Para mayor información sobre exámenes y procedimientos, vea el Apéndice en la página 713.

UNA MIRADA AL INTERIOR

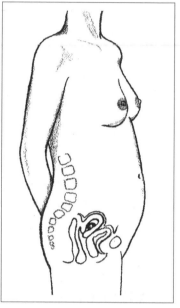

El embrión de pocos centímetros ya parece un bebé. Ya no tiene cola y a finales del segundo mes, los brazos y los pies (¡completos con dedos!) ya están formados al igual que los ojos (con los párpados cerrados), las orejas, la punta de la nariz y la lengua. Todos los órganos mayores y los sistemas del bebé están presentes pero les queda mucho para desarrollarse. El embrión hace movimientos espontáneos, aunque pasarán muchas semanas entes de que usted pueda sentirlos. La placenta, que es el sistema de vida del feto, está en construcción.

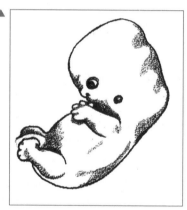

Aunque para los demás usted todavía no se ve embarazada, notará que su ropa se siente un poco apretada en la cintura. Seguramente también va a necesitar un sostén más grande ahora. A finales de este mes, su útero, generalmente del tamaño de un puño, crecerá como una manzana grande.

QUÉ SE PUEDE SENTIR

Como siempre, recuerde que cada mujer y cada embarazo son diferentes. Se pueden experimentar todos los síntomas siguientes en un momento u otro, o tan sólo uno o dos de ellos. Algunos pueden continuar desde el mes pasado, otros serán nuevos. Sean cuales fueren los síntomas, no es motivo de preocupación el no *sentirse* aún embarazada.

FÍSICOS:

- Cansancio y somnolencia
- Necesidad de orinar con frecuencia
- Náuseas, con o sin vómitos y/o salivación excesiva (ptialismo)
- Estreñimiento

- Acidez de estómago e indigestión, flatulencia e hinchamiento.

- Aborrecimiento y antojos de alimentos.

- Cambios en los pechos: aumento de tamaño, pesadez, sensibilidad anormal, hormigueo; oscurecimiento de la areola (área pigmentada que rodea el pezón); glándulas sudoríparas de la areola prominentes con aspecto de piel de gallina; aparece una red de líneas azuladas debajo de la piel, a medida que aumenta la irrigación de los pechos.

- Descargas vaginales frecuentes o leves (leucorrea).

- Dolores de cabeza ocasionales (estos son similares a los dolores de cabeza que tienen las mujeres que toman píldoras anticonceptivas).

- Desvanecimientos o desmayos ocasionales.

- La ropa puede empezar a apretar en la cintura y el busto; el abdomen puede haber aumentado algo de tamaño, probablemente a causa de la distensión intestinal más que por el aumento de tamaño del útero.

EMOCIONALES:

- Inestabilidad comparable a la del síndrome premenstrual, y que puede traer irritabilidad, cambios de humor, irracionalidad, tendencia al llanto.

- Dudas, temores, alegría, exaltación –cualquiera de ellos o todos juntos.

QUÉ PUEDE PREOCUPAR

CAMBIOS VENOSOS

"Tengo unas feas líneas azules debajo de la piel, en los pechos y en el abdomen. ¿Es normal?"

Estas venas (que pueden hacer ver a su estómago y su ombligo como un mapa de carretera) no solamente son normales sino que son un signo de que su cuerpo está haciendo lo que tiene que hacer. Forman parte de la red de venas que se esparcen para llevar la mayor cantidad de sangre que es producida durante el embarazo. Estas venas no sólo no constituyen un motivo de preocupación, sino que son un signo de que el cuerpo está haciendo lo que debe. Aparecen más pronto en las mujeres muy delgadas. En otras mujeres, la red venosa puede ser menos visible, no perceptible en absoluto o no resultar visible hasta una fase más adelantada del embarazo.

"Desde que quedé embarazada me han salido unas espantosas líneas de color rojo

púrpura y con aspecto de tela de araña en los muslos. ¿Se trata de várices?"

Aunque no resultan muy favorecedoras, no se trata de venas varicosas. Son nevos aráneos o telangiectasias, que pueden producirse a causa de los cambios hormonales del embarazo. Estas venas pueden ser el resultado de los cambios hormonales en el embarazo, aunque algunas mujeres están predispuestas genéticamente (Comer bastante vitamina C y evitar cruzar las piernas puede ayudar a prevenirlas). Generalmente las venas palidecerán y desaparecerán después del parto, y si no fuera así, pueden tratarse con un dermatólogo que utilizará inyecciones salinas o láser. Los dos tratamientos destruyen los vasos de sangre, los hace colapsar y desaparecer.

"Tanto mi madre como mi abuela tuvieron várices durante el embarazo y desde entonces siempre han sufrido de ellas. ¿Hay algo que pueda hacer para evitar este problema durante mi embarazo?"

Puesto que las várices suelen ser una característica familiar, es útil pensar en prevenirlas desde el principio del embarazo. Sobre todo porque las venas varicosas tienen tendencia a empeorar con los siguientes embarazos.

Normalmente, las venas sanas conducen la sangre desde las extremidades hasta el corazón. Debido a que trabajan contra la fuerza de la gravedad están provistas de unas válvulas que impiden el retroceso de la sangre. En algunas personas, estas válvulas faltan o son defectuosas, por lo que la sangre se acumula en las venas, donde la presión de la gravedad es mayor (generalmente en las piernas, pero algunas veces en el recto o la vulva), y provoca el abultamiento de las varicosidades. Las venas que se distienden con facilidad contribuyen también a este proceso. El problema es más frecuente en las personas obesas y se presenta cuatro veces más en las mujeres que en los hombres. En las mujeres susceptibles a las varices, este problema hace aparición muchas veces durante el primer tiempo del embarazo. Para ello existen varias razones: aumento de la presión del útero sobre las venas pelvianas, lo que aumenta la presión sobre las venas de las piernas; incremento del volumen de sangre; y hormonas del embarazo que relajan el tejido muscular de las venas.

Los síntomas de las venas varicosas no son difíciles de reconocer, pero su gravedad es muy variable. Las venas hinchadas pueden provocar un dolor intenso, un dolor suave, una sensación de pesadez o incluso ser totalmente asintomáticas. Puede resultar visible una pálida sombra de venas azuladas, o bien unas venas serpenteantes pueden resultar bien visibles y protuberantes desde el tobillo hasta la parte superior del muslo. En los casos graves, la piel que cubre las venas se hincha y se vuelve seca e irritada. En algunas ocasiones se puede desarrollar una tromboflebitis (inflamación de una vena en relación con un coágulo sanguíneo) en el punto de una varicosidad (vea la página 668), así que consulte siempre con su médico los síntomas de las venas varicosas.

Afortunadamente, los síntomas de las venas varicosas del embarazo pueden ser a menudo prevenidos o suavizados, tomando medidas como las mencionadas a continuación para eliminar toda presión innecesaria sobre las venas de las piernas.

◆ Evitar un aumento excesivo de peso.

◆ Evitar los largos períodos de permanencia de pie o sentada. Mientras se permanece en posición sentada se elevarán los pies por encima del nivel de las caderas, siempre que ello sea posible. Estando acostada, la embarazada elevará las piernas colocando una almohada bajo los pies o se acostará de lado.

◆ Se evitará levantar objetos pesados.

◆ Al defecar, no se harán esfuerzos, vea la página 211 para mayor ayuda.

◆ Llevar medias elásticas (parece ser que las que no son muy apretadas tienen efectos beneficiosos sin ser molestas) o calcetines elásticos, que se colocarán antes de salir de la cama (antes de que la sangre se acumule en las piernas) y se quitarán por la noche, antes de acostarse.

◆ No llevar ropas apretadas. Evite los cinturones o fajas apretados, especialmente si se trata de una faja pantalón (aunque esté especialmente diseñada para embarazadas), los calcetines y medias con la parte superior elástica, ligas o zapatos ceñidos.

◆ Hacer mucho ejercicio –una caminata o una nadada rápida de 20-30 minutos cada día. Si siente dolor evite los ejercicios de impacto, vea la página 258.

◆ Asegurarse de5 ingerir suficiente vitamina C, de la que algunos médicos creen que mantiene las venas sanas y elásticas.

La extirpación quirúrgica* de las venas varicosas no está recomendada durante el embarazo, aunque sí puede ser practicada unos meses después del parto. Sin embargo, en la mayoría de los casos, el problema desaparecerá o disminuirá espontáneamente después del parto, aproximadamente en la misma época en que se llegue de nuevo al peso anterior al embarazo.

PROBLEMAS DE PIEL

"Mi piel está llena de granos, igual que cuando yo era una jovencita".

El resplandor del embarazo que exhiben algunas mujeres afortunadas es de-

---

* La cirugía para quitar las venas varicosas es más que todo estética y el problema puede reaparecer después del tratamiento.

bido no sólo a la felicidad de la futura maternidad, sino también al aumento de la secreción de aceites provocados por los cambios hormonales. Y la misma causa tienen también, desgraciadamente, las erupciones mucho menos resplandecientes que sufren otras mujeres (en especial aquellas cuya piel suele mostrar este fenómeno antes de la menstruación). Aunque estas erupciones son difíciles de eliminar totalmente, las medidas que se enumeran a continuación pueden ayudar a minimizarlas:

◆ Seguir fielmente la dieta ideal –es tan bueno para la piel como para el futuro bebé.

◆ No pasar junto a un grifo sin llenar el vaso –el agua es uno de los purificadores de la piel más eficaces.

◆ Limpiarse la cara a menudo con un limpiador suave. Evitar las cremas y los maquillajes grasos.

◆ Utilice una crema sin aceite para mantener hidratada la piel. A veces la piel se reseca por utilizar jabones para el acné y otros productos que dañan la piel.

◆ Escoja productos para la piel que no tapen los poros. Si utiliza base y polvos, asegúrese de que no tengan aceite.

Si el médico lo aprueba, tomar un suplemento de vitamina B_6 (de 25 a 50 miligramos). Esta vitamina resulta a veces útil en el tratamiento de los problemas cutáneos de origen hormonal, aunque las pruebas al respecto no son concluyentes (también pueden ayudar a minimizar las náuseas matutinas, vea la página 157).

Si los problemas cutáneos fuesen lo bastante graves para requerir la consulta del internista y/o el dermatólogo, la embarazada se asegurará de que este sepa que lo está. Algunos fármacos utilizados contra el acné, particularmente el Accutane y posiblemente el Retin-A, no deberían ser utilizados por las gestantes, debido a que pueden ser dañinos para el feto.

Para algunas mujeres, la piel seca, a menudo con picazón, resulta un problema durante el embarazo. Las cremas hidratantes pueden ser útiles en estos casos. Para que la absorción sea óptima, se deberían aplicar mientras la piel está aún húmeda tras el baño o la ducha. También pueden serlo el tomar mucho líquido y el mantener las habitaciones con un aire más húmedo durante la época en que se enciende la calefacción (vea la página 600). Los baños demasiado frecuentes, en especial con jabón, tienden a aumentar la resequedad de la piel. Por lo tanto será conveniente no tomar tantos baños y utilizar un producto que no contenga jabón.

Para algunas mujeres que sufren de eccema, el embarazo aumenta la condición. Las cremas con dosis bajas de cortisona se pueden utilizar durante el embarazo en cantidades moderadas. Pregúntele a su doctor o a su dermatólogo cuáles le recomienda.

AUMENTO DE LA CINTURA

"¿Por qué se me ensancha ya la cintura desde ahora? Creía que no empezaría a "notarse" hasta el tercer mes, como mínimo."

La expansión de la cintura puede ser el resultado directo del embarazo, especialmente si la mujer estaba delgada antes de la concepción y por ello tiene poca carne para esconder el útero en crecimiento. Pero también puede ser debida a la distensión intestinal, muy frecuente en los primeros tiempos del embarazo. Por otro lado, este "empezar a notarse" podría ser debido a que está aumentando de peso con demasiada rapidez. Si la mujer ya ha aumentado más de 1,5 kilos hasta el momento, será mejor que estudie su dieta: probablemente está ingiriendo demasiadas calorías, quizás calorías vacías. Deberá revisar la dieta ideal y leer el apartado sobre el aumento de peso en la página 229.

PERDER LA LÍNEA

"Tengo miedo de que mi figura ya nunca vuelva a ser la misma después de tener el bebé."

El kilo o dos de más que como promedio les queda a las mujeres con cada embarazo, y la flacidez que suele acompañarlo, no son los resultados inevitables de tener un hijo. Son el resultado de ganar demasiado peso, comer alimentos no recomendables y/o no hacer suficiente ejercicio durante los nueve meses.

El aumento de peso durante el embarazo tiene dos fines legítimos: alimentar al feto en desarrollo y almacenar reservas para la lactancia, para nutrir al bebé después de nacido. Si sólo se aumenta el peso necesario para cumplir esta finalidad y la mujer se mantiene en buen estado físico, su figura deberá volver a ser normal al cabo de unos pocos meses después del parto, especialmente si utiliza sus reservas de grasa para amamantar a su hijo*.

Por lo tanto, hay que dejar de preocuparse y empezar a tomar las medidas oportunas.

Si ahora se pone atención en la dieta y se hace ejercicio, la mujer puede tener mejor aspecto que nunca después del embarazo, ya que habrá aprendido a cuidarse de forma óptima. Si el marido también adopta un estilo de vida más sano, también tendrá mejor aspecto cuando haya nacido el niño.

---

* Algunas mujeres que amamantan a sus bebés se encuentran con que pueden perder muy poco peso mientras están criando. Generalmente, poco después del destete podrán volver a su peso normal. Si no fuera así, la causa habrá que buscarla en una ingestión excesiva de calorías y en que se queman muy pocas. Las madres que alimentan a sus bebés con biberón deberán perder peso a base de dieta y ejercicio.

MEDIDAS MUY PEQUEÑAS (O MUY GRANDES)

"En mi última cita prenatal me dijeron que mi útero estaba algo pequeño. ¿Estos significa que el bebé no está creciendo bien?"

Los padres rara vez esperan hasta el nacimiento del bebé para preocuparse por su tamaño; aunque generalmente no hay nada de qué preocuparse. Después de todo, tratar de medir el útero desde afuera no es una ciencia exacta en los embarazos y especialmente tan temprano. Calcular el tamaño tampoco es fácil (a menos de que esté segura de qué día concibió), ya que la fecha de su embarazo puede ser algunas semanas antes o después. Seguramente estarán programando un ultrasonido para saber más o menos el tamaño de su útero y la fecha de nacimiento y para saber si existe algún problema (probablemente no hay nada de que preocuparse).

"Me dijeron que mi útero medía doce semanas, pero según mis cuentas solamente tengo nueve semanas de embarazo. ¿Por qué está tan grande mi útero?"

Es posible que su útero esté tan grande porque tiene más semanas de embarazo de las que se imagina. Seguramente usted o su médico se equivocaron en la primera fecha y medida (recuerde que la medición externa del útero no es una ciencia exacta). Es mejor que su médico le ordene un ultrasonido para ver si hay algo más (por ejemplo que espera gemelos, tiene fibroides o exceso de líquido amniótico).

UN ÚTERO INCLINADO

"Mi doctor dice que mi útero está inclinado. ¿Es eso un problema?"

Probablemente no. Una de cada cinco mujeres tiene el útero inclinado (o retrovertido), eso significa que la parte de arriba del útero está inclinado hacia atrás en lugar de estar inclinado hacia el frente. En muchos casos el útero se endereza solo al final del primer trimestre.

Si desafortunadamente su útero no se endereza, puede que tenga síntomas como: sentir su vejiga pesada porque es como si tuviera un ladrillo (su útero) encima; no poder vaciar completamente su vejiga y pasar largos periodos sin evacuar (cuatro horas o más). Si tiene estos síntomas, llame a su médico lo más rápido que pueda para que el problema no se convierta en una infección urinaria seria (también puede ver la página 594).

ACIDEZ DE ESTÓMAGO E INDIGESTIÓN

"Sufro de indigestión y acidez de estómago todo el tiempo. ¿Afectará esto a mi bebé?"

Mientras la madre es dolorosamente consciente de sus trastornos gastrointestinales, el bebé es indiferente a ellos si estos no impiden que la madre se alimente convenientemente.

Aunque la indigestión puede tener la misma causa (exceso de comida y bebida) durante el embarazo que cuando no se está embarazada, existen razones adicionales para la indigestión en una mujer que está esperando. En los primeros tiempos del embarazo, el cuerpo produce grandes cantidades de progesterona y estrógeno, que tiende a relajar el tejido muscular liso de todo el cuerpo, incluido el tracto gastrointestinal. Como consecuencia de ello, el alimento se desplaza con mayor lentitud por dicho sistema, provocando la formación de gases. Esto es desagradable para la futura madre, pero bueno para el bebé, ya que esta lentitud permite una mejor absorción de los nutrientes hacia la corriente sanguínea y, por consiguiente, hacia el sistema sanguíneo del bebé a través de la placenta. La acidez de estómago se produce cuando el esfínter que separa el esófago del estómago se relaja y permite el paso de la comida y los jugos digestivos ácidos de nuevo hacia el esófago. Los ácidos gástricos irritan el delicado revestimiento del esófago y provocan la sensación de quemadura que denominamos "acidez gástrica" e indigestión. Durante los dos últimos trimestres, el problema se ve agravado por el mayor tamaño del útero, que presiona sobre el estómago.

Es casi imposible pasar estos nueve meses sin ninguna indigestión; se trata simplemente de uno de los factores menos agradables del embarazo. Sin embargo, existen diversas medidas eficaces para evitar la indigestión y la acidez gástrica la mayoría de las veces, y de minimizar el malestar cuando se presentan:

- Evitar el aumento excesivo de peso: el peso en exceso significa un exceso de presión sobre el estómago.

- No llevar prendas ajustadas en el abdomen y la cintura.

- Tomar muchas raciones pequeñas en vez de tres abundantes.

- Comer lentamente, tomando bocados reducidos y masticándolos a conciencia.

- Eliminar de la dieta cualquier alimento que provoque estos trastornos. Entre ellos, los más frecuentes son: los alimentos picantes y con muchas especias; los alimentos grasos; las carnes elaboradas (salchichas tipo Frankfurt, embutidos, tocino ahumado); el chocolate, el café, el alcohol y las bebidas carbónicas; la menta y la menta piperita (incluso en forma de goma de mascar).

- No fumar.

- Evitar inclinarse doblando la cintura; en lugar de ello, doblar las rodillas.

- Dormir con la cabecera de la cama levantada unos 15 cm.

◆ Relajarse (vea la página 173). Puede recurrir a la medicina complementaria o alternativa (vea la página 330) como la meditación, la visualización, el yoga o la hipnosis.

◆ En caso de que todas estas medidas fracasen en aliviar los síntomas, consultar al médico si se puede tomar algún antiácido o medicamento contra la acidez gástrica que no tenga contraindicaciones durante el embarazo. No se ingerirán preparados que contengan sodio o bicarbonato de sodio.

AVERSIONES Y ANTOJOS DE COMIDA

"Ciertos alimentos –particularmente las hortalizas verdes– que siempre me habían gustado, me resultan desagradables ahora, y en cambio tengo antojos de alimentos que son menos nutritivos".

La imagen del marido que sale corriendo en medio de la noche, con un abrigo sobre su pijama, en busca de un cucurucho de helado y de unos embutidos para satisfacer los antojos de su esposa, ocurre probablemente con mayor frecuencia en la mente de los autores de dibujos animados que en la vida real. No sucede a menudo que los antojos de las embarazadas las lleven tan lejos –a ellas o a sus maridos.

Pero la mayoría de las embarazadas encuentran que sus gustos en materia de alimentación cambian más o menos con el embarazo. Los estudios demuestran que entre un 90% de las futuras madres tienen antojos de por lo menos un alimento durante el embarazo, y entre un 50 y un 85% tienen aversión al menos a uno. Hasta cierto punto, estas excentricidades gastronómicas súbitas pueden deberse a los estragos de las hormonas –lo que probablemente explica por qué los antojos y aversiones son más comunes durante el primer trimestre, cuando dichos estragos son mayores.

Las hormonas, sin embargo, no son la única explicación a los antojos y aversiones durante el embarazo. La teoría, que desde hace tiempo goza de gran popularidad, de que estas son señales de nuestro cuerpo –de que cuando desarrollamos una aversión por algo, ello suele ser malo para nosotros, y cuando lo deseamos mucho, generalmente es algo que necesitamos– tiene algo de verdad. Dichas señales aparecen cuando el café solo que solía ser el punto de apoyo de la jornada laboral de la embarazada se vuelve totalmente falto de atractivo. O el cóctel de antes de las comidas parece demasiado fuerte, incluso si es muy flojo. O cuando súbitamente la embarazada no puede conseguir todo el zumo de cítricos que desea. Por otra parte, cuando la mujer no pueda soportar sólo ver el pescado, o de repente el brécol tiene un gusto amargo, no deberá interpretarlo como que el cuerpo le esté mandando un aviso.

De hecho, las señales del cuerpo en lo referente a la comida son muy poco fiables, probablemente debido a que nos hemos apartado en tal medida de la cadena alimenticia de la naturaleza que ya no conseguimos interpretarlas correctamente. Antes de que se inventaran los helados, cuando la comida procedía de fuentes naturales, un antojo de hidratos de carbono y calcio nos hubiera conducido hacia las frutas o las bayas y hacia la leche o el queso. Con la amplia variedad de alimentos tentadores (pero a menudo malsanos) que existe hoy en día, no es de extrañar que nuestro cuerpo esté confundido.

Los antojos y las aversiones no pueden ser ignoradas totalmente. Pero pueden ser tratados sin poner en peligro las necesidades nutritivas del futuro bebé. Si el antojo se refiere a un alimento que es bueno para la madre y para el hijo, evidentemente se cederá a él sin ningún problema. Si el antojo es de algo que sabemos que no es bueno, intentaremos encontrarle un sustituto que satisfaga el antojo sin saborear los intereses alimentarios del bebé: uvas, orejones de albaricoque o un panecillo endulzado con zumo de fruta, galletas o una barra de chocolate en vez de caramelos de azúcar; galletas de trigo integral poco saladas en vez de las normales, que contienen demasiada sal y pocos nutrientes. Cuando los sustitutos no nos satisfagan, la solución puede ser la sublimación –siempre es mejor hacer ejercicio, bordar, leer, tomar un baño relajante u otras distracciones cuando aparezcan los deseos insanos. Y, desde luego, de vez en cuando la gestante podrá ceder a los antojos y hacer una pequeña trampa.

Si la mujer embarazada siente una súbita aversión ante el café, el alcohol o el helado de chocolate, maravilloso. Ello no hará más que facilitar el prescindir de ellos durante todo el embarazo. Si lo que no puede tolerar es el pescado, la coliflor o la leche, no es necesario que los tome a la fuerza, pero deberá encontrar un alimento que proporcione los mismos nutrientes. (Vea *La dieta* del capítulo 4 para encontrar los alimentos sustitutos).

La mayoría de los antojos y aversiones desaparecen o por lo menos se debilitan hacia el cuarto mes. Si los antojos continúan apareciendo más adelante, quizá se estén desencadenando por motivos emocionales –la necesidad de un poco de atención extra, por ejemplo. Si tanto la embarazada como su marido comprenden esta necesidad, resultará bastante fácil solucionar el problema. En lugar de exigir un alimento raro en medio de la noche, quizá servirá igual un poco de afecto o un romántico baño para dos.

Algunas mujeres desean e incluso comen sustancias tan raras como arcilla, ceniza y almidón de planchar. Debido a que este hábito puede ser señal de deficiencias de la alimentación, particularmente de hierro, debe notificarse al médico.

AVERSIÓN O INTOLERANCIA A LA LECHE

"No puedo tolerar la leche y beber cuatro veces al día me pondría enferma". ¿Perjudicaré a mi hijo si no bebo leche?"

No es la leche lo que el bebé necesita, sino el calcio. Puesto que la leche es una fuente muy apropiada de calcio, suele ser recomendada para satisfacer la enorme necesidad de este elemento durante el embarazo. Pero existen numerosos sustitutos de la leche que también satisfacen esta necesidad dietética.

Muchas personas con intolerancia a la lactosa (es decir, que no pueden digerir el azúcar de la leche, la lactosa) toleran algunos tipos de productos lácteos, tales como los quesos duros, los yogures y algunos nuevos tipos de leche en la que un 70% de la lactosa ha sido convertida a una forma más digerible (otra de las ventajas de consumir productos deslactosados es que muchos están fortificados con calcio. Revise los niveles y escoja el que le conviene). También puede tomar una tableta especial antes de tomar leche o productos con leche o puede poner unas gotas de lactasa a su leche. Esto puede ayudar a minimizar los problemas de estómago por intolerancia a la lactosa.

Si la embarazada no tolera ni estos productos lácteos, puede de todos modos obtener todo el calcio que su futuro bebé necesita tomando los alimentos no lácteos (están en la lista de la página 132). No obstante, puede que la embarazada, aunque no haya podido tolerar la lactosa durante años, pueda consumir algunos productos lácteos durante el segundo y tercer trimestres, cuando el feto necesita más calcio. Incluso cuando esto sea así, no se deberá abusar; intentará continuar con los productos que son más probable que no le

---

PASTEURIZADA POR FAVOR

Cuando el francés Louis Pasteur inventó la pasteurización a mediados de 1800, hizo lo mejor que le pudo pasar a la leche desde que existen las vacas. Y todavía es lo mejor, por lo menos para las mujeres embarazadas. Para protegerla a usted y a su bebé de las infecciones con bacterias como la listeria, asegúrese de que toda la leche que consume esté pasteurizada y que todos los productos lácteos estén hechos de leche pasteurizada (los quesos "crudos" no están hechos con leche pasteurizada). Los jugos que a veces pueden tener *E-coli* y otras bacterias peligrosas también deben estar pasteurizados. Incluso hasta los huevos se pasteurizan hoy en día (eso elimina el riesgo de salmonela, aparentemente sin cambiar el sabor ni los nutrientes) aunque todavía no se consiguen fácilmente.

¿REALMENTE ES
INTOLERANTE A LA LACTOSA?

Hay mucha gente que confunde ciertos problemas estomacales con la intolerancia a la lactosa. Para saber si puede
soportar los productos lácteos en pequeñas cantidades, dígale a un familiar que
le prepare un jugo con leche descremada
por varios días y que después se lo de
con leche deslactosada y libre de grasa,
sin que le diga cuál es cuál. Si tiene síntomas solamente con la leche normal,
probablemente sí es intolerante a la
lactosa.

provoquen una reacción. Después de
todo, no hay necesidad de provocar una
indigestión.

Si el problema de la leche no es fisiológico, sino únicamente una cuestión
de sabor, existen muchos modos de satisfacer las necesidades de calcio sin
ofender el paladar. Basta con consultar
la lista de alimentos ricos en calcio. O
se podrá intentar engañar a las papilas
gustativas haciendo que la leche en polvo descremada llegue a la mesa de incóg-
nito (en la harina de avena, las sopas,
los panecillos, las salsas, los batidos, los
postres helados, los budines, etcétera.).

Si, a pesar de los mayores esfuerzos,
parece que la embarazada no puede ingerir bastante calcio con la dieta, se deberá pedir al médico que recete un suplemento de calcio. También debe

asegurarse de que está tomando la suficiente vitamina D (se la agregan a la leche de vaca). Revise sus vitaminas prenatales.

COLESTEROL

*"Mi marido y yo vigilamos mucho nues-
tras dietas, y limitamos la ingesta de grasas y colesterol. ¿Debemos continuar así
durante mi embarazo?"*

Las embarazadas, y en menor proporción las mujeres en edad de procrear, se
encuentran en una situación envidiable:
no tienen que reducir la ingesta de
colesterol tan drásticamente como las
mujeres más mayores y los hombres. De
hecho, el colesterol es necesario para el
desarrollo del feto; tanto es así, que el
cuerpo de la madre aumenta automáticamente su producción, subiendo
los niveles sanguíneos de colesterol entre un 25 y un 40%. Aunque la mujer
no debe seguir una dieta con mucho
colesterol para ayudar al cuerpo a aumentar su producción, puede permitirse
no controlar tanto su ingesta*. Se puede tomar un huevo diario si así se desea, se comerá queso para satisfacer los
requerimientos diarios de calcio, y se
degustará un filete de vez en cuando y

---

* Las mujeres con problemas de hipercolesteremia, un
tipo común de trastornos con niveles sanguíneos altos
de colesterol, constituyen una excepción en cuanto al
tratamiento del colesterol durante el embarazo. Dichas
mujeres deberán seguir los consejos del médico en cuanto a la dieta.

todo ello sin sentirse culpable. Pero no se debe abusar, ya que muchos alimentos ricos en colesterol tienen mucha grasa y calorías, y un exceso de ellos podría hacer subir vertiginosamente el cómputo. Demasiada grasa también podría hacer sobrepasar el cupo de grasas . Y se debe recordar que muchos alimentos ricos en colesterol son también ricos en grasas animales, que podrían estar contaminadas con productos químicos indeseables. Esta es otra buena razón para limitarlos.

Sin embargo, aunque la embarazada no deba privarse de la mayonesa (y de la mantequilla, las yemas de huevo y las costillas de cordero), el resto de los habitantes de la casa sí. Con la excepción de los menores de dos años*, al menos durante la mayor parte del tiempo. Este es el caso sobre todo de los hombres adultos, tanto los que tienen niveles límite de colesterol como los que desean evitar este problema. Debido a que servir dos tipos de desayuno, comidas y cenas –uno tolerante con el colesterol y el otro no– no sólo representa un gran esfuerzo para la cocinera, sino una falta de atención para los que deben privarse, sería más sensato continuar o instituir un régimen sano para el corazón en las comidas familiares. Se elegirán carnes magras, aves sin piel, productos lácteos de bajo contenido graso, aceites que combaten el colesterol (como el de oliva o el de girasol), y la clara de huevo en vez de la yema (o consulte la página 125 para mayor información sobre los huevos enriquecidos con omega-3, esto puede proporcionarle una dieta saludable para el corazón). La gestante disfrutará de sus alimentos con colesterol de vez en cuando, cuando no tenga a nadie al lado.

UNA DIETA SIN CARNE

"Como pollo y pescado, pero no carne roja. ¿Puedo proporcionar al bebé todos los nutrientes que necesita sin necesidad de comer carne?"

En este caso, el bebé puede ser tan feliz y sano como el de cualquier mujer que coma carne de buey. El pescado y las aves de corral, de hecho, proporcionan más proteína y menos grasa por las mismas calorías que el buey, el cerdo, el cordero y los despojos. Una dieta sin carnes rojas contiene además menos colesterol, lo que para la embarazada no constituye una gran ventaja, pero que representa un beneficio para su esposo y quizás para el resto de la familia.

UNA DIETA VEGETARIANA

"Soy vegetariana y gozo de buena salud. Pero todo el mundo me dice que debo comer car-

---

* Los bebés menores de dos años, necesitan de las grasas y del colesterol para un desarrollo cerebral y un crecimiento apropiado, por lo cual nunca deben someterse a dietas que supriman las grasas y el colesterol, sin supervisión médica.

ne y pescado, huevos y productos lácteos, para tener un hijo sano. ¿Es verdad?"

Las mujeres vegetarianas pueden tener bebés sanos sin necesidad de cambiar sus costumbres dietéticas. Pero han de ser más cuidadosas aún que las madres que comen carne en cuanto a la planificación de la dieta; en particular deben vigilar los siguientes puntos:

Suficiente proteína. Para la mujer lacto-ovovegetariana, que consume huevos y leche, la ingestión suficiente de proteína puede quedar asegurada con estos dos tipos de productos. La mujer vegetariana "pura" (que sigue un vegetarianismo estricto, sin leche ni huevos) ha de depender de las combinaciones de proteínas vegetales para alcanzar las cinco raciones de proteínas aconsejadas (ver las combinaciones proteicas completas vegetarianas, página 132). Algunos sustitutos de la carne son buenas fuentes de proteína; otros son bajos en proteína y altos en calorías y grasa; es necesario leer atentamente las etiquetas teniendo en cuenta que de 20 a 25 mg de proteína constituyen una porción.

Suficiente calcio. Este elemento de la dieta no constituye un problema para la embarazada vegetariana que toma productos lácteos, pero aquella que no lo hace deberá prestar mucha atención a su dieta. Muchos productos de la soya tienen bastante calcio, pero se deberá tener cuidado con las leches de soya que contienen sacarosa (azúcar, jarabe, de maíz, miel); se deberá buscar un producto de la soya puro. Para que el tofu pueda contar como un alimento rico en calcio, deberá haber sido coagulado con calcio; de otro modo contendrá poco o nada de dicho mineral. Algunas tortillas de maíz constituyen una buena fuente de calcio no láctea, ya que proporcionan media ración de calcio por unidad (se consultarán las etiquetas). Otra fuente de calcio no láctea fácil de tomar es el jugo de naranja al que se ha añadido calcio. Para conocer algunas más, ver la lista de alimentos ricos en calcio de la página 132. Para mayor seguridad, se recomienda que las vegetarianas tomen también un suplemento de calcio prescrito por el médico (existen fórmulas vegetarianas).

Vitamina B$_{12}$. Las mujeres vegetarianas, especialmente las que prescinden también de los huevos y la leche, a menudo no toman una cantidad suficiente de esta vitamina que se encuentra principalmente en los alimentos animales. Por consiguiente, deberán asegurarse de que el suplemento vitamínico que ingieren durante el embarazo contenga vitamina B$_{12}$, así como ácido fólico y hierro.

Vitamina D. Esta vitamina no se encuentra naturalmente en los alimentos, salvo en el aceite de hígado de pescado. También se produce en nuestra piel cuando la exponemos a la luz del sol, aunque debido a los caprichos del tiempo, a que vamos cubiertos de ropa, y a los peligros de pasar demasiado tiempo al sol, esta es una fuente de vitamina D poco fiable para la mayoría de las mujeres. Para asegurar una ingesta adecuada de dicha vitamina, particularmente en los niños y las embarazadas, las leyes de Estados Unidos requieren que la leche esté enriquecida con 400 mg de vitamina D por litro. Si la mujer no bebe leche, se asegurará de que en el suplemento que está tomando haya vitamina D. No obstante, se tendrá cuidado de no tomar dicha vitamina en dosis mayores a las requeridas para las embarazadas, ya que se puede ser tóxica en cantidades excesivas.

DIETAS BAJAS EN CARBOHIDRATOS

"He estado haciendo una dieta baja en carbohidratos y rica en proteínas para bajar de peso. ¿Puedo seguir haciendo la dieta mientras estoy embarazada?"

La única dieta apropiada para el embarazo es una dieta balanceada, es por eso que la dieta para embarazadas tiene muchas proteínas y muchos carbohidratos. Las dietas que limitan los carbohidratos (incluidas frutas, vegetales y granos), limitan los nutrientes que el feto necesita (y sus mamás que están creciendo). De hecho esta situación se ha aso-

ciado con nacimientos de bajo peso. Otro punto importante: las mujeres embarazadas nunca deben hacer una dieta para perder peso, habrá mucho tiempo para eso después del parto, ojalá en ese momento también escoja una dieta balanceada. Otro punto importante: es posible que exista una dieta popular, pero eso no la hace saludable.

ALIMENTOS PREPARADOS

"Soy adicta a los alimentos preparados —rosquillas, papas fritas, hamburguesas, etcétera. Yo sé que debo comer sanamente, pero no estoy muy segura de poder dejar estos hábitos."

Este es el mejor momento para cambiar sus hábitos. Antes de quedar embarazada, estos vicios de alimentación sólo perjudicaban a la mujer; en este momento perjudican también a su futuro hijo. Con una dieta diaria a base de rosquillas, papas fritas y hamburguesas, se niega al futuro bebé la nutrición apropiada durante los nueve meses más importantes de su vida.

Afortunadamente, cualquier adicción puede ser vencida. La de la heroína. La del tabaco. Incluso la de los alimentos preparados. Las medidas que se enumeran a continuación pueden ayudar a vencer este hábito si dolor:

Comer en otro lugar. Si el desayuno solía consistir de un emparedado sobre la mesa del despacho, la embarazada tomará un desayuno más consistente antes de salir de su casa. Si no puede resistir una hamburguesa a la hora de la comida, irá a un restaurante o pedirá un emparedado nutritivo en una charcutería, se llevará uno de casa o irá a restaurantes donde no sirvan hamburguesas.

Dejar de pensar en la comida como algo improvisado. En vez de decantarse por lo más fácil, se elegirá lo que sea mejor para el bebé. Se planificarán las comidas y tentempiés con anticipación, para asegurarse de que se ingieren los doce grupos de alimentos diarios.

Mantener la tentación a raya. ¿No puede imaginar el almuerzo sin hamburguesa? Cómase una hamburguesa vegetariana o de pavo, ahora se consiguen más fácilmente, eso le da menos grasas y menos calorías (agréguele queso, lechuga, tomates, pepinillos y todo lo que le pone a su hamburguesa normalmente, seguramente ni notará el cambio). ¿No puede dejar las rosquillas por la mañana? Mejor cómase un muffin integral. ¿Se le antojan cosas chatarra en la noche? Escoja la variedad nutritiva y busque productos bajos en grasa y ricos en vitamina C.

No utilizar la falta de tiempo como excusa para una mala alimentación. No se tarda más en hacer un sandwich de pavo con lechuga y tomate o en preparar una ensalada de frutas con yogur para llevar al trabajo que en hacer una fila en un restaurante de hamburguesas.

Si la perspectiva de preparar una verdadera cena cada noche nos parece abrumadora, cocinaremos para dos o tres cenas y las consumiremos a noches alternas. Y mantendremos la simplicidad; las comidas muy elaboradas, por lo general no son nutritivas, sólo son ricas en grasas y calorías. Para una comida rápida haga un filete de pescado y póngale su salsa favorita, un poco de aguacate y limón. También puede hacer una pechuga de pollo al horno con tomate y queso mozzarella bajo en grasa. También puede hacer unos huevos y comérselos con una tortilla de maíz, puede ponerle queso cheddar bajo en grasa y algo de vegetales congelados hechos en el microondas. Cuando no tenga tiempo de hacer esto no se preocupe, puede utilizar alimentos enlatados como lo fríjoles, las sopas bajas en sodio o comidas listas para preparar* (hay muchos supermercados que tienen una amplia selección en este tipo de comidas), las verduras congeladas, o las frescas y las ensaladas prelavadas que venden listas en los supermercados.

No usar la falta de presupuesto como excusa para tomar alimentos preparados. Un vaso de jugo de naran-

---

* Revise la etiqueta de nutrientes para ver si no tiene aditivos no nutritivos, que contenga los niveles adecuados de proteína y que el sodio no se exceda.

Evaluación de los aditivos

Los aditivos en nuestras comidas los aprueba la Administración de Comidas y Drogas de los Estados Unidos (FDA, por sus siglas en inglés), pero hay muchos consumidores activistas que cuestionan el proceso de aprobación y la seguridad de algunos de los aditivos. El centro de la ciencia a favor del público de los Estados Unidos (CSPI, por sus siglas en inglés), una compañía auditora, mide los siguientes aditivos comunes (aunque no muy fáciles de pronunciar) de la siguiente manera:

LOS QUE SE CONSIDERAN SEGUROS (a excepción de quienes tienen alergias a alguno de estos). Puede consumir los productos que contienen: alginato, alfatocoferol (vitamina E), ácido ascórbico (vitamina C), betacaroteno, propionato de calcio, stearoyl de calcio, lactilato, carragenato, caseína, ácido cítrico, EDTA, ácido eritórbico, gluconato ferroso, ácido fumárico, gelatina, glicerina (glicerol), árbol de gomera, arabigo, furcelleran, goma ghatti, goma guar, goma Baraya, goma de semilla de acacia, goma de xantano, ácido láctico, lecitina, mono y diglicéridos, sales fosfatadas, ácido fosfórico, ésteres de esterol de plantas, polisorbato 60, 65 y 80, sorbato de potasio, alginato de propilen glicol, ascorbato de sodio, benzoato de sodio, carboxilmetilcelulosa de sodio, caseinato de sodio, citrato de sodio, propionato de sodio, lactilato stearoyl de sodio, ácido sórbico, monoestearato de sorbitan, almidón, almidón modificado, sucralosa, mononitrato de tiamina, vainillina, etil vainillina, aceite vegetal, ésteres de esterol.

LOS QUE NO SE CONSIDERAN TÓXICOS, pero si se comen en exceso pueden resultar peligrosos o promover la desnutrición. Evite los siguientes aditivos:

Cafeína, sirope de maíz, dextrosa (azúcar de maíz, glucosa), sirope de maíz alto en fructosa, hidrolizado de almidón hidrogenado, aceite vegetal hidrogenado, azúcar invertida, maltinol, manitol, salatrim, sal, sorbitol, azúcar.

CON LOS QUE DEBE TENER CUIDADO, estos aditivos pueden representar un riesgo y deben investigarse mejor. Trate de evitar los siguientes aditivos:

Colorantes artificiales, rojo cítrico # 2 y rojo # 40, aspartame (NutraSweet, Equal), aceite vegetal brominado, hidroxiamisol butilado, hidroxitolueno butilado, reptil parabeno, quinina.

CON LOS QUE DEBE ESTAR PREVENIDO, para los que tiene alergias, son sensibles, o tienen otras reacciones negativas. Si tiene dichas reacciones, evite los siguientes aditivos:

Colorantes artificiales, amarillo # 5, saborizantes naturales y artificiales, aspar-tame (NutraSweet, Equal), betacaroteno, cafeína, carmín, caseína, goma de tragacanto proteína vegetal hidrolizada, lactosa, monosodio glutamato, quinina, bisulfito de sodio, sulfitos, dióxido de sulfuro.

Continúa en la página siguiente…

...viene de la página anterior

LOS QUE NO SON SEGUROS, en las cantidades típicas en que los consumimos, o en una muy baja cantidad; evite los siguientes aditivos: acesulfame potásico, colorantes artificiales (azul # 1, azul # 2, verde # 3, rojo # 3, amarillo # 6), ciclamato, Olestra (Olean), bromato de potasio, propil galato, sacarina, nitrito de sodio, nitrato de sodio.

ja o de leche es más barato que una lata de Coca-Cola. Una pechuga de pollo a la parrilla y un par de patatas asadas resultan bastante más baratas que una hamburguesa con papas fritas.

Dejar los alimentos basura en serio. Si siente que una comida basura la lleva directamente a otra comida basura, no debe decirse así misma que "por una vez" se puede tomar una Coca-Cola o una rosquilla frita. Casi siempre, esto da malos resultados cuando se está intentando vencer una adicción. Lo mejor es pensar de una vez que esta comida preparada y poco saludable se ha terminado definitivamente –por lo menos hasta el parto. Y es posible que, una vez nacido el hijo, resulte que la costumbre de alimentarse bien sea tan difícil de romper como la antigua mala costumbre.

Estudiar la dieta óptima. Convertirla en parte de la vida.

COMIDAS RÁPIDAS

"Aproximadamente una vez al mes salgo con los amigos al cine y luego vamos a tomar una comida rápida. ¿Debo renunciar a esto durante el resto del embarazo?

Aunque no se pueda decir que las comidas rápidas sean sanas, últimamente las principales cadenas han hecho un gran esfuerzo para mejorar la calidad de los alimentos que ofrecen. No obstante, se deberá elegir bien para asegurarse de tomar lo mejor de entre lo que ofrecen. En algunos establecimientos de comidas rápidas se puede obtener información sobre el valor nutritivo de los alimentos de los anuncios o preguntando al personal. Para la embarazada es recomendable el pollo o pescado asados a la parrilla, pescado rebozado, patatas asadas (sin el acompañamiento, tan rico en grasa), un taco, una ración de pizza, alguna vez, una hamburguesa sencilla, ensaladas que no estén nadando en un aliño muy aceitoso (en vez de ello, tomará hortalizas frescas poco aliñadas y las espolvoreará con queso, u otros platos principales que no tengan demasiada grasa ni sodio). Se evitarán las papas fritas (aunque puede que ya no las frían con grasa de origen animal, todavía tendrán demasiadas calorías y grasas), las hamburguesas dobles, las guarniciones de queso que recubren las papas (en vez de ello se tomará algo de queso fresco de la sección de ensaladas), los frutos enlatados con azúcar, los budines, las galletas saladas y las tartas de fruta. Si los batidos o los postres helados están hechos con leche auténtica, se podrán tomar de vez en cuando –pero se evitarán los que son principalmente a base de azúcar, grasas saturadas y productos químicos. La embarazada beberá jugos de frutas, leche, agua de Seltz o agua sin gas, y se traerá su propio postre de casa (un par de pastelillos endulzados con zumo de fruta o una fruta), si cree que no ha de poder resistir la ausencia de dulces. Si ha pasado el día sin haber tomado una sola hortaliza o fruta amarilla, al llegar a casa tomará una tajada de melón o una zanahoria cruda. Es bueno que revise la información nutricional, así puede tomar una mejor decisión. Para mayor información, vea la página 311.

PRODUCTOS QUÍMICOS EN LOS ALIMENTOS

"Con todos los aditivos de la comida empaquetada, con los insecticidas de los vegetales, con los contaminantes del pescado y la carne, y con los nitratos de los hot dogs, ¿hay algo que pueda comer sin problemas durante el embarazo?"

Los informes acerca de los productos químicos peligrosos que existen en casi todos los elementos de nuestra dieta bastan para cortarle el apetito a cualquiera –especialmente a una mujer embarazada que se preocupa no sólo por

su propia salud sino también por la de su hijo aún no nacido. Gracias a los medios de información, el adjetivo "químico" ha pasado a ser sinónimo de "peligroso" y el de "natural" a sinónimo de "seguro". Pero ninguna de estas dos generalizaciones es acertada. Todo lo que comemos está constituido por productos químicos. Algunos son inofensivos (incluso beneficiosos); otros no lo son. Y aunque "natural" es mejor que artificial o no natural, también puede ser mortal. Una seta "natural" puede ser venenosa; huevos, mantequilla y grasas animales "naturales" están relacionadas con las enfermedades cardíacas y el azúcar y la miel "naturales" provocan caries y se ha asociado con la diabetes.

Eso no quiere decir que la gestante deba dejar de comer para proteger a su bebé de los peligros de la mesa. A pesar de todo lo que haya podido oír, ningún alimento ni aditivo de los que se están usando hoy en día causa ningún defecto congénito. Y de hecho, la mayoría de las mujeres americanas llenan sus carritos de la compra sin pensar siquiera en la seguridad y tienen bebés perfectamente normales. El peligro que existe en los aditivos químicos alimentarios es muy remoto.

Si se desea asegurarse al máximo para eliminar incluso este riesgo tan remoto, utilice los siguientes puntos como guía para ayudarse a decidir lo que debe poner en su carrito de la compra y lo que debe dejar de lado.

- Utilizar la dieta ideal como plan básico de alimentación; con ello se eliminan la mayoría de los peligros potenciales. Esta también suministra hortalizas de hoja verde y frutos amarillos que son ricos en betacaroteno, elemento protector que puede contrarrestar los efectos negativos de las toxinas de nuestros alimentos.

- Usar los endulzantes con sensatez. Vea la página 89 para saber por qué.

- Cuando sea posible, se cocinará en el momento y con ingredientes frescos. Se evitarán muchos aditivos dudosos que se encuentran en los alimentos procesados, y las comidas serán también más nutritivas.

- Escoja los pescados que se consideran seguros, las mujeres embarazadas (como las que lactan y los niños pequeños) deben tener más cuidado que el resto de la gente. No existe acuerdo unánime sobre lo seguro o inseguro que es el pescado y el marisco en nuestros días, con los defensores de los consumidores haciendo horribles advertencias y la industria insistiendo en que estas son infundadas. Por regla general, el pescado marino es menos probable que esté contaminado que el que habita en ríos y lagos (aunque los niveles de contaminación varían de un lugar a otro). Tampoco está claro si el mercurio en el pescado constituye un

peligro real o no, pero algunos expertos recomiendan que se evite por completo el pez espada (que suele contener las mayores concentraciones de mercurio) durante el embarazo, y no comer más que 200 g de atún o bacalao por semana (ya que tienen niveles relativamente altos de mercurio). También se evitará comer pescado de aguas que estén muy contaminadas por microorganismos –por ejemplo de lugares donde desembocan de aguas residuales. Recuerde que todos los pescados y la comida de mar se debe cocinar.

- Evitar generalmente los alimentos conservados con nitratos y nitritos (o nitratos de sodio): salchichas, embutidos, fiambres, pescados y carnes ahumadas. Busque las etiquetas que no contengan estos preservativos, recuerde que es mejor que toda la comida que viene lista, esté hervida. Vea la página 204.

- Siempre que se pueda escoger entre productos con o sin colorantes aromatizantes, conservantes y otros aditivos artificiales, optar por aquéllos que no los contienen. Hay algunos aditivos que no son de fiar (ver el cuadro de la página 198), los utilizan para "rellenar" las comidas que no son muy nutritivas por ellas mismas.

- Al cocinar, evitar usar el glutamato de sodio o sustancias aromatizantes que lo contengan. En los restaurantes chinos, se pedirá que no se añada MSG*.

◆ Elegir carnes o trozos magros y aves de corral, y quitar toda la grasa visible y la piel antes de cocinarlas, dado que los productos químicos con los que se alimenta el ganado tienden a concentrarse en estas partes del animal. No comer vísceras (hígado, riñones, etc.) muy a menudo, por la misma razón. Cuando sea posible, adquiera aves de corral y carnes que hayan sido criadas orgánicamente, sin hormonas ni antibióticos. Por ejemplo, los pollos criados en semilibertad, no sólo es menos probable que estén contaminados con dichos productos químicos, sino que también es menos probable que sean portadores de infecciones tales como la *salmonela,* dado que no viven apiñados en locales que son focos de infección.

◆ Como precaución, se lavarán con detergente todos los frutos y hortalizas. Póngale jabón mientras están debajo del chorro**. Cuando sea posible se restregará la piel y se aclarará

concienzudamente. Cuando se pueda se pelarán dichos alimentos, para suprimir los productos químicos residuales de la superficie, especialmente en las hortalizas que tienen una cubierta cérea (como los pepinos, y a veces los tomates, manzanas y berenjenas).

◆ Tener cuidado con los alimentos dignos de un anuncio publicitario. Las frutas y hortalizas que parecen de cera, de tan intactos que están, puede muy bien que hayan sido muy protegidos mediante pesticidas en el campo. Los productos menos bonitos suelen ser los más sanos.

◆ Cuando sea posible se adquirirán productos orgánicos. Los productos dotados de un certificado que acredita que son orgánicos generalmente están lo más cerca posible de estar libres de todo residuo químico. Los productos intermedios puede que contengan aún algunos residuos de la contaminación de la tierra, pero serán más seguros que los productos cultivados de la forma convencional. Si en la localidad de la embarazada se pueden conseguir productos orgánicos, y esta se puede permitir pagar un precio algo más caro, estos serán los elegidos. Si no sabe dónde los puede obtener, puede pedir en su verdulería habitual que se los consigan.

◆ Elegir preferiblemente productos na-

---

* El MSG se considera seguro durante el embarazo, pero hay algunas personas que tienen reacciones negativas como dolores de cabeza y de estómago.

** Se dice que no es seguro lavar las frutas y verduras con detergente. Algunos expertos dicen que no hay problema, otros dicen que el producto puede absorber el detergente. Así que si utiliza el detergente u otra sustancia, asegúrese de enjuagar muy bien los alimentos.

cionales o de países desarrollados. Los productos (y los alimentos hechos con dichos productos) importados de ciertos lugares pueden contener niveles más altos de pesticidas, dado que las legislaciones, según cada país, pueden ser más laxas o prácticamente inexistentes.

◆ Variar la dieta. La variedad asegura no sólo una experiencia gastronómica más interesante y una mejor nutrición, sino también mayores posibilidades de evitar una exposición excesiva a cualquier sustancia tóxica en algunos de los productos. Puede hacer las siguientes variaciones: entre el brécol, la col rizada y las zanahorias, por ejemplo; entre el melón, los melocotones y las fresas; entre el salmón, el atún y el lenguado; entre la avena, el trigo y el arroz.

◆ No ser fanática. Aunque es recomendable intentar evitar ciertos peligros teóricos de los alimentos, no lo es complicarse mucho la vida para conseguirlo.

SEGURIDAD CON EL SUSHI

"El sushi es mi comida favorita pero he escuchado que es mejor no comerlo cuando se está embarazada, ¿eso es verdad?"

Siento decirlo pero el *sushi* y el *sashimi* deben desaparecer de su dieta durante el embarazo. Lo mismo digo para las ostras crudas, el salmón crudo, el atún cru-

do, los carpaccios y toda la comida de mar que no esté cocinada. Eso no quiere decir que deje de ir a su restaurante japonés favorito. Hay muchas otras opciones en la carta del menú. Hay rollos que tienen pescado cocinado y/o vegetales, esa es una buena opción, simplemente asegúrese de que utilicen la salsa de soya más baja en sodio. Sin embrago, no se preocupe por ningún alimento de mar crudo que haya comido hasta ahora.

COSAS PICANTES

"Me encanta la comida picante, entre más pique, mejor. ¿Es seguro comer estas cosas mientras estoy embarazada?"

Las mamás embarazadas a las que les guste el picante, pueden seguir disfrutándolo tanto como lo aguanten (chiles, salsas, etcétera). No hay riesgos ni para el embarazo ni para el feto, incluso hay pimientas que están enriquecidas con vitamina C, y que son extra nutritivas. Así que disfrute, pero no olvide llevar siempre un antiácido.

COMIDA DAÑADA

"Me tomé un yogur esta mañana y no me di cuenta de que la fecha de vencimiento fue hace una semana. No me supo mal pero me preocupa hacerle daño al bebé."

No se preocupe por el yogur o la leche dañada. Aunque tomar productos lácteos que han expirado hace unos días no es buena idea, casi nunca es peligro-

COMER DE MANERA SEGURA

Una amenaza más inmediata que los químicos en su comida son los pequeños organismos como las bacterias y los parásitos que la pueden contaminar. Estos villanos pueden causar desde dolor de estómago hasta una enfermedad severa. Para estar segura de que lo próximo que obtenga de su comida no sea más que acidez, compre, prepare y coma con cuidado:

- Si tiene duda, tírelo. Haga de esto una costumbre para comer con seguridad. Aplica para cualquier alimento del que sospeche que está dañado. Lea todas las etiquetas de los productos.

- Cuando compre comida, evite el pescado, la carne y los huevos que no están refrigerados o en hielo, aléjese de los tarros que están mal cerrados o que no hacen "plop" cuando los abre y de los enlatados que parecen viejos o están sucios.

- Lávese las manos antes de hacer la comida y después de haber tocado carne cruda, pescado o huevos. Si tiene una cortada o una infección en sus manos, utilice guantes de plástico mientras prepara la comida y recuerde que debe lavarlos como si fueran sus propias manos.

- Mantenga limpia la cocina. Utilice superficies sin poros (como vidrio, acero inoxidable y fórmica) en vez de superficies con poros (madera o plástico con grietas) para preparar la comida y mantenga todo perfectamente limpio (lave con jabón y agua caliente en el lavaplatos). Lave los platos siempre y mantenga limpia la esponja (remplácelas con frecuencia), puede tener bacterias.

- Las comidas calientes, sírvalas calientes; las comidas frías, sírvalas frías. Lo que sobre debe refrigerarlo rápidamente y debe calentarlo hasta hervirlo antes de comérselo (los alimentos perecederos que han estado fuera del refrigerador por más de dos horas se deben desechar). No coma comidas congeladas que han sido descongeladas y vueltas a congelar.

- Nunca guarde comida a temperatura ambiente, siempre refrigere todo.

- Marine la carne, el pescado y el pollo en el refrigerador, no afuera. Deseche la marinada después de usarla porque puede tener bacterias. Si quiere utilizar su marinada como salsa, guarde un poco antes de ponerla en los alimentos que va a marinar.

- Nunca coma carnes, pollos o pescados crudos o medio crudos. Siempre cocine todo muy bien.

- Es mejor que los huevos se los coma revueltos y si está haciendo una receta con huevos crudos, no se le ocurra meter el dedo para probar la masa. La excepción de la regla: los huevos pasteurizados ya que el proceso elimina el riesgo de salmonela.

- Lave muy bien los vegetales crudos (especialmente si no los va a cocinar antes de comérselos).

Continúa en la página siguiente…

…viene de la página anterior

- Evite la alfalfa y otros tallos, generalmente tienen bacterias.

- Consuma productos lácteos pasteurizados y asegúrese que estén refrigerados. Hay quesos que no se hacen con leche pasteurizada (también le dicen leche "cruda") como el brie, el queso azul y los quesos suaves de México, estos quesos pueden estar contaminados con listeria (vea la página 603) y son especialmente peligrosos para las mujeres embarazadas.

- Los *hot dogs* y las carnes frías (como el salami, la bologna, etcétera) también pueden contener listeria. Como precau-

ción es mejor que caliente estas carnes antes de comérselas.

- El jugo también debe estar pasteurizado. Evite los jugos o las cidras sin pasteurizar, aunque los compre en almacenes de cadena. Si no está segura del que el jugo esté pasteurizado, no se lo tome.

- Si come por fuera evite los lugares que parecen no cumplir con las normas de sanidad. Hay algunas señales bastante obvias: los alimentos perecederos están en un cuarto a temperatura ambiente, los meseros y cocineros manejan la comida con las manos, los baños están sucios, etcétera.

so. Si no ha tenido síntomas de enfermedad después de esto (los síntomas de envenenamiento generalmente ocurren en ocho horas), no hay ningún problema. Además si el yogur estaba refrigerado, el envenenamiento es una opción remota. De todas maneras en un futuro, revise bien las fechas de expiración cuando compre o coma alimentos que se pasan y nunca coma cosas que tengan moho. Para mayor información sobre la seguridad en la comida, lea el cuadro de arriba.

"Me intoxiqué con algo que me comí anoche y he estado vomitando. ¿Eso le hará daño a mi bebé?"

Es más probable que usted sufra las consecuencias y no su bebé. El mayor riesgo (para usted y para el bebé) es que

usted se deshidrate y le de diarrea. Así que asegúrese de tomar muchos líquidos (son más importantes que los sólidos en el corto plazo) para remplazar los que pierde. Contacte a su médico si la diarrea es severa y/o sus deposiciones tienen sangre o están mocosas. Para mayor información, vea la página 602.

LEER LAS ETIQUETAS

"Tengo muchas ganas de comer bien, pero es difícil hacerse una idea de lo que contienen los productos que compro."

Las etiquetas no están siempre pensadas para ayudar al consumidor, sino para vender el producto. Se deberá ser consciente de ello y aprender a leer la letra pequeña de las etiquetas, especialmente la lista de ingredientes y la eti-

PUEDE SABER
DE LAS FRUTAS POR SU EMPAQUE

Si se trata de nutrición, entre más oscura sea la piel de la mayoría de frutas o la verduras, más vitaminas tendrán (especialmente vitamina A). Pero tenga en cuenta que es el color de adentro, no el de afuera el que dicta los buenos nutrientes. Los cohombros (oscuros afuera y pálidos adentro) no ofrecen mucho en ese aspecto pero los melones (pálidos por fuera y oscuros por dentro) tienen mucho que ofrecer. Para mayor información vea la página 89.

queta de nutrición. La lista de ingredientes indica, en orden de importancia, exactamente lo que contiene el producto (siendo el primer ingrediente el más abundante y el último el más escaso). Una lectura rápida nos dirá si el ingrediente principal de los cereales es el azúcar o el cereal integral. También nos dirá si un producto tiene mucha sal, grasa o aditivos.

La etiqueta de nutrición se encuentra en más de la mitad de los productos que se venden en las tiendas de alimentación, y resulta particularmente valiosa para la mujer embarazada que calcula las calorías y proteínas de su dieta, ya que la etiqueta cita el número de calorías y los gramos de proteína de cada ración del producto. Pero la lista de los porcentajes de la ración diaria reco-

mendada resulta menos útil, ya que la ración recomendada para las embarazadas no es la misma que la utilizada en las etiquetas. De todos modos, un alimento que sea rico en una amplia variedad de nutrientes será un producto que vale la pena comprar.

Del mismo modo que es importante leer la letra menuda, es también muy importante ignorar la letra grande. Cuando una caja de galletas inglesas pregona triunfalmente: "preparadas con trigo integral, salvado y miel", la lectura de la letra pequeña puede demostrar que el ingrediente principal (el primero de la lista) es la *harina* blanca de trigo, no la integral, y que estas galletas contienen muy poco salvado (cuando estos productos se encuentran casi al final de la lista de ingredientes), y que contiene mucho más azúcar (está muy arriba en la lista), que miel (está situado más abajo).

"Enriquecidos" y "reforzados" son también adjetivos que deben ser mirados con desconfianza. La adición de unas pocas vitaminas a un mal alimento no convierte a este en un buen alimento. Es mucho mejor tomar un tazón de copos de avena, que aporta sus vitaminas honestamente, que un tazón de cereales refinados que son un 50% de azúcar (la etiqueta suele indicar el porcentaje de azúcar), pero que tiene unas vitaminas y minerales añadidos de poco valor.

QUÉ ES IMPORTANTE SABER:
Apostar por la seguridad

La casa. La carretera. El patio. Los riesgos más importantes que acechan a las mujeres embarazadas son las complicaciones del embarazo, no los accidentes.

Los accidentes parecen a menudo "accidentales", es decir, que parecen ser debidos al azar o la casualidad. Pero la mayoría son el resultado directo de la negligencia –a menudo por parte de la propia víctima– y muchos de ellos pueden ser evitados con un poco de atención y sentido común. Existen numerosas medidas que se pueden tomar para evitar las lesiones y los accidentes:

♦ Reconocer que no se es tan ágil como antes del embarazo. A medida que crece la barriga, el centro de gravedad del cuerpo se desplaza, haciendo más difícil el mantener el equilibrio. También es cada vez más difícil poder verse los pies. Estos cambios contribuyen a que la mujer embarazada sea más propensa a los accidentes.

♦ Abrocharse siempre el cinturón de seguridad –y mantenerlo abrochado– tanto en el coche como en el avión. Si está sentado en el asiento de enfrente en un carro con *airbags*, asegúrese de que su asiento está lo más atrás posible. Si está manejando un carro con *airbag* en el volante, ponga el volante a la altura de su pecho y no a la altura de su estómago y siéntese lo más lejos posible del volante. No deje objetos en su regazo ni en el tablero del carro, pueden convertirse en proyectiles. Cuando pueda, siéntese en el puesto de atrás.

♦ No subirse nunca a una silla o a una escalera de mano tambaleantes, o mejor aún, no subirse nunca a nada.

♦ No usar tacones altos y finos, zapatos sueltos ni sandalias abiertas; todos ellos favorecen las caídas y las torceduras de tobillos. No ande sobre suelos resbaladizos llevando sólo las medias o con zapatos de suela lisa.

♦ Vigilar al entrar y salir de la bañera; asegurarse de que la bañera y la ducha estén provistas de una superficie antideslizante y de unas sólidas barras donde se puede agarrar.

♦ Tratar de eliminar los peligros de la casa y el jardín: alfombras sin un revestimiento antideslizante, sobre todo en la parte alta de las escaleras; juguetes o adornos en la escalera; escaleras y descansillos mal iluminados; cables que corren por el suelo; suelos exageradamente encerados; aceras y escalones con peligro de heladas.

- Seguir las normas de seguridad del deporte que se practique; seguir todos los consejos de seguridad en el ejercicio y la actividad que se enumeran en la página 258.

- No excederse y asegurarse de dormir. El cansancio es uno de los factores principales de los accidentes.

CAPÍTULO SIETE

El tercer mes

De la semana 9 a la 13 aproximadamente

Este es el último mes de su primer trimestre y todavía deben ser fuertes los síntomas del embarazo. Seguramente no está segura de estar cansada por la fatiga del primer trimestre o porque se levanta tres veces seguidas al baño. Pero vienen mejores días, si tuvo náuseas y vómitos, ya está al final del túnel. Como en este período suben los niveles de energía, se sentirá mejor, además las ganas de ir al baño tan seguido disminuyen. Lo mejor es que probablemente podrá escuchar el ruido increíble de los latidos del corazón del bebé en la cita de este mes. Eso hará que todo lo que sintió valga la pena.

QUÉ SE PUEDE ESPERAR EN LA VISITA DE ESTE MES

Es probable que este mes el médico controle los siguientes puntos, aunque puede haber variaciones en función de las necesidades particulares de la embarazada y de las costumbres del médico*:

* Peso y presión sanguínea

* Orina, para detectar azúcar y albúmina

* Latidos cardíacos del feto

* Tamaño y forma del útero, mediante palpitación externa, para determinar si concuerda con la salida de cuentas o con la fecha calculada de parto

* Altura de fondo del útero (la parte superior del útero)

* Manos y pies para detectar edema (hinchazón) y piernas para detectar venas varicosas

* Preguntas o problemas que la paciente desea discutir –es mejor llevar una lista preparada a la consulta

---

* Véase el Apéndice, página 713, para una explicación de las intervenciones y los exámenes realizados

QUÉ SE PUEDE SENTIR

Como siempre, recuerde que cada mujer y cada embarazo es diferente. Se pueden experimentar todos los síntomas siguientes en un momento u otro, o tan sólo unos pocos. Algunos pueden continuar desde el mes pasado, otros serán nuevos. También se pueden experimentar síntomas adicionales, menos frecuentes.

FÍSICOS:

* Cansancio y somnolencia

* Necesidad de orinar a menudo

UNA MIRADA INTERNA

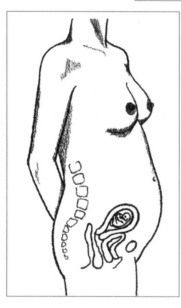

▲ *En este mes su útero ya es más grande que una manzana grande y su cintura es más ancha. A finales de mes, su útero se siente justo encima del hueso del pubis en la parte baja del abdomen.*

▶ *Su bebé es ahora un feto y un feto que crece muy rápido, a finales de mes debe medir 6 o 6.5 cm y debe pesar 42 gramos. Es del tamaño de una manzana. La cabeza*

(que ahora se apoya en el cuello en vez de apoyarse en los hombros) es todavía desproporcionadamente grande para el tamaño del bebé. Los ojos del bebé se ven más juntos y sus orejas se están acomodando a los lados de la cabeza, así se ve más humano. Los dedos tienen uñas muy suaves y las manos ya son más funcionales. Dentro de la boca del feto, se desarrollan las papilas gustativas, el reflejo de chupar ya está presente y los retoñitos que un día serán dientes ya están formados. El bebé ya produce orina y la excreta en el líquido amniótico. Los genitales externos ya están bien desarrollados y ya se puede saber el sexo del bebé. También se puede escuchar el latido de su corazón.

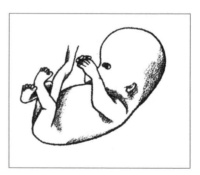

- Un aumento leve en las descargas vaginales

- Náuseas, con o sin vómitos, y/o salivación excesiva

- Estreñimiento

- Acidez de estómago e indigestión, flatulencia e hinchamiento

- Aversiones y antojos de comida

- Cambios en los pechos: pesadez, sensibilidad anormal, hormigueo; oscurecimiento de la areola (el área pigmentada que rodea al pezón); las glándulas sudoríparas de la areola se vuelven prominentes (tubérculos de Montgomery), con aspecto de piel de gallina; la red de líneas azuladas de debajo de la piel se extiende

- Venas adicionales visibles a medida

que aumenta también la irrigación del abdomen y de las piernas

- Dolores de cabeza ocasionales

- Desmayos o desvanecimientos

- La ropa empieza a quedar apretada en la cintura y el pecho, si no había sucedido antes; el abdomen puede aparecer ya de mayor tamaño hacia el final de este mes

- Aumento del apetito

EMOCIONALES:

- Inestabilidad comparable al síndrome premenstrual (pero probablemente más pronunciado) que puede incluir cambios de humor y tendencia al llanto

- Dudas, temores, alegría, exaltación

- Una sensación de tranquilidad

QUÉ PUEDE PREOCUPAR

ESTREÑIMIENTO

"He tenido un estreñimiento terrible durante las dos últimas semanas. ¿Es eso corriente?"

Muy común. Y existen buenas razones para ello. Por una parte, la mayor relajación de la musculatura intestinal, debido a los altos niveles de ciertas hormonas que circulan durante el embarazo, hace que la eliminación sea lenta. Por la otra parte, la presión del útero que va

creciendo sobre los intestinos inhibe su actividad normal.

Pero no existe ninguna buena razón para creer que el estreñimiento es inevitable en todos los embarazos. La irregularidad puede vencerse tomando las siguientes medidas, que también pueden evitar un resultado muy común de esta, las hemorroides:

Combatirlo ingiriendo fibra. Evitar los alimentos refinados que crean estreñimiento, y dedicarse a los que son ricos en fibra, tales como la fruta y las hortalizas frescas (crudas o ligeramente cocidas, con la piel siempre que sea posible); cereales integrales, panes y otros productos de panadería; legumbres (judías secas y guisantes); y frutas secas (pasas, ciruelas, albaricoques, higos). Usted necesita más o menos de 20 a 25 gramos diarios de fibra*. Si la mujer normalmente comía poca fibra, añadirá estos alimentos ricos en fibra gradualmente a su dieta, de lo contrario podría perturbar su estómago. (Quizás esto suceda de todas formas durante un rato, dado que la flatulencia es un efecto secundario frecuente pero generalmente temporal de la dieta rica en fibra, así como un inconveniente común durante el embarazo). Si repartimos el cupo diario entre seis pequeñas comidas, en vez de intentar ingerirlo en tres comidas que llenen demasiado, los inconvenientes quedarán atenuados.

Si se trata de un caso desesperado, y que parece que no responde a estos cambios de la dieta o a las tácticas que describimos más abajo, se añadirá algo de salvado de trigo a la dieta, empezando por un poquito, hasta llegar a un par de cucharadas soperas. Pero se evitarán las grandes cantidades de salvado de trigo; debido a que este se desplaza de prisa por el sistema digestivo y puede que se lleve consigo importantes nutrientes antes de que estos hayan tenido la oportunidad de ser absorbidos. No importa qué tan incómoda esté, no recurra a medicinas con hierbas, aceite de castor u otros laxantes. Aunque algunos combaten el estreñimiento, los efectos secundarios pueden ser muy incómodos y después de utilizarlos mucho, pueden ser dañinos. De hecho es mejor que no se tome ninguna medicina para el estreñimiento (prescrita, herbal) sin consultar con su médico.

Ahogar al adversario. El estreñimiento no tiene nada que hacer frente a una persona que toma muchos líquidos. La mayoría de los líquidos, especialmente el agua y el jugo de las frutas y las verduras, son efectivos para ablandar el estómago y para mantener el sistema digestivo funcionando bien. Hay gente que piensa que el agua caliente con limón ayuda. Si el estreñimiento es severo, el jugo de ciruelas pasas puede ayudar.

Cuando tiene que ir, vaya. Es malo aguantar las ganas de ir al baño, eso puede debilitar los músculos que controlan el proceso y pueden causar estreñimiento. Hay cosas que puede hacer, por ejemplo tome su desayuno rico en fibra un poco más temprano, así puede defecar antes de ir a trabajar.

---

* Las etiquetas de los productos especifican los gramos de fibra por porción, utilice esta información para asegurarse de que está comiendo lo suficiente. Pero recuerde, también hay mucha fibra en la comida que no viene empacada con etiquetas de nutrición.

Revise los suplementos y las medicinas. A veces el estreñimiento se debe a los suplementos de calcio y hierro, a los antiácidos que tienen calcio o aluminio o a otras medicinas (que toma por su cuenta o prescritas). Si sospecha que este es su caso, hable con su médico para saber si debe cambiar la fórmula de los suplementos o la medicina que toma.

Iniciar una campaña de ejercicio. Un cuerpo activo activa la buena digestión. Incluir en la rutina diaria un paseo rápido de por lo menos media hora, y complementarlo con todo el rato que se desee de cualquier ejercicio que sea seguro durante el embarazo y que proporcione placer (vea el apartado dedicado al ejercicio durante el embarazo, página 258).

Si los esfuerzos de la embarazada parece que no son productivos, se consultará con el médico. Quizás este le prescriba un laxante para usarlo ocasionalmente.

"Todas mis amigas embarazadas tienen problemas de estreñimiento. Yo no, de hecho soy más regular que nunca. ¿Acaso hay algo que no va bien?"

Las mujeres embarazadas están tan programadas por sus madres, amigas, libros e incluso los médicos, para esperar el estreñimiento, que las que lo padecen lo aceptan como algo normal e inevitable, y las que no, tienen miedo de que algo vaya mal.

Pero por lo que parece, el sistema digestivo de esta mujer no podría ir mejor. Es posible que la nueva eficacia de su sistema digestivo se deba a un cambio de la dieta –casi indudablemente un cambio para mejorar. El aumento del consumo de frutas, hortalizas, cereales integrales y otros carbohidratos complejos, y los fluidos, tal como se recomienda en la dieta ideal, va destinado a contrarrestar la lentitud natural del tubo digestivo debido al embarazo. Cuando el sistema digestivo se habitúe a los materiales sin refinar, puede que sus efectos disminuyan algo (y la flatulencia, que a menudo acompaña temporalmente a dichos cambios de la dieta, puede que mengüe), pero probablemente la mujer continuará siendo "regular".

"No tengo estreñimiento. De hecho he estado suelta (casi diarrea) en las últimas semanas, ¿eso es normal o debo preocuparme?"

Cuando se trata de los síntomas de embarazo, lo normal, es lo que es normal para usted. Y en su caso, las descargas frecuentes son sólo eso. Todo el mundo reacciona diferente a las hormonas del embarazo, su reacción puede ser la de acelerar los movimientos estomacales en vez de retenerlos. También es posible que la aceleración estomacal se deba a un cambio positivo en sus hábitos alimenticios y de ejercicio.

A lo mejor puede intentar no comer algunos alimentos que provoquen mo-

Otra razón para sentirse cansada, de mal humor y estreñida

¿Últimamente se ha sentido cansada, de mal humor y estreñida? Bienvenida al club de las embarazadas. Las hormonas son las culpables de la mayoría de los síntomas en las mujeres embarazadas. Sin embargo hay otra hormona, la tiroxina, que puede mimetizar esas quejas y otras más: ganar peso, problemas de la piel, dolores musculares y calambres, baja de la libido, pérdida de memoria, sudor (especialmente de manos y pies) hasta la tendinitis (hay otro síntoma común que se pierde durante el embarazo, el aumento de sensibilidad al frío, (las mujeres embarazadas tienden a sentir más calor que frío). Consecuentemente el hipotiroidismo (una deficiencia de la hormona tiroides debido a una glándula tiroides inactiva) puede esconderse de los médicos durante el embarazo. De todas maneras la enfermedad, que afecta a 1 de cada 50 mujeres, puede tener un efecto adverso en el embarazo (y en el periodo de posparto, vea la página 550), así que son vitales un diagnóstico acertado y un tratamiento.

El hipertiroidismo (cuando se producen muchas hormonas tiroides por una glándula muy activa) se ve menos en el embarazo, pero también puede tener malas consecuencias si no se trata. Los síntomas del hipertiroidismo (muchos son difíciles de distinguir por los síntomas del embarazo) son: fatiga, insomnio, irritabilidad, piel caliente y sensibilidad al calor, taquicardia y pérdida de peso (o problemas para subir de peso).

Si alguna vez ha tenido problemas de tiroides (aunque ya esté curada) o si toma hoy en día medicina para la tiroides, es muy importante que su médico lo sepa. Como el cuerpo tiene que producir más hormonas tiroides durante el embarazo para mantener las demandas del bebé, es posible que vuelva a necesitar medicina o que le ajusten la que toma.

Si nunca ha tenido problemas de tiroides, pero tiene uno o todos los síntomas del hipo o el hipertiroidismo (y especialmente si tiene herencia familiar), hable con su doctor. Un simple examen de sangre le dirá si tiene algo o no. Asegúrese de que le midan tanto el nivel de la hormona tiroides en la sangre (T4) como la cantidad de la hormona que estimula la tiroides. Los niveles anormales significan que el cuerpo está trabajando duro para compensar una glándula inactiva o una muy activa. Cuando el nivel es muy alto o muy bajo, puede haber problemas, incluso si los niveles de tiroides actuales están en un rango normal.

vimiento estomacal como las frutas secas (especialmente las ciruelas) y aumentar los otros alimentos como los bananos, hasta que mejore un poco. Para compensar los fluidos que está perdiendo, tome muchos líquidos.

Si sus deposiciones son muy frecuentes (más de tres al día) o aguadas, con sangre o mucosidad, hable con su médico. La diarrea severa necesita una intervención rápida en el embarazo.

FLATULENCIA (GASES)

"Estoy muy hinchada a causa de los gases y me preocupa que esta presión, que resulta desagradable para mí, sea también perjudicial para mi bebé."

Envuelto por el seguro capullo uterino, protegido por el líquido amniótico que absorbe los impactos, el bebé es totalmente indiferente a los problemas intestinales de la madre. En cualquier caso, el futuro hijo se encontrará más bien arrullado por el sonido de este "concierto gástrico".

La única posible amenaza para el bebé estriba en que los gases –que a menudo empeoran a medida que pasa el día– le impidan a la madre comer de modo regular y correcto. Para evitar este riesgo (y para minimizar el malestar de la madre), se pueden adoptar las siguientes medidas:

Regularidad en la evacuación. El estreñimiento es una causa habitual de la flatulencia y el hinchamiento.

No atiborrarse. Las comidas copiosas no hacen más que aumentar la sensación de hinchamiento. Además, sobrecargan el sistema digestivo que ya normalmente no es demasiado eficiente

durante el embarazo. En lugar de hacer tres comidas importantes al día, es mejor tomar seis comidas menos copiosas.

No engullir. Cuando se come apresuradamente o se toman las comidas de pie y sin tranquilidad, se traga tanto aire como alimentos. Este aire forma unas dolorosas bolsas de gas en el intestino.

Mantener la calma. Particularmente durante las comidas: la tensión y la ansiedad pueden provocar que se ingiera aire, lo que a su vez produce gases de nuevo. A lo mejor le ayuda a relajarse el respirar profundo antes de las comidas.

Abstenerse de los alimentos que producen gas. El estómago sabe cuáles son –posiblemente las cebollas, la col y otros elementos de la familia de la col como las coles de Bruselas y el brócoli; también los alimentos fritos y los postres con azúcar (que de todos modos sería mejor no comer durante el embarazo) y también, evidentemente, las famosas judías secas. Evitar las bebidas gaseosas.

AUMENTO DE PESO

"Estoy preocupada porque no he aumentado nada de peso durante todo el primer trimestre."

Muchas mujeres tienen problemas para ganar peso durante las primeras semanas; algunas incluso pierden un poco, generalmente por cortesía de los mareos matinales. Afortunadamente, la natura-

leza ofrece cierta protección para los bebés de las madres que tienen demasiadas
náuseas para alimentarse bien durante el
primer trimestre: las necesidades calóricas y de ciertos nutrientes del feto durante este período no son tan grandes
como lo serán más adelante, de manera
que no ganar peso al principio, no es probable que tenga malas consecuencias.
Pero no ganar peso desde este momento
puede tener un efecto –un efecto significativo– ya que las calorías y nutrientes
serán una demanda cada vez mayor a medida que la fábrica productora del bebé
consuma más combustible.

Así que la mujer no deberá preocuparse, pero tendrá que comer. Y deberá
empezar a vigilar su peso cuidadosamente, para asegurarse de que empieza
a subir a una tasa satisfactoria (aproximadamente 400-500 g semanales hasta el octavo mes). Si la embarazada continúa teniendo problemas para ganar
peso, intentará que las calorías que ingiere tengan más valor nutritivo, alimentándose eficientemente (vea la página 116). También intentará tomar un
poco más de comida cada día, añadiendo tentempiés más frecuentes. Pero no
intentará sumar kilos a base de añadir
calorías vacías a la dieta –este tipo de
aumento de peso redondeará sus caderas y muslos, no al bebé.

*"Tuve una desagradable sorpresa al saber
que había ganado 5 kilos durante el primer trimestre. ¿Qué puedo hacer ahora?"*

Esta embarazada no puede desandar el
camino recorrido –este peso se quedará
donde está por el momento, al menos
hasta un tiempo después del parto.
Tampoco podrá destinar los kilos extra
al aumento de peso del siguiente trimestre. El feto precisará un suministro constante de calorías y nutrientes, particularmente durante los meses venideros.
En este momento la embarazada no
puede reducir las calorías, esperando
obtener suficientes nutrientes del exceso de peso ya acumulado. Ponerse a dieta
para mantener o perder peso nunca es
aconsejable durante el embarazo, y es un
juego especialmente peligroso durante el
segundo y tercer trimestres, cuando el
crecimiento fetal es espectacularmente
veloz e importante.

Pero mientras que no pueda hacerse
nada en cuanto al peso que se ha aumentado ya, hay mucho por hacer para
asegurar que no se continúe sumando
kilos a demasiada velocidad. Algunas
mujeres experimentan súbitamente una
ganancia de peso al principio del embarazo, debido a que se permiten demasiados dulces amiláceos, que les con-
suelan de sus mareados estómagos por
las mañanas. Si este fue el problema de
esta mujer, debería desaparecer poco a
poco al ir disminuyendo las náuseas, y
al reaparecer el apetito por una dieta
más variada. Otras mujeres ganan demasiado peso durante el primer trimestre debido al concepto erróneo de que
comer sin límites es el derecho y el de-

ber de toda mujer embarazada. Se revisará el capitulo de la dieta ideal (vea el capítulo 4) para averiguar por qué esto no es así, y para aprender a comer para favorecer la salud del bebé sin tomar el camino de un aumento de 25 kilos. Ganar peso eficientemente, a base de alimentos de la mejor calidad posible, no sólo conseguirá este objetivo, sino que también hará que el peso ganado sea más fácil de perder durante el posparto.

JAQUECAS

"Creo que tengo muchas más jaquecas que antes. ¿Tengo que sufrirlas?"

El hecho de que las embarazadas sean más susceptibles a las jaquecas cuando se supone que no deben tomar analgésicos es una de las ironías de la gestación. Aunque esta sea una de las que tendrá que soportar la embarazada, no tiene por qué ser de las que la hagan sufrir excesivamente. Aunque es cierto que la mujer no puede acudir a su botiquín para curarse rápidamente (ver abajo), las medidas preventivas, junto con los remedios caseros y el acetaminofén (Tylenol), pueden ofrecer algo de alivio frente a las jaquecas recurrentes del embarazo.

La mejor forma de prevenir y tratar las jaquecas depende de su causa o causas. Las jaquecas de la embarazada suelen ser resultado de los cambios hormonales (que son responsables de la mayor

frecuencia y agudeza de muchos tipos de dolores, incluyendo el de los senos), la fatiga, la tensión, el hambre, el estrés físico o emocional o cualquier combinación de estos.

Con muchas de las siguientes formas de vencer y prevenir las jaquecas, se podrá encontrar el remedio a sus causas:

Relajarse. El embarazo puede ser un período de gran ansiedad, cuyo resultado común sean las jaquecas. Algunas mujeres encuentran alivio en la meditación y el yoga. La embarazada puede tomar un curso o leer un libro sobre estas técnicas u otras parecidas, o intentar las de la página 173.

Desde luego, los ejercicios de relajación no le van bien a todo el mundo —algunas mujeres experimentan un aumento de la tensión en vez de aliviarla. Para ellas, estar tendidas en una habitación oscura y tranquila, o estirarse en un sofá o con los pies sobre la mesa del despacho durante 10 o 15 minutos resulta un remedio mejor para la tensión y las jaquecas que resultan de ella.

Descansar lo suficiente. El embarazo puede ser también un período de mucha fatiga, especialmente el primero y último trimestre, y a menudo durante los nueve meses, en el caso de las mujeres que trabajan largas horas o deben cuidar de otros niños. Puede ser difícil conciliar el sueño cuando la barriga empieza a desarrollarse (¿cómo podré estar cómoda?) y la mente no puede parar (¿cómo podré tenerlo todo a punto antes de que nazca el bebé?), lo que contribuye a la fatiga. Hacer un esfuerzo consciente para descansar más de día y de noche, puede ayudar a mantener a raya las jaquecas. Pero habrá que poner cuidado en no dormir *demasiado*, dado que le exceso de sueño puede producir también dolor de cabeza.

Comer con regularidad. Para evitar las jaquecas desencadenadas por una baja cantidad de azúcar en la sangre, asegúrese de no saltarse ninguna comida. Tenga a mano tentempiés ricos en calorías (los carbohidratos complejos y las proteínas serán los más efectivos), ya sea en el bolso, en la guantera del coche o en el cajón de la mesa de la oficina, y tendrá siempre un suministro a mano en su casa.

Buscar algo de paz y tranquilidad. Si la embarazada es "alérgica" al ruido, se mantendrá alejada de él en lo posible. Evitará la música alta, los restaurantes y fiestas ruidosos y los grandes almacenes llenos de gente. En casa, bajará el volumen del timbre del teléfono, la TV y la radio.

No permanecer en ambientes cargados. Si una habitación demasiado caliente, llena de humo y mal ventilada, desencadena las jaquecas, es mejor abandonarla de vez en cuando para dar una vuelta por el exterior –o mejor aún, evitar por completo estos ambientes. La embarazada se vestirá con muchas capas de ropa cuando sepa que tiene que permanecer en un ambiente cargado, y se mantendrá cómoda quitándose las capas que se precise. Si el lugar de trabajo no está bien ventilado, debe intentar trasladarse a una oficina o zona mejor ventilada si ello es posible; si no fuera así hará pausas frecuentes.

Cambiar de ambiente. Hay mujeres que piensan que otros factores ambientales como la luz pueden dar jaqueca. Por ejemplo, un lugar de trabajo sin ventanas e iluminado con luz fluorescente puede dar jaqueca, intente cambiar a una luz incandescente y/o a un lugar con ventanas.

Buscar alternativas. Hay alternativas y enfoques médicos diferentes que pueden ayudarla: la acupuntura, el yoga, los masajes, etcétera (vea la página 330).

Calentar y enfriar. Para aliviar los dolores se aplicarán compresas frías y calientes en el área dolorida, alternándolas por períodos de 30 segundos, hasta llegar a totalizar 10 minutos, cuatro veces al día. Para los dolores de cabeza que son originados por la tensión, se pondrá hielo en la nuca durante 20 minutos, mientras se mantienen los ojos cerrados, relajándose. (Utilice una bolsa de hielo ordinaria o una almohadilla especial para la nuca que contiene un gel que mantiene más el frío.)

Enderezarse. Echarse hacia adelante o mirar hacia abajo para leer, coser o realizar cualquier otra actividad por el estilo durante largos períodos de tiempo también puede producir jaquecas, por lo que se deberá vigilar la postura.

Si una jaqueca inexplicable persiste durante más de unas pocas horas, vuelve a presentarse muy a menudo, es el resultado de una fiebre alta o va acompañada de trastornos visuales o hinchazón de las manos y la cara, se deberá notificar al médico de inmediato.

"Sufro de migraña. He oído que esta es más frecuente durante el embarazo. ¿Es verdad?"

Algunas mujeres experimentan que sus migrañas son más frecuentes durante el embarazo. Otras todo lo contrario. No se sabe el motivo de ello, o incluso por qué algunas personas tienen migrañas recurrentes y otras nunca han tenido ninguna.

Las migrañas son jaquecas de un tipo especial. Su desarrollo está relacionado con la constricción o estrechamiento de los vasos sanguíneos de la cabeza, seguida por una dilatación o apertura súbita. Ello interfiere con el flujo sanguíneo y causa dolor y otros síntomas. Aunque estos varían de una persona a otra, la migraña suele ir precedida de fatiga. La fatiga puede seguirse de náuseas con o sin vómitos y diarrea, sensibilidad a la luz, y posiblemente un estado brumoso o un zigzagueo en uno y a veces los dos ojos. Cuando finalmente llega la jaqueca, de unos minutos a unas horas después del primer síntoma de aviso, el dolor, que es intenso y palpitante, generalmente se localiza en un solo lado, pero puede extenderse hasta el otro. Algunas personas también experimentan hormigueo o entumecimiento de un brazo o lado del cuerpo, vértigo, zumbidos en los oídos, secreción nasal, lagrimeo y/o ojos inyectados en sangre, y confusión mental temporal.

Si la mujer ha tenido migrañas antes, deberá estar preparada para combatirlas durante el embarazo, sobre todo con métodos preventivos. Si sabe lo que le provoca este trastorno intentará evitarlo. Una causa común es el estrés (vea la página 171 para los consejos contra el estrés), al igual que el chocolate, el queso, el café y el vino tinto (que de todos modos no es una bebida ideal para las embarazadas). Se intentará determinar qué es lo que puede rechazar un ataque en toda regla una vez que los signos de aviso han aparecido, si es que es posible. Para algunas personas, sumergir la cara en agua fría es de gran ayuda, o acostarse en una habitación oscura durante dos o tres horas, con los ojos tapados (haciendo una pequeña siesta, meditando o escuchando música, pero no leyendo ni viendo la TV). Puede practicar terapias alternativas (vea la página 330). Discuta con su médico qué medicamentos para la migraña son inocuos durante el embarazo, y cuáles podrían ser los más efectivos.

Si experimenta por primera vez lo que parece ser una migraña, llame al médico de inmediato. Los mismos síntomas podrían ser también inicio de complicaciones del embarazo. Si una jaqueca inexplicable persiste durante más de unas pocas horas, se vuelve a presentar a menudo, es el resultado de fiebre alta o va acompañada de trastornos visuales o hinchazón de manos y cara, también se deberá avisar al médico de inmediato.

ESTRÍAS

"Me temo que me van a quedar marcas de estrías. ¿Es posible prevenirlas?"

Para muchas mujeres —especialmente para las que gustan de llevar un bikini— las estrías resultan más temibles que unos muslos flácidos. A pesar de ello, un 90% de las mujeres tendrán estas marcas de color rosado o rojizo y de contorno ligeramente dentado, a veces acompañadas de prurito, en el pecho, las caderas y/o el abdomen en algún momento del embarazo.

Las estrías son provocadas por el estiramiento de la piel, generalmente a causa de un aumento de peso intenso y/o brusco. Las futuras madres que poseen una piel en buen estado, elástica (por haberla heredado o por haberla conseguido a lo largo de años de excelente nutrición y ejercicio), pueden atravesar varios embarazos sin una sola estría reveladora. Otras podrán minimizar, si no evitar, las estrías mediante un aumento de peso constante, gradual y moderado. Aumentar la elasticidad de la piel alimentándola bien con la dieta puede resultar de cierta ayuda, pero ninguna crema, ninguna loción ni ningún aceite, por caros que sean, impedirán o reducirán las estrías —aunque quizás el futuro padre encontrará divertido untar la barriga de su mujer y estos productos evitarán que la piel se seque. Aunque no está comprobado que las cremas pueden prevenir las estrías, algunas mujeres dicen que sí funcionan.

La mujer que ve aparecer las estrías durante el embarazo se puede consolar con la seguridad de que, después del parto, estas marcas palidecerán gradualmente hasta tener sólo un matiz plateado. También puede ser un consuelo pensar en ellas como en una medalla a la maternidad, y no como un elemento desfigurador. También puede hablar con un dermatólogo para ver si se pueden reducir las estrías después del parto con láser o con terapia.

EL LATIDO CARDÍACO DEL BEBÉ

"Mi amiga pudo escuchar el latido cardíaco de su bebé a los dos meses y medio de embarazo. Yo estoy una semana más adelantada que ella y mi médico aún no ha oído el corazón de mi bebé."

Un estetoscopio normal no es lo suficientemente sensible para detectar el latido cardíaco antes de las 17 o 18 semanas. Pero incluso con instrumentos sofisticados, el latido cardíaco puede no ser audible a causa de la posición del bebé u otros factores, tales como una excesiva capa de grasa materna. También es posible que este retraso sea debido a un ligero error en el cálculo de la fecha de salida de cuentas. Es seguro que en la semana 18 del embarazo, la futura madre podrá tener el placer de escuchar el corazón de su bebé. Si no fuera así, o si ella estuviera muy ansiosa, el médico puede ordenar que se realice una ecografía, que pondrá de manifiesto el latido del corazón que, por alguna razón, es difícil de oír con el estetoscopio.

DESEO SEXUAL

"Toda mis amigas embarazadas dicen que en los primeros tiempos del embarazo experimentaron un aumento de su deseo sexual —algunas de ellas tuvieron orgasmos u orgasmos múltiples por primera vez en este tiempo. ¿A qué se debe que yo sienta poco deseo?"

El embarazo es una época de cambio en muchos aspectos de la vida, entre ellos el sexual. Algunas mujeres que nunca habían experimentado un orgasmo o que no habían sentido demasiada inclinación por el sexo cambian radicalmente cuando están embarazadas. Otras mujeres, acostumbradas a tener un buen deseo sexual y a experimentar el orgasmo, se encuentran súbitamente con que les falta el deseo y con que se excitan con dificultad. Estos cambios de la sexualidad pueden ser desconcertantes, provocar un sentimiento de culpabilidad o resultar maravillosos. Y son perfectamente normales.

Tal como se verá en el apartado dedicado a hacer el amor durante el embarazo (página 312), existen muchas explicaciones lógicas de estos cambios y de los sentimientos que pueden provocar. Algunos de estos factores pueden ser más intensos en los primeros tiempos del embarazo, cuando las náuseas y el cansancio hacen que la mujer se sienta comprensiblemente poco atractiva, cuando poder hacer el amor sin pensar en quedar (o en no quedar) embarazada libera a la mujer de sus inhibiciones y la hace sentir más atractiva que nunca, o cuando surge un sentimiento de culpabilidad debido a que la mujer se siente atractiva y cree que debería sentirse maternal. Otros factores, como por ejemplo las alteraciones físicas que hacen que el orgasmo sea más fácil de conseguir, más intenso o más evasivo, continúan interviniendo durante toda la gestación.

Es muy importante reconocer que los sentimientos sexuales de la embarazada —y también los de su marido— pueden ser más erráticos que eróticos durante el embarazo; la mujer puede sentirse "sexy" un día y no al siguiente.

La pareja necesitará mostrar comprensión mutua y una buena comunicación.

SEXO ORAL

"He oído decir que el sexo oral es peligroso durante el embarazo. ¿Es verdad?"

El *cunilingus* (la estimulación oral de los órganos sexuales femeninos) no es peligroso durante el embarazo siempre que el hombre cuide de no insuflar aire en el interior de la vagina. Ello podría provocar la entrada de aire en la corriente sanguínea de la futura madre y causar una embolia (una obstrucción de un vaso sanguíneo), que podría resultar fatal para la madre y el hijo.

La felación (estimulación oral del pene), por no intervenir en ella los órganos genitales femeninos, carece siempre de riesgos durante el embarazo, y para algunas parejas es el sustituto preferido cuando el acto sexual está contraindicado. Para mayor información sobre lo que es seguro y lo que no es seguro en el sexo de las parejas embarazadas, vea la página 312.

CALAMBRES DESPUÉS DEL ORGASMO

"Experimento una contracción del útero abdominal después del orgasmo. ¿Es esto un signo de que el acto sexual daña a mi bebé? ¿Puede esto provocar un aborto espontáneo?"

Las contracciones –tanto durante como después del orgasmo, y a veces acompañadas de dolor de espalda– son tan inofensivas como frecuentes durante un embarazo normal de bajo riesgo. Su causa puede ser física –una combinación de la congestión venosa normal de la zona y de la contracción de las fibras uterinas, igualmente normal, de la excitación sexual y el orgasmo. O bien puede ser psicológica –el resultado del temor de que el acto sexual y el orgasmo puedan dañar al bebé.

El endurecimiento no es un signo de que el acto sexual sea perjudicial para el bebé. La mayor parte de los especialistas opinan que las relaciones sexuales y el orgasmo durante un embarazo normal de bajo riesgo carecen absolutamente de riesgos y no son una causa de aborto espontáneo. Si los calambres resultan molestos, la embarazada puede pedirle al marido que le haga un suave masaje en la parte baja de la espalda. Esto puede aliviar los calambres y también cualquier tensión que los haya desencadenado. Para más consejos sobre cómo aliviar la incomodidad vea la página 327 (vea también *Hacer el amor durante el embarazo,* en la página 312).

GEMELOS O MÁS

"Ya he engordado mucho. ¿Podría estar esperando gemelos?"

Lo más probable es que esta mujer tenga algo de sobrepeso debido a haber aumentado más de lo debido durante el primer trimestre. O que su constitución, de hueso pequeño, haga que la expansión uterina se note antes de lo que sería de esperar. Un abdomen relativamente grande por sí mismo en general no se considera signo de que la futura madre esté esperando más de un bebé; para hacer este diagnóstico, el médico buscará otros factores, incluyendo:

Un útero muy grande para la fecha. Es el tamaño del útero, no el del abdomen, lo que cuenta para el diagnóstico. Si parece que el útero crece más de prisa de lo esperado según la fecha de salida de cuentas, se sospechará un embarazo múltiple. Otras explicaciones posibles para un útero demasiado grande incluyen los errores de cálculo de la fecha de salida de cuentas o una cantidad excesiva de líquido amniótico (polihidramnios) o fibrosis.

Síntomas de embarazo exagerados. Cuando se están esperando gemelos, los problemas del embarazo (mareos matutinos, indigestión, edema, etc.) pueden ser dobles, o parecer que lo son. Pero todos ellos también pueden ser exagerados en un embarazo corriente.

Más de un latido cardíaco. Dependiendo de la posición de los bebés, puede que el médico pueda oír dos (o más) latidos cardíacos distintivamente separados. Pero debido a que el latido cardíaco de un solo feto puede oírse en diversos lugares, la localización de dos (o más) confirma la existencia de gemelos (o más) sólo si los latidos no se oyen a la vez. A menudo la existencia de gemelos se diagnostica de esta forma.

Predisposición. Aunque no existen factores que aumenten las probabilidades de tener gemelos idénticos, existen

GEMELOS

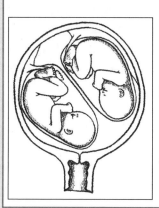

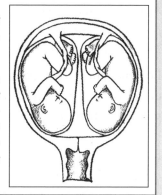

◀ *Mellizos: son el resultado de dos óvulos fertilizados al mismo tiempo, cada uno tiene su propia placenta.*

▶ *Gemelos: son el resultado de un solo óvulo fertilizado que se separa y después se desarrolla en dos embriones separados, pueden compartir la placenta o (dependiendo de cuándo se separe el óvulo) cada uno puede tener su propia placenta.*

varios que hacen que sea más probable que una mujer tenga gemelos no idénticos. Entre ellos se encuentra la existencia de gemelos no idénticos en la familia de la madre, una edad avanzada (las mujeres de más de 35 años a menudo tienen ovulaciones múltiples), el uso de medicación para estimular la ovulación (fármacos para la fertilidad) y la fecundación *in vitro*. Los gemelos también son más corrientes entre las mujeres de raza negra que entre las blancas, y todavía menos comunes entre las asiáticas.

Si uno o más de dichos factores llevan al médico a la conclusión de que existen posibilidades de que exista más de un feto, dictaminará que se lleve a cabo un examen por ultrasonidos. En prácticamente todos los casos (a excepción de los casos raros en los que un feto tímido con la cámara permanezca obstinadamente escondido detrás del otro), esta técnica diagnosticará con gran exactitud los embarazos múltiples.

"Aún no nos habíamos hecho a la idea de que yo estaba embarazada cuando supimos que estaba esperando gemelos. Estoy preocupada por los riesgos que esto entraña para ellos –y también para mí."

Los partos múltiples se están multiplicando a una tasa fantástica; 2 de cada 100 parejas pueden esperar a ver doble (o triple o más) en la sala de partos, en comparación con un 1% de hace una generación. Y aunque algunos partos múltiples aún se conciben a la antigua –como re-

sultado de los dados de la fortuna o debido a una predisposición hereditaria– los científicos apuntan hacia diversos nuevos factores que explican esta proliferación. Uno de ellos es el aumento de madres mayores; las mujeres de más de 35 años, debido a que sus ovulaciones tienden a ser erráticas (con mayores posibilidades de ovulación múltiple), tienen más probabilidades de parto múltiple. Otro es el uso de fármacos para la fertilidad (de nuevo, usados más a menudo por mujeres mayores, dado que la fertilidad disminuye con la edad), que aumentan la probabilidad de un nacimiento múltiple. Otro es el uso de la fecundación *in vitro*, u procedimiento por el cual los óvulos fecundados en el tubo de ensayo son implantados en el útero, lo que, debido a que los óvulos son varios, también aumenta el riesgo de tener más de un hijo.

Pero si bien las madres de hoy en día tienen más probabilidades de concebir gemelos, también es cierto que tienen mayores posibilidades de dar a luz en buenas condiciones. Según los estudios, más del 90% de los embarazos gemelares tienen un final feliz. Gran parte del éxito debe atribuirse a la capacidad de prevención que nos ofrecen los ultrasonidos; es rara la pareja hoy en día que se lleva la sorpresa de tener gemelos en la sala de partos. Saberlo con anticipación no sólo hace que haya menos complicaciones prácticas y logísticas tras el parto (tener que volver a los almacenes en el último momento para comprar otra cuna y otra canastilla), sino también menos complicaciones médicas durante el embarazo (hipertensión, anemia y *abruptio placentae* son más comunes en los embarazos múltiples) y mejorar sus posibilidades de llevar el embarazo a término y dar a luz en las mejores condiciones.

Cuidados médicos extraordinarios. Muchos de los riesgos importantes que comporta un embarazo múltiple pueden reducirse con un control médico riguroso por parte de un obstetra (los embarazos múltiples no deberían ser controlados por una partera). La mujer deberá someterse a visitas más frecuentes que si estuviera esperando un sólo bebé –a menudo se deberá acudir a la consulta del obstetra cada dos semanas después de la vigésima semana y cada semana después de la trigésima. Y será vigilada más de cerca para detectar los signos de posibles complicaciones, de forma que si aparece alguno pueda ser tratado rápidamente. Es importante que sepa cuándo debe llamar al doctor. Vea la página 167.

Suplemento de nutrición. Comer para tres (o más) es al menos una doble responsabilidad que comer para dos. Además de todas las cosas buenas que puede hacer para todos los bebés (vea la página 109), una nutrición excelente puede tener un impacto espectacular sobre uno de los problemas más comunes de los embarazos múltiples: el bajo peso al nacer. En vez de nacer con 2,5 kilos o menos (los antiguos valores estándar de los embarazos múltiples) los gemelos que se alimentan mediante una dieta superior pueden pesar alrededor de 3 kilos o más.

Muchos de los requerimientos alimentarios de la dieta ideal se multiplican con cada feto. En la práctica esto se traduce en aproximadamente 300 calorías más, una ración más de proteínas, una más de calcio, y una más de cereales integrales. Dado que esta es una cantidad importante de alimentos para un estómago que se halla constreñido por un útero que crece de prisa, y debido a las molestias gastrointestinales prenatales, tales como los mareos matutinos y la indigestión, que a menudo se multiplican en los embarazos múltiples, la calidad de la alimentación será particularmente importante. Evitar algunos alimentos superfluos ayudará a tener espacio para la buena comida. Comer eficientemente y repartir los requerimientos en al menos seis pequeñas comidas y muchos tentempiés en lugar de intentar cumplir con los doce puntos en tres sentadas, debería ser también de gran ayuda. Como un feto más quiere decir que necesita más de estos nutrientes: hierro, ácido fólico, zinc, cobre, calcio, vitamina B6, vitamina C y vitamina D. Asegúrese de tomar su suplemento prenatal regularmente al igual que un suplemento de hierro si se lo prescribe el médico.

Ganar más peso. Un bebé más significa ganar más peso —no sólo debido al bebé mismo, sino debido a los subproductos asociados al bebé (que a menudo incluyen otra placenta y más líquido amniótico). Probablemente el médico aconsejará un aumento de peso cuidadosamente controlado de al menos 15 a 20 kg sobre el peso anterior al embarazo (a menos que la mujer tenga mucho sobrepeso), o de aproximadamente el 50% más que lo recomendado en un embarazo simple. Ello significa unos 600-700 gramos semanales a parir de la decimosegunda semana. Si este peso se obtiene mediante una dieta correcta, constituirá una gran ayuda para producir bebés más sanos.

Suplemento de descanso. El cuerpo estará trabajando el doble que si estuviera formando un sólo bebé, y por lo tanto precisará el doble de descanso. Es labor de la embarazada asegurarse de descansar siempre que lo precise. Se buscará tiempo para una siesta o un descanso con los pies en alto, dependiendo más de los demás para que la ayuden en la casa y los recados, y confiando más en las comodidades modernas (usando hortalizas congeladas, que son tan nutritivas como las frescas, o precocinadas, que se pueden adquirir en un supermercado). Y si fuera posible, se dedicarán menos horas a la profesión, e incluso se dejará de trabajar antes si el cansancio es gran-

de. Su doctor debe limitar el ejercicio y otras actividades.

Suplemento de ayuda para los síntomas extraordinarios de los embarazos múltiples. Debido a que las molestias del embarazo (incluyendo los mareos matinales, la indigestión, los dolores de espalda, el estreñimiento, las hemorroides, el edema, las venas varicosas, la respiración agitada y la fatiga) es probable que sean exageradas en la mamá que espera más de un bebé, ésta deberá ser consciente de los diversos modos de aliviarlas. Aunque puede que la solución sea más difícil en los embarazos gemelares, las sugerencias de este libro sobre cómo tratar estas molestias se aplican a todas las madres, tanto si están esperando un niño como más de uno (para las diversas molestias, vea el índice). Ha de consultarse con el médico para que nos aconseje mejor, o si los síntomas son particularmente acusados.

Una molestia extremadamente rara que a veces complica el embarazo múltiple es la separación de la sínfisis pública, o la junta inferior del hueso pélvico. Dicha separación puede causar una limitación de la movilidad y un fuerte dolor localizado en la región pélvica. Si se experimenta uno de ambos síntomas, hay que llamar al médico.

Suplemento de precauciones. Dependiendo de cómo marche el embarazo, puede que el médico prescriba tomar la baja del trabajo más pronto (en algunos casos incluso a la semana 24), conseguir ayuda para el trabajo de la casa, y a veces, reposo absoluto en casa. El reposo en el hospital durante los últimos meses se suele reservar para los embarazos múltiples con complicaciones; la mayoría de estudios demuestran que en los embarazos gemelares normales, ingresar a la futura madre en un hospital en ese momento no previene los partos prematuros. Seguir las instrucciones del médico al pie de la letra, sin importar lo difícil que pudiera resultar, es una de las mejores formas de ayudar a los bebés a llegar a término (de todas maneras tenga en cuenta que el "término" de un embarazo múltiple es menor que el de otros embarazos. Las investigaciones recientes dicen que el momento ideal para dar a luz a gemelos o trillizos es alrededor de la semana treinta y siete y no en la semana cuarenta como sucede normalmente). Pero por si acaso, es mejor que tome sus clases durante el segundo trimestre y que conozca los signos de un parto temprano (vea la página 362).

"Todo el mundo cree que es muy emocionante que vayamos a tener gemelos —menos nosotros. Estamos decepcionados y aterrados. ¿Qué nos pasa?"

Nada. Cuando soñamos con los ojos abiertos sobre nuestra futura maternidad, rara vez lo hacemos con dos cunas, dos cubos para los pañales, dos tronas, dos cochecitos o dos bebés. Nos preparamos psicológicamente, y también físicamente, para la llegada de un bebé; cuando oímos que vamos a tener dos, no son raros los sentimientos de decepción. Ni tampoco el miedo. Las responsabilidades inminentes de cuidar de un nuevo hijo ya son lo bastante intimidantes sin necesidad de ser dobles.

Así, esta mujer debe aceptar el hecho de su ambivalencia sobre las dos llegadas, y no cargarse con sentimientos de culpabilidad. En vez de ello, sería mejor utilizar el tiempo que le queda hasta el parto para hacerse a la idea. Los miembros de la pareja hablarán entre sí y con otras personas que hayan tenido gemelos. Quizás el médico pueda proporcionarles el nombre de algún grupo local de ayuda para padres gemelos, o el de una madre de gemelos que viva cerca. Compartir los sentimientos y reconocer que no son los primeros futuros padres en este caso, les ayudará a aceptar la idea y con el tiempo incluso a estar entusiasmados con este embarazo. Los gemelos representan un doble esfuerzo al principio, pero también representan el doble de placer.

UN QUISTE DEL CUERPO LÚTEO

"Mi médico me ha hecho saber que tengo un quiste del cuerpo lúteo en el ovario. Dice que esto no será un problema, pero yo estoy preocupada."

Cada mes, en la vida de una mujer en edad reproductiva, se forma un pequeño cuerpo amarillento constituido por células después de la ovulación. Denominado cuerpo lúteo (amarillo), ocupa el espacio del folículo de Graaf que antes estaba ocupado por el óvulo. El cuerpo lúteo produce progesterona y estrógenos, y está programado por la naturaleza para desintegrarse al cabo de aproximadamente 14 días. Cuando esto sucede, la disminución de hormonas desencadena la menstruación. Durante el embarazo, el cuerpo lúteo, mantenido por la hormona GCh (Gonadotropina Coriónica humana) que es generada por el trofoblasto (las células que se desarrollan hasta formar la placenta), continúa creciendo y produciendo progesterona y estrógenos para nutrir y mantener el embarazo hasta que dicha placenta tome sus funciones. En la mayoría de los casos, el cuerpo lúteo empieza a encogerse aproximadamente a las seis o siete semanas después de la última menstruación, y cesa sus funciones al cabo de unas 10 semanas, cuando su labor de proporcionar pensión completa al bebé ya ha terminado.

No obstante, se estima que en un 10% de los embarazos el cuerpo lúteo no sufre la regresión en el momento oportuno, y se desarrolla formando un quiste del cuerpo lúteo. Generalmente, tal como le ha asegurado el médico a esta mujer, el quiste no representa ningún problema. Pero sólo a modo de precaución, el facultativo controlará su tamaño y condiciones regularmente mediante ultrasonidos, y si se vuelve anormalmente grande o si amenaza con retorcerse o romperse, se considerará la posibilidad de extirparlo quirúrgicamente. Dicha intervención es necesaria en aproximadamente sólo un 1% de todos los quistes del cuerpo lúteo, y después de la decimosegunda semana la cirugía muy pocas veces amenaza al embarazo.

PROBLEMAS PARA ORINAR

"Aunque siento mi vejiga llena no he podido orinar hace unas noches."

Suena como si tuviera el útero torcido, seguramente no se ha enderezado y está presionando la uretra (el tubo que lleva a la vejiga) esto es lo que no la deja orinar. También se puede presentar este problema cuando la vejiga está sobrecargada.

A veces es posible mover el útero con la mano para acomodarlo. Otras veces se necesita hacer el proceso con catéter (remover la orina a través de un tubo). Hable con su médico para saber qué es lo mejor en su caso.

DOLOR DE GARGANTA FUERTE

"Mi hijo mayor tiene un dolor de garganta fuerte, si me lo pega ¿mi bebé está riesgo?"

Si hay algo para lo que son buenos los niños es para compartir sus gérmenes. Por eso entre más niños tenga en casa (especialmente en edad de ir a la escuela), son mayores las posibilidades que tiene de contagiarse de gripas, dolores de garganta, virus u otras infecciones mientras está embarazada.

Así que tome medidas preventivas: no comparta bebidas, no coma de la comida de otros y lávese las manos con frecuencia. Prepare a su sistema inmunológico (que es menor en el embarazo): coma bien y duerma bien.

Si sospecha que su hijo le pegó el dolor de garganta u otra infección, vaya al médico para que le hagan un cultivo de garganta o lo que necesite. Esta infección no le hará daño al bebé si se trata pronto y con los antibióticos correctos. Su médico le prescribirá el indicado para que no altere su embarazo. No tome *nunca* medicinas prescritas para su hijo u otra persona de la familia.

QUÉ ES IMPORTANTE SABER:
Aumento de peso durante el embarazo

Cuando dos mujeres embarazadas se encuentran en cualquier lugar –en la sala de espera del médico, en el autobús, en una reunión de trabajo– muy pronto empiezan a volar las preguntas. "¿Cuándo sales de cuentas?" "¿Has notado ya las patadas de tu bebé?" "¿Te has mareado?" Y quizás también la pregunta favorita "¿Cuánto has engordado?"

Las comparaciones son inevitables, y a veces algo inquietantes. Las mujeres que han empezado con un gran aumento de peso –comiendo de modo entusiasta, hasta ganar unos 5 kilos en el primer trimestre– se preguntan "¿Cuánto es excesivo?". Otras mujeres, cuyo apetito ha desaparecido a causa de los mareos matutinos y cuyo aumento de peso prácticamente no se puede registrar en el gráfico del médico (o que quizás incluso han perdido algo de peso),

se preguntan "¿Cuánto es demasiado poco?" Y todas ellas preguntan, "¿Qué es lo correcto?"

Aumento total. Aunque durante un tiempo estuvo de moda entre los médicos el limitar el aumento de peso de una mujer durante el embarazo a unos 7 kilos, actualmente se reconoce que este

---

MÁS SOBRE EL PESO

¿Necesita otra razón para estar pendiente del peso? Los investigadores han encontrado que las mujeres que ganan más de los 10 o 14 Kg recomendados durante el embarazo, son el 75% más propensas a tener problemas para amamantar. Entre más peso ganen más incómodo será para ellas.

aumento era insuficiente. Los niños cuyas madres aumentan menos de 10 kilos tienen más probabilidades de ser prematuros, de ser pequeños para la edad gestacional y también de sufrir un retraso de crecimiento en el útero.

Pero casi tan peligrosa resultaba la moda de que cada embarazada comiera todo lo que quisiera y aumentara todo lo que deseara. Un aumento excesivo de peso comporta serios riesgos: la determinación y medición del feto resultan más difíciles; el exceso de peso significa una carga para los músculos y produce dolores en la espalda y en las piernas, una mayor fatiga porque el aumento de peso se debe también a una retención de líquido que si es excesiva sobrecarga el corazón materno, y también trae venas varicosas; el bebé puede resultar demasiado grande para un parto vaginal; si es necesaria una intervención quirúrgica, por ejemplo una cesárea, la operación es más difícil y las complicaciones postoperatorias son más frecuentes; y después del embarazo puede resultar difícil perder el exceso de peso.

Aunque una madre que aumente mucho de peso puede tener un bebé de tamaño superior al normal, el aumento de peso de la madre no siempre está correlacionado con el peso de su hijo. Es posible aumentar 18 kilos y dar a luz a un bebé de escasamente 3 kilos, o aumentar 9 kilos y tener un hijo de 3,5 kilos. La calidad del alimento que contribuye al aumento de peso es más importante que su cantidad.

El aumento de peso razonable y seguro para el promedio de las mujeres oscila entre los 11 y 16 kilos, con un aumento de peso para una mujer bajita y de huesos pequeños probablemente situado cerca del valor más bajo, y el de una mujer alta y de huesos grandes cerca del más alto. Este aumento de peso se reparte entre 2,7 a 3,5 kilos para el bebé y 6 a 11 para la placenta, los pechos, los líquidos y otros subproductos (vea el cuadro a continuación). También asegura que la madre volverá más pronto a su peso anterior al embarazo.

Esta fórmula cambia para las mujeres con necesidades especiales. Las mu-

SEGURO DE PESO

Una investigación reciente muestra que las mujeres por debajo del peso recomendado pueden aumentar el peso de sus bebés tomando un suplemento vitamínico formulado que contiene 25 mg de zinc. Si usted está por debajo del peso, asegúrese de que su suplemento tenga esta cantidad de zinc.

ANÁLISIS DEL AUMENTO DE PESO	
(Todos los pesos son aproximados)	
Bebé	3.500 gramos
Placenta	700 gramos
Líquido amniótico	800 gramos
Aumento del útero	900 gramos
Tejido mamario materno	500 gramos
Volumen sanguíneo materno	1.250 gramos
Líquido de los tejidos maternos	1.400 gramos
Grasa materna	3.200 gramos
Total por término medio	12.250 gramos de aumento general de peso

jeres que empiezan el embarazo con un peso extremadamente bajo deberían intentar ganar lo suficiente durante el primer trimestre, de forma que empezaran el segundo trimestre con su peso ideal o cerca de él; entonces deberán intentar ganar los requeridos 11 a 16 kilos a partir de ese punto. Las mujeres que empiezan su embarazo con un 10 o 20% de sobrepeso probablemente pueden ganar algo menos con toda tranquilidad, aunque sólo a base de alimentos de primera calidad y bajo una cuidadosa supervisión de sus médicos. El embarazo no es nunca el momento para perder peso o mantenerlo, debido a que el feto no puede sobrevivir a base de las reservas de grasa de la madre, dado que estas proporcionan calorías pero no nutrientes.

Las embarazadas de más de un bebé también precisan que su objetivo en cuanto al aumento de peso sea ajustado por sus médicos. Aunque este no se deba duplicar para los mellizos ni triplicar para los trillizos, aumenta significativamente –hasta de 16 a 20 kilos para los gemelos y mas cuando existen más de dos fetos.

Tasa de aumento. El peso medio que la mujer debería ganar es de aproximadamente 1,4 o 1,8 kilos durante el primer trimestre y de 400-500 gramos por semana, entre 5,5 y 6,5 en total, durante el segundo trimestre. El aumento de peso debería continuar siendo de 400-500 gramos por semana durante el séptimo y el octavo mes, y de sólo 200-400 gramos –o incluso un aumento nulo si es posible– durante el noveno mes, con un total de 3,5-4,5 kilos durante el tercer trimestre.

Es rara la mujer que consigue mantener su aumento de peso exactamente ajustado a esa fórmula ideal. Y son normales las fluctuaciones reducidas –350 gramos una semana, 550 gramos la siguiente– no constituyen ningún problema. Pero la meta de toda mujer embarazada debería ser que su aumento de peso se mantuviera lo más constante posible, sin subidas ni bajadas bruscas. Deberá consultar a su médico si no aumenta de peso durante dos o más semanas del cuarto al octavo mes, o si aumenta mas de 1.400 gramos durante cualquier semana del segundo trimestre, o más de 1 kilo durante cualquier semana del tercer trimestre, especialmente si ello parece que no está relacionado con comer en exceso o tomar demasiado sodio. Además se comprobará si no se gana peso durante más de dos semanas se-

guidas desde el cuarto hasta el octavo mes.

Si comprueba que su aumento de peso se ha desviado significativamente de lo que había planeado (por ejemplo, si ganó 6 kilos durante el primer trimestre en vez de 1,5 o ganó 9 kilos durante el segundo en vez de 5,5), entrará en acción para ver si puede volver al buen camino, pero no intente detenerse. Con ayuda del médico reajuste sus objetivos para incluir el exceso que ya ha ganado (que no puede usar su bebé para desarrollarse) y el peso que aún tiene que ganar (que el bebé necesita). No pierda de vista que el bebé requiere un aporte de nutrientes diario durante todo el embarazo. Se trata de vigilar cuidadosamente la dieta, pero nunca de un régimen para adelgazar. Controle el peso desde el principio y así nunca tendrá que poner el bebé a dieta para evitar que la madre se engorde mucho.

CAPÍTULO OCHO

El cuarto mes

De la semana 14 a la 17 aproximadamente

Finalmente ha terminado el primer trimestre que para muchas de las mujeres embarazadas, es el más cómodo de los tres. Con la llegada de esta nueva etapa le damos la bienvenida a otros cambios. Primero, esos síntomas desagradables del embarazo van pasando e incluso van desapareciendo, seguramente sentirá menos mareo y se sentirá con más energías. Otro buen cambio es que a finales de este mes, la parte baja de su estómago ya no se verá como si acabara de comer sino como el estómago de una embarazada.

QUÉ SE PUEDE ESPERAR EN LA VISITA DE ESTE MES

En la visita de este mes se suelen controlar los siguientes puntos, aunque pueden variar según las necesidades de la paciente y de las costumbres del médico*.

* Peso y presión sanguínea

* Orina, para detectar azúcar y albúmina

* Latido cardíaco del feto

* Tamaño del útero, mediante palpación externa (se siente desde afuera)

* Altura del fondo uterino (parte superior del útero)

* Manos y pies para detectar un edema (hinchamiento) y piernas para detectar venas varicosas

* Síntomas que la paciente ha experimentado, especialmente los inusuales

* Preguntas o problemas que la paciente desea discutir; es aconsejable llevar una lista preparada a la consulta.

---

* Véase el Apéndice, página 545, para una explicación de las intervenciones y los exámenes realizados

UNA MIRADA INTERNA

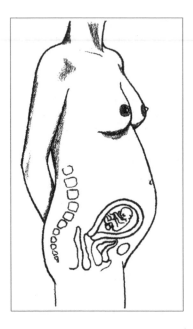

▲ *Su útero es ahora del tamaño de un melón pequeño y a finales de mes se puede sentir debajo de su obligo (más o menos 3.5 cm abajo). Si no lo ha hecho todavía, probablemente empezará a desechar la ropa que se ponía antes.*

▼ *Su bebé se está haciendo más grande y más pesado (más o menos 12 cm y 140 gramos). El cuerpo crece más rápido que la cabeza, parece más humano. Los dedos ya se desarrollaron y ya ha aparecido el pelo temporal llamado lanugo. El bebé se puede chupar el dedo gordo del pie, puede tragar líquido amniótico y pasarlo como orina, puede practicar movimientos de respiración. La placenta es completamente funcional, sirve como la fuente de nutrición y oxígeno para el bebé. Si es niña, el útero está formado y los ovarios están equipados con células de ovarios primitivos. Los huesos del bebé se hacen más fuertes y sus pies y manos se mueven. Incluso ¡puede que comience a sentir esas primeras pataditas!*

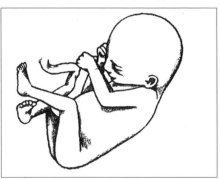

QUÉ SE PUEDE SENTIR

Como siempre, recuerde que cada mujer y cada embarazo son diferentes. Se pueden experimentar todos los síntomas siguientes en un momento u otro, o tan sólo unos pocos. Algunos pueden continuar desde el mes pasado, otros serán nuevos. También se pueden experimentar síntomas adicionales, menos frecuentes.

FÍSICOS:

- Cansancio

- Una disminución de la frecuencia urinaria

- Disminución o desaparición de las náuseas y vómitos (en unas pocas mujeres, los "mareos matutinos" continuarán; y en número muy reducido de ellas, empezarán ahora)

- Estreñimiento

- Acidez de estómago e indigestión, flatulencia e hinchamiento

- Los pechos continúan aumentando algo de tamaño, pero su sensibilidad anormal suele desaparecer

- Dolores de cabeza ocasionales

- Desmayos o mareos ocasionales, en particular en caso de un cambio brusco de posición

- Congestión nasal y hemorragias nasales ocasionales; embotamiento de los oídos

- "Cepillo de dientes color de rosa" debido a que las encías sangran

- Aumento del apetito

- Ligero edema (hinchazón) de los tobillos y de los pies, y ocasionalmente de las manos y el rostro

- Venas varicosas en las piernas y/o hemorroides

- Ligeras pérdidas vaginales blanquecinas (leucorrea)

- Movimientos fetales hacia el final del mes (pero por lo general sólo se nota tan pronto si la embarazada está muy delgada o si no se trata de su primer embarazo)

EMOCIONALES:

- Inestabilidad comparable a la del síndrome premenstrual, que puede comportar irritabilidad, cambios de humor, irracionalidad, tendencia al llanto

- Alegría y/o aprensión, si la mujer ha empezado finalmente a sentirse embarazada

- Frustración, si aún no se siente embarazada, pero se encuentra demasiado gorda para su ropa habitual y demasiado delgada para las prendas de maternidad

- Un sentimiento de no ser realmente una misma: se olvidan cosas, los objetos caen de las manos y resulta difícil concentrarse

QUÉ PUEDE PREOCUPAR

MOVIMIENTO FETAL

"Aún no he notado que mi bebé se mueva; ¿es posible que algo vaya mal? ¿O es posible que simplemente no haya reconocido los movimientos?"

Los movimientos del feto pueden ser una gran fuente de alegría durante el embarazo y, al mismo tiempo, pueden constituir la principal causa de ansiedad. Más que una prueba de embarazo positiva, más que una barriga que se hincha o incluso más que el sonido de latido cardíaco del feto, los movimientos fetales le confirman a la mujer que existe una nueva vida en su interior.

La primera sensación de vida, las primeras "patadas", se pueden producir en cualquier momento entre las 14 y las 26 semanas. En este aspecto, las variaciones con respecto al promedio son frecuentes. La mujer que ya ha estado embarazada con anterioridad es más probable que reconozca más pronto los movimientos del feto (porque ya sabe cómo son, y sus músculos uterinos están más laxos, haciendo más fácil que sienta las patadas) que una mujer que está esperando su primer hijo. Una mujer muy delgada puede percibir los movimientos muy débiles de su hijo muy pronto, mientras que una mujer obesa puede no notar estos movimientos hasta que son más intensos.

En algunas ocasiones, la primera sensación de los movimientos fetales se retrasa ligeramente a causa de un error en el cálculo de la fecha de salida de cuentas. O a veces se retrasa porque la mujer no ha reconocido los movimientos fetales como tales cuando los ha percibido.

Nadie puede explicarle a una futura madre primeriza lo que va a sentir; cien mujeres embarazadas describirán estas primeras "patadas" de cien modos diferentes. Las descripciones más comunes son quizá las de "una palpitación en el abdomen" o de "mariposas en el estómago". Pero los primeros movimientos fetales han sido descritos también con "un traqueteo", "una sacudida", "un ruido del estómago", "un golpe en el estómago", "un pez que golpea con la cola", o "un pajarito en la mano" o "como cuando se va en las montañas rusas del parque de atracciones". Con frecuencia, los primeros movimientos perceptibles son confundidos con la sensación producida por la flatulencia o el hambre. Y una mujer recuerda que "pensé que tenía un insecto en la camisa, pero cuando quise quitármelo me di cuenta de que se trataba del bebé que se movía".

Aunque no es raro que una embarazada no reconozca los movimientos fetales hasta las 20 semanas o más, es probable que el médico prescriba la realización de un sonograma para determinar el estado del bebé si la futura madre no ha sentido nada —y si el médico no ha conseguido detectar una respuesta fetal después de intentar estimularla— a las 22 semanas. Pero si el latido cardíaco del feto es potente y todo lo demás parece transcurrir normalmente, con frecuencia el médico aconsejará esperar un poco más.

ASPECTO

"Me siento deprimida cada vez que me miro al espejo o que me subo a la báscula porque me veo muy gorda."

En una sociedad tan obsesionada por la esbeltez como la nuestra, en la que

UNA POSE DE EMBARAZO

Si ha estado evitando la cámara (¡no necesito verme más gorda!), intente hacer una pose de embarazada. Aunque a lo mejor prefiere olvidarse de cómo se veía embarazada, seguramente su hijo querrá ver un día a su mamá cuando lo esperaba. Para conservar ese recuerdo para la posteridad, dígale a alguien que le tome una foto de perfil cada mes. Vístase con algo que muestre su panza y pegue sus fotos en un álbum con el ultrasonido, si lo tiene.

las personas algo "llenitas" se desesperan, el aumento de peso que se produce durante el embarazo puede constituir a menudo una fuente de depresiones. Pero no debería ser así. Existe una diferencia importante entre los kilos que se acumulan sin ninguna buena razón (salvo la desaparición de la fuerza de la voluntad) y los kilos que se ganan por la mejor y más maravillosa de las razones: el bebé que crece dentro de su madre.

Sin embargo, a los ojos de muchas personas, una mujer embarazada no es sólo bella por dentro, sino también por fuera. Muchas mujeres y sus esposos consideran que la nueva imagen de formas más redondeadas es la más deliciosa –y sensual– de las figuras femeninas.

Siempre que coma correctamente y no aumente más peso del recomenda-do para el embarazo (vea la página 229), no deberá sentirse "gorda" sino simplemente embarazada. Todos los centímetros de más que observa en ella son producto legítimo del embarazo y desaparecerán rápidamente una vez haya aparecido el bebé. Pero si realmente *está* aumentando más de lo debido, la depresión derrotista no la ayudará a no engordar aún más (o incluso puede incrementar su apetito) y en cambio sí que le servirá de mucho estudiar y revisar sus costumbres alimentarias. No obstante, hay que recordar que ponerse a régimen para perder peso o mantener un régimen durante el embarazo es muy peligroso. Jamás hay que dejar de cubrir los requerimientos de la dieta por miedo a ganar demasiados kilos, simplemente debe aprender a sentirlos.

Vigilar el aumento de peso no es la única forma de tener un buen aspecto. También será de gran ayuda llevar vestidos que favorezcan la figura; existe una notable selección de vestidos de premamá de bonito diseño; es aconsejable usarlos en vez de intentar introducirse en las prendas del guardarropa de antes del embarazo (vea más adelante). También será más agradable la imagen que devuelve el espejo si se lleva un estilo de peinado fácil de cuidar, si se cuida el cutis y si se toma usted el tiempo necesario para maquillarse si es que acostumbra a hacerlo.

ROPA DE MATERNIDAD

"Ya no puedo ponerme mis pantalones más anchos, pero no me hace ninguna gracia comprarme ropa de maternidad"

Nunca antes las embarazadas han podido ir tan a la moda. Ya pasaron los días en que los guardarropas de las embarazadas se limitaban a las batas cortas poco elegantes y blusones. Las ropas de premamá actuales no sólo son mucho más bonitas y prácticas de llevar, sino que además las embarazadas pueden complementar y combinar estas prendas con toda una variedad de otras ropas, que podrán seguir llevando incluso cuando hayan recobrado la figura.

Al decidir lo que debe integrar el guardarropa de premamá considere lo siguiente:

- Aún deberá engordar bastante más. No hay que salir como un torbellino a hacer muchas compras en la *boutique* de premamá local el primer día que no le abrochen los pantalones tejanos. Los vestidos de embarazada pueden ser caros, especialmente si se considera el período de tiempo relativamente corto que se van a usar. Así, lo mejor es ir comprando a medida que engorde, y sólo lo que necesite (una vez haya comprobado qué es lo que puede usar de lo que hay en su armario, puede que necesite mucho menos de lo que se había figurado). Aunque las almohadillas que existen en los probadores de las tiendas para premamá pueden dar una buena idea de cómo sentará la ropa más adelante, no se puede predecir qué forma tendrá el vientre (si estará alto, bajo, será grande o pequeño) y qué vestidos acabarán siendo los más cómodos cuando se necesite la máxima comodidad.

- No se limite a los vestidos de embarazadas. Si algo le sienta bien, cómprelo, aunque no provenga del departamento de maternidad. Comprar vestidos que no sean de embarazadas durante el embarazo (o usar algunos que ya se tengan) es, desde luego, la mejor forma de sacarle buen provecho al dinero. Y dependiendo de lo que los diseñadores presenten en una estación determinada, algunos o muchos de los modelos que cuelgan de las perchas de los departamentos de señora pueden ser adecuados para la silueta de las embarazadas. Pero hay que ser precavidos en no gastar mucho. Aunque ahora nos gusten los vestidos, quizás luego nos agraden mucho menos después de haberlos llevado durante el embarazo; en el posparto, una puede verse impulsada a arrinconarlos como tantos otros modelos de maternidad.

- El estilo personal también cuenta cuando se está embarazada. Si normalmente viste trajes sastre o ropa deportiva, no podrá contentarse con un guardarropa lleno de vestidos de premamá con volantes y bordados de nido de abeja. Aunque la novedad de verse en el papel de futura mamá puede hacerle ilusión durante un mes o dos, esta impresión estará condenada al fracaso y sólo conseguirá dejarla para el resto del embarazo con unos vestidos que no le gustan.

◆ Los accesorios merecen un papel principal. Cuando la mujer no está embarazada, los accesorios constituyen un bonito detalle. Cuando sí lo está, son esenciales. El aliciente que constituirán un bonito pañuelo, un exótico par de pendientes, el tono eléctrico de unas medias e incluso un par de zapatos de lona de colores vivos, compensarán en gran parte por lo que inevitablemente tienen que transigir las futuras mamás.

◆ Entre los accesorios más importantes se encuentran los que la gente nunca ve. Un sostén que se adapte y sostenga bien es vital durante el embarazo, cuando la hinchazón de los senos generalmente hace inútiles los antiguos sujetadores. Pase de largo las secciones de rebajas y póngase en manos de una corsetera experimentada de un departamento o tienda de ropa interior bien surtidos. Con un poco de suerte, esta podrá decirle aproximadamente cuánto más espacio y sujeción precisará y qué tipo de sostén se la proporcionará. No se deben comprar demasiados. Compre tan sólo dos (uno para llevar puesto y otro para lavar), hasta que queden pequeños y se tenga que comprar una talla más.

Generalmente no se precisan braguitas especiales para futuras mamás y, a menos que se esté acostumbrada a las altas, estas no son demasiado cómodas. Una buena alternativa son las braguitas tipo bikini, de una talla mayor que la normal, que se pueda llevar *debajo* del vientre. Cómprelas de sus colores favoritos y/o en tejidos *sexy* para levantar un poco el ánimo (pero asegúrese de que la entrepierna sea de algodón).

◆ El mejor amigo de una mujer embarazada puede ser el armario del hombre que vive con ella. Todo lo que hay allí se puede coger (aunque seguramente sería una buena idea preguntar antes): camisetas demasiado grandes o de tamaño normal que quedarán fantásticas por encima de los pantalones o bajo los sacos (se intentará ceñirlos por debajo del vientre para tener una silueta más interesante), pantalones de chándal más anchos que los propios, pantalones cortos de deporte que se ajustarán a la cintura al menos durante dos meses más, cinturones con los agujeros extra que la embarazada necesita.

◆ Sea a la vez una prestataria y una prestamista. Acepte todas las ofertas de vestidos de premamá usados, aunque las ofertas no se ajusten a su estilo. Para un apuro servirá cualquier vestido, saco o par de pantalones extra; y podrá hacer más "suya" cualquier ropa prestada mediante los accesorios. Cuando haya finalizado el embarazo, ofrezca a las amigas embarazadas toda la ropa de pre-mamá que no se desee o se pueda llevar durante el posparto; entre usted y sus amigas, habrán amortizado la compra de los vestidos de maternidad.

◆ Lo fresco está de moda. Los materiales cálidos (los tejidos que no dejan respirar la piel, tales como el nylon y otros sintéticos) no son tan adecuados cuando la mujer está embarazada. Dado que su tasa metabólica es más alta que de costumbre, haciendo que esté más caliente, se encontrará más cómoda vistiendo prendas de algodón. Los colores claros, los tejidos de malla fina y las ropas holgadas también ayudarán a mantenerla fresca. Los calcetines hasta la rodilla son más cómodos que las medias, pero evite en todo momento los que tienen un elástico en la parte superior, ya que son perjudiciales para la circulación. Cuando llegue el tiempo frío es ideal vestirse por capas, ya que podrá irse quitando prendas al calentarse o al entrar en un local.

TINTES PARA EL PELO Y PERMANENTES

"Mi pelo ha empezado a perder todo su cuerpo. ¿Es seguro que me haga la permanente?"

Aunque el vientre hinchado es el efecto físico más obvio que un feto tiene sobre su madre, de ningún modo es el único. Los cambios son evidentes por todas partes; desde las palmas de las manos (que pueden volverse temporalmente de un color rojizo) hasta el interior de la boca (las encías pueden hincharse y sangrar). El pelo no constituye ninguna excepción. Puede mejorar (como cuando un pelo sin vida adquiere súbitamente un hermoso brillo) o, por el contrario, puede empeorar (como cuando un pelo robusto se vuelve débil).

En general, una permanente sería la respuesta obvia para un pelo que ha tomado mala forma, pero no durante el embarazo. Por una parte, el pelo responde de forma impredecible bajo la influencia de las hormonas del embarazo; puede que la permanente no suba en absoluto, o puede tener como resultado un feo rizado en vez de unas hermosas ondas. Por la otra, las soluciones químicas utilizadas en la permanente son absorbidas a través del cuero cabelludo y pasan al torrente circulatorio, lo que quizá podría no resultar inocuo durante el embarazo. Hasta el momento, los estudios realizados sobre el efecto de tales productos químicos sobre el feto han sido extremadamente tranquilizadores; no se ha encontrado vínculo alguno entre el uso de permanentes y el desarrollo de defectos congénitos. Pero como harán falta más estudios antes de que estas sustancias sean totalmente exculpadas, las más precavidas de las embarazadas preferirán tener el pelo liso hasta después del parto. La embarazada no deberá preocuparse, no obstante, sobre la permanente que ya se ha hecho; el riesgo es sólo teórico, y desde luego no vale la pena preocuparse por él. (Lo mismo puede decirse de los líquidos para estirar el pelo y de los champús para la caspa. Evite usarlos desde ese momento, pero no se preocupe por su uso previo).

Una nutrición excelente puede ayudar a reavivar algo del brillo del pelo; los champús "que dan cuerpo" y los rulos pueden ayudar a restaurar las ondas. Pero, en general, el pelo de la gestante probablemente continuará igual de débil durante todo el embarazo. Así, lo más sensato podría ser cambiar a un estilo que no dependiera de su abundancia, tal como un pelo muy corto o un corte que le diera cuerpo, como por ejemplo, un corte con diferentes capas.

"Me aliso mi pelo regularmente, ¿es seguro seguir haciéndolo mientras estoy embarazada?"

Es otro de los sacrificios que tiene que hacer por su futuro bebé. Aunque no hay evidencia de que esto afecte al bebé, no hay pruebas de que sea completamente seguro tampoco. Y como contiene químicos fuertes que la piel puede absorber (y porque su pelo puede reaccionar de diferentes maneras al químico ahora que está embarazada), es mejor que deje su pelo tranquilo. Sin embargo no se preocupe por lo que ha hecho antes.

"Después de salir de mi acostumbrada cita trimestral en la peluquería para teñirme el pelo, la semana pasada, me horroricé cuando una amiga me dijo que los tintes para el cabello pueden causar defectos congénitos. ¿Qué debo hacer?"

Aunque hay algunos médicos que todavía les dicen a sus pacientes que se alejen de la peluquería mientras están embarazadas, las investigaciones no han ligado esos productos con ningún problema en los bebés. Aparentemente la piel sólo absorbe muy poco del químico y eso no debería causar ningún daño.

Pero aunque no deba preocuparse por el impacto de los químicos en el bebé, si sigue tinturando su pelo, debería empezar a preocuparse por el impacto en su apariencia. Por razones hormonales, su pelo reacciona de manera diferente cuando está embarazada y probablemente le quede un color que no quería.

REALIDAD DEL EMBARAZO

"Ahora que mi barriga se está hinchando he acabado de darme cuenta de que estoy embarazada. Aunque habíamos planea-

do este embarazo, me siento atemoriza-
da, atrapada por el bebé; incluso siento
un cierto antagonismo contra él.”

Incluso las parejas más ansiosas por tener un hijo pueden sentirse sorprendidas (y culpables) al notar que están llenas de dudas y temores cuando el embarazo empieza a ser una realidad. Un pequeño intruso invisible se halla bruscamente entre los dos, cambiando su vida, privándoles de unas libertades que siempre habían considerado evidentes, exigiéndoles más –tanto física como emocionalmente– que cualquier otra persona en el pasado. Aún antes de nacer, este hijo está alterando todos los aspectos de la vida a la que se habían acostumbrado; desde el modo en que pasan las tardes, hasta lo que comen y beben y la frecuencia con que hacen el amor. Y la idea de que estos cambios serán aún más acusados después del parto agrava aún más sus sentimientos y sus temores.

Un poco de ambivalencia, un poco de temor e incluso un poco de antagonismo, no sólo son normales, sino también sanos; siempre que estos sentimientos sean admitidos y aceptados. Y este es el mejor momento para conseguirlo. Lo mejor es librarse de sus resentimientos (por no poder acostarse tarde los sábados por la noche, por no poder salir de fin de semana cuando se tienen ganas de ello, por no poder trabajar a tiempo completo, o gastar el dinero del modo

que se desea) y de este modo la pareja no deberá luchar aún contra ellos después del nacimiento del hijo. Compartir los sentimientos con la pareja es la mejor manera de conseguirlo.

Aunque los cambios de estilo de vida pueden ser mayores o menores, dependiendo en cómo la pareja decida ordenar sus prioridades, es cierto que la vida de la mujer no volverá nunca a ser igual que antes, después de que los "dos" se hayan convertido en "tres". Y mientras que algunas partes de su mundo se limitarán, otras serán más amplias. La mujer nacerá de nuevo con el nacimiento de su hijo. Y es posible que esta nueva vida resulte ser mejor que la anterior.

CONSEJOS NO DESEADOS

“Ahora que todo el mundo puede ver que
estoy embarazada, todos –desde mi sue-
gra hasta los desconocidos que encuentro
en el ascensor– me dan consejos. Me están
volviendo loca.”

A menos que opte por una vida solitaria en una isla desierta, la mujer embarazada no tiene ningún medio para escapar de los consejos no solicitados de todos los que la rodean. Simplemente, una "barriga" hace salir al "experto" en embarazos e hijos que todos nosotros llevamos dentro. Cuando la embarazada hace ejercicio cada día en el parque, es seguro que alguien exclamará: "¡En tu estado no deberías estar corriendo así!". Si lleva hasta su casa las dos bolsas con la compra del supermercado, siempre habrá alguien que le diga: "¿Crees que es bueno que lleves tanto peso?". O si estira el brazo para asirse a la barra del metro, es seguro que alguien le advertirá: "Si te estiras de este modo, el cordón umbilical se enrollará en el cuello del bebé y lo ahogará".

Ante estos consejos gratuitos y las inevitables predicciones acerca del sexo del futuro hijo, ¿qué debe hacer la mujer embarazada? En primer lugar, recordar siempre que la mayoría de las cosas que oye carecen probablemente de sentido. Los cuentos de la abuela que *sí* tienen fundamento han sido demostrados científicamente y han pasado a formar parte de la práctica médica. Los que carecen de razón, si bien están aún profundamente arraigados en la mitología de los embarazos, pueden ser despreciados confiadamente. Cuando estos consejos dejan a la embarazada con un sentimiento de duda –"¿Y si fuera cierto?"– y por consiguiente no pueden ser despreciados, lo mejor es hablar de ellos con el médico, la partera o con el preparador para el parto.

Pero tanto si son posiblemente plausibles como si son obviamente ridículos, es muy importante que la futura madre no se deje irritar por estos consejos no solicitados. Ni ella ni su bebé se beneficiarán de esta tensión adicional. En vez de ello, la futura madre debe conservar su sentido del humor, y escoger uno de estos dos caminos. Bien informar educadamente al desconocido, amigo o pariente bienintencionado que se halla en manos de un buen médico en el que confía y que sólo acepta sugerencias de él y de nadie más. O bien, con igual educación, sonreír amablemente, agradecer el interés y continuar su camino dejando que el consejo le entre por un oído y le salga por el otro, sin detenerse ni un momento en la cabeza.

Ahora bien, independientemente del modo en que trate estos consejos no deseados, es bueno que la futura madre empiece a acostumbrarse a ellos. Si hay alguien que atraiga los consejos con más rapidez que una mujer embarazada, es sin duda alguna mujer con un hijo recién nacido.

"Ahora que se ve mi barriga de embarazada, mis amigos, mis colegas y hasta los extraños quieren tocarla sin ni siquiera preguntar. Estoy incómoda con la situación."

Son redondas, son tiernas y por dentro llevan algo aún más tierno. No hay nada que hacer, las barrigas de las embarazadas son irresistibles. De todas maneras, aunque tocar una de esas barrigas sea un impulso irresistible, también es un impulso inapropiado, especialmente si la dueña no da permiso.

A algunas mujeres no les molesta ser el centro de atención, hay quienes lo disfrutan. Pero si todo esto la está incomodando no dude en decirlo, puede hacerlo de una manera suave: "yo sé que mi barriga es irresistible pero prefiero que no la toquen", o puede intentar voltearse y tocar la barriga del otro "¿ahora cómo se siente?" Eso le hará pensar dos veces antes de volver a tocar la suya sin permiso.

FALTA DE MEMORIA

"La semana pasada me fui de casa sin mi cartera; esta mañana me he olvidado por completo de una importante reunión profesional. No puedo concentrarme en nada, y estoy empezando a pensar que estoy perdiendo la razón."

Esta mujer no es la única. Muchas embarazadas empiezan a creer que a medida que van ganando kilos, van perdiendo células cerebrales. Incluso las mujeres que están orgullosas de su sentido de la organización, de su capacidad de enfrentarse con complicados asuntos, y de su habilidad para mantener la compostura, de repente se encuentran a sí mismas olvidando citas, teniendo problemas de concentración y perdiendo las serenidad. Afortunadamente el síndrome de la cabeza de chorlito (parecido al que muchas mujeres experimentan antes de la menstruación) es temporal. Al igual que muchos otros síntomas, es causado por los cambios hormonales desencadenados por el embarazo.

Sentirse tensa debido a estas brumas intelectuales sólo conseguirá agravarlas. Reconocer que son normales, e incluso aceptarlas con sentido del humor, puede ayudar a aliviarlas. Reducir las tensiones de la vida diaria en lo posible también será de gran ayuda. Quizás no sea posible hacer tantas cosas y con tanta eficacia como se solía antes de tomar el cargo de fabricar un bebé. Hacer un sencillo inventario o listas de comprobación en casa o en el trabajo (y consultarlos antes de dejar la casa o el trabajo) puede ayudar a contener el caos mental así como a evitar que la embarazada cometa errores potencialmente peligrosos (tales como olvidarse de cerrar la puerta con llave o de apagar el fuego bajo la cazuela antes de dejar la casa). También puede ayudarse con un organizador electrónico, si es que no lo pierde también.

El ginkgo biloba parece tener propiedades para ayudar a la memoria pero no se considera seguro durante el embarazo, así que olvídese de esta preparación herbal para combatir los problemas de memoria en su embarazo.

También hay que intentar acostumbrarse a trabajar un poco por debajo del máximo de eficacia. Los despistes pueden muy bien continuar durante las primeras semanas de vida del bebé (debido a la fatiga, no a las hormonas) y quizás no desaparezcan por completo hasta que el bebé duerma las noches enteras.

FALTA DE ALIENTO

"A veces me siento como si tuviera problemas para respirar. ¿Esto es normal?"

Respire profundo (¡si puede!) y relájese, la pérdida del aliento es normal. Muchas embarazadas experimentan una ligera falta de aliento que se inicia durante el segundo trimestre. De nuevo, se trata de la labor de las hormonas del embarazo. Dichas hormonas provocan la hinchazón de los capilares del tracto respiratorio, al igual que hacen con otros capilares del cuerpo, y relajan los músculos de los pulmones y los bronquios al igual que otros músculos corporales. Al progresar el embarazo, entra en juego otro factor y se hace más fatigoso respirar profundamente; el útero que crece empuja el diafragma, apretando los pulmones y haciendo difícil que se expandan plenamente. Esta falta de aliento es normal.

Una falta de aliento grave, por otra parte, especialmente cuando la respiración es rápida, los labios y las puntas de los dedos parecen volverse azuladas y/o existe dolor torácico y el pulso es rápido, podrá ser signo de problemas serios y requiere avisar al médico o ir a un servicio de urgencias.

PROBLEMAS DENTALES

"Mi boca se ha convertido bruscamente en una zona catastrófica. Las encías sangran cuando me cepillo los dientes, y creo que tengo una caries. Pero tengo miedo de ir al dentista a causa de la anestesia."

La mujer embarazada centra su atención en su barriga, y por ello muchas veces pasa por alto lo que sucede en la boca, hasta que esta protesta y exige más cuidados, cosa que hace a menudo debido al elevado precio que puede costarle a los dientes y las encías un embarazo normal. Las encías, al igual que las membranas mucosas nasales, se inflaman y tienden a sangrar con facilidad debido a las hormonas del embarazo. Las hormonas también hacen que las encías estén más susceptibles a recibir bacterias y placas. Las encías rojas y sensibles pueden producir gingivitis y si esto no se trata puede convertirse en periodontitis. Las investigaciones muestran que una enfermedad seria en las encías en mujeres embarazadas puede provocar un parto prematuro o bajo peso del bebé al nacer, ese es un buen argumento para tener una excelente higiene dental. Otro de los problemas es que los dientes sin protección se pueden caer durante el embarazo. Afortunadamente todos estos problemas se pueden evitar. Seguir un programa de cuidados dentales preventivos, seguido escrupulosamente durante el embarazo —y preferiblemente durante toda la vida— conseguirá eliminar la mayoría de los problemas de la boca.

◆ Cuidar lo que come; tomar muy poco azúcar refinado, especialmente entre las comidas (también se evitarán los frutos secos entre comidas), y gran cantidad de alimentos ricos en vitamina C. El azúcar contribuye a la aparición de caries y a las enfermedades de las encías; la vitamina C refuerza las encías, reduciendo las posibilidades de que sangren. También es necesario tomar diariamente la cantidad apropiada de calcio (vea la página 131). El calcio es necesario durante toda la vida para mantener fuertes y sanos los dientes y los huesos.

- Cepillarse los dientes con regularidad y utilizar la seda dental, siguiendo las indicaciones del dentista.

- Para reducir todavía más las bacterias de la boca es aconsejable cepillarse la lengua al mismo tiempo que los dientes. Ello ayudará además a mantener un aliento fresco.

- Si después de comer no está cerca de un grifo y carece de un cepillo de dientes, masque un chicle sin azúcar o mordisquee un pedazo de queso o un puñado de cacahuetes (solamente si no existe ningún problema de alergias, vea la página 256) lo que puede sustituir temporalmente un cepillado concienzudo.

- Aunque sienta o no sienta incomodidad, concertar una cita con el dentista al menos una vez durante los nueve meses, para controlar y limpiar; sería incluso mejor una cada trimestre. La limpieza es importante para quitar la placa, que no sólo puede incrementar el riesgo de que se formen caries, sino también empeorar los problemas de las encías. Evitar los rayos X a menos que sea absolutamente necesario, y en este caso adoptar las precauciones especiales enumeradas en la página 95. Los trabajos de reparación no urgentes que requieran anestesia es mejor aplazarlos, ya que incluso un anestésico local puede penetrar en la sangre y llegar por consiguiente hasta el feto. Si la embarazada ha tenido problemas con sus encías en el pasado, deberá hacer una visita también al periodontólogo.

Es mejor no esperar hasta que la boca "grite" pidiendo ayuda. Si sospecha de la existencia de una caries u otro problema incipiente, concierte una cita con el dentista de inmediato. A veces existe más riesgo para el feto si no se aplican los cuidados dentales necesarios que si se reciben. Por ejemplo, los dientes en muy mal estado y que no son cuidados adecuadamente pueden constituir una fuente de infección que se puede extender por todo el cuerpo, poniendo en peligro a la madre y al hijo. Y unas muelas del juicio impactadas que se infectan o que provocan dolores intensos deberían ser tratadas también inmediatamente.

Sin embargo, se deben tomar precauciones especiales cuando el dentista ha de realizar alguna intervención en una mujer embarazada, para asegurar que el suministro de oxígeno al feto no se vea comprometido por la anestesia general, y que no se emplee un anestésico del que se sepa que puede dañar al feto. En la mayoría de los casos bastará con una anestesia local. Si la anestesia general es absolutamente necesaria, debería ser administrada por un anestesista experto. Para más seguridad, la embarazada deberá consultar el problema con su médico y con el dentista. También se consultará con el médico para saber si será necesario tomar un antibiótico antes del momento de la reparación dental.

Si después de la intervención dental, la futura madre no puede masticar alimentos sólidos, será necesario que introduzca algunas alteraciones especiales en su dieta. Si debe contentarse con una dieta líquida, podrá obtener los nutrientes adecuados (temporalmente) sorbiendo batidos de leche (vea el *Batido de leche doble*, página 140). Se suplementarán los batidos mediante jugos de cítricos (si no escuecen las encías) y con sopas caseras "cremosas" preparadas con verduras y requesón, yogur o leche descremada. Cuando ya sea posible ingerir alimentos blandos, añadirá a su dieta los purés de verduras y carne, los huevos revueltos, los yogures no endulzados, las compotas de manzana, los plátanos y las patatas reducidos a pasta,

y los cereales cocidos, enriquecidos con leche en polvo sin grasa. Cuando ya maneje las comidas suaves, puede agregar puré de vegetales, pescado o tofu; huevos revueltos, yogur sin azúcar, salsa de manzana u otras frutas cocinadas, puré de papas o de plátano y cereales cremosos y calientes enriquecidos con leche descremada.

"¿Puedo utilizar productos para blanquear los dientes mientras estoy embarazada?"

Es mejor que atraiga a la gente con su personalidad y no con sus dientes blancos mientras está embarazada. Todavía deben hacerse más estudios sobre los efectos de estos productos caseros o no caseros (algunos utilizan peróxido o luz ultravioleta). Por ahora el consejo de los médicos es que mientras no se sepa más del tema, las mujeres embarazadas no deberían blanquearse los dientes. No se preocupe por lo que ha hecho hasta ahora, no hay ningún riesgo.

"Me he encontrado un nódulo en una encía lateral que sangra cada vez que me lavo los dientes."

En el embarazo si no es una cosa, es la otra; pero no se preocupe, lo que ha descubierto probablemente sea un granuloma piogénico, que puede aparecer tanto en una encía como en cualquier otra parte del cuerpo. Aunque sangre con facilidad, puede estar tranquila ya que es totalmente inocuo. Si molesta mucho, puede ser extirpado quirúrgicamente.

PROBLEMAS PARA DORMIR

"Nunca en la vida había tenido problemas para dormir, hasta ahora. Parece que por la noche no me puedo relajar."

La mente no tiene descanso y el vientre se va desarrollando; no es de extrañar que esta mujer no pueda relajarse para tener un buen sueño nocturno. Debería aceptar este insomnio como una buena preparación para las noches en vela que es probable que le esperen durante los primeros meses de vida de su bebé, o intentará seguir los siguientes consejos:

◆ Hacer suficiente ejercicio. Un cuerpo que trabaja durante el día (vea la página 258 para las directrices), estará más soñoliento durante la noche. Pero no se realizará el ejercicio poco antes de ir a dormir, dado que la elevación del estado de ánimo producida por el ejercicio puede impedir que se sumerja en un profundo sueño en cuanto la cabeza toque la almohada.

◆ No tomar siestas durante el día (aunque las siestas están bien para quienes duermen bien por las noches), descanse.

◆ Cenar sin prisas. No debe engullir los alimentos servidos en una bandeja delante del televisor; intente compartir la mesa con su pareja, con amigos o con familiares y dará oportunidad a una relajante conversación. No coma algo pesado si se va a dormir pronto.

◆ Desarrollar una rutina para irse a la cama, y mantenerla. Después de cenar, mantener un ritmo pausado, dedicándose a actividades relajantes. Deleitarse con una lectura fácil (nada que no se pueda asimilar con facilidad) o con la televisión (nada de violencia o dramas que la emocionen), con música sedante, ejercicios de relajación (vea la página 173), un baño caliente, un masaje en la espalda o haciendo el amor.

◆ Tomar un tentempié ligero para mantener los niveles de azúcar en la sangre altos. Demasiada comida o el ayuno absoluto antes de ir a dormir pueden perturbar el sueño. Hay buenos tentempiés soporíferos, por ejemplo un vaso de leche tibia que puede ser muy efectiva, no solamente porque le recuerda a su oso de peluche, sino porque la leche contiene el aminoácido L-triptofan que eleva el nivel de serotonina en el cerebro, incluyendo la somnolencia. Otros alimentos con este aminoácido son el pavo (que en el día de acción de gracias manda a todo el mundo a tomar una siesta) y los huevos. Si no se le antojan estas cosas en la noche, intente comer algo más dulce como las galletas de cereales integrales o un muffin y un vaso de leche, fruta y queso, yogur y pasas.

- Ponerse cómoda. Asegurarse de que la habitación no esté demasiado caliente ni demasiado fría, que el colchón sea firme y la almohada un buen apoyo. Vea la página 282 para las posiciones cómodas para dormir; cuanto más pronto se aprenda a dormir confortablemente de lado, más fácil será en cuanto avance el embarazo.

- Tomar algo de aire. Un ambiente sofocante no es bueno para dormir. Así que abriremos una ventana, a menos que el tiempo sea muy frío o muy caluroso (cuando un ventilador o el aire acondicionado pueden ayudar a que el aire circule). Y no se dormirá con la ropa de cama tapando la cabeza. Ello haría disminuir el oxígeno y aumentar el dióxido de carbono que se respira, lo que podría causar jaquecas.

- No estar en la habitación si no es para dormir (o hacer el amor). Es malo asociar la cama con actividades como leer, ver televisión, revisar el correo electrónico. Eso interfiere con el sueño de algunas personas.

- Si las frecuentes idas al cuarto de baño interfieren con el sueño, se limitará la ingestión de líquidos después de las 6 de la tarde* y es pru-

dente no retener la orina durante el día, debido a que ello aumenta las micciones nocturnas.

- Mantener la mente despejada. Si la embarazada ha estado perdiendo el sueño por problemas domésticos o del trabajo, intentará solucionarlos durante el día, o al menos hablará de ellos con su esposo al principio de la velada. Pero se mantendrán todos estos problemas alejados de la mente durante las horas que preceden al momento de ir a dormir.

- No se debe recurrir a ayudas tales como la medicación o el alcohol para conciliar el sueño. Éstos podrían ser dañinos durante el embarazo, y a la larga tampoco son de ayuda. Es recomendable evitar la cafeína (en el té, el café, las bebidas a base de cola) y/o grandes cantidades de chocolate (que de todas formas no está muy en consonancia con la dieta ideal) después de mediodía. Estos podrían interferir con el sueño a corto plazo.

- Acostarse más tarde. Puede que la mujer necesite dormir menos de lo que cree. Aplazar el momento de ir a la cama puede, paradójicamente, ayudar a dormir mejor. Evitar las cabezadas durante el día también puede ser positivo.

---

* Pero asegúrese de tomar la cantidad de líquido adecuada todos los días (al menos ocho vasos) antes de cortar el suministro.

- No se duerma hasta que no esté cansada. A lo mejor usted necesita menos sueño del que piensa.

- No se quede acostada en la cama durante horas dando vueltas. Si no puede dormir, sálgase de la cama y haga algo, eso la puede cansar lo suficiente como para que vuelva a la cama a dormir.

- Juzgar si el sueño ha sido adecuado por cómo se siente la mujer, no por el número de horas que haya estado en la cama. Recuerde que la mayoría de la gente con problemas de insomnio en realidad duermen más de lo que ellos creen. Es posible que esté descansando lo suficiente si no está crónicamente cansada (más de lo que es normal durante el embarazo).

- Trate de levantarse a la misma hora todos los días, incluso en los fines de semana y los días feriados. Eventualmente esto le ayudará a fijar horarios de sueño.

- No preocuparse por el insomnio; no dañará a la madre ni al bebé. Cuando no pueda dormir, es recomendable que se levante y lea, borde o vea la TV hasta estar soñolienta. Desde luego, preocuparse por no poder dormir es más estresante que la falta de sueño en sí misma.

RONCAR

"Mi esposo me dice que estoy roncando mucho y yo nunca he roncado. ¿Es algo de lo que deba preocuparme?"

Si usted ronca puede incomodar a su pareja y sentirse incómoda usted misma (y como cuando nazca el bebé no van a dormir mucho, trate de dormir ahora que puede). A lo mejor se debe a la falta de aliento en el embarazo, en ese caso puede dormir con un humidificador o con la cabeza un poco elevada. Pero roncar también puede ser un signo de apnea de sueño que disminuye la cantidad de aire que usted recibe. Como respira por dos, es importante que exista una entrada continua de oxígeno y que vaya a un médico para que la examine. Una de las causas de roncar y de la apnea de sueño es el sobrepeso, así que trate de mantenerse en buen peso. Hable con su médico en la próxima cita.

PÉRDIDAS VAGINALES

"Tengo algo de flujo claro y blanquecino y temo padecer una infección."

Las pérdidas de flujo claro y lechoso (denominadas leucorrea) son normales durante todo el embarazo. Son parecidas a las pérdidas que muchas mujeres experimentan antes del período menstrual. Puesto que aumentan de intensidad y pueden ser bastante abundantes, algunas mujeres se sienten más cómodas si llevan una compresa higiénica durante los últimos meses del embarazo. No deben usarse tampones, que podrían introducir gérmenes indeseados en la vagina.

Este tipo de pérdidas no son motivo de preocupación, salvo en lo que se refiere a la sensibilidad estética de la futura madre (y posiblemente también de su marido, que por ello preferirá prescindir por el momento del sexo oral). Es importante mantener limpia y seca el área genital. Evite los jabones desodorantes, los baños de burbujas y los perfumes. Eso altera el balance normal de microorganismos en la vagina y puede producir vaginosis bacterial, (una infección seria) y hasta un parto prematuro. También puede forzar aire dentro de la vagina, esto puede ser peligroso durante el embarazo.

"Creo que tengo una infección vaginal. ¿Debo tomar la medicina que utilizo generalmente o es mejor que vaya a ver al doctor?"

En el embarazo nunca debe auto diagnosticarse ni tratarse, ni siquiera si se trata de algo simple como una infección vaginal. Incluso si ya ha tenido infecciones miles de veces no se autoprescriba, vaya al médico. El tratamiento dependerá del tipo de infección que tenga. *No se emplearán irrigaciones, a menos que el médico las prescriba.* (Incluso entonces *no se empleará una jeringa de pera*, por ejemplo del tipo desechable. Se utilizará un irrigador con recipiente metálico o de plástico, que *no se mantendrá a más de medio metro por encima de la boquilla*, para asegurarse de que la presión del agua será reducida. La boquilla no se debe insertar más de 2 cm en el interior de la vagina, y los labios deben ser mantenidos abiertos para que el agua pueda salir libremente. Este método evita el riesgo de una embolia gaseosa, que podría resultar fatal).

Si las pérdidas vaginales son amarillentas, verdosas o bien espesas y gaseosas, si tienen un olor desagradable o si van acompañadas de una sensación de quemadura o de picor, es probable que exista una infección. La embarazada deberá informar de ello a su médico o a su partera para que la infección pueda ser tratada (probablemente mediante óvulos o geles vaginales, pomadas o cremas que se insertan con ayuda de un aplicador). Por desgracia, aunque la medicación puede desterrar temporalmente la infección, a menudo reaparece después del parto. Aunque pueda requerir tratamiento, una simple vaginitis no debe ser causa de preocupación y no supone ningún riesgo para el bebé.

Si la vaginitis es provocada por hongos, el médico deberá prescribir una medicación, de modo que la futura madre no transmita dicha infección a su bebé (en forma de afta) durante el parto –aunque esta infección no es peligrosa para el recién nacido y es fácil de tratar.

Es posible acelerar la curación aplicando unas reglas de higiene muy estrictas, en especial después de haber ido al lavabo (la limpieza se efectúa siempre de delante a atrás), y siguiendo la dieta ideal; se vigilará sobre todo no tomar azúcares refinados (que pueden ayudar a crear un ambiente apropiado para el desarrollo de los organismos infecciosos). Las recientes investigaciones indican que tomar cada día un yogur que contenga cultivos de lactobacilos acidófilos vivos (ver las etiquetas) puede reducir espectacularmente el riesgo de contraer infecciones vaginales.

Si la infección puede ser transmitida sexualmente, se suele recomendar a la embarazada que prescinda de las relaciones sexuales hasta que tanto ella como su marido se hayan librado de la infección; puede que el médico sugiera el uso de condones durante seis meses después desaparecida la infección. Para prevenir la reinfección, hay que poner cuidado en evitar transferir gérmenes del ano a la vagina (con los dedos, el pene o la lengua).

PRESIÓN SANGUÍNEA ELEVADA

"Durante mi última visita el médico me dijo que mi presión sanguínea estaba un poco alta. ¿Debo preocuparme?".

Preocuparse por la presión sanguínea sólo sirve para que los valores suban aún más, y un ligero aumento en una visita probablemente no signifique mucho. Probablemente la embarazada estaba simplemente nerviosa o por temor a llegar tarde a la consulta había ido corriendo, o bien estaba preocupada por un informe que debía terminar en su oficina. Es muy posible que si se le tomara de nuevo la presión al día siguiente, o el mismo día pero más tarde, los valores volvieran a ser normales. Como a menudo es difícil determinar la causa de un registro alto aislado, lo más probable es que el médico le recomiende no preocuparse y esperar a la siguiente visita. Sin embargo, si la presión sanguínea continúa ligeramente alta, es posible que la mujer forme parte del 1 o 2% de embarazadas que muestran una elevación transitoria de la presión durante el embarazo. Este tipo de hipertensión es perfectamente inofensivo, por lo que se sabe hasta ahora, y desaparece después del parto.

Lo que es considerado una presión sanguínea normal en el embarazo varía ligeramente a lo largo de los nueve meses. En la primera visita prenatal se establece la presión básica (la que es normal para la paciente). Por lo general, la presión disminuye algo en los meses siguientes. Pero empieza a aumentar de nuevo, más o menos hacia el séptimo mes.

Durante el primer o el segundo trimestre, si la presión sistólica (el número superior) aumenta 30 mmHg o la presión diastólica (el número inferior) 15mmHg por encima de la presión básica o normal y permanece en estos valores en dos lecturas como mínimo, a un intervalo de seis horas, se considera que el estado de la embarazada exige una observación estricta y, posiblemente, un tratamiento. Durante el tercer trimestre, no se inicia un tratamiento a menos que el aumento sea mayor que este.

Si el aumento de la presión sanguínea va acompañado por un aumento brusco de peso (más de 1,4 kilos en una semana durante el segundo trimestre, o más de 1 kg en una semana durante el tercer trimestre), por un edema intenso (hinchazón a causa de la retención de agua), particularmente de las manos y el rostro, así como de los tobillos y/o por la presencia de albúmina en la orina, el problema puede ser la preeclampsia (también denominada hipertensión inducida por el embarazo). En las mujeres que reciben una atención médica regular, este trastorno suele ser diagnosticado antes de que progrese hasta síntomas más graves, como visión borrosa, dolores de cabeza, irritabilidad y dolores gástricos intensos. Si la embarazada experimenta alguno de los síntomas de preeclampsia, deberá llamar a su médico de inmediato (vea página 333 y página 655).

AZÚCAR EN LA ORINA

"En la última visita el médico dijo que había azúcar en mi orina. Me aconsejó que no me preocupara, pero yo estoy convencida de que tengo diabetes."

En este caso la embarazada hará bien en seguir el consejo de su médico y no preocuparse. Una pequeña cantidad de azúcar en la orina en una ocasión a lo largo del embarazo no significa diabetes. Lo que probablemente sucede es que el cuerpo de la embarazada está haciendo justamente lo que se supone que debe hacer: intentar asegurar que el feto, que depende de la madre para su alimentación, reciba suficiente glucosa (azúcar).

Puesto que la insulina es la encargada de regular los niveles de glucosa en la sangre y la que asegura que las células corporales pueden absorber suficiente glucosa, el embarazo desencadena unos mecanismos *anti*-insulina con el fin de que la sangre de la madre contenga azúcar suficiente para alimentar el feto. En ocasiones, el efecto anti-insulina es tan intenso que la sangre llega a contener más azúcar de la necesaria para satisfacer las necesidades de la madre y del hijo; más azúcar de la que pueden manejar los riñones. El exceso es "desperdiciado" y pasa a la orina. Y de ahí viene el "azúcar en la orina" que se presenta a menudo durante el embarazo, en especial durante el segundo trimestre, cuando aumenta el efecto anti-insulina. De hecho casi la mitad de las mujeres embarazadas muestran algo de azúcar en la orina en algún momento durante el embarazo.

En la mayoría de las mujeres, el cuerpo responde al aumento de los niveles de azúcar en sangre mediante un aumento de la producción de insulina, lo que devolverá los valores del análisis de orina a la normalidad antes de la siguiente visita al médico. Algunas mujeres, en especial las que son diabéticas o presentan una tendencia a la diabetes, pueden ser incapaces de producir cantidades suficientes de insulina para hacer frente al aumento de azúcar en la sangre, o bien pueden ser incapaces de usar con eficacia la insulina que producen. En cualquier caso, continuarán presentando niveles altos de azúcar en la sangre y la orina. En las mujeres que no eran diabéticas antes del embarazo, este proceso se llama diabetes gestacional.

A todas las mujeres embarazadas les hacen un examen de glucosa alrededor de la semana veintiocho de embarazo para descartar la diabetes gestacional (vea la página 353). Las mujeres con alto riesgo se examinan antes.

ANEMIA

"Una amiga mía se volvió anémica durante el embarazo. ¿Cómo puedo saber si yo estoy anémica, y cómo puedo evitarlo?"

En la primera visita prenatal se hace un examen de sangre para descartar la anemia, pero algunas mujeres resultan con deficiencia de hierro. Algunas llegan al embarazo con bajos niveles de hierro, por la pérdida de sangre en cada menstruación. Pero después de la concepción, y al no producirse la menstruación, las reservas de hierro se llenan de nuevo, si la dieta es adecuada. Por lo general, la mayoría de los casos de anemia por deficiencia de hierro sólo aparecen hacia las 20 semanas (cuando el aumento de volumen sanguíneo materno y del feto en desarrollo hacen aumentar la necesidad de hierro significativamente). Como no todas las mujeres embarazadas obtienen el hierro que necesitan para suplir las demandas del cuerpo, es posible que en el tercer trimestre presenten anemia por deficiencia de hierro.

Si la deficiencia de hierro es leve, puede que no produzca síntomas; pero si se reducen más los glóbulos rojos, encargados de transportar el oxígeno, la madre empieza a presentar síntomas tales como palidez, fatiga extrema, debilidad, palpitaciones, falta de aliento e incluso desmayos. Este puede que sea uno de los pocos casos en los que las necesidades alimenticias del feto se suplen antes que las de la madre, ya que el bebé de una madre anémica raras veces sufre de deficiencia de hierro al nacer. No obstante, existen algunos indicios aún no confirmados de que los bebés de madres anémicas que no toman suplementos de hierro pueden tener un riesgo algo mayor de ser pequeños o prematuros.

Aunque todas las mujeres embarazadas son susceptibles de sufrir una anemia por deficiencia de hierro, ciertos grupos de mujeres tienen a este respecto un riesgo más alto: las que han tenido varios hijos en rápida sucesión, las que vomitan mucho o comen mal debido a los mareos matutinos, las que llevan más de un feto y las que quedaron embarazadas estando mal nutridas y/o han estado alimentándose mal desde la concepción.

Para prevenir la anemia causada por un déficit de hierro generalmente se recomienda que las futuras madres tomen una dieta rica en hierro (ver la lista de alimentos ricos en hierro, página 135). Pero debido a que es difícil o imposible obtener el hierro suficiente únicamente con la dieta, generalmente se prescribe también un suplemento de hierro diario de 30 mg. Normalmente se recomienda otro suplemento más de 30 mg cuando se diagnostica una anemia con déficit de hierro.

La gran mayoría de los casos de anemia en el embarazo se deben a una deficiencia de hierro, a veces, cuando se excluye esto, se hacen pruebas para detectar otras causas.

HEMORRAGIA Y CONGESTIÓN NASALES

"Se me congestiona mucho la nariz y a veces incluso tengo hemorragias nasales. Estoy preocupada."

La congestión nasal, a menudo con hemorragias nasales asociadas, es una dolencia común durante el embarazo. Se debe probablemente a los elevados niveles de estrógeno que circulan por el cuerpo, incrementando el flujo sanguíneo hacia las membranas mucosas de la nariz y haciendo que éstas se ablanden e hinchen, al igual que hace el cuello de la matriz en preparación para el nacimiento.

Es probable que esta congestión empeore antes de mejorar; cosa que no sucederá después del parto. También es posible que se desarrolle una congestión postnasal, que ocasionalmente provocará tos nocturna. Para solucionar el problema no se deben aplicar medicamentos ni nebulizadores nasales (a menos que los prescriba el médico). Sin embargo, el agua salina y los *sprays* son completamente seguros e increíblemente eficientes.

La congestión y las hemorragias son más comunes durante el invierno, ya que los sistemas de calefacción dan lugar a que el aire de las casas sea seco y caliente, lo que seca los delicados conductos nasales. La utilización de un humidificador ambiental puede ser de gran ayuda. También se puede intentar lubricar cada orificio nasal con un toque de vaselina, esto es seguro.

La administración de 250 mg adicionales de vitamina C (con el consentimiento del médico) además de los alimentos ricos en vitamina C habituales de la dieta, ayudará a reformar los capilares y por lo tanto a reducir las probabilidades de una hemorragia. (Pero no se deben ingerir dosis masivas de dicha vitamina).

Algunas veces, la hemorragia se producirá cuando la embarazada se ha sonado la nariz con demasiada energía. Sonarse correctamente es un arte que sería conveniente dominar: primero se tapa suavemente uno de los orificios nasales con el pulgar y luego se expulsa cuidadosamente la mucosidad del otro orificio. La operación se repite con el otro orificio nasal, y se continúa alternando de este modo hasta que se pueda respirar libremente por la nariz.

Para contener una hemorragia nasal, lo mejor es ponerse de pie o sentada inclinándose ligeramente hacia adelante, en vez de echarse o inclinarse hacia atrás. Presione los orificios nasales contra el tabique nasal entre el pulgar y el índice, y manténgalos así durante cinco minutos; repita la operación si la hemorragia prosigue. Si después de tres intentos ésta no ha sido controlada, o si la hemorragia es frecuente o cuantiosa, llame al médico.

ALERGIAS

"Me parece que las alergias que sufro han empeorado desde que empezó el embarazo. La nariz me gotea constantemente y tengo siempre los ojos irritados."

Es posible que la embarazada confunda la congestión nasal habitual del embarazo con una alergia. Pero también

---

NADA DE MANÍ PARA EL BEBÉ

Se sabe bien que los padres que han tenido alergias, generalmente pasan las tendencias (no necesariamente las alergias) a los hijos. Hay investigaciones que sugieren que las madres alérgicas (o las madres con alergias pasadas) que comen comidas muy alergénicas (como el maní y los productos lácteos) cuando están embarazadas o cuando están lactando, pueden pasar las alergias de esas comidas a sus hijos. Si ha tenido alergias, hable con su doctor acerca de cómo debe restringir (si debe hacerlo) su dieta durante el embarazo y el posparto si va a amamantar.

---

es posible que el embarazo haya agravado las alergias (aunque algunas mujeres afortunadas se encuentran temporalmente aliviadas de sus alergias durante el embarazo). Si las alergias empeoran, es recomendable consultar con el médico para saber qué medicamento inocuo se puede usar para aliviar los síntomas agudos. Parece que algunos antihistamínicos y otros fármacos son relativamente seguros para su uso durante el embarazo (puede que la medicación que la mujer acostumbra a usar no lo sea).*

---

* Si tiene la nariz muy tapada, las secreciones son espesas o estornuda mucho, aumente su ingesta de líquidos para compensar cualquier pérdida y para suavizar las secreciones.

Sin embargo, la mejor manera de tratar las alergias durante el embarazo suelen ser la prevención; evitar las sustancias que la provocan, siempre que se sepan cuáles son:

◆ Si la sustancia desencadenante es el polen u otra materia existente al aire libre, la embarazada permanecerá todo el tiempo posible, durante la estación en cuestión, dentro de su casa, en un lugar provisto de aire acondicionado y de filtro de aire. Se lavará las manos y la cara siempre que haya permanecido al aire libre, y deberá llevar gafas de sol de cristales grandes o curvados para impedir que el polen que flota en el aire penetre en sus ojos cuando está afuera.

VACUNA DE GRIPA

Se recomienda que cada mujer que vaya a estar en su segundo o tercer trimestre en la época de gripa, se vacune. Las mujeres que están en el segundo o tercer trimestre de embarazo no solamente son más propensas a la gripa sino que son más propensas a las complicaciones como la neumonía. La vacuna no afecta al feto y casi no hay efectos secundarios para la madre. Lo peor que puede pasarle es que le de una fiebre leve y que se sienta más cansada de lo normal por algunos días.

◆ Si el culpable es el polvo, procurará que una tercera persona se ocupe de la limpieza del hogar. Una aspiradora, un paño humedecido o una escoba cubierta con un paño húmedo provocan menos polvo que una escoba ordinaria, y un paño absorbente dará mejores resultados que un plumero. La embarazada se mantendrá alejada en lo posible de los lugares mohosos y llenos de polvo, como por ejemplo las buhardillas y las bibliotecas llenas de libros viejos.

◆ Si la mujer es alérgica a ciertos alimentos, deberá prescindir de ellos aunque se trate de alimentos apropiados para el embarazo. Consultará la dieta ideal para encontrar alimentos sustitutivos.

◆ Si la presencia de animales provoca un ataque de alergia, la embarazada informará a sus amistades del problema, para que estas puedan alejar al gato, el perro o el canario cuando van a recibir la visita de su amiga embarazada. Y, evidentemente, si su propio animal de compañía desencadena súbitamente una respuesta alérgica, intente mantener una o más zonas de la casa (particularmente su dormitorio) libres de su presencia.

◆ La alergia al humo del tabaco resulta más fácil de controlar actualmente, ya que cada vez hay menos personas que fumen, y los fumadores suelen prescindir del tabaco si se les pide que lo hagan. Para controlar la alergia, y también en beneficio del futuro bebé, la embarazada no debería permane-

cer en locales en los que se fuma. Y tampoco debería tener reparos en contestar: "Sí, francamente, me molesta mucho que usted fume".

QUÉ ES IMPORTANTE SABER:
El ejercicio durante el embarazo

Los ejecutivos lo hacen. Los ancianos lo hacen. Los médicos, los abogados y los obreros de la construcción lo hacen. Si ellos lo hacen, se pregunta la mujer embarazada, ¿por qué no puedo hacerlo yo?

Estamos hablando, evidentemente del ejercicio. Y parece que la respuesta para las mujeres que tienen un embarazo normal es: deberías hacerlo. La idea del embarazo como enfermedad y de la mujer embarazada como una inválida que está demasiado delicada para subir unos cuantos escalones o para llevar la bolsa de la compra, está tan pasada de moda como la anestesia general en los partos rutinarios. Aunque por el momento no se dispone aún de muchos resultados de la investigación sobre el ejercicio durante el embarazo, en la actualidad se considera que una actividad física moderada no sólo no representa un riesgo, sino que es muy beneficiosa para la mayoría de futuras madres y para sus bebés. De hecho las investigaciones recientes muestran que incluso el ejercicio fuerte es seguro y no aumenta el riesgo de un parto prematuro.

Pero por muchos deseos que sienta la embarazada de ponerse su traje de deporte, antes deberá hacer una parada de vital importancia –en la consulta de su médico. Incluso si se encuentra fantásticamente bien, debe obtener el visto bueno del médico antes de ponerse los pantalones bien anchos de su marido y empezar a trotar. Las mujeres embarazadas de los grupos de alto riesgo deberán limitar el ejercicio o incluso prescindir de él por completo. Pero las que se encuentren en el grupo más numeroso de los embarazos normales, y si el médico le ha dado luz verde, puede continuar leyendo.

LOS BENEFICIOS DEL EJERCICIO

Parece que las mujeres que no hacen ningún tipo de ejercicio durante el embarazo pierden cada vez la forma física a medida que pasan los meses; sobre todo porque cada vez se sienten más y más pesadas. Un buen programa de ejercicio (que puede ser adaptado sin problemas a la vida diaria de la embarazada) puede contrarrestar esta tendencia

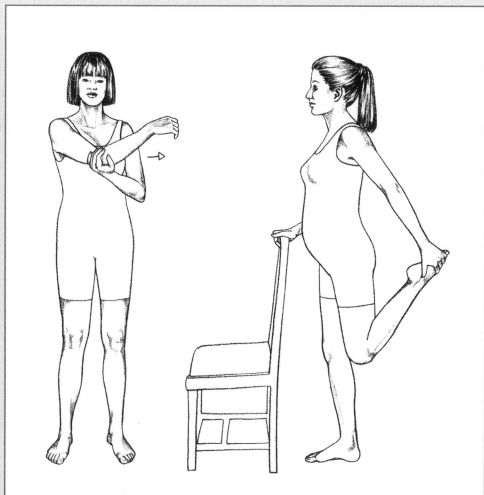

▲ **Estiramiento de hombros:** *Párese con las piernas ligeramente dobladas y los hombros separados. Sostenga el brazo justo por el codo con su otra mano. Estire el brazo hacia el hombro opuesto mientras exhala. Trate de mantener cada estiramiento de cinco a diez segundos.*

▲ **Estiramiento de pierna:** *sosténgase de la parte de atrás de una silla u otro objeto estable para apoyarse. Agarre su pie detrás de usted con la mano del mismo lado. Empuje hacia las nalgas mientras estira la pierna que está levantada hacia atrás. Mantenga derecha la espalda. Repita con la otra pierna. Mantenga el estiramiento por diez o treinta segundos.*

hacia una forma física cada vez más defectuosa. También puede darle más energía (¿sorprendida?), le puede ayu-

dar a sentirse mejor física y mentalmente, puede mejorar su sueño (siempre que no haga ejercicio antes de acostarse), estira los músculos y los endurece, le ayuda a mantener el balance del abdomen; reduce los dolores de espalda, el estreñimiento, la inflamación y el sudor (por ejemplo de manos y pies). Además le ayuda a recuperar su figura más rápido después del parto. Todo esto le ayudará e tener un parto mejor.

Las siguientes categorías de ejercicio pueden ser particularmente útiles durante el embarazo:

Aeróbico. Se trata de actividades rítmicas, repetitivas, suficientemente enérgicas para exigir un aumento de la oxigenación de los músculos, pero no tan enérgicas como para que la demanda supere a la oferta (andar correr, ir en bicicleta, nadar, jugar al tenis en partidos individuales). Los ejercicios aeróbicos estimulan el corazón y los pulmones, así como la actividad de los músculos y las articulaciones, produciendo unos cambios generales beneficiosos del cuerpo, especialmente un aumento de la capacidad de utilizar el oxígeno, factor muy importante para la futura madre y su hijo. Los ejercicios demasiado agotadores para ser mantenidos los 20 o 30 minutos que son necesarios para alcanzar este efecto (carreras cortas) o no lo bastante enérgicos (tenis en partido de dobles), en realidad no son considerados aeróbicos.

El ejercicio aeróbico mejora la circulación (fomentando así el transporte de oxígeno y de nutrientes hacia el feto, y reduciendo el riesgo de venas varicosas, hemorroides y retención de líquido), aumenta el tono y la fuerza musculares (a menudo aliviando el dolor de espalda y el estreñimiento, facilitando el parto y ayudando a llevar el peso extra del embarazo), incrementa la resistencia (con lo que la mujer aguantará mejor si el parto es un poco largo), quema calorías (permitiendo a la futura madre comer

Salud y figura

¿El ejercicio perjudica o ayuda al sistema inmunológico? Depende de lo fuerte que sea el ejercicio. Las investigaciones dicen que ejercitarse hasta el punto de estar exhausta, como estar entrenando para una maratón, puede afectar al sistema inmunológico y conllevar a otras enfermedades. Así que excederse en el ejercicio no es bueno, especialmente cuando trata de mantener a dos seres vivos sanos.

Por otro lado, hacer ejercicio moderado, como caminatas diarias o natación, puede ayudar al sistema inmunológico bajando las probabilidades de gripas y otras enfermedades. Una actividad tranquila como caminar (pero no el ejercicio fuerte), puede reducir la severidad y la duración de una gripa. Pero mientras es sano seguir caminando con la nariz tapada, si tiene fiebre, tos o catarro u otra enfermedad, necesita descansar. Tómese un descanso hasta que se sienta mejor.

más de los buenos alimentos que tanto ella como su bebé necesitan, sin aumentar excesivamente de peso, y asegurando una mejor silueta para después del parto), reduce el cansancio y ayuda a conseguir una buena noche de sueño; proporciona una sensación de bienestar y confianza, y de modo general, aumenta la capacidad de la embarazada para responder frente a las tensiones físicas y emocionales del embarazo.

Calistenia. Se trata de movimientos gimnásticos ligeros, rítmicos, que tonifican y desarrollan los músculos y que pueden mejorar la postura. La calistenia especialmente destinada a las mujeres embarazadas puede ser muy útil para aliviar el dolor de espalda, para mejorar el bienestar físico y mental, y para preparar el cuerpo ante la ardua tarea del parto. No obstante, la calistenia, concebida para la población general puede ser perjudicial.

Entrenamiento de peso. Este tipo de ejercicio puede tonificar sus músculos. Es importante evitar mucho peso (más de 10 Kg) y los ejercicios que necesitan aguantar el aire, ya que eso puede comprometer la llegada de aire al útero. En lugar de eso, haga muchas repeticiones con poco peso.

Ejercicios en el agua. Una de las formas más cómodas y ricas de ejercitarse durante el embarazo, es en el agua. Los ejercicios acuáticos, incluida la natación, los aeróbicos, los calistenia, los estiramientos y los ejercicios de flexibilidad, no solamente le ayudarán a mantener su figura sino que mejorarán su humor y son menos riesgosos para su cuerpo. Gracias al soporte del agua, usted solamente pesa un décimo de su peso normal (algo muy bueno teniendo en cuenta el crecimiento de su barriga), así que puede hacer ejercicio más fuerte y por más tiempo. Los ejercicios en el agua son menos estresantes y hay menos posibilidades de lastimarse. Otra ventaja: no se va a acalorar, a menos de que el agua esté muy caliente. Como estos ejercicios son tan seguros, usted puede continuar haciéndolos hasta el parto (si no hay complicaciones con el embarazo). Simplemente no se hunda en la piscina y no nade en donde no pise el suelo. Tenga también en cuenta que los ejercicios de agua están especialmente diseñados para hacer en el agua, no sirve de mucho hacer ejercicios de "tierra" en el agua.

Yoga. Este ejercicio se centra en la respiración, la relajación, la postura y la conciencia del cuerpo, esto lo hace el ejercicio perfecto durante el embarazo. Escoja un programa de yoga especialmente diseñado para mujeres embarazadas ya que algunas de la posiciones tradicionales no son apropiadas y necesitan modificarse dependiendo del mes en el que esté. En el aspecto físico el yoga la hace más fuerte, endurece y

POSICIÓN BÁSICA (CUARTO MES) Y EJERCICIOS DE KEGEL

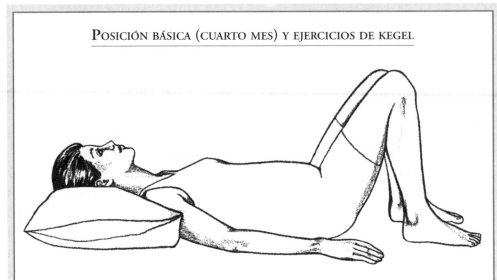

Tenderse sobre la espalda, con las rodillas flexionadas y los pies separados unos 30 cm y apoyados en el suelo. La cabeza y los hombros se apoyan en almohadas, y los brazos descansan a los lados del cuerpo.

Nota: la posición básica debería usarse sólo durante el cuarto mes. Después no es recomendable.

Para realizar los ejercicios, tensar firmemente los músculos que rodean el ano*. Mantener esta contracción durante todo el tiempo que sea po-

sible (llegando hasta los 8 o 10 segundos) y luego soltar los músculos lentamente y relajarse. Estos ejercicios pueden ser ejecutados y después del cuarto mes deben ser ejecutados de pie o sentada o mientras orina. Realizar por lo menos 25 repeticiones varias veces a lo largo del día.

* Para asegurarse de que está utilizando los músculos adecuados, trate de parar el flujo de orina cuando va al baño. Si lo detiene, esos son los músculos correctos.

---

mejora la postura y el alineamiento (más gracia), mejora la circulación y la respiración y reduce los dolores y molestias del embarazo, especialmente los de la parte baja de la espalda y las piernas. Hay algunas posiciones para minimizar las náuseas y la indigestión. En el aspecto psicológico, el yoga puede minimizar la tensión y la ansiedad además de ser relajante. El yoga es una excelente preparación para el nacimiento del

bebé ya que ayuda a la mujer a visualizar, a enfocarse y a aislar y relajar diferentes partes del cuerpo.

Técnicas de relajación. Los ejercicios de respiración y de relajación (que relajan la mente y el cuerpo) ayudan a conservar la energía para cuando esta es necesaria, y a la mente a centrarse en la tarea que se está realizando, y aumentan la conciencia del propio cuerpo;

todo lo cual ayuda a una mujer a afrontar mejor los retos del embarazo y el parto. Las técnicas de relajación (vea la página 173) resultan valiosas en combinación con ejercicios de mayor actividad física, o bien por sí solas –sobre todo en los embarazos en que está prohibido un ejercicio más activo.

Tonificación de la pelvis. O ejercicio de Kegel (ver la página 262): un modo sencillo de tonificar los músculos de la zona de la vagina y el perineo, reforzándolos como preparación para el parto. Ello también ayudará a recuperarse durante el posparto. Se trata de un ejercicio que virtualmente todas las mujeres embarazadas pueden realizar en cualquier momento y cualquier lugar.

DESARROLLAR UN BUEN PROGRAMA DE EJERCICIO

Empezar. El mejor momento para pensar en la buena forma física es antes del embarazo. Pero nunca es demasiado tarde para empezar, incluso si ya se ha comenzado la cuenta atrás de los nueve meses. Antes de empezar asegúrese de tener el visto bueno de su médico.

Empezar despacio. Cuando la embarazada ha decidido empezar a hacer ejercicio, siempre resulta tentador empezar de modo espectacular, corriendo cinco kilómetros la primera mañana o realizando por dos veces el programa completo de Jane Fonda la primera tarde. Pero estos inicios tan entusiastas no conducen a una mejor condición física sino a unas agujetas considerables, a un descenso de la voluntad y a un final abrupto de las buenas resoluciones. Incluso pueden resultar peligrosos.

Naturalmente, si la embarazada ha estado siguiendo un programa de ejercicio físico antes de quedar en estado, lo más probable es que pueda continuarlo –aunque quizás modificándolo un poco (véase el apartado dedicado a la seguridad, página 270). Pero si la mujer es un atleta novata, es aconsejable que empiece lentamente: 10 minutos de calentamiento y luego 5 minutos de ejercicio algo más intenso. Al cabo de unos pocos días, cuando su cuerpo se haya adaptado ya al esfuerzo, podrá aumentar el ejercicio activo en un par de minutos cada día hasta un máximo de veinte o treinta minutos.

Empezar despacio cada vez que se comienza. Los ejercicios de calentamiento pueden resultar tediosos si se está ansiosa por empezar (y terminar) los ejercicios de entrenamiento más activos. Pero, como lo sabe bien cualquier atleta, estos ejercicios de calentamiento constituyen una parte esencial de todo programa de ejercicio. Aseguran que el corazón y la circulación no serán recargados bruscamente y que los músculos y articulaciones, que son más vulnerables cuando están "fríos" –y particularmente vulnerables durante el embarazo–, no correrán el riesgo de ser lesionados. La embarazada caminará un rato antes de empezar a correr, realizará movimientos lentos de estiramiento antes de empezar la calistenia, y nadará lentamente antes de hacer un par de piscinas a buena velocidad. Si se van a realizar ejercicios de estiramiento, hay que asegurarse de no estirarse al límite, dado que ello podría dañar las articulaciones que se han aflojado durante el embarazo. Así que camine antes de correr, nade lentamente o trote lentamente antes de empezar sus ejercicios.

Después de un breve calentamiento, intente estirarse un poco. Mantenga cada estiramiento por diez o veinte segundos y no se exija demasiado

(porque sus articulaciones seguramente están más suaves de lo normal y se puede lastimar).

Terminar tan despacio como se ha comenzado. Detenerse bruscamente y descansar parece algo así como la conclusión lógica de un entrenamiento, pero no es sano desde el punto de vista fisiológico. Al detener bruscamente la actividad, la sangre queda atrapada en los músculos, lo que reduce la irrigación de otras partes del cuerpo de la futura madre y también del feto. Como consecuencia de ello se pueden producir vahídos, desmayos, taquicardia o náuseas. Por lo tanto, el ejercicio deberá terminar con ejercicio: unos 5 minutos de andar después de correr, unos movimientos lentos de natación después del entrenamiento intenso , unos ejer-

Bascular la pelvis

Adoptar la posición básica. Sacar el aire y al mismo tiempo hacer presión con la región lumbar sobre el suelo. Luego tomar aire y relajar la columna vertebral. Repetir varias veces. Este movimiento basculante puede ser realizado también de pie, con la espalda apoyada contra una pared (tomar aire mientras se hace presión con la zona lumbar contra la pared). Esta versión del ejercicio que se realiza de pie es un modo excelente de mejorar la postura. A partir del cuarto mes, haga el ejercicio parada o haga esta variación: mientras está arrodillada con las manos en el suelo o cuando esté parada, meta y saque la pelvis hacia delante y hacia atrás y mantenga la espalda recta. Esta versión del ejercicio también es buena para combatir el dolor de la ciática.

RELAJAR LA NUCA

El cuello y la nuca son a menudo un foco de tensión, ya que se tensan en caso de estrés. Este ejercicio ayuda a relajar el cuello y también el resto del cuerpo: 1. Sentarse en una posición cómoda, en el suelo o una silla reclinable, con los ojos cerrados. Hacer girar suavemente la cabeza, llevando su oreja hacia su hombro lo más lejos que pueda (pero no lleve el hombro hacia la oreja), inhale. Mantenga la posición de tres a seis segundos. Exhale y relaje. Repita del otro lado. Repita tres o cuatro veces alternando de dirección y relajando entre cada giro. Haga este ejercicio varias veces al día. 2. Describiendo un círculo completo y tomando aire. Sacar el aire y relajarse, dejando la cabeza colgando hacia adelante, sin forzar. Repetir el ejercicio 4 o 5 veces, alternando la dirección de los giros de la cabeza y relajando entre cada giro. Realizar este ejercicio varias veces al día.

cicios suaves de elasticidad después de cualquier actividad. Esta última fase del programa de ejercicios terminará con unos pocos minutos de relajación.

También puede ser de gran ayuda para evitar los mareos (y una posible caída) que la gestante se levante despacio después de haber hecho gimnasia en el suelo. Estire después de los aeróbicos y no se exija demasiado porque puede lastimarse ya que sus articulaciones están más suaves que antes.

Vigilar el reloj. Muy poco ejercicio no es eficaz, pero demasiado ejercicio puede ser debilitante. Un programa completo, desde el calentamiento hasta la fase de relajación, puede durar entre media hora y una hora, incluso más.

Si hacía ejercicio antes del embarazo y tiene el visto bueno del médico, puede seguir con la misma rutina, siempre y cuando los ejercicios sean seguros (vea el siguiente cuadro). Pero mantenga el nivel de ejercicio en algo moderado o suave. Si no hacía ejercicio antes de estar embarazada, puede hacer ejercicio durante media hora (incluyendo el calentamiento y el estiramiento), tres veces a la semana o más. Si no tiene mucho tiempo, trate de caminar diez minutos, tres veces al día.

ESCOGER EL EJERCICIO ADECUADO PARA EL EMBARAZO

La embarazada deberá elegir el tipo de ejercicio que más le convenga. Si bien es probable que pueda continuar un deporte o actividad física que ha venido practicando desde hace tiempo, no es aconsejable que inicie uno nuevo durante el embarazo.

Los ejercicios que aconsejamos son:

* Caminar a buen ritmo.

* Nadar en aguas poco profundas, que no estén muy calientes ni muy frías.*

* Montar en una bicicleta de interior a una velocidad* y resistencia cómodas.

* Una máquina para *step* en una tensión cómoda o una caminadora.

* Una máquina para remar en una tensión cómoda.

* Calistenia especialmente pensada para las embarazadas.

* Yoga para embarazadas.

* Tonificación de la pelvis (ejercicios de Kegel).*

* Técnicas de relajación.*

Ejercicios que sólo pueden llevar a cabo durante el embarazo las atletas bien entrenadas y experimentadas:

* Trotar, hasta 3 Km. diarios.*

* Dobles de tenis (pero no individuales, que pueden ser demasiado extenuantes).

* Esquí de fondo por debajo de los 3.000 m.

* Levantamiento de poco peso, si se evita la maniobra de Valsava (aguantar la respiración y tensar).

* Ir en bicicleta (con mucha precaución y con casco).

* Patinar sobre hielo (con grandes precauciones pero solamente hasta que su barriga le permita mantener el equilibrio).

* Caminatas (pero no en terrenos malos ni en altitudes muy elevadas).

* Voleibol (con precaución).

* Pilates, técnica Alexander, tai chi (adaptados para embarazadas y siempre y cuando la mujer se sienta cómoda con las posiciones).

* Danza (siempre y cuando sea cómodo).

Los ejercicios que incluso una atleta debiera evitar, debido a sus grandes riesgos, incluyen:

* Trotar, más de 3 Km. diarios**. La embarazada hablará con su médico si desea hacer algo parecido.

* Cabalgar.

* Esquí acuático.

* Submarinismo y saltos de trampolín.

---

* Estos son ejercicios que no necesitan peso, es la manera más fácil de continuar con el embarazo.

** Algunas mujeres muy bien entrenadas han continuado con programas de ejercicios más rigurosos durante el embarazo sin acusar efectos negativos, pero no está claro que esto siempre sea seguro.

Continúa en la página siguiente…

...viene de la página anterior

- Bucear con escafandra autónoma (la escafandra podría restringir la circulación y una mala descompresión podría ser peligrosa para el feto).

- Fútbol y otros deportes de contacto.

- Carreras de velocidad (exigen demasiado oxígeno y demasiado de prisa).

- Esquí alpino (arriesgado debido a la posibilidad de una mala caída).

- Esquí de fondo por encima de los 3.000 metros (las grandes altitudes privan tanto a la madre como al feto de oxígeno).

- Ir en bicicleta sobre un suelo húmedo o por rutas donde haga mucho viento (donde son probables las caídas) y en posición de carreras, inclinada hacia adelante (puede causar dolor de espalda).

- Ejercicios gimnásticos no pensados para el embarazo.

Perseverar. Hacer ejercicio de un modo errático (cuatro veces la primera semana y ninguna vez a la siguiente) no ayuda a estar en buena forma física. Es necesaria la regularidad (tres o cuatro veces por semana). Si la embarazada se siente demasiado cansada para realizar todo el programa, no es necesario que se esfuerce, pero intentará realizar los ejercicios de calentamiento, para que sus músculos se mantengan flexibles y para que su voluntad no se desvanezca. Muchas mujeres opinan que se sienten mejor si hacen ejercicio cada día.

Incluir el ejercicio en el plan diario. El mejor modo en que la embarazada se asegurará de realizar cada día sus ejercicios consiste en asignarles un momento específico de la jornada: la primera cosa que hará por la mañana; o bien un rato antes de irse a trabajar; o durante la pausa de media mañana o antes de cenar. Si la futura madre no tiene un horario fijo

en su tiempo libre para realizar su sesión de actividad física, puede incluir los ejercicios en las actividades diarias. Ir al trabajo caminando, si puede, o bien dejar el coche o bajar del autobús a una cierta distancia de la oficina. O llevar al hijo mayor a la escuela (o a casa de un amigo) caminando en vez de ir con el coche. También puede pasar la aspiradora de un modo más rápido y activo, después de unos pocos ejercicios de calentamiento, con lo que conseguirá limpiar las alfombras y moquetas y al mismo tiempo hacer el ejercicio que su cuerpo necesita. En lugar de dejarse caer en un sillón, delante de la TV, después de haber lavado los platos de la cena, puede pedir a su marido que la acompañe a dar un paseo. Por muy ocupado que tenga el día, si su voluntad es firme, la futura madre siempre encontrará el modo de incluir algún tipo de ejercicio en su jornada diaria.

LA POSTURA DEL DROMEDARIO

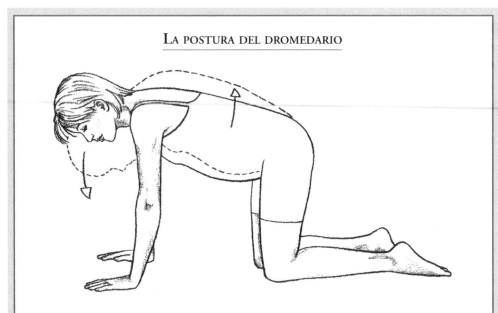

Este ejercicio es útil en todo el embarazo y durante los dolores del parto, para aliviar la presión del útero sobre la columna vertebral. Colocarse sobre las manos y las rodillas, con la columna en una posición naturalmente relajada (pero sin que se hunda). Colocar la cabeza y el cuello rectos, como continuación de la columna vertebral. Luego curvar la espalda hacia arriba, contrayendo el abdomen y las nalgas y dejando caer la cabeza. Volver a bajar luego la espalda y levantar la cabeza hasta la posición inicial. Repetir varias veces.

Compensar las calorías que se queman. Es probable que la mejor parte del programa de ejercicios consista en los alimentos adicionales que se deberán tomar. Pero, como siempre, estas calorías son importantes. La futura madre aprovechará esta oportunidad para añadir a su dieta más nutrientes beneficiosos para su bebé. Deberá consumir entre 100 y 200 calorías adicionales por cada media hora de ejercicio intenso. Si cree que está consumiendo suficientes calorías, pero todavía no gana peso, podría ser que estuviera haciendo demasiado ejercicio.

Reemplazar los líquidos perdidos. Por cada media hora de ejercicio vigoroso, la gestante precisará al menos un vaso de líquido extra para compensar los fluidos perdidos por transpiración. En días calurosos, o si suda mucho, deberá beber con más abundancia: lo mejor es beber antes, durante y después del ejercicio, pero no más de 450 gramos a la vez. La pesa puede darle una pista acerca del líquido que necesita consumir: dos tazas de 225 gramos por cada 0.4 Kg de peso perdidos con el sudor (pésese antes y después del ejercicio y verá cuánto ha perdido). Es buena idea que empiece a tomar líquidos entre treinta a cuarenta y cinco minutos antes de hacer ejercicio.

Si se prefiere hacer ejercicio en grupo, se puede acudir a unas clases pensadas específicamente para las mujeres embarazadas. Se debe tener en cuenta que no es un experto todo aquel que dice serlo; antes de apuntarse a un curso, la embarazada hará bien en informarse sobre los títulos y la experiencia del instructor. Para algunas mujeres (sobre todo si no tienen mucha voluntad), las clases son más eficaces que el ejercicio en solitario, ya que proporcionan apoyo y aliento. Los mejores programas ofrecen un ejercicio de intensidad moderada; presentan sesiones por lo menos tres veces por semana; ofrecen una atención individualizada; no emplean una música de ritmo rápido, que podrían empujar a las participantes a esforzarse en demasía; asimismo, disponen de una red de especialistas médicos para responder a las preguntas.

LEVANTAMIENTO DE PIERNA

Echarse sobre el costado izquierdo, con los hombros, caderas y rodillas formando una línea recta. Colocar la mano derecha sobre el suelo delante del pecho y aguantarse la cabeza con la izquierda. Relajarse e inhalar; luego exhalar mientras se levanta lentamente la pierna derecha tan alto como se pueda, con el pie flexionado (apuntando hacia el vientre) y con la parte interna del tobillo mirando directamente hacia abajo. Inhalar mientras se baja lentamente la pierna. Repetir 10 veces a cada lado. Este ejercicio puede hacerse con las piernas rectas o dobladas por la rodilla.

Diviértase. Cualquier ejercicio, en grupo o no, debe ser divertido y no debe verse como una tortura. Así que escoja ejercicios que le gusten, y si quiere, busque un acompañante. Hacer ejercicio con una amiga aumenta las posibilidades de seguir con el programa. Así que en lugar de encontrarse con su amiga para tomar un café, encuéntrense para ir a caminar.

LA SEGURIDAD

No hacer ejercicio con el estómago vacío. La norma materna de no nadar después de una comida tenía alguna validez. Pero hacer ejercicio con el estómago vacío puede resultar también peligroso. Si la embarazada no ha comido nada desde hace varias horas, es una buena idea que tome un tentempié ligero y una bebida unos 15 o 30 minutos antes de empezar los ejercicios de calentamiento. Si comer algo antes de hacer ejercicio la hace sentirse incómoda, puede tomar algo una hora antes.

Vestirse para la ocasión. La futura madre deberá llevar prendas holgadas o que sigan bien sus movimientos. Las telas deberán permitir que el cuerpo respire –hasta la ropa interior, que debería ser de algodón. Unos zapatos de deporte bien adaptados, protegerán sus articulaciones mientras trota o da un paseo, si no tiene los zapatos adecuados hasta se puede caer.

No todos los ejercicios son buenos en el embarazo

Algunos ejercicios tradicionales representan un riesgo en el embarazo. Por ejemplo son malos los ejercicios en los que tiene que acostarse de espaldas después del cuarto mes, en los que se tiene que acostar de barriga (como los abdominales o doblar las piernas) eso puede hacer que entre aire a la vagina (como hacer bicicleta, sostenerse con los hombros o llevar las rodillas al pecho mientras está arrodillada en cuatro), en los que se estiren los músculos internos (como sentarse en el piso con las suelas de los pies juntos y presionar o balancear las rodillas), en los que la parte chica de la espalda se curve hacia adentro, en los que se necesitan "hacer puente" u otras contorsiones o en las que se involucren flexiones profundas o extensión de las articulaciones (como muchas cuclillas), saltar, balacearse, cambios de dirección súbitos o movimientos sin control.

Seleccionar la superficie adecuada. De puertas adentro, los suelos de madera o las superficies bien cubiertas de alfombras o moquetas son mejores para hacer ejercicio que la cerámica o el hormigón. (Si el suelo es resbaladizo, no se hará ejercicio con calcetines o con medias provistas de pies.) En el exterior, las pistas blandas de hierba o de tierra

Movimiento de estiramiento

La posición sentada, con las piernas cruzadas, es particularmente cómoda durante el embarazo. La futura madre deberá adoptarla con frecuencia y realizar movimientos de estiramiento con los brazos: colocar las manos en los hombros y luego levantar ambos brazos por encima de la cabeza. Estirar más un brazo que el otro, como si se quisiera tocar el techo; luego relajarse y repetir con el otro brazo. Realizar el ejercicio 10 veces con cada brazo. No se debe rebotar. Variación: vaya hacia un lado mientras estira el brazo y reverse el arco para ponerse derecha. Repita y hágalo del otro lado.

son mejores que las carreteras y aceras de superficies duras. Se evitarán, en todo momento, las superficies irregulares.

Divida su tiempo. Si puede, divida su programa de ejercicios en dos o tres sesiones breves en vez de hacer una sola sesión larga al día. Esto tonifica mejor los músculos. Haga los ejercicios despacio y no haga repeticiones rápidas en serie, es mejor que se detenga entre los movimientos (es ahí cuando los músculos se ejercitan).

Hacerlo todo con moderación. La mujer embarazada *nunca* deberá hacer ejercicio hasta el agotamiento; los productos químicos secundarios que se presentan tras una actividad agotadora no son buenos para el feto. (Si la embarazada es una atleta bien entrenada, no deberá hacer ejercicio hasta el máximo de su capacidad, tanto si ello la agota como si no). Existen varios modos de comprobar si una se está excediendo. En primer lugar, si se encuentra bien es que probablemente no hay peligro. Si siente algún dolor o molestia, es que ha exagerado. Sudar un poco es beneficioso; pero una sudoración abundante es signo de que se debe disminuir el ritmo. El pulso que se mantiene aún por encima de las 100 pulsaciones al cabo de cinco minutos de haber terminado el programa de ejercicios indica que éste ha sido excesivo. Y lo mismo sucede si la embarazada siente la necesidad de dar una cabezadita después de su actividad física de cada día. Después del ejercicio debería encontrarse en plena forma, no exhausta.

Saber detenerse. El cuerpo de la futura madre le indicará cuándo debe parar. Entre sus señales se cuentan: dolor de cualquier tipo (caderas, espalda, pelvis, pecho, cabeza, etcétera.), una rampa o punzada, mareos, taquicardia, palpitaciones, falta de aliento muy acusada, dificultades para andar o pérdidas del control muscular, jaqueca, hinchazón en aumento de las manos, pies, tobillos, cara, salida de fluido amniótico o hemorragia vaginal, o después de la vigésimo octava semana, un descenso o cese de los movimientos fetales. En el segundo y el tercer trimestre, es probable que la embarazada perciba una disminución de su rendimiento físico. Esto es normal y es otra señal para tomarse las cosas con calma.

Trate de estar tranquila. Hasta que la investigación demuestre lo contrario,

el ejercicio o el ambiente que aumenten en más de 2,7-3,6 °C la temperatura del cuerpo de la futura madre deben ser considerados peligrosos (la sangre es desviada hacia la piel en un intento del cuerpo para reducir su temperatura, con lo que el feto recibe menos sangre). Por consiguiente, la embarazada no hará sus ejercicios durante el período más caluroso del día o en una habitación muy caliente o mal ventilada, evite los saunas y los turcos. Si normalmente hace ejercicio afuera, intente ir a un centro comercial con aire acondicionado.

Asegúrese de utilizar la ropa adecuada. En verano utilice ropa suelta y abríguese en el invierno si va a hacer ejercicio afuera (debe sentir un poquito de frío al salir de la casa). O vístase con varias cosas para poder ir quitando capas a medida que se acalora y no espere a que su cuerpo le diga que está recalentado, pare antes de llegar a ese punto.

Proceder con precaución. Incluso la deportista más entrenada puede carecer de soltura cuando está embarazada. A medida que el centro de gravedad de su cuerpo se desplaza hacia adelante con el útero, la probabilidad de una caída aumenta. La futura madre deberá ser consciente de ello y tomar precauciones. En las últimas fases del embarazo deberá evitar aquellos deportes que exigen movimientos bruscos o un buen sentido del equilibrio.

Haga esto en casa

Haga parte de su rutina estos simples ejercicios o utilícelos periódicamente durante el día (incluso puede hacerlos en las pausas del trabajo) para mantener bien su circulación.

Ejercicios de respiración. Estos ejercicios de respiración profunda pueden ayudarla a aprender a respirar para el parto y a endurecer uno de los músculos que va a necesitar. Siéntese en el piso con la espalda pegada a la pared o en una silla con un buen espaldar. Ponga sus manos en el ombligo y respire profundo (su estómago va a extenderse hacia afuera), exhale y contraiga (o apriete) su músculo abdominal transversal (el músculo que utiliza para meter la barriga). Repita diez veces (no se preocupe que no va a aplastar al bebé). Este ejercicio es bueno para la espalda, para mantener fuertes los abdominales y la preparará para sacar el bebé.

Rotación de cintura. Mientras esté parada o sentada, voltee suavemente de lado a lado la cintura, mire un hombro y luego el otro, sus brazos deben moverse libremente con cada repetición.

Flexión de cadera. Párese perpendicularmente de espaldas a una silla pesada y apoye una mano en ella para mantener el equilibrio. Extienda la pierna opuesta hacia el frente, con la rodilla un poco doblada; lentamente estire la pierna mientras llega a la altura de la cadera (o lo más alto que pueda siempre y cuando esté cómoda). Exhale mientras estira la pierna. Inhale y regrese la pierna a su posición inicial. Repita lo mismo con la otra pierna.

Estiramiento de pecho. Ponga las manos de los dos lados de una puerta abierta, éstas deben estar a la altura de los hombros, con sus codos inclinados. Vaya hacia adelante hasta que sienta que el pecho se estira. Retenga la posición de diez a veinte segundos. Repita cinco veces.

Sentarse en cuclillas. Párese con los pies bien pegados al piso y los hombros bien separados. Lentamente haga una cuclilla, mantenga sus talones planos en el piso y mantenga la espalda recta. Si los talones empiezan a despegarse, lentamente acomódelos otra vez. Mantenga la posición de diez a treinta segundos y apoye los brazos en las rodillas. Regrese a la posición inicial lentamente, poniendo sus manos en sus rodillas y empujando con sus brazos. Repita cinco veces. Este ejercicio es especialmente bueno si planea dar a luz sentada en cuclillas.

Ser consciente del mayor riesgo de sufrir accidentes. Debido a diversas razones (centro de gravedad alterado, articulaciones laxas, despiste), las mujeres pueden sufrir más accidentes cuando están esperando. Así que no se arriesgue.

Cuidado con la espalda y los pies. Después del cuarto mes, la futura madre no deberá hacer ejercicios tendida sobre la espalda, ya que el útero podría comprimir algún vaso sanguíneo importante, impidiendo la circulación. Extender o poner de punta los dedos de los pies –en cualquier momento del embarazo– podría producir calambres en las pantorrillas. En vez de ello se flexionarán los pies, volviéndolos hacia la cara.

Reducción gradual en el tercer trimestre. Aunque todos hemos oído contar historias sobre atletas embarazadas que han permanecido activas hasta el momento del parto, para la mayoría de las mujeres resulta aconsejable disminuir la actividad física durante los últimos tres meses de embarazo. Esto se aplica sobre todo al noveno mes, durante el cual los paseos rápidos y los ejercicios de extensión constituyen ya una actividad física suficiente. Los ejercicios atléticos en serio pueden ser empezados de nuevo más o menos a las seis semanas del parto (vea la página 562).

Incluso si no está haciendo ejercicio… No se quede ahí sentada. Estar sentada por mucho tiempo hace que la sangre se vaya a las venas de sus piernas, que le suden los pies y puede conllevar otros problemas. Si permanece mucho tiempo sentada, si ve mucha televisión o viaja largas distancias con frecuencia, trate de pararse cada hora y caminar cinco o diez minutos y mientras esté sentada, trate de hacer algunos ejercicios que ayuden a la circulación como respirar profundo algunas veces, estirar sus piernas, flexionar sus pies y mover los dedos de los pies. También trate de contraer los músculos del abdomen y las nalgas (más o menos como una contracción pélvica). Si le sudan las manos, estire las manos por encima de la cabeza periódicamente y mueva las muñecas mientras lo hace.

SI NO SE HACE EJERCICIO

Es evidente que, durante el embarazo, el ejercicio físico puede ser muy beneficioso. Pero renunciar al ejercicio (ya sea por elección propia o por prescripción del médico), y reducir la actividad física a abrir y cerrar la puerta del automóvil, no perjudicará ni a la madre ni a su futuro hijo. De hecho, si la embarazada se abstiene de hacer ejercicio por orden del médico, puede tener la seguridad de que no está dañando, sino ayudando, a su bebé y también a ella misma. Es casi seguro que el médico restringirá el ejercicio si la embarazada tiene un historial de tres o más abortos espontáneos o partos prematuros, o si tiene una cérvix incompetente, hemorragias o manchas de sangre periódicas, un diagnóstico de placenta previa o una enfermedad cardíaca. La actividad también puede ser limitada si la presión sanguínea es alta, existe diabetes, una enfermedad tiroidea, anemia u otro trastorno sanguíneo, se tiene un peso excesivamente alto o bajo, o se ha llevado un estilo de vida extremadamente sedentario hasta el momento. Un historial de un parto precipitado (muy breve) o de un feto que no se desarrolló bien en un embarazo anterior también podrían ser razones para que no se pudiera hacer ejercicio.

En algunos casos, se permitirán ejercicios de los brazos o ejercicios en el agua cuando los demás estén prohibidos. Se deberá consultar con el médico.

CAPÍTULO NUEVE

El quinto mes

De la semana 18 a la 22 aproximadamente

Lo que era antes abstracto se está haciendo tangible, literalmente. Probablemente a finales de este mes o a principios del próximo, pueda sentir los movimientos del bebé por primera vez. La sensación milagrosa y la redondez de su estómago, finalmente hacen del embarazo algo más real. Aunque a su bebé todavía le falta un buen camino por recorrer, es excelente saber que realmente hay alguien ahí dentro.

QUÉ SE PUEDE ESPERAR EN LA VISITA DE ESTE MES

Otra cita médica, lo bueno es que este mes lo más seguro es que sepa el sexo del bebé. En esta visita, se puede esperar que el médico controle los siguientes puntos, aunque puede haber variaciones en función de las necesidades particulares de la paciente o de las costumbres del médico*.

◆ Peso y presión sanguínea

◆ Orina, para detectar azúcar y albúmina

◆ Latido cardíaco del feto

◆ Tamaño y forma del útero, mediante palpitación externa (se siente desde afuera)

◆ Altura del fondo del útero (parte superior del útero)

◆ Pies y manos, para detectar edema (hinchazón) y piernas, para detectar venas varicosas

◆ Síntomas que se han experimentado, especialmente si son poco habituales

◆ Preguntas y problemas que la mujer desee discutir —es aconsejable llevar una lista preparada a la consulta.

---

* Véase el Apéndice, página 545, para una explicación de las intervenciones y los exámenes realizados

Una mirada interna

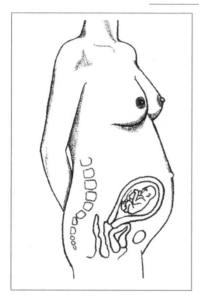

▲ *Cada vez avanza más el embarazo y el útero va a pegar con su ombligo más o menos en la semana veinte. En este momento ya no va a poder esconder el hecho de que está embarazada.*

▶ *A finales de mes su feto medirá de 17.5 cm a 22.5 cm (la mitad de lo que medirá al nacer) y pesa casi medio kilo. Los músculos son más fuertes, se extienden las redes de ner-*

vios, el esqueleto se pone fuerte; el feto es más activo y coordinado –capaz de hacer muchos actos de gimnasia que lo ayudan a desarrollar más habilidades–, los movimientos son más fuertes ¡finalmente! Y usted los sentirá. Los oídos ya están bien desarrollados y puede empezar a reconocer sonidos. El bebé también tiene períodos más largos de vigilia y sueño y puede hacer muchos gestos. Ahora se ven las cejas y el pelo. La piel es arrugada, rosada y translúcida; está cubierto por una sustancia blanca llamada vérnix, esta lo protege del líquido amniótico y vuelve al bebé resbaloso, lo que lo ayuda a salir de la madre. Si es un niño, los testículos ya están bajando de la cavidad abdominal al escroto.

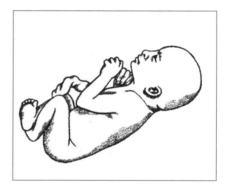

QUÉ SE PUEDE SENTIR

Como siempre, recuerde que cada mujer y cada embarazo son diferentes. Se pueden experimentar todos estos síntomas en un momento u otro, o tan sólo algunos de ellos. Algunos pueden continuar des-

de el mes pasado, otros serán nuevos. Y finalmente otros pasan casi desapercibidos porque la embarazada ya se ha acostumbrado a ellos. También puede experimentar síntomas menos habituales.

FÍSICOS:

- Movimientos fetales
- Flujo más abundante (leucorrea)
- Sensaciones dolorosas en la parte inferior del abdomen (debidas al estiramiento de los ligamentos)
- Estreñimiento
- Acidez de estómago e indigestión, flatulencia e hinchamiento
- Dolores de cabeza, mareos o desmayos ocasionales
- Congestión nasal y hemorragias nasales ocasionales; embotamiento de los oídos
- "El cepillo de dientes de color rosa" de las encías que sangran
- Buen apetito
- Calambres en las piernas
- Hinchazón leve de los tobillos y los pies, y ocasionalmente de las manos y el rostro
- Venas varicosas en las piernas y/o hemorroides
- Aumento del pulso (latido cardíaco)
- Orgasmo más fácil –o más difícil
- Dolores de espalda
- Cambios de la pigmentación de la piel en el abdomen y/o la cara
- El ombligo protuberante

EMOCIONALES:

- Aceptación de la realidad del embarazo
- Menos cambios de humor, pero aún irritabilidad ocasional; continúa el estado de distracción
- Distracción continua

QUÉ PUEDE PREOCUPAR

CANSANCIO

"Me siento cansada cuando hago ejercicio o cuando limpio a fondo la casa; ¿debo dejar de hacerlo?"

No sólo deberá detenerse cuando se encuentra cansada, sino que en lo posible deberá parar antes de cansarse. Hacer ejercicio hasta el agotamiento no es nunca una buena idea. Pero durante el embarazo es una idea especialmente mala, ya que el cansancio excesivo le cobra un precio no sólo a la madre sino también al hijo. La futura madre deberá prestar mucha atención a las señales de su cuerpo. Si le falta el aliento cuando trota, o si de repente le parece que la aspiradora pesa una tonelada, deberá permitirse una pausa.

En lugar de hacer una maratón, la embarazada deberá dosificar sus esfuerzos: trabajar un poco o hacer un poco de ejercicio, y luego descansar otro poco. Por lo general, así conseguirá hacer normalmente todo el trabajo, o la mayor parte de él, y no quedará agotada. Y si ocasionalmente le queda algo por hacer, le servirá para acostumbrarse a ello para los días en que los deberes de la maternidad le impidan terminar lo que había empezado. Vea la página 154 para los consejos para enfrentarse con la fatiga.

VAHÍDOS Y DESVANECIMIENTOS

"Siento mareos cuando me levanto al estar sentada o me siento al estar parada. Y ayer casi me desmayo mientras estaba haciendo compras. ¿Estoy bien? ¿Puede esto hacer daño a mi bebé?"

En las películas antiguas, un inicio de desmayo es un indicador fiable del embarazo. Sin embargo, los guionistas de los años 40 estaban mal informados. Aunque los mareos son bastante frecuentes en el embarazo, es menos probable desmayarse.

Existen diversas razones, conocidas o sospechadas, para que una gestante esté mareada. Durante el primer trimestre, los mareos pueden estar relacionados con que el suministro de sangre sea insuficiente para llenar el sistema circulatorio que se está expandiendo rápidamente; durante el segundo, pueden ser causados por la presión del útero que se está dilatando sobre los vasos sanguíneos de la madre. El mareo puede presentarse cada vez que la embarazada se levante de una posición sentada o acostada. Este fenómeno se denomina hipotensión postural. Es causado por un súbito alejamiento de la sangre del cerebro cuando la presión sanguínea baja rápidamente. La solución es simple: levantarse siempre muy despacio. Levantarse de un salto para responder al teléfono es probable que tenga el efecto de que la embarazada aterrice de nuevo en el sofá.

También es posible que la embarazada sienta vahídos a causa de un descenso del azúcar en sangre. Por lo general, esta disminución es provocada por un período de tiempo demasiado largo sin comer y puede ser controlada ingiriendo algo de proteína (que ayuda a mantener los niveles de azúcar en la sangre) en cada colación, y tomando comidas menos copiosas y más frecuentes, o bien tomando un tentempié entre las horas habituales de las comidas. La embarazada podría llevar en el bolso una cajita con pasas, una fruta, algunas galletas de trigo integral o unas barritas de pan para estos casos. Los desmayos pueden aparecer también en una tienda con demasiada calefacción o en un autobús, especialmente si la embarazada lleva prendas de demasiado abrigo. La mejor manera de tratar estos trastornos consiste en salir al aire fresco o en abrir una ventana. También resulta útil quitarse el abrigo y desabrocharse la chaqueta –sobre todo en el cuello y la cintura.

Calor y frío: manejando las temperaturas extremas durante el embarazo

Sin importar si vive en clima cálido o frío, hay muchas maneras de estar segura y cómoda cuando el termómetro alcanza cualquier extremo.

Combatir el calor. Como su metabolismo trabaja más ahora, es más probable que la temperatura corporal se eleve cuando está embarazada. Para estar fresca es bueno que se vista con ropa ligera y materiales frescos como el algodón. Evite hacer ejercicio afuera, haga su gimnasia antes del desayuno o después de la cena o haga ejercicio en un lugar con aire acondicionado y pare siempre antes de sentirse demasiado caliente. Manténgase alejada del sol lo más que pueda, especialmente en días muy calurosos y cuando salga póngase bastante crema antisolar (el sol intensifica los cambios normales de color de la piel en algunas mujeres). Báñese con agua medio fría para refrescarse o vaya a nadar. Si no tiene aire acondicionado en la casa vaya a las librerías, a los museos o a los centros comerciales. Si su temperatura es muy alta no bastarán los ventiladores.

Lo más importante de todo: tome mucho líquido, manténgase hidratada (esto la ayudará a no sentirse tan mareada y débil en un día caluroso, minimizará los síntomas del embarazo y ayudará a prevenir las infecciones urinarias y el parto prematuro), tome por lo menos ocho vasos de agua al día y más si está haciendo ejercicio o si suda mucho. Es bueno que lleve un termo de agua siempre para estar hidratada. Evite la cafeína y el alcohol, eso la puede deshidratar. Evite también las bebidas azucaradas, retienen el líquido en el sistema digestivo en vez de dejarlo circular por su cuerpo.

Combatir el frío. Aunque las mamás embarazadas sienten más calor en invierno que cualquier otra persona, hay ciertas precauciones que debe seguir. Las temperaturas bajas pueden bajar la cantidad de sangre que llega a la placenta, eso reduce los nutrientes que necesita el feto. Debe vestirse correctamente en invierno (no olvide su sombrero ya que el calor se escapa más por la cabeza) para evitar problemas. Asegúrese de utilizar capas, así se puede quitar algo si se siente muy acalorada.

Si se nota mareada y/o cree que se va a desmayar, deberá intentar aumentar la circulación de sangre hacia el cerebro: tenderse, si es posible, con los pies (y no la cabeza) levantados, o sentarse y colocar las cabeza entre las rodillas hasta que se le pase el mareo. Si no tiene la posibilidad de tenderse o de sentarse, doblará una rodilla y se inclinará hacia adelante como si fuera a abrocharse el zapato. Los verdaderos desmayos son raros, pero en caso de que esto suceda, la embarazada no deberá preocuparse —aunque el flujo de sangre hacia el cerebro ha quedado temporalmente reducido, ello no afectará a su bebé.

La embarazada que haya tenido desmayos deberá informárselo al médico en la próxima visita. En caso de que haya llegado a desmayarse, le avisará rápidamente. Los desvanecimientos frecuentes –que ocasionalmente son un signo de anemia o enfermedad grave– han de ser valorados cuanto antes por el médico.

MOVIMIENTO DEL BEBÉ

"La semana pasada sentí movimientos pequeños todo el tiempo y ahora no los siento, ¿algo anda mal?"

La ansiedad de pensar cuándo será el primer movimiento del bebé se puede confundir con la ansiedad de pensar que no hay movimiento. En este momento del embarazo, aunque esa ansiedad sea comprensible, es infundada. La frecuencia de los movimientos fetales en esta etapa es muy variable, son erráticos. El feto se estira constantemente pero hay movimientos que usted no puede sentir, a lo mejor por la posición del bebé (por ejemplo que patee para adentro en vez de para afuera) o a lo mejor por lo que usted está haciendo: cuando camina o se mueve mucho, seguramente lo que hace es arrullar al bebé y aunque esté despierto, seguramente usted estará muy ocupada para sentirlo. También puede ser que usted duerma durante el periodo más activo del bebé, para muchos bebés, ese periodo es por la noche (incluso en esta etapa los bebés quieren interactuar cuando sus mamás duermen).

Una manera de sentir los movimientos si no los ha sentido en todo el día es esta: acuéstese durante una o dos horas por la tarde, preferiblemente después de tomar un vaso de leche, jugo de naranja o algo suave de comer. La combinación de la energía que da la comida y su inactividad puede que "despierte" a su bebé. Si eso no funciona, inténtelo de nuevo más tarde, pero no se preocupe. Hay muchas mamás que, antes de la semana veinte de embarazo, no sienten el movimiento fetal durante un día o dos, incluso durante tres o cuatro días. Si pasan tantos días, aunque no necesita entrar en pánico, es mejor que llame a su médico para un control.

Después de la semana veintiocho los movimientos fetales aumentan y es bueno que las mamás estén pendientes de la actividad diaria del bebé (vea la página 325).

POSICIÓN PARA DORMIR

"Siempre he dormido boca abajo. Pero ahora no me atrevo a hacerlo y no consigo encontrar ninguna postura que me resulte cómoda para dormir."

Abandonar durante el embarazo la posición favorita para dormir puede ser tan traumático como abandonar al osito de peluche a los seis años. Es inevitable que ello le haga perder un poco el sueño –pero sólo hasta que se acostumbre a la nueva postura. Y el momento apropiado para acostumbrarse a ella es ahora, antes de que la barriga dificulte aún más el encontrar una posición cómoda.

Dos de las posturas favoritas durante el sueño –boca abajo y boca arriba– no están recomendadas para la mujer gestante. La posición boca abajo no lo es por razones obvias: a medida que crece la barriga, dormir sobre ella resultaría tan cómodo como dormir sobre una sandía. En la posición boca arriba, si bien es más cómoda, todo el peso del útero gestante recae sobre la espalda, los intestinos y la vena cava inferior (una vena responsable de devolver al corazón la sangre procedente de la parte inferior del cuerpo). Ello puede agravar los dolores de espalda y las hemorroi-

Durmiendo del lado izquierdo

des, inhibir la función digestiva, obstaculizar la respiración y la circulación y, quizá, provocar hipoten-sión, es decir presión sanguínea baja.

Esto no significa que la embarazada debe dormir de pie. Tendida sobre un costado –preferiblemente el izquierdo, con una pierna cruzada sobre la otra y con una almohada entre las piernas, es la mejor posición tanto para la madre como para el feto. No sólo permite un flujo máximo de sangre y nutrientes hacia la placenta, sino que además favorece la función renal, lo que significa una mejor eliminación de los productos residuales y de líquido y menos edema (hinchazón) de los tobillos, los pies y las manos.

Pero hay muy pocas personas que consiguen permanecer en la misma postura durante toda la noche. La embarazada no deberá alarmarse si se despierta por la noche y se encuentra tendida boca arriba o boca abajo. No hay problema; se colocará de nuevo sobre el costado. Y tampoco debe preocuparse si se siente incómoda durante unas noches. Su cuerpo se adaptará pronto a la nueva posición. Existen almohadas especiales que pueden ofrecerle un buen apoyo para que pueda dormir de lado de una forma cómoda y más fácil. Si no tiene una almohada como estas puede improvisar con una almohada extra. Póngala contra su cuerpo en diferentes posiciones hasta que encuentre la manera perfecta de quedarse dormida.

DOLOR DE ESPALDA

"Tengo mucho dolor de espalda. Me temo que no podré ni tan siquiera levantarme cuando esté de nueve meses."

Las molestias e incomodidades del embarazo no están destinadas a amargar la vida de la futura madre. Son los efectos secundarios de la preparación del cuerpo para el grandioso momento del nacimiento del hijo. El dolor de espalda no es una excepción. Durante el embarazo, las articulaciones de la pelvis, que suelen ser estables, empiezan a relajarse para permitir el paso del bebé durante el parto. Esto, junto con el tamaño inhabitual del abdomen, perturba el equilibrio del cuerpo de la embarazada. Para compensar este desequilibrio, la futura madre tiende a echar los hombros hacia atrás y a curvar el cuello. Al estar de pie, con la barriga hacia adelante –para asegurarse de que todo el mundo se de cuenta de que está embarazada–, el problema se complica aún más. El resultado de todo ello es que la parte inferior de la espalda se curva, los músculos de la espalda quedan en tensión, y surge el dolor.

Pero incluso cuando tiene una finalidad, el dolor siempre duele. Y sin rechazar la finalidad, es posible combatir o aliviar el dolor. Como siempre, el mejor método es la prevención. Se debería iniciar el embarazo con una buena musculatura abdominal, una buena postura y una correcta mecánica del cuerpo. Pero si es demasiado tarde para ello, hay aún muchas cosas que se pueden hacer. Para alinear el cuerpo apropiadamente, se practicará el ejercicio de bascular la pelvis (vea la página 264). También son útiles las siguientes medidas:

♦ No aumentar más de peso que lo recomendado (vea la página 229). Unos kilos de más aumentarán la carga que la espalda debe soportar.

♦ No llevar zapatos de tacón muy alto ni tampoco muy bajo sin el apoyo apropiado. Algunos médicos recomiendan los tacones anchos de cinco centímetros para mantener la estabilidad del cuerpo. Existen zapatos y plantillas especialmente diseñadas para ayudar a aliviar los problemas de las piernas y la espalda durante el embarazo.; pregúnteselo a su médico.

♦ Aprender a levantar las cargas pesadas correctamente (paquetes, niños, libros, etcétera). No levantarlas abruptamente. Estabilizar primero el cuerpo, colocando los pies algo separados (a la misma anchura que los hombros) y contrayendo los glúteos. Agáchese con las rodillas, no con la cintura y levante la carga con sus brazos y piernas en lugar de levantarla con la espalda (ver ilustración). Si el dolor de espalda es un problema, trate de limitar la cantidad de cosas que carga. Si tiene que cargar muchas bolsas de mercado, divídalas en dos bolsas grandes y cargue una a la vez en lugar de cargarlas todas al tiempo.

- No permanecer de pie durante largo rato. Si es imprescindible, coloque un pie sobre un taburete, con la rodilla doblada. Esto evitará que la zona lumbar se curve hacia adentro. Si se está de pie sobre un suelo de superficie dura, como en la cocina o al lavar platos, disponer una alfombrita antideslizante debajo de los pies para que la presión sea más fácil.

- Sentarse con inteligencia. Sentarse aplica más tensión sobre la columna vertebral que casi cualquier otra ac-

tividad, y por lo tanto vale pena hacerlo de la forma apropiada. Ello significa que la mujer deberá sentarse, cuando sea posible, en una silla que le ofrezca el soporte adecuado, preferiblemente con el respaldo recto, brazos (usarlos como puntos de apoyo al levantarse de la silla), y un cojín firme que no permita que se hunda. Se evitarán las sillas sin respaldo y los bancos, y dondequiera que la mujer esté sentada, nunca cruzará las piernas. Esto no sólo puede producir problemas circulatorios (como venas varicosas, inflamación de las venas y edema), sino que también puede hacer que bascule la pelvis

Agáchese con las rodillas, no con la espalda

demasiado hacia adelante, lo que agravaría el dolor de espalda. Cuando sea posible, la embarazada se sentará con las piernas algo elevadas (vea la ilustración).

- Estar sentada demasiado tiempo puede ser tan malo como sentarse mal. La embarazada debe intentar no permanecer sentada durante más de una hora sin tomarse un respiro para estirarse o pasear. Incluso es mejor que no permanezca sentada por más de media hora.

- Dormir sobre un colchón duro, o poner una tabla bajo el colchón si este es blando. Una posición cómoda para dormir ayudará a minimizar los dolores cuando la mujer esté despierta. Al levantarse de la cama por la mañana, se balancearán las piernas por encima del borde de la cama hasta depositarlas sobre el suelo, en vez de girarse para levantarse.

- Preguntar al médico si es de utilidad una faja para embarazadas o un cabestrillo cruzado para aguantar el vientre, aliviando la tensión de la parte baja de la espalda.

- No estirar el cuerpo para colocar los platos en el armario o para colgar un cuadro. Utilizar en estos casos un taburete bajo y estable. Al estirar el cuerpo, los músculos de la espalda hacen un esfuerzo considerable.

- Utilizar una bolsa de agua caliente (envuelta con una toalla) o un baño caliente (pero no muy caliente) para aliviar temporalmente el dolor muscular. Utilice una bolsa de hielo por quince minutos y siga con un parche caliente por quince minutos o una ducha tibia (no caliente). Debe envolver las compresas calientes y las frías en una tela o toalla.

- Aprender a relajarse. Muchos problemas de la espalda se agravan con el estrés. Si la embarazada cree que este podría ser su caso, realizará algunos ejercicios de relajación cuando se presente el dolor. También deberá seguir las instrucciones que empiezan

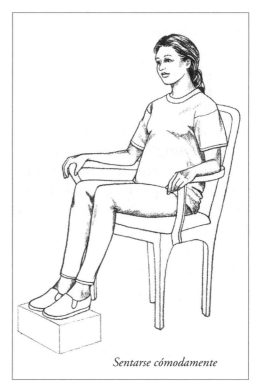

Sentarse cómodamente

en la página 166 para enfrentarse a las tensiones de la vida diaria.

- Realizar simples ejercicios que fortalezcan los músculos abdominales, tales como la postura del dromedario (página 268) y bascular la pelvis (página 264). Vaya a una clase de yoga para embarazadas o considere la terapia en agua si puede conseguir a un experto que la guíe.

LLEVAR EN BRAZOS A OTROS NIÑOS

"Tengo una niña de tres años y medio que siempre quiere subir las escaleras en brazos. Pero mi espalda parece romperse por el peso."

Sería una buena idea romper su hábito en vez de dejar que se siga rompiendo la espalda de la futura madre. El esfuerzo de transportar un feto que se está desarrollado ya es bastante sin añadir los 13 a 18 kilos de una niña en edad preescolar. Sin embargo, la embarazada tendrá cuidado de no echarle al futuro hermanito las culpas por los cambios de conducta de la madre –en vez de ello, échele la culpa a la espalda. Y alabe mucho los esfuerzos de la niña cuando esté de acuerdo en andar por sí misma.

Desde luego, habrá momentos en que la respuesta de la niña no será "andar". Así, la embarazada deberá aprender una forma apropiada de llevarla en brazos (vea la página 284), y asegurarse

de que ello no comprometa de forma alguna a su futuro hijo, a menos que el médico haya puesto veto a tales actividades.

PROBLEMAS EN LOS PIES

"Parece que mis zapatos me aprietan demasiado. ¿Puede ser que además del vientre, me estén creciendo los pies?"

La barriga no es la única parte del cuerpo que crece en el embarazo, sus pies pueden estar inflamados por diferentes razones. En primer lugar existe la hinchazón o edema causado por la retención de fluidos normal del embarazo. Además habrá mucha más grasa en los pies si el aumento de peso ha sido excesivo. También hay una expansión de las articulaciones de los pies (junto con todas las demás articulaciones) cuando la hormona relaxina desempeña su función de relajar la pelvis para el parto. La hinchazón de los pies desaparecerá después del parto y probablemente la embarazada perderá peso. Pero aunque las articulaciones se volverán a unir, es posible que los pies de la mujer continúen siendo mayores –incluso haciendo que calce un número más. Esta es una buena noticia para las mujeres que aman comprar zapatos y no tan buena noticia para quien los compra.

Mientras tanto, la embarazada pondrá en práctica los consejos para reducir la hinchazón excesiva (vea la página 349) si parece que este es el problema, y se comprará dos pares de zapatos que le sean cómodos –uno para andar y trabajar y el otro para vestir. Ambos deberán poseer un tacón de menos de 5 cm, suelas antideslizantes y mucho espacio para que los pies puedan extenderse con toda libertad (se probarán los zapatos al final del día, cuando los pies estén hinchados al máximo). Ambos pares deberían ser de cuero o lona, para que los pies puedan respirar. Si se elige con cuidado, se podrán hallar no sólo unos zapatos para pasear, sino también unos de vestir, que cumplan con estos requisitos.

Los zapatos o los complementos ortopédicos diseñados para corregir el desplazamiento del centro de gravedad que se produce durante el embarazo no sólo pueden suponer una mayor comodidad para los pies, sino también reducir los dolores de espalda y de las piernas. Existen dos diseños distintos, uno para llevar durante los primeros seis meses y el otro para el último trimestre. La embarazada le pedirá al médico que la oriente.

Llevar zapatos flexibles varias horas al día también es útil para reducir la fatiga y el dolor de los pies y la parte baja de las piernas, aunque parece que no reduce la hinchazón. Si sus piernas están doloridas y cansadas al final del día, llevar estos zapatos mientras se está en casa –o incluso en el trabajo, si es factible– puede ser de gran ayuda.

RÁPIDO CRECIMIENTO DEL CABELLOS Y LAS UÑAS

"Me parece que mi cabello y mis uñas no habían crecido nunca tan de prisa."

La exuberante circulación provocada por las hormonas del embarazo alimenta también a las células cutáneas. Dos de los efectos felices de este aumento de la circulación son las uñas que crecen con tal rapidez que no se da abasto con la manicura, y los cabellos que crecen tanto que se ha de acudir con mayor frecuencia a la peluquería (y si la mujer tiene mucha suerte, incluso serán más gruesos y lustrosos).

El alimento extra puede, no obstante, tener también efectos menos deseables. Puede hacer que el pelo crezca en lugares donde no sería de esperar en una mujer. El área fácil (labios, mentón y mejillas) es la que se ve más comúnmente afectada por este hirsutismo inducido por el embarazo, pero los brazos, piernas, espalda y vientre también pueden verse poblados. Gran parte de este vello excesivo desaparece al cabo de unos seis meses de dar a luz, aunque una parte puede permanecer durante más tiempo.

Aunque no existe ningún riesgo conocido, probablemente no sea una buena idea usar depilatorios o cremas decolorantes cuando la mujer sabe que está embarazada. Puede que la piel no reaccione bien ante estos productos químicos, e incluso es posible que pasen al torrente circulatorio. Arrancar el vello facial o afeitarse las piernas o los antebrazos no presenta problemas.

TRATAMIENTO EN EL SPA

"Una amiga me regaló de cumpleaños un día completo en el spa. Incluye muchas cosas divertidas como aromaterapia y masajes. ¿Es seguro hacer todo esto mientras estoy embarazada?"

Nadie se merece más un día en un spa que una mujer embarazada (excepto las nuevas mamás, pero cuando tenga al bebé no va a tener tiempo para ir a un spa). Así que disfrútelo, pero siga las siguientes recomendaciones:

Comparta la noticia. Primero cuéntele a su médico para estar segura de que no va a haber ningún problema, después cuéntele a la recepcionista del spa y discutan las restricciones para que puedan ofrecerle los tratamientos que necesita. Dígale a todos los terapistas y masajistas que la atiendan que está embarazada.

Masajes con precaución. No hay nada mejor que un masaje para alejar las molestias y dolores del embarazo, además del estrés y la angustia. Asegúrese de que su masajista esté entrenado en masajes prenatales y siga la guía de la página 214.

Evite las hierbas y los aceites vegetales. No se conocen bien los efectos de los aceites vegetales en el embarazo, algunos pueden causar daño, así que mejor tenga cuidado con esos tratamientos de aromaterapia. Las mujeres embarazadas deben evitar los siguientes aceites: albahaca, cedro, salvia, hinojo, enebro, mejorana, mirra, romero y tomillo. Estos aceites pueden estimular las contracciones uterinas.

Relájese, en la posición correcta. Especialmente después del cuarto mes es mejor no pasar tanto tiempo acostada de espaldas. Dígale a su terapista que utilice una camilla especial con un hueco para su barriga o que le proporcione unas almohadas especiales para embarazadas o simplemente que la acueste del lado izquierdo. El facial, la manicura, la pedicura y los otros tratamientos deben hacerse en una posición sentada, semirreclinada o acostada del lado izquierdo.

Siéntase hermosa. Pero tenga en cuenta que algunos tratamientos faciales y corporales como los que tienen agentes glicólicos pueden causar irritación en la piel y más en las mujeres embarazadas, debido a las hormonas. Hable con quien le va a aplicar el tratamiento para saber qué sustancias provocan menor reacción y por favor, aléjese del botox.

Guarde la tranquilidad. Lo que debe evitar definitivamente son las tinas calientes y los saunas (pueden aumentar demasiado su temperatura corporal). Tampoco es bueno que utilice infusiones con hierbas mientras está emba-

---

RECIBA LOS MASAJES CORRECTAMENTE

¿Necesita un descanso para su dolor de espalda o para la ansiedad que siente? Los masajes pueden ayudar a minimizar esos síntomas del embarazo y la ayudan a dormir mejor. Para asegurar que los masajes no sean solamente relajantes sino también seguros, siga estos consejos:

• Evite los masajes durante el primer trimestre porque pueden aumentar los mareos y las náuseas matutinas.

• Asegúrese de que su masajista sea experta en masajes para embarazadas. Por ejemplo debe ofrecerle una camilla con un hueco especial para embarazadas, no deje que le hagan masaje en el abdomen o limítelo a algo muy suave. No deje que le hagan masaje en los pies y tobillos porque parece que se aceleran las contracciones. No utilice aceites de aromaterapia (vea la página 288).

Cuando sepa que está en buenas manos ¡relájese y disfrute!

---

razada. Es bueno un baño tibio como parte de la hidroterapia.

Cuidado con su respiración. Si la manicura y la pedicura están en la agenda, asegúrese de que lo hagan en un lugar ventilado porque no es muy bueno inhalar esos químicos, especialmente cuando respira por dos.

CAMBIOS EN LA PIGMENTACIÓN DE LA PIEL

"Además de la línea oscura que ha aparecido en el centro de mi barriga, ahora me han salido unas manchas oscuras en la cara. ¿Se trata de algo normal y persistirán después del embarazo?"

También en este caso se trata del efecto de las hormonas del embarazo. Al igual que ha oscurecido la areola que rodea los pezones, ahora oscurecen también la línea alba –una línea blanca, de la que la embarazada probablemente no se había dado cuenta nunca, que recorre el abdomen hasta la parte superior del pubis. A partir de este momento recibe el nombre de *línea nigra*.

Algunas mujeres, especialmente las que tienen la piel morena, también presentarán decoloraciones siguiendo una configuración parecida a una máscara en la frente, la nariz y las mejillas. Las manchas son oscuras en las mujeres de piel clara y son claras en las mujeres de piel oscura. Esta máscara del embarazo o cloasma, desaparecerá poco a poco después del parto. Mientras tanto, intentar decolorar la piel probablemente no atenuará este problema (y de todos modos no es una buena idea), aunque los maquillajes opacos lo pueden camuflar.

Muchas mujeres notan que las manchas son cada vez más oscuras y más notorias y que ese color oscuro está en las partes del cuerpo que reciben mayor fricción. Toda esta hiperpigmentación va a desaparecer después del parto.

El sol puede intensificar esta pigmentación, por lo que se usará un protector solar con un factor de 15 o más, cuando se deba permanecer en el exterior en tiempo soleado, o se llevará un sombrero que ensombrezca por completo el rostro. Dado que hay pruebas de que el exceso de pigmentación podría estar relacionado con una deficiencia del ácido fólico, la mujer se asegurará de que su suplemento vitamínico contenga ácido fólico y de consumir hortalizas de hoja verde, naranjas y pan o cereales con trigo integral a diario.

"Si no puedo broncearme mientras estoy embarazada ¿puedo por lo menos utilizar bronceador artificial?"

No se ha investigado mucho acerca de las consecuencias de este producto en las embarazadas. No hay evidencia de que sea dañino, los fabricantes dicen que los químicos del producto solamente atraviesan las primeras tres capas de la piel, pero tampoco hay evidencia de que sea completamente seguro.

Hable con su doctor, algunos dicen que está bien si lo utiliza después del primer trimestre y otros dicen que es mejor no utilizarlos en ningún momento. De todas maneras, no se preocupe por lo que haya utilizado hasta el momento.

Al tomar la decisión tenga en cuenta un factor de logística: una vez que crezca la barriga, no va a ser capaz de alcanzar sus piernas.

OTROS SÍNTOMAS CUTÁNEOS EXTRAÑOS

"Las palmas de mis manos están siempre enrojecidas ¿Es mi imaginación?"

No, y tampoco es culpa del detergente de lavar los platos. Se trata de las hormonas. Los aumentos del nivel de hormonas durante el embarazo son causa de que las palmas de las manos (y a veces las plantas de los pies) estén enrojecidas y piquen, en unos dos tercios de las gestantes de raza blanca y un tercio de las de raza negra. Este aspecto de friegaplatos desaparecerá en seguida después del parto.

Puede ser que tampoco las uñas salgan ilesas del embarazo. Puede que estén más quebradizas o blandas, y que se les hayan hecho surcos. Quizás la laca de uñas las empeore. Si presentan signos de infección, se consultará con el médico y asegúrese de estar tomando las cuatro dosis diarias de calcio (vea la página 131).

"Algunas veces mis piernas toman un tono azulado y tengo manchas. ¿Tengo algún problema circulatorio?"

Debido al aumento de la producción de estrógenos, muchas mujeres experimentan este tipo de tinción transitoria a manchas cuando tienen frío. No tiene ninguna importancia, y desaparecerá después del parto.

"Me ha crecido una diminuta bolita debajo del brazo, en la línea del sujetador. Tengo miedo de que se trate de cáncer de piel."

Lo que esta mujer está describiendo probablemente sea un cloasma gravídico, otro problema cutáneo benigno de las embarazadas que a menudo se localiza en zonas de mucha fricción, como debajo de los brazos. Se suele desarrollar durante el segundo y tercer trimestres y suele entrar en regresión tras el parto. Si no fuera así, el médico puede suprimirlo fácilmente.

Para asegurarse del diagnóstico, esta mujer deberá mostrárselo al médico durante su próxima visita.

"Creo que me ha salido un sarpullido. Creí que esto sólo lo padecían los bebés."

En realidad, todo el mundo puede tener un salpullido. Pero es especialmente frecuente en las mujeres embarazadas debido al aumento de la transpiración que proviene de las glándulas sudoríparas, que se distribuyen por toda la superficie corporal y que están implicadas en la regulación del calor. Aplicarse polvos de talco después de la ducha e intentar mantenerse lo más fresca posible ayudará a minimizar las incomodidades del sarpullido y también a prevenirlo en el futuro.

En cuanto a los efectos positivos, la transpiración apocrina, la que se produce en las glándulas de debajo del brazo, bajo los pechos y en la zona genital, disminuye durante el embarazo, así que aunque la embarazada padezca de sarpullidos, será menos probable que tenga olor corporal. Si tiene sarpullido en todo el cuerpo pero no tiene picazón, llame a su doctor.

LA VISTA

"Parece que mi vista se está deteriorando desde que estoy embarazada. Y mis lentes de contacto ya no me ajustan bien. ¿Es imaginación mía?"

No, existen posibilidades de que esta mujer realmente no vea tan bien como antes de estar embarazada. Los ojos son una de esas partes del cuerpo aparentemente no relacionadas con el embarazo que pueden caer presa de las hormonas. No sólo la visión puede hacerse menos aguda, sino que súbitamente los lentes de contacto duros pueden dejar de ser cómodos. Y aunque estos efectos oculares, que probablemente estén relacionados con la retención de líquidos, son temporales, pueden ser muy molestos.

Tras el parto, la vista debería despejarse y los ojos volver a la normalidad. Debido a que hacerse unos lentes de contacto duros nuevos durante el embarazo no vale la pena, por su alto precio, la embarazada debería considerar la posibilidad de llevar gafas o lentillas blandas hasta dar a luz.

En este momento no debe considerar una operación con láser, el procedimiento no le hará daño al bebé, la operación puede sobrecorregir su problema y puede tardar más la recuperación, eso significaría una segunda operación después. Los oftalmólogos recomiendan evitar la cirugía cuando se está embarazada, seis meses antes de concebir y seis meses después del parto.

Aunque no es raro que se deteriore ligeramente la agudeza visual durante el embarazo, la presencia de otros síntomas podría señalar la existencia de un problema. Si la visión es borrosa, nublada o se ven manchas o imágenes dobles durante más de dos o tres horas, no se esperará a que pase, se llamará al médico de inmediato. Si ve lucecitas después de estar un rato parada o cuando se para muy rápido, no se preocupe, es muy común; de todas maneras cuénteselo al doctor.

ULTRASONIDO DE RUTINA

"Tengo un embarazo completamente normal, sin ningún problema. Pero mi doctor quiere que me haga otro ultrasonido este mes, ¿realmente es necesario?"

Los ultrasonidos hoy en día no están asociados con embarazos con problemas. De hecho la mayoría de médicos ordenan un ultrasonido de rutina detallado (nivel 2) a la semana veinte o veintidós para asegurar que todo vaya como debe ir (claro que también se puede hacer para diagnósticos, ver la página 65). El ultrasonido no es invasivo y no le hace daño al feto ni al embarazo; es una manera sin riesgos para estar tranquila.

"Me voy a hacer el ultrasonido de la semana veinte y no sé si preguntar por el sexo del bebé."

Esta es una de las decisiones del embarazo que solamente el papá y la mamá pueden tomar. Es una decisión opcional a menos de que sea necesario saberlo por razones médicas. Acá no existen decisiones buenas o malas, algunos padres deciden saberlo por razones prácticas: se pueden hacer las compras, pintar el cuarto y escoger el nombre (¡sólo hay que escoger uno!). Hay otros que quieren saber porque simplemente no se aguantan las ganas. Pero hay muchos padres que prefieren la sorpresa y lo hacen a la antigua, cuando el bebé sale al mundo. La decisión es suya.

Si decide saberlo ahora, tenga en cuenta que puede haber equivocaciones (si quiere algo seguro recurra a la aminocentesis que lo hace a través del análisis de cromosomas). Hay muchas parejas que se han llevado una sorpresa. Así que es mejor que sea consiente de que lo que le digan no es la última palabra.

UNA PLACENTA BAJA

"El médico me ha dicho que en la ecografía se ha visto que tengo la placenta baja, cerca del cuello uterino. Dijo que era demasiado pronto para preocuparse. ¿Cuándo tengo que empezar a preocuparme?"

Al igual que un feto, la placenta puede desplazarse mucho durante el embarazo. En realidad no se separa y se vuelve a colocar, sino que parece que migra hacia arriba cuando se alarga y crece la parte inferior del útero, aunque se estima que un 20 al 30% de las placentas se encuentran en la parte inferior durante el segundo trimestre (y un porcentaje aún mayor antes de las 20 semanas), y la gran mayoría se desplazan hacia la parte superior al irse acercando la fecha del parto. Si ello no sucede y la placenta permanece en la parte inferior del útero, se diagnostica una "placenta previa". Esta complicación se da sólo en aproximadamente un 1% o menos de los embarazos a término. Y sólo en 1 de cada 4 de estos casos la placenta está localizada lo bastante baja –cubriendo parcial o totalmente la entrada del útero– para causar problemas serios.

Así, el médico tiene razón. Es demasiado pronto para preocuparse –y en términos estadísticos, las posibilidades de que finalmente se tenga que preocupar son muy pequeñas.

EL CINTURÓN DE SEGURIDAD

"¿Es conveniente abrocharse el cinturón de seguridad en el coche o en el avión?"

La causa principal de mortalidad entre las mujeres embarazadas es en los accidentes de coche. Y el mejor modo de evitar esta fatalidad –así como las lesiones graves para la madre y para su futuro hijo es abrocharse siempre el cinturón de seguridad.

Para una seguridad máxima y una incomodidad mínima, la embarazada se abrochará el cinturón por debajo de la barriga, a través de la pelvis y la parte superior de los muslos. Si el coche dispone de un cinturón que pase por los hombros, es aconsejable utilizarlo por encima del hombro y en diagonal a través del pecho, y no por debajo de los brazos. Y la futura madre no debe preo-

Abrochar a dos

cuparse de que la presión del cinturón en caso de frenada brusca pueda perjudicar a su bebé –éste se halla bien protegido por el líquido amniótico y los músculos de la orina.

En los aviones mantenga siempre puesto el cinturón de seguridad, incluso si el aviso está apagado, es la única manera de no salir volando si hay turbulencias.

INFLUENCIAS EXTERNAS

"Tengo una amiga que insiste en que llevar a su bebé aún no nacido a los conciertos hará de él un aficionado a la música, y otra cuyo marido le lee a su vientre cada noche para que el bebé sea un amante de la literatura. ¿No es una tontería?"

En el estudio de los fetos, cada vez es más difícil distinguir entre las tonterías y los hechos. Y aunque sobre ellos se dicen muchas sandeces, los científicos están empezando a creer que algunas de estas teorías, aparentemente extravagantes, pueden tener una base real. No obstante, se precisan muchas más investigaciones antes de poder contestar con certidumbre.

Debido a que la capacidad auditiva está bastante bien desarrollada en el feto a finales del segundo trimestre o a principios del tercero, es cierto que los bebés de las amigas de esta mujer oyen la música y las lecturas. Lo que ello supondrá a la larga no está demasiado claro. Algunos investigadores de este cam-

po creen que es posible estimular al feto antes del nacimiento para producir, en cierto sentido, un "superbebé". Al menos uno de ellos ha proclamado conseguir bebés que pueden hablar a los seis meses y leer cuando tienen un año y medio, exponiendo al feto a imitaciones del latido cardíaco de la madre, de un ritmo cada vez más complejo.

Otros ponen en tela de juicio la sensatez de intentar forzar la naturaleza de esta forma, ya que creen que a la larga ello podría ser perjudicial. Desde luego, cualquiera que entienda del desarrollo infantil debería ser muy cauteloso al intentar crear un superbebé, ya sea antes o después del nacimiento. Es mucho más importante para el bebé enseñarle que es amado y deseado que enseñarle a hablar y leer.

Esto no quiere decir que intentar ponerse en contacto con el bebé antes del nacimiento, e incluso leerle o ponerle música, sea ni perjudicial ni una pérdida de tiempo. Cualquier tipo de comunicación prenatal le proporcionará un buen comienzo en el largo proceso del establecimiento de vínculos paterno-filiales. No ha de suponer necesariamente más acercamiento cuando el bebé se haga mayor, pero hará que sus primeros días sean más fáciles.

Desde luego, si a la embarazada le parece tonto hablarle a su hinchado abdomen, no tiene que preocuparse porque su bebé deje de conocerla. Éste se estará acostumbrando al sonido de su

CÓMO CARGAR UN BEBÉ, CINCO MESES

Acá le mostramos tres de las muchas maneras que existen para cargar un bebé a finales del quinto mes. Las variaciones son infinitas, dependen de su tamaño, de su figura, de la cantidad de peso que haya aumentado y de la posición de su útero. La cantidad que carga puede ser más pesada, menos pesada, más grande o más chica.

voz –y probablemente también a la de su esposo– cada vez que hablan. Esta es la razón de que muchos recién nacidos parezcan reconocer las voces de sus padres. Puede que también se acostumbren a otros sonidos que son comunes en el medio ambiente de su madre. Mientras que un bebé que antes de na-

cer haya tenido pocas oportunidades de oír a un perro puede sobresaltarse al oír un ladrido, uno que esté acostumbrado ni siquiera pestañeará.

También el oír música puede tener algún impacto sobre el feto. Existen informes de que algunos fetos han mostrado preferencias (por cambios en sus movimientos) por ciertos tipos de músicas –generalmente las más suaves. Y existen noticias de que tocar una cierta pieza (en el estudio, fue una de Debussy) una vez y otra al feto, en un momento en que tanto este como la madre estaban tranquilos, ha tenido como resultado el que más tarde parezca gustarle dicha pieza, y se tranquilice al oírla. Desde luego, la mayoría de los expertos estarían de acuerdo en que exponer a un bebé a una buena música después del nacimiento es mucho más significativo en la creación de un amante de la música que hacer lo mismo con un feto en el útero.

También se ha sugerido que, debido a que el sentido del tacto también está desarrollado en el útero golpear ligeramente el abdomen y "jugar" con una rodilla cuando este empuja también puede ayudar a establecer los vínculos entre el bebé y los padres –y ya sea esto verdad o no, desde luego no hay nada malo en probarlo. Desde luego, es poco probable que la embarazada tenga que hacer un esfuerzo consciente para tocar más al bebé; incluso los desconocidos difícilmente pueden mantener sus manos alejadas del vientre de una embarazada. Por lo tanto, la embarazada puede disfrutar de las tomas de contacto con su bebé ahora, pero sin preocuparse de los efectos de aprendizaje o de transmitir información. Tal como pronto descubrirá, de todos modos los niños crecen demasiado de prisa. No hay necesidad de acelerar el proceso, particularmente antes del nacimiento.

MATERNIDAD

"Sigo preguntándome si seré feliz con mi bebé cuando lo tenga."

La mayor parte de las personas se enfrentan a cualquier cambio importante de sus vidas –matrimonio, una nueva carrera o un nacimiento inminente– preguntándose si será un cambio que las haga felices. Y si tienen esperanzas poco realistas, lo más probable es que se sientan defraudadas.

Si la visión que la embarazada tiene de la maternidad está llena de plácidos paseos matutinos por el parque, de días soleados en el zoológico y de horas dedicadas a preparar vestidos en miniatura, lo más probable es que la realidad signifique un golpe para ella. Habrá muchas mañanas que se convertirán en tardes antes de que tanto ella como su bebé hayan podido ver la luz del sol, muchos días soleados que transcurrirán principalmente junto a la máquina de lavar, y muy pocas prendas diminutas que escapen de quedar manchadas con papilla de plátanos y vitaminas infantiles. Y si la mujer sueña con volver a casa del hospital llevando en brazos a un encantador bebé de anuncio, es seguro que sufrirá una fuerte desilusión posparto. El bebé no sólo renunciará a sonreír y balbucear durante muchas semanas, sino que prácticamente no querrá comunicarse con su

---

LAS MUJERES EMBARAZADAS SON APETECIDAS

Si los mosquitos la molestan más ahora que está embarazada, no sólo es su imaginación. Las investigaciones muestran que las mujeres embarazadas atraen a los mosquitos dos veces más que las otras mujeres. Posiblemente es por que a los mosquitos los atrae el dióxido de carbono y las mujeres embarazadas respiran más y botan más de ese gas que tanto les gusta a los moscos.

Otra de las razones puede ser que los mosquitos buscan el calor y las mujeres embarazadas tienen mayor temperatura corporal. Así que si vive o viaja a un lugar con mosquitos (especialmente si representan un riesgo a la salud) tome sus precauciones. Trate de quedarse adentro, ponga anjeos en las ventanas y utilice un repelente recetado por el médico.

---

madre, excepto llorando –sobretodo cuando la nueva mamá se siente a cenar, quiera hacer el amor, tenga necesidad de ir al lavabo o esté tan cansada que no pueda ni moverse.

Ahora bien, lo que sí *puede* esperarse de un modo realista son algunas de las experiencias más maravillosas, y milagrosas de la vida. La felicidad que se experimenta al arrullar al bebé que duerme (incluso si este pequeño angelito acaba de pasar un momento endiabladamente malo) es incomparable. Esto –junto con aquella primera sonrisa sin dientes dedicada sólo a la madre– será compensación más que suficiente de todas las noches en vela, de todas las cenas retrasadas, de las montañas de ropa por lavar y de los romances frustrados.

¿Se puede ser feliz con el bebé? Sí, siempre que la madre espere un bebé real y no una fantasía.

DOLORES ABDOMINALES

"Estoy muy preocupada por los dolores que he venido sintiendo en los lados de la pelvis".

Lo que ocurre probablemente es que los músculos y ligamentos que aguantan el útero se están estirando, y es algo que experimentan la mayoría de las mujeres embarazadas. Puede ser un dolor sordo o bien agudo y punzante, y por lo general se manifiesta sobre todo cuando la mujer se levanta de la cama o de una silla, y también cuando tose. Puede ser un dolor breve o durar varias horas. Siempre que este dolor sea ocasional y no persistente –y no vaya acompañado de fiebre, escalofríos, hemorragias, aumento del flujo vaginal, desmayos u otros síntomas inhabituales–, no hay motivo de preocupación. La embarazada notará un alivio descansando un rato en una postura cómoda. Sin duda, deberá mencionar estos dolores en su próxima visita, seguramente para que el doctor le diga que todo está bien y que el embarazo es normal aunque un poco incómodo.

ABORTO ESPONTÁNEO TARDÍO

"Ya sé que dicen que pasado el tercer mes no es necesario preocuparse por el peligro de un aborto espontáneo. Pero conozco a una mujer que perdió su bebé en el quinto mes."

Aunque básicamente es cierto que hay pocos motivos para temer un aborto espontáneo después del primer trimestre, ocurre algunas veces que el feto se pierde entre las 12 y las 20 semanas. Estos casos reciben el nombre de abortos espontáneos; *tardíos* y significan menos del 25% de todos los abortos espontáneos. Después de las 20 semanas, cuando el feto suele pesar ya más de 500 gramos y existe la posibilidad de que sobreviva si recibe unos cuidados especiales, se habla de un parto prematuro.

A diferencia de lo que sucede con los abortos espontáneos precoces, cuyas causas suelen hallarse en el feto, las causas de los abortos que se producen en el segundo trimestre suelen estar relacionadas con la placenta o con la madre. La placenta puede separarse prematuramente del útero, puede estar implantada de modo anormal o puede no producir las hormonas adecuadas para el mantenimiento del embarazo. La madre puede haber tomado ciertos fármacos o puede haber sufrido una intervención quirúrgica que ha afectado a los órganos de la pelvis. O puede estar afectada por una infección grave, una enfermedad crónica no controlada, malnutrición grave, mal funcionamiento endocrino, miomas (tumores del útero) forma anormal del útero o cuello uterino incompetente que se abre prematuramente. Los traumatismos físicos graves, como los que se producen en los accidentes, parecen desempeñar sólo un papel reducido en los abortos espontáneos que se presentan en cualquier fase del embarazo.

Entre los primeros síntomas de un aborto espontáneo en el segundo trimestre se cuentan: pérdidas vaginales rosadas durante varios días o pérdidas vaginales reducidas, de color pardo, durante varias semanas. Si la mujer experimenta pérdidas de este tipo, no debe ser presa del pánico –podría no ser nada serio. Pero llamará a su médico el mismo día. Si las pérdidas sanguíneas son abundantes ya vayan acompañadas o no de calambres, se llamará al médico de inmediato o se irá al hospital. Vea la página 650 para el tratamiento cuando existe peligro de aborto y para la prevención de futuros abortos.

Cambio de horario en los viajes

Además de la fatiga del embarazo ahora debe agregar el cansancio del cambio de horario cuando viaja. Intente minimizar los efectos físicos que conlleva viajar por diferentes zonas horarias. Acá le decimos cómo:

Empiece a cambiar los horarios antes de irse. Antes de irse cambie su reloj gradualmente hacia delante o hacia atrás y haga las cosas más fáciles. Por ejemplo levántese y acuéstese un poco más temprano unos días antes del viaje. También puede acostarse y levantarse más tarde, todo depende del lugar al que viaje. Trate de dormir en el avión si va a llegar de día al lugar de destino y no duerma si va a llegar de noche.

Viva en la hora local. Cuando llegue a su destino, acomódese al horario local. Si llega a Paris a las 7 de la mañana y está exhausta por el vuelo, aguante las ganas de dormir hasta medio día, más bien desayune rico y salga a hacer algo tranquilo. No se exija demasiado, tómese sus descansos pero no se quede sentada todo el día. Coma en los horarios locales y no de acuerdo a sus horarios internos (coma algo pequeño si tiene hambre pero no coma una comida completa a deshoras) y trate de acostarse por la noche, en el horario local, si es posible. Así podrá dormir bien toda la noche y estar bien al otro día. Pida el servicio de despertador, incluso si no lo necesita.

Busque el sol. Es bueno que busque la luz del día para ubicar otra vez su reloj biológico, así que trate de estar afuera el primer día del viaje y si no hace sol, no importa, salga afuera durante el día.

Coma y tome líquidos. Cualquiera que viaje con frecuencia sabe que viajar da mucha sed. La deshidratación puede aumentar los síntomas del cambio de horario (sin mencionar los riesgos para el embarazo). Tome mucha agua en el avión y cuando llegue. También busque el tiempo para comer regularmente, trate de comer cosas que le den energía como proteína y carbohidratos. Puede hacer algún tipo de ejercicio para no sentirse tan cansada (nada fuerte: una caminata en el parque o nadar en la piscina del hotel).

No espere un milagro. No utilice ninguna medicina automedicada o herbal para los síntomas del cambio de horario (o para ningún propósito) sin la aprobación del médico. Incluso la melatonina es insegura en el embarazo.

Déle tiempo. A medida que pasen los días se sentirá menos cansada y más cómoda.

Es posible que tenga problemas para dormir (y evidentemente se va a sentir cansada) durante todo el viaje. Pero puede que eso no sea por el cambio de horario sino por todo lo que está viviendo.

VIAJAR

"Es conveniente que en mi estado realice el viaje de vacaciones que mi marido y yo habíamos planeado para este mes?"

Para la mayoría de las mujeres, los viajes durante el segundo trimestre no solo no plantean problemas, sino que además son la ocasión perfecta para disfrutar con su marido de un poco de reposo y distracción. Y además, una vez llegado el bebé, es seguro que nunca volverá a ser tan cómodo viajar. Este también es el momento preciso para programar un viaje de negocios.

Evidentemente, es necesario el permiso del médico; si la mujer embarazada sufre de presión alta, de diabetes o de cualquier otro problema médico u obstétrico, es probable que su médico no le dé luz verde. (Esto no significa que la embarazada no pueda tomarse unas vacaciones; si no puede viajar, irá a un hotel que se encuentre sólo a unas horas de coche de la consulta de su médico. No por ello disfrutará menos). Incluso en un embarazo de bajo riesgo, un viaje a gran distancia no es ninguna buena idea durante el primer trimestre, cuando la posibilidad de un aborto espontáneo es mayor y cuando el cuerpo de la futura madre se está aún adaptando a la tensión física y emocional del embarazo. Análogamente, los viajes tampoco suelen ser recomendables en el último trimestre ya que, si el parto fuera prematuro, la embarazada se encontraría lejos de su médico y de su hospital.

Después de haber obtenido el permiso del médico, todo lo que necesita la futura madre es un poco de planificación previa y unas cuantas precauciones para asegurarse tanto a sí misma como a su bebé un buen viaje:

Escoja un destino cómodo. Como su metabolismo ha cambiado, no es bueno viajar a un lugar caliente y húmedo. Si de todas maneras viaja a un lugar así, asegúrese de que el hotel y el transporte escogido tengan aire acondicionado y manténgase hidratada y alejada del sol. Puede ser peligroso viajar a lugares de mucha altitud ya que hay menos oxígeno para usted y para el bebé. Si *tiene* que hacer ese viaje, trate de ascender gradualmente, si es posible, por ejemplo si está manejando vaya despacio. Para minimizar el riesgo de enfermarse por la altura* trate de no estar muy activa por unos días, tome mucho líquido, coma frecuentemente comidas pequeñas y en lugar de grandes comidas, evite la comida muy abundante y pesada y busque un lugar cómodo para dormir, ojalá a menor altitud, si se puede. Si está en su último trimestre, el médico seguramente le recomendará que se examine durante los

---

* Los síntomas son: pérdida del apetito, náuseas, vómito, flatulencia, dolor de cabeza, falta de aire, orina anormal y cambios psicológicos.

tres primeros días del viaje y dos veces a la semana después. Si tiene alguna aflicción fetal que se le atribuya a la falta oxígeno; baje inmediatamente a un lugar a menor altitud.

Hay otros lugares que debería evitar si está embarazada ya que algunas vacunas presentan riesgos para el feto (hable con su doctor). También es probable que pueda contraer infecciones para las que no hay vacunas. Otra razón más para no ir a esos lugares mientras está embarazada.

Planear un viaje que sea relajante. Un solo lugar de destino es preferible a un viaje que permita visitar nueve ciudades en seis días. Para una mujer embarazada es también mucho mejor un viaje del que ella pueda determinar el ritmo, que un viaje en grupo cuyo ritmo ya está establecido. Deberá alternar unas pocas horas de la cansada actividad de visitar la ciudad o de ir de compras por las tiendas con unos ratos de descanso.

Asegúrese. Tome un seguro médico de viajes en caso de que haya alguna complicación y deba quedarse. Averigüe por todos los tipos de seguros de viajes que ofrecen. Esto puede ser muy útil si su seguro local no cubre gastos en otros lugares.

Llevarse el historial médico. Siempre es una buena idea, pero particularmente cuando se está embarazada, via-jar con una tarjeta con información médica que contenga el grupo sanguíneo, la medicación que se está tomando y/o a la que se es alérgica, y cualquier otro dato médico pertinente, junto con el nombre del médico, la dirección y el número de teléfono. También es prudente llevar una receta de más de cada uno de los medicamentos que se están tomando en la misma carpeta que el pasaporte, para el caso de que las maletas y la medicación se perdieran –temporal o permanentemente– durante el viaje. Puede que la mujer tenga que hacer que una receta traída de casa sea convalidada por un médico local.

Preparar un botiquín de emergencia. Asegurarse de llevar consigo las pastillas de vitaminas suficientes para todo el viaje; llevar consigo unos paquetes de leche en polvo si se teme no encontrar leche fresca; añadir un bote pequeño de germen de trigo para enriquecer el pan blanco o los cereales si no se pueden obtener de tipo integral. Lleve bandas de acupresión (vea la página 160) si es susceptible a los mareos. El botiquín deberá contener también una medicación prescrita por el médico* contra las dolencias gástricas; el equipaje incluirá unos zapatos cómodos, suficientemen-

* Si le da diarrea es importante que reemplace los electrolitos y los fluidos. Puede reemplazarlos comiendo galletas saladas y bebidas energizantes mezclando la mitad con agua. O hable con su médico para que le dé un producto rehidratante para reemplazar los electrolitos.

El estómago del viajero

Si a pesar de todos los esfuerzos llega a tener un problema estomacal, puede tomar la medicina que le dio el doctor (ojalá se haya acordado de llevarla). Si va más de tres veces en ocho horas al baño para evacuar y si tiene náuseas y vómito, escalofríos o fiebre, debe ver a un doctor.

te espaciosos para que quepan en ellos los pies hinchados. También debe llevar este libro como referencia. Puede llevar un termómetro, alcohol, protector solar, curas, un antibiótico untado, crema para la picazón y un desinfectante en aerosol para los lavabos públicos.

Tener a mano el nombre de un médico de la localidad. Sólo por si acaso. Es probable que el propio médico pueda proporcionar esta información. En caso contrario, se contactará con la asociación médica local de la ciudad que se visita. Algunas grandes cadenas de hoteles pueden suministrar también este tipo de información. Si la futura madre necesita con urgencia un médico y no puede encontrarlo deberá llamar al hospital más cercano o acudir directamente al servicio de urgencias del mismo.

Llevar consigo la dieta ideal. La madre está de vacaciones, pero su bebé está trabajando igual que siempre en su crecimiento y desarrollo, y necesita los mismos nutrientes de siempre. A la hora de las comidas no es necesario el autosacrificio total, pero sí la prudencia. En el restaurante, se elegirán cuidadosamente los platos, y se procurará disfrutar de la cocina local y satisfacer al mismo tiempo las necesidades del bebé. No debe saltarse el desayuno o el almuerzo con la esperanza de una cena abundante.

No beber agua del grifo (ni siquiera se lave los dientes con esa agua) a menos de que esté segura que está bien. Si se viaja por un país extranjero –a menos que se tenga la seguridad de que no presenta riesgos. (Sustituirla por jugos de fruta y por agua embotellada para satisfacer las necesidades diarias de líquido). En algunas regiones puede ser arriesgado comer la fruta fresca con la piel o las verduras frescas. Es necesario informase sobre estas restricciones, sobre los peligros sanitarios en países extranjeros y sobre las medidas necesarias de inmunización.

No nade en aguas extrañas. Hay áreas en las que el mar y los lagos tienen polución. Averigüe bien antes de meterse a nadar en esas aguas. Tenga también cuidado en las piscinas que no están bien limpiadas con cloro.

Coma de manera selectiva. En algunos lugares es mejor no comer frutas con cáscara ni ensaladas (pele usted misma la fruta, lávese antes las manos y lave la fruta, vuelva a lavar sus manos después de pelar la fruta para no pasar gérmenes). Las manzanas y los bananos son más seguros que otras frutas porque tienen la cáscara más gruesa. En todas partes debe evitar la comida que está a temperatura ambiente, debe evitar la carne, el pollo y el pescado crudo; evite también los alimentos sin pasteurizar y sin refrigerar (como los productos lácteos). No coma nada en la calle, ni siquiera si está caliente.

Problemas digestivos. Los cambios de horario y de dieta pueden complicar los problemas de estreñimiento. Para evitarlo, la futura madre procurará tomar una cantidad suficiente de los tres remedios más eficaces contra el estreñimiento: fibra, líquidos y ejercicio. (Vea el apartado dedicado al estreñimiento, página 211.) También puede ser eficaz tomar el desayuno un poco antes de lo habitual, de modo que se pueda hacer uso del lavabo antes de salir del hotel.

Orinar frecuentemente. La futura madre se cuidará de no fomentar las infecciones del tracto urinario retrasando sus visitas al lavabo. Deberá "ir" en cuanto sienta ganas, y si es necesario pedir un baño en un lugar público.

Conseguir el soporte que se precisa. Es decir, medias elásticas. Particularmente si la mujer ya sufre de venas varicosas –incluso si sospecha que tiene predisposición– llevará medias elásticas cuando tenga que estar mucho tiempo sentada (en el coche, el avión, el tren, por ejemplo) y cuando tenga que permanecer mucho de pie (en los museos, en las colas). También le ayudan a minimizar la hinchazón en pies y talones.

No estarse quieta durante los traslados. Estar sentada durante largos períodos de tiempo puede restringir la circulación de las piernas, por lo que hay que pensar en levantarse y pasear al menos cada hora o dos cuando se encuentre en un avión o tren. Al viajar en coche, parará cada dos horas para estirarse. Mientras esté sentada, hará los sencillos ejercicios descritos en la página 273.

Si se viaja en avión. Informarse en la agencia de las líneas aéreas si existe alguna regulación especial referente a las mujeres embarazadas (muchas líneas aéreas las tienen). Pedir con tiempo un asiento en la parte delantera del aparato (preferiblemente junto al pasillo, de forma que la embarazada pueda levantarse y estirarse o usar la zona de descanso cuando lo necesite) o, si los asientos no son reservados, subir antes que los demás pasajeros al avión. *No volar en una cabina no presurizada.* Todos los aviones comerciales están presurizados; pero los pequeños aviones privados pueden no estarlo, y los cambios de presión pueden quitarle a la embarazada –y a su bebé– el oxígeno que necesitan.

Al reservar el vuelo, se preguntará sobre las comidas especiales disponibles y se reservará una que proporcione una buena ración de proteínas y pan integral, si es posible. En algunas líneas aéreas, las comidas de bajo contenido en colesterol, las ovo-lacto-vegetarianas o las de pescado y marisco proporcionan más de la docena diaria que las ordinarias. Beba mucha agua, leche y jugos de fruta para contrarrestar la deshidratación causada en los viajes aéreos, y llévese palitos o galletas integrales, paquetes de queso, hortalizas crudas, frutas frescas y otros tentempiés sanos envueltos individualmente, para complementar las comidas del avión (esto también hará que se pare constantemente al baño, lo que es bueno porque así estira las piernas).

Abrocharse el cinturón de seguridad por debajo del abdomen. Si se viaja a una zona con horario distinto, tener en cuenta la diferencia horaria (vea la página 299). Descansar antes del viaje, y planear una actividad ligera para los primeros días después de la llegada.

Si se viaja en coche. Se llevará una bolsa llena de tentempiés nutritivos y un termo con zumo o leche a mano para cuando se tenga hambre. Para los viajes largos, se verificará que el asiento que se ocupa sea confortable; si no lo fuera, se pensará en la posibilidad de comprar o pedir prestado un cojín especial que soporte la espalda, que se puede conse-

guir en una tienda de complementos para el automóvil. Una almohadilla cervical también añadirá algo de confort. Si se puede, hay que retirar el asiento hacia atrás todo lo posible, para estirar las piernas al máximo. Y desde luego la embarazada mantendrá en todo momento el cinturón de seguridad abrochado.

Si se viaja en tren. Informarse de si existe un vagón restaurante con un menú completo. En caso contrario, llevar consigo comidas y tentempiés suficientes. Si se viaja de noche, comprar un tiquete de coche-cama. Seguramente no querrá comenzar su viaje exhausta.

COMER FUERA DE CASA

"Estoy intentando seguir una dieta correcta, pero me resulta casi imposible ya que tengo almuerzos de trabajo casi todos los días."

Para la mayoría de las mujeres embarazadas, el problema de los almuerzos de trabajo (o de las cenas fuera de casa) no estriba en sustituir los dos martinis por un vaso de agua mineral, sino en intentar escoger una comida que sea nutritivamente adecuada de entre un menú de salsas a la crema, féculas elegantes pero vacías y postres tentadores. Pero siguiendo estos consejos es posible llevar la dieta ideal al almuerzo o a la cena:

◆ Apartar la cesta del pan, a menos que esté llena de productos integrales (se hará una excepción si se está muy hambrienta y no se ve en el horizonte ninguna otra sustancia). Se tendrá en cuenta que los panes "oscuros", tales como el pan integral de centeno, pueden haber conseguido su color tan sano del caramelo o de la melaza y no de los cereales integrales. La mujer se asegurará de incluir la mantequilla o margarina que extienda sobre el pan en la ración diaria de grasas permitida; también tendrá en cuenta que puede haber otras grasas en la comida (por ejemplo aliños para ensaladas).

◆ Pedir una ensalada como primer plato, y que sirvan la salsa (o el aceite y el vinagre) aparte para poderse mantener dentro de las líneas directrices de la dieta ideal en cuanto a la ingesta de grasas. Otros primeros platos adecuados son los tomates con mozzarella fresca, el cóctel de camarones y las hortalizas a la brasa o marinadas.

◆ Si se desea pedir una sopa, elegir un consomé o caldo claro, o bien una sopa a base de lentejas o fríjol (un plato de sopa puede servir de plato fuerte, especialmente si viene servida con queso) o verduras (especialmente las de papa, zanahoria, calabaza o tomates). Es mejor prescindir de las cremas (a menos que se sepa que están preparadas con leche o yogur y no con crema).

◆ Escoger un plato principal con muchas proteínas y poca grasa. El pescado, el pollo y la ternera suelen ser las mejores opciones, siempre que no se presenten fritos o acompañados de mantequilla o salsas espesas. Si cualquiera de los platos va acompañado de una salsa, pedir que se sirva aparte. Con frecuencia, el chef no pondrá reparos en servir un pescado a la plancha con poca o nada de grasa. Si la embarazada es vegetariana, escudriñará el menú en busca de tofu, judías y guisantes y quesos, o una combinación de estos. Una lasaña vegetal, por ejemplo, podría ser una buena elección en un restaurante italiano, y unas hortalizas en el chino.

◆ Como acompañamiento son apropiadas las papas (de cualquier manera salvo fritas, con mucha mantequilla o salteadas), el arroz integral, la pasta, las legumbres (judías y guisantes secos), y las verduras frescas y poco cocinadas. Las ensaladas de la barra son una buena opción siempre y cuando escojan bien las verduras y no la llene de salsa; puede acompañarlas con queso y con una salsa muy ligera o con muy poca salsa de la otra. Evite las verduras que nadan en aceite o mayonesa. Evite también las ensaladas de barra que se vean mal atendidas, mal refrigeradas o sucias o que no tengan protección "contra estornudos".

- Si sale a comer todos los días fuera, los postres deberían, excepto en ocasiones especiales, limitarse a frutas y bayas frescas o cocidas sin endulzar y sin licores (con una masa de nata montada, si se desea). También se puede tomar ocasionalmente un poco de helado de yogur o de otro tipo. Si se desea intensamente comer algo más, se tomarán un par de bocados del postre del compañero de mesa.

LO MEJOR DE LOS RESTAURANTES

No siempre resulta posible elegir el restaurante para comer, pero si tiene la opción, tenga en cuenta que existen algunas cocinas que cubren mejor sus expectativas que otras y que hoy en día hay un buen número de restaurantes que ofrecen comida saludable sin importar el país de origen de la comida. Si no puede escoger, no se desespere, en cualquier restaurante se puede comer bien si ordena de manera inteligente.

En los restaurantes especializados en cierto tipo de comida es bueno saber qué busca y qué debe evitar. Siga los siguientes consejos como una guía general para reconocer los diferentes estilos de cocina, incluso dentro de una cocina particular.

Comida de mar, carnes, comida americana. En estos restaurantes se ofrece la comida de mar, el pollo y la carne frescos, asados, a la parrilla o tostados (escoja cosas suaves si puede). La mejor opción es pedir las especialidades de la casa, que casi siempre están acompañadas con papas cocidas, vegetales frescos y ensaladas. Algunos ofrecen una barra de ensaladas con verduras y frutas sin aderezos. Esta es una buena opción para cumplir con muchos de los requerimientos. *Consejos*: como ahora hay muchos restaurantes que quieren ofrecer comida con granos enteros, tratan de llamar la atención del cliente con una canasta de panes integrales. No llene sus requerimientos de granos con pan, busque mejor un acompañamiento de arroz salvaje o verduras (fríjoles, guisantes), si se puede. *Vegetarianos*: hay algunos restaurantes que tienen un menú especial para vegetarianos (como una pasta o un plato de verduras), pero hay otros que sólo le servirán un plato de verduras, así que más tarde trate de compensar la proteína que le hace falta.

Italianos. La comida mediterránea tiene una buena reputación por ser comida muy saludable. Puede disfrutar de las entradas de pescado, pollo, ternera o carne magra a la parrilla o tostadas; también puede comer vegetales cocinados como espinaca y brócoli; ensaladas con vegetales de un verde fuerte como la lechuga romana y la rúgula y puede comer pizza con salsa de tomates, queso y vegetales frescos (con pimienta y brócoli por ejemplo); Puede pedir una pasta con pescado, con mariscos, con pollo o queso. Escoja la salsa marinara o cualquier salsa a base de tomate o a base de vegetales en vez de las salsas con crema. Pida la pasta y la pizza de grano entero si las tienen. *Consejo*: evite los panes, lo frito y lo que tenga mucha salsa. Aproveche si el restaurante le ofrece un queso *Light* en la pizza u otros platos. *Vegetarianos*: las buenas opciones para los que comen productos lácteos son la pizza, la pasta y los platos con verduras y queso (lasaña vegetariana, platos con parmesano). Para agregar más proteína y calcio a los platos, agregue otra cucharada grande de queso parmesano. Los vegetarianos que no comen productos lácteos pueden optar por los platos con fríjoles, platos especiales para vegetarianos o ensaladas, aunque va a ser difícil cumplir con el requerimiento de proteína.

Franceses. Evite la cocina francesa clásica que tiene normalmente mucha grasa animal, mejor escoja la cocina francesa contemporánea que es más *Light*. Puede pedir los platos con pescado, pollo y carnes cocinadas, a la brasa, a la parrilla o hervidas. Evite las salsas pesadas, las cubiertas de los postres, los patés (están llenos de grasa) y el pato (mucha grasa). Evite todo lo que no esté cocinado. Algunos de los platos más comunes son una buena opción para usted: pollo a la brasa con vegetales hervidos o frijoles. *Consejos:* pida una sopa de vegetales de entrada para calmar su apetito y para comer mucha verdura. *Vegetarianos*: las opciones de proteína están un poco limitadas, así que mejor consulte el menú antes.

Chinos. La comida china bien preparada ofrece pescado, carne, pollo y vegetales que se cocinan rápidamente y son muy nutritivos. Es verdad que la comida china contiene mucho sodio (por la salsa soya), mucha grasa (utilizan muchos aceites) y ciertas cosas contienen monoglutamato de sodio (ver página 201). Pero hoy en día hay muchos restaurantes chinos que no cocinan con glutamato de sodio, que cocinan con poca grasa y con salsa de soya *Light.* Puede pedir arroz integral y sopas y entradas al vapor. Ordene platos con mucho pescado, pollo, carne o tofu en vez de los que tienen mucha proteína. Escoja mejor las cosas al vapor y no le eche más salsa de soya a los platos (a menos que haya dicho que cocinaran sin soya su plato). *Consejos:* no coma cosas fritas como los *egg rolls*, ni cosas con salsa agridulce ni costillas. Limite la cantidad de arroz blanco y *noodles* blancos. Si la comida picante le produce acidez, pida la comida sin picante. *Vegetarianos:* para los vegetarianos la comida china es una buena opción: hay tofu y carnes de soya y trigo bien preparadas y nutritivas, también hay mucho brócoli.

Japoneses. Evite la comida frita (agemono, katsu, agedashi, tempura) y la comida con pescado crudo (sushi, sashimi, vea la página 203). Escoja mejor la comida hervida (kimono), cocida o a la parrilla (yakitori). Puede pedir sopas, rollos de vegetales, platos con soya, comida estofada (domburi, sukiyaki) y *noodles*. Puede pedir edamame como entrada. Las salsas normalmente no tienen grasa aunque pueden tener mucha azúcar y sal. *Consejos*: si le encanta el tempura "róbele" un poco a su compañero pero ni se le ocurra probar el pescado crudo o la comida de mar. *Vegetarianos*: las opciones son algo limitadas, antes de entrar al restaurante mire la carta para ver si hay platos con tofu para no terminar con un plato de noodles ante usted.

Thai. Como casi toda la comida asiática, la comida thai tiene buenas opciones y otras no tan buenas. Trate de pedir pollo a la parrilla o cocinado. Algo bueno: los platos calientes y las sopas que tengan mucho pescado, pollo, carne, comida de mar o tofu. *Consejos*: evite la comida frita, el curry y otros platos hechos con leche de coco o cremas y los que tienen salsas con azúcar. *Vegetarianos*: busque los platos con tofu, algunos restaurantes también ofrecen "carnes" para vegetarianos.

Hindú. Si las especias no interfieren con su digestión, la comida hindú es una buena opción. Hay platos con pescado y pollo (generalmente marinado en yogur) cocinados que tienen mucha proteína (tandoori). También hay ensaladas nutritivas, sopas, verduras y panes de granos (roti, chapati y paratha). *Consejo*: evite la comida frita y pida arroz integral, si hay. *Vegetarianos*: las lentejas, los guisantes, el queso, los garbanzos y los platos de verduras siempre están en la carta y son una opción ideal.

Mexicanos, españoles y tex-mex. Hay varias opciones porque ofrecen comida *Light*, utilizan aceites vegetales y sirven muchas verduras. Hay algunos restaurantes que ofrecen quesos bajos en grasas, tortillas integrales y arroz integral. Las buenas opciones del menú: el gazpacho y sopa de fríjoles negros; la comida asada (comida de mar y pollo a la parrilla); platos al estilo Veracruz (hechos con tomates); salsas y salsas picantes. La paella (con mariscos y pollo) tiene mucha proteína y arroz nutritivo. *Consejos*: si la ensalada viene en una tortilla frita, pídala sin tortilla, si no hay ensaladas puede pedir una en forma de gazpacho. Evite la comida frita y limite el consumo de arroz blanco, papas fritas y fríjoles refritos (son muy pesados), mejor pida otros fríjoles, si hay. *Vegetarianos*: el restaurante utiliza aceites vegetales, puede pedir enchiladas de fríjoles y queso, burritos y quesadillas si no están fritas. Hay algunos restaurantes que ofrecen quesos de soya, tocineta falsa y tofu.

Estilo Cajún o Louisiana. Esta comida es deliciosa pero muy grasosa. Escoja comida hervida, al horno, a la parrilla como el pescado, la comida de mar, pollo y vegetales como los jambalayas y gumbos. *Consejos*: evite la carne de puerco y la comida frita, limite el consumo de arroz blanco. *Vegetarianos*: las opciones no son muchas así que mejor averigüe antes de entrar al restaurante. Una opción son los fríjoles si no los preparan con grasa animal.

Comida del sur. Normalmente la comida de estos restaurantes es frita y tiene mucha grasa. Cocinan mucho con tocineta, si tiene suerte puede encontrar algo asado o a la parrilla con por ejemplo un pollo. Si lo mejor que puede pedir es pollo, pida pechuga y quítele la piel antes de comérsela. Los platos de acompañamiento tampoco son muy saludables, son papas fritas y anillos de cebolla fritos o puré de papa con mucha mantequilla. Los otros acompañamientos no tienen valor nutricional. *Consejos*: pida papas que no estén fritas (por lo menos así come algo de betacaroteno), pregunte si las verduras se las pueden hacer al vapor y sin grasa (si le dicen que no, de todas maneras coma verduras, es mejor eso que nada). Si come mucha grasa trate de no comer nada con grasa

en los próximos días. *Vegetarianos*: muy pocas opciones, revise el menú antes de entrar al restaurante.

Griegos y Medio Oriente. Al igual que otras cocinas mediterráneas, esta es una excelente opción. Hay pescado, pollo y carnes magras (incluido el shish kebab) cocidas o a la parrilla ; hay platos que combinan las verduras con la carne o queso feta; hay lentejas, fríjoles y garbanzos, sopas a base de yogur, hortalizas salteadas, ensaladas y granos como el bulgur. *Consejos*: pida la pita integral con humus y aceite de oliva en vez de mantequilla. Evite el arroz blanco y los estofados con arroz, así como la comida frita. *Vegetarianos*: estos restaurantes son generalmente una buena opción, hay platos con fríjoles, lentejas, polenta, bulgur y queso.

Alemán, ruso y los de países de Europa Central. Estos restaurantes cocinan con mucha grasa y mucho nitrato, salsas pesadas, salchichas y butifarras; la comida no es muy nutritiva en cuanto a vegetales, carnes y pescados. Algunos restaurantes ofrecen pollo cocido o rostizado. Busque en el menú algo a la parrilla (carne, pollo) o un goulash con carne y vegetales hervidos. Como acompañamiento está bien pedir kasha o papas. *Consejos*: puede pedir una salchicha y acompañarla con una ensalada, si hay. *Vegetarianos*: hay pocas opciones.

Pizzerías. Dos pedazos de la pizza común cumplen con más de una porción requerida de proteínas, dos de calcio y vitaminas y minerales, son más de 400 o 500 calorías. Es bueno comer la pizza en masa integral. Pero la pizza también tiene mucha grasa, más de la que necesita, especialmente si le pone queso extra, pepperoni o salchicha. *Consejos*: pida pizza vegetariana (con pimienta y/o brócoli es ideal) y pida quesos bajos en grasa, si hay; pida una ensalada y comerá muy bien y nutritivamente. *Vegetarianos*: para los que comen productos lácteos la pizza con queso es una buena opción, pero una pizza solamente con salsa y vegetales no cubre la proteína necesaria para los vegetarianos que no comen productos lácteos, ellos deben buscar una pizzería que ofrezca la opción de cocinar con queso de soya e incluso de cocinar con pepperoni de soya.

Cafeterías. Hay muchas opciones saludables (omelettes hechas con claras de huevo, waffles integrales, hamburguesas vegetarianas, hamburguesas de pavo), panes excelentes (multigrano) y vegetales frescos cocinados. Casi todas tienen pescado a la plancha y pollo asado, ensaladas (sin tocineta) y emparedados (con pollo, pavo, queso suizo, huevo atún y mayonesa baja en grasa) en panes integrales con lechuga y tomate y una barra de ensaladas. *Consejos*: evite el repollo si tiene mucha mayonesa, evite la comida frita (como las papas). Pida que le sirvan la salsa de la ensalada a un lado; cambie la mayonesa por la mostaza, si es posible y no se coma más de un pepinillo, tienen mucho sodio. *Vegetarianos*: las buenas opciones son los huevos, los emparedados de queso, las ensaladas y las hamburguesas vegetarianas.

Charcuterías. No coma pepinillos ni comida grasosa y preservada con altos niveles de nitratos como el pescado, las carnes, el salmón ahumado, pescado blanco, pastrami, salchichas, salami, bologna, jamón y lengua. Pida rebanadas de cosas frescas como pavo o pollo (no coma los procesados). Pida el pescado o el pollo a la plancha y ensaladas de atún, huevos o pollo; pida queso suizo o trigo. Pida repollo (que esté preparado en vinagre y no en mayonesa), tomate y lechuga. *Consejos*: evite la mayonesa, mejor pida mostaza, pida una ensalada con la salsa a un lado o pida una ensalada de frutas para compensar la falta de vegetales. *Vegetarianos*: casi siempre hay platos con huevo o queso pero para los vegetarianos que no comen productos lácteos no hay muchas opciones, aunque algunos restaurantes ofrecen comida vegetariana como sopas con fríjoles o lentejas y hasta hamburguesas vegetarianas.

Estilo judío o *kosher*. Al igual que en las charcuterías (ver arriba), evite la comida procesada y pida la carne o el pollo a la plancha. *Consejos*: evite la comida grasosa y evite las papas fritas y los panqueques, los pudines de papa y la comida azucarada (*kugels*). Puede darle una probadita al *kishke*. No se exceda con los pepinillos *kosher*. *Vegetarianos*: en un restaurante *kosher* que sirvan carne, probablemente no hay casi nada para vegetarianos, sólo ensaladas. En un restaurante que sirvan solamente productos lácteos, los vegetarianos que comen estos productos pueden disfrutar de la comida. Tenga en cuenta que en ninguno de los dos tipos de restaurante *kosher* la comida es muy nutritiva.

Comida saludable y restaurantes vegetarianos. Estos son los restaurantes más saludables de todos. Para cumplir con el requerimiento de proteína escoja los platos con queso, yogur, tofu, legumbres (fríjoles, lentejas, guisantes), pescado o pollo o carnes "falsas" (hamburguesas y *hot dogs* vegetarianos, etcétera). Disfrute de los granos y los vegetales. *Consejos*: los postres deben tener mucha azúcar, pero siempre y cuando los hagan con frutas frescas y/o con granos, también son nutritivos. *Vegetarianos*: este tipo de restaurante es el ideal para cualquier tipo de vegetariano.

Restaurantes de comida rápida. Evidentemente no va a encontrar comida saludable en un restaurante de comida rápida (a menos de que sea uno de esos nuevos restaurantes de comida rápida que se esfuerza por ofrecer opciones saludables como jugos y otros platos), pero puede encontrar cosas que son mejores que otras, por ejemplo: pollo a la parrilla, a la plancha o asado, emparedados de pollo a la parrilla (pídalos con lechuga y tomate, sin mayonesa y con queso, si necesita calcio); emparedados de pavo o pollo y queso (escoja el pan integral y pida una porción de tomates extra); burritos de fríjoles y queso en tortillas suaves, no fritas; hamburguesa sencilla (preferiblemente con lechuga y tomate); pizza de vegetales con masa delgada (evite el pepperoni); pitas; papas asadas; ensaladas (con queso y sin salsas, o pida que le pongan la salsa a un lado) y sopas. Ahora también se pueden encontrar hamburguesas vegetarianas, agregue queso a la suya. Las barras de ensaladas están bien si se ven limpias y bien mantenidas. Pida vegetales frescos, queso y huevos, póngales una salsa con poca grasa. *Consejos*: evite las hamburguesas dobles o agrandadas, evite la comida frita, trate de no pedir unas papas para usted sola, compártalas, no tome malteada (tiene muchas calorías y casi nada de leche). Si hay, pida yogur congelado, es un buen postre y por lo menos le ofrece algo de calcio. Si puede pida la información nutricional de la comida y escoja algo que no pase de las 500 calorías por cada 20 gramos de proteína (las calorías deben ser menores si las proteínas son menores). *Vegetarianos*: sus opciones son muy limitadas a menos de que esté en un restaurante de comidas rápidas saludable. Para los que comen productos lácteos las opciones son: pizza, emparedados de queso vegetarianos, quesadillas de queso, burritos y papas al horno con queso y brócoli. Para los otros vegetarianos no hay prácticamente nada, a menos de que haya hamburguesas vegetarianas.

QUÉ ES IMPORTANTE SABER:
Hacer el amor durante el embarazo

Dejando de lado los milagros religiosos y médicos, todo embarazo empieza con el acto sexual. Por consiguiente, ¿por qué este acto que ha colocado a la mujer embarazada en su situación actual de mujer gestante se convierte luego en uno de los mayores problemas?

Ya sea que el sexo no exista para nada, ya sea que resulte algo incómodo o ya sea que resulte mejor que nunca, casi todas las parejas que esperan un hijo encuentran que su relación sexual sufre algún tipo de cambio durante los nueve meses de embarazo.

Para empezar, ya antes de la concepción existen grandes variaciones en lo que respecta al deseo y a las reacciones sexuales. Lo que para una pareja es una vida sexual satisfactoria, por ejemplo una relación "obligatoria" una vez por semana, puede ser totalmente insatisfactoria para otra pareja que no siempre encuentra suficiente una relación una vez al día. Después de la concepción, estas diferencias pueden ser incluso más exageradas. Y para complicar más aún las cosas, es posible que los trastornos físicos, sexuales y emocionales dejen con menos ganas de hacer el amor a la pareja de "una vez al día" que a la pareja de "una vez por semana" y viceversa.

Aunque la intensidad varía de una pareja a otra, suele producirse un esquema "menos, más, menos" en el interés sexual durante los tres trimestres del embarazo. No resulta sorprendente que la disminución del interés sexual sea común en los primeros tiempos del embarazo (en un estudio, el 54% de las mujeres declararon un descenso de la libido durante el primer trimestre). Después de todo, el cansancio, las náuseas, los vómitos y la sensibilidad dolorosa de los pechos hacen que la mujer sea una compañera de cama menos ideal. Sin embargo, en las mujeres que pasan un primer trimestre de embarazo cómodo y sin problemas, el deseo sexual suele ser más o menos el mismo. Y una minoría considerable de mujeres embarazadas encuentra que su deseo aumenta significativamente –a menudo debido a que las hormonas del embarazo hacen que la vulva sea ultrasensible, y/o a que la gran sensibilidad de los pechos que resulta dolorosa para muchas mujeres les resulta a ellas placentera. Sucede a menudo que estas mujeres experimentan en esta época, y por primera vez, un orgasmo o un orgasmo múltiple.

El interés por las relaciones sexuales aumenta a menudo –pero no siempre– durante el segundo trimestre, cuando la pareja se halla ya mejor adaptada al embarazo, tanto física como psicológicamente. Este interés suele desaparecer de nuevo a medida que se acerca el momento del nacimiento, y esta desaparición es con frecuencia más drástica que en el primer trimestre –por razones obvias: en primer lugar, el volumen del abdomen dificulta más y más la "operación"; en segundo lugar, los dolores y la incomodidad de un embarazo avanzados son capaces de enfriar incluso la pasión más ardiente; y en tercer lugar, resulta difícil concentrarse en algo que no sea el acontecimiento ansiosamente esperado.

En algunas parejas –pero evidentemente no en todas– parece que el placer sexual, al igual que el interés sexual disminuye durante el embarazo. En un grupo de mujeres, un 21% de ellas experimentaba muy poco o ningún placer durante el acto sexual antes de la concepción. El porcentaje de mujeres que no encontraban placer en el sexo aumentó hasta un 41% a las 12 sema-

nas de gestación, y hasta un 59% hacia el noveno mes. El mismo estudio encontró que a las 12 semanas, aproximadamente 1 de cada 10 parejas no tenían en absoluto relaciones sexuales; en el noveno mes, más de un tercio de las parejas se abstenían. Pero se debe recordar también que el mismo estudio demostró que 4 de cada 10 mujeres disfrutaba aún del sexo en ese momento –y más de la mitad de ellas sin *ningún* problema.

Por consiguiente, es muy posible que la embarazada se encuentre con que las relaciones sexuales son mejores que nunca durante la gestación, como que también que sean algo de lo que podría disfrutar pero que no puede. O también que se convierten en una desagradable obligación. También es posible que desee prescindir de ellas por completo como de tantas otras cosas durante el embarazo. Lo "normal" en las relaciones sexuales será aquello que le convenga.

COMPRENDER LA SEXUALIDAD DURANTE EL EMBARAZO

Desgraciadamente, algunos médicos tienen, como el resto de nosotros, ciertas inhibiciones ante la sexualidad. Con frecuencia no les explican a las parejas que esperan un hijo lo que pueden esperar, o no esperar, en la parte íntima de su relación. Y esto hace que muchas parejas tengan dudas acerca del modo en que deben proceder.

Comprender la razón de que hacer el amor durante el embarazo sea diferente a lo que es en otras épocas puede ayudar a aliviar los temores y preocupaciones, y puede provocar que hacer el amor (o no hacerlo) resulte más aceptable y más agradable.

En primer lugar, existen muchos cambios físicos que afectan tanto al interés sexual como al placer que se experimenta. Algunos pueden ser abordados para minimizar sus efectos sobre la vida sexual; otros han de ser conocidos para aprender a vivir con ellos; y a hacer el amor con ellos.

Náuseas y vómitos. Si los mareos matutinos persisten de día y de noche, lo más probable es que la pareja deba esperar a que estos síntomas desaparezcan. (En la mayoría de los casos, el malestar empezará a disminuir hacia el final del primer trimestre). Si sólo aparecen a ciertas horas, la pareja deberá flexibilizar sus horarios y aprovechar los buenos momentos. La mujer no deberá presionarse para sentir deseo cuando se encuentra mal; los mareos matutinos se ven a menudo agravados por el estrés emocional. (Vea la página 157, para consejos sobre el modo de minimizar los mareos matutinos).

Cansancio. También el cansancio debe desaparecer hacia el cuarto mes. Hasta entonces, la pareja puede hacer el amor cuando brilla el sol (y si se presenta la ocasión) en lugar de que la mujer intente forzarse a permanecer levantada hasta tarde para un romance. Si la pareja tiene libres las tardes del fin de semana, es una buena idea hacer una buena siesta con una sesión de amor.

Cambios en la silueta. Hacer el amor puede resultar difícil y desagradable cuando una barriga hinchada parece tan grande e inaccesible como la montaña del Himalaya. A medida que progresa el embarazo, a muchas parejas les puede parecer que no merecen la pena los ejercicios gimnásticos necesarios para escalar el abdomen en aumento. (Pero existen maneras de rodear la montaña, siga leyendo este libro para saber más al respecto). Además, la silueta más llena de la mujer puede quitarle el deseo a ella, a su marido o a ambos. La embarazada saldrá de este reflejo socialmente acondicionado pensando: "lo grande (en el embarazo) es bello".

Congestión de los órganos genitales. El mayor flujo sanguíneo hacia la pelvis, causado por los cambios hormonales del embarazo, puede incrementar la respuesta sexual en algunas mujeres. Pero también puede hacer que el sexo sea menos satisfactorio (especialmente en fases más avanzadas del embarazo) cuando tras el orgasmo queda una sensación residual desagradable que la mujer experimenta como si en realidad no hubiera tenido un orgasmo. También para los maridos, la congestión de los órganos sexuales de la mujer embarazada puede incrementar el placer (si se sienten agradablemente acariciados) o bien reducirlo (si se sienten demasiado apretados y pierden la erección).

Salida de calostro. Ya avanzado el embarazo, algunas mujeres empiezan a producir el calostro, una sustancia precursora de la leche. El calostro puede salir de los pechos durante la estimulación sexual, y puede resultar desconcertando en medio del acto sexual. Desde luego, no es nada preocupante, pero si resulta molesto para la mujer o para su pareja, puede evitarse fácilmente prescindiendo de la estimulación de los pechos.

Sensibilidad de los pechos. Algunas parejas afortunadas descubren durante el embarazo el placer de la estimulación de los pechos por primera vez. Pero muchas constatan que en las primeras fases del embarazo, es posible que los pechos deban ser evitados durante los juegos del amor ya que son dolorosamente sensibles. (La mujer deberá comunicar esta incomodidad a su pareja, en lugar de sufrir en silencio e incluso quedar resentida contra él). Sin embargo, a medida que el dolor disminuye hacia el final del primer trimestre, la extrema sensibilidad de los pechos es un factor positivo en las relaciones sexuales de muchas parejas.

Alteración de las secreciones vaginales. Estas secreciones aumentan de volumen y cambian de consistencia, de olor y de sabor. La mayor lubricación puede hacer que el acto sexual sea más agradable para la pareja si la vagina de la mujer era antes seca y/o incómodamente estrecha. O también es posible que a causa de ello el canal de la vagina de la mujer sea tan húmedo y resbaladizo que el marido tenga dificultades en mantener su erección. El olor y sabor más intensos de las secreciones pueden hacer que el *cunilingus* resulte desagradable para ciertos hombres. El problema se puede minimizar aplicando un aceite de masaje en la zona (pero no en la vagina).

Hemorragia causada por la sensibilidad del cuello uterino. El cuello del útero también se congestiona durante el embarazo —atravesado por numerosos vasos adicionales destinados a transportar una mayor cantidad de sangre hacia el útero— y es más blando que antes del embarazo. Esto significa que una penetración profunda puede a veces provocar una hemorragia, sobre todo en los últimos tiempos, cuando el cuello de la matriz empieza a madurar con vistas al parto. Si esto ocurre (y el médico ha descartado el peligro de abortar o cualquier otra complicación que requiera abstenerse de tener relaciones sexuales), la pareja se abstendrá de las penetraciones profundas.

Existe además toda una serie de dificultades psicológicas que pueden reducir el placer sexual durante el embarazo. Pero también éstas pueden ser minimizadas.

Temor de dañar al feto o de provocar un aborto. En los embarazos normales, el acto sexual no ejerce ninguno de los dos efectos. El feto está bien acolchado y protegido dentro del saco amniótico y el útero, y éste está bien cerrado frente al mundo exterior por un tapón de mucosidad a la entrada del cuello uterino.

Temor de que el orgasmo provoque un parto prematuro. Aunque el útero se contrae después del orgasmo –y estas contracciones pueden ser bastante pronunciadas en algunas mujeres y durar entre media hora y una hora después del acto sexual–, dichas contracciones no son un signo de que se ha iniciado el parto y no suponen ningún riesgo si el embarazo es normal. De todas maneras, el orgasmo, en especial el más intenso provocado por la masturbación, puede estar prohibido en los embarazos con un alto riesgo de aborto o de parto prematuro.

Temor de que el feto "mire" o "sea consciente". Aunque al feto le puede resultar agradable el suave movimiento arrullador de las contracciones uterinas no puede ver ni comprender lo que está sucediendo durante el acto sexual, y es

seguro que no guardará ningún recuerdo de ello. Las reacciones fetales (movimientos más lentos durante el acto sexual y luego un furioso "pataleo" y un latido cardíaco más rápido después del orgasmo) son debidas única y exclusivamente a la actividad hormonal y uterina.

Temor de que la introducción del pene en la vagina provoque una infección. A menos que el marido sufra una enfermedad de transmisión sexual, parece que no existe ningún peligro de infección para la madre o para el feto a través del acto sexual durante los primeros siete u ocho meses. El feto se halla protegido dentro del útero por el saco amniótico que no puede ser atravesado por el semen ni por organismos infecciosos. La mayoría de los médicos creen que esto es así incluso durante el noveno mes –siempre que el saco permanezca entero (mientras no se hayan roto las membranas, no se haya "roto aguas"). Pero debido a que puede romperse en cualquier momento, algunos médicos le sugieren a la pareja que el marido use un preservativo durante el acto sexual en las cuatro u ocho últimas semanas de embarazo, para una mayor seguridad frente a las infecciones.

Ansiedad frente al acontecimiento que se acerca. Tanto la futura madre como el futuro padre se enfrentan al acontecimiento que se avecina con sentimientos encontrados; ante las responsabilidades y el cambio de vida que representa; ante el costo emocional y financiero de sacar adelante un hijo –todo ello puede impedirles hacer el amor relajadamente. Esta ambivalencia que experimentan muchas parejas de futuros padres debe ser afrontada y comentada abiertamente en lugar de ser llevada a la cama.

Cambios en la relación entre el marido y la mujer. La pareja puede tener problemas para adaptarse a la idea de que ya no serán sólo amantes, o sólo marido y mujer, sino también padre y madre, de ahora en adelante. Después de todo, muchos de nosotros evitamos aún asociar a nuestros padres con el sexo, aunque seamos la prueba viviente de que esta relación existe. Por otro lado algunas parejas pueden encontrarse con que la nueva dimensión de su relación aporta una nueva intimidad en la cama –y con ella una nueva excitación.

Hostilidad subconsciente. Del futuro padre contra la futura madre, porque se siente celoso de que ella se haya convertido en el centro de la atención. O de la futura madre contra el futuro padre, porque siente que ella está soportando todo el sufrimiento (en especial si el embarazo está siendo trabajoso) por el hijo que ambos desearon y del que ambos disfrutarán. Estos sentimientos deben ser comunicados y comentados, pero no en la cama.

Creencia de que el acto sexual durante las últimas seis semanas de embarazo hará que se inicie el parto. Es verdad que las contracciones uterinas desencadenadas por el orgasmo se vuelven más intensas a medida que avanza el embarazo. Pero a menos que el cuello uterino esté "maduro", estas contracciones no provocan el parto –como pueden atestiguar numerosas parejas salidas de cuentas. Sin embargo, ya que no se sabe exactamente lo que desencadena el parto, y debido a que algunos estudios señalan un aumento de los partos prematuros en las parejas que tienen relaciones sexuales en las últimas semanas del embarazo, el médico prescribe a menudo la abstinencia a las mujeres que tienen tendencia a un parto antes de término. Algunos médicos creen que si los hombres utilizan un condón, bajarán las contracciones que se "disparan" por las prostaglandinas en el semen.

Temor de "golpear" al bebé cuando la cabeza de éste se halla ya encajada en la pelvis. Incluso las parejas que no tuvieron problemas en realizar el acto sexual durante el embarazo, se pueden sentir ahora incómodos porque el bebé está demasiado "cerca". Muchos médicos opinan que, si bien no pueden dañar realmente al bebé, la penetración profunda no será agradable en ese momento y debería evitarse.

Los factores psicológicos también pueden influir positivamente sobre las relaciones sexuales:

Pasar del sexo de procreación al sexo recreativo. Algunas parejas que se esforzaron mucho por llegar a tener un hijo, pueden quedar encantadas de poder tener relaciones sexuales únicamente por placer –sin termómetros, gráficas, calendarios ni ansiedad. Para ellas, el sexo resulta divertido por primera vez en varios meses o incluso años.

Aunque el acto sexual durante el embarazo puede ser diferente de lo que se había experimentado antes, en la mayoría de los casos no implica ningún riesgo. De hecho, es positivo de muchas maneras tanto física como emocionalmente: mantiene unida a la pareja; ayuda a la mujer a mantenerse en forma, preparando los músculos de la pelvis para el parto; y es relajante –lo que resulta beneficioso para todos los implicados, incluido el bebé.

CUÁNDO DEBEN LIMITARSE LAS RELACIONES SEXUALES

Puesto que hacer el amor tiene tanto que ofrecer a los futuros padres, lo ideal sería que toda pareja pudiera disfrutar de ello durante todo el embarazo. Desgraciadamente, esto no es posible para algunas parejas. En los embarazos de alto riesgo, el acto sexual puede ser prohibido en ciertas épocas e incluso durante todos los nueve meses. En otros casos, el acto sexual puede ser permitido si la mujer no experimenta el orgasmo, o si la pareja prescinde de la penetración. Es esencial saber con exactitud qué no presenta riesgos y cuándo; si el médico prescribe la abstinencia a la pareja, esta deberá preguntar las razones y si el médico se refiere al acto sexual, al orgasmo o a ambos, y si las restricciones son temporales o deben ser extendidas a toda la duración del embarazo.

Probablemente se deberán restringir las relaciones sexuales bajo las siguientes circunstancias:

- Siempre que se produzca una hemorragia inexplicada.

- Durante el primer trimestre si la mujer tienen un historial de abortos espontáneos o de amenaza de abortos espontáneos, o si presenta signos de aborto.

- Durante las 8-12 últimas semanas si la mujer tiene un historial de parto prematuro, o si experimenta signos de aborto.

- Si se han roto las membranas fetales (la bolsa de las aguas).

- Si se sabe que existe una placenta previa (la placenta se encuentra en una posición anormal, cerca del cuello uterino o encima de él, de donde podría ser desalojada prematuramente en el acto sexual, causando

Ejercicio y placer

No hay nada mejor que mezclar trabajo con placer y eso pasa cuando hace sus ejercicios Kegel durante el acto sexual. Estos ejercicios tonifican el área perineal para preparar a la mujer para el parto y reduce la necesidad de una episiotomía. Si hace estos ejercicios seguido, va a acelerar la recuperación posparto en esa área. Y como puede hacer los Kegel en cualquier momento y en cualquier lugar (para saber cómo, vea la página 262), hacerlos durante el acto sexual puede incrementar el placer de los dos. ¡El ejercicio nunca fue tan divertido!

una hemorragia y poniendo en peligro a la madre y al bebé).

◆ Durante el último trimestre si la mujer tiene un embarazo múltiple e incluso en el segundo trimestre si hay más de dos fetos.

DISFRUTARLO MÁS, INCLUSO SI SE HACE MENOS

Una relación buena y duradera –al igual que los matrimonios buenos y duraderos– rara vez se construyen en un día (o incluso en una noche realmente fantástica). Se desarrolla con práctica, paciencia, comprensión y amor. Esto es verdad también en el caso de una relación sexual ya establecida

que queda sometida a los ataques emocionales y físicos de un embarazo. Algunos modos de "salir victorioso" son los siguientes:

◆ No permitir que la frecuencia o infrecuencia de las relaciones sexuales interfiera con otros aspectos de su relación. La calidad al hacer el amor es siempre más importante que la cantidad– y esto nunca es tan cierto como durante el embarazo.

◆ Reconocer las posibles tensiones que la futura paternidad ha introducido en la relación de la pareja y admitir los cambios que se puedan haber producido en la intensidad del deseo sexual de la mujer o de su marido. Discutir abiertamente el problema y no esconderlo debajo de las sábanas. Si algún problema parece demasiado importante para que lo solucione por sí misma la pareja, es aconsejable que esta solicite ayuda profesional.

◆ Pensar positivamente: hacer el amor es una buena preparación física para el parto, especialmente si recuerda hacer los ejercicios Kegel durante el acto sexual. Vea el cuadro de la página 262 (No muchos atletas se lo pasan tan bien entrenándose).

◆ Considerar como una aventura el intento de encontrar nuevas posiciones durante el embarazo. Pero concederse tiempo para adaptarse a las

---

SINTIÉNDOSE CÓMODOS

Si usted y su pareja hacen el amor a estas alturas del embarazo (y después también) la posición cuenta. Pónganse los dos de lado, frente a frente o frente y espalda, eso es más cómodo porque así no le molesta la espalda. También puede intentar la mujer encima (lo que le permite más control en la penetración) o también, el hombre por detrás de la mujer. Para los "rápidos" puede funcionar el hombre encima (siempre y cuando mantenga el peso alejado de usted, sosteniéndose con las manos) pero después del cuarto mes no es buena idea permanecer tanto tiempo acostada de espaldas.

---

nuevas posiciones. (Incluso se puede intentar "nada en seco": probar una nueva posición sin quitarse la ropa, de modo que resulte ya más familiar cuando se pruebe de verdad).

- Adaptar las esperanzas a la realidad. Aunque algunas mujeres experimentan un orgasmo por primera vez durante el embarazo, un estudio demostró que la mayoría de las mujeres alcanzan el orgasmo con menos regularidad durante el embarazo que antes de la concepción –sobre todo durante el último trimestre, en el que sólo una de cada cuatro mujeres alcanza el clímax de modo constante. La meta no ha de ser siempre el orgasmo; la proximidad física puede ser también satisfactoria.

- Si el médico ha prohibido el acto sexual durante un periodo del embarazo, preguntarle si el orgasmo está permitido –mediante la masturbación mutua. Si no lo está para la mujer ésta puede obtener también placer ofreciéndole placer a su marido.

- Si el médico ha prohibido el orgasmo pero no el coito, es probable que la mujer goce del placer de hacer el amor sin llegar al clímax. Aunque puede que no sea enteramente satisfactorio, puede proporcionar una sensación de intimidad. Otra posibilidad: el acto sexual entre los muslos, sin penetración.

Incluso si la calidad, o la cantidad, de las relaciones sexuales de la pareja no es la misma que acostumbraba a ser, la comprensión de lo que está sucediendo en la dinámica de la relación durante el embarazo puede ayudar a reforzar la relación sin un coito espectacular o frecuente.

CAPÍTULO DIEZ

El sexto mes

De la semana 23 a la 27 aproximadamente

Esos pequeños brazos y piernas empiezan a moverse con más ganas ahora, y esos movimientos que se ven desde afuera pueden entretener a los que la rodean. El bebé ya ha crecido bastante pero todavía es una carga ligera comparada con lo que será en unos meses. Asumiendo que todo va bien y que su médico ha dado el visto bueno, este es un buen momento para que usted haga otras actividades físicas.

QUÉ SE PUEDE ESPERAR EN LA VISITA DE ESTE MES

Seguramente la cita de este mes será ajetreada. En este mes cabe esperar que el médico controle los siguiente puntos, aunque se pueden producir variaciones en función de las necesidades particulares de la paciente y de las costumbres del médico*.

◆ Peso y presión sanguínea

◆ Orina, para detectar azúcar y albúmina

◆ Latido cardíaco del feto

◆ Altura del fondo uterino (parte superior del útero)

◆ Tamaño del útero y posición del feto, mediante palpación externa

◆ Pies y manos, para detectar edema (hinchazón), piernas, para detectar venas varicosas

◆ Síntomas que la embarazada puede haber experimentado, en especial los poco habituales

◆ Preguntas y problemas que la paciente desee discutir; es aconsejable llevar una lista a la consulta

---

* Véase el Apéndice, página 713, para una explicación de las intervenciones y los exámenes realizados

UNA MIRADA INTERNA

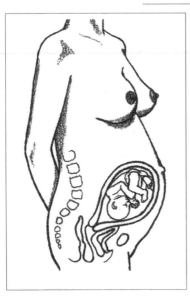

activo, más coordinado en sus movimientos (empuja sus pies contra la pared uterina, a lo mejor para practicar su caminado) y ha desarrollado su dedo pulgar con el que agarra el cordón umbilical. Afortunadamente el cordón umbilical, que es la vida del bebé, está diseñado para soportar toda esa actividad. Ahora el bebé puede abrir y cerrar los ojos y puede reaccionar a la luz (el bebé incluso puede taparse los ojos con las manos si hay mucha luz en la barriga de la madre). Ya funcionan las cuerdas vocales aunque el bebé no hará ningún sonido sino hasta después del primer llanto. El hipo es normal y puede mover el útero. Un bebé que nazca ahora puede sobrevivir con cuidados intensivos.

▲ *A principios de este mes su útero estará más o menos 4 cm arriba de su ombligo. A finales de mes el útero habrá crecido 2.5 cm, ahora es del tamaño de una pelota de baloncesto ¡y parece que eso fuera lo que está cargando en su estómago!*

▶ *Su bebé es más grande ahora, más o menos de 30 cm y pesa un kilo. Es bastante*

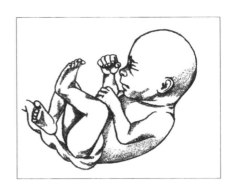

QUÉ SE PUEDE SENTIR

Como siempre, recuerde que cada mujer y cada embarazo son diferentes. Se pueden experimentar todos estos síntomas en un momento u otro, o bien únicamente algunos de ellos. Algunos habrán continuado desde el mes pasado, otros serán nuevos. La futura madre apenas habrá percibido ciertos síntomas, porque ya se habrá acostumbrado a ellos. También es posible que experimente otros síntomas menos habituales.

FÍSICOS:

- Actividad fetal más evidente

- Flujo (leucorrea)

- Dolores en la parte baja del abdomen (a causa del estiramiento de los ligamentos que sostiene el útero)

- Estreñimiento

- Acidez de estómago e indigestión, flatulencia e hinchamiento

- Dolores de cabeza, vahídos o desmayos ocasionales

- Congestión nasal y hemorragias nasales ocasionales; embotamiento de los oídos

- "Cepillo de dientes rosado" debido a que sangran las encías

- Buen apetito

- Calambres en las piernas

- Hinchazón leve de los tobillos y los pies, y ocasionalmente de las manos y la cara

- Venas varicosas en las piernas y/o hemorroides

- Picor en el abdomen

- Ombligo salido

- Dolor de espalda

- Cambios de la pigmentación de la piel del abdomen y/o la cara

- Aumento de tamaño de ambos pechos

EMOCIONALES:

- Menos cambios de humor; continuación de las distracciones

- Distracción continua

- Un inicio de tedio con respecto al embarazo ("¿No hay nadie que pueda pensar en otra cosa?")

- Una cierta ansiedad respecto al futuro

QUÉ PUEDE PREOCUPAR

DOLOR Y ENTUMECIMIENTO DE LA MANO

"Me despierto a medianoche debido a que algunos de los dedos de mi mano derecha están entumecidos; a veces incluso me duelen. ¿Tiene eso que ver con el embarazo?"

El entumecimiento de los dedos de pies y manos es normal en el embarazo y parece que se debe a los tejidos que se hinchan y hacen presión sobre los nervios, lo que no es normal es el dolor. Si el entumecimiento y dolor se limitan al pulgar, el dedo índice y medio y a medio dedo anular, probablemente esta mujer esté sufriendo el síndrome del túnel carpiano. Aunque este síndrome es más común en las personas que realizan con regularidad tareas que requieren movimientos repetitivos de la mano (como cortar carne, tocar el piano, escribir a máquina), también es común en las embarazadas. Ello es debido a que el túnel carpiano de la muñeca, a través del cual pasa el nervio de los dedos afectados, se hincha durante el embarazo (como muchos otros tejidos corporales), lo que resulta en una presión que causa entumecimiento, hormigueo, escozor y dolor. Estos síntomas también pueden afectar a la mano y la muñeca, y pueden irradiar hasta el brazo.

Debido a que los fluidos se acumulan en la mano durante todo el día debido a la fuerza de la gravedad, la hinchazón y los síntomas acompañantes pueden hacerse más agudos por la noche. La embarazada intentará no dormir sobre sus manos. Lo que podría agravar el problema. Cuando aparezca el entumecimiento, este puede aliviarse dejando colgar la mano fuera de la cama y agitándola vigorosamente. Si no fuera así, y el entumecimiento (con o sin dolor) interfiere con el sueño, se discutirá el problema con el médico. A veces es de gran ayuda llevar una muñequera y evitar el tabaco (que de todas maneras se debe evitar) y la cafeína. Algunas personas han encontrado alivio en la acupuntura. Si piensa que el problema se relaciona con su trabajo y con su embarazo, entonces asegúrese de lo siguiente: tome descansos frecuentes si trabaja con las manos, pare cuando se sienta cansada, levante los objetos con la mano completa y escriba en un teclado suave con las muñecas derechas con las manos más arriba de los codos.

Los fármacos antinflamatorios no esteroideos y los esteroides que generalmente se prescriben para el síndrome del túnel carpiano podrían no ser recomendables durante el embarazo. Normalmente estos tratamientos y este trastorno desaparece tras el parto.

HORMIGUEOS

"Tengo a menudo una sensación de hormigueo en las manos y los pies. ¿Es acaso un signo de que tengo problemas de circulación?"

Como si no fuera suficiente con la ansiedad del embarazo, algunas mujeres experimentan ocasionalmente una desconcertante sensación de hormigueo en las extremidades. Aunque puede parecer que la circulación se ha detenido, no es esto lo que sucede. Nadie sabe la razón de este fenómeno ni el modo de eliminarlo, pero es seguro que no es un síntoma de nada grave. Muchas veces se alivia cambiando de posición. Si el hormigueo interfiere de algún modo en las actividades diarias, se deberá informar al médico.

TORPEZA

"Últimamente se me cae todo de las manos. ¿Por qué de repente me he vuelto tan torpe?"

Al igual que los centímetros extra de la cintura, una mayor torpeza es parte integrante del embarazo. Como sucede con la mayoría de efectos secundarios de la gestación, esta torpeza temporal es causada por la relajación de las articulaciones y por la retención de agua, que pueden hacer que la mujer sujete los objetos con menor firmeza y seguridad. Otro factor podría ser la falta de concentración, como resultado del síndrome de cabeza de chorlito (vea la página 323).

Además de hacer un esfuerzo consciente para tomar las cosas con más cuidado, no se puede hacer mucho, por lo tanto, sería una buena idea dejar que la pareja manejara la vejilla durante los siguientes meses.

PATADAS DEL BEBÉ

"Algunos días, el bebé está dando patadas todo el tiempo; pero otros días parece estar muy tranquilo. ¿Es esto normal?"

Los fetos son humanos. Al igual que todos nosotros, tienen días "buenos" en que les apetece golpear con los talones (y con los codos y las rodillas) y días "malos" en que prefieren estarse más quietos. Con frecuencia, sus respuestas se basan en lo que ha estado haciendo la futura madre. Al igual que los bebés ya nacidos, los fetos se adormecen cuando se les mece. Cuando la futura madre se pasa el día de aquí allá, el bebé es tranquilizado por el ritmo de sus movimientos y es muy posible que la embarazada no lo note, en parte porque el bebé está más tranquilo, y en parte porque la madre está demasiado ocupada para percibir sus movimientos. Cuando la madre se relaja, el feto entra de nuevo en actividad. Esta es la razón de que la mayoría de las futuras madres noten los movimientos de su bebé con mayor frecuencia cuando se hallan en la cama, durante la noche, o bien antes de levantarse por la mañana. La actividad también puede aumentar después de que la madre haya tomado una comida completa o un tentempié, quizás en respuesta a la elevación de la glucosa (azúcar) en sangre. Algunas embarazadas notan una mayor actividad fetal cuando están excitadas o nerviosas (por ejemplo antes de una presentación); es posible que el bebé sea estimulado por la mayor cantidad de adrenalina que circula por el sistema de su madre.

En realidad los bebés despliegan su mayor actividad entre las semanas 24 y 28. Pero sus movimientos son erráticos y generalmente breves, de forma que aunque son visibles en las ecografías, no siempre son sentidos por la futura madre. La actividad fetal suele volverse más organizada y consistente, con períodos más claramente definidos de reposo y actividad, entre las semanas 28 y 32.

La futura madre no debe comparar lo que ella siente con lo que otras embarazadas le expliquen sobre los movimientos del bebé. Cada feto, como cada recién nacido, tiene un esquema individual de actividad y de desarrollo. Algunos parecen siempre activos; otros están más tranquilos. Las patadas de algunos son tan regulares como un mecanismo de relojería; las de otros parecen totalmente irregulares. A menos que se observe una lentitud radical de la actividad, todos los esquemas son normales.

Las recientes investigaciones sugieren que a partir de la semana 28 podría ser una buena idea que las madres comprobaran los movimientos fetales dos veces al día; una por la mañana, cuando la actividad tiende a ser más escasa, y una vez por la tarde, cuando la mayoría de los bebés suelen estar más activos. Las pruebas deben realizarse así: Mirar el reloj al empezar a contar. Contar los movimientos de cualquier tipo (patadas, ondulaciones, sacudidas, vueltas). Se parará de contar cuando se alcancen diez y se anotará el tiempo. Muy a menudo, el tiempo de contar diez movimientos será de aproximadamente diez minutos. A veces más.

Si en el transcurso de una hora no se han contado los diez movimientos, la embarazada tomará leche o algún otro tentempié; luego se acostará, se relajará y volverá a empezar la cuenta. Si pasara otra hora sin los diez movimientos, se llamará al médico de inmediato. Esta ausencia de actividad no significa necesariamente que existan problemas, pero a veces puede indicar la existencia de sufrimiento fetal. En tales casos, se podría precisar una acción rápida.

Cuanto más cerca se halle la gestante de la fecha de término, más importante se hace la comprobación regular de los movimientos fetales.

"Algunas veces las patadas son tan intensas que duelen."

A medida que el bebé madura en el útero, se vuelve más y más fuerte, y aquellos movimientos fetales que antes parecían producidos por una mariposa resultan cada vez más intensos. La embarazada no debe sorprenderse si recibe una patada en las costillas, en la pared del vientre o en el cuello del útero, una patada tan intensa que puede llegar a dolerle. Cuando le parezca que el ataque es particularmente fiero, puede intentar aminorarlo cambiando de posición. Con ello es posible que desequilibre a su pequeño agresor y detenga temporalmente el asalto.

"Me parece que el bebé me da patadas por todas partes. ¿Es posible que esté esperando mellizos?"

En algún momento del embarazo, casi toda futura madre llega a pensar que está esperando mellizos o bien un pulpo humano. Evidentemente, en la mayoría de los casos no es cierta ninguna de las dos cosas. Hasta el momento en que el feto adquiere un tamaño tal que sus movimientos se ven restringidos por los límites del útero (habitualmente hacia las 34 semanas), es capaz de llevar a cabo numerosas acrobacias. Así, aunque a la madre le pueda parecer que su barriga es golpeada por una docena de pequeños puños, lo más probable es que se trate siempre de los mismos dos puños que se mueven en su interior, junto con dos pequeñas rodillas, dos pequeños codos y dos pequeños pies.

Para más información sobre los gemelos y su diagnóstico, vea la página 164.

CALAMBRES EN LAS PIERNAS

"Los calambres que tengo en las piernas durante la noche me impiden dormir."

Entre las preocupaciones y la barriga cada vez más voluminosa, lo más probable es que la embarazada ya tenga bastantes dificultades para descansar por las noches sin que además deba sufrir de calambres en las piernas. Desgraciadamente, estos espasmos dolorosos que se producen con mayor frecuencia durante la noche son muy comunes entre las mujeres embarazadas, durante el segundo y el tercer trimestre. Pero, afortunadamente, existen modos de prevenirlos y de aliviarlos.

Puesto que se supone que la mayoría de calambres en las piernas se deben a la fatiga y a la acumulación de líquidos, se cree que el cansancio y la presión del útero sobre ciertos nervios contribuyen también a la aparición de calambres en las piernas, y por ello el uso de medias elásticas durante el día y

UN EJERCICIO DE ESTIRAMIENTO PARA CONTROLAR LOS CALAMBRES EN LAS PIERNAS

Párese en frente de una pared, más o menos a 60 cm de distancia. Lleve el peso hacia adelante y apoye las manos contra la pared, manteniendo las plantas de los pies en el piso. Si siente el estiramiento en las pantorrillas, entonces está haciendo bien el ejercicio. Sostenga la posición por diez segundos, relaje por cinco segundos y repita dos o tres veces.

la alternancia de períodos de descanso (con los pies en alto), con períodos de actividad física, pueden ayudar a eliminar este doloroso problema. Asegúrese de tomar los líquidos adecuados (al menos ocho vasos diarios).

Cuando se experimenta un calambre en la pantorrilla, lo mejor es estirar la pierna y flexionar lentamente el tobillo y los dedos del pie en dirección a la nariz. Esto debe aliviar pronto el dolor. (Este ejercicio, repetido varias veces con cada pierna antes de acostarse, puede incluso evitar la aparición de los calambres). A veces resulta útil también ponerse de pie sobre una superficie fría. Si cualquiera de estas dos técnicas reduce el dolor, el masaje o el calor locales pueden aliviarlo aún más. Pero, si, al contrario, ninguna de las dos medidas disminuye el calambre no se deberá aplicar masaje ni calor a la pantorrilla. En caso de que el dolor continúe, se llamará al médico, ya que existe una pequeña posibilidad de que se haya formado un coágulo sanguíneo en una vena, lo que haría necesario un tratamiento médico (vea *Trombosis venosa* en la página 668).

HEMORRAGIA RECTAL Y HEMORROIDES

"Me preocupa la hemorragia rectal que he sufrido."

Una hemorragia es siempre un síntoma atemorizador, especialmente durante el embarazo –y sobre todo en una zona tan próxima al canal de parto. Pero a diferencia de la hemorragia vaginal, la hemorragia rectal no es una señal de un posible peligro para el bebé. Durante el embarazo es debida con frecuencia a

unas hemorroides internas. Las hemorroides, que son venas varicosas del recto, afligen a un porcentaje de mujeres embarazadas que oscila entre el 20 y el 50%. Del mismo modo que las venas de las piernas son las venas del recto. Con frecuencia, el estreñimiento es la causa de estas varices, o bien complica el problema. Las hemorroides, denominadas también almorranas, pueden provocar prurito y dolor además de hemorragias. La hemorragia rectal puede tener también su origen en las fisuras; grietas que aparecen en el ano a causa del estreñimiento y que pueden acompañar a las hemorroides o aparecer de modo aislado. Suelen ser extremadamente dolorosas, a la vez que incómodas.

La embarazada no deberá autodiagnosticarse unas hemorroides. La hemorragia rectal es en ocasiones un signo de enfermedad grave y deberá siempre ser diagnosticada por un médico. Pero si la mujer sufre de hemorroides y/o fisuras, su papel será extraordinariamente importante en el tratamiento. Unos cuidados apropiados eliminarán generalmente la necesidad de una terapia médica más radical.

Evitar el estreñimiento. Este *no* es un elemento necesario durante el transcurso del embarazo. La prevención del estreñimiento, desde el inicio del embarazo es con frecuencia un modo excelente de prevenir totalmente la aparición de hemorroides (vea la página 211).

Quitarse las presiones. Dormir sobre el costado, no sobre la espalda, evitar también los períodos prolongados en posición de pie o sentada. No haga fuerza en el baño para evacuar (no lea en el baño). Si pone los pies un poco elevados es más fácil evacuar.

Acuéstese varias veces al día, si es posible, hágalo del lado izquierdo, para quitar presión a las venas rectales. Vea televisión, lea y haga sus cosas en esta posición cuando pueda.

Realizar los ejercicios de Kegel: mejoran la circulación en toda esta zona. (Vea la página 262).

Suavice el área. Tomar baños de asiento calientes dos veces al día (vea la página 719). También puede aplicar compresas empapadas o compresas heladas (puede escoger lo que le proporcione más alivio) a la zona o puede alternar lo frío y lo caliente.

No tome medicinas sin el consejo de un médico. Utilizar una medicación tópica o unos supositorios *sólo* si el médico que lo prescribe sabe que está embarazada. No tomar aceite mineral, puede sacar nutrientes importantes afuera de su cuerpo.

Mantener todo escrupulosamente limpio. Mantener en todo momento escrupulosamente limpia la zona perineal (desde la vagina hasta el recto). Limpiar esta zona con agua después de cada deposición, secándola siempre con suavidad en un movimiento de delante a atrás. Utilizar siempre y únicamente papel higiénico blanco (o aun mejor, los papeles acolchonados de doble hoja) y evitar los otros.

Con los cuidados adecuados, es posible evitar que las hemorroides pasen a ser crónicas. Pueden empeorar por el parto, especialmente si la fase de empujar es larga, pero suelen desaparecer durante el posparto si se prosigue con las medidas preventivas.

PICAZÓN EN EL ABDOMEN

"Mi barriga me pica constantemente. Me está volviendo loca."

Bienvenida al club. Las barrigas embarazadas son barrigas con picor, y éste puede aumentar a medida que pasan los meses. La piel se está estirando sobre el abdomen, y el resultado de ellos es que se vuelve seca (fenómeno más pronunciado en unas mujeres que en otras) y causa comezón. La futura madre debe procurar no rascarse, o rascarse un mínimo. Cuidar la piel de la barriga con una loción puede aliviar el prurito, pero probablemente no lo eliminará. Una loción específica contra el picor (tal como la calamina o las cremas de avena) puede proporcionar un mayor alivio. Si la picazón es en *todo* el cuerpo, es mejor que hable con su médico.

MEDICINA COMPLEMENTARIA Y ALTERNATIVA

Los días en que la medicina alternativa no tenía cabida en la gran mayoría de la población se acabaron. Hoy en día estas ramas de la medicina no se consideran incompatibles, de hecho cada vez existen más médicos que las utilizan como complemento. Es por eso que debe considerar la medicina alternativa y complementaria como parte de su familia.

Los médicos que utilizan este tipo de medicina integran muchos planos como el físico, el nutricional, el espiritual y el emocional. La medicina alternativa también se centra en el hecho de que el cuerpo puede curarse por sí solo con la ayuda de algunos amigos naturales como las hierbas, la manipulación física, el espíritu y la mente.

Como el embarazo no es una enfermedad sino una parte normal de la vida, la medicina alternativa puede ser un gran complemento a la medicina tradicional; para muchas mujeres lo ha sido. Hay una gran variedad de técnicas que se utilizan hoy en día en el embarazo y el parto con grados de éxito diferentes. Estas son las más comunes:

* Acupuntura y acupresión. Se utilizan para disminuir una cantidad de síntomas del embarazo como las náuseas matutinas. También pueden disminuir el dolor del parto. Existe también la electropuntura que utiliza la electroestimulación usando agujas de acupuntura y puede ayudar a inducir el parto a tiempo.

* Control del cuerpo. Le enseña al paciente a controlar sus respuestas biológicas hacia el dolor físico o al estrés emocional. Se puede utilizar de manera segura para aliviar una cantidad de síntomas del embarazo como el dolor de cabeza u otros dolores, insomnio y náuseas matutinas. También se utiliza para bajar la presión arterial y combatir la depresión, la ansiedad y el estrés.

* Medicina quiropráctica. Utiliza la manipulación física para ayudar a las mujeres embarazadas a lidiar con el dolor de espalda y la ciática.

* Masajes. En la mano correcta (vea la página 289) pueden ayudar a aliviar algunas de las incomodidades del embarazo como la acidez, los dolores de cabeza, los dolores de espalda y la ciática. Además prepara a los músculos para el parto. También se puede utilizar durante el parto para relajar los músculos entre una contracción y otra y para disminuir el dolor.

* Reflexología. Se aplica presión a lugares específicos de los pies, manos y orejas para aliviar dolores e incomodidades. También se ha utilizado para estimular el parto y reducir el dolor de las contracciones. Aplicar presión en ciertas áreas, cerca de los pies o las manos puede activar las con-

Continúa en la página siguiente…

…viene de la página anterior

tracciones, por lo que es muy importante que acuda donde un experto que sepa que usted está embarazada.

- Hidroterapia. Se utiliza en muchos hospitales para relajamiento y para disminuir las incomodidades del parto. Los chorros de agua deben estar lejos de la vagina para evitar que entre agua. Hay mujeres que deciden tener un parto en agua. Vea la página 19.

- Aromaterapia. Se utilizan aceites con olor para curar el cuerpo, la mente y el espíritu. Hay médicos que la utilizan durante el embarazo de sus pacientes. Sin embargo muchos expertos piden precaución ya que algunos aromas (de forma concentrada) pueden representar un riesgo para las mujeres embarazadas. Para mayor información, vea la página 288.

- Meditación, visualización y técnicas de relajación. Pueden ayudar de manera segura a las mujeres para manejar el estrés físico y emocional durante el embarazo. Desde las molestas náuseas matutinas hasta el dolor del parto.

- Moxibustión. Combina la acupuntura con el calor (con una hierba). Ayuda a acomodar a un bebé en mala postura.

- Remedios herbales. Son "botánicos" que se han utilizado desde hace miles de años y que todavía hoy los utilizan ciertos médicos para aliviar los síntomas del embarazo. Sin embargo la mayoría de los expertos no recomienda estos remedios

para las mujeres embarazadas porque no hay mucha investigación al respecto (ver abajo).

Claramente la medicina complementaria y alternativa está creando un impacto en la obstetricia, hasta los médicos más tradicionales están aceptando que es un buen complemento y que es importante incorporarlo a la medicina tradicional. Si quiere que la medicina alternativa sea parte de su embarazo debe actuar con prudencia y debe tener en cuenta los siguientes puntos:

- Las medicinas complementarias y las medicinas herbales no están probadas ni aprobadas, es decir que su seguridad no está clínicamente establecida. Eso no quiere decir que no las pueda utilizar en su embarazo, simplemente que no se sabe cuales son más seguras y cuáles no lo son. Mientras se sabe más es mejor que no se involucre con la homeopatía, la medicina herbal, los suplementos de dieta, o un tratamiento con aromaterapia a menos de que se la prescriba un médico tradicional que sepa de medicina complementaria y que sepa que usted está embarazada (esto también aplica para cuando nazca el bebé, si está amamantando).

- Los procedimientos complementarios que normalmente son benignos (e incluso benéficos) puede que no sean seguros durante el embarazo. Hay precauciones especiales que se deben tomar.

Continúa en la página siguiente…

...viene de la página anterior

* La medicina complementaria y alternativa pueden ser una parte fuerte de la medicina. Depende de cómo se utilice, su potencia puede ser terapéutica o puede ser riesgosa. Tenga en cuenta que lo "natural" no siempre significa "seguridad" y que lo "químico" no significa "peligro". Hable con su doctor para que la ayude a escoger lo que mejor le convenga cuando está embarazada.

OMBLIGO SALIDO

"Mi ombligo era muy bonito y ahora se está saliendo mucho. ¿Se va a quedar a sí después del parto?"

Los ombligos salidos a lo mejor no son tan bonitos para usar bikini pero son una característica del embarazo. Como el útero empuja hacia fuera, hasta el ombligo más chico saldrá a relucir (en casi todas las mujeres, el ombligo sale antes de que esté listo el bebé, más o menos al sexto mes). Normalmente, después del parto el ombligo vuelve a su lugar aunque seguramente no quedará igual al que tenía antes del embarazo. Si este es su segundo embarazo, seguramente el ombligo va a salir antes de lo que salió en su primer embarazo.

DUCTO DE LA LECHE TAPADO

"Estoy preocupada porque tengo algo pequeño y suave al lado derecho de mi pecho. ¿Qué puede ser?"

Aunque todavía falta mucho para que nazca el bebé, parece que sus pechos ya tienen leche. El resultado: el ducto de la leche está tapado. Eso que tiene es muy común, incluso en esta etapa del embarazo. Puede preparar compresas tibias (o deje que le caiga agua tibia mientras está en la ducha) y hacer masajes suaves, eso probablemente va a "limpiar" el ducto en unos días como lo haría si estuviera lactando. Hay expertos que dicen que es mejor no utilizar brasieres con varilla pero asegúrese de buscar el mejor soporte en los brasieres que utiliza.

Tenga en cuenta que no debe dejar de hacerse los exámenes mensuales de pecho, ya que buscar bolitas usted misma mientras está embarazada es más difícil. Si tiene dudas, hable con su médico durante la próxima visita.

TOXEMIA O PREECLAMPSIA

"Recientemente, una de mis amigas fue hospitalizada por una eclampsia. ¿Cómo saber si se padece esta enfermedad?"

Por suerte, la toxemia, también denominada preeclampsia/eclampsia o hipertensión inducida por el embarazo (HIE), es poco común. Incluso en su forma más benigna sólo se da en un 5 a 10% de los embarazos y la mayoría de estos casos son de mujeres que llegaron al embarazo con una hipertensión crónica. La toxemia es más común durante el primer embarazo y pasada la vigésima semana de gestación. Si su mamá tuvo preeclampsia cuando estaba embarazada de usted o si la mamá de su esposo tuvo preeclampsia cuando lo estaba esperando a él, usted es más propensa a desarrollar la enfermedad. La dieta también tiene que ver. Las investigaciones muestran que muchas de las mujeres con preeclampsia tienen niveles bajos de vitamina C y E (esta es otra de las razones para comer bien mientras está embarazada).

En las mujeres que reciben cuidados prenatales regulares, se diagnostica y trata pronto, con lo que se previenen complicaciones innecesarias. Aunque a veces las visitas rutinarias a la consulta del médico puedan parecer una pérdida de tiempo en un embarazo sano, es precisamente en esas visitas en las que se pueden detectar los primeros signos de preeclampsia.

Si la mujer ha experimentado un aumento de peso súbito aparentemente no relacionado con un exceso de ingestión de alimentos, una inflamación grave de manos y cara, dolores de cabeza inexplicados y/o trastornos de la visión, deberá llamar a su médico. Por lo demás, y asumiendo que la mujer esté recibiendo unos cuidados prenatales regulares, no es necesario que se preocupe de la toxemia. Vea la página 252 para los consejos sobre cómo prevenir y tratar la hipertensión durante el embarazo; vea también la página 624 para obtener más información sobre la toxemia. Vea la página 655 para mayor información sobre preeclampsia.

PERMANECER EN EL TRABAJO

"Había pensado en continuar trabajando hasta el parto, pero ahora me pregunto si es seguro."

Hay muchas mujeres que logran mezclar el embarazo con el trabajo durante los nueve meses sin comprometer ninguno de los dos aspectos de su vida.

De todas maneras existen trabajos que son mejores y más seguros y la decisión de seguir o no trabajando dependerá del tipo de trabajo que haga. Si trabaja en una oficina seguramente no va a tener ningún problema. Un trabajo sedentario sin mayores presiones es hasta mejor que quedarse en la casa limpiando y esperando. Es bueno que camine una hora o dos diarias, si no carga peso extra al del bebé. Los trabajos que son muy estresantes o en los que necesita estar parada mucho tiempo no son tan aconsejables y hay controversia en torno a ellos.

Un estudio sobre embarazadas médicos que seguían un arduo programa de entrenamiento para residentes, se encontró que aunque dichas mujeres estaban de pie durante 65 horas por semana, no parecía que padecieran más complicaciones en el embarazo que las mujeres embarazadas de los médicos residentes masculinos, que en general trabajaban mucho menos horas y con menos estrés. Otros estudios, no obstante, sugieren que la actividad prolongadamente vigorosa o estresante o estar muchas horas de pie durante el embarazo podría aumentar el riesgo de que la madre sufra de hipertensión, así como de tener una placenta dañada o un bebé de bajo peso al nacer. Algunos estudios ponen de manifiesto que el riesgo de complicaciones que se da al estar de pie en el trabajo después de la semana 28 aumenta si la futura madre tiene otros niños que cuidar en casa.

¿Deben continuar trabajando pasadas las 28 semanas aquellas mujeres cuya profesión les exige permanecer de pie (Vendedoras, cocineras, camareras, enfermeras, etcétera). Desde luego, harán falta más estudios para poder tener respuestas definitivas a esta pregunta. De hecho, la Asociación Médica Americana recomienda que las mujeres que tienen profesiones que les exigen permanecer de pie más de cuatro horas al día dejen el trabajo a las 24 semanas de embarazo y que aquellas que deben permanecer 30 minutos de cada hora lo abandonen a las 32 semanas. Pero muchos médicos que creen que esta recomendación es demasiado estricta, per-

mitirán que las embarazadas continúen trabajando un poco más si se sienten bien. Sin embargo, continuar trabajando hasta la salida de cuentas en un trabajo que exija permanecer mucho tiempo de pie, no es una buena idea, no tanto por el riesgo teórico para el feto como por el riesgo leal de que se agraven las molestias del embarazo tales como el dolor de espalda, las venas varicosas y las hemorroides.

Las investigaciones muestran que las mujeres que pesan poco y que ganan poco peso durante el embarazo tienen un mayor peligro de tener bebés pequeños cuando tienen un empleo fuera de casa, y por lo tanto sería muy sensato que dichas mujeres –si realmente no pueden ganar el peso adecuado–, se acogieran a una baja temporal si les fuera posible, o al menos a una reducción de la jornada. Algunos expertos recomiendan que la mujer no continúe pasada la vigésima semana en un trabajo que requiera levantar pesos, estirar, empujar, subir (escaleras de mano) o doblarse por la cintura, si este tipo de trabajo es intensivo, y pasada la semana 28 si es moderado. Probablemente también constituya una buena idea tomarse un permiso por maternidad más temprano si el trabajo requiere cambios de horarios frecuentes (que podrían afectar al apetito y al sueño, y aumentar la fatiga), si parece exacerbar los problemas del embarazo, tales como los dolores de cabeza, de espalda o la fatiga, o si la actividad laboral hace aumentar el riesgo de caídas o de heridas accidentales. No es bueno que las mujeres levanten cosas pesadas mientras están embarazadas.

¿Está confundida? ¿No está segura de qué es lo que debe hacer? Dígale a su doctor que le ayude a tomar la mejor decisión para su salud y la del bebé. Tenga también en cuenta que no importa el tiempo que trabaje, hay maneras de minimizar el estrés físico en el trabajo. Vea la página 153.

EL DOLOR DEL PARTO

"Tengo muchas ganas de ser mamá pero no tengo nada de ganas de tener un parto, me preocupa el dolor que voy a sentir."

Aunque la mayoría de las futuras madres esperan con impaciencia el nacimiento de su bebé, muy pocas esperan con interés el parto que le precede. Especialmente para aquellas que no han experimentado nunca una dolencia importante, este temor a lo desconocido es muy real y muy natural.

No sirve de nada esperar con miedo el dolor que finalmente puede ser peor de lo imaginado o que puede resultar no tan malo después de todo. Pero sí que vale la pena prepararse para el parto. Cuando las mujeres que se imaginan el parto como una experiencia incomparable y satisfactoria se encuentran con que todo se reduce a 24 horas de dolores de espalda, sufren tanto de la desilusión como del dolor. Y puesto que

no esperaban el dolor, tienen dificultades para enfrentarse con él.

Por regla general, tanto las mujeres que temen los peores dolores como aquellas que esperan sufrir muy poco dolor lo pasan peor durante la dilatación y la expulsión que las mujeres que son realistas en cuanto a lo que se puede esperar y están preparadas para cualquier eventualidad.

Si la futura madre prepara su mente y su cuerpo, ha de poder reducir su ansiedad en esta fase del embarazo y al mismo tiempo conseguirá que cuando llegue el momento del parto, este le resulte más fácil de tolerar.

Educación. Una de las razones por las que las anteriores generaciones de mujeres encontraban tan intolerables los dolores del parto estribaba en que no comprendían lo que estaba sucediendo en sus cuerpos. Hoy en día, la embarazada debería seguir, junto con su marido, un curso de educación para el parto (vea la 340) siempre que le fuera posible. En caso contrario, puede leer diversos libros sobre el tema del parto y el nacimiento intentando informarse acerca de las diversas escuelas que existen al respecto, incluyendo la descripción del mismo. Lo que no se sabe puede doler más de lo que debiera.

Actividad. Nadie pensará en correr una maratón sin el entrenamiento físico apropiado. La futura madre tampoco debería enfrentarse al parto (que también es un trabajo de Hércules) sin un buen entrenamiento. Deberá practicar a conciencia todos los ejercicios de respiración y de tonificación que le recomiende su médico o su monitor del curso de educación para el parto.

Mirar el dolor con perspectiva. Sobre los dolores del parto, por intensos que sean, se pueden decir dos cosas positivas. En primer lugar, tienen un límite indefinido en el tiempo. Aunque puede resultar difícil de creer cuando llega el momento, ninguna mujer va de parto para siempre. Para un primer hijo, el parto dura como promedio entre 2 y 14 horas y sólo unas pocas de estas horas son realmente incómodas. (Muchos facultativos no permitirán que la dilatación dure mucho más, y practicarán una cesárea si transcurrido este período no se han hecho los progresos adecuados). En segundo lugar, se trata de un dolor con un fin positivo: las contracciones abren progresivamente el cuello del útero, y cada contracción acerca un poco más el momento del nacimiento del hijo.

De todos modos, la embarazada no deberá sentirse culpable si pierde de vista esta finalidad durante unos dolores muy fuertes y si se encuentra con que lo único que le interesa es que acaben de una vez. Una escasa tolerancia ante el dolor no es, en ningún modo, un reflejo de una baja calidad de su amor maternal.

No pasarlo sola. Incluso si la futura madre no piensa en atravesar el parto cogida de la mano de su pareja, se sentirá confortada si sabe que el futuro padre (o una amiga íntima o un pariente) se halla cerca para secar su frente, para darle un poco de agua, para hacerle masaje en la espalda o la nuca o simplemente para aguantar sus gritos. Siempre que sea posible, la persona que acompañará a la futura madre durante el parto debería asistir también a las clases de educación al parto, o por lo menos, leer todo lo que pueda acerca de su papel en dicho momento, empezando por la página 443 y las tareas del acompañante en la página 475 para qué sepa qué esperar.

Con o sin un acompañante, muchas mujeres piensan que el apoyo de una partera (página 392) trae ventajas adicionales.

Pedir un analgésico en caso necesario. Pedir o aceptar una medicación destinada a aliviar el dolor no es un signo de fracaso ni de debilidad (para ser madre no se tiene que ser mártir) y a veces es absolutamente necesario algún analgésico, para que la mujer que está dilatando pueda colaborar con mayor eficacia. Vea la página 367 para más detalles sobre el alivio del dolor en la dilatación y el parto.

Y por más difícil que parezca, trate de respirar entre una y otra contracción, a la mayoría de las mujeres se les olvida el dolor después de dar a luz (o por lo menos después de contar mil veces su experiencia a familiares y amigos). Si no fuera así, habría muchos hijos únicos en el mundo.

PARTO Y ALUMBRAMIENTO

"Me siento cada vez más intranquila ante la perspectiva del parto. ¿Qué tal si se me olvida todo lo que aprendí en las clases?"

La educación para el parto ha contribuido probablemente mucho más que cualquiera de los milagrosos progresos médicos de la última década a mejorar la experiencia de las mujeres durante el parto. Sin embargo, ha creado una mística sobre el parto perfecto, y por ello algunos futuros padres se sienten casi con la obligación de alcanzar dicho ideal. Las parejas se preparaban para el parto como para un examen final. No es de extrañar que muchas temieran fallar, y con ello no sólo defraudarse a sí mismas y el uno al otro, sino también a los médicos, parteras y especialmente a los preparadores para el parto.

Pero por suerte la mayoría de preparadores para el parto hoy en día reconocen que existe más de una forma de vivirlo y que la única meta –compartida por todos los padres– es una madre y un bebé sanos. Ahora les hacen saber a los padres que un parto no es un examen que la madre pasa (si realiza sus ejercicios respiratorios, tienen un parto vaginal y no toma medicación alguna) o falla (si descuida sus ejercicios respiratorios, sufre una cesárea o acepta un analgésico). Esto es algo que toda futura madre debe reconocer. Incluso si se olvida, debido al dolor y a los nervios, todo lo que se "suponía" que debía hacer, no cambiará el resultado del parto ni la madre será una fracasada.

La embarazada aprenderá todo lo que pueda en las clases y de sus lecturas, pero no ha de obsesionarse hasta el punto de olvidar que el parto es un proceso natural por el que han pasado con éxito todas las mujeres durante miles de años antes de que la señora Lamaze diera a luz a su hijo, el doctor. Debe recordar también que lo *natural* no siempre es lo más "ideal" o lo más "seguro". Antes de tanta modernidad en la medicina, tener hijos tenía muchos riesgos, muchas madres y muchos hijos no sobrevivieron. Así que escoja el camino "natural" cuando pueda, pero prepárese para recibir ayuda médica si la necesita, sin sentirse culpable o fracasada. Recuerde que la meta más importante y la que realmente importa es que tanto el bebé como la madre estén sanos.

"Tengo miedo de comportarme mal durante el parto."

La idea de chillar o llorar, o de vaciar involuntariamente la vejiga o el intestino, puede parecer embarazosa en este momento. Pero durante el parto, estas posibles humillaciones son lo que la parturienta tendrá más lejos de su mente. Además, nada de lo que pueda hacer o decir la futura madre durante el parto sorprenderá o disgustará a los especialistas que la atienden y que, sin lugar a dudas , ya lo habrán visto y oído todo con anterioridad. Lo importante es que la futura madre sea ella misma, que haga aquello que le permita sentirse mejor. Si habitualmente es una persona emotiva y extrovertida, no es necesario que intente retener sus quejas. Por otro lado, si se trata de una persona muy cerrada y que prefiere ahogar sus sollozos en la almohada, no debe sentir la más mínima necesidad de superar con sus lamentos a la parturienta de la habitación de al lado.

"Tengo bastante definido lo que quiero en el parto. Me horroriza la idea de perder el control durante el parto."

Para los miembros de la generación cuyo lema es "tomar las riendas de la propia vida", la idea de ceder el control del parto al personal médico puede resultar un poco desagradable. Evidentemente, toda mujer desea que los médicos y las enfermeras tengan las mejores atenciones posibles con ella y con su hijo. Pero a pesar de ello desearía conservar una cierta parte del control. Y no tiene por qué renunciar a ello, trabajando a fondo ahora sus ejercicios de preparación al parto, familiarizándose con todos los pasos del proceso del alumbra-

miento y manteniendo una buena relación con un médico que respete sus opiniones. Establecer un programa para el parto (vea la página 364) conjuntamente con el médico, especificando lo que a la mujer le gustaría y lo que no durante el parto, también aumentará su autocontrol.

Pero aunque se haya hablado y hecho todo esto, es importante que la embarazada entienda que no necesariamente será capaz de tener un control absoluto sobre el parto y que no todo irá a su gusto. Los planes mejor establecidos por las pacientes obstétricas y sus médicos pueden dar lugar a toda una serie de circunstancias imprevistas. Sería muy sensato estar mentalmente preparada para las circunstancias más variadas que pueden rodear a un parto, y para la posibilidad de que los procedimientos e intervenciones que la mujer esperaba poder evitar se vuelvan inevitables en el último minuto. Por ejemplo, si la mujer esperaba dar a luz sin una episiotomía (vea la página 435) pero su perineo rehúsa a ceder después de tres horas de empujar. O si se había planeado no tomar ningún analgésico, pero un parto extremadamente largo y cansado la ha privado de sus fuerzas. Aprender cuándo renunciar a llevar las riendas en interés de la madre y el bebé deberá ser una parte importante de la preparación para el parto.

EL HOSPITAL

"Siempre he asociado los hospitales con la enfermedad y estoy muy asustada. ¿Cómo hago para sentirme más cómoda con la idea de dar a luz en un lugar de estos?"

Los pisos para las embarazadas en los hospitales son los pisos más alegres, pero si no sabe qué esperar seguramente llegará nerviosa. Es por eso que la mayoría de hospitales y centros de natalidad ofrecen una visita previa a la pareja. Averigüe por estas visitas, algunas instituciones tienen videos o visitas virtuales por Internet. También puede pedir un catálogo informativo y hasta visitar las salas posparto. Eso la hará sentirse más cómoda y podrá ver cómo se ven los recién nacidos antes de tener al suyo entre sus brazos.

Seguramente se va a sorprender gratamente cuando haga la visita. Claro que todo cambia dependiendo del hospital, pero como hay mucha competencia entre los obstetras, hay mucha oferta de la buena. Para mayor información al respecto vea la página 15.

CLASES PARA MAMÁS EN SEGUNDOS EMBARAZOS

"Este es mi segundo embarazo, ¿realmente tengo que volver a tomar las clases?"

Es bueno que las repita. Primero que todo, cada embarazo y cada parto es

---

HAY ALGO QUE NO ANDA BIEN

A lo mejor le duele el abdomen y parece un calambre nada más, a lo mejor tiene una descarga vaginal rara, a lo mejor le duele la parte baja de la espalda o en la zona pélvica o a lo mejor le duele algo que ni sabe en donde es. Puede que no sea nada grave, pero para estar segura, revise las páginas 177 y 362 para saber si es mejor llamar a su médico. Es mejor reportar los síntomas para descartar un parto prematuro u otras complicaciones con el parto, eso puede marcar la diferencia. Recuerde que usted conoce su cuerpo mejor que nadie.

---

diferente, así que seguramente lo que experimentó antes no se va a repetir; segundo, todo cambia muy rápido, así hayan pasado pocos años desde su primer parto. Puede que ahora existan otras opciones para dar a luz. Pueden haber cambiado ciertos procedimientos que antes eran de rutina y viceversa. Si va a ir a un hospital diferente es bueno que haga otra vez el curso.

Seguramente no se va a tener que sentar con las "primerizas", averigüe por cursos dirigidos a segundos embarazos.

QUÉ ES IMPORTANTE SABER:
La educación para el parto

A mediados del siglo pasado, estar preparado para el nacimiento de un hijo significaba que la habitación del bebé estaba recién pintada, que su ropita estaba preparada y que junto a la puerta de la casa se encontraba una maleta con varios camisones bonitos para la estancia en el hospital. Lo que se esperaba y planeaba era la llegada del bebé, no la experiencia del nacimiento. Las mujeres sabían poco acerca del parto, y sus maridos aún menos. Y puesto que la madre estaría probablemente inconsciente durante el parto, y el padre se hallaría en la sala de espera, hojeando nerviosamente las revistas, su ignorancia no tenía demasiada importancia.

Pero ahora que la anestesia general está limitada principalmente a las cesáreas de emergencia, que las salas de espera están destinadas a los abuelos nerviosos, y que el padre y la madre pueden pasar juntos la experiencia del nacimiento, la ignorancia no es aconsejable ni aceptable. Prepararse para el nacimiento del hijo ha pasado a significar prepararse para la experiencia del parto tanto como para prepararse para recibir al nuevo hijo. Los futuros padres devoran montañas de libros, de artículos y de folletos. Participan plenamente en las visitas prenatales, buscando respuesta a todas sus preguntas y preocupaciones. Y es cada vez más frecuente que acudan a las clases de educación al parto.

¿De qué tratan estas clases, y por qué se están proliferando con mayor rapidez que las estrías durante el sexto mes? Las primeras de estas clases intentaban explicarle un nuevo enfoque del nacimiento –sin medicación y sin miedo– y eran conocidas como clases de "parto natural". Pero desde entonces, el énfasis ha pasado desde el parto natural (aunque este es considerado aún el caso ideal) hasta la educación y preparación con vistas a todas las eventualidades posibles del parto. Por ello, ya sea que el parto se realice con medicación o sin ella, por vía vaginal o quirúrgica, con episiotomía o sin ella, los futuros padres entenderán lo que sucede y podrán participar en el proceso todo lo que sea posible.

La mayoría de los programas de estas clases se basan en lo siguiente:

- ◆ Para impartir información balanceada acerca de un parto normal, de las posibles complicaciones, los procedimientos normales de los hospitales y las intervenciones médicas incluyendo los calmantes para el dolor. Lo bueno: para reducir miedos, temor al dolor, tomar decisiones y para que la pareja entienda a qué se enfrenta.

◆ Enseñanza de unas técnicas especiales de relajación, distracción, control muscular y actividad respiratoria; todas las cuales pueden incrementar la sensación de la pareja de controlar la situación, al mismo tiempo que aumentan la resistencia de la mujer y permiten una reducción de su percepción del dolor. Estas técnicas varían, dependiendo del tipo de clase.

◆ El desarrollo de una relación de trabajo eficaz entre la futura madre y su acompañante, relación que si se mantiene durante todo el parto, puede proporcionar un ambiente de apoyo que ayudará a la madre a reducir su ansiedad y a aprovechar al máximo sus esfuerzos. Además de convertirse en una parte integral de la experiencia.

BENEFICIOS DE LAS CLASES DE EDUCACIÓN PARA EL PARTO

El grado en que una pareja se beneficiará de un curso de educación para el parto depende del propio curso, del profesor y de la actitud de la pareja. Estas clases dan mejores resultados en unas parejas que en otras. Algunas parejas se encuentran a gusto en el grupo y consideran natural y útil compartir sus sentimientos con los demás; otras se sienten incómodas en el grupo y encuentran la comunicación difícil e inútil. Algunas disfrutan aprendiendo técnicas de relajación y de respiración, mientras otras encuentran que la repetición rítmica de dichos ejercicios es forzada e incómoda, produciendo tensión en lugar de aliviarla. Finalmente, algunos creen que estos ejercicios son efectivos en el control del dolor durante la dilatación; otras terminan por no usarlos en absoluto. Pero de todos modos, prácticamente todas las parejas ganan algo con asistir a unas *buenas* clases de educación al parto y con seguridad no pierden nada con ellas. Entre los beneficios de dichas clases se cuentan:

◆ La oportunidad de encontrarse con otras parejas que esperan un hijo: de compartir las experiencias del embarazo, comparar los progresos y discutir temas tales como preocupaciones, dolencias y dolores. También representan una oportunidad de hacer "amigos con hijos", para más tarde. Muchos de estos cursos realizan luego "reuniones" cuando los hijos ya han nacido.

◆ Una mayor implicación del padre en el embarazo, lo que es particularmente importante si no ha podido asistir a las visitas prenatales. Las clases le familiarizarán con el proceso del parto, con lo que resultará un acompañante más eficaz y le permitirán hablar con otros futuros padres. Algunos cursos incluyen incluso una sesión especial únicamente para los padres, lo que les da la oportunidad de expresar y encontrar alivio para aquellas ansiedades que de ninguna manera desean comunicar a sus esposas.

* Una oportunidad semanal de plantear las preguntas que surgen entre las visitas prenatales, o que la pareja prefiere no hacer a su médico.

* Una oportunidad de recibir instrucción práctica sobre técnicas de respiración, relajación y asistencia al parto y de que un experto controle el modo en que se llevan a cabo.

* Una oportunidad para desarrollar la confianza en la propia capacidad para hacer frente a las exigencias del parto, por medio de un mayor conocimiento (que ayuda a eliminar el temor ante lo desconocido) y de la adquisición de las técnicas necesarias que permiten una mayor sensación de control.

* Una oportunidad de aprender los métodos que pueden ayudar a reducir la percepción del dolor y por consiguiente a tolerarlo mejor durante el parto; lo que puede traducirse en una menor necesidad de medicación.

* La posibilidad de un parto mejor, menos agotador, gracias a una mejor comprensión del proceso y al desarrollo de las técnicas apropiadas. Por regla general, las parejas que han asistido a cursos de educación para el parto consideran que la experiencia del nacimiento es más satisfactoria.

* Posiblemente, un parto ligeramente más corto. Los estudios realizados al respecto muestran que la duración media del parto en las mujeres que asistieron a cursos de preparación al parto es algo inferior al de las mujeres que no recibieron esta educación, probablemente debido a que el entrenamiento y la preparación les permitió trabajar en colaboración y no en contra del trabajo del útero. (No existe garantía de un parto corto, tan sólo la posibilidad de uno *más corto*).

ELECCIÓN DEL CURSO

En aquellos lugares en que las clases de educación para el parto son escasas, la elección es relativamente simple. En otros, la variedad de la oferta puede resultar abrumadora. Existen cursos organizados por hospitales, por instructores privados, por médicos. Existen clases prenatales "precoces" –a las que se asiste durante el primer trimestre o el segundo–, que cubren temas del embarazo tales como la nutrición, el ejercicio, el desarrollo fetal, la higiene, la sexualidad, los sueños y las fantasías; y existen clases de 6 a 10 semanas, que suelen empezar en el séptimo u octavo mes, y que se centran en el parto y en los cuidados de la madre y el hijo después del parto. Si existen pocas oportunidades de elegir, lo más probable es que asistir a algunas clases sea de todos modos mejor que no asistir a ninguna; siempre que la pareja de futuros padres conserve la perspectiva y no acepte sin más todo lo que se diga en clase. Si la pareja tiene la oportunidad de elegir el tipo de clases, los aspectos que se enumeran a continuación le pueden ayudar a seleccionar el curso que les conviene:

¿Quién imparte las clases? Con frecuencia da muy buenos resultados asistir a las clases impartidas por el propio médico o realizadas bajo su dirección. Si las ideas acerca del parto que sostiene el instructor de las clases son muy diferentes a las del médico que asistirá a la futura madre durante el alumbramiento, es posible que se produzcan contradicciones y conflictos desagradables. Si surgen diferencias de opinión, la futura madre deberá hablar de ellas para su posible aclaración con su médico antes del parto.

¿Cuánta gente hay en la clase? Las clases reducidas son mejores. Lo ideal son cinco o seis parejas por clase: más de 10 no es recomendable. Si el grupo es reducido, el profesor podrá prestar más tiempo y más atención a cada caso –lo que es particularmente importante en las sesiones prácticas de las técnicas de respiración y relajación– y además

se establecerá una mejor camaradería entre las parejas del grupo.

¿Cómo es el programa? Antes de inscribirse, la pareja deberá informarse de ello y, si es posible, asistir "como oyente" a alguna clase. Un curso apropiado incluirá en su programa el tema del parto por cesárea (reconociendo que cabe la posibilidad de que el 15 o 25% de las asistentes al curso deberá finalmente recurrir a él) y de la medicación (reconociendo que algunas la necesitarán). Además de las técnicas y procedimientos, el curso deberá hablar también necesariamente de los sentimientos. Tratará de los aspectos psicológicos y emocionales, al igual que de las técnicas del parto.

¿Cuál es el estilo del profesor? ¿Es de mente abierta y flexible o es dogmático? Las clases que fomentan esperanzas poco realistas pueden ser contraproducentes. (La pareja deberá desconfiar de un curso que prometa que el parto será corto, indoloro o incluso glorioso, por ejemplo.) No existe modo de saber con certeza cuál es la filosofía de las clases hasta que se ha asistido a ellas, pero se puede tener una idea de ello teniendo una entrevista con el profesor o la profesora antes de inscribirse.

¿Cuál es el promedio de partos sin anestesia entre las participantes de las clases? La respuesta a esta pregunta puede ser una información útil , pero también puede inducir a error. ¿Indica un promedio bajo que las estudiantes estaban tan bien preparadas en las distintas técnicas para reducir el dolor que rara vez necesitaron que se les administrara una medicación? ¿O estaban tan convencidas de que pedir la administración de un medicamento era un signo de fracaso que soportaron estoicamente todo dolor? Quizás el mejor modo de saber la respuesta es hablar con algunas de las personas que efectuaron estos cursos.

¿**Cómo se imparten las clases?** ¿Se muestran películas de partos reales? ¿Se hablará de casos recientes? ¿Habrá discusiones o tan sólo lecciones magistrales? ¿Tendrán los futuros padres la oportunidad de plantear preguntas? ¿Se dispondrá del tiempo necesario durante las clases para practicar las diversas técnicas enseñadas?

LOS TIPOS PRINCIPALES

Las clases pueden dictarlas enfermeras, parteras u otros profesionales certificados. Los lineamientos pueden ser diferentes. Las clases más comunes incluyen:

Lamaze. Denominado también método psicoprofiláctico, este enfoque, cuyo pionero fue el Dr. Ferdinand Lamaze, es parecido en algunos aspectos al enfoque psicofísico, dado que sus principales armas contra el dolor son los conocimientos y las técnicas de relajación. Además, el enfoque del Dr.

Lamaze depende del condicionamiento de Pavlov, quien condicionó a unos perros a segregar saliva cuando oían una campana. Mediante un entrenamiento intensivo, las futuras madres son condicionadas para producir respuestas útiles, en lugar de respuestas contraproducentes, ante el estímulo de las contracciones del parto. También el padre u otro acompañante asiste a las clases, junto con la futura madre, para aprender a ayudarla.

Bradley. Este enfoque, que fue el origen de la asistencia del marido al parto como ayudante de su esposa, subraya la importancia de una buena dieta y utiliza los ejercicios para aliviar las incomodidades del embarazo y para preparar los músculos con vistas al parto y los pechos con vistas a la lactancia. Las mujeres aprenden a imitar la posición y la respiración del sueño (que es profunda y lenta) y a utilizar la relajación para hacer más agradables las primeras fases del parto. En lugar de los esquemas de respiración rápidos y jadeantes, el método Bradley emplea la respiración abdominal profunda; en lugar de utilizar la distracción y un centro de concentración situado fuera del cuerpo para alejar a la mente de las molestias, Bradley recomienda que durante el parto la mujer se concentre en sí misma y trabaje con su cuerpo. La medicación está reservada para las complicaciones y las cesáreas, y aproximadamente un 94% de las mujeres formadas según el método de Bradley puede prescindir de ella. Las clases basadas en el método de Bradley se inician tan pronto como es confirmado el embarazo y continúan durante el período posterior al parto, con la idea de que se necesitan nueve meses enteros para prepararse, física y emocionalmente, para el parto.

Otras clases de preparación para el parto. Muchos preparadores para el parto son partidarios de los cuidados centrados en la familia y de un mínimo de intervención médica. También existen clases de educación para el parto diseñadas para preparar a los padres para dar a luz en una clínica particular, y clases patrocinadas por algún grupo médico o una organización de mantenimiento de la salud u otros grupos afines. Muchas clases de preparación para el parto no tienen una línea definida, seleccionando la mejor forma conocida de preparación para el parto y cambiando sus procedimientos cuando se dispone de más información. Hay muchas ciudades en las que existen cursos de educación para el embarazo y el parto, que suelen empezar durante el primer trimestre.

CAPÍTULO ONCE

El séptimo mes

De la semana 28 a la 31 aproximadamente

Bienvenida a su tercer ¡y último trimestre! Es posible que en estos últimos meses se sienta increíble. O si es como la mayoría de las mujeres, sus dolores e incomodidades se van a multiplicar. A medida que la carga que lleva crece, se estira su espalda, sus piernas y especialmente su psiquis. Está a muy poco del parto, un evento para el que debe empezar a planear, para el que debe empezar a prepararse y para el que debe tomar clases, hágalo ya si no lo ha hecho.

QUÉ SE PUEDE ESPERAR EN LA VISITA DE ESTE MES

Hay algunas cosas nuevas en la agenda de este mes. La embarazada puede esperar que su médico controle e esta visita los siguientes puntos, aunque puede haber variaciones en función de las necesidades particulares de la paciente y de las costumbres del médico[*].

- Peso y presión sanguínea

- Orina para detectar azúcar y albúmina

- Latido cardíaco del feto

- Altura del fondo del útero (parte superior de la matriz)

- Tamaño y posición del feto, mediante palpación externa

- Manos y pies, para detectar edema (hinchazón); piernas, para detectar venas varicosas

- Síntomas que ha experimentado la futura madre, especialmente aquellos que son poco habituales

- Preguntas y problemas que la embarazada desee discutir –es aconsejable que siempre lleve una lista a la consulta

- Examen de glucosa

- Examen de sangre para descartar anemia

---

[*] Véase el Apéndice, página 713, para una explicación de las intervenciones y los exámenes realizados

Una mirada interna

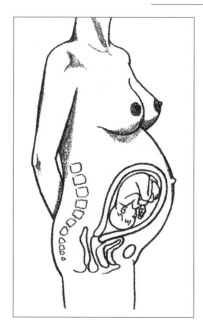

▼ *Su bebé gana peso rápidamente mientras se acumula más grasa debajo de la piel. A finales de mes deberá pesar un kilo y medio más o menos y deberá medir unos 40 cm. El lanugo empezará a desaparecer y solo se verá en la espalda y los hombros. Empieza a crecer el pelo de la cabeza (en unos fetos más que en otros) y salen las cejas y pestañas. Las uñas ya están en el borde de los dedos. La piel es rosada y suave. El iris de los ojos es azul o marrón (dependiendo de la raza del bebé), el color final de los ojos no se sabe hasta semanas o meses después del nacimiento. El crecimiento del cerebro en este mes y el que sigue es impresionante y lo seguirá siendo en los dos primeros años de vida. Aunque los pulmones todavía son inmaduros, empiezan a funcionar. Un bebé que nace ahora tiene muchas posibilidades de sobrevivir.*

▲ *A principios de este mes su útero estará más o menos a 27 cm arriba del hueso púbico. A finales de mes la casa de su bebé habrá crecido unos dos centímetros y medio más y se podrá sentir a unos 11 cm arriba del ombligo. Puede sentir que su barriga ya no puede crecer más (parece que ya llenó su abdomen) ¡pero todavía le quedan ocho o diez semanas más de expansión!*

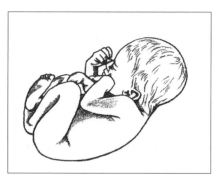

QUÉ SE PUEDE SENTIR

La embarazada puede experimentar todos estos síntomas en un momento u otro, o tan sólo algunos de ellos. Algunos pueden continuar desde el mes pasado, otros serán nuevos. Y otros pasarán casi desapercibidos porque la mujer se habrá acostumbrado ya a ellos. También puede experimentar otros síntomas menos frecuentes.

FÍSICOS:

- Actividad fetal más intensa y más frecuente
- Pérdidas vaginales blanquecinas (leucorrea) progresivamente más abundantes
- Dolor en la parte inferior del abdomen
- Estreñimiento
- Acidez de estómago, indigestión, flatulencia, hinchazón
- Dolores de cabeza, vahídos o desvanecimientos ocasionales
- Congestión nasal y hemorragias nasales ocasionales; embotamiento de los oídos
- "Cepillo de dientes rosado" debido a que las encías sangran
- Calambres en las piernas
- Dolor de espalda
- Hinchazón leve de los tobillos y los pies, ocasionalmente de las manos y la cara
- Venas varicosas en las piernas
- Hemorroides
- Picor en el abdomen
- Ombligo salido
- Falta de aliento
- Dificultades para dormir
- Contracciones de Braxton Hicks ocasionales, habitualmente indoloras (el útero se endurece durante un minuto y luego vuelve a su estado normal)
- Torpeza (lo que favorece la posibilidad de una caída)
- Aumento de tamaño en ambos pechos
- Calostro en los pechos, que sale espontáneamente o al presionarlos (aunque el calostro a veces no aparece sino hasta después del parto)

EMOCIONALES:

- Aprensión creciente
- Continuación de la distracción
- Aumento de los sueños y las fantasías sobre el futuro bebé
- Aumento del hastío y de la pesadez del embarazo, inicio de la ansiedad por terminar de una vez.

QUÉ PUEDE PREOCUPAR

AUMENTO DE LA FATIGA

"He oído decir que las embarazadas se encuentran maravillosamente bien durante el último trimestre. Pero yo me siento cansada todo el tiempo."

Las generalizaciones deberían ser borradas del vocabulario de una embarazada. No existe una norma sobre el modo en que se deben sentir las futuras madres en cualquier fase del embarazo.

Aunque algunas mujeres se pueden sentir menos cansadas en el tercer trimestre que en el primero y el segundo, también puede ser perfectamente normal que la embarazada continúe sintiéndose cansada o incluso que su cansancio parezca aumentar. En realidad, existen probablemente más razones para que se sienta cansada durante el último trimestre que para que se encuentre maravillosamente bien. En primer lugar, lleva mucho más peso que antes. En segundo lugar, el volumen de su abdomen puede impedir que duerma de un tirón toda la noche. También es posible que la actividad de su mente le haga perder sueño. También la puede cansar el ocuparse de otros hijos, el dedicarse a su trabajo profesional o ambas cosas a la vez –al igual que el prepararse para el nuevo hijo. Así la fatiga crece de manera exponencial.

Pero el hecho de que la fatiga sea una parte normal del embarazo no quiere decir que deba ser ignorada. Como siempre, es una señal del cuerpo, que indica que la mujer debe esforzarse menos. Es mejor seguir el consejo del cuerpo, descansar y relajarse tanto como sea posible. La mujer necesitará toda la energía que pueda ahorrar para el parto, y, lo que es aún más importante, para lo que viene después.

Un cansancio extremo que no disminuye o desaparece con el descanso debería ser notificado al médico. La anemia (vea la página 254) ataca a veces al empezar el tercer trimestre, y muchos médicos realizan un análisis rutinario de sangre en la visita del séptimo mes.

EDEMA (HINCHAZÓN) DE MANOS Y PIES

"Tengo los tobillos hinchados sobre todo en los días calurosos y al final del día. ¿Es un mal signo?"

Los tobillos hinchados y los zapatos apretados son el pan de todos los días para las mujeres embarazadas, en cualquier época del año y aunque no se sienta particularmente atractiva o cómoda, esto es completamente normal. Cualquier grado de edema (hinchazón debida a una acumulación excesiva de líquido en los tejidos) era considerado antes como un signo de peligro potencial durante el embarazo; pero actualmente los médicos reconocen que un edema benigno está relacionado con el aumento normal y necesario de los líquidos corporales durante el embarazo. Se considera totalmente normal una ligera hinchazón de los tobillos y los pies, no acompañada por síntomas que sugieran el desarrollo de una preeclampsia. De hecho, un 75% de las mujeres presentan un edema de este tipo en algún momento del embarazo*. Es particularmente común a últimas horas del día,

---

* Una de cada cuatro mujeres embarazadas no nota la hinchazón de los tobillos, eso también es completamente normal.

en los días calurosos o después de permanecer largo rato de pie o sentada. Pero una gran parte de la hinchazón debería desaparecer después de una noche de descanso.

Por lo general, el edema no es más que un poco molesto. Para aliviarlo, la embarazada puede sentarse con las piernas levantadas, o bien acostarse un rato, si puede, preferiblemente sobre el costado izquierdo; llevará zapatos cómodos y evitará las medias o calcetines con un elástico apretado.

Si la mujer encuentra que la hinchazón es muy fastidiosa, intentará usar unas medias o calcetines especiales. Existen varios tipos de estos artículos para embarazadas –incluyendo las medias que llegan a la cintura (con mucho espacio para el vientre) y los calcetines hasta las rodillas. Hay que consultar con el médico para ver si le recomienda un tipo en particular. Al comprar, se seleccionará la talla basándose en el peso durante el embarazo. Las medias o calcetines se colocarán antes de levantarse por la mañana, cuando aún no se haya presentado la hinchazón. Ayude al sistema excretor a eliminar los productos residuales y el exceso de líquido. Debe beber cada día por lo menos ocho vasos, de un cuarto de litro, de agua u otros líquidos. Paradójicamente, beber cantidades aún mayores de líquidos –hasta 4 litros diarios– ayuda a muchas mujeres a evitar una retención de agua excesiva. Pero no se beberán más de dos vasos cada vez, y la

gestante no se llenará de tanto líquido que no tenga sitio para los otros 11 componentes de la dieta de la docena diaria. Aunque ya no se cree que se deba restringir la sal durante un embarazo normal (la sal puede tenerse que reducir en el caso de hipertensión), una ingestión de sal excesiva no es lo más razonable y podría aumentar la retención de fluidos.

Si a la embarazada se le hinchan también las manos y/o la cara, o si el edema persiste durante más de 24 horas, es necesario que informe de ello al médico. Esta hinchazón puede carecer de importancia o podría ser una señal de comienzo de una preeclampsia (hipertensión inducida por el embarazo; vea la página 655).

CALOR EXCESIVO

"La mayor parte del tiempo tengo mucho calor y sudo una barbaridad. ¿Es normal?"

La razón del calor se encuentra en un aumento de aproximadamente el 20% del metabolismo basal (la velocidad con la que el cuerpo gasta energía en estado de reposo total). No sólo es probable que la embarazada tenga demasiado calor en los días calurosos, sino que además puede sentirse acalorada en invierno –cuando las demás personas sienten frío. También es probable que sude más, especialmente por la noche, lo que constituye una ventaja, ya que ayuda a refrigerar el cuerpo y a eliminar los productos residuales, pero al mismo tiempo es francamente desagradable. Para reducir la incomodidad: bañarse a menudo; y llevar prendas que permitan ir reduciendo la cantidad de abrigo, sobre todo en invierno, a medida que se sienta más calor. La embarazada deberá recordar además que debe beber más líquido para sustituir el que pierde a través de los poros.

Para consejos sobre cómo mantenerse fresca vea la página 280.

HIPO DEL FETO

"Algunas veces percibo unos espasmos ligeros y regulares en el abdomen. ¿Se trata de patadas, o de contracciones, o de qué?"

Aunque parezca increíble, lo que sucede es que el bebé tiene hipo. Este fenómeno es muy común en los fetos durante la segunda mitad del embarazo. Algunos bebés tienen hipo varias veces al día, un día tras otro. Otros no lo tienen nunca. Y el fenómeno puede continuar después del nacimiento.

NO OLVIDE CONTAR ESAS PATADAS

Ahora que ha pasado la semana 28 de embarazo, debe estar segura de sentir los movimientos del bebé todos los días. Si está muy ocupada para sentir los movimientos del bebé durante el día, cuente las patadas en la noche (ver página 325) y reporte cualquier cambio de los movimientos fetales al doctor.

Pero la futura madre no debe preocuparse, ya que el hipo no provoca las mismas molestias en los bebés (dentro y fuera del útero) que en los adultos —incluso cuando dura 20 minutos o más. Por consiguiente, la embarazada puede tranquilizarse y disfrutar de esta pequeña diversión procedente del interior de su barriga.

ERUPCIONES CUTÁNEAS

"Como si las estrías fueran poco, ahora parece que me ha salido algún tipo de granitos que me pican."

Anímese. Le quedan menos de tres meses para el parto, tras el cual podrá decir adiós a la mayoría de los efectos secundarios desagradables del embarazo —y entre ellos, a estas nuevas erupciones. Hasta entonces, podría ser de gran ayuda saber que aunque pueden ser incómodas, estas lesiones no son peligrosas para la madre ni para el bebé. Conocidas médicamente con el nombre de pápulas y placas pruríticas de urticaria del embarazo, o PPPUE*. Aunque las PPPUE se suelen desarrollar en las estrías abdominales, a veces también aparecen en los muslos, nalgas o brazos de la futura madre. La mujer le mostrará la erupción a su médico, que probablemente le prescribirá una me-

---

* También tiene otros nombres pero este es el más utilizado por los médicos. Desaparecen después del parto y generalmente no suelen reaparecer en los embarazos siguientes.

dicación tópica y/o antihistamínica para aliviar las molestias.

Existe una gran variedad de trastornos de la piel y erupciones que pueden darse durante el embarazo. Aunque siempre deben mostrarse al ginecólogo, raras veces son serias. Algunos precisarán un tratamiento; otras seguirán un curso benigno y desaparecerán tras el parto.

ACCIDENTES

"Al ir de paseo hoy me tropecé y me caí al suelo, golpeándome en la barriga. No me preocupan las rodillas y los codos pelados, pero me horroriza la idea de haberle hecho daño al bebé."

En el último trimestre del embarazo, la mujer no es exactamente la criatura más ágil del mundo. Un equilibrio menos estable, , debido al desplazamiento hacia adelante de su centro de gravedad, y unas articulaciones menos firmes contribuyen a aumentar su inestabilidad y su propensión a las caídas –especialmente a las caídas sobre la barriga. También contribuyen a ello su tendencia a cansarse con mayor rapidez, su predisposición a estar preocupada y a soñar despierta, y la dificultad que tiene para poder verse los pies. Eso hace que las caídas sea difíciles de evitar.

Un tropezón con el borde de la acera le puede causar múltiples rasguños y heriditas (particularmente en su amor propio), pero es extremadamente raro que el feto llegue a sufrir las consecuencias de la torpeza de su madre. El bebé está protegido por el más sofisticado sistema de absorción de golpes, ya que está rodeado por el líquido amniótico, unas membranas resistentes, las paredes del útero y una cavidad abdominal envuelta por músculos y huesos. Para que este sistema resultara insuficiente y el bebé sufriera daños, el accidente de la madre debería ser muy grave –del tipo que exigiría probablemente su rápida hospitalización.

Aunque lo más probable es que una caída ligera de este tipo no haya ocasionado daños mayores, la mujer debería informar del suceso a su médico. Es posible que este le pida que acuda a la consulta para poder escuchar el latido cardíaco del bebé –más que nada con el fin de tranquilizar a la madre.

Son raras las ocasiones en que los daños que sufre un embarazo son el resultado de un accidente, normalmente se ha dado una separación (abruptio) de la placenta, parcial o completa, de la pared uterina –una situación que requiere una acción inmediata por parte del médico. Si la mujer sangra por la vagina, o pierde líquido amniótico, o nota sensibilidad en el abdomen o contracciones uterinas, o si el bebé parece extrañamente inactivo, buscará atención médica *de inmediato.* Hará que alguien la lleve a un servicio de urgencias si no puede hablar con su doctor.

DOLOR DE LA PARTE BAJA DE LA ESPALDA Y LAS PIERNAS (CIÁTICA)

"Tengo un dolor en el lado derecho de la espalda que se extiende hacia la cadera y la pierna. ¿Qué sucede?"

Se trata de una más de las molestias que pueden afectar a las futuras madres. La presión del útero cada vez más voluminoso, que ya ha provocado tantas molestias, se puede extender también al nervio ciático, causando dolor en la parte inferior de la espalda, las nalgas y las piernas. El reposo y la aplicación sobre la zona de una bolsa de agua caliente pueden aliviar el dolor (también es bueno que haga los ejercicios de la pelvis, (vea la página 264). La natación también ayuda a quitar la presión en los nervios.

Puede que el dolor cese cuando el bebé cambie de postura, o puede que perdure hasta el parto. En los casos graves, puede que se recomienden unos pocos días de reposo en cama y unos ejercicios especiales. También puede considerar tratamientos alternativos como la medicina quiropráctica, la acupuntura y el masaje terapéutico (vea la página 330).

EL ORGASMO Y EL BEBÉ

"Cada vez que tengo un orgasmo, el bebé deja de dar patadas durante una media hora. ¿Es posible que el coito sea perjudicial para él en esta fase del embarazo?"

Los bebés tienen su propia personalidad incluso cuando se hallan aún en el seno materno. Y sus reacciones ante la relación sexual de sus padres son variables. Algunos se sienten acunados y se duermen debido al movimiento rítmico del coito y a las contracciones uterinas que siguen al orgasmo. Otros, estimulados por la actividad, se vuelven más agitados. Ambas reacciones son normales; ninguna de las dos indica que el feto se dé cuenta de lo que sucede entre sus padres o que en ese momento se produzca algún tipo de sufrimiento fetal.

De hecho, a menos de que su médico le diga otra cosa, puede continuar disfrutando del sexo y de los orgasmos hasta el parto. Hágalo mientras pueda porque puede pasar un buen tiempo hasta que sea conveniente hacer el amor con un bebé en casa.

EXAMEN DE GLUCOSA

"Mi médico dice que necesito hacerme un examen de glucosa para descartar la diabetes gestacional. ¿Realmente lo necesito? Y ¿De qué se trata el examen?"

No se sienta amenazada, casi todos los médicos ordenan ese examen más o menos a las veintiocho semanas*. Seguramente el examen que le mandaron es de rutina.

---

* Las mujeres con mayor riesgo de diabetes gestacional, incluyendo las madres mayores u obesas o las que tienen herencia de diabetes, deben hacerse el examen antes y más seguido.

El examen es sencillo, le piden que se tome una bebida de glucosa muy dulce, que generalmente sabe como a refresco de naranja, después de una hora le toman una muestra de sangre. No debe estar en ayuno. Casi ninguna mujer presenta efectos secundarios ni tiene ningún problema con el examen; solamente algunas sienten algo de náuseas debido al líquido tan dulce. Los investigadores (a lo mejor porque ellos mismos tomaron la glucosa y buscan un mejor sabor) están viendo si en lugar de tomar esa glucosa, las mujeres pueden comérsela a manera de gelatinas. Hasta ahora, las pacientes que han comido las gelatinas, presentan menos efectos secundarios (aunque a lo mejor tienen más caries).

Si la sangre sale con números elevados, lo que sugiere que la mujer no produce suficiente insulina para procesar la glucosa, se debe hacer otro examen de tolerancia a la glucosa. Es un examen en ayunas que dura tres horas. La paciente debe tomar otra dosis mayor de glucosa para diagnosticar, si se tiene, la diabetes gestacional. Los síntomas que la pueden llevar a ese diagnóstico son: mucha sed y mucha hambre, orina frecuente (incluso en el segundo trimestre), infecciones vaginales recurrentes y aumento de la presión arterial.

La diabetes gestacional ocurre en el 1% o 2% de las madres embarazadas, y es la complicación más común del em-barazo. También, afortunadamente, es una de la más fáciles de controlar. Cuando el azúcar en la sangre se controla a través de la dieta, el ejercicio, y si es necesario, la medicina, las mujeres con esta enfermedad pueden tener un embarazo completamente normal y bebés sanos. En la mayoría de las mujeres (97% a 98%), las anormalidades en el azúcar de la sangre desaparecen después del parto. Sin embargo, algunas de estas mujeres (y esto es mucho más común en mujeres obesas) tienen tendencia a tener diabetes más adelante en sus vi-

---

OTRA RAZÓN PARA COMER VERDURAS

¿Quiere criar a un niño que coma verduras? Asegúrese de comer las suyas ahora. Las investigaciones muestran que en el tercer trimestre, los fetos pueden saborear la comida que come la madre y que pasa al líquido amniótico. Un estudio reciente sugiere que lo que la mamá come en el embarazo (y lo que come cuando amamanta, ya que la leche lleva los sabores al bebé) influye en los gustos del niño después. En los estudios, a los hijos de madres que tomaron jugo de zanahoria cuando estaban embarazadas o lactando, les gusta más el cereal con zanahoria que a los otros niños. Es interesante, debería pensarlo la próxima vez que se coma un brócoli.

das. Si usted tiene diabetes gestacional puede reducir este riesgo tomando estas medidas preventivas después del parto: vaya a un médico regularmente, mantenga un peso ideal, mantenga o cultive buenos hábitos alimenticios y de ejercicio y familiarícese con los síntomas de la enfermedad para que los pueda reportar a su médico. Para mayor información sobre la enfermedad y cómo manejarla, vea la página 654.

EL SÍNDROME DE LA PIERNA

"Por más cansada que esté no puedo acomodarme porque me molesta la pierna. He seguido todos los consejos para los calambres de piernas pero nada me funciona, ¿qué más puedo hacer?"

Con tantas cosas en su cabeza y su cuerpo durante el último trimestre, es lógico que no pueda dormir ¡sin contar las piernas! No parece justo. Pero no se preocupe, el 15% de las mujeres embarazadas pasa por lo mismo. Los síntomas son los mismos para todas: incomodidad, calambre, picazón dentro de las piernas y/o los pies que no la dejan conciliar el sueño. Es más común en las noches, pero también puede aparecer en las tardes o cuando esté acostada o sentada.

Los expertos no saben muy bien por qué pasa esto en algunas mujeres embarazadas y tampoco están seguros de cómo tratarlo. Ninguno de los trucos para calmar los calambres parece ayu-

dar; las medicinas también se descartan porque las que sirven para este síndrome, no son seguras en el embarazo.

Es posible que factores como la dieta, el estrés y otros factores ambientales contribuyan al problema, así que es mejor que se fije en lo que come, en lo que hace y en cómo se siente cada día para que pueda ver qué hábitos, si los hay, desencadenan los síntomas. Por ejemplo algunas mujeres dicen que es malo comer carbohidratos por las tardes; también es posible que el síndrome lo cause la anemia por deficiencia de hierro, dígale a su médico que revise este punto y dígale que le sugiera un tratamiento. Si quiere algunos consejos para dormir, vea la página 248, nunca sobran. Desafortunadamente hay muchas mujeres que no logran dormir bien a causa del síndrome, si es una de ellas, espere hasta el parto para salir de este síntoma.

SUEÑOS Y FANTASÍAS

"He tenido tantos sueños, tan reales, sobre el bebé, que estoy empezando a creer que me vuelvo loca."

Aunque el gran número de sueños nocturnos y diurnos (tanto horripilantes como deliciosos) que puede experimentar una mujer embarazada durante el último trimestre puede hacerle pensar que está perdiendo el juicio, en realidad estos sueños la están ayudando a conservar su cordura. Los sueños y las fantasías son sanos y normales, y ayudan a la embarazada a superar los temores y preocupaciones.

Cada uno de los temas de los sueños y fantasías de las mujeres embarazadas expresa uno o varios de los profundos sentimientos y preocupaciones que las afectan, seguramente alguno le parecerá familiar:

- No estar preparada, olvidar o perder cosas –no alimentar al bebé; saltarse la visita del médico; salir a comprar y olvidarse del hijo; no estar preparada para acoger al niño cuando este llega; perder las llaves del coche, o incluso perder el bebé– pueden expresar el temor de no estar a la altura de la misión de madre.

- Ser atacada o lesionada –por intrusos, ladrones o animales; caer por las escaleras tras recibir un empujón o tras sufrir un resbalón– pueden indicar un sentimiento de vulnerabilidad.

- Estar encerrada o no ser capaz de escapar –quedar atrapada en un túnel, en el coche, en una habitación pequeña; ahogarse en una piscina, un lago, un túnel de lavado de coches– pueden significar el temor de verse atada y privada de libertad a causa del bebé.

- Saltarse la dieta –aumentar demasiado de peso, o ganar mucho peso de un día para otro; atiborrarse de comida; comer o beber cosas perjudiciales (por ejemplo una botella de vino) o no ingerir los alimentos necesarios (olvidarse de beber la leche durante una semana)– son pesadillas frecuente entre las mujeres embarazadas que intentan ajustarse a una dieta rígida.

- Perder el atractivo –resultar poco atractiva o repulsiva para el marido; el marido encuentra otra mujer– expresan el temor de casi todas las mujeres de que el embarazo destruirá su buena figura para siempre y alejará a su marido.

- Relaciones sexuales –positivas o negativas, provocadoras de placer o de culpabilidad; pueden ser un signo de la confusión y la ambivalencia sexuales que se experimentan a menudo durante el embarazo.

- Muerte y resurrección –los padres u otros parientes ya difuntos reaparecen; puede ser el modo subconsciente de unir la vieja generación a la futura generación.

- Vida familiar con el nuevo bebé –prepararse para el bebé; amar al bebé y jugar con él; práctica de la maternidad, establecimiento del vínculo entre la madre y el bebé antes del nacimiento.

- El aspecto que tendrá el bebé: puede indicar muy diversas preocupaciones. Los sueños en que el bebé está deformado o tiene un tamaño inhabitual expresan la ansiedad sobre la salud del futuro hijo. Las fantasías en las que el bebé tiene capacidades extraordinarias (por ejemplo, sabe hablar o andar en el momento de nacer) pueden indicar la preocupación sobre la inteligencia del bebé y la ambición con respecto a su futuro. Las premoniciones sobre el sexo del bebé pueden indicar la presencia de un problema —es posible que el corazón de la madre se decante más por un hijo o por una hija. El mismo significado pueden tener los sueños sobre el color del cabello o de los ojos del bebé, o sobre su parecido con el padre o con la madre. Las pesadillas en las que el bebé nace ya completamente desarrollado podrían indicar otro problema: el temor de la madre a cuidar un pequeño bebé.

- ◆ Sueños acerca del parto. Soñar con el dolor del parto o la ausencia de dolor o soñar con la imposibilidad de pujar para que el bebé salga. Esto puede reflejar su temor al parto.

Aunque ya se sabe que durante el embarazo, los sueños y las fantasías provocan más ansiedad que en otras épocas de la vida, también son más útiles. Si la futura madre presta atención a lo que le dicen sus fantasías sobre sus sentimientos y hace caso de sus avisos, conseguirá tener una transición más fácil hacia la maternidad real.

INMINENCIA DE LA RESPONSABILIDAD

"Estoy empezando a preguntarme si seré capaz de salir adelante en mi profesión, mi hogar, mi matrimonio y mi bebé."

TRABAJAR O NO TRABAJAR

Si *esa* es la cuestión no se preocupe por encontrar la respuesta ya, aunque debe empezar a pensar en el tema. Hable con su esposo, con amigas que hayan regresado a trabajar después de haber tenido un bebé o con las que no haya regresado. Incluso puede hacer listas de ventajas y desventajas y considerar asuntos financieros. Es mejor que tome una decisión cuando haya estado trabajando un tiempo después de tener al niño. Para algunas mujeres, el solo hecho de tener al bebé en sus brazos cambia todo lo que habían pensado; para otras, es importante volver a trabajar porque se dan cuenta que no les gustaría ser madres de tiempo completo. Así que tómese su tiempo y tome la decisión que mejor le convenga. Recuerde que existe una decisión *correcta*, cada madre debe seguir su corazón. Y también recuerde que ni siquiera su decisión final es la decisión final. Siempre puede cambiar de opinión.

Lo más probable es que no lo consiga si intenta ser una mujer de carrera, un ama de casa, una esposa y una madre a tiempo completo, buscando la perfección en cada uno de los campos. Muchas madres novatas han intentado ser "supermujeres"; y muy pocas lo han conseguido sin sacrificar su salud física y mental.

Pero la mujer podrá sobrevivir si se reconcilia con la idea de que no puede hacerlo todo –por lo menos al principio. Si la profesión, el marido y el bebé son importantes, quizás deberá abandonar la pretensión de tener el hogar inmaculadamente limpio. Si la maternidad a tiempo completo le resulta atractiva y si puede permitirse el lujo de permanecer en casa durante un cierto tiempo, quizás debería optar por renunciar temporalmente a su carrera. O trabajar sólo media jornada, como solución de compromiso. Se trata únicamente de decidir por adelantado cuáles son las prioridades.

Sea cual fuere la decisión que tome la nueva madre, su nueva vida le resultará más fácil si no debe ponerla en práctica ella sola. Detrás de la mamá más feliz suele haber un papá cooperativo, dispuesto a compartir el trabajo. La madre no debería sentirse culpable de pedirle que cambie los pañales al bebé o que le bañe si ha tenido un día largo y pesado en la oficina. Probablemente, esta actividad resultará relajante para el padre y además le proporcionará la

oportunidad de conocer a su hijo. Si el papá no está disponible (nunca o parte del tiempo), la mamá deberá pensar en otras fuentes de ayuda: la madre, la suegra u otros familiares, una asistenta a domicilio, las guarderías, etcétera.

PARTO PREMATURO

"¿Hay algo que pueda hacer para asegurarme de que mi bebé no será prematuro?"

El número de bebés que nacen tarde es mucho más elevado que el de los prematuros. Tan sólo un 7% aproximadamente de los nacimientos en los Estados Unidos son prematuros o pretérmino; es decir, ocurren antes de las 37 semanas de gestación. Casi todos son casos de mujeres que saben que tienen un mayor riesgo de parto prematuro.*

Aunque tenga buenas posibilidades de tener un parto a tiempo, siempre existe la posibilidad. Los siguientes factores de riesgo están relacionados con el parto prematuro y todos se pueden controlar. Elimine cualquiera que le concierna y así ayudará a su bebé a estar el tiempo que necesita en el útero (entre 38 y 42 semanas).

Tabaco. Dejar de fumar lo más pronto posible al empezar el embarazo, o mejor aún antes de quedar en estado

---

* En los Estados Unidos, la taza de partos prematuros es menos en mujeres blancas (menos del 6%) y mayor en mujeres de raza negra (más o menos el 13%) y es sólo en parte por razones socioeconómicas.

(pero tenga en cuenta que dejar de fumar en cualquier momento del embarazo es mejor que no dejarlo nunca).

Alcohol. Evitar la ingestión regular de cerveza, vino y licores

Abuso de los fármacos; drogas. No hay que tomar medicación alguna sin la aprobación de un médico que sepa que la mujer está embarazada: no se tomará ningún tipo de droga.

Aumento insuficiente de peso. Si el peso anterior al embarazo era normal, la mujer deberá aumentar por lo menos 9,5 kilos; si estaba delgada en demasía, puede aumentar hasta 14 kilos. (Las mujeres con exceso de peso pueden aumentar menos, sin riesgos, si están bien alimentadas y se hallan bajo control médico.)

Nutrición insuficiente. Seguir una dieta bien equilibrada durante todo el embarazo. Asegurarse de que el suplemento vitamínico contenga cinc; unos estudios recientes han relacionado la deficiencia de cinc con el parto prematuro.

Infección de las encías. Cuide bien sus dientes y encías y vea a un dentista al menos una vez durante el embarazo para evitar infecciones en las encías.

Permanecer de pie y trabajo físico pesado. Si la profesión o la profesión y los trabajos domésticos le exigen permanecer de pie durante varias horas cada día, la embarazada deberá dejar de trabajar o reducir su jornada. Es malo el trabajo físico pesado y levantar cosas pesadas (vea la página 333).

Relación sexual (para algunas mujeres). A las futuras madres que presentan un alto riesgo de parto prematuro se les suele aconsejar que se abstengan del acto sexual y/o del orgasmo durante los dos o tres últimos meses de embarazo, debido a que en dichas mujeres el orgasmo podría activar las contracciones uterinas.

Otros factores de riesgo que no siempre son fáciles de eliminar, pero que se pueden modificar sus efectos son:

Infecciones (tales como las enfermedades venéreas, las infecciones vaginales, del tracto urinario y del líquido amniótico, y la rubéola). Cuando existe una infección que podría dañar al feto, parece ser que el parto prematuro es la forma que el cuerpo elige para poner al bebe a salvo de un medio ambiente peligroso. Los antibióticos no solamente curan la infección sino que pueden asegurarle al cuerpo que todo marcha bien y que no necesita un "rescate".

En el caso de una infección del líquido amniótico (corioamnionitis), que puede ser causa de parto prematuro, parece ser que la respuesta inmunitaria del cuerpo desencadena la producción de prostaglandinas, que pueden iniciar el parto, así como de sustancias que podrían dañar las membranas fetales, provocando su ruptura prematura. Si las membranas sí se rompen prematuramente, algunos médicos prescriben antibióticos a la madre como precaución (haya o no infección aparente), aunque todavía no es claro si eso ayuda a prevenir problemas.

Realmente es imposible prevenir cada infección, pero se pueden reducir las posibilidades, para eso, hay que mantenerse alejada de los enfermos y asegurarse de tener un descanso y ejercicio adecuados, una nutrición óptima y unos cuidados prenatales regulares. También es bueno, aunque menos obvio, tomar mucha agua e ir al baño cada vez que sienta ganas de ir. Puede hacerse un examen para saber si tiene infecciones vaginales, eso la ayudará a minimizar los riesgos de un parto prematuro. Algunos médicos también recomiendan usar un condón durante los últimos meses del embarazo, para reducir el riesgo de una infección del líquido amniótico.

Desequilibrio hormonal. Al igual que puede desencadenar un aborto espontáneo tardío, un desequilibrio hormonal puede a veces desencadenar un parto prematuro; un tratamiento hormonal puede evitar ambos problemas.

Cuello uterino incompetente. Esta situación, en la que el cuello uterino débil se abre antes de tiempo (por la presión que hace el feto que está creciendo), queda a menudo sin diagnosticar hasta que se ha producido un aborto espontáneo o un parto prematuro. Una vez diagnosticada, el parto prematuro puede ser evitado efectuando un cerclaje del cuello uterino durante la gestación, más o menos en la semana catorce (para mayor información vea la página 46).

Dilatación cervical prematura. También se sospecha que en algunas mujeres, por razones desconocidas y aparentemente no relacionadas con una cérvix incompetente, esta empieza a borrarse y dilatarse demasiado pronto, lo que conduce a un parto prematuro. Los exámenes rutinarios del cuello uterino, para descubrir cambios de este tipo durante los últimos meses de embarazo en las gestantes de alto riesgo, son una práctica común y probablemente muy útil.

Irritabilidad uterina. Las investigaciones sugieren que en algunas mujeres el útero es particularmente irritable, y que esta irritabilidad hace que sea susceptible de sufrir contracciones extemporáneas. Si este tipo de complicación se pudiera identificar y controlar durante el tercer trimestre, algunos creen que es posible que el parto prematuro se pudiera evitar mediante un reposo en cama parcial o total y/o el uso de medicación para acallar las contracciones.

Placenta previa (cuando la placenta se halla en una posición baja en el útero, cerca del cuello uterino o por encima de él, vea la página 661). Esta situación puede ser diagnosticada precozmente mediante el uso de los ultrasonidos, o puede ser puesta de manifiesto por una hemorragia a mitad del embarazo o hacia el final del mismo. Una vez diagnosticada la placenta previa, lo que puede ayudar es el reposo total en cama.

Enfermedad crónica materna. Una enfermedad crónica materna como hipertensión, enfermedad cardíaca, hepática o renal; diabetes, pone a la madre en un nivel alto de riesgo para tener un parto prematuro. Una atención médica adecuada, cuidarse a sí misma (vea el capítulo 19) y en ocasiones el reposo en cama, pueden con frecuencia evitar el parto prematuro.

Estrés. A veces, la causa puede ser eliminada o minimizada (abandonando una profesión con mucha tensión, acudiendo a un centro especializado en caso de que el matrimonio no vaya bien), a veces eliminar la causa es más difícil (cuando la embarazada podría perder su trabajo o cuando está sola). Pero todos los tipos de estrés pueden ser reducidos mediante la educación, las técnicas de relajación, una buena nutrición, una cantidad equilibrada de ejercicio y descanso, y la discusión del problema –a menudo en un grupo de autoayuda (también vea la página 171).

Edad inferior a los 17. La nutrición óptima y la buena atención prenatal pueden ayudar a compensar el hecho de que la madre, al igual que el feto, aún está creciendo.

Edad superior a los 35. La nutrición óptima, la buena atención prenatal, la reducción del estrés y la detección prenatal de los posibles problemas obstétricos específicos de las mujeres mayores pueden reducir los riesgos.

Nivel educativo o socioeconómico bajo. También en este caso, el riesgo puede ser reducido mediante una buena nutrición y un acceso temprano y una participación en unos cuidados prenatales sensatos desde el punto de vista cultural, así como la eliminación de todos los factores de riesgo que sea posible.

Anomalías estructurales del útero y fibroides. Estas anormalidades pueden deberse a la ingestión de la hormona Dietilstilbestrol durante el embarazo de la madre de la embarazada*, a una cirugía uterina, a algún defecto de nacimiento que altera la forma del útero o a otras causas. Una vez diagnosticado el

---

* Si no está segura si a su mamá le dieron la hormona Dietilstilbestrol y usted nació antes de 1971, cuando la droga se le prescribía a las mujeres con riesgo alto de parto prematuro, pregúnteles a sus papás acerca de la posibilidad.

problema, su corrección quirúrgica puede prevenir a menudo los futuros nacimientos prematuros.

Gestaciones múltiples. En promedio, las mujeres que llevan más de un feto suelen dar a luz unas tres semanas antes (aunque se ha sugerido que lo ideal para gemelos son treinta y siete semanas, lo que quiere decir que tres semanas antes no estarían listos). La atención médica meticulosa, una nutrición óptima, la eliminación de otros factores de riesgo, junto con una mayor cantidad de tiempo de reposo estando acostada, y la restricción de la actividad según se precise durante el último trimestre ayudan a prevenir un parto prematuro.

Anormalidad fetal. En ciertos casos el diagnóstico prenatal puede detectar un defecto que puede ser tratado mientras el feto se halla aún en el útero; a veces la corrección de este problema puede permitir que el embarazo llegue a término.

Historial de partos prematuros. Si existe una causa diagnosticada, esta puede ser quizás corregida; una atención prenatal muy cuidadosa, la reducción de otros factores de riesgo y la limitación de las actividades pueden ayudar a evitar que se repita el drama. Aunque usted haya nacido en un parto prematuro, eso no significa que su hijo nacerá antes de tiempo pero sí puede influir en el peso del bebé al nacer.

Una razón desconocida. Algunas veces no existe ninguno de los factores de riesgo descritos anteriormente. Una mujer sana con un embarazo perfectamente normal súbitamente puede entrar en una dilatación prematura, sin razón alguna aparente. Quizás algún día se identifique la causa de tales partos prematuros, pero por el momento se les ha etiquetado de "causa desconocida".

Las investigaciones muestran que cuando existen factores de riesgo, es posible reducir la incidencia de los nacimientos prematuros mediante la educación y el control uterino doméstico, pero parece, según las investigaciones hechas hasta ahora, que esto no funciona. Sin embargo parece que la educación, el contacto con una enfermera o bien el control, y la combinación con la prevención que sugerimos arriba, puede ayudar.

Cuando se inicia una dilatación prematura, a menudo se puede posponer la expulsión hasta que el bebé está más maduro. Incluso un retraso breve puede ser beneficioso; cada día adicional que el bebé permanece en el útero mejora sus posibilidades de supervivencia. Resulta evidente que es importante que la futura madre esté familiarizada con los signos de un parto precoz, que se enumeran a continuación, y que avise a su médico tan pronto como tenga la más leve sospecha de que el parto está empezando. No debe preocuparse por si molestará al médico, sea cual fuere el día o la hora:

* Calambres parecidos a los de la menstruación, con o sin diarrea, náuseas o indigestión.

* Dolor o presión en la parte baja de la espalda, o un cambio en la naturaleza del dolor de espalda.

* Dolor o sensación en la base de la pelvis, los muslos o las ingles.

* Un cambio en las pérdidas vaginales, particularmente si resultan acuosas o están manchadas de rojizo o pardusco a causa de la presencia de sangre. Estas "pérdidas sanguinolentas" pueden ir precedidas o no por la expulsión de un tapón mucoso gelatinoso.

* Ruptura de las membranas (se experimenta una salida más o menos intensa de líquido por la vagina).

Se pueden experimentar todos estos síntomas y no estar empezando un parto prematuro, pero sólo el médico puede diagnosticarlo con certeza. Si sospecha que la futura madre ha empezado a ir de parto, probablemente deseará examinarla sin pérdida de tiempo. Para la información de cómo se trata un parto prematuro, vea la página 666.

Si se produce el parto prematuro, a pesar de todas las medidas adoptadas para evitarlo o posponerlo, las probabilidades de salir del hospital con un bebé sano y normal son excelentes. (Evidentemente, esta vuelta a casa con el bebé deberá quizás retrasarse unos días, unas

---

NO AGUANTARSE

El hábito de no orinar cuando se tienen ganas aumenta el riesgo de que la vejiga hinchada irrite el útero y desencadene las contracciones, así que *no hay que aguantarse.*

---

semanas o incluso unos meses, dependiendo del peso del bebé al nacer, para aumentar dichas probabilidades).

UN BEBÉ QUE PESA POCO AL NACER

"He leído mucho sobre la gran cantidad de bebés con un peso demasiado bajo al nacer. ¿Hay algo que yo pueda hacer para que al mío no le suceda esto?"

Dado que la mayoría de los casos de un peso demasiado bajo al nacer se pueden prevenir, esta mujer puede hacer mucho —y en vista de que está leyendo este libro, lo más posible es que ya lo haga. En Estados Unidos, casi 7 de cada 100 recién nacidos entran en la categoría de los que tienen un peso bajo (por debajo de los 2,5 kilos) y un poco más de 1 bebé de cada 100 tiene un peso *muy* bajo (1,5 kilos o menos). Pero entre las mujeres informadas que son conscientes de los cuidados médicos y de los que pueden otorgarse ellas mismas, así como de sus estilos de vida, la tasa es mucho más baja. La mayoría de las causas más comunes de un peso bajo al nacer se pueden prevenir (tabaco, alcohol o uso de drogas, una nutrición pobre, cuidados prenatales inadecuados, por ejemplo); muchas otras (tales como una enfermedad crónica de la madre) pueden ser controladas mediante una buena colaboración entre la madre y su médico. Una causa principal –el parto prematuro– puede también prevenirse en algunos casos (vea la página 358).

Desde luego, a veces el bebé es pequeño al nacer por razones que nadie puede controlar –el bajo peso de la propia madre cuando nació, por ejemplo, o una placenta inadecuada, o un defecto genético. Otro de los factores puede ser el intervalo (menos de nueve meses) entre dos embarazos diferentes. Pero incluso en dichos casos, una buena dieta y los cuidados prenatales a menudo pueden compensar. Y cuando se sabe que un bebé es pequeño, los mejores cuidados médicos, de los que dispone hoy en día, le proporcionan incluso al bebé más pequeño unas probabilidades cada vez mayores de sobrevivir y crecer con salud.

Si la mujer cree que tiene razones para preocuparse por la posibilidad de tener un bebé de bajo peso, deberá compartir sus inquietudes con el médico. Probablemente una ecografía podrá determinar en ese momento si el feto está creciendo a un ritmo normal o no. Si no crece lo suficiente, se podrán tomar medidas para descubrir la causa de

ese crecimiento lento y, posiblemente, se pueda encontrar una solución para corregirlo (vea la página 658).

UN PLAN PARA DAR A LUZ

"Una amiga mía que hace poco dio a luz me ha explicado que preparó un plan para el parto con su médico antes del nacimiento. ¿Debería hacer lo mismo?"

Los planes para dar a luz se están volviendo cada vez más comunes ya que los médicos están reconociendo que los padres quieren involucrarse más en las decisiones que hay que tomar. Hay algunos médicos que por rutina le piden a las madres que hagan un plan para dar a luz; hay otros que esperan a que el paciente lo pida. El plan típico, combina los deseos y preferencias de los padres con lo que el hospital o el centro de maternidad consideran aceptable (y lo que es factible desde el punto de vista práctico). No es un contrato sino algo verbal entre el médico y/o el hospital o entre el hospital y el paciente. Lo que se trata es de hacer todo más cercano al ideal del paciente sin que se pase a las expectativas irreales. Se tratan de minimizar los malentendidos y los conflictos de comunicación.

Un plan para dar a luz debe tratar de una amplia variedad de temas; el contenido preciso de cada uno depende de los padres, del médico y del hospital, así como de la situación en particular. Algunos de los temas sobre los que la mujer podría expresar sus preferencias incluyen los siguientes (se consultarán las páginas apropiadas antes de tomar la decisión):

- El lugar de la sala de partos (por ejemplo parto, recuperación y posparto, vea la página 16).

- Cuánto tiempo desea la mujer permanecer en casa durante la dilatación y en qué momento quiere ir al hospital.

- Comer y/o beber durante la dilatación (página 455).

- Estar fuera de la cama (pasear o estar sentada) durante la dilatación.

- Llevar lentillas durante la dilatación y el parto (generalmente no se permite si se requiere anestesia general).

- Personalización de la atmósfera (con música, iluminación, objetos de casa).

- El uso de una cámara fotográfica o de video.

- El uso de un espejo si quiere ver el parto.

- Uso de IV (administración intravenosa de fluidos, página 456).

- Uso de medicina para el dolor y el tipo de medicina para el dolor (página 367).

- Monitorización fetal externa (continua o intermitente); monitorización fetal interna (página 457).

- Uso de oxitocina (para inducir o aumentar las contracciones; página 468).

- Posiciones para la expulsión (página 468).

- Episiotomía; el uso de los pasos necesarios para reducir la posibilidad de tener que practicar una episiotomía (página 463).

- Uso de fórceps o extractor (página 465).

- La cesárea (página 395).

- La presencia de otras personas importantes (además del esposo) durante la dilatación y/o la expulsión.

- Aspiración de mucosidades del recién nacido; participación del padre en esto.

- Tomar en brazos al bebé inmediatamente después de nacer; dar de mamar de inmediato.

- Posponer pesar el bebé y administrarle gotas para los ojos hasta después de que madre e hijo se hayan conocido.

- Que el padre corte el cordón umbilical.

- Guardar el cordón umbilical (ver la página 437).

Quizás la madre también desee incluir algunos temas referentes al posparto en el plan para el parto, tales como*:

---

* Para mayor información lea *El primer año del bebé*.

Un plan de respaldo

Ojalá que el plan para dar a luz que hizo con su médico se convierta en una realidad, siempre lleve varias copias al hospital para que no haya dudas de cuáles son sus deseos para el parto. Trate de que cada enfermera tenga una copia de su plan, pregúnteles con suavidad si quieren tener una. Algunas parejas empacan el plan en canastas de colores y lo reparten, es una manera bonita de llevarse bien con el personal del hospital.

- Su presencia en el momento de pesar al bebé, de administrarle las gotas para los ojos, del examen pediátrico y de su primer baño.

- Alimentación del bebé en el hospital (si será controlada por el horario de la sala de recién nacidos o por el hambre del bebé; si la madre tendrá ayuda al amamantar; si se administrarán biberones suplementarios).

- Control de la congestión de los pechos si no se da de mamar (página 513).

- Circuncisión (vea *El primer año del bebé*)

- Compartir la habitación con el bebé (vea la página 519).

- Visitas de los demás niños a la madre y/o al bebé (vea *El primer año del bebé*).

- Medicación o tratamientos tras el parto para la madre o el bebé.

- Duración de la estancia en el hospital, salvo complicaciones.

Evidentemente lo más importante en un plan para dar a luz es la flexibilidad. Aunque es muy posible que su plan salga tal como lo diseñó, no existen garantías. Como no hay manera de predecir cómo va a progresar el parto (o si no va a progresar), es posible que su plan no salga como lo planeó. A lo mejor también se modifica porque usted cambió de opinión (no quería la epidural pero cuando sintió las contracciones la pidió). No importa si el plan se cumple o no se cumple, trate de tener en cuenta que las prioridades de cualquier nacimiento deben ser la salud y la seguridad de la madre y el bebé y que todas las otras consideraciones deben pasar a un segundo plano.

QUÉ ES IMPORTANTE SABER:
Todo sobre la medicación durante el parto

El 19 de enero de 1847, el médico escocés James Young Simpson depositó media cucharadita de cloroformo sobre un pañuelo y luego mantuvo este sobre la nariz de una mujer que iba de parto. Menos de media hora más tarde, esta mujer se convirtió en la primera que dio a luz bajo los efectos de la anestesia. (Solo se produjo una complicación: cuando la mujer, cuyo primer hijo había nacido después de tres días de doloroso parto, despertó, el doctor Simpson no consiguió convencerla de que ya había tenido a su hijo).

Esta revolución de la práctica obstétrica fue bienvenida por las mujeres, pero rechazada por la clerecía y también por algunos miembros de la profesión médica, quienes creían que el dolor durante el parto (el castigo de la mujer por las indiscreciones de Eva en el Edén) era una carga que la mujer debía soportar. El alivio del dolor sería inmoral.

Pero la oposición estaba condenada al fracaso. Cuando se supo que el parto no tenía por qué doler necesariamente, las pacientes de los obstetras ya no aceptaron más un "no" como respuesta a su deseo de ser aliviadas del dolor. Muy pronto, la pregunta ya no fue si la anestesia tenía o no un lugar en la obstetricia, sino qué tipo de anestesia sería más adecuada en el parto.

La búsqueda del analgésico perfecto –un fármaco que eliminara el dolor sin perjudicar a la madre ni al hijo– había empezado. Se realizaron progresos enormes (y aún se continúa progresando): los analgésicos y las anestesias fueron cada vez más seguros y eficaces.

Y luego, en los años 50 y 60 de nuestro siglo, el amor entre la medicación para el parto y las pacientes de los obstetras empezó a tambalearse. Las mujeres deseaban estar despiertas durante el nacimiento de sus hijos y experimentar cada una de las sensaciones del mismo, a pesar de las molestias. Y deseaban que sus hijos llegaran al mundo tan despiertos como antes –en lugar de atontados por los efectos de la anestesia.

Durante los años 70 y a principios de los 80, un grupo de mujeres resueltas declararon la guerra a los médicos más recalcitrantes, al grito de guerra "parto natural para todos". Hoy en día, los facultativos y las pacientes bien informadas reconocen por un igual que desear el alivio de los dolores es algo natural, y que por lo tanto la medicación analgésica puede tener un lugar en el parto natural. Aunque el parto sin medicación es considerado ideal, se admite que existen casos en que este ideal puede no serlo para la madre y/o el hijo. Se recomienda la medicación cuando:

- La fase de dilatación es larga y complicada –dado que la tensión del dolor puede conducir a desequilibrios químicos que podrían interferir en las contracciones, comprometer el flujo sanguíneo al feto, y dejar exhausta a la madre, reduciendo su capacidad de empujar con eficacia.

- El dolor es más de lo que la madre puede tolerar, o interfiere en su capacidad para empujar o es tan agitado que está trancando el progreso del parto.

- Se requiere el uso de fórceps (para facilitar la salida del bebé una vez que puede verse la cabeza por la vagina, vea la página 466).

- Es necesario bajar el ritmo frente a una dilatación precipitada (peligrosamente rápida) (vea la página 452).

Una de las preocupaciones primordiales de la medicación en obstetricia estriba no sólo en la seguridad de la persona que recibe la medicación (la madre), sino también en la de un espectador inocente (el bebé). Los bebés cuyas madres reciben medicación durante el parto pueden nacer atontados, amodorrados, insensibles y a veces con dificultades de respiración y succión y con un latido cardíaco irregular. Sin embargo, los estudios realizados al respecto demuestran que si los fármacos han sido utilizados correctamente, estos efectos adversos desaparecen en gran parte poco después del nacimiento. Un feto puede superar un cierto grado de depresión o detención de la actividad que a veces es el resultado de un exceso de medicación durante la dilatación o demasiada anestesia durante la expulsión; solamente la depresión extrema es peligrosa. Si un bebé está tan drogado que no respira espontáneamente en el momento de nacer, la rápida aplicación de los métodos de reanimación impedirá que se produzcan lesiones perdurables.

Otra preocupación más sobre la administración de los analgésicos es cómo afectarán al progreso de la dilatación; si se proporcionan en un mal momento pueden disminuir la dilatación e incluso detenerla.

La utilización prudente de cualquier tipo de medicación exige siempre una cuidadosa consideración de los riesgos y los beneficios. En el caso de los fármacos obstétricos, los riesgos y beneficios deben ser examinados para la madre y el hijo, lo que complica la ecuación. En algunas ocasiones, los riesgos de la medicación son claramente superiores a los beneficios que ofrece – como sucede por ejemplo cuando el feto, debido a que es prematuro o a otros factores, no parece ser lo bastante fuerte para enfrentarse al estrés combinado del parto y los fármacos.

La mayoría de los expertos opinan que cuando se utiliza una medicación para el parto, los beneficios pueden ser incrementados y los riesgos reducidos aplicando las siguientes medidas:

- Escogiendo un fármaco que tenga los menores efectos secundarios o riesgos posibles para la madre y el hijo y que a pesar de ello proporcione un alivio eficaz del dolor; suministrando el fármaco en las menores dosis que tengan eficacia, y administrándolo en el momento óptimo del parto. La exposición a un anestésico general suele ser minimizada en los partos por cesárea extrayendo el feto a los pocos minutos de administrarlo a la madre, antes de que tenga la posibilidad de atravesar la placenta en cantidades significativas.

- Solicitando que un anestesiólogo o anestesista experto administre la anestesia. (La embarazada tiene derecho a insistir en ello si debe ser sometida a anestesia general o regional –espinal, epidural, etcétera).

¿QUÉ TIPOS DE ALIVIO DEL DOLOR SE EMPLEAN COMÚNMENTE?

Durante la dilatación y el parto se pueden administrar diversos analgésicos (alivian el dolor), anestésicos (sustancias que producen una pérdida de la sensación) o ataráxicos (tranquilizantes). El fármaco que se administrará, si es que llega a utilizarse alguno, dependerá de la fase en que esté la dilatación, las preferencias de la paciente (excepto si se trata de una emergencia), el historial anterior de la madre, y sus condiciones en el momento del parto, así como las del bebé, y también de las preferencias y la pericia del obstetra y/o el anestesista. La eficacia dependerá de la mujer (diferentes medicamentos afectan a las personas de diferentes maneras), de la dosificación y de otros factores. En algunas pocas ocasiones, un fármaco no produce el efecto deseado y procura un alivio escaso o nulo del dolor. En la obstetricia, el alivio del dolor casi siempre se reduce con la epidural, pero hay muchas otras opciones, algunas tradicionales y otras que provienen de la medicina complementaria y la medicina alternativa:

El bloqueo epidural (o epidural lumbar) es el anestésico más popular para los partos vaginales y por cesárea, así como para el alivio del dolor del parto. Más del 50% de las mujeres en trabajo de parto la piden. La razón principal de ello estriba en su relativa seguridad (se necesita menos cantidad de fármaco para conseguir el efecto deseado), en su facilidad de administración y en los resultados (el alivio del dolor se localiza en la parte baja del cuerpo y le permite estar despierta durante el nacimiento y le permite estar alerta para poder cargar a su bebé inmediatamente después del parto).

Antes de administrar la epidural, se comienza con una intravenosa (esto se hace para prevenir la baja presión arterial, un efecto secundario de la epidural). En algunos hospitales (las políticas varían), se inserta un catéter (tubo) en la vejiga antes de poner la epidural y se deja ahí para que drene la orina mientras la epidural hace efecto (ya que la medicina puede suprimir las ganas de orinar). En otros hospitales, la vejiga simplemente drena de manera indeterminada y el personal del hospital se encarga, con un catéter.

Para administrar la epidural, la espalda de la mujer se cubre con una solución antiséptica y una parte de la espalda se prepara con anestesia local, a través de esa área, se introduce una aguja larga hacia el espacio epidural de la espina dorsal. Esto se hace habitualmente mientras la madre se halla tendida sobre su lado izquierdo o se sienta y se apoya en la mesa para conservar el equilibrio o se apoya en su esposo, una enfermera o una partera. Algunas mujeres sienten un poco de presión mientras entra la aguja; otras sienten un poco de dolor mientras la aguja encaja en el lugar preciso. La aguja se quita y queda un catéter en su lugar, el tubo se pega a la espalda de la mujer para que se pueda mover de un lado a otro. De tres a cinco minutos después de la dosis inicial, el útero empieza a entumecerse, después de diez minutos, se empieza a sentir el efecto completo. La epidural reduce el dolor de manera significativa. Hay mujeres que pujan bien con la epidural, pero si la mujer no puede pujar, se puede quitar para que la mujer controle el proceso. Se puede restaurar la medicina después del parto, durante la reparación de la episiotomía, si se ha practicado una.

Se controla con frecuencia la presión sanguínea, ya que esta intervención puede hacerla bajar súbitamente. Para contrarrestar esta reacción se puede administrar líquido, y posiblemente una medicación, por vía intravenosa. También puede resultar útil la inclinación del útero hacia la izquierda. Debido al riesgo de un descenso de la presión sanguínea, la epidural no se suele utilizar cuando existe una complicación hemorrágica, como por ejemplo una placenta previa, una preeclampsia grave o una eclampsia o sufrimiento fetal. Debido a que la anestesia epidural a veces se encuentra asociada a una disminución del ritmo del latido cardíaco fetal, generalmente se requiere un control fetal continuado.

Existen otros efectos secundarios, aunque no son frecuentes, como escalofríos, entumecimiento, en una sola parte del cuerpo y dolores de cabeza. La epidural puede que no ofrezca un control total del dolor (cuando el feto está en posición posterior, con la cabeza haciendo presión en la espalda de la madre).

Anteriormente se pensaba que en los partos de primerizas la epidural podía aumentar las probabilidades de que se precisara una cesárea. Pero ahora se ha demostrado que no es cierto, la epidural no hace que se necesite una intervención quirúrgica. De todas maneras un parto con epidural puede ser más largo ya que las contracciones son menores o se sienten menos. Si resulta necesario, el médico puede administrar oxitocina.

Algunos médicos prefieren esperar a que la mujer dilate de tres a cuatro centímetros antes de dar la epidural, porque es posible que si la dan antes se necesite cesárea. Hay otros médicos que piensan que si la mujer la pide, deben dársela.

Otra buena opción es "la epidural para caminar", esta utiliza una dosis menor y una mezcla diferente de medicamentos y aunque disminuye el dolor, no disminuye la función motora, lo que significa que la mujer en trabajo de parto puede sentir las contracciones y caminar, si lo desea. Desafortunadamente este tipo de epidural requiere la experiencia de un anestesiólogo experto y no son muy comunes todavía.

Bloqueadores nerviosos regionales. *El boqueo pudendo*, utilizado ocasionalmente para aliviar el dolor del principio de la segunda fase del parto, suele ser reservado para los partos espontáneos o ayudas instrumentales fáciles. Administrado a través de una aguja insertada en el área perineal o vagina (mientras la madre se encuentra tendida de espaldas, con los pies en los estribos), reduce el dolor de la zona, pero no la molestia uterina. Resulta útil cuando se emplean los fórceps bajos, y sus efectos pueden prolongarse durante la episiotomía y la sutura. Es empleado a menudo en combinación con el Demerol o con un tranquilizante, para proporcionar un excelente alivio del dolor con relativa seguridad –incluso cuando no está presente un anestesiólogo.

El bloqueo espinal (para cesárea) y el espinal bajo (para los partos que se asisten con fórceps o para los que se necesita extracción) generalmente se administra en una sola dosis justo antes del nacimiento del bebé. La madre se sienta o se acuesta de lado mientras se inyecta un anestésico. Puede haber algo de náuseas y vómito durante el efecto de la droga (una hora o una hora y media). Al igual que con la epidural, hay riesgo de una baja de presión arterial. Para contraatacar o prevenir esta complicación, la madre puede subir las piernas, acostarse del lado izquierdo, le pueden administrar fluidos intravenosos si es necesario. Después de dar a luz, se les pide a las pacientes que permanezcan acostadas en sus espaldas durante unas ocho horas. Algunas pueden sentir dolor pero este se puede controlar. Al igual que con la epidural, este tipo de anestesia no se puede utilizar si hay placenta previa, preeclampsia o eclampsia o peligros con el feto.

Analgésicos. El clorhidrato de meperidina, un producto eficaz para aliviar el dolor, conocido habitualmente con el nombre comercial de Demerol, se utiliza frecuentemente como analgésico obstétrico. Es más eficaz administrado por vía intravenosa (inyectado lentamente en un aparato IV, de modo que sus efectos puedan ser calibrados) o por vía intramuscular (una inyección, generalmente en los glúteos, aunque puede repetirse cada dos a cuatro horas según se precise). El Demerol no suele interferir las contracciones, aunque a dosis elevadas puede parecer que las contracciones son menos frecuentes o más débiles. Puede ayudar realmente a normalizar las contracciones en caso de mal funcionamiento uterino. Al igual que otros analgésicos, el Demerol no suele administrarse hasta que el parto está ya bien establecido y se ha descartado la posibilidad de un parto falso, pero por lo menos dos o tres horas antes de la prevista para el nacimiento. La reacción de la madre ante este fármaco y el grado de alivio del dolor varían considerablemente. Algunas mujeres encuentran que las relaja y les permite controlar mejor las contracciones. Otras encuentran muy desagradable la sensación de adormecimiento y se sienten menos capaces por ello de colaborar en el parto. En función de la sensibilidad de la mujer, los posibles efectos secundarios que se pueden presentar son: náuseas, vómitos, depresión y un descenso de la presión sanguínea. El efecto que el Demerol ejercerá sobre el recién nacido depende de la dosis total y del momento en que fue administrado con respecto a la hora del nacimiento. Si es demasiado cerca del nacimiento, el bebé puede presentarse soñoliento e incapaz de succionar; en ocasiones se puede observar una depresión de la respiración y puede ser necesaria la administración de oxígeno. Estos efectos suelen ser de corta duración y en caso necesario, pueden ser combatidos. El Demerol puede ser administrado también después del parto, para aliviar el dolor si le quitaron la placenta, el dolor de una cesárea, o una episiotomía.

Otros métodos de aliviar el dolor. Los siguientes métodos se utilizan con menos frecuencia que los métodos listados anteriormente:

Tranquilizantes. Estos fármacos (como el Fenergán y el Tranxilium) se utilizan para relajar y calmar a una mujer que se muestre ansiosa, con el fin de que pueda participar más plenamente en el parto. Los tranquilizantes pueden también aumentar el efecto de los analgésicos, como por ejemplo del Demerol. Al igual que los analgésicos, los tranquilizantes suelen administrarse cuando el parto está ya bien establecido, y con bastante anterioridad al nacimiento. Pero ocasionalmente son utilizados en las primeras etapas del parto si una madre primeriza se muestra extremadamente nerviosa. Las reacciones de las mujeres a los efectos de los tranquilizantes son variables. Algunas agradecen la somnolencia que procuran; pero otras encuentran que dicha somnolencia les impide conservar el control. Una dosis pequeña puede servir para reducir la ansiedad sin menoscabar la atención. Una dosis mayor puede provocar un entorpecimiento del habla y un cierto entorpecimiento entre las contracciones –lo que dificulta la utilización de las técnicas aprendidas en los cursos de preparación al parto. Aunque los riesgos de los tranquilizantes para el feto o el recién nacido son mínimos (salvo en casos de sufrimiento fetal), es aconsejable que la parturienta y su asistente intenten aplicar las técnicas de relajación no medicamentosas antes de pedir una medicación.

Anestesia general. Aunque antiguamente era el modo más popular de aliviar los dolores del parto, en la actualidad la anestesia general –que hace dormir a la paciente– se utiliza casi exclusivamente para los partos quirúrgicos, y ocasionalmente para la salida de la cabeza en un parto vaginal de nalgas. Debido a su rápido efecto, es el tipo de anestesia empleado con mayor frecuencia en las cesáreas de emergencia, cuando no hay tiempo para administrar un anestésico regional.

Los inhalantes, como los utilizados para obtener un efecto analgésico, se emplean para inducir la anestesia general –a menudo en combinación con otros agentes. Los administra un anestesiólogo en la sala de operaciones/partos. La madre está despierta durante las preparaciones y queda inconsciente sólo unos pocos minutos mientras nace el bebé. Cuando se despierta, es posible que se sienta desorientada e intranquila. Puede tener un acceso de tos o la garganta dolorida (debido al tubo endotraqueal), náuseas y vómitos, y encontrarse con que su vejiga y sus intestinos pueden mostrarse perezosos. Otro posible efecto secundario es un descenso temporal de la presión sanguínea.

El problema principal de la anestesia general es que el feto queda tan sedado como la madre. Sin embargo, el efecto sedante sobre el feto puede ser minimizado administrando la anestesia lo más cerca posible del nacimiento. De este modo, el bebé puede nacer antes de que el anestésico haya llegado hasta él en cantidades significativas. La administración de oxígeno a la madre y que esta se tienda sobre el costado (generalmente el izquierdo) pueden ayudar también a que el feto tenga oxígeno y a minimizar el efecto de la droga.

El otro riesgo importante de la anestesia general consiste en que la madre puede vomitar y aspirar (inhalar) luego el material vomitado, lo que puede causar complicaciones, como por ejemplo una neumonía por aspiración. Esta es la razón de que se pida a las futuras madres que no coman cuando van de parto y de que, en caso de que deba administrárseles una anestesia general, se les inserte un tubo a través de la boca, hasta la garganta, para impedir la aspiración. También se les pueden administrar antiácidos para neutralizar los ácidos del estómago en caso de que hayan inhalado los vómitos.

Medicina alternativa y complementaria para el alivio del dolor. Existen cada vez más opciones para los que buscan otras alternativas de evadir el dolor del parto. Estas tratan de reducir el dolor sin utilizar medicamentos. Son opciones muy buenas para las mujeres que no quieren utilizar medicinas en el parto o para mujeres que están en recuperación por drogas o alcohol y no deben usar ni tranquilizantes, ni nada que les altere el genio:

Hipnosis. A pesar de la mala reputación que haya podido adquirir en los clubes nocturnos, la hipnosis manejada por personas expertas puede proporcionar una vía legítima, médicamente aceptable, para aliviar el dolor. En realidad, la hipnosis no tiene nada de misteriosa. La sugestión y el poder de la mente sobre la materia son enseñados en toda buena clase de preparación al parto. Con la hipnosis se consigue un nivel muy elevado de sugestión, gracias al cual (y en función de la susceptibilidad individual y del tipo de hipnosis

utilizado) se puede conseguir desde la relajación de la paciente hasta la completa supresión de su conciencia del dolor. Sólo uno de cada cuatro adultos es hipnotizable hasta cierto grado. (Un porcentaje muy reducido de pacientes pueden incluso sufrir un parto por cesárea sin medicación y sin sentir ningún dolor).

El adiestramiento hipnótico de una paciente para el parto debería empezar semanas o incluso meses antes, con un médico titulado en la materia u otro médico recomendado por el obstetra. Se puede emplear la autohipnosis o bien depender del médico, quien será el encargado de hacer las sugestiones. En cualquier caso, la hipnosis se debe aplicar con cautela –ya que puede ser usada incorrectamente. Para mayor información vea la página 331.

ENET (Estimulación nerviosa eléctrica transcutánea). La ENET usa electrodos para estimular las vías nerviosas al útero y la cérvix. Existe la teoría de que esta estimulación bloquea otras señales sensoriales que también pasan por dichas vías. La intensidad de la estimulación es controlada por la paciente, lo que le permite incrementarla durante las contracciones y reducirla entre ellas. Cada vez hay más hospitales que disponen de este sistema, y podría valer la pena saber si el suyo es uno de ellos.

Acupuntura. Popular desde hace mucho en China y a veces utilizada en

EE.UU. y Europa, probablemente la acupuntura actúa según los mismos principios que la ENET. Pero la estimulación es suministrada por unas agujas insertadas y manipuladas a través de la piel. Algunos estudios han demostrado que la acupuntura puede reducir la necesidad de otras medicinas para el dolor durante el parto.

Terapia física. Masajes, calor, presión, contrapresión o reflexología administrados por un profesional de la salud, la pareja o un amigo (que sepa perfectamente lo que es seguro y lo que no es seguro durante el parto), a menudo aminoran la percepción del dolor. En algunas clases prenatales enseñan este tipo de técnicas.

Hidroterapia. Puede ser muy efectiva para minimizar el dolor, hoy existen varios hospitales que ofrecen tinas y jacuzzi para las mujeres que van a dar a luz.

Alteración de los factores de riesgo de aumentar la percepción del dolor. Diversos factores, tanto emocionales como físicos, pueden afectar cómo una mujer percibe el dolor del parto. Alterándolos, a menudo se puede aumentar el bienestar durante la dilatación (véa página 472).

Distracción. Cualquier cosa –ver la TV, oír música, meditar, practicar ejercicios de respiración– que mantenga la mente de la mujer alejada del dolor, puede hacer disminuir la percepción de este. También puede concentrarse en un objeto (un ultrasonido de su bebé, un paisaje que le guste, una foto o su lugar favorito) o puede hacer ejercicios de visualización (por ejemplo puede imaginarse a su hijo feliz saliendo de usted suavemente).

LA DECISIÓN

Ante el nacimiento de sus hijos, las mujeres tienen hoy en día más opciones que nunca. Y con la excepción de ciertas situaciones de emergencia, la decisión de recibir o no una medicación durante el parto podrá tomarla en gran parte la propia interesada. A continuación se detalla el modo de tomar la mejor decisión posible, para la madre y para el hijo:

♦ Hablar del alivio del dolor y de la anestesia con el médico mucho antes de que empiecen los dolores del parto. La experiencia del médico le convierte en un aliado muy valioso en el momento de tomar una decisión al respecto. La futura madre deberá informarse de lo siguiente mucho antes de que empiece la primera contracción: qué tipos de fármacos o procedimientos suele emplear su médico; qué efectos secundarios puede experimentar la madre y/o el hijo; cuándo considera el médico como absolutamente necesaria la medicación; cuándo considera que la opción tan sólo incumbe a la futura madre.

◆ Reconocer que, aunque el parto es una experiencia natural por la que muchas mujeres pueden pasar sin medicación, no es un intento de pasar una dura prueba o un examen de valentía, fuerza o resistencia. El dolor del parto ha sido descrito como el más intenso que puede experimentar un ser humano. La tecnología médica ha proporcionado a las mujeres la opción de aliviar ese dolor mediante la medicación. Esta opción no sólo es aceptable, en ciertos casos es la preferible.

◆ Tener en cuenta que tomar medicación para el parto (o cualquier medicación) entraña tantos riesgos como beneficios, y sólo debería usarse cuando los segundos superen a los primeros. Si está familiarizada con la medicina complementaria y alternativa, es bueno que la considere en combinación con la medicina tradicional (lo que generalmente significa que necesita menos medicina).

◆ No decidirse ni aferrarse a una idea con anticipación. Aunque está bien que la embarazada teorice sobre lo que podría ser mejor para ella bajo ciertas circunstancias, es imposible predecir qué tipo de dilatación o de expulsión tendrá, cómo responderá a las contracciones, y si deseará, necesitará o estará obligada a recibir medicación. Incluso en el caso de que sepa ya que el parto será por cesárea, puede planificar provisionalmente la administración de una anestesia epidural o espinal; las complicaciones de última hora podrían exigir el uso de una anestesia general. Es bueno que intente combinar la medicina tradicional con la medicina complementaria y alternativa.

Si durante el parto siente la necesidad de que se le administre una medicación, deberá discutirlo con su asistente y con la enfermera o con el médico. Pero es mejor que no insista en que le sea administrada inmediatamente. Debe intentar aguantar durante unos 15 minutos, haciendo el mejor uso posible de este tiempo –concentrarse aún más en las técnicas de relajación y respiración; aceptar toda la ayuda que su acompañante pueda proporcionarle. Es posible que se dé cuenta de que, con un poco más de ayuda, pueda soportar el dolor, o de que los progresos que ha efectuado en estos 15 minutos le han dado el coraje necesario para continuar sin medicación. Si después de esperar estos 15 minutos, la mujer considera que aún necesita un alivio del dolor, o que lo necesita incluso bastante más que antes, deberá pedirlo –y sin sentirse culpable de ello. En caso de que el médico decida que la mujer necesita inmediatamente una medicación, por ella o por su bebé, no es aconsejable esperar.

Lo más importante es recordar que el bienestar de la mujer y el de su bebé constituyen la prioridad número uno (como ha sucedido durante todo el embarazo) y no una imagen sobre el parto preconcebida e idealizada. Todas las decisiones deberán tomarse teniendo esta prioridad en mente.

También recuerde que no importa qué tan difícil haya sido su parto, una vez que cargue a ese pequeñito en sus brazos, se le olvidará todo el dolor que pudo haber sentido.

CAPÍTULO DOCE

El octavo mes

De la semana 32 a la 35 aproximadamente

En este penúltimo mes seguramente está saboreando cada momento o probablemente está asustada con el enorme tamaño de su barriga (sin mencionar lo difícil que es dormir con ella). De cualquier manera usted debe estar preocupada y muy emocionada por lo que le pasará: el nacimiento de su hijo. Claro, usted y su pareja habrán tenido altibajos a lo largo del proceso y muchas expectativas, especialmente si se trata de su primer bebé. Es bueno que hable de lo que siente con familiares o amigos que ya tienen hijos propios, así se dará cuenta que todos se sienten igual a las puertas de la maternidad.

QUÉ SE PUEDE ESPERAR EN LA VISITA DE ESTE MES

Después de las 32 semanas, es probable que el médico le pida a la futura madre que acuda a la consulta cada dos semanas, para poder controlar más de cerca su estado. El médico examinará probablemente los siguientes puntos, en función de las necesidades particulares de la embarazada y de las costumbres del propio médico*.

- Peso y presión sanguínea

- Orina, para detectar azúcar y albúmina

- Latido cardíaco del feto

- Altura del fondo del útero (parte superior de la matriz)

- Tamaño (es posible establecer un peso aproximado y posición del feto, mediante palpación)

- Manos y pies, para detectar edema (hinchazón); piernas, para detectar venas varicosas

- Examen de estreptococo del Grupo B

- Síntomas que ha experimentado la futura madre, en especial los poco habituales

- Preguntas y problemas que la mujer desee discutir —es aconsejable llevar una lista a la consulta

---

* Véase el Apéndice, página 545, para una explicación de las intervenciones y los exámenes realizados

UNA MIRADA INTERNA

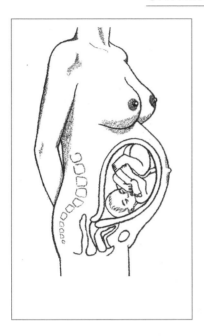

▼ *El feto mide de 45 cm a 50 cm y pesa de 2 a 2¹/₂ kilos (y sube más o menos 14 gramos diarios). Ahora es menos arrugado ya que la grasita va llenando su adorable figura. Las muñecas y el cuello se distinguen perfectamente y las arruguitas de las rodillas y codos ya están ahí. El bebé ahora tiene menos espacio para la gimnasia, sentirá menos patadas y más contorsiones. Al igual que un recién nacido, el feto dormirá durante ciertos periodos y estará despierto en otros momentos. El cerebro sigue creciendo a pasos agigantados; los pulmones ya casi están maduros y un bebé que nace en esta etapa tiene excelentes oportunidades de ser completamente saludable.*

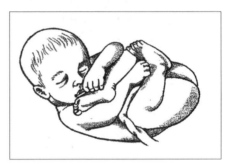

▲ *Un dato interesante del embarazo: si mide en centímetros desde la punta del hueso púbico hasta la punta del útero, corresponde más o menos a las semanas de embarazo, así a las 34 semanas, su útero mide 34 cm.*

QUÉ SE PUEDE SENTIR

Se pueden experimentar todos estos síntomas en un momento u otro, o bien sólo unos pocos. Algunos pueden continuar desde el mes pasado y otros serán nuevos o apenas perceptibles. También es posible que la embarazada experimente otros síntomas menos comunes.

FÍSICOS:

◆ Actividad fetal intensa y regular

◆ Flujo vaginal blanquecino paulatinamente más abundante (leucorrea)

◆ Estreñimiento creciente

- Acidez de estómago e indigestión, flatulencia e hinchazón

- Dolores de cabeza, vahídos o desvanecimientos ocasionales

- Congestión nasal y hemorragias nasales ocasionales; embotamiento de los oídos

- Sangre en las encías

- Calambres en las piernas

- Dolor de espalda

- Presión en la pelvis y/o dolor.

- Edema benigno (hinchazón) de los tobillos y de los pies, y ocasionalmente de las manos y la cara

- Venas varicosas en las piernas

- Hemorroides

- Picazón en el abdomen

- Falta creciente de aliento a medida que el útero se desplaza a los pulmones, que se alivia al bajar el bebé

- Dificultades para dormir

- Contracciones de Braxton Hicks en aumento

- Torpeza creciente

- Crecimiento de los pechos

- Calostro en los pechos, que sale espontáneamente o por presión (aunque esta sustancia anterior a la leche puede no aparecer hasta después del parto)

EMOCIONALES:

- Ansiedad creciente de que termine el embarazo

- Aprensión acerca de la salud del bebé y acerca del parto

- Distracciones crecientes

- Excitación y algo de ansiedad al darse cuenta de que ahora ya no falta mucho.

QUÉ PUEDE PREOCUPAR

FALTA DE ALIENTO

"Algunas veces siento dificultades para respirar. ¿Puede esto significar que mi bebé no recibe el oxígeno suficiente?"

La falta de aliento no significa que la madre –o el hijo–, estén faltos de oxígeno. De hecho, los cambios que se producen durante el embarazo en el siste-

ma respiratorio permiten que las mujeres aspiren *más* oxígeno y lo aprovechen con mayor eficacia. Sin embargo, la mayoría de las embarazadas experimentan dificultades más o menos intensas para respirar (algunas las describen como una sensación de necesidad consciente de respirar más profundamente), sobre todo durante le último trimestre, cuando el útero presiona cada vez más sobre el diafragma, empujando a los pulmones. El problema suele disminuir cuando se produce el aligeramiento cuando el feto desciende hacia la pelvis, en el primer embarazo habitualmente dos o tres semanas antes del parto (en los primeros embarazos esto ocurre generalmente dos o tres semanas antes del parto, vea la página 424). Mientras tanto, la futura madre podrá respirar mejor si se sienta bien recta en vez de dejarse caer en un sillón, si duerme con el cuerpo algo levantado y si evita el cansancio exagerado. Las mujeres que tienen un vientre "bajo" durante todo su embarazo quizás no experimenten jamás una falta de aliento tan exagerada, y ello también es normal.

La falta de aliento grave, no obstante, que va acompañada de una respiración rápida, labios y puntas de los dedos azulados, dolor pectoral y/o pulso rápido requieren una llamada inmediata al médico o para más seguridad el traslado a un servicio de urgencias.

CONTRACCIONES DE BRAXTON HICKS

"De vez en cuando me parece que el útero se contrae y endurece. ¿Qué está pasando?"

Práctica, práctica, práctica. Se trata probablemente de las contracciones de Braxton Hicks, que suelen empezar a preparar el útero para el parto en algún momento después de la vigésima semana de gestación. Dichas contracciones las sienten antes y de forma más intensa las mujeres que ya han tenido otros hijos. En efecto, el útero está contrayendo sus músculos, precalentándose para prepararse para las contracciones reales, que deberán empujar al bebé fuera de la matriz cuando sea el momento. La embarazada notará estas contracciones en forma de un endurecimiento indoloro (pero posiblemente incómodo) del útero, que empieza en la parte superior y se extiende gradualmente hacia abajo antes de que se produzca de nuevo la relajación. Estas contracciones suelen durar unos 30 segundos (tiempo suficiente para que la madre practique sus ejercicios respiratorios), pero a veces pueden durar 2 minutos o más.

A medida que el embarazo se acerca a su término, en el noveno mes, las contracciones de Braxton Hicks se pueden volver paulatinamente más frecuentes, más intensas –a veces incluso dolorosas– y por ello más difíciles de distinguir de las verdaderas contracciones del parto (véase el apartado dedicado al preparto, el falso parto y el parto verdadero, página 438). Aunque no son suficientemente eficaces para expulsar al feto, las contracciones de Braxton Hicks pueden hacer que empiecen los procesos previos de borramiento y dilatación, ayudando así al parto antes de que este haya comenzado realmente.

Aunque las contracciones de Braxton Hicks no constituyen una verdadera dilatación, puede que sean difíciles de diferenciar de la actividad uterina del tipo que precede a un parto prematuro (vea la página 438). Por lo tanto, la mujer se asegurará de describir las contracciones a su médico durante la siguiente visita. Informará de ellas de inmediato si son muy frecuentes (más de 4 por hora) y/o acompañadas de dolor (de espalda, abdominal o pélvico) o por cualquier tipo de flujo vaginal inusual, o si la embarazada entra dentro de la categoría de alto riesgo en cuanto a un parto prematuro (vea la página 358).

UN COSQUILLEO NO MUY AGRADABLE EN LAS COSTILLAS

"Me siento como si mi hijo me hubiera introducido los pies en la caja torácica y eso duele de verdad."

Durante los últimos meses, cuando los fetos no siempre se encuentran cómodos en su reducido espacio, a menudo parece que encuentran un ajustado hueco para sus pies entre las costillas de su madre, y este es un tipo de cosquilleo en las costillas que no resulta agradable. Si la madre cambia de posición, quizá convenza al bebé de hacer lo mismo. Unos pocos movimientos del dromedario (página 268) pueden desalojarlo. O se intentará respirar hondo mientras se levanta un brazo por encima de la cabeza, y luego se exhalará mientras se baja el brazo; y se repetirá el ejercicio varias veces con cada brazo.

Si ninguna de estas tácticas surte efecto, se renunciará. Cuando el bebé baje hacia la pelvis, lo que suele suceder dos o tres semanas antes de dar a luz en los primeros embarazos (pero no hasta empezar la dilatación en los subsiguientes), probablemente no será capaz de hacer llegar sus pies tan alto.

INCONTINENCIA DE LA ORINA

"Anoche estaba viendo una película cómica y cada vez que me reía se me escapaba algo de orina. ¿Pasa algo malo?"

Durante el último trimestre, a algunas mujeres se les escapa un poco de orina –generalmente sólo cuando ríen (o tosen, o estornudan). Ello se denomina incontinencia de la orina y durante el embarazo es el resultado de la presión que el útero que va creciendo ejerce sobre la vejiga. Asegúrese de que lo que sale es orina, huela un poquito para saber, si no le parece orina, llame inmediatamente a su doctor porque puede que se trate de líquido amniótico. Si está segura de que es orina, mencione el inconveniente al doctor en su próxima visita.

Estos consejos le pueden ayudar a prevenir o a controlar la incontinencia en cierto grado:

◆ Evite las comidas y bebidas que irriten la vejiga como los líquidos con cafeína, las frutas y jugos cítricos, los tomates, la comida picante, las bebidas carbonatadas (incluyendo las que no tienen azúcar) y el alcohol en todas sus formas.

◆ Hacer los ejercicios de Kegel (vea la página 262), que también son útiles para dar firmeza a los músculos pélvicos para el parto y la recuperación del posparto, puede ser de gran ayuda. También pueden ayudar a prevenir la incontinencia del posparto. No espere obtener resultados de inmediato, tenga paciencia.

◆ Haga los ejercicios Kegel o cruce sus piernas si va a estornudar o si va a levantar algo pesado.

◆ Tome las medidas necesarias para evitar una infección del tracto urinario (vea la página 594).

◆ Evite el estreñimiento (vea la página 211) ya que puede causar presión en la vejiga y hacer fuerza para defecar puede debilitar los músculos pélvicos.

◆ Mantenga un buen peso. Los kilos de más van a hacer presión en la vejiga.

Algunas mujeres sienten ganas repentinas de orinar. Si usted tiene incontinencia, trate de entrenar a su vejiga. Orine con más frecuencia, cada media hora o una hora, así puede sacar la orina antes de sentir la necesidad incontrolable. Después de una semana, trate de extender el tiempo entre una evacuación y otra.

Recuerde seguir tomando por lo menos ocho vasos de agua al día, aunque tenga incontinencia. No limite su ingesta de líquidos, esto no hace que los músculos de la vejiga sean más fuertes y puede conducir a infecciones del tracto urinario y/o a la deshidratación.

BAÑARSE

"Mi madre me ha dicho que no debo bañarme después de las 34 semanas de gestación. Mi médico me dice que no hay problema. ¿Por qué?"

Este es uno de los casos en que la madre no lo sabe todo mejor que nadie. Aunque su intención es buena, está mal informada. Es probable que esté basando su advertencia en las órdenes que le dio el médico cuando iba a dar a luz ella misma. La mayoría de los médicos, hace 20 o 30 años, creía que las sustancias extrañas, como por ejemplo el agua sucia del baño, podían subir por la vagina y llegar hasta el cuello uterino durante el embarazo, provocando una infección.

Pero aunque se ha de investigar más este tema, los médicos creen actualmente que el agua no penetra en la vagina a menos que entre a presión, como sucede en las duchas vaginales; por consiguiente, no hay motivo de preocupación. Incluso en el caso de que el agua

---

Exámenes para recién nacidos

La mayoría de los bebés nacen saludables y se quedan así. Pero hay un porcentaje muy bajo de niños que nacen bien y después se enferman repentinamente. Ahora hay exámenes para más de treinta enfermedades en recién nacidos y muchas de ellas ponen en riesgo la vida del bebé si no se diagnostican y se tratan a tiempo. Sin embargo esos exámenes no los hacen en todas partes. Si en el lugar en donde nacerá su hijo no le ofrecen este tipo de exámenes, puede acudir a un laboratorio privado. El laboratorio utilizará una prueba de sangre del bebé.

Si su hijo resulta positivo en algún examen deben comenzar un tratamiento con el pediatra. Un diagnóstico a tiempo y un buen tratamiento hacen la diferencia.

---

entre en la vagina, el tapón mucoso que cierra el cuello uterino protege eficazmente a las membranas que rodean al feto, al líquido amniótico y al propio feto de los posibles microorganismos infecciosos. Por lo tanto, a menos que las membranas ya se hayan roto o que el tapón haya sido expulsado, la mayoría de los médicos les permiten bañarse a las futuras madres que presentan un embarazo normal y muchos médicos permiten, e incluso sugieren, baños en la tina (para la hidroterapia) e incluso partos en agua (vea la página 19). Casi todos los médicos permiten los baños hasta semanas antes del parto.

Pero los baños y las duchas no carecen totalmente de riesgos, sobre todo el último trimestre, cuando la torpeza puede provocar resbalones y caídas. Para evitarlos la embarazada se bañará con cuidado, se asegurará de que su bañera o ducha tenga una superficie antideslizante o usará una alfombrilla antideslizante y tendrá a alguien al lado, si es posible, para ayudarla a entrar y salir de la bañera.

CONDUCIR COCHE

"Apenas me puedo sentar detrás del volante ¿Puedo continuar conduciendo el coche?"

Puede conducir siempre y cuando quepa en el asiento del conductor, pueda mover la silla para atrás y acomodar el volante. Si tiene espacio, y asumiendo que no tiene mareos u otros síntomas que interfieran, puede manejar distancias cortas hasta el final del embarazo.

Los viajes de larga duración en coche (de más de una hora) probablemente son demasiado agotadores para la etapa final del embarazo, sin importar quién sea el conductor. Sin embargo, si la gestante debe hacer un viaje largo y tiene el permiso de su médico, se asegurará de parar cada hora o dos para pasear un poco. Puede hacer los ejercicios de estiramiento de cuello de las páginas 265, 271 y 273 para sentirse más cómoda.

No obstante, no debe intentar conducir ella misma hasta el hospital cuando haya comenzado la dilatación. Y no debe olvidar –en ningún viaje en coche, y ya sea conductora o pasajera– abrocharse el cinturón de seguridad.

ESTREPTOCOCO DEL GRUPO B

"Mi médico quiere hacerme un examen para descartar esta infección. ¿Eso qué significa?"

Significa que su médico quiere más seguridad para usted.

El estreptococo del grupo B es una bacteria que se puede encontrar en la vagina de mujeres sanas. En las que son portadoras no hay problema, pero en un bebé recién nacido que puede infectarse al pasar por la vagina en el momento de nacer, puede ser peligroso.

La mujer portadora no presenta síntomas, por lo cual debe hacerse el examen. Es por eso que ahora muchos médicos hacen el examen por rutina, más o menos en la semana 35 o 37 (no se debe hacer el examen antes porque no es confiable). Si no le ofrecen el examen, pídalo porque hay doctores que simplemente se enteran en la sala de partos y tratan a la mujer con mayor riesgo. Algunos doctores no le hacen el

examen a mamás que ya han sido diagnosticadas con la infección y están en su segundo embarazo, simplemente pasan al tratamiento directamente.

El examen es lo mismo que un Papanicolau. Las mujeres con un examen positivo deben recibir antibióticos vía intravenosa durante el parto. Si la infección se detecta en la orina, también le darán antibióticos orales durante las últimas semanas de embarazo.

AUMENTO DE PESO Y TAMAÑO DEL BEBÉ

"He aumentado tanto de peso que me temo que el bebé será muy grande y que el parto resultará difícil."

El que la futura madre haya aumentado mucho de peso no significa necesariamente que también lo haya hecho su bebé. Incluso con un aumento de 16 o 18,5 kilos se puede tener un bebé de 2,5 o 3 kilos, o incluso uno más pequeño si el peso se ganó en gran proporción mediante alimentos poco sanos. Pero, por término medio, un mayor aumento de peso producirá un bebé más grande. El tamaño del bebé puede estar determinado también por el tamaño que tenía la madre cuando nació (si era grande al nacer, su bebé tenderá también a serlo) y por el peso que tenía antes de quedar embarazada (en general, las mujeres más pesadas tienen hijos más pesados).

Mediante la palpación del abdomen y la medición de la altura del fondo del útero (la parte superior de la matriz), el médico podrá hacerse una idea sobre el tamaño del bebé, aunque estas "valoraciones aproximadas" pueden tener un error de medio kilo o más. Mediante una ecografía se puede obtener una idea más aproximada en este caso puede haber errores.

Pero incluso si el bebé es grande, ello no significa automáticamente que el parto será difícil. Aunque un bebé de 2,5 o 3 kilos nace a menudo con mayor rapidez que uno de 3,5-4 kilos, muchas mujeres pueden dar a luz de modo natural y sin problemas a un bebé bastante grande. Hace tiempo se realizaba de modo rutinario una radiografía de la madre para detectar si existía o no una desproporción feto-pélvica. Pero la experiencia y la investigación han demostrado que la radiografía no es un medio exacto para predecir si el bebé puede pasar o no a través del canal del parto, debido en parte a que no puede prever hasta qué punto la cabeza fetal se amoldará a las dimensiones de dicho canal. Aunque el riesgo de una radiografía es bajo, sólo se realiza cuando los beneficios de este método de exploración son superiores a sus riesgos.

En los casos en que existe alguna sospecha de desproporción feto-pélvica, es más común hoy en día que el médico permita que el parto se inicie. Este intento de dilatación es cuidadosamente controlado, y si la cabeza del feto desciende y la cérvix se dilata a un ritmo normal, se permitirá que el parto prosiga. Si no progresa, se intentará acelerarlo mediante la administración de oxitocina. Y si a pesar de ello no adelanta, se suele practicar una cesárea.

SU TAMAÑO Y SU PARTO

"Mido sólo un metro y medio y soy más bien estrecha. Me temo que tendré problemas para dar a luz."

Afortunadamente, lo que cuenta cuando se trata de un parto, es lo que hay dentro del cuerpo, y no fuera de él. La forma y el tamaño de la pelvis en relación con el tamaño de la cabeza del bebé es lo que determina la dificultad del parto. Y no siempre se puede enjuiciar la pelvis desde fuera. Una mujer baja y esbelta puede tener una pelvis más ancha que una mujer alta y cuadrada. Sólo el médico puede estimar correctamente las medidas de la pelvis, habitualmente sobre la base de las mediciones realizadas durante el primer examen prenatal. Si se plantea alguna duda acerca de la suficiencia de la pelvis durante el parto, se realizará una ecografía.

Evidentemente, el tamaño de la pelvis, como el de todas las estructuras óseas, suele ser más reducido en las personas de estatura baja. Así, por ejemplo, las mujeres orientales suelen tener la pelvis más pequeña que las mujeres nórdicas. Pero afortunadamente, la naturaleza es sabia y no dota a una mujer oriental con un bebé de tamaño nórdico, incluso si el padre mide 1,80. Por regla general, los bebés se ajustan bastante bien al tamaño de sus madres.

VOLUMEN Y FORMA DE LA BARRIGA

"Todo el mundo me dice que mi barriga parece pequeña y baja para los meses de embarazo. ¿Puede ser que mi hijo no esté creciendo correctamente?"

Sería una buena idea incluir los tapones para las orejas y los antifaces para tapar la vista en el vestuario premamá de toda mujer embarazada. Con su uso se evitarán durante nueve meses las preocupaciones generadas por los desencaminados comentarios y consejos de los parientes, los amigos e incluso de los desconocidos, y no necesitaría comparar su barriga con la de otras mujeres

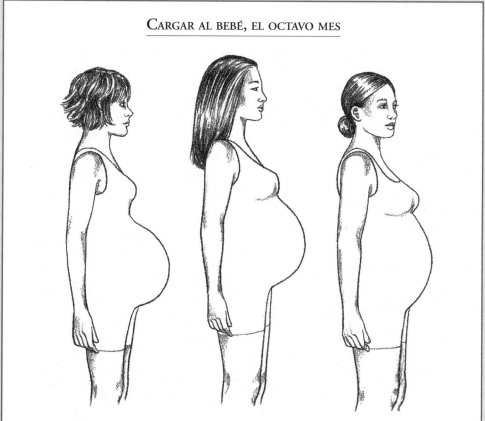

CARGAR AL BEBÉ, EL OCTAVO MES

Estas son tres de las muy distintas maneras en que una mujer puede llevar su bebé hacia el final del octavo mes de embarazo. Las variaciones al respecto son incluso mayores que en meses anteriores. En función del tamaño y de la posición del bebé, así como de la altura de la madre y del peso que haya aumentado, la barriga será más alta o más baja, más ancha o más estrecha.

embarazadas, que la tienen más voluminosa, más pequeña, más alta o más baja.

Del mismo modo que no existen dos mujeres no embarazadas que tengan exactamente las mismas proporciones, tampoco se encuentran dos mujeres embarazadas cuyas siluetas sean idénticas. La forma de la barriga, así como su tamaño, dependerán de si la futura madre es alta o baja, de si estaba delgada o no tan delgada antes de quedar encinta, etc. Y pocas veces constituye una indicación del tamaño del bebé. Una mujer bajita y menuda, con una barriga baja y poco voluminosa, puede dar a luz a un bebé más grande que una mujer de estructura ósea más ancha cuya barriga sea alta y más pronunciada.

El médico es el único que puede determinar de manera fiable los progresos y la salud del bebé. Cuando la embarazada no se encuentra en la consulta de su obstetra, lo mejor que puede hacer es ponerse los tapones en las orejas y el antifaz delante de los ojos; así se evitará muchas preocupaciones.

"Todo el mundo me dice que voy a tener un niño porque estoy toda barrigona y no tengo caderas, yo sé que esos pueden ser viejos cuentos pero ¿hay algo de verdad en todo esto?"

Las predicciones sobre el sexo del bebé tienen una probabilidad del 50% (un poco más si resulta ser niño, porque por cada 105 niños nacen 100 niñas). Tie-

ne buenas posibilidades si apuesta en Las Vegas.

Mejor base sus creencias en los ultrasonidos y los reportes genéticos.

PRESENTACIÓN Y POSICIÓN DEL BEBÉ

"¿Cómo puedo saber si mi bebé está colocado en la posición correcta para el parto?"

Jugar a "adivinar qué es este bulto" (intentando decidir qué son los hombros, los codos y las nalgas) puede ser más entretenido que mirar la TV, pero no es el modo más exacto de determinar la posición del bebé. El médico o la enfermera partera logrará hacerse una idea bastante más correcta de la posición del feto, palpando el abdomen de la embarazada con las manos planas, para reconocer las distintas partes del cuerpo del bebé. Así, por ejemplo, la espalda del bebé suele ser una superficie lisa, convexa, situada en la cara opuesta de una serie de pequeñas irregularidades que son las manos, los pies y los codos. En el octavo mes del embarazo, la cabeza del feto suele estar situada cerca de la pelvis; es redonda, firme y después de empujarla, vuelve a su posición inicial sin que se mueva el resto del cuerpo. Las nalgas del bebé tienen una forma menos regular y son más blandas que su cabeza. La localización del latido cardíaco fetal constituye otra indicación de la posición del bebé si este se halla cabeza abajo, su corazón suele ser detectado en la mitad inferior del abdomen de la madre; el latido cardíaco será más sonoro si la espalda del bebé se halla en la parte frontal del abdomen de la madre. En caso de dudas, una ecografía ayudará a verificar la posición del feto.

"Mi hermana tuvo un bebé que salió de nalgas, ¿eso quiere decir que el mío también va a nacer así?"

No parece haber ninguna conexión genética. Aunque las causas de esta presentación todavía no se conocen bien, hay algunos factores que pueden aumentar la posibilidad de que su bebé trate de salir de nalgas.

Esto es más común cuando:

* El feto es más chico que el promedio o prematuro y no está bien agarrado en el útero.

* Hay más de un feto.

* El útero tiene una forma rara, tiene fibroides o es demasiado suave debido al estiramiento de embarazos previos.

* Hay mucho o poco líquido amniótico.

* La placenta cubre total o parcialmente la salida cervical (vea *Placenta previa* en la página 661).

La mayoría de los bebés terminan por acomodarse en la posición correcta, algunos no lo logran solos y los ayudan a ponerse en posición (ver más adelante). Si su bebé es uno de los que está entre el 3% y el 4% que están de nalgas, debe discutir las opciones del parto con su médico, preferiblemente antes de entrar a trabajo de parto.

"Si el bebé viene de nalgas, ¿se puede hacer algo para voltearlo?"

Nunca es demasiado pronto para que la embarazada se *prepare* para la posibilidad de un parto de nalgas, pero el octavo mes es decididamente demasiado pronto para que se *resigne*. La mayoría de los bebés se giran y se disponen cabeza abajo entre las semanas 32 y 36 del embarazo, pero algunos mantienen a sus padres y al médico en estado de suspense hasta unos pocos días antes del parto.

Cuando tiene éxito (lo que sucede en más de la mitad de los casos) la versión fetal puede reducir las probabilidades de que sea necesario practicar una cesárea. Por ello, la versión fetal se ha hecho muy popular, y la mayoría de los médicos la usan al menos en ciertos casos. No obstante, algunos dudan en usarla debido a la posibilidad de que surjan complicaciones. Sólo los facultativos entrenados para llevar a cabo la versión fetal –y preparados para llevar a cabo una cesárea de emergencia si surgen problemas– deberían ponerla en práctica.

Algunas enfermeras y parteras recomiendan hacer ejercicios diseñados para que el bebé se dé la vuelta durante las últimas ocho semanas de embarazo. Uno de estos ejercicios es el movimiento de la pelvis (vea la página 264), otro es ponerse en la posición rodillas-pecho tres veces al día, por veinte minutos: arrodíllese, mantenga las rodillas un poco separadas y dóblelas de manera que su pecho toque el piso y su obligo intente tocarlo. No existen pruebas médicas de que estos ejercicios funcionen, pero tampoco hacen daño. Algunos médicos de medicina alternativa y complementaria sugieren la moxibustión, una forma de acupuntura más calor.

"El doctor me ha dicho que el bebé se encuentra en una posición de nalgas. ¿Cómo afectará ello al parto?"

¿Cuál es la mejor manera de dar a luz cuando el bebé viene de nalgas? Parece ser que existen pocas pruebas consistentes de que una u otra forma, el parto por cesárea o vaginal, sea la mejor forma de dar a luz un bebé que viene de nalgas. Los partos vaginales son perfectamente seguros en aproximadamente uno de cada tres o de cada dos partos de nalgas, pero únicamente si el médico tiene la experiencia necesaria para ello. Algunos estudios realizados acerca de los partos vaginales con presentación de nalgas muestran que los riesgos potenciales no siempre proceden del parto mismo, sino de la propia causa de la pre-

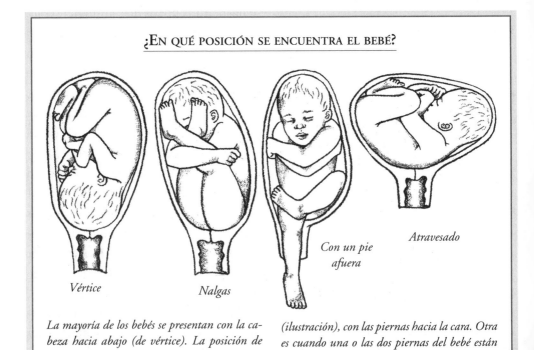

¿EN QUÉ POSICIÓN SE ENCUENTRA EL BEBÉ?

Vértice

Nalgas

Con un pie afuera

Atravesado

La mayoría de los bebés se presentan con la cabeza hacia abajo (de vértice). La posición de nalgas tiene sus variaciones. Por ejemplo hay una en que el bebé tiene las nalgas hacia la "salida"

(ilustración), con las piernas hacia la cara. Otra es cuando una o las dos piernas del bebé están hacia abajo. La posición transversal es cuando el bebé está atravesado en el útero.

sentación anormal del feto; por ejemplo: si el bebé es prematuro o pequeño, si existen fetos múltiples o bien si se presenta algún otro problema congénito.

Algunos médicos practican la cesárea de forma rutinaria cuando el bebé se presenta de nalgas, en la creencia de que esta es la mejor ruta que el feto puede seguir (en el actual clima de negligencias médicas, también puede ser la mejor ruta para el mismo médico, ya que evita la posibilidad de ser culpado si el bebé resulta perjudicado al nacer por vía vaginal en vez de por cesárea). Otros, persuadidos por sus buenas experiencias o por las de sus colegas, de que un feto que viene de nalgas puede nacer vaginalmente sin ningún problema, permiten que se dé un intento de dilatación cuando existen las siguientes condiciones:

*   El bebé se halla en posición de nalgas completas (con las piernas dobladas contra la parte anterior del cuerpo).

*   Se ha determinado que el bebé es suficientemente pequeño (por lo general de menos de 4 kg) para pasar fácilmente por la pelvis, pero no tan pequeño (de menos de 2,5 kilos) que un parto vaginal fuera peligroso. Por regla general, los bebés de menos de 36 semanas que se presentan de nalgas nacen por cesárea.

*   No hay pruebas de que exista placenta previa, prolapso del cordón umbilical o sufrimiento fetal que no puedan ser remediados con facilidad.

*   La madre no presenta ningún problema médico u obstétrico que pudiera complicar el parto vaginal, tiene un tamaño pélvico adecuado y no tiene en su historial partos dificultosos o traumáticos. Algunos médicos precisan además el requisito de que la madre tenga menos de 35 años.

*   La parte presente ha descendido hacia la pelvis cuando empieza el trabajo de parto.

*   La cabeza del feto no está hiperextendida (la barbilla apunta hacia atrás).

*   Todo (y todos) está preparado para un parto quirúrgico de emergencia por si de repente se hiciera necesario.

El parto de nalgas es iniciado a modo de prueba en una sala de partos equipada quirúrgicamente. Si todo va bien, se le deja continuar. Si no progresa, o si el cuello de la matriz se dilata con demasiada lentitud, el médico y el equipo quirúrgico se hallan preparados para realizar una cesárea en cuestión de minutos. Es absolutamente esencial un continuo registro electrónico del feto. Con frecuencia se administra un bloqueo nervioso epidural para impedir que la madre empuje con demasiada

¿LA MEJOR MEDICINA PARA EL PARTO?

¿Cree que tres son muchos? Para algunas parejas eso no importa a la hora del parto, cada vez son más los que prefieren compartir la experiencia con una partera o una comadrona, es decir, con una mujer entrenada para acompañar a las mujeres en trabajo de parto. Las parejas lo hacen por una buena razón; una investigación reciente dice que las mujeres que tienen una partera son menos propensas a necesitar cesárea, partos con fórceps, inducciones o medicinas para el dolor. Los partos también puede que sean más cortos y con menor grado de complicaciones.

¿Qué puede hacer una partera? Eso depende de la partera o comadrona que escoja, en qué momento del embarazo la contrate y de sus preferencias. Algunas parteras se van a involucrar desde la primera contracción y le ayudarán a diseñar un plan para dar a luz, le ofrecerán recomendaciones y le facilitarán el camino. Algunas, si se les pide, van a la casa a ayudar desde antes del parto. Una vez en el hospital, la partera hace varias cosas dependiendo de lo que quiera la pareja. Su tarea principal es ofrecer apoyo físico y emocional y alentar a la madre en el parto. También ayuda con técnicas de relajación, ejercicios de respiración, consejos de posiciones, masajes, toma de manos y ajuste de la cama. La comadrona o partera también puede servir de mediadora o abogada, puede hablar en nombre de la pareja y a la vez traducir los términos médicos, explicar procedimientos y hacer de intermediaria con el personal del hospi-

tal. También puede ofrecer información que es invaluable para los padres primerizos. No tomará el papel del doctor (y una buena partera jamás se pondrá en ese papel) ni de la enfermera encargada, simplemente estará allí como un apoyo (es importante, especialmente si su enfermera tiene más pacientes que atender o si hay cambios de turno). Además va a ser la única persona que se quede (con el doctor) durante todo el trabajo de parto, es una cara familiar y amigable desde el principio hasta el final. Muchas de las parteras o comadronas no paran ahí, también pueden ofrecer apoyo y consejos posparto, desde cómo amamantar hasta cómo cuidar al bebé.

Algunos padres creen que contratar a alguien los va a relegar, pero eso no es verdad. Una buena partera también ayuda a relajar al padre, está ahí para contestar preguntas que a lo mejor el padre no es capaz de preguntar al doctor o a la enfermera. También puede proporcionar otro par de manos por si la madre necesita masajes en la espalda y en las piernas a la vez o por si necesita más hielo y ayuda con las contracciones. Es un miembro importante del equipo, está lista para lo que se necesite, sin interferir demasiado.

Para encontrar una partera debe averiguar en los hospitales o con amigos o familiares que puedan darle buenos datos. Antes de contratarla haga una entrevista, pregunte por su experiencia, conozca sus antecedentes como partera, pida referencias, etcétera.

intensidad antes de que haya dilatado totalmente (lo que podría provocar que el cordón quedara comprimido entre el bebé y la pelvis). En algunas ocasiones se administra anestesia general a la madre cuando el bebé está ya a medio camino, para permitir la rápida conclusión del parto por parte del médico. Se pueden utilizar los fórceps para mantener la cabeza adecuadamente flexionada, y para ayudar a salir la cabeza sin tirar demasiado del cuerpo o del cuello. Con frecuencia se efectúa una episiotomía para facilitar el proceso.

Si no empieza el trabajo de parto o si por cualquier razón se determina que un parto vaginal es riesgoso, se programará una cesárea. A veces, cuando se ha planificado una cesárea, la dilatación es tan rápida que las nalgas del bebé resbalan introduciéndose dentro de la cavidad pélvica antes de que se inicie el proceso quirúrgico. En tal caso, la mayoría de los médicos intentarán que tenga lugar un parto vaginal en vez de una cesárea dificultosa y con prisas.

Lo que debe tener en cuenta si su bebé viene de nalgas: debe ser flexible con su plan para dar a luz y debe prepararse para cualquier eventualidad. Aunque son buenas las posibilidades de tener un parto vaginal normal, dependiendo de varias condiciones, es posible que termine con una cesárea. De todas maneras esta es una eventualidad que todas las futuras madres deberían tener en cuenta (vea la página 395).

PARTO GEMELAR

"Estoy esperando gemelos ¿En qué se va a diferenciar mi parto del de otra mujer?"

Puede que no existan diferencias aparte de que los esfuerzos se verán recompensados por duplicado. Muchos partos gemelares son normales, vaginales y sin complicaciones[*]. No obstante, no es sorprendente que existan más posibilidades de complicaciones cuando se dan a luz gemelos. En la mayoría de los casos los problemas no aparecen durante la primera fase de la dilatación, que en realidad es más corta, como promedio, en los partos gemelares. (Y aunque la dilatación activa y la fase de empujar generalmente son más largas, el tiempo transcurrido desde la primera contracción hasta el nacimiento de los bebés generalmente es más corto en los gemelos.) Aunque la mayoría de los gemelos puede nacer por vía vaginal (a veces con el uso del fórceps para evitar que los bebés sufran un trauma excesivo), generalmente se recomienda que haya un anestesista cerca para el caso de que se deba practicar una cesárea. Generalmente también se halla presente un pediatra o un especialista en medicina neonatal, listo para tratar de inmediato cualquier problema de los recién nacidos. A menudo ambos fetos son monitoreados, uno externamente y el otro internamente, mediante

---

[*] Con cada aumento del número de fetos, no obstante, aumenta también la probabilidad de tener que sufrir una cesárea.

electrodos en el cuero cabelludo (vea la página 457).

Con los gemelos, como bien pronto podrá constatar esta mujer, puede esperarse lo inesperado. Y esto puede empezar ya en el parto. Debido a que hay más de un bebé, y posiblemente más de una serie de circunstancias, puede que haya más de un tipo de parto. A veces, después de que el primer bebé nazca fácilmente por vía vaginal, el segundo, que se encuentra atravesado y no puede ser girado, tiene que ser extraído por el abdomen. Puede darse el caso de que, a pesar de que la bolsa amniótica del primer feto se haya roto espontáneamente, la del otro gemelo deba ser rota artificialmente o que el primer bebé pueda llegar fácilmente por la vía vaginal y el segundo, puede que necesite una cesárea.

En la mayoría de los casos, el segundo gemelo nace en los 20 minutos que siguen a la salida de su hermano. Si el segundo va a paso de tortuga, puede que el médico administre oxitocina o use los fórceps para facilitar el parto, o que practique una cesárea. Una vez que los dos bebés han nacido, la placenta o placentas suelen separarse rápidamente. Pero a veces el alumbramiento es lento y entonces se requiere de alguna ayuda por parte del médico.

"Estoy esperando gemelos y he escuchado que los gemelos normalmente nacen prematuros, ¿es verdad?"

Sí, los gemelos tienden a nacer prematuros. Después de todo, por más cómodos que estén los bebés en el útero, puede faltar el espacio a medida que crecen. No puede hacer nada para agrandar el espacio, pero usted y su doctor pueden intentar atrasar el parto (vea las páginas 266 y 358). Sin embargo debe tener en cuenta que aunque la semana ideal de nacimiento para gemelos es la semana 37, no es malo tener el parto unas tres semanas antes.

PARTO DE TRILLIZOS

"¿Si voy a tener trillizos es inminente una cesárea?"

Puede que sean una multitud, pero esa multitud puede nacer en un parto vaginal bajo ciertas condiciones. Es más común la cesárea cuando se trata de trillizos pero los estudios recientes dicen que el parto vaginal también es una opción si el trillizo A (el que está más cerca de la "salida") está en una posición con la cabeza hacia abajo, si se hace un monitoreo fetal y si no existen otras contradicciones de obstetricia (como preeclampsia en la madre o problemas fetales en uno o más fetos). En algunos casos el primer bebé, o el primero y el segundo pueden nacer en parto vaginal, pero el último requiere cesárea. De todas maneras lo más importante no es tener a sus hijos con un parto vaginal sino que todos salgan de la sala de partos en buenas condiciones. Cualquier procedimiento con este resultado es un éxito.

PARTO POR CESÁREA

"El médico me acaba de decir que mi parto debe ser por cesárea. ¿Las cesáreas son más peligrosas que los partos vaginales?"

Aunque la creencia popular asegura que el parto por cesárea debe su nombre al hecho de que Julio César nació por vía abdominal, esto es virtualmente imposible. Julio César habría podido sobrevivir a dicha operación, pero su madre no y se sabe que la madre de César continuó viviendo muchos años después de dar a luz a su hijo.

Sin embargo, hoy en día las cesáreas son casi tan seguras como los partos vaginales para la madre, y en los casos difíciles, o cuando existe sufrimiento fetal, son a menudo la vía más segura para el bebé. Aunque desde el punto de vista técnico se trata de una operación de cirugía mayor, la cesárea tiene riesgos relativamente menores –más parecidos a los de una operación de amígdalas que a los de la extirpación de la vesícula biliar, por ejemplo.

Lo más probable es que si la madre es sometida a una cesárea, su bebé esté tan seguro, o en algunos casos incluso más seguro, que si el parto fuera vaginal. Cada año, miles de bebés que quizá no habrían sobrevivido al peligroso viaje a través del canal del parto (o habrían sobrevivido a ello con alguna tara), son extraídos sanos y salvos del abdomen de sus madres.

Los niños nacidos con cesárea se diferencian en casi nada de los que han nacido por parto vaginal –aunque los primeros tienen ventaja en cuanto a su aspecto externo. Puesto que no han te-

---

LOS HOSPITALES Y LAS TASAS DE CESÁREAS

Las tasas de cesáreas varían de hospital a hospital. Los principales centros médicos tienen tasas muy altas, debido a que atienden grandes cantidades de partos de alto riesgo. Pero algunos hospitales de municipios o vecindades más pequeños también tienen tasas altas debido a que no tienen a mano a todo el personal especializado para practicar una cesárea de emergencia; si existe alguna posibilidad de que el parto vaginal no tenga éxito, se cita al anestesista y al resto del personal necesario para una intervención quirúrgica y se practica la cesárea antes de que se dé la situación de emergencia. Un hospital más grande puede tomar la posición de esperar para ver lo que sucede. La embarazada hablará con su médico sobre la tasa de cesáreas de su hospital, y le preguntará si existe allí algún tipo de procedimiento especial para intentar evitar las cesáreas innecesarias.

Hacer que el parto por cesárea
se convierta en un acontecimiento familiar

El parto por cesárea centrado en toda la familia se está haciendo cada vez más común en algunos centros hospitalarios norteamericanos y la gran mayoría de facultativos y de hospitales permiten el relajamiento de las normas quirúrgicas usuales en el caso de los partos por cesárea. Durante las cesáreas que no son de emergencia, se suele permitir que la madre esté despierta, que el padre asista a la intervención y que la nueva familia se conozca justo después del nacimiento, tal como sucedería en un parto vaginal sin complicaciones. Los estudios muestran que esta "normalización" del parto quirúrgico ayuda a las parejas a sentirse mejor en cuanto a esta experiencia, se reduce la posibilidad de que se presente una depresión puerperal y una subestima en la madre (ambas son más probable que aparezcan tras un parto por cesárea), y permite que el proceso de unión entre los miembros de la familia empiece antes.

---

nido que adaptarse al estrecho conducto de la pelvis, suelen tener la cabeza sin deformaciones. La valoración de Apgar (escala numérica utilizada para valorar el estado de un bebé al cabo de uno y de cinco minutos de nacer) de los bebés de ambos tipos de parto son comparables. Los bebés nacidos por cesárea presentan la ligera desventaja de no haber expulsado una parte de la mucosidad excesiva de su tracto respiratorio durante el proceso del nacimiento, pero esta mucosidad puede ser succionada con facilidad después del parto. Es muy raro que un bebé reciba una lesión grave, de cualquier tipo, durante un parto por cesárea y mucho más raro que esto ocurra durante los partos vaginales.

En algunas ocasiones, la madre que ha sido sometida a una cesárea, acusa en su subconsciente al hijo, al que cree culpable de haberla privado de su momento más bello y de haber inflingido tal daño a su cuerpo*. Puede sentir celos de las madres que han dado a luz normalmente, y sentirse culpable de su "fracaso", y ambos sentimientos pueden entorpecer el establecimiento de una buena relación entre ella y su hijo. O bien, puede creer, equivocadamente, que su hijo nacido por cesárea es extraordinariamente frágil (pocos los son) y convertirse en una madre excesivamente protectora. En caso de que desarrolle estos sentimientos, la madre deberá enfrentarse a ellos y eliminarlos. Si

---

* Las mujeres que pasan por un parto vaginal pueden tener un sentimiento similar, casi siempre transitorio, a causa del dolor del parto.

es necesario pidiendo ayuda a un profesional para resolverlos.

Pero con frecuencia las actitudes destructivas pueden ser evitadas desde el principio. En primer lugar, reconociendo que el método por el que nace un niño no desacredita de ninguna manera ni a la madre ni a su hijo; una mujer no es menos madre y el bebé no es menos el fruto de su vientre si ha nacido por cesárea en vez de por vía vaginal. En segundo lugar, asegurándose de que se producirá la oportunidad para que la madre establezca lo más rápidamente posible un vínculo con su hijo. Mucho antes de que haya empezado el parto, la mujer deberá decirle al médico que, en caso de que deba ser sometida a una cesárea, desea: tomar a su hijo en brazos o incluso alimentarlo mientras aún está en la mesa de operaciones, o si esto no es posible, en la sala de recuperación. Detalle sus deseos en su plan para dar a luz, si tiene uno (vea la página 364). Si espera hasta el día del parto para explicar sus deseos, es posible que en aquel momento no tenga la fuerza o la oportunidad para hacerlo. Si se piensa en ello con tiempo, es posible que incluso se puedan hacer revocar algunas normas de algún hospital contrarias a los deseos de la madre, como por ejemplo la regla que exige que todo recién nacido extraído por cesárea pase un cierto tiempo en la unidad de cuidados intensivos neonatales. Si la madre expone sus argumentos de modo

racional, sin histerismos, puede conseguir que el hospital haga una excepción en su caso.

Pero, si a pesar de todas las buenas intenciones, la madre se siente demasiado débil para iniciar el establecimiento de un vínculo madre-hijo (lo que les sucede a muchas mujeres, independientemente de si el parto ha sido vaginal o por cesárea), o si el bebé necesita ser mantenido en observación o sometido a determinados cuidados en una unidad de cuidados intensivos neonatales durante un cierto tiempo, la madre no debe preocuparse. A pesar de todo el revuelo originado, no existe ninguna prueba que demuestre que este vínculo tenga que ser establecido inmediatamente después del parto (vea la página 516).

"Siempre he querido tener un parto completamente natural y me preocupa terminar teniendo una cesárea."

Si las cesáreas son tan seguras, y a veces vitales ¿por qué la mayoría de las mujeres les tenemos horror? En parte porque una intervención quirúrgica mayor, incluso cuando es rutinaria y casi exenta de riesgos, resulta siempre un poco temible; pero sobre todo porque, aunque pasamos nueve meses preparándonos para un idílico parto natural, solemos entrar en la sala de partos muy mal preparadas para la posibilidad bien real de que en lugar del parto natural debamos ser sometidas a una cesárea. Durante nueve meses impedimos la entrada en nuestra mente de esta desagradable posibilidad. Devoramos los libros sobre el tema del nacimiento, pero saltándonos el capítulo dedicado a las cesáreas. Hacemos decenas de preguntas sobre el parto natural en las clases de educación al nacimiento, pero ni una acerca del parto quirúrgico. Nos imaginamos a nosotras mismas, cogidas de la mano de nuestro marido mientras jadeamos y empujamos a nuestro hijo hacia el mundo; pero no nos imaginamos pasivas y posiblemente inconscientes, mientras que unos instrumentos esterilizados abren nuestro abdomen para extraer a nuestro hijo como si fuera un apéndice inflamado. Al enfrentarnos bruscamente con una cesárea nos sentimos privadas del control sobre el nacimiento de nuestro hijo. Desde nuestro punto de vista, la tecnología médica se encarga de todo, causándonos frustración, desilusión, enfado y culpabilidad.

Pero esto no debe ser así. No si la mujer está tan preparada para un parto abdominal como lo está para el parto vaginal; si reconoce que ambos pueden ser bellos, y si dirige su atención hacia el producto del parto en vez de hacia el proceso en sí. Se pueden tomar varias medidas previas para que la idea de una cesárea resulte menos nefasta y para que la realidad sea más satisfactoria.

Incluso en el caso de que la embarazada no tenga ninguna sospecha de que pueda necesitar una cesárea, deberá asegurarse de que en el curso de preparación al parto se incluya por lo menos una sesión dedicada a este tema. Y si tiene alguna razón para creer que será necesario practicarle una cesárea, lo mejor que puede hacer es asistir a un curso preparatorio para esta intervención. También puede leer sobre el tema y asistir a clases preparatorias.

La futura madre podrá aprender todo lo que pueda acerca de los partos por cesárea –de su médico, de sus clases de preparación al parto y de todo tipo de lecturas– ello la ayudará a superar sus temores y podrá hablar más fácilmente con el doctor para tomar decisiones.

Desde luego, la mayoría de las embarazadas no desean verse obligadas a elegir una cesárea como método para dar a luz, y más de 3 de cada 4 acabarán teniendo un parto vaginal. Pero para las que los acontecimientos no se desarrollen así, no existe razón alguna para que se lleven el desengaño ni tengan sentimientos de fracaso o culpabilidad. Cualquier parto (vaginal o abdominal, con medicación o sin ella) que tiene como resultado una madre y un bebé sanos constituye un éxito total.

"¿Por qué se practican tantas cesáreas hoy en día?"

El número de cesáreas en los Estados Unidos es más alto que el de otros países, pero no es mucho más alto que el de siempre. Hoy en día las cesáreas han aumentado en un 22% (mayores porcentajes en algunos hospitales, menores porcentajes en otros. También aumentan por los embarazos de alto riesgo).

Hay muchos factores que contribuyen al aumento en el número de cesáreas, y hay muchos que piensan que el número es muy alto.

Diversos cambios de la práctica obstétrica. En primer lugar, el parto por cesárea ha pasado ha ser extremadamente rápido y seguro; y en la mayoría de los casos las madres pueden estar despiertas para ver nacer a sus hijos. En segundo lugar, el monitor fetal y otras pruebas fetales pueden indicar de modo más exacto (aunque no infaliblemente) cuándo un feto tiene problemas y necesita ser extraído con rapidez. En tercer lugar, la tendencia actual de las embarazadas a aumentar más de peso de lo recomendado (más de 16 kilos) ha conducido a que haya un número mayor de bebés más grandes, que a veces son más difíciles de parir por vía vaginal. Además existe la tendencia hacia la obstetricia no intervencionista que deja que la naturaleza imponga su propio ritmo, en vez de acelerar el proceso rompiendo las membranas, usando oxitocina o fórceps con el resultado de que las dilataciones tienen más posibilidades de detenerse. También existen cada vez más mujeres con problemas médicos crónicos que son capaces de tener un embarazo normal pero que requieren cesáreas. Finalmente, un factor principal, pero que ahora se ha reconocido que en gran parte no es determinante, en la proliferación de partos por cesárea son las cesáreas repetidas. Aunque los partos vaginales después de una cesárea todavía se consideran una opción, muchos doctores y muchas mujeres escogen la cesárea por muchas razones (vea la página 34).

Preparación de los médicos y actitud. Aunque ha habido un esfuerzo en la comunidad médica por no practicar cesáreas innecesarias, el sistema no es perfecto. Por ejemplo un médico que decide practicar una cesárea tan pronto como el monitor fetal da una lectura negativa (sin comprobar de nuevo los datos para estar seguro de que es el monitor, y no el bebé, el que tiene problemas). O un médico temeroso de incurrir en negligencia profesional y que practica una cesárea cuando el parto vaginal presenta el más ligero de los problemas potenciales. (Se establecen más pleitos contra obstetras que *no* realizaron una cesárea –y por consiguiente tuvieron malos resultados– que contra los que sí la realizaron).

Actitud maternal. Como las cesáreas son tan seguras y pueden prevenir el dolor y las posibles lesiones de un parto vaginal (por muy pequeño que sea el riesgo), algunas mujeres (especialmente las que ya han tenido una cesárea) prefieren la cesárea y hasta la piden.

Seguridad de la madre y/o el bebé. Los médicos realizan cesáreas no por conveniencia, ni por más dinero, ni por temor a ser acusados de negligencia, sino porque creen que en ciertas circunstancias es el mejor modo, o a veces el único, de proteger al niño.

Pese a las numerosas razones legítimas para practicar una cesárea, existe un acuerdo general en la comunidad médica de que actualmente se están llevando a cabo un número significativo de cesáreas innecesarias. Para poder detener esta tendencia, muchas compañías aseguradoras, hospitales, grupos médicos y otros individuos o instituciones demandan o estimulan a que se pida:

- Una segunda opinión, cuando es posible, antes de que se lleve a cabo una cesárea.

- Que se intente la dilatación en todas las mujeres que previamente han dado a luz mediante cesárea, para ver si pueden hacerlo por vía vaginal (vea la página 34).

- Más paciencia con las dilataciones lentas y con la fase de empujar, asumiendo que la madre y el bebé se hallen en buen estado, antes de dictaminar que se precisa cirugía.

- Un mejor entrenamiento de los facultativos en la interpretación de las lecturas de los monitores fetales, de forma que no se practiquen intervenciones quirúrgicas innecesarias.

- El uso de toda una variedad de técnicas de evaluación fetal más fiables (tales como el muestreo sanguíneo fetal por vía del cuero cabelludo, el perfil biofísico o la estimulación acústica, vea la página 428) para confirmar el sufrimiento fetal que se ha sospechado a partir de las lecturas del monitor fetal.

- Consultar cuando los resultados del monitor resultan ambiguos. En persona o mandando un fax a un experto que pueda dar una segunda opinión sobre la condición del feto.

- Institución de un sistema de revisión para estudiar todas las cesáreas después y así tener una base de caso por caso para que los doctores no terminen haciendo cesáreas innecesarias.

- Tener una partera o partera (vea la página 392) o una enfermera para usted sola durante el parto. Esto puede reducir el riesgo de un parto quirúrgico ya que la enfermera puede ayudar a la mujer a estar más relajada y puede ayudarla a que sus contracciones sean más efectivas.

- Un mejor entrenamiento de los médicos residentes para todos los procedimientos necesarios.

"Generalmente se sabe de antemano que el bebé va a nacer por cesárea ¿o es algo de último momento?"

La mayoría de las mujeres no sabrán si les practicarán o no una cesárea hasta que ya vayan de parto. Sin embargo, ocasionalmente se puede programar una cesárea desde antes, existen algunas indicaciones previas que señalan esta posibilidad:

◆ Una cesárea previa (vea la página 34), si la razón para ella aún prevalece (una enfermedad materna o una pelvis anormal, por ejemplo).

◆ Una cesárea previa si se practicó previamente una incisión vertical del útero y que se puede abrir durante el parto. El tipo de incisión del útero no tiene relación con el tipo de incisión en el abdomen. Así que si no sabe bien revise su historia médica.

◆ Inducción del parto en una mujer que ya ha tenido cesárea (vea la página 34).

◆ Una enfermedad o anormalidad fetal que haga que la dilatación y la expulsión vaginal sean inaceptablemente arriesgadas o traumáticas (no todas las enfermedades fetales lo hacen).

◆ Diabetes de la madre en casos en los que un parto prematuro es necesario y no hay posibilidades de inducir el parto.

◆ Otra enfermedad de la madre (ataques al corazón o desórdenes respiratorios) si el médico dictamina que es riesgoso un parto vaginal.

◆ Que la madre tenga sida (vea la página 53), puede pasar la infección al bebé en un parto vaginal.

◆ Infección por herpes activa en la madre (vea la página 48) presente cuando empieza la dilatación, para evitar que dicha infección pase al feto durante un parto vaginal.

◆ Placenta previa (cuando la placenta bloquea totalmente o en parte la apertura cervical, vea la página 661) para evitar entrar en la fase de dilatación, que podría tener como resultado una hemorragia si la placenta se despega prematuramente.

◆ **Abruptio placentae** (vea la página 676), cuando existe una separación extensa de la placenta de la pared uterina y el feto se halla en peligro si no nace inmediatamente.

◆ Desproporción cefalopélvica probable (cuando la cabeza del bebé es demasiado grande para pasar por la pelvis materna, vea la página 428), sugerida por el tamaño del bebé detectado por ultrasonidos o por un parto previo difícil. Aunque el ultrasonido o el examen de pelvis no predigan el problema por sí solos, los dos exámenes combinados sí lo hacen (se conoce como índice fetal pélvico).

También existen otros indicadores que indican la posibilidad de una cesárea, pero no dictaminan la última palabra:

- Hipertensión (página 624) o enfermedad renal maternal, debido a que la madre podría ser incapaz de tolerar el estrés del parto.

- Presentación inusual del feto, como la de nalgas (con las nalgas o los pies por delante), que puede hacer que el parto vaginal sea difícil o imposible (vea la página 388).

También se puede planificar una cesárea cuando se necesita un parto inmediato y no hay tiempo para inducir el parto o se cree que la madre y/o el bebé serán incapaces de tolerar su estrés. Cualquiera de las siguientes situaciones podría hacer necesario este tipo de intervención:

- Preeclampsia o eclampsia (página 655) que no responde al tratamiento.

- Un feto demasiado maduro (dos o más semanas después de la fecha programada, vea la página 428), cuando el medio ambiente uterino se ha empezado a deteriorar.

- Sufrimiento maternal o fetal, debido a cualquier causa.

No obstante la mayoría de los casos, la posible necesidad de practicar una cesárea no se hace aparente hasta la fase de dilatación activa. Las razones más probables son:

- La dilatación no progresa (la cérvix no se ha dilatado lo bastante de prisa) después de 16 a 18 horas (algunos obstetras esperarán aún más) o que la madre pujó demasiado, especialmente cuando la madre y/o el bebé no están muy bien. En la mayoría de casos los médicos intentan reactivar las contracciones con oxitocina antes de pensar en la cesárea.

- Sufrimiento fetal, señalado por el monitor fetal o por otras pruebas sobre el bienestar del feto (vea la página 457).

- Prolapso del cordón umbilical (página 682), que puede quedar comprimido entre el cuello uterino y el bebé, con lo que se reduce el flujo sanguíneo hacia el feto y podría cortarle el suministro de oxígeno.

- Un útero roto que puede ser fatal para el feto si no se interviene de inmediato quirúrgicamente.

- Casos de placenta previa o *abruptio placentae* no diagnosticados con anterioridad, particularmente si existe riesgo de hemorragia.

Si el obstetra decide por adelantado que la cesárea será necesaria, la mujer debe pedirle una explicación detallada de las razones. También le preguntará si no existe ninguna alternativa, por ejemplo

Preguntas al médico sobre el tema de la cesárea

- ¿Será posible intentar alguna otra alternativa antes de recurrir a la cesárea (salvo en situaciones de emergencia)? Por ejemplo, administración de oxitocina para estimular las contracciones, o ponerse en cuclillas para que las contracciones sean más eficaces.

- Si el monitor fetal indica que el bebé puede estar sufriendo ¿se utilizarán otros métodos para verificar la lectura del monitor antes de tomar la decisión de practicar una cesárea? ¿Será posible pedir una segunda opinión?

- Si la razón para que se practique una cesárea es una presentación de nalgas, ¿se intentará primero que el bebé gire dentro del útero (versión externa)? ¿Puedo preguntar por una segunda opinión? (vea la página 389).

- ¿Qué tipos de anestesia se pueden utilizar? La anestesia general, que hace dormir a la madre, suele ser necesaria cuando el tiempo apremia, pero la anestesia espinal o epidural permitirá a la madre permanecer despierta durante un parto abdominal sin urgencia. (Vea el apartado dedicado a la medicación durante el parto, página 367).

- ¿Utiliza el obstetra rutinariamente una incisión transversal baja del útero cuando le es posible, para que la próxima vez se pueda intentar un parto vaginal? Puede que la embarazada también desee saber, por razones estéticas, si la incisión abdominal (que no está relacionada con la uterina) suele ser baja o "de bikini".

- ¿Podrá permanecer con la madre también su enfermera partera (si la tiene)?

- ¿Puede la partera de la embarazada, si es que esta tiene una, estar también presente?

- ¿Podrán la madre y el padre tomar en brazos al bebé inmediatamente después del nacimiento (si la madre está despierta y si todo va bien) y podrá la madre darle pecho en la sala de recuperación? ¿Se le permitirá al padre tomar en brazos al bebé si la madre está dormida?

- Si el bebé no necesita unos cuidados especiales, ¿podrá alojarse con la madre? ¿Puede el marido pasar la noche con la mujer, para poder ayudarla?

- Después de un parto con cesárea sin complicaciones ¿qué tiempo de recuperación necesitará la madre en el hospital y fuera de él? ¿Qué incomodidades físicas puede esperar la madre?

un parto a prueba –en que una vez se han iniciado espontáneamente las contracciones, se permitirá que el proceso prosiga mientras vaya progresando normalmente. (Puede que esta opción no pueda aprovecharse en los pequeños hospitales que no tienen la capacidad para practicar una cesárea de emergencia si esta fuera precisa en un momento dado; algunos han sugerido que dichos hospitales no deberían dedicarse a los partos en absoluto). Si la embarazada sale de la consulta de su obstetra preguntándole si la principal razón por la que este le ha recomendado una cesárea es su propia conveniencia, deberá pedir otra opinión. Los doctores siguen diferentes protocolos cuando se trata de planear partos quirúrgicos.

SEGURIDAD DE LA MADRE DURANTE EL PARTO

"Ya sé que la ciencia médica ha eliminado casi todos los riesgos del parto, pero a pesar de ello tengo miedo de morir durante el nacimiento de mi hijo, mi abuela murió cuando nació mamá."

Hubo un tiempo en que las madres arriesgaban su vida cada vez que tenían un hijo; y aún sucede así en algunas partes del mundo. Pero hoy en día, en los países occidentales, el riesgo para la vida de la madre durante el parto es virtualmente nulo, especialmente entre mujeres sanas que reciben cuidado prenatal regular.

En resumen, incluso cuando el embarazo se halla dentro del grupo de los de mayor riesgo –cosa poco probable– se está preocupando por nada. El parto nunca ha sido tan seguro para madres y bebés.

ALMACENAMIENTO DE LA SANGRE DE LA PROPIA MADRE

"Estoy preocupada por la posibilidad de tener que sufrir una transfusión durante el parto y de recibir sangre contaminada. ¿Puedo almacenar mi propia sangre con anticipación?"

En primer lugar, existen muy pocas probabilidades de que se precise una transfusión de sangre. Sólo un 1% de los partos vaginales y un 2% de los partos por cesárea la precisan. Típicamente, la mujer pierde sólo de 1 a 2 tazas de sangre (de 1/4 a 1/2 litro) durante el parto vaginal y de 2 a 4 tazas durante una cesárea. Dicha pérdida no presenta problemas, dado que el volumen sanguíneo durante el embarazo ha aumentado de un 40 a un 50%. En segundo lugar, el riesgo de contraer sida o la hepatitis B o C (las enfermedades que se transmiten más corrientemente por la sangre) por una transfusión hoy en día es muy bajo (se estima que en Estados Unidos está entre 1/40.000 y 1/250.000), dado que toda la sangre que proviene de donaciones es controlada por pruebas muy exactas (aunque no infalibles). En tercer lugar, debido a que los medios para la autodonación de sangre son limitados y se da prioridad a los que van a sufrir operaciones quirúrgicas de alto riesgo, puede que las mujeres que van a dar a luz ni siquiera sean aceptadas para este tipo de donación.

Si, no obstante, la mujer tiene razones para creer que puede tener un alto riesgo de hemorragia durante el parto debido a que su sangre no coagula normalmente, debido a que va a sufrir un parto por cesárea, o por cualquier otra razón, hablará con su médico sobre la posibilidad de hacer una autodonación. (Donar sangre a finales del embarazo podría ser un problema, debido a que podría hacer disminuir demasiado el volumen sanguíneo o producir anemia). O planeará que un pariente o amigo con sangre compatible haga una donación directa (donación a una persona específica) justo antes del parto, o que se encuentre localizable en todo momento durante el parto por si fuera necesario. No todos los hospitales están equipados o dispuestos a practicar donaciones directas, y puede que el personal alegue que los riesgos de contraer sida o hepatitis C durante una transfusión no son de ningún modo menores si la donación proviene de un amigo o pariente.

Para reducir el riesgo de pérdida excesiva de sangre durante el parto, tome las precauciones desde el último trimestre evitando tomar sustancias que aumenten el sangrado (de todas maneras muchas no se recomiendan en el embarazo): aspirina o cualquier medicamento que la contenga (lea con cuidado las etiquetas o consulte con su médico); ibuprofeno (y los productos que lo contengan); vitamina E (además de la que toma en el suplemento; esa está bien); ginkgo biloba (una preparación herbal) y medicinas con alcohol.

Si se niega a recibir transfusiones de sangre por motivos religiosos u otras razones no negociables, debe discutir con su doctor desde antes, no espere hasta que esté en trabajo de parto. Algunos hospitales utilizan técnicas más seguras para la cirugía "sin sangre".

SEGURIDAD EN LOS VIAJES

"Tengo un importante viaje de negocios planeado para este mes. ¿Puedo viajar sin problemas o es mejor que cancele la cita?"

Antes de programar el viaje llame o vaya a ver a su médico. Los médicos tienen diferentes puntos de vista acerca de viajar en el último trimestre, eso dependerá de la opinión del doctor y de otros factores. Lo más importante es el tipo de embarazo que tenga, si no hay complicaciones seguramente podrá viajar sin problema. También hay que tener en cuenta la distancia del viaje y si hay algún riesgo de parto prematuro (los médicos no aconsejan viajar en avión después de la semana 36). También es importante cómo se haya sentido. Es posible que los síntomas se multipliquen en el viaje: dolor de espalda, venas varicosas, hemorroides además del estrés físico y emocional. Es importante cuánto tiempo va a estar fuera de casa (y cuánto tiempo tardará en llegar al destino) y si realmente es necesario el viaje (si lo puede posponer hasta después del nacimiento del bebé es mejor). Si viaja por aire debe tener en cuenta las restricciones de la aerolínea, las políticas son diferentes.

Si el médico le da el visto bueno para viajar debe tener en cuenta muchas otras cosas, vea la página 300 para más consejos sobre un viaje feliz (y más seguro y cómodo). Es importante que descanse mucho y aún más importante es que tenga el teléfono y el nombre de un buen obstetra allá y verificar si los gastos los cubre su seguro o no*. Si va a recorrer mucha distancia puede pedirle a su esposo que la acompañe, ya que en el caso de dar a luz allá, por lo menos no estará sola.

LA RELACIÓN CON LA PAREJA

"Aún no ha nacido el bebé y parece que la relación con mi marido ya está cambiando. Estamos muy absortos con el próximo nacimiento y con el bebé; en vez de uno con el otro, tal como solíamos estar."

Todos los matrimonios, en mayor o menor grado, sufren ciertas alteraciones en su dinámica y una reorganización de sus prioridades después de aparecer el tercer personaje, pero los estudios demuestran que el impacto de este trastorno es menor si la pareja inicia este proceso durante el embarazo. Así, aunque los cambios que esta mujer

está notando en su relación no parezca que sean para mejorar, es mejor que los experimente ahora, en vez de después del nacimiento. Las parejas con una visión romántica de un cariñoso terceto, y que no cuentan al menos con un poco de desintegración o interrupción de su romance, a menudo encuentran que la realidad de la vida con un exigente recién nacido es más difícil de sobrellevar.

No obstante, aunque es muy normal —y sano— verse obsesionado con el embarazo y el parto, la mujer no debería dejar que esta nueva faceta de su vida bloqueara por completo las demás, especialmente la relación con su pareja. Ahora es el momento de aprender a combinar los cuidados y la alimentación del bebé con los cuidados y la alimentación de su matrimonio. Se deberá reforzar con regularidad la relación de pareja. Una vez por semana sus miembros harán algo juntos —irán al cine, cenarán fuera de casa, visitarán un museo— que no tenga que ver con partos o bebés. Cuando la embarazada esté de compras, parará en el departamento de hombres y le comprará un regalito especial (e inesperado) al marido. Cuando salga de la consulta del médico después de la próxima visita, sorprenderá a su marido con un par de entradas para su ópera favorita o para ver un partido. A la hora de cenar, le preguntará cómo ha pasado el día, hablará del suyo y discutirán las noticias; todo ello sin dejarse llevar de nuevo por una conversación

---

* Si su seguro no cubre los gastos, es prudente que tome un seguro médico de viajes.

sobre el bebé. Nada de eso hará que el maravilloso acontecimiento sea menos especial, pero les recordará a los miembros de la pareja que en la vida hay algo más que gimnasia prenatal.

Si se tiene esto en mente ahora, será más fácil mantener encendida la llama del amor más adelante, cuando la pareja se tenga que turnar paseando a las dos de la mañana. Y la llama del amor es, después de todo, lo que hará que el acogedor nido que ahora está preparando la mujer para su bebé sea seguro y feliz (para más consejos sobre cómo encender la llama en la etapa posparto, lea *El primer año del bebé*).

HACER EL AMOR AHORA

"Estoy un poco confundida, ya que he oído muchas informaciones contradictorias acerca de las relaciones sexuales en las últimas semanas del embarazo."

El problema estriba en que las pruebas médicas de que dispone al respecto son desconcertantes y contradictorias. Está generalmente aceptado que ni el acto sexual ni el orgasmo pueden, por sí solos, precipitar el parto a menos que las condiciones estén maduras para ello (aunque muchas parejas deseosas de tener ya su hijo han disfrutado mucho intentándolo, sin conseguirlo). Por esta razón, muchos médicos y parteras permiten que las pacientes con embarazos normales hagan el amor —suponiendo que tengan interés en ello—

hasta el mismo día del parto. Y parece que la mayoría de las parejas lo hacen así sin sufrir ningún tipo de complicaciones.

Sin embargo, podría ser que existiera algún riesgo de que el acto sexual desencadenara un parto prematuro, por lo menos en las mujeres con elevado *riesgo* de nacimiento prematuro (como por ejemplo las que llevan fetos múltiples, las que empiezan pronto el borramiento y la dilatación y las que presentan un historial de parto prematuro). La rotura prematura de las membranas podría estar relacionada también con el acto sexual, particularmente cuando existe también inflamación de las membranas. Este también podría producir infección, tanto antes del parto (de la bolsa o el líquido amniótico) como después. Para ayudar a prevenir una posible infección, y también las posibles contracciones prematuras producidas por la exposición de la cérvix a las irritantes prostaglandinas que se hallan en el semen, muchos médicos recomiendan el uso de condones en las relaciones sexuales durante las últimas ocho semanas del embarazo.

De todos modos, lo mejor es que la embarazada trate de aligerar su confusión preguntándole a su médico cuál es la última opinión médica. Si el médico le da el visto bueno, puede hacer el amor sin preocuparse, si lo desea. Si el médico no se lo permite (y esto es lo que hará si se trata de un embarazo de alto riesgo de parto prematuro, con placenta previa o *abruptio placentae*, si experimenta hemorragias inexplicadas o si ya se han roto las membranas), entonces deberá buscar la intimidad con su pareja por otros caminos: una cita romántica, con cena a la luz de las velas, o un paseo a la luz de las estrellas. O bien, la pareja puede pasar la tarde acurrucada en la cama o en el sofá delante de la televisión, besándose y abrazándose; tomar una ducha a dos; o darse una sesión de masaje en la nuca, la espalda, los pies y naturalmente la barriga y los genitales. Recuerde que tiene toda una vida sexual por delante (aunque debe esperar a que su hijo duerma toda la noche).

QUÉ ES IMPORTANTE SABER:
Sobre la lactancia materna

A fines del siglo XIX todos los bebés eran amamantados; no había elección. Pero a principios de este siglo, las mujeres empezaron a exigir derechos que nunca habían tenido: el de votar, el de trabajar, el de fumar cigarrillos, el de dejarse el cabello suelto o cortárselo, el de desprenderse de la engorrosa ropa interior, y el de echar una ojeada fuera de sus cocinas y de la habitación de los niños. La lactancia quedó pasada de moda, limitaba la libertad y representaba todo aquello de lo que las mujeres querían liberarse. Ser una madre moderna era alimentar a los hijos con biberón. Y hacia los años 50, las únicas mujeres que continuaban amamantando a sus bebés (salvo la mayor de las autoras del presente libro y una serie de mujeres bohemias) eran aquellas a las que no había llegado aún la emancipación.

Irónicamente, fue el movimiento feminista revitalizado de los años 60 y 70 el que puso otra vez de moda la lactancia materna. Las mujeres deseaban no sólo la libertad, sino también el control —el control de sus vidas y de sus cuerpos. Sabían que el control venía con el conocimiento, y el conocimiento les decía que criar a los hijos amamantándolos era lo mejor; lo mejor para los bebés y, en conjunto, también para ellas mismas. Hoy en día existe una clara tendencia a volver a la lactancia materna, sobre todo entre las mujeres que conocen sus beneficios.

POR QUÉ ES MEJOR EL PECHO

Es indudable que, en condiciones normales, la crianza al pecho proporciona al bebé el alimento más perfecto para los bebés humanos:

Esta hecha a la medida. La leche de la madre contiene por lo menos cien ingredientes que no se encuentran en la leche de la vaca y que no pueden ser imitados perfectamente por las leches artificiales. La leche materna está individualmente adaptada a cada bebé; las materias primas son seleccionadas en la sangre de la madre en la proporción necesaria, que varía de día en día, de una toma a la siguiente, a medida que el hijo crece y cambia. Los nutrientes están adaptados a las necesidades del lactante. Por ejemplo la leche materna tiene un tercio de sales minerales de alto contenido de sodio más que la leche de vaca, por eso los pulmones del bebé la aceptan más fácilmente. También contiene menos fósforo, el fósforo en la leche de vaca se asocia con una baja de calcio en la sangre de los niños alimentados con fórmula.

La leche materna es más fácil de digerir que la leche de vaca. La proporción de proteínas en la leche materna es más baja (1,5%) que en la leche de vaca (3,5%), por lo que el bebé puede digerirla mejor. Las proteínas son en gran parte lactalbúmina, que es más nutritiva y digerible que el componente proteico principal de la leche de vaca, el caseinógeno. El contenido en grasas de ambas leches es similar, pero la grasa de la leche materna resulta de más fácil digestión para el bebé. Los bebés absorben mejor los micronutrientes de la leche materna, ya que los micronutrientes de la leche de vaca están diseñados para que los absorban los terneros.

Es segura. Puede estar segura de que la leche que sirva directamente de su pecho no está mal preparada, no está contaminada ni dañada*.

Es suave para el estómago. Los bebés alimentados al pecho no presentan nunca estreñimiento debido a la mejor digestibilidad de la leche materna. También es raro que presenten diarrea; puesto que parece que la leche materna destruye algunos de los microorganis-mos causantes de la diarrea y al mismo tiempo favorece el desarrollo de la flora beneficiosa del tracto digestivo, contribuyendo así también a la eliminación de los trastornos digestivos. Como nota puramente estética, las defecaciones de un bebé alimentado al pecho tienen un olor más dulce (por lo menos hasta que se introducen los alimentos sólidos en la dieta) y tienen menos tendencia a provocar escoceduras.

Es menos grasosa. La leche materna tiene menos tendencia a producir exceso de peso en los lactantes y obesidad en la vida adulta. También se relaciona con los bajos niveles de colesterol en la vida adulta.

Es buena para el cerebro. Dicen que la leche materna sube ligeramente el coeficiente intelectual, esto no solamente tiene que ver con la fabricación de áci-

---

* A menos de que tenga una enfermedad que la impida lactar.

dos grasos sino con la interacción madre-hijo que se construye en la lactancia (lo que impulsa el desarrollo intelectual).

Retiene las alergias. Prácticamente ningún bebé es alérgico a la leche materna (aunque algunos pueden presentar reacciones alérgicas ante ciertos alimentos de la dieta de la madre, incluyendo la leche). La beta-lactoglobulina, sustancia que se encuentra en la leche de vaca, puede desencadenar una respuesta alérgica, y tras la formación de anticuerpos, incluso puede provocar un *shock* anafiláctico (reacción alérgica que puede resultar mortal) en los lactantes. Algunos especialistas suponen que estos anticuerpos podrían contribuir a la aparición del síndrome de la muerte súbita de los lactantes (muerte en la cuna). Las fórmulas a base de leche de soya, que se usan a veces como sustituto cuando un lactante es alérgico a la leche de vaca, tienen una composición que se diferencia aún más de la pensada por la naturaleza para los bebés humanos.

Previene las infecciones. Los bebés alimentados con leche materna no solamente son menos propensos a la diarrea sino también a infecciones respiratorias, infecciones urinarias, infecciones de oídos y septicemia (una infección de la sangre)* en el primer año de vida. La

protección proviene en parte de los factores inmunes de la leche materna y el calostro. Parece que la leche materna también previene la leucemia infantil y provee la respuesta inmune a la inmunización de muchas enfermedades (como el tétano, difteria y polio).

Construye mejores bocas. La succión del pecho requiere más esfuerzo que tomar el biberón, y por ello favorece el desarrollo óptimo de las mandíbulas, los dientes y el paladar. Estudios recientes dicen que los niños alimentados con leche materna son menos propensos a las caries.

También existen beneficios de la lactancia para usted, la madre:

Conveniencia. Alimentar al bebé al pecho es cómodo. No exige una planificación por adelantado ni un equipo apropiado; está siempre a punto (en el coche, en un avión, en medio de la noche) y a la temperatura correcta. Cuando la madre y el hijo no van a estar juntos para una de las tomas, la leche puede ser extraída por adelantado y conservada en la nevera para ser utilizada en el momento oportuno.

Economía. La lactancia es económica. No requiere la compra de biberones, esterilizadores o leche en polvo; no se desperdician biberones medio vacíos ni botes de fórmula abiertos. Y una dieta nutritiva que permite a la madre alimentar bien a su bebé, es probablemente

---

* Hay bastantes investigaciones que dicen que el rango de enfermedades es menos en niños alimentados con leche materna, las enfermedades son: meningitis, botulismo, enterocolitis, muerte súbita, diabetes, enfermedad de Crohn's, colitis, linfoma y otras enfermedades crónicas.

más barata que una dieta típica americana —saturada de calorías vacías, pero cara— de los bares y restaurantes rápidos.

Recuperación rápida. Dar el pecho ayuda a acelerar la vuelta del útero a su tamaño anterior al embarazo, y reduce el flujo de los loquios (la pérdida vaginal que se produce después del parto), lo que significa menor pérdida de sangre. También le da más periodos de descanso a la madre, muy importantes durante las seis semanas posparto.

Recuperación de la figura. La lactancia puede ayudar a quemar la grasa acumulada durante el embarazo. Si la mujer pone cuidado en consumir sólo las calorías suficientes para mantener su suministro de leche y la energía que necesita (vea la página 532), y se asegura de que todas esas calorías provienen de alimentos nutritivos, podrá servir todas las necesidades alimenticias de su hijo al tiempo que recupera su propia figura.

Se pospone el período. La lactancia suprime la ovulación y la menstruación, por lo menos hasta cierto punto. Aunque no se debería confiar en ello con vistas al control de la natalidad, puede retrasar la reaparición de los períodos de la mujer durante meses, o por lo menos durante todo el tiempo que dé el pecho a su hijo.

Construcción de huesos. La lactancia puede generar la mineralización en sus huesos después del destete y reduce el riesgo de fracturas en la menopausia, eso si toma suficiente calcio para satisfacer sus necesidades y los requerimientos para la producción de leche.

Reduce el riesgo de cáncer. La lactancia puede reducir el riesgo de ciertos tipos de cáncer. Por ejemplo el cáncer uterino y el cáncer de pecho premenopausia.

El mejor y más grande regalo. La alimentación al pecho une a la madre y al hijo, piel contra piel, de seis a ocho veces al día. La gratificación emocional, la intimidad, la comunidad de amor y placer, pueden ser muy especiales y plenas. Esto no sólo es satisfactorio para los dos sino que puede ayudar al desarrollo del cerebro del bebé. (Nota especial para las madres de mellizos: todas las ventajas de la lactancia materna de un solo bebé quedan en este caso multiplicadas por dos. Vea la página 538 para una serie de consejos que facilitan el dar el pecho).

POR QUÉ ALGUNAS PREFIEREN EL BIBERÓN

En la actualidad hay mujeres que eligen no dar el pecho a su bebé. Y aunque las ventajas del biberón parecen ser muy pequeñas en comparación con las de la lactancia materna, pueden ser reales y convincentes para algunas mujeres.

Los pechos: ¿Sexualidad o practicidad?

¿O pueden ser las dos? Si lo piensa bien, tener dos o más roles en la vida no es raro, incluso los roles que son muy diferentes, que requieren habilidades diferentes y actitudes diferentes (por ejemplo amante y madre). Puede buscar los diferentes roles de los pechos, uno sexual y otro práctico, de la misma forma: los dos son importantes y uno no excluye al otro. Tenga en cuenta este punto a la hora de decidir si quiere o no amamantar.

Más responsabilidades para compartir. La alimentación con biberón permite que el padre comparta las responsabilidades y las ventajas de la crianza del bebé con mayor facilidad. (Aunque el padre de un bebé alimentado al pecho puede obtener los mismos beneficios, asumiendo que su bebé quiera tomarse un biberón, alimentándolo con un biberón de leche extraída de su madre e involucrándose en otras actividades que tengan que ver con el cuidado del bebé como bañarlo o arrullarlo).

Más libertad. La alimentación con biberón no ata a la madre. Esta puede trabajar, ir a comprar, salir por la noche, e incluso dormir toda la noche de un tirón, siempre que alguna persona se ocupe de la obligación de alimentar al bebé (estas opciones también son para las mamás que extraen leche o suplementan con fórmula).

Más romance. La alimentación con biberón no interfiere en la vida sexual de la pareja (a menos que el bebé se despierte con hambre en el momento menos oportuno). En cambio, la lactancia materna sí puede interferir. En primer lugar, porque las hormonas de la lactancia pueden mantener seca la vagina; y en segundo, porque la leche que sale de los pechos puede resultar desagradable a algunas parejas al hacer el amor. Para las parejas que alimentan al bebé con biberón, los pechos pueden continuar siendo eróticos en lugar de ser utilitarios.

Menos restricciones en la dieta. La alimentación con biberón no dicta una dieta a la madre, que puede comer todo el ajo, todos los alimentos muy condimentados y toda la col que desee, y que no deberá beber ni un vaso de leche si no le apetece.

Menos pena para las modestas. La alimentación con biberón puede ser la preferida para una mujer que siente inhibición frente a su propio cuerpo, que siente reparos ante un contacto tan íntimo con su bebé y ante la idea de darle el pecho en público. Lo mismo para una mujer que se siente demasiado activa o demasiado impaciente para esta misión.

Menos estrés. Algunas mujeres se sienten tensas, pero sin embargo, si hacen el intento verán (una vez que esté bien establecida la lactancia) que amamantar es muy relajante y sorprendentemente fácil.

ELEGIR

En la actualidad, para más y más mujeres la elección es fácil. Algunas saben que optarán por la lactancia natural en lugar del biberón incluso antes de decidirse a quedar en estado. Otras mujeres, que no concedieron demasiada atención al tema del embarazo, se deciden por la lactancia natural después de haberse informado sobre sus muchos beneficios. Algunas se debaten en la incertidumbre durante todo el embarazo e incluso el parto. Unas pocas, aunque convencidas de que dar el pecho a su bebé no es lo suyo, no pueden eliminar el sentimiento de que deberían probarlo de todos modos.

Hay un buen consejo para todas estas mujeres: vale la pena intentarlo; les gustará. Siempre pueden dejarlo si no les va bien, pero por lo menos habrán acallado aquellas dudas tan incómodas. Y sobre todo, tanto ellas como sus bebés se habrán aprovechado de las ventajas de la lactancia materna, aunque sólo sea por breve tiempo.

De todos modos, se debe intentar el proceso con buena fe. Las primeras semanas son siempre difíciles, incluso para las más adeptas a la lactancia materna. Algunos expertos sugieren que es

---

¿FUMAR Y AMAMANTAR?

La nicotina sí pasa a la leche materna, así que si usted fuma y amamanta, lo mejor que puede hacer por su bebé es dejar el vicio. Si no puede dejarlo (es difícil pero se puede hacer, vea la página 81) de todas maneras es mejor amamantar ya que así protege a su bebé de los daños del fumador pasivo. Usted puede minimizar los daños si:

- Fume menos cigarrillos.

- Fume cigarrillos con menos nicotina.

- Amamante a su bebé por lo menos 95 minutos después de haber fumado, así habrá menos nicotina en la leche cuando la tome el bebé.

- No fume cuando lacta, mejor aún, no fume en presencia del bebé (fumar cerca del bebé aumenta mucho el riesgo de problemas respiratorios y de muerte súbita).

---

necesario todo un mes o incluso 6 semanas de amamantamiento para que se establezca con éxito una relación de alimentación y para que la madre tenga tiempo de decidir si le gusta o no.

MEZCLAR LA LECHE MATERNA Y LA FÓRMULA

Algunas mujeres que escogen la lactancia se dan cuanta que o no pueden, o no quieren hacerlo por completo. A lo mejor no es lo más práctico para su estilo de vida (muchos viajes lejos de casa o un trabajo que no le deja tiempo para extraerse la leche); a lo mejor les resulta difícil (sufren de infecciones en los pechos o no tienen buen suministro de leche). Afortunadamente existe la opción de combinar las dos cosas, si escoge esta opción, tenga en cuenta que debe esperar a que la lactancia esté bien establecida (al menos dos o tres semanas, pero preferiblemente cinco o seis) antes de introducir la fórmula. Para mayor información sobre el tema, lea *El primer año del bebé*.

CUÁNDO NO SE PUEDE O NO SE DEBE DAR EL PECHO

Desgraciadamente, la decisión de dar o no el pecho no se halla abierta para todas las nuevas madres. Algunas mujeres no pueden o no deben amamantar al recién nacido. Las razones de ello pueden ser emocionales o físicas, basarse en la salud de la madre o en la del hijo, ser transitorias o a largo plazo. Los factores maternos más comunes que contribuyen a que el amamantamiento sea poco aconsejable incluyen:

◆ Enfermedad grave o debilitante (como por ejemplo dolencias cardíacas o renales, o anemia grave) o delgadez extrema. Aunque algunas mujeres logran superar los obstáculos y amamantar.

◆ Infección grave, como por ejemplo tuberculosis (la lactancia debe poder hacerse después de dos semanas de tratamiento); mientras tanto puede extraer leche de sus pechos, le darán un suplemento cuando se establezca la lactancia.

◆ Estados crónicos que exigen una medicación que pasa a la leche y que podría ser perjudicial para el bebé, como: fármacos antitiroideos, anticancerígenos o antihipertensores; litio, tranquilizantes, sedantes. Si la madre toma cualquier tipo de medicación, deberá consultar al médico antes de empezar a dar el pecho a su hijo*.

◆ Exposición a ciertos químicos tóxicos en el lugar de trabajo (vea la página 106) para encontrar información específica.

◆ El sida, que puede transmitirse por vía de los fluidos corporales, incluyendo la leche materna.

◆ Abuso de las drogas, incluido el uso de tranquilizantes, heroína, me-

---

* La necesidad temporal de una medicación, por ejemplo de penicilina, incluso en la época en que se debe empezar a dar el pecho, no tiene por qué eliminar totalmente las posibilidades de la lactancia materna. Es posible que se pueda empezar a alimentar al bebé con biberón de modo transitorio, extrayendo mientras tanto la leche del pecho para que este continúe produciéndola, y pasar a la crianza al pecho tan pronto como se prescinda de la medicación

tadona, marihuana, cocaína; consumo intenso de cafeína o alcohol*.

- Profunda aversión a la idea de criar un hijo al pecho (muchas mujeres cambian de opinión cuando hacen el intento).

Pueden existir condiciones en el recién nacido que dificulten la lactancia, pero (con un buen cuidado médico) no es imposible. Estas incluyen:

- Un trastorno del tipo de la intolerancia a la lactosa o la fenilcetonuria, en cuyo caso no se puede tomar ni leche humana ni leche de vaca. En el caso de la fenilcetonuria, los bebés se pueden alimentar si reciben también un suplemento de fórmula sin fenilalanina. Si los bebés son intolerantes a la lactosa (es muy raro), la leche de las madres se puede tratar con lactasa para que sea digerible.

- Labio hendido y/o paladar hendido, u otras deformaciones de la boca que puedan dificultar el proceso de succión del bebé. Aunque el éxito de la lactancia depende del defecto, casi siempre es posible lograrlo si hay ayuda especial.

---

* Tenga cuidado, cuando una madre ha ingerido alcohol le da menos leche al bebé y no duerme bien. Para minimizar estos problemas, evite amamantar por lo menos dos horas después de haber tomado alcohol.

UN POCO DE APOYO ES EXCELENTE

Solamente se necesitan dos para la lactancia, pero a veces se necesitan tres para que suceda. Un estudio reciente muestra que cuando los padres apoyan en el proceso, las madres logran hacerlo en un 96%. Cuando son ambivalentes, solo el 26% lo intenta. Papas: *¡tomen nota!*

Es muy raro el caso en que no funcione la lactancia, sin importar los esfuerzos por parte de la madre y del hijo. El suministro de leche no es adecuado probablemente por insuficiencia de tejido glandular en el pecho.

Si resulta que no puede amamantar a su bebé, incluso si lo desea mucho, no hay razón para sentirse culpable ni frustrada. De hecho es importante que se sienta bien, es importante que no se deje ganar por esos sentimientos. Conozca y ame a su bebé, sin importar si lo amamanta o no. Tome en brazos a su bebé, tome el biberón y siga leyendo.

EL BUEN USO DEL BIBERÓN

Aunque la crianza al pecho es una buena experiencia tanto para la madre como para el hijo, no hay ninguna razón para que la crianza con biberón no pueda serlo también. Millones de bebés sanos y felices han sido alimentados con biberón. Si la madre no puede, o no desea, dar el pecho a su hijo, el peligro no reside en el biberón, sino en la posibilidad de que pueda comunicar al bebé cualquier sentimiento de culpabilidad o frustración que ella pueda sentir. La madre debe saber que, con un poco más de esfuerzo, el amor puede pasar de ella a su hijo a través del biberón igual que a través del pecho. Cada una de las sesiones de biberón se debe convertir en un momento para acariciar y mimar al bebé, igual que sucedería si este mamara (no se apuntalará el biberón). Y cuando sea posible, se mantendrá un contacto piel a piel abriendo la blusa y dejando que el bebé descanse contra el pecho desnudo mientras se alimenta.

CAPÍTULO TRECE

El noveno mes

De la semana 36 a la 40 aproximadamente

Finalmente llega el mes que tanto ha esperado y por el que tanto ha trabajado (y se ha preocupado un poco) desde que esa prueba de embarazo dio positiva. Probablemente ya está lista (¡Para cargar ese bebé! ¡Para ver sus pies nuevamente! ¡Para dormir boca abajo!) o no lo está para nada. A pesar de toda la actividad (más citas médicas, muchas cosas por comprar, proyectos que terminar en el trabajo, pintar el cuarto del bebé) el noveno mes le parecerá el más largo de todos. Excepto si no tiene el bebé en la fecha programada. En ese caso, el décimo mes es el más largo.

QUÉ SE PUEDE ESPERAR EN LA VISITA DE ESTE MES

Pasadas las 36 semanas, la mujer acudirá semanalmente al médico (se la pasará leyendo en la sala de espera). Tanto la frecuencia como el contenido de estas visitas le recordarán que se está acercando el día esperado. Por regla general, se puede esperar que el médico controle los siguientes puntos, aunque puede haber variaciones en función de las necesidades particulares de la embarazada y de las costumbres del médico*.

◆ Peso (el aumento de peso seguramente disminuirá o incluso cesará por completo)

◆ Presión sanguínea (puede ser ligeramente superior a la encontrada a mitad del embarazo)

◆ Orina, para detectar azúcar y albúmina

◆ Manos y pies, para detectar edema (hinchazón); piernas, para detectar venas varicosas

◆ El cuello uterino (por examen interno, generalmente en algún momento después de la semana 38) para detectar borramiento y dilatación, o cuando sea conveniente, para realizar cultivos de la cérvix

◆ Altura del fondo del útero

---

* Véase el Apéndice, página 713, para una explicación de las intervenciones y los exámenes realizados

* Latido cardíaco del feto
* Tamaño (se puede obtener una estimación aproximada del peso), presentación (de cabeza o de nalgas), posición del feto (¿mirando hacia atrás o hacia adelante?) y descenso (¿está ya encajado?) por palpación (sentirlo con las manos)*

* Preguntas y problemas que la paciente desee discutir, particularmente los relacionados con el parto —es aconsejable llevar una lista

La embarazada recibirá instrucciones del médico sobre cuándo llamar si cree que está dilatando; si no fuera así, deberá preguntar.

QUÉ SE PUEDE SENTIR

Se pueden sentir todos estos síntomas en un momento u otro, o tan sólo unos pocos. Algunos pueden continuar desde el mes pasado, otros serán nuevos. Algunos serán percibidos por la embarazada, porque ésta ya se habrá acostumbrado a ellos y/o porque son eclipsados por signos nuevos y más excitantes que indican que el parto ya no está lejos.

FÍSICOS:

* Cambios en la actividad fetal (más intensa y con mayor mucosidad, que puede presentar estrías rojas de sangre o ser de un tono pardo o rosado después del acto sexual o tras un examen de la pelvis)
* Estreñimiento
* Acidez de estómago e indigestión, flatulencia e hinchamiento

* Dolores de cabeza, vahídos y desvanecimientos ocasionales; embotamiento de los oídos
* "Cepillo de dientes color de rosa" debido a que sangran las encías
* Calambres en las piernas durante el sueño
* Dolor de espalda y sensación de pesadez crecientes
* Molestias y dolorimiento de las nalgas y la pelvis
* Aumento del edema (hinchazón) de los tobillos y los pies, ocasionalmente de las manos y la cara
* Venas varicosas en las piernas
* Hemorroides
* Picor en el abdomen
* Respiración más fácil desde que el bebé ha "bajado"
* Micción más frecuente desde que el bebé ha "bajado"

---

* Si esto no se puede determinar así, el médico ordenará un ultrasonido.

- Crecientes dificultades para dormir

- Contracciones de Braxton Hicks más frecuentes e intensas (algunas pueden resultar dolorosas)

- Torpeza creciente

- Calostro que sale de los pechos espontáneamente o a causa de una presión (aunque esta sustancia anterior a la leche puede no presentarse hasta después del parto)

- Cansancio o mucha energía, o períodos alternos de cada uno de estos estados

- Aumento del apetito, o pérdida del apetito

UNA MIRADA INTERNA

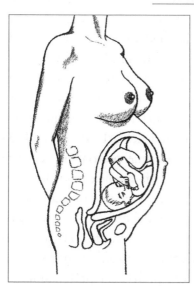

▲ *El útero está justo debajo de las costillas y las medidas ya no van a cambiar tanto de semana a semana. La parte alta del útero está más o menos a 38 o 40 centímetros arriba del hueso púbico. Su peso aumenta muy lento o para de subir. Se estira la piel del abdomen tanto que le parece que ya no puede estirarse más.*

▼ *El bebé está casi listo, a mediados de mes estará en condiciones perfectas para nacer. Durante el mes el bebé sigue creciendo rápidamente, ya tiene más o menos 5 cm y aumentó más o menos 1 Kg. Al nacer la grasa acumulada será del 15%. El bebé ya no tiene casi espacio pero debe estar atenta a los movimientos del niño. Muchos bebés toman la posición encorvada típica de los fetos, muchos "caen" a la pelvis de mamá (que sirve de puerta de salida) a la semana 38 más o menos. En el último mes el cordón umbilical tiene casi 60 cm y el peso de la placenta es más o menos de medio kilogramo.*

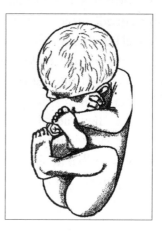

EMOCIONALES:

+ Más excitación, más ansiedad, más aprensión, más distracción

+ El alivio de haber llegado ya casi al final

+ Irritabilidad e hipersensibilidad (especialmente con las personas que preguntan: ¿Aún estás así?)

+ Impaciencia e intranquilidad

+ Sueños y fantasías sobre el bebé

QUÉ PUEDE PREOCUPAR

CAMBIOS EN LOS MOVIMIENTOS FETALES

"Mi bebé que solía dar unas patadas muy vigorosas, ahora ya no lo hace, parece menos activo".

Cuando la futura madre sintió por primera vez a su hijo hacia el quinto mes de embarazo, el útero le ofrecía mucho espacio para sus movimientos acrobáticos; y para sus patadas y puñetazos. Ahora, el útero le resulta bastante más angosto, y su gimnasia queda restringida. En esta "camisa de fuerza" que es ahora el útero, sólo le queda espacio para girarse, volverse y retorcerse. Y cuando su cabeza quede firmemente encajada en la pelvis, el bebé podrá moverse aún menos. En esta fase del embarazo, lo importante no es el tipo de movimientos fetales, sino el hecho de que la madre perciba cada día la actividad de su hijo. Si no siente actividad de su hijo en el vientre (vea arriba) o siente un movimiento de pánico, hable con su médico.

"Casi no he sentido las patadas del bebé en toda la tarde. ¿Debería alarmarme?"

Puede que el bebé esté tomando la siesta, o que la mujer haya estado demasiado ocupada o activa para notar sus movimientos. Para estar más segura, comprobará la actividad de forma más seria, mediante el test de la página 325. Es una buena idea repetir este test un par de veces al día durante el último trimestre. Diez o más movimientos en cada prueba significan que el nivel de actividad del bebé es normal. Menos, sugieren que podría ser necesaria una evaluación médica para determinar la causa de esta inactividad, así que la gestante deberá llamar a su médico de inmediato. Aunque un bebé que está relativamente inactivo en el vientre de su madre podría ser perfectamente sano, la inactividad a veces indica que existe sufrimiento fetal. El reconocimiento temprano de este trastorno a través de las pruebas de movimiento fetal y la intervención médica a menudo pueden prevenir serias consecuencias.

"He oído decir que los movimientos fetales se reducen a medida que se acerca el parto. Pero mi bebé parece estar más activo

que nunca. ¿Significa esto que será hiper-activo?"

Antes del nacimiento resulta demasia-do pronto para empezar a preocuparse sobre la hiperactividad. Los estudios de-muestran que los fetos que se muestran muy activos en el seno materno no tie-nen más probabilidades que los fetos tranquilos de convertirse en niños hiper-activos, aunque puede muy bien que resulten ser niños muy activos.

Las investigaciones recientes contra-dicen también la idea de que, por tér-mino general, el feto se vuelve perezoso poco antes del parto. Hacia el final del embarazo se suele producir una dismi-nución gradual de los movimientos (desde 25 a 40 movimientos por hora a las 30 semanas hasta 20 a 30 movimien-tos por hora a término), relacionada probablemente con el menor espacio disponible, la reducción de la cantidad de líquido amniótico y la mejor coor-dinación fetal. Pero a menos que con-trolen y cuenten los movimientos de su bebé, muchas mujeres no llegan a no-tar una diferencia significativa.

FRECUENCIA URINARIA, OTRA VEZ

"En los últimos días me la paso en el baño. ¿Es normal que orine tantas veces?"

Parece que volvió la frecuencia urina-ria. Este síntoma es más incómodo y más pronunciado cuando hay presión

en la vejiga; esto pasa al principio del embarazo, cuando el útero todavía está abajo en la cavidad pélvica, y después, al final del embarazo, cuando el bebé está listo para nacer. La frecuencia uri-naria es completamente normal, si no viene acompañada de síntomas de in-fección (vea la página 421).

No deje de tomar líquidos y vaya al baño cada vez que tenga ganas. Tenga cuidado en la noche, prenda las luces para ir al baño y no se ponga pantuflas resbalosas.

EL INSTINTO DEL NIDO

"He escuchado hablar del instinto del nido, ¿es verdad?"

El instinto del nido puede llegar a ser muy fuerte en algunas personas. Si algu-na vez ha visto cómo nacen unos cacho-rros o unos gatitos, se habrá dado cuen-ta de lo inquieta que está la madre antes del parto: corre de un lado al otro, busca el lugar indicado y finalmente se instala. Hay muchas madres que sienten la ne-cesidad de "arreglar" su nido justo antes del parto. Para algunas es sutil: sienten la necesidad repentina de limpiar el re-frigerador y ver que haya papel de baño para seis meses en la casa; otras mujeres lo expresan con comportamientos dra-máticos, irracionales y a veces humorís-ticos (para los que las miran) como lim-piar todo con un cepillo de dientes, ordenar la cocina por orden alfabético u ordenar la ropa del bebé una y otra vez.

Escoger al pediatra

Una de las decisiones más importantes como padres es escoger al pediatra (o al médico de la familia), no debe esperar a que nazca el bebé para hacerlo, es mejor que haga la elección de una vez y no cuando el niño llore a las tres de la mañana, así la transición a la paternidad será más fácil.

Si no sabe por dónde comenzar a buscar, hable con su doctor (si está satisfecha con su trabajo) o con amigos, vecinos o colegas que tengan hijos y le puedan recomendar a alguien bueno. También puede contactar al hospital; hable con las enfermeras, ellas conocen muy bien a los doctores. Evidentemente, si tiene un seguro médico que limite las opciones, debe escoger de la lista disponible.

Cuando tenga dos o tres opciones vaya a ver a los pediatras y compare. Lleve una lista de preguntas importantes para usted como si puede llamar a cualquier hora y cuánto tiempo debe esperar para que regrese la llamada, lactancia, circuncisión, el uso de antibióticos, etcétera. Para mayor información sobre el tema lea *El primer año del bebé*.

Este instinto se relaciona con el momento en que va a nacer el bebé, a lo mejor es una respuesta a la cantidad de adrenalina que circula en el sistema de la madre. Tenga en cuenta que no todas las mujeres tienen este instinto y que las que no lo tienen son tan buenas madres como las que sí lo tienen.

Si siente el instinto, trate de calmarse y siga su sentido común. No haga cosas descabelladas, deje que otros la ayuden porque usted necesita la energía para el parto. Lo más importante es que entienda las limitaciones de nuestra especie, usted solamente es un humano y no puede tener todo preparado para la llegada del bebé, hay ayuda externa que la mantendrá bien.

SANGRAR O MANCHAR

"Inmediatamente después de que mi marido y yo hiciéramos el amor esta mañana, empecé a sangrar. ¿Significa esto que el parto ha empezado; o que algún tipo de peligro amenaza al bebé?"

Cualquier síntoma nuevo que aparece en el noveno mes hace surgir inmediatamente una de estas dos preguntas; o las dos: ¿Ha llegado ya el momento? ¿Algo va mal? La sangre y las manchas son dos de estos acontecimientos que provocan ansiedad. Lo que indican depende del tipo de hemorragia y de las circunstancias que la rodean:

- Una mucosidad teñida de rosa o con un veteado rojo, que aparece inmediatamente después del coito o de un examen vaginal, o una mucosidad teñida de pardo que aparece unas 48 horas después, son probablemente sólo el resultado de que el cuello uterino sensible ha sido magullado o manipulado. Se trata de un signo normal y no peligroso, aunque se deberá informar de él al médico. Es posible que este aconseje a la pareja que se abstenga de las relaciones sexuales hasta el parto.

* La pérdida de sangre roja y brillante, o la aparición persistente de manchas podrían tener su origen en la placenta y requieren un examen médico inmediato. La embarazada deberá llamar a su médico sin demora. En caso de que no pueda localizarle, deberá trasladarse el hospital.

* Una mucosidad teñida de rosa o de pardo, o una mucosidad sanguinolenta, acompañada de contracciones u otros signos de parto inminente (vea el apartado dedicado al preparto, parto falso y parto verdadero, página 438), ya sea después de mantener relaciones sexuales o no, podrá señalar que se está iniciando el período de dilatación. Se deberá llamar al médico.

RUPTURAS DE LAS MEMBRANAS EN PÚBLICO

"Vivo con el temor de romper aguas en público."

Esta mujer no está sola con sus temores. La idea de que la "bolsa de aguas" se rompa en un autobús lleno de gente o en un supermercado atestado resulta tan humillante para la mayoría de las mujeres embarazadas como la de perder en público el control sobre la vejiga de la orina. Se sabe del caso de una mujer que estaba tan obsesionada que llegó a llevar consigo siempre un tarro con pepinillos en remojo, para poder dejarlo caer al suelo cuando sintiera los primeros indicios de salida del líquido amniótico.

Pero antes de empezar a buscar en la despensa un tarro de pepinillos, la embarazada debe recordar dos cosas. En primer lugar, la ruptura de las membranas antes de que empiece el parto es poco frecuente; ocurre en menos del 15% de los embarazos. Y si llegan a romperse, el flujo de líquido amniótico no suele ser importante, a menos que la futura madre se halle en posición tendida (cosa que no suele hacer en público). Cuando la mujer anda o está sentada, la cabeza del feto tiende a bloquear la salida del útero igual que el tapón de una botella de vino.

Y en segundo lugar, si las membranas se rompen y el líquido amniótico sale bruscamente, las personas que se hallen cerca de la embarazada no la señalarán con el dedo, ni sacudirán enfadadas la cabeza ni –lo peor de todo– se reirán. En lugar de ello, le ofrecerán su ayuda o bien la pasarán por alto discretamente. La embarazada debe tener en cuenta, después de todo, que nadie dejará de comprender que se encuentra en estado ni confundirá el líquido amniótico con orina.

Algunas mujeres que rompen aguas antes de la dilatación nunca experimentan la salida precipitada del líquido amniótico cuando las membranas se rompen; en parte debido al efecto de corcho, en parte debido a que no existen contracciones que hagan salir el líquido. Todo lo que estas mujeres notan es un goteo constante e intermitente.

El uso de una compresa higiénica durante las últimas semanas puede proporcionar una sensación de seguridad, además de un sentimiento más agradable a medida que aumenta la leucorrea.

ALIGERAMIENTO Y ENCAJAMIENTO

"Ya he pasado de las 38 semanas y el bebé aún no se ha encajado. ¿Significa esto que el parto se retrasará?"

El encajamiento es el descenso del feto hacia la cavidad pélvica. En los primeros embarazos, suele producirse entre dos y cuatro semanas antes del parto. En las mujeres que ya han tenido hijos, rara vez se produce antes de que empiece el parto. Pero como sucede con casi todos los aspectos del embarazo, también aquí la excepción a la regla es la regla. Una madre primeriza puede experimentar el encajamiento cuatro se-

manas antes de la salida de cuentas y dar a luz con dos semanas de "retraso" o bien puede ir de parto sin haber sufrido el descenso del feto.

Con frecuencia, el aligeramiento es muy patente. La embarazada nota que su voluminosa barriga parece haber descendido y haberse inclinado hacia adelante. Las consecuencias felices; debido a que la presión hacia arriba del útero sobre el diafragma se alivia, es más fácil respirar hondo, y con el estómago menos apretado, resulta más cómodo tomar una comida completa. Estas ventajas se ven oscurecidas por la incomodidad de la presión sobre la vejiga, las articulaciones de la pelvis y la zona perineal, lo que da lugar a una micción más frecuente, a una movilidad más dificultosa, a una sensación de mayor presión perineal, y a veces, a dolores perineales. La embarazada puede experimentar unas punzadas agudas cuando la cabeza del feto presiona sobre la base de la pelvis. Algunas mujeres notan cuando la cabeza del bebé gira en su pelvis. Y es frecuente que, una vez producido el aligeramiento, la embarazada se sienta desequilibrada, ya que su centro de gravedad ha vuelto ha desplazarse.

Pero también es muy posible que el encajamiento se produzca sin que la mujer se dé cuenta de ello. Si, por ejemplo, su barriga ya era del tipo bajo, es posible que la forma del abdomen no varíe notablemente con el aligeramiento. O si la mujer no experimentó nun-

---

PREPÁRESE

Educarse para la llegada de un bebé es la mejor forma de estar preparado para esta experiencia. Así que intente saber lo más que pueda: lea el próximo capítulo y busque otro material que le ayude a entender su proceso, vea videos, asista a clases. Prepárese en otros campos como la estética y su distracción. Por ejemplo considere: ¿quiere video del nacimiento?, ¿Quiere fotos?, ¿Quiere música en el parto o prefiere estar en silencio?, ¿Qué la va a distraer más mientras siente las contracciones, jugar cartas, ver su e-mail, ver su novela favorita en televisión? (También tenga en cuenta que a lo mejor cuando empiecen las contracciones lo último que va a querer son distracciones). No se le olvide empacar los materiales que necesita para todo lo que ha planeado (filmadora o cámara por ejemplo). Vea la página 328.

---

ca dificultades respiratorias o tomando una comida abundante, es probable que no note ningún cambio significativo en su estado.

El encajamiento significa que la parte que se presenta primero, generalmente la cabeza del feto, se halla introducida en la parte superior de los huesos pelvianos2. El médico confiará en dos indicaciones básicas para determinar si la cabeza del bebé está encajada: en el examen interno, la parte que se presenta primero se nota en la pelvis; al palpar externamente la cabeza del feto, se nota que está fija, que ya no "flota".

El recorrido de la parte de presentación a través de la pelvis es objetivado por los obstetras señalando unos planos referidos a los salientes de la pelvis. Se dice que está en un primer plano cuando la presentación entra en ella y en un segundo plano cuando está a mitad del camino. El tercer plano señala el encajamiento y el cuarto plano cuando va a salir, cuando se dice que corona. Aunque una mujer que empieza el parto con la presentación encajada tiene probablemente menos trabajo por delante que la que empieza con la cabeza libre, esto no es invariablemente cierto, ya que la altura de la presentación no es el único factor que influye sobre el progreso del parto.

Aunque el encajamiento de la cabeza fetal sugiere que el bebé podrá pasar probablemente a través de la pelvis sin dificultades, esto no quiere decir que el feto que aún está flotando cuando empieza el parto vaya a plantear necesariamente dificultades. Y de hecho, la mayoría de los fetos que aun no se han encajado cuando empieza la dilatación pasan a través de la pelvis suavemente. Ello es particularmente cierto en las mujeres que ya han tenido uno o más hijos.

EL MOMENTO DEL PARTO

"Me acaban de hacer un examen y el doctor dice que voy a empezar el trabajo de parto muy pronto. ¿Realmente puede decir qué tan cerca estoy de dar a luz?"

El médico puede hacer una predicción pero no es una ciencia exacta. Existen indicios de que un parto empezará pronto, indicios que el médico empieza a buscar en el noveno mes. ¿Se ha producido el encajamiento? ¿Qué plano de la pelvis ha alcanzado la parte de presentación del bebé? ¿Han empezado ya el borramiento (adelgazamiento del cuello uterino) y la dilatación (apertura del cuello uterino)?

Pero "pronto" puede significar dentro de una hora o dentro de tres semanas o más. Pregúnteselo a la mujer cuya euforia al decirle el médico que "iría de parto aquella misma tarde" se convierte en depresión a medida que las semanas de embarazo continúan pasando sin que se presente ni una contracción. El pronóstico del médico de que, ya que el borramiento y la dilatación aún no han empezado, el parto se halla aún a varias semanas de distancia, puede ser igualmente erróneo. Tal como testificarán las mujeres que, tras oír un pronóstico de este tipo, han salido de la consulta y han llegado a su casa resignadas a pasar otro largo mes de embarazo, sólo para dar a luz a su bebé a la mañana siguiente.

El hecho es que el encajamiento, el borramiento y la dilatación se pueden producir de modo gradual a lo largo de un período de semanas o incluso de un mes o más en algunas mujeres. En otras ocurren en cuestión de horas. Nadie, por mucha experiencia que se tenga, puede predecir con exactitud el comienzo del parto, ya que nadie sabe exactamente qué es lo que desencadena. (Esta es la razón de que algunos médicos sean tan reacios a aventurar pronósticos sobre el momento en que empezará el parto como a adivinar si será un niño o una niña).

Por consiguiente, como todas las mujeres embarazadas de todos los tiempos, es necesario tener paciencia y esperar, sabiendo de cierto únicamente que el día o la noche, llegará; en algún momento.

EL BEBÉ RETRASADO

"Llevo una semana de retraso y el médico ha dispuesto someterme a una prueba no estresante. ¿Es posible que no llegue a ir de parto sin inducción del mismo?"

La fecha mágica está marcada con un círculo rojo en el calendario; cada uno de los días de las 40 semanas que la precede es tachado con gran ilusión. Y luego, finalmente, llega el gran día. Pero en aproximadamente la mitad de los embarazos el que no llega entonces es el bebé. La ilusión se convierte en desaliento. El cochecito y la cuna para el bebé quedan vacíos un día más. Y luego una semana más. Y luego, en el 10% de los embarazos, dos semanas más. ¿Es que no terminará nunca el embarazo?

Aunque las mujeres que han llegado a las 42 semanas pueden no creerlo, en toda la historia no se ha registrado ningún caso de embarazo que continuara para siempre; ni tan sólo cuando aún no se había inventado la inducción del parto. (Es cierto que, de vez en cuando, un embarazo continúa hasta las 44 semanas o un poco más, pero en la actualidad, la mayor parte de los partos son inducidos antes de que el embarazo vaya más allá de las 42 semanas).

Los estudios demuestran que aproximadamente un 70% de los embarazos aparentemente demasiado largos no lo son en absoluto. Se cree que el parto se ha retrasado debido a errores en el cálculo de la fecha de la concepción, generalmente gracias a que la fecha de la última menstruación era incorrecta. Y de hecho, cuando se usan los ultrasonidos para confirmar la fecha de salida de cuentas, la cantidad de diagnósticos de embarazos demasiado largos desciende

---

¿AUTO INDUCIR EL PARTO?

Es mejor dejar algunas cosas a la naturaleza o por lo menos al personal médico calificado. Hay muchas técnicas para auto inducir el parto, pero muchas no son efectivas o tienen problemas. Un estudio ha demostrado que las mujeres que a partir de la semana 39 estimulan sus pezones durante tres horas o más al día es menos probable que tengan un retraso en la fecha del parto. En el estudio, las mujeres estimulaban el pezón, la areola y el pecho con las yemas de los dedos, 15 minutos cada pecho, alternándolos, durante una hora tres veces al día. Las cremas y las lociones eran opcionales, así como la ayuda del marido. El problema estriba en que esta técnica no sólo requiere mucho tiempo y energías, sino que si no se cuenta con una supervisión médica cuidadosa, puede ser peligrosa. Puede producir contracciones muy fuertes (mucho más que la oxitocina), que podrían producir problemas. Así que no debemos ensayar esta técnica a menos que el médico lo recomiende.

Otras de las técnicas que seguramente ha escuchado son: relaciones sexuales (pueden o no servir, pero por lo menos se va a divertir); caminar mucho (a menos de que su médico le haya restringido la actividad); tomar té de frambuesa (no tome esto antes de la fecha programada, puede producir contracciones anticipadas); una dosis de aceite de castor (hable con su médico porque muchas mujeres dicen que lo que da son calambres y no contracciones).

¿CÓMO LE VA AL BEBÉ?

De día en día los médicos van descubriendo nuevas formas de determinar qué suerte está corriendo el feto en el interior del útero. Estos exámenes pueden llevarse a cabo en cualquier momento del embarazo cuando existe algún motivo de preocupación, o durante la semana 41 o 42 cuando se cree que el bebé lleva retraso. Los más comunes son:

Valoración en casa del movimiento fetal. El registro por parte de la madre de los movimientos fetales (vea la página 326), aunque no constituye un procedimiento infalible, puede suministrar algunas indicaciones sobre las condiciones del bebé y puede utilizarse para detectar posibles problemas. Si la madre no detecta una actividad normal, se llevarán a cabo otros tests.

El test de no-estrés (TNE). La madre es conectada al monitor fetal tal como lo estaría si estuviera dilatando, con lo que se puede observar la respuesta del corazón fetal a los movimientos fetales. Si, durante este test, el ritmo cardíaco no reacciona a los movimientos o el bebé no se mueve en absoluto, o si se descubre cualquier otra anormalidad, podría existir sufrimiento fetal. Un inconveniente del TNE (y de la monitorización electrónica fetal) es que la exactitud de la prueba depende de la habilidad de la persona que la interpreta.

Estimulación acústica del feto (EAF), o estimulación vibroacústica. Este test de no-estrés evalúa la reacción del feto a los sonidos o vibraciones, y se ha visto que es más exacto que los tests de no-estrés tradicionales.

El test del estrés, o test de desafío de la oxitocina (TDO). Se trata de una prueba utilizada para evaluar la reactividad del corazón a las contracciones uterinas. En este test, algo más complejo y largo (pueden precisarse hasta tres horas), la madre es conectada a un monitor fetal. Si las contracciones no son lo bastante frecuentes por sí mismas, son aumentadas por vía intravenosa con oxitocina, o estimulando los pezones de la madre (con toallas calientes y, si fuera necesario, manualmente, por parte de la gestante). La respuesta fetal a las contracciones indica las probables condiciones del feto y de la placenta. Esta simulación aproximada de las condiciones de la dilatación permite predecir si el feto puede permanecer aún en el útero o no, o si, en caso necesario, se podrá enfrentar a las grandes demandas de la verdadera dilatación. Este examen no se puede hacer en mujeres con parto prematuro o con riesgo de parto prematuro, en mujeres con membranas rotas prematuramente, en mujeres con cirugía uterina o con una incisión clásica hecha en una cesárea y en mujeres con placenta previa.

Perfil biofísico (PBF). El PBF se obtiene mediante ultrasonidos y la evaluación de los movimientos y respiración fetales y la cantidad de líquido amniótico. Si estos tres son los adecuados, probablemente el bebé estará bien. Si se combina con un control del lati-

Continúa en la página siguiente…

...viene de la página anterior

do cardíaco fetal, el PBF proporciona una imagen muy adecuada de las condiciones del bebé.

Perfil biofísico "modificado". Esta combinación de los resultados del perfil biofísico (arriba) con los de un test de no-estrés (vea abajo) proporciona una valoración muy exacta del bienestar del bebé.

Velocímetro Doppler en la arteria umbilical. Este ultrasonido no es invasivo. Es un examen para ver el flujo de sangre a través de la arteria umbilical. Si no hay flujo o el flujo es débil, significa que el feto no recibe la nutrición adecuada y que probablemente no está creciendo como debería.

Otros tests sobre el bienestar fetal. Estos incluyen: ecografías seriadas para documentarse sobre el crecimiento fetal; comprobación por ultrasonidos del volumen de líquido amniótico (un menor volumen podría indicar una insuficiencia placentaria); muestreo de líquido amniótico (por amniocentesis); velocimetría de Doppler (que mide la velocidad del flujo sanguíneo a través del cordón umbilical); el "test de admisión fetal" (que combina la EAF con una comprobación del volumen de líquido amniótico), usado al iniciarse la dilatación para predecir problemas fetales potenciales; electrocardiografía fetal (para saber el estado del corazón fetal, generalmente mediante un electrodo adherido al cuero cabelludo); estimulación del cuero cabelludo fetal (que comprueba la reacción fetal a la presión o a un pellizco en el cuero cabelludo); y toma de muestras de sangre del cuero cabelludo fetal.

espectacularmente desde el porcentaje estimado hace tiempo del 10% a un 2% aproximadamente.

Cuando una mujer embarazada se halla en post-término (técnicamente 42 semanas o más, aunque algunos médicos toman cartas en el asunto antes de este plazo), el médico estudia la situación, considerando dos factores principales: primero ¿es correcto el cálculo de la fecha de salida de cuentas? El médico puede estar razonablemente seguro de la exactitud de este cálculo si la fecha correspondió durante todo el embarazo con la altura del fondo uterino y con el tamaño de la matriz y si también co-

incidieron con este cálculo el momento de los primeros movimientos fetales percibidos por la madre y de los primeros latidos del corazón del feto detectados por el médico. Las ecografías o los análisis sanguíneos para detectar los niveles de GCh (vea la página 8) llevados a cabo en los inicios del embarazo pueden revisarse para confirmar la fecha correcta.

El segundo factor que se suele considerar es si el feto sigue progresando. Muchos bebés continúan creciendo y desarrollándose hasta bien entrado el décimo mes (aunque esto puede plantear un problema si el bebé llega a ser demasiado grande para pasar fácilmente por la pelvis materna). Algunas veces, no obstante, el que una vez fue el medio ambiente uterino ideal empieza a deteriorarse. La placenta, que va envejeciendo, no suministra la nutrición y el oxígeno adecuados, y la producción de líquido amniótico disminuye, reduciendo peligrosamente los niveles de fluido del útero. En este caso, se hace difícil que el feto continúe estando en buenas condiciones.

Los bebés nacidos después de pasar algún tiempo en un medio ambiente de este tipo se denominan hipermaduros. Están delgados y arrugados, tienen la piel seca, cuarteada, laxa y que se pela, y han perdido el barniz caseoso común en los recién nacidos a término. Al ser "mayores" que otros recién nacidos tienen las uñas más largas y el pelo más abundante, y a menudo tienen los ojos más abiertos y están alerta. Los que han estado más tiempo en un útero que se está deteriorando pueden tener la piel y el cordón umbilical manchados de un tono verdoso (meconio). Los que han pasado un período de tiempo máximo en el útero tienen un tinte amarillento y la mayoría están en peligro durante el parto e incluso antes.

Debido a que generalmente son mayores que los bebés de 40 semanas, poseen una mayor circunferencia cefálica, ya que pueden estar sufriendo un suministro de oxígeno y nutrición deficientes o pueden haber aspirado meconio.

Los bebés hipermaduros tiene más posibilidades de tener un parto difícil y de nacer por cesárea. Puede que también precisen cuidados especiales en la sección de cuidados neonatales intensivos durante un corto período de tiempo. Sin embargo, los bebés nacidos a las 42 semanas tras un embarazo sin complicaciones no tienen un mayor riesgo de presentar problemas permanentes que los bebés nacidos a las 40 semanas.

Cuando se ha determinado con certeza que un embarazo pasa de las 41 semanas, y al examinar el cuello uterino se ve que está maduro (blando), muchos médicos toman la decisión de inducir la dilatación (vea la página 446). También se inducirá el parto o se practicará una cesárea, tanto si la cérvix está madura como si no, si complicaciones tales como la hipertensión (crónica o inducida por el embarazo) o la diabetes amenazan a la madre, o si la tinción por meconio, la posibilidad de un crecimiento inadecuado u otros problemas amenazan al feto. Si la cérvix no está madura, puede que el facultativo intente que madure administrando antes un fármaco tal como la prostaglandina E_2 (generalmente por vía de un gel o supositorios vaginales). O quizás prefiera esperar un poco más, llevando a cabo uno o más tests (vea el cuadro de la página 428) para ver si el feto aún está bien, y repitiendo dichos tests una o dos veces por semana hasta que empiece la dilatación.

Algunos médicos esperarán hasta las 42 semanas o incluso algo más antes de decidirse a engañar a la madre naturaleza, asumiendo que el feto continúe dando buenos resultados en los tests y que la embarazada continúe bien. Si en algún momento los resultados de las pruebas indican una insuficiencia placentaria o unos niveles inadecuados de líquido amniótico, o si existen cualesquiera otros signos de que el bebé o la madre está en problemas, el facultativo entrará en acción y, dependiendo de la situación, inducirá el parto o llevará a cabo una cesárea. Afortunadamente para las ansiosas futuras mamás, se permite que pocos embarazos vayan más allá de las 42 semanas confirmadas.

A veces recomiendan un par de formas de reducir las posibilidades de dar a luz con retraso, pero ambas tienen sus inconvenientes. Una —la estimulación diaria de los pezones— puede ser llevada a cabo en casa por la madre (vea el cuadro de la página 427), pero es peligrosa debido a que podría desencadenar unas contracciones excesivamente fuertes. La otra —despegar las membranas fetales— requiere una separación manual de las membranas coriónicas que rodean al feto en la parte inferior del útero, y debe ser llevada a cabo por el médico. Muchos facultativos creen que la separación de las membranas no es aconsejable, debido a que la posibilidad de que estas se rompan o surja una infección.

INDUCCIÓN PLANEADA PARA EL PARTO

"Muchas de mis amigas prefirieron inducir el parto antes de que llegara de forma natural, ¿es eso cada vez más común?"

Durante muchos años los médicos indujeron los partos, pero poco a poco el método natural tomó cancha en el mundo de la obstetricia. Las instituciones de salud dieron el visto bueno para la ingesta de oxitocina (la medicina más utilizada para inducir el parto) a quienes la pidieran (por conveniencia y no por razones médicas). Los pacientes y los doctores se dieron cuenta de las ventajas del parto natural y bajó la el número de inducciones dramáticamente.

Pero recientemente han aumentado otra vez las inducciones. Las razones no son claras, aunque hay algunos indicios: algo tienen que ver los cambios en la obstetricia clásica, es decir que más doctores prefieren inducir el parto si han pasado 42 semanas de embarazo; otro de los factores es la conveniencia de doctor y paciente. Las mujeres ocupadas quieren programar la fecha exacta de nacimiento y además quieren que las atienda su médico de confianza.

Los beneficios de programar una fecha no son tan buenos como para superar los riesgos, aunque pocos, de la inducción. Las instituciones de salud no recomiendan la inducción al menos hasta la semana 39 y solamente cuando los beneficios superen los riesgos.

Seguridad sobre el resultado de un examen

Se han hecho muchos avances en cuanto a exámenes en fetos, hoy en día los doctores conocen varios procedimientos que les indican cómo va el bebé en el útero, pero todavía no es una ciencia perfecta. Mientras que los falsos negativos (indican que todo está bien cuando no es cierto) son raros, los falsos positivos (un resultado que muestra un problema cuando no lo hay) son comunes. En otras palabras los resultados son ambiguos, así que es mejor que cualquier resultado sea comparado con más exámenes para comprobar el diagnóstico.

Como los falsos positivos son tan comunes (y como un mal diagnóstico puede llevar a una intervención innecesaria como una cesárea cuando el bebé puede nacer por pato vaginal) los médicos dicen que no son del todo confiables.

PLANEAR EL MEDICAMENTO CONTRA EL DOLOR

"En mi hospital se puede decidir desde antes si se quiere o no la epidural. Todo el mundo lo hace y yo también quiero hacerlo para no sentir dolor. ¿Hay alguna razón para no hacerlo?"

Hace algunos años las mujeres luchaban por tener a sus bebés sin medicamentos contra el dolor y hoy en día luchan por que los den.

Lo malo de las modas es que no siempre tienen en cuenta lo mejor para el cliente. Dar a luz con medicamentos para el dolor, aunque parece lo ideal para madre e hijo, no siempre es lo mejor (cuando el dolor es muy intenso o muy prolongado e interfiere con el proceso de parto), claro que firmar de antemano por la epidural tampoco es lo mejor, es imposible decir si necesita medicina para el dolor si no ha sentido el dolor y aunque la epidural es más segura y más efectiva que nunca, tiene un riesgo que debe medirse en frente a los beneficios de no utilizarla.

En otras palabras, es bueno prepararse para la posibilidad de una epidural y es bueno que sepa de qué se trata, pero no es bueno que la pida desde antes. Para mayor información sobre calmantes para el dolor en el parto, vea la página 367.

MIEDO A OTRO PERÍODO DE DILATACIÓN PROLONGADO

"En mi primer parto, la dilatación duró 48 horas, y finalmente di a luz tras 4 horas y media de empujar. Aunque los dos salimos bien del acontecimiento, temo pasar de nuevo por esa tortura".

Cualquiera que sea lo bastante valiente para volver al *ring* después de un primer

Qué se debe llevar al hospital

Aunque podría llegar al hospital con su tarjeta del seguro y su barriga, es mejor que tome algunas precauciones y empaque sus maletas con anterioridad (para que no tenga que revolver la casa buscando un CD), puede empacar lo siguiente:

Para la sala de dilatación o de parto

- Este libro, el organizador que viene acá mismo para tomar notas, hojas y pluma para escribir las preguntas y respuestas necesarias, instrucciones y los nombres del personal que la atendió.

- Copias de su plan para dar a luz (vea la página 364) para que sepan sus preferencias.

- Un reloj con segundero para contar las contracciones.

- Una radio o un reproductor de CD con los discos preferidos, si la música resulta relajante o tranquilizante a la futura madre.

- Una máquina fotográfica, una cinta magnetofónica y/o un equipo de vídeo, si la embarazada no se fía de su memoria para captar totalmente el acontecimiento (y si las normas del hospital permiten la grabación de los nacimientos).

- Entretenimiento. Cartas, rompecabezas, libro, computador o cualquier otra distracción.

- Polvos, lociones o cualquier otro producto con que la embarazada guste de darse masaje.

- Una pequeña bolsa de papel en la que poder respirar en caso de que se produzca una hiperventilación a causa de los ejercicios respiratorios.

- Una pelota de tenis o un rodillo de plástico para un buen masaje de la espalda para el caso de que el dolor en esta zona sea intenso.

- Caramelos sin azúcar para mantener la boca húmeda (aunque se suelen recomendar los caramelos con azúcar, estos solo consiguen producir más sed y más deshidratación en la parturienta).

- Calcetines gruesos para el caso de que los pies se enfríen.

- Un cepillo para el cabello, si el hecho de que le cepillen el pelo le resulta reconfortante a la madre.

- Una toalla para enjuagar el sudor, aunque es probable que el hospital la proporcione (es mejor no llevar una toalla blanca, ya que podría terminar accidentalmente en el servicio de lavandería del hospital).

- Un bocadillo u otro tentempié para el futuro papá (un acompañante que se desmaye de hambre no resultará de gran ayuda).

- Una botella de champaña, envuelta y con una etiqueta con el nombre de la madre, para celebrar el acontecimiento (el acompañante le puede pedir a la enfermera que

Continúa en la página siguiente…

...viene de la página anterior

la guarde en la nevera), aunque según la hora en que se produzca el parto, es posible que la pareja prefiera brindar con zumo de naranja.

Para el posparto

* Una bata y/o camisones, en caso de que la madre prefiera llevar su propia ropa en lugar de la del hospital. De todos modos, se debe pensar que si bien un camisón bonito puede ayudar a levantar los ánimos, también es posible que quede manchado de sangre. Lo mismo se puede decir de las batas y albornoces. Un buen compromiso podría ser la mañanita preferida de la embarazada, para llevarla sobre el camisón del hospital.

* Perfume, polvos o cualquier otro producto que haga sentir fresca a la parturienta.

* Artículos de tocador, incluidos el champú, el cepillo y la pasta de dientes, una loción (la piel puede secarse a causa de la pérdida de líquidos), una pastilla de jabón en una cajita apropiada, el desodorante, el cepillo para el cabello, un espejo de mano, maquillaje y cualquier otro producto esencial de belleza e higiene.

* Compresas sanitarias, preferiblemente del tipo autoadhesivo, aunque el hospital suele proporcionar compresas.

* Una baraja de naipes, libros (incluidos los libros sobre los nombres para el bebé en caso de que haya dejado esta decisión para el último momento) y otras distracciones.

* Paquetes de pasas, nueces, galletas de trigo integral y otros tentempiés saludables, para que la madre no sufra estreñimiento a pesar de la dieta hospitalaria.

* Unas prendas para volver a casa; hay que recordar que en ese momento la nueva madre tendrá aún una barriga considerable.

* Un conjunto "de calle" para el bebé, un pelele, un saco, unas botitas, una mantita más o menos gruesa según el tiempo que haga; probablemente, el hospital proporcionará los pañales, pero siempre es una buena idea llevar unos cuantos por si acaso.

* Una silla de carro para el bebé.

* Una copia del libro *El primer año del bebé*.

---

round tan desafiante se merece un cambio. Y existen muchas probabilidades de que lo tenga. El segundo parto y los siguientes suelen ser más fáciles y cortos que los primeros; a menudo con mucha diferencia. El canal del parto, ahora más espacioso, ofrecerá menos resistencia, y la musculatura estará más laxa, y aunque el proceso no carecerá de esfuerzos (raras veces es así), será menos doloroso. La mayor diferencia radicará en la cantidad de esfuerzos para empujar que la madre tendrá que hacer; los segundos bebés a menudo salen en unos pocos minutos, en vez de tardar horas.

MASAJE
PARA UN PARTO MÁS FÁCIL

¿Está impaciente porque empiece el parto? No se quede sentada ahí, ¡déle un masaje a su perineo! El masaje perineal que tanto recomiendan las parteras, puede ayudarle a estirar el perineo, ayuda a la salida de la cabeza del bebé y puede ayudarla a evitar la episiotomía. Es fácil de hacer: lávese las manos con agua y jabón (si su esposo le va a hacer el masaje, asegúrese de que se lave bien las manos), lubrique sus pulgares e introdúzcalos en su vagina. Presione hacia el recto y frote el área del perineo. Repita la operación todos los días, durante las últimas semanas del embarazo. *Nota*: es normal que sienta un poco de incomodidad o sensación de ardor, pare si siente dolor. Este masaje no es algo que deba hacer si no quiere, aunque la evidencia anecdótica es que es muy efectivo, no hay evidencia médica que lo respalde. Como siempre, hay cosas que funcionan para unos y otras que funcionan para otros.

Desde luego, aunque las posibilidades de tener un parto más fácil son significativamente mayores la segunda vez, no hay nada seguro en cuanto al parto. Ni con una bola de cristal se puede predecir con precisión lo que cada parto puede conllevar.

CRIANZA AL PECHO

"Mis pechos son muy pequeños y los pezones son planos. ¿Podré dar el pecho a mi hijo?"

Por lo que se refiere a un bebé hambriento, la satisfacción le puede venir de todo tipo de fuentes. El pecho no debe tener la forma o el tamaño ideal, desde el punto de vista estético y puede estar equipado con casi cualquier tipo de pezón: pequeño y aplanado, grande y puntiagudo, incluso invertido. Todas las combinaciones de pecho y pezón tienen la capacidad de producir y proporcionar leche; cuya cantidad o calidad no depende, en modo alguno, del aspecto externo del pecho. Pero desgraciadamente existen tantas falacias y leyendas acerca del tipo de pecho que puede o no satisfacer al bebé, que muchas mujeres renuncian innecesariamente a criar a sus hijos.

No deje que nadie le diga que sus pechos necesitan prepararse para la lactancia y que debe utilizar bombas o artefactos artificiales. Eso es menos efectivo que no hacer nada y pueden hacer más daño que bien, algunos aparatos causan infecciones, contracciones, etcétera.

Algunos expertos recomiendan que todas las mujeres que esperan dar el pecho a su bebé se preparen para ello, extrayendo una pequeña cantidad de calostro diariamente de los pezones, a partir del octavo mes (aunque no todas

Un plan con antelación

¿Cuánto tiempo va a estar en trabajo de parto sola antes de llamar a su médico?, ¿Debe llamarlo si rompe fuentes?, ¿Cómo puede ubicarlo si las contracciones aparecen en horarios que no son de oficina?, ¿Debe llamar primero y después ir al hospital?, ¿Hay otras cosas logísticas que necesite saber? Hable de todo esto con su médico y escríbalo en alguna parte para que no lo olvide cuando lleguen las contracciones.

También debe asegurarse de conocer el camino más corto al hospital y debe saber cómo va a llegar allá (no debe conducir usted). Si tiene más hijos o mascotas, consiga alguien que los cuide con anterioridad.

Guarde una copia de toda esta información y cárguela con usted, deje una en el refrigerador y otra en su mesa de noche.

La secreción amarillenta, líquida, que algunas mujeres embarazadas pueden extraer de sus pechos aplicando una suave presión o que escapa involuntariamente de sus pechos, no es leche. Se trata de un líquido denominado calostro, precursor de la leche. Más rico en proteína y más pobre en grasa y lactosa que la leche que aparece dos o tres días después del parto, contiene anticuerpos que pueden ser importantes para proteger al bebé contra las enfermedades.

Pero muchas mujeres no producen perceptiblemente el calostro hasta después del parto. E incluso entonces pueden no darse cuenta de ello. En cualquier caso, esto no indica que deban existir dificultades para alimentar al bebé al pecho.

CIRUGÍA DE PECHO Y LACTANCIA

"Me he reducido el busto varias veces, ¿puedo amamantar a mi bebé?"

Muchas de las mujeres operadas pueden amamantar, pero casi ninguna produce suficiente leche así que tienen que combinar con fórmula. Aunque puede amamantar a su bebé, eso va a depender de qué tanto se redujo, dónde la hicieron la incisión y cómo se llevó a cabo el procedimiento. Hable con su cirujano, si la cirugía la hicieron cuidando los ductos de leche y los nervios, es posible que pueda producir algo de leche.

las mujeres serán capaces de obtener calostro exprimiendo su pecho), y dando un masaje a los pezones, entre el índice y el pulgar, también a diario, para robustecerlos. Otros médicos dicen que la lactancia es un proceso natural, y que los pezones no requieren una preparación especial.

"Mi madre me ha dicho que cuando estaba de nueve meses se le escapaba ya leche de los pechos; pero a mí no me pasa. ¿Significa esto que no tendré leche?"

Si su cirujano no está muy seguro no importa, puede intentar amamantar. Hable con un experto que monitoree la ingesta de leche del bebé (mirando los pañales por ejemplo). Si no produce mucha leche puede recurrir a un suplemento (que le permite amamantar y suplementar con fórmula al mismo tiempo), eso alienta la producción. Recuerde que amamantar es siempre lo mejor, así lo acompañe con fórmula.

CUIDADO DEL BEBÉ

"Ahora que la llegada del bebé está tan próxima, me estoy empezando a preocupar por el trabajo de cuidarle. Nunca he tenido en brazos a un recién nacido."

Las mujeres no nacen madres ni saben de modo instintivo la manera de acunar a un bebé que llora y lograr que se duerma, de cambiar unos pañales o de dale un baño. La maternidad –al igual que la paternidad– es un arte que se aprende, que requiere mucha práctica para llegar a ser perfecto (o casi perfecto). Hace cien años, esta práctica solía producirse muy pronto, cuando las niñas aprendían a cuidar de sus hermanos menores del mismo modo que aprendían a cocinar y a zurcir calcetines.

En la actualidad, un elevado porcentaje de mujeres adultas no han amasado nunca el pan, ni han tomado una aguja para zurcir un calcetín, ni han

---

Banco de cordones umbilicales

Aunque todavía es algo experimental, muchos padres están considerando guardar sangre del cordón umbilical de sus hijos y de la placenta en bancos para poder utilizar las células en un futuro, las células pueden servir para curar una enfermedad grave en el niño o en otro miembro de la familia.

Es un procedimiento que no duele, dura menos de 5 minutos y se hace después de haber cortado el cordón. Es un procedimiento completamente seguro para madre e hijo (a menos de que el cordón se corte prematuramente), pero los beneficios para familias con bajo riesgo no se conocen muy bien y es muy caro.

Las instituciones de salud no recomiendan este procedimiento a menos de que exista un familiar enfermo y necesite las células ahora o en un futuro cercano. Las enfermedades son: leucemia, linfoma, neuroblastoma, anemia, enfermedad de talasemia, enfermedad de Gaucher, síndrome Hurler, síndrome Wiskott-Aldrich, homoglobinopatía severa, entre otras. Lo que sí apoyan las instituciones de salud es que se donen los cordones umbilicales para el uso público, eso no cuesta nada y salva vidas.

tomado en brazos un bebé –sin hablar ya de cuidarle–. La práctica de la maternidad la adquieren sobre la marcha y con la ayuda de libros, revistas y si se tiene la suerte de que las haya en el hospital local, una clase de cómo cuidar al bebé. Lo que significa que durante una o dos semanas después del nacimiento, el bebé llorará más que dormirá, sus pañales no estarán bien colocados y derramará posiblemente muchas lágrimas sobre el "no llores más" bordado en la almohada de su cuna. Pero la nueva madre empieza a sentirse de modo lento pero seguro como una profesional en la materia. Su inquietud se convierte en seguridad. El bebé que antes tenía miedo de tomar en brazos (¿y si se rompe?) es acunado ahora tranquilamente con el brazo izquierdo, mientras con la mano derecha la madre coloca los platos sobre la mesa o pasa el aspirador. La administración de gotas de vitaminas, los baños y la introducción de los pequeños bracitos en las mangas de las camisitas han dejado de ser temibles. Al igual que todas las demás tareas diarias de la maternidad, han pasado a ser ya naturales. La mujer se ha convertido en madre, al igual que lo harán más tarde todas las embarazadas, por difícil que les resulte creerlo antes del parto.

Aunque nada puede hacer más fácil estos primeros días con un primer bebé, empezar el proceso de aprendizaje antes del parto puede que ayude a que estos parezcan algo menos abrumadores. Podría ser de gran ayuda: visitar una sala de recién nacidos y ver a los últimos en llegar; tener en brazos, cambiar los pañales y tranquilizar al recién nacido de una amiga; leer sobre el primer año de los bebés; y tomar clases de cómo cuidar a un recién nacido.

QUÉ ES IMPORTANTE SABER:
Preparto, falso parto, parto verdadero

En las series y películas de la TV siempre aparece muy fácil. Hacia las 3 de la madrugada, la mujer embarazada se sienta en la cama, coloca una mano sobre su barriga y extiende la otra para despertar a su marido con un sereno "ha llegado el momento, cariño".

Pero nos preguntamos: ¿cómo sabe esta mujer que ha llegado el momento? ¿Cómo puede reconocer los dolores del parto con una confianza tan fría, tan clínica, si *nunca* los había sentido antes? ¿Por qué está tan segura de que no llegará al hospital, será examinada y se le notificará que aún no ha dilatado y ni tan siquiera está cerca del momento del parto? ¿De que no la mandarán de nuevo a casa –entre las sonrisas más o menos veladas del turno de noche– tan embarazada como antes?

Al otro lado de la pantalla de la TV, lo más probable es que nos despertemos a las 3 de la madrugada en un estado de total incertidumbre. ¿Se trata verdaderamente de los dolores del parto o tan sólo de otra contracción de Braxton Hicks? ¿Debo encender la luz y empezar a tomar el tiempo? ¿Debo despertar a mi marido? ¿Llamo al médico en mitad de la noche para avisarle de lo que puede ser en realidad un falso dolor de parto? Si lo hago y no ha llegado aún el momento, ¿me convertiré en aquella mujer embarazada que gritó "¡parto"¡ tantas veces que nadie se la tomó en serio cuando hubo llegado el momento? ¿O seré la única mujer que no es capaz de reconocer los dolores del parto? ¿Iré al hospital demasiado tarde y tendré quizás a mi hijo en un taxi? Las preguntas se multiplican con más rapidez que las contracciones.

El hecho es que la mayoría de las mujeres, por muy preocupadas que hayan estado, *no* valoran equivocadamente el inicio de su parto. Gracias al instinto, a la suerte o a unas contracciones "indudablemente" dolorosas, la gran mayoría de las mujeres llegan al hospital ni demasiado pronto ni demasiado tarde, sino en el momento oportuno. Pero, de todos modos, no hay razón para dejar el asunto en manos de la suerte. El conocimiento de los signos del preparto, del parto falso y del parto verdadero sin duda ayudará a aliviar la preocupación y a eliminar las confusiones

cuando empiecen dichas contracciones (¿o son las verdaderas?).

Nadie sabe con exactitud lo que desencadena el parto. Se cree que un grupo de sustancias naturales producidas por el cuerpo, denominadas prostaglandinas (PGs) producidas por el útero durante el embarazo aumentan durante el parto espontáneo a término; estimulan la actividad muscular uterina y desencadenan la liberación de oxitocina por parte de la glándula pituitaria, ambos importantes factores en la iniciación de la dilatación. Y los inhibidores de la prostaglandina, tales como la aspirina, pueden retrasar el inicio del parto. Probablemente es responsable del desencadenamiento una combinación de factores fetales, placentarios y maternales.

SÍNTOMAS DE PREPARTO

Los cambios físicos del preparto pueden anticiparse al parto verdadero en un mes o más, o sólo en unas pocas horas. El preparto se caracteriza por el inicio del borramiento y la dilatación del cuello uterino, que sólo pueden ser confirmados por el médico, así como por una gran variedad de signos adicionales que la embarazada puede detectar en sí misma:

Aligeramiento y encajamiento. Generalmente entre dos y cuatro semanas antes del parto, en las madres primerizas, el feto empieza a descender hacia la pelvis (vea la página 424). Pero en los partos posteriores, este fenómeno no se suele producir hasta que el parto ya ha comenzado.

Sensación creciente de presión en la pelvis y el recto. Los calambres y el dolor en las ingles es particularmente común en los segundos embarazos o embarazos posteriores. También se puede presentar un dolor en la parte baja de la espalda.

Pérdida de peso o cese del aumento de peso. Cuando el parto ya está cerca, sin que ello quiera decir que es inminente, algunas mujeres pierden un kilo o un kilo y medio de peso; por regla general, el aumento de peso es menor durante el noveno mes.

Cambios del nivel de energía. En el noveno mes, algunas embarazadas se sienten más fatigadas. Otras, por el contrario, experimentan un aumento de energía, vitalidad y ganas de hacer cosas. La necesidad incontrolable de limpiar los suelos o pulir los muebles ha sido relacionada con el "instinto de anidamiento"; la hembra de la especie prepara el nido para la inminente llegada (vea la página 421).

Cambios de las pérdidas vaginales. Es posible que las pérdidas vaginales sean más intensas y más espesas.

Pérdidas rosadas o sanguinolentas. Cuando el cuello uterino de la matriz se borra y dilata, es frecuente que se rompan capilares, tiñendo la mucosidad de rosa o veteándola de sangre. Estas "pérdidas" suelen significar que el parto empezará dentro de las 24 horas siguientes, pero también puede suceder que no empiece hasta varios días después.

Expulsión del tapón mucoso. A medida que el cuello uterino empieza a adelgazarse y dilatarse, el "corcho" de mucosidad que cierra el orificio del útero queda desalojado. Esta masa gelatinosa de mucus puede bajar por la vagina una o dos semanas antes de que aparezcan las contracciones reales o justo al iniciarse la dilatación.

Intensificación de las contracciones de Braxton Hicks. Estas contracciones habituales (vea la página 381) pueden volverse más frecuentes y más intensas, incluso dolorosas.

Diarrea. Algunas mujeres sufren de diarrea inmediatamente antes del inicio del parto.

SÍNTOMAS DE PARTO FALSO

El verdadero parto probablemente no ha comenzado aún si:

- Las contracciones no son regulares y no aumentan de frecuencia o de intensidad.

- Las contracciones desaparecen si la futura madre se pasea un poco o cambia de posición.

◆ Las pérdidas, si existen, son parduscas* (Suelen ser el resultado de un examen interno o de una relación sexual en las 48 horas anteriores).

• Los movimientos fetales se intensifican brevemente con las contracciones. A menudo, una gran actividad puede indicar sufrimiento fetal.

SÍNTOMAS DEL PARTO VERDADERO

Cuando las contracciones del preparto son sustituidas por unas contracciones más intensas, más dolorosas y más frecuentes, surge la pregunta: "¿Va ya en serio o se trata de un falso parto?" Tal vez la cosa va en serio si:

◆ Las contracciones se intensifican, en lugar de aminorar, con la actividad, y no se reducen o desaparecen al cambiar de posición.

◆ Las contracciones son progresivamente más frecuentes y dolorosas y por regla general (pero no siempre) más rítmicas, o sea con intervalos menos variables. (Esta progresión no es absoluta; cada contracción no es más dolorosa o más prolongada que la anterior, pero su intensidad general aumenta a medida que progresa el parto verdadero. Tampoco su frecuencia aumenta a intervalos regulares, perfectamente iguales –pero aumenta).

◆ El dolor comienza en la parte baja de la espalda y se extiende hacia la parte inferior del abdomen; también puede irradiar hacia las piernas. Las contracciones pueden ser experimentadas como un trastorno gastrointestinal e ir acompañadas de diarrea.

◆ Existen pérdidas rosadas o con un veteado sanguinolento.

◆ Se rompen las membranas. En un 15% de los casos, las membranas se rompen antes de que empiece el parto. En muchos partos las membranas no se rompen de manera espontánea y el médico debe romperlas.

CUÁNDO LLAMAR AL MÉDICO

En caso de duda, es mejor llamarlo. Incluso si la futura madre ha comprobado una y otra vez las listas de síntomas de las páginas anteriores, es posible que se sienta insegura acerca de si ya ha empezado realmente el parto. No esperará a estar completamente segura, a menos que prefiera un parto a domicilio. Al llamar al médico, este podrá notar, por el sonido de la voz de su paciente en trance si sufre una contracción, si la cosa va en serio. (Pero únicamente si la futura madre no intenta disimular el dolor en nombre del estoicismo o de la buena educación). El temor de que se

---

* La presencia de pérdidas de sangre roja requiere la consulta inmediata al médico.

produzca una situación embarazosa si resulta que el parto aún no ha comenzado no deberá impedir que la mujer llame a su médico. Si al final no era más que una falsa alarma, nadie se burlará de ello: por lo tanto no cabe la menor duda de que la futura madre no es la primera paciente del médico que se equivoca al juzgar los signos del parto y con seguridad no será la última.

Llamar a cualquier hora, de día o de noche, si todos los signos indican que la madre está ya preparada para ir al hospital. Es importante que un exagerado sentido de culpabilidad o de cortesía no le impida a la madre despertar a su médico en mitad de la noche o molestarle durante el fin de semana. Los médicos que se ganan la vida ayudando a nacer a los bebés no cuentan, por supuesto, con trabajar en un estricto turno de 9 a 5.

Es probable que el médico le haya dicho a su paciente que le avise cuando las contracciones se produzcan en una determinada frecuencia; por ejemplo, cada 5, 8 o 10 minutos. La futura madre le llamará cuando por lo menos algunas de sus contracciones se presenten con dicha frecuencia, sin esperar a que los intervalos sean totalmente regulares; es posible que no lleguen a serlo nunca.

Es probable que el médico haya instruido también a su paciente acerca del momento en que debe avisarle si rompe aguas, pero los dolores de parto aún no han empezado. Si faltan algunas semanas para la fecha programada, si se presenta prolapso del cordón umbilical (vea la página 681) o si el líquido amniótico está café o verdoso, llame *inmediatamente* al doctor. Si no consigue al médico, vaya al hospital.

CAPÍTULO CATORCE

Parto y nacimiento

La fabricación de un bebé tarda nueve meses y su llegada al mundo se realiza en tan sólo unas horas. No obstante, parece que son esas horas las que ocupan más la mente de las futuras madres –el proceso del parto está rodeado de más preguntas, miedos y preocupaciones que cualquier otro aspecto del embarazo. ¿Cuándo empezará? Y más importante, ¿cuándo terminará? ¿Podré aguantar el dolor? ¿Me tendré que poner un enema? ¿Llevaré un monitor fetal? ¿Sufriré una episiotomía? ¿Qué pasará si no hago ningún progreso? ¿Qué pasará si todo va tan de prisa que no tengo tiempo de llegar al hospital?

En el siguiente capítulo la futura madre encontrará respuestas a sus preguntas y comentarios tranquilizadores a sus miedos y preocupaciones. Estos, junto con un gran apoyo por parte del padre y el personal que ayuda al parto, y el conocimiento de que el parto nunca ha sido más seguro y manejable que hoy en día, deberían contribuir a preparar a la mujer para todo lo que pudiera surgir durante el nacimiento de su hijo y para lo más importante: su bebé.

QUÉ PUEDE PREOCUPAR

SE REVIENTA EL TAPÓN EPITELIAL Y HAY PÉRDIDAS SANGUINOLENTAS

"Creo que se reventó mi tapón epitelial. ¿Debo llamar al médico?"

No destape todavía la botella de champaña, el tapón epitelial se "desencaja" ocasionalmente cuando hay dilatación y empieza el borramiento. Aunque esto (no todas las mujeres lo experimentan y no siempre significa que ya llegó el momento del parto) signifique que su cuerpo se está preparando para el gran día, no es una señal confiable. En esta etapa del embarazo, el parto puede tardar hasta tres semanas más mientras el cuello uterino se abre poco a poco. En otras palabras, no necesita llamar a su médico ni empacar las maletas.

"Tengo unas pérdidas mucosas rosadas. ¿Significa esto que el parto está ya a punto de empezar?"

La presencia de pérdidas mucosas, teñidas de color rosado o pardo por su contenido en sangre, es un signo de que el cuello de la matriz se está borrando y/o dilatando y de que ha empezado ya el proceso que conduce al parto. Pero se trata de un proceso que muestra un horario bastante excéntrico y que mantendrá a las afectadas en suspenso hasta las primeras contracciones. En el caso de estas pérdidas sanguinolentas, el parto puede hallarse aún a una, dos o incluso tres semanas de distancia, durante las cuales el cuello uterino continuará dilatándose. O también es posible que el parto se produzca en menos de una hora.

Si las pérdidas pasaran a ser repentinamente de color rojo sangre o de una cantidad superior a 30 gramos, se deberá avisar inmediatamente al médico. Una hemorragia podría indicar una separación prematura de la placenta (vea la página 676), o la existencia de placenta previa (vea la página 661), lo que exige una rápida atención médica.

RUPTURA DE LAS MEMBRANAS

"Me desperté en medio de la noche con la cama mojada. ¿Es que había perdido el control de la vejiga, o bien se habían roto las membranas?"

Para contestar a esta pregunta basta probablemente con oler las sábanas. Si la mancha húmeda tiene un olor dulzón y no huele a amoníaco, se trata seguramente de líquido amniótico. Otro indicio: seguramente la embarazada continúa perdiendo líquido amniótico, que es de color paja pálido (y que no se termina ya que continúa siendo producido hasta el momento del parto; cada tres horas se reproduce toda la cantidad del mismo). Pero si la futura madre se pone de pie o se sienta, la cabeza del bebé actuará como un tapón y reducirá o detendrá totalmente la salida de líquido amniótico temporalmente. Es más pesado (así esté sentada o parada) si las membranas se rompen abajo, cerca al cuello uterino y no más arriba.

Seguramente su médico ya le dijo qué debe hacer y cuándo debe llamarlo si se rompen las membranas. Siga sus instrucciones y los consejos que le dimos anteriormente. Si no está segura de lo que debe hacer, llame a su médico.

"He roto aguas, pero no he tenido ninguna contracción. ¿Cuándo empezará el parto y qué debo hacer mientras tanto?"

Si este caso es como el de la mayoría de las mujeres embarazadas que rompen aguas antes de iniciarse el parto, lo más probable es que este empiece en las próximas 12 horas; en la mayoría de las demás empezará dentro de las primeras 24 horas. Así que es probable que el momento del parto esté por llegar.

Aproximadamente 1 de cada 10 mujeres tarda incluso más en ir de parto. A causa del creciente riesgo de infección para el bebé y/o la madre a través del saco amniótico roto, la mayoría de los médicos inducen el parto con oxitocina dentro de las 24 horas que siguen a la rotura si la fecha de la salida de cuentas está próxima, aunque algunos esperan sólo 6 horas. Muchas de las mujeres con membranas rotas prefieren una inducción que la espera de 24 horas.

Si la mujer experimenta un flujo o un goteo vaginal de líquido amniótico, llamará al médico o a la enfermera partera. Mientras tanto deberá mantener su área vaginal lo más limpia posible para evitar infecciones. No tomará un baño ni mantendrá relaciones sexuales; utilizará compresas sanitarias para absorber el flujo de líquido amniótico (no tampones), no intentará realizar ella misma un examen interno y se limpiará de adelante hacia atrás después de ir al baño.

En algunos pocos casos de rotura prematura de las membranas (con mayor frecuencia en los partos prematuros y de nalgas), cuando la parte de presentación no está encajada en la pelvis, el cordón umbilical queda "prolapsado" –penetra en el cuello del útero o incluso en la vagina, arrastrado por el flujo de líquido amniótico. Si la embarazada observa que en su vagina aparece un asa de cordón umbilical o siente algo dentro de la vagina, deberá consultar la página 682 y conseguir ayuda médica de inmediato.

LÍQUIDO AMNIÓTICO OSCURO (COLORACIÓN POR MECONIO)

"Las membranas se han roto y el líquido es de color pardo amarillento. ¿Qué significa?"

El líquido amniótico probablemente está teñido por el meconio, una sustancia de olor desagradable y de color pardo amarillento que procede del tracto digestivo del bebé. Normalmente, el meconio es expulsado después del nacimiento, con las primeras heces del bebé. Pero algunas veces –sobre todo cuando existe algún tipo de sufrimiento fetal y muy a menudo cuando el bebé es posmaduro– es expulsado antes del nacimiento y va a parar al líquido amniótico.

La coloración por meconio, por sí misma, no es un signo seguro de sufrimiento fetal, pero como existe esta posibilidad, lo mejor es informar de ello al médico inmediatamente. El meconio también puede indicar que está en riesgo de infección y que deben vigilarla con más cuidado.

LÍQUIDO AMNIÓTICO INADECUADO

"Mi doctor dice que mi líquido amniótico es bajo y que necesita suplemento, ¿debo preocuparme?"

Generalmente la madre naturaleza mantiene bien cerrado el útero con un suministro de líquido amniótico de más. Afortunadamente, aunque los niveles sean bajos durante el parto, la medicina puede suplementar con una solución salina que se bombea directamente al saco amniótico a través de un catéter. Este procedimiento también se utiliza cuando hay muy poco (o de forma moderada) meconio del líquido amniótico.

Como mejora las condiciones del útero, este procedimiento reduce la posibilidad de un parto quirúrgico.

INDUCCIÓN AL PARTO

"El médico desea inducir el parto. Lo lamento, ya que deseaba tener un parto espontáneo."

Hay una variedad de situaciones médicas en las que es prudente –y a veces necesario– inducir el parto. En algunos casos lo mejor es la cesárea; en otros, cuando no hay riesgo inmediato para el bebé, la mamá y el feto pueden lograr un parto normal, con el consentimiento del médico. La inducción es la primera opción. Por ejemplo:

- Cuando el bienestar del feto se ha puesto en entredicho (debido a una nutrición inadecuada, una función placentaria pobre, a que es un feto hipermaduro o por cualquier otra razón) y este está lo bastante maduro para poder sobrevivir bien fuera del útero.

- Cuando un test de estrés o de no estrés sugiere que la placenta ya no funciona de forma óptima y el medio ambiente uterino ya no es sano.

- Cuando se ha dado una rotura prematura de las membranas a término y cuando el parto no empieza en las próximas 24 horas (aunque algunos médicos inducen antes).

- Cuando el líquido amniótico está infectado.

- Cuando el embarazo se ha prolongado una a dos semanas más a partir de una fecha de salida de cuentas que se considera correcta.

- Cuando la madre es diabética y la placenta se está deteriorando prematuramente, o cuando se teme que su bebé será muy grande –y por lo tanto difícil de salir– si se ha alcanzado la fecha de salida de cuentas.

- Cuando la madre padece una preeclampsia (toxemia) que no puede ser controlada mediante reposo en cama y medicación, y es necesario que el bebé nazca por el bien de este y/o de su madre.

- Cuando la madre padece una enfermedad crónica o aguda, tal como una presión sanguínea alta o una enfermedad renal, que amenace su bienestar o el de su bebé si el embarazo prosigue.

◆ Cuando el feto padece alguna enfermedad grave por incompatibilidad de Rh que precisa de un nacimiento a corto plazo.

La inducción además puede hacerse en mujeres que no alcanzan a llegar al hospital, o porque viven lejos o porque han tenido un parto muy corto con anterioridad.

Lo primero y lo más importante es dejar todo listo para el parto. Algunas veces, todo lo que se precisa para inducir la dilatación es que el médico rompa las membranas que rodean al feto (ver la página 462) (bolsa de aguas) prematuramente. Si el cuello uterino no está maduro, durante este proceso se pueden administrar analgésicos. Algunos médicos le darán a la madre una dosis de aceite mineral y/o le indicarán que intente la estimulación de los pezones para que se inicien las contracciones. También pueden usarse unos óvulos vaginales o un gel de prostaglandina E2 (o un supositorio en forma de tableta)* para ayudar a que el cuello uterino madure. Pero en la mayoría de los casos, se hace necesaria la administración de oxitocina para activar el útero de forma consistente. Muchas mujeres responden bien al gel y generalmente

funciona para que empiece el trabajo de parto*.

El siguiente paso que siguen algunos médicos es romper artificialmente las membranas (la "fuente", también conocida como el saco amniótico) que rodean al feto (vea la página 462). Hay otros médicos que separan las membranas del cuello uterino y aunque este procedimiento no intenta romper las bolsas, a veces se rompen. Puede ser doloroso para algunas mujeres.

Las medicinas como la oxitocina son usadas más frecuentemente para inducir el parto cuando el cuello uterino está maduro (si las contracciones no han empezado). La oxitocina es una hormona producida naturalmente por la glándula pituitaria materna a lo largo de todo el embarazo. A medida que la gestación avanza, el útero se vuelve más y más sensible a dicha hormona. Cuando el cuello uterino está maduro, la oxitocina es capaz de iniciar (o de aumentar, vea el cuadro de la página 449) una dilatación que es muy similar a la que se da de forma natural. Cuando la cérvix no está madura, la inducción puede llevarse a cabo (asumiendo que el tiempo no apremie) durante un período de dos o tres días, para permitir una maduración gradual. (La medicina misoprostol, administrada a través de

---

* Algunos médicos utilizan herramientas mecánicas como un catéter con una bomba inflable, dilatadores graduables e incluso hierbas que, una vez en el cuello uterino, lo abren mientras se absorben los fluidos.

---

* Los agentes utilizados en casa para este procedimiento se están estudiando y pueden volverse más comunes en el futuro.

la vagina, parece que es más efectiva que la oxitocina y la prostaglandina en gel. Las investigaciones demuestran que la administración de misoprostol disminuye la necesidad de oxitocina y hace que el parto sea más corto).

Para inducir la dilatación, la oxitocina se administra mediante un goteo intravenoso con una bomba de infusión. Esta es la forma más fácil y segura de controlar la tasa de administración. El líquido se introduce por medio de una aguja clavada en el brazo o en el dorso de la mano, conectada mediante un tubo a dos botellas. Una de ellas contiene fluido intravenoso sin fármacos, y la otra la oxitocina. Al introducirse la oxitocina en el tubo primario a través de una bomba de infusión, es posible controlar la dosis con gran precisión. Por lo general, la inducción empieza lentamente, con una dosis muy baja de oxitocina, y se controla cuidadosamente la reacción del útero y del feto. (Durante todo el período de la inducción debe quedar de vigilancia un médico o una enfermera). La tasa de infusión es aumentada gradualmente hasta que se establecen unas contracciones efectivas. Si el útero de la mujer demuestra ser extremadamente sensible al fármaco y ser hiperestimulado, con contracciones demasiado prolongadas o demasiado intensas, este método permite que la infusión sea reducida inmediatamente o incluso detenida por completo, pasando el medicamento a la botella de

reserva. Las contracciones suelen iniciarse al cabo de 30 minutos en las mujeres que han salido de cuentas o casi lo han hecho, y suelen ser más regulares y más frecuentes que las naturales, desde un buen principio. Si después de seis a ocho horas de administración de oxitocina la dilatación no ha empezado o progresado, probablemente se dará por concluido este procedimiento y se buscará una solución alternativa, recurriéndose generalmente a una cesárea. Puede que también se cese el tratamiento si las contracciones se han establecido bien y prosiguen por sí mismas.

Casi siempre es posible predecir antes de tiempo si se va poder hacer o no la inducción, eso se hace a través de un examen especial. Las investigaciones también sugieren que las mujeres listas para dar a luz que den positivo para la fibronectina cervical fetal, son más propensas a la inducción (para mayor información vea la página 427).

La inducción a la dilatación no es procedimiento apropiado cuando se precisa un parto inmediato o cuando existen dudas de que el feto pueda pasar por la pelvis de la madre; también se evita cuando la placenta está cerca o cubriendo la abertura uterina (placenta previa), cuando se cree que la mujer está pasando por un parto falso, y generalmente en mujeres que han tenido cinco o más niños o que tienen una cicatriz vertical de una cesárea anterior, ya que tienen un gran riesgo de rotura

**DELE UNA OPORTUNIDAD
A LA MADRE NATURALEZA**

A veces una mujer entra en trabajo de parto por su cuenta, pero por una u otra razón, sus contracciones no son efectivas para dilatar el cuello uterino o son muy suaves para que continúe el proceso como debería. Generalmente el médico le da a la paciente oxitocina para acelerar el parto.

uterina. Algunos médicos tampoco intentarán la inducción cuando la mujer esté esperando más de un bebé o cuando el feto se presente de nalgas. El Colegio Americano de Obstetricia y Ginecología recomiendan que cuando se induce el parto mediante oxitocina el médico esté preparado y disponible para llevar a cabo una cesárea de emergencia, por si fuera necesaria.

Algunas mujeres encuentran desagradable el brusco comienzo de las contracciones intensas que se suele producir con la inducción; algunas incluso sienten que se les ha privado de una parte de la experiencia del parto. En cambio, otras prefieren esta manera de "ir al grano". Con su acompañante al lado, atraviesan el parto inducido, que por lo demás es normal, utilizando todos los ejercicios respiratorios y todos los otros mecanismos que han aprendido en las clases de preparación. Y lo mismo puede hacer toda mujer que tenga en cuenta que un parto (independientemente de cómo se ha iniciado) es siempre un parto.

LLAMAR AL MÉDICO DURANTE LA DILATACIÓN

"Acabo de empezar a sentir las primeras contracciones, pero éstas se producen ya cada tres o cuatro minutos. No sé si llamar al médico, ya que este me dijo que debería pasar en casa las primeras horas de la dilatación."

Mejor tonta que arrepentida. La mayoría de las madres primerizas (cuyos partos suelen empezar lentamente, con un aumento gradual de las contracciones) *pueden* contar con pasar en su casa las primeras horas del parto. Pero si las contracciones empiezan ya con intensidad –con una duración de por lo menos 45 segundos y con una frecuencia inferior incluso a los 5 minutos– y/o la madre no es primípara, es probable que las primeras horas del parto sean también las últimas. Es muy posible que la mayor parte de la primera fase del parto haya sido indolora, y que el cuello uterino se haya dilatado ya considerablemente durante este tiempo. Esto significa que no llamar al médico –y correr el riesgo de tener que acudir apresuradamente al hospital en el último minuto– sería bastante más tonto que coger el teléfono y avisarle ahora mismo.

De todos modos, antes de hacerlo es mejor tomar el tiempo de varias contracciones consecutivas. Se anotará con claridad su frecuencia, su duración y su intensidad, para poder informar bien al médico. La embarazada tampoco debe intentar minimizar sus molestias al hablar con el médico, tratando de conseguir que su voz aparezca tranquila. (Los médicos están acostumbrados a juzgar la fase del parto en parte a través del sonido de la voz de la mujer que está experimentando una contracción en ese momento).

Si la futura madre cree que todo está a punto, pero el médico no parece creerlo así, la embarazada no debe aceptar un "espere un poco" como respuesta. Le preguntará si puede ir al hospital para que la examinen. (Vea el apartado sobre llamar al médico, en el capítulo acerca del preparto, el parto falso y el parto verdadero, página 334). La madre puede llevar consigo su maleta, sólo "por si acaso", pero deberá estar preparada a dar media vuelta y a volver a casa si sólo está empezando a dilatar.

CONTRACCIONES IRREGULARES

"En las clases de preparación maternal nos dijeron que no debíamos acudir al hospital hasta que las contracciones fueran regulares y se presentaran cada cinco minutos. Las mías se presentan con menos de cinco minutos de intervalo, pero no son en absoluto regulares. No sé qué hacer".

No hay dos mujeres que tengan exactamente las mismas huellas dactilares. Ni tampoco hay dos mujeres que tengan un parto exactamente igual. El parto descrito en los libros, en las clases de educación al parto o en la consulta del médico, es el parto típico —parecido al que muchas mujeres pueden esperar. Pero no todos los partos, ni mucho menos, siguen fielmente el patrón de los libros de texto, con contracciones a intervalos regulares y prediciblemente progresivas.

Si la mujer tiene contracciones intensas, largas y frecuentes (cada 40 a 60 segundos), incluso si varían considerablemente en cuanto a duración e intervalo, no deberá esperar a que se vuelvan "regulares" antes de llamar al médico o de encaminarse al hospital – independientemente de lo que haya leído u oído decir. Es posible que sus contracciones sean ya tan regulares como serán en todo el parto y que se encuentre ya en la fase "activa" del parto. No deberá perder tiempo y llamar al médico o acudir al hospital; la futura madre que duda en un caso como este podría terminar con un parto en casa no planificado.

PARTO DE RIÑONES

"El dolor que siento en la espalda desde que ha empezado el parto es tan intenso que no sé cómo podré soportarlo hasta el nacimiento del bebé."

Técnicamente, el "parto de riñones" se produce cuando el feto se encuentra en una posición posterior (u occipitoposterior), con la parte posterior de su cabeza haciendo presión sobre el sacro de la madre, el límite posterior de la pelvis. Sin embargo, es posible experimentar un parto de riñones cuando el bebé no se halla en esta posición o cuando el bebé se ha girado de una posición posterior a una anterior* –posiblemente porque la zona se ha convertido en un foco de tensión.

Cuando la futura madre experimenta este tipo de dolor –que con frecuencia no disminuye entre las contracciones y resulta insoportable durante estas– la causa no es realmente un problema crucial. Lo que sí lo es, es el modo de aliviarlo, aunque sólo sea ligeramente. Existen diversas medidas que pueden resultar útiles; siempre vale la pena probarlas, estas son:

No cargar más la espalda. Intentar disminuir la presión cambiando de postura –andando un poco (aunque esto puede resultar humanamente imposible cuando las contracciones son frecuentes e intensas), poniéndose en cuclillas, poniéndose a cuatro patas, o adoptando aquella postura que sea más cómoda y menos dolorosa. Si la mujer cree que no puede ni moverse, y prefiere permanecer acostada, lo mejor es que se tienda sobre el costado, manteniendo la espalda doblada.

Calor o frío, aplicado por su acompañante. El acompañante puede aplicar calor (una bolsa de agua caliente envuelta en una toalla, una compresa caliente, etcétera) o frío (bolsas de hielo, compresas frías) –en función de cuál sea el que procura más alivio.

Aplicar una contrapresión. Pedirle al acompañante que pruebe varios modos de aplicar presión al área de mayor dolor, o a las áreas adyacentes, hasta encontrar el que parezca aliviar mejor. Puede intentarlo con los nudillos o con la palma de una mano y ejerciendo presión con la otra, ya sea aplicando una presión directa o con firmes movimientos circulares. La presión puede ser ejercida mientras la mujer permanece sentada o mientras se halla tendida sobre el costado. El alivio que puede proporcionar una contrapresión realmente intensa vale la pena aunque a la mañana siguiente la mujer tenga marcas negras y azuladas en la espalda.

Utilizar la acupresión. Se trata probablemente de la forma más antigua de aliviar el dolor –y no es necesario ser china para intentarlo. En el caso del parto de riñones consiste en aplicar una presión intensa con el dedo justo por debajo del centro de la parte carnosa del pie.

---

* Este cambio ocurre en casi todos los partos. Cuando no cambia, el doctor puede intentar mover el feto y si no se puede, puede intentar hacerlo con fórceps (ver la página 465).

Masaje. Aplicar un masaje vigoroso a la zona adolorida. Con ello se puede aliviar el dolor sin utilizar la contrapresión o bien alternando los dos métodos. Un masaje especialmente firme se puede obtener con un rodillo de pastelería o con una pelota de tenis (aunque es probable que toda la zona quede después adolorida). Para evitar la irritación de la piel, se puede aplicar aceite o polvos para masajes.

Otros calmantes de dolor alternativos. Si usted ha practicado meditación, visualización, autohipnosis o refelexología para el dolor, puede utilizar cualquiera de estas técnicas, usualmente funcionan. La acupuntura también puede reducir el dolor pero debe planear esta opción con anterioridad.

Medicinas para el dolor. Si nada le ayuda y el dolor es desesperante, hable con su doctor para que le recomiende algo para el dolor en esta etapa del parto.

PARTO CORTO

"¿Es posible que un parto corto llegue a ser perjudicial para el bebé?"

Un parto corto no siempre es tan corto como parece. Con frecuencia, la futura madre ha estado experimentando contracciones indoloras durante horas, días o incluso semanas, contracciones que han dilatado gradualmente su cuello uterino. En el momento en que nota la primera contracción está ya a menudo en la fase de transición del parto (vea las fases del nacimiento, a partir de la página 469). Este tipo de parto, de preparación lenta y resolución rápida, no significa evidentemente una tensión adicional para el feto.

Ocasionalmente, el cuello uterino se dilata con gran rapidez, consiguiendo en cuestión de minutos lo que la mayoría de los cuellos uterinos (particularmente los de las madres primerizas) tardan horas en alcanzar. Pero incluso en estos partos relámpagos o precipitados (que tardan tres horas o menos desde el principio hasta el final) rara vez existe una amenaza para el bebé. No existe ninguna evidencia que apoye la idea de que un bebé deba pasar por un tiempo mínimo de parto para llegar en buenas condiciones al mundo.

Muy de vez cuando, no obstante, una dilatación extremadamente rápida priva al feto de oxígeno u otros gases necesarios, o tiene como resultado el desgarre u otros daños de la cérvix, la vagina o el perineo de la madre. Así, si parece que el parto empieza con gran precipitación –con contracciones fuertes y muy seguidas– la madre deberá dirigirse al hospital de inmediato. La medicación puede ser de gran ayuda para que las contracciones sean algo más lentas y aliviar la presión sobre el feto o sobre el cuerpo de la propia madre.

NO LLEGAR A TIEMPO AL HOSPITAL

"Tengo miedo de no llegar al hospital a tiempo."

Afortunadamente, la mayoría de los partos sorpresa se producen en el cine y la televisión. En la vida real, los partos rara vez ocurren sin avisar, especialmente los de las primíparas. Pero muy de vez en cuando, una mujer que no ha sentido los dolores del parto o que sólo ha tenido algunos dolores erráticos, experimenta bruscamente la imperiosa necesidad de parir; y con frecuencia confunde esta necesidad con la de ir al baño.

Sólo por si se diera este caso, sería una buena idea que tanto la embarazada como su marido se familiarizaran con las nociones básicas de un parto de emergencia en casa (vea el cuadro de la página siguiente y la página 458). Pero no deben pasar mucho tiempo preocupándose por esta posibilidad tan remota.

ENEMAS

"He oído decir que los enemas que se administran en las primeras fases del parto no son realmente necesarios y que obstaculizan el parto natural."

Hasta hace relativamente poco, los enemas no eran una cuestión de elección por parte de la paciente. Eran administrados de modo rutinario a principios del parto, como parte del procedimiento de admisión en el hospital. La teoría que se

sostenía, y que aún está vigente en muchos hospitales, decía que el vaciado de los intestinos antes del parto previene la compresión del canal de parto por la materia fecal dura que se encuentra en el recto (lo que dificultaría el descenso del bebé) y la contaminación de la zona estéril del parto a causa de la evacuación involuntaria durante la fase activa del mismo. Estas teorías están menos en boga hoy en día. Se reconoce que la compresión del canal del parto no será probablemente un problema si la mujer ha evacuado en las ultimas 24 horas, o si no se percibe una masa fecal dura en el recto de la paciente durante el examen interno. Y el uso durante el parto de gasas estériles desechables para limpiar toda materia fecal expulsada elimina virtualmente el peligro de la contaminación fecal. Además, y de acuerdo con ciertos estudios, la posibilidad de una infección neonatal producida por microorganismos intestinales es altamente remota. Por otro lado, si a la mujer le resulta más incómoda la idea de hacer sus necesidades en la mesa de partos (aunque un enema no le garantiza que no lo haga), no deberá dejar que nadie le haga aceptar la teoría de que los enemas resulten innecesarios y antinaturales.

AFEITADO DE LA ZONA PÚBICA

"La idea de que me afeiten el vello púbico me resulta desagradable. ¿Es obligatorio?"

Parto de emergencia cuando la mujer está sola

1. Intentar conservar la calma.

2. Llamar al teléfono de urgencias para que manden al equipo adecuado. Pedirles que avisen al médico.

3. Pedir a una vecina u otra persona que la ayude, si es posible.

4. Empezar a jadear para impedir el alumbramiento.

5. Lavarse las manos y el área perineal, si es posible.

6. Extender algunas toallas limpias, periódicos o sábanas sobre una cama, un sofá o sobre el suelo y tenderse hasta que lleguen los auxilios.

7. Si a pesar de los jadeos, el bebé empieza a llegar antes de los auxilios, ayudarle suavemente a salir, cada vez que viene una contracción y recogiéndolo con las manos.

8. Cuando la parte superior de la cabeza del bebé empiece a aparecer, indicarle a la madre que jadee o sople (que no empuje) y aplicar una contrapresión suave para impedir que la cabeza salga súbitamente. Dejar que la cabeza emerja gradualmente —no tirar *nunca* de ella. Si existe una vuelta de cordón umbilical alrededor del cuello del bebé, colocar un dedo debajo de él y hacerlo pasar suavemente por encima de la cabeza del bebé.

9. A continuación, tomar la cabeza con las dos manos, suavemente, y empujarla con gran suavidad hacia abajo (no estirar) pidiendo a la madre que empuje para extraer el hombro que se presenta primero. Cuando aparece el brazo, levantar la cabeza cuidadosamente, vigilando la salida del otro hombro. Una vez que los hombros han quedado libres, el resto del bebé debería resbalar con facilidad.

10. Envolver rápidamente al bebé en una sábana, una manta, una toalla o cualquier otra prenda que haya a mano (preferiblemente algo limpio; una tela recién planchada es relativamente estéril). Colocarlo sobre el abdomen de la madre o si el cordón es suficientemente largo (no tirar de él) sobre su pecho.

11. No intentar extraer la placenta. Pero si esta sale naturalmente antes de que llegue la ambulancia, envolverla en toallas o papel de periódico y mantenerla elevada por encima del nivel del bebé. No intentar seccionar el cordón umbilical.

12. Mantener a la madre y al bebé calientes y cómodos hasta que llegue la ayuda.

Aunque el afeitado de la región pubiana continúa siendo un procedimiento preparatorio de rutina en ciertos hospitales, cada vez se aplica menos. Muchas veces, este afeitado se realiza por la simple razón de que siempre se ha hecho así, y no porque sea necesario. Se creía antes que el pelo del pubis albergaba bacterias que podían infectar al bebé cuando éste pasaba por el orificio de la vagina. Pero puesto que toda la zona que rodea a la vagina es empapada con una solución antiséptica antes del parto, las infecciones de este tipo son poco probables. Y, de hecho, algunos estudios han demostrado que se produce una tasa *más elevada* de infección entre las mujeres que son afeitadas antes del parto que entre las que no lo son, probablemente debido a los pequeños cortes –a veces microscópicos– que incluso el afeitado más cuidadoso puede producir y son un excelente campo de desarrollo para las bacterias. Desde el punto de vista de la mujer, la humillación del afeitado mismo y la sensación de picor en el posparto cuando crece de nuevo el pelo, son razones adicionales para protestar contra esta medida. Si usted se afeita o se hace la cera en la zona púbica regularmente y lo prefiere así, no hay razón para que deje de hacerlo, simplemente tenga mucho más cuidado con la irritación y las cortadas.

Algunos médicos opinan que el afeitado facilita la episiotomía y la sutura, ya que proporciona un área de trabajo más limpia. Pero también en este caso se trata más bien de una cuestión de costumbre más que de convicción. Un número creciente de médicos realizan y suturan la episiotomía sin afeitar antes la zona –ya sea cortando el pelo con unas tijeras o separándolo a medida que realizan el trabajo.

El que una mujer sea afeitada o no depende de la flexibilidad de su médico y del hospital en el que va a dar a luz. Es cada vez más frecuente que la mujer pueda decidir esta cuestión de su parto, al igual que sucede con otras decisiones. Sin embargo, es mejor que no espere a llegar al hospital en trance de dar a luz para hacer saber su opinión acerca del afeitado. Deberá discutirlo con anterioridad con su médico; además, incluirá sus preferencias en su plan para el parto.

COMER Y BEBER DURANTE EL PARTO

"No sé si se permite comer y beber durante el parto."

Existen puntos de vista diferentes sobre el tema. En un tiempo se prohibió porque se pensaba que la comida en el tracto digestivo iba a ser aspirada y se necesitaría anestesia general. Hay algunos doctores y hospitales que apoyan esa postura (generalmente sólo permiten cubos de hielo para ayudar a hidratar a la mujer, se suplementa a través de fluidos intravenosos). Hay otros médicos, la mayoría, que permiten tomar líquidos y sólidos ligeros en partos de bajo riesgo; dicen que una mujer en trabajo de parto necesita los fluidos y las calorías para mantenerse fuerte y hacer mejor su trabajo.

Existen pocos estudios al respecto, pero los que existen dicen que el riesgo (que solamente existe si se pone anestesia general) es mínimo: 7 en 10 millones de nacimientos. No hay estudios que demuestren que el ayuno es bueno en el parto, de hecho puede subir los niveles de estrés y de deshidratación. Algunos estudios demuestran que las mujeres que les dejan comer y beber durante el parto tienen partos más cortos, en promedio 90 minutos menos que el resto, son menos propensas a necesitar oxitocina, requieren menos medicinas para el dolor y tienen bebés con puntajes más altos en el examen Apgar. Aunque tenga muy poco o nada de apetito, puede intentar comer algo de gelatina, jugos, fruta o tostadas, eso le ayudará a mantener las energías cuando más las necesite. Discuta este punto con su médico e inclúyalo en su plan para dar a luz.

EL GOTEO DE RUTINA

"Cuando visitamos el hospital, vi a una mujer que era devuelta a su habitación, saliendo de la sala de partos, con un goteo colocado. ¿Es esto necesario para un parto normal?"

Gracias a la televisión y a las películas de guerra, el público asocia con facilidad los tratamientos intravenosos con soldados heridos, heroínas con enfermedades fatales que se desvanecen con facilidad y héroes que reciben una soberana paliza de amantes celosos. Pero es difícil asociar el goteo con un parto normal.

Sin embargo, en muchos hospitales americanos es una práctica rutinaria colocar una perfusión intravenosa que contiene una simple solución de nutrientes y líquido a las mujeres que van de parto. Esto se hace en parte para asegurarse de que la mujer no se deshidratará a causa de la falta de líquidos o no se debilitará a causa de la falta de alimento durante el parto, y en parte para permitir un acceso rápido de la medicación en caso de que fuera necesaria (la medicación es inyectada directamente en la botella o el tubo del IV, en lugar de a la paciente). En estos casos, el IV es preventivo.

Por otro lado, algunos médicos y parteras prefieren esperar hasta que surge la necesidad del IV –por ejemplo, cuando el parto se alarga y la mujer se debilita. La futura madre puede preguntarle a su médico qué es lo que acostumbra hacer. Si es contraria a un IV de rutina, debe decírselo. Es posible que el médico se avenga a esperar hasta que surja la necesidad de utilizar un IV.

Sin embargo, si el médico tiene la costumbre de aplicar un IV de modo rutinario, o si la mujer termina por necesitar que le apliquen uno, no debe desesperarse. El IV resulta sólo algo incómodo cuando es insertado, pero a partir de entonces casi pasa inadvertido. Si está instalado sobre un soporte móvil, la madre podrá llevarlo consigo al lavabo, o cuando quiera dar un pequeño paseo por los pasillos del hospital. (Si en algún momento la zona se vuelve dolorosa, se informará al médico o la enfermera, rápidamente).

Aunque la embarazada no puede siempre decidir si quiere o no que se le administre un IV, tiene el derecho de saber qué sustancia está entrando en sus venas a través del IV. Se lo preguntará a la enfermera o al médico que lo inserta. O puede pedirle a su acompañante que lea la etiqueta de la botella. En ocasiones, se prescribe sin consultárselo una medicación que la futura madre puede no desear. Si este fuera el caso, pedirá hablar, lo más pronto posible, con su médico.

MONITOR FETAL

"He oído que la utilización de este aparato puede conducir a cesáreas innecesarias y además que hace que el parto sea más incómodo, ¿tengo que utilizar este aparato?"

Para alguien que ha pasado los nueve primeros meses de su vida nadando tranquilamente en un baño amniótico tibio y confortable, el viaje a través de los límites estrechos de la pelvis materna no será un viaje de placer. El bebé será apretujado, comprimido y empujado con cada contracción.

Debido a que existe un cierto riesgo en esta agotadora jornada (y no debido a las ganas de aumentar la incomodidad de la madre o el número de cesáreas innecesarias), los monitores fetales han pasado a ser algo normal en las salas de parto. En algunos hospitales, todas las pacientes son controladas electrónicamente durante la dilatación y el parto. Y virtualmente en todos los hospitales, por lo menos la mitad de las pacientes son conectadas a un monitor electrónico –en especial las que pertenecen a las categorías de alto riesgo, las que presentan coloración con meconio del líquido amniótico, las que reciben oxitocina o las que están pasando por un parto difícil.

Las investigaciones muestran que este procedimiento no es mejor que buscar problemas con un estetoscopio (vea la página 220). El estetoscopio, si se usa para revisar el latido del corazón del bebé cada cierto tiempo (intervalos de 15 a 30 minutos durante el trabajo de parto y cada 5 minutos en el parto) es tan efectivo como el otro sistema (sin embargo, en algunos hospitales con poco personal, no se cumplen los intervalos, si no está conectada a un monitor fetal, alguien debe asegurarse de que revisen al bebé).

Se han hecho muchas cesáreas innecesarias por el monitoreo fetal electrónico (cuando se leen mal los resultados o los resultados no se comparan con otros exámenes) y algunos piensan que simplemente se trata de otra intrusión tecnológica (que reemplaza a

Parto de emergencia en casa: consejos para el acompañante

En casa o en la oficina

1. Intentar conservar la calma. Recordar, aunque no se sepa nada de dar a luz un niño, que el cuerpo de la madre y su bebé pueden hacer la mayoría del trabajo por sí mismos.

2. Llamar al teléfono de urgencias; pedir que localicen al médico o a la partera.

3. La futura madre debe empezar a jadear para evitar dar a luz.

4. Si hay tiempo, lavar el área vaginal y lavarse las manos con detergente o con agua y jabón.

5. Si no hay tiempo para obtener una cama o una mesa, colocar periódicos o toallas limpias o prendas de vestir dobladas, debajo de las nalgas de la mujer. Proteger las superficies de la "sala de partos improvisada", si es posible, con cortinas de baño, periódicos, manteles de plásticos, toallas etcétera. Una jofaina o un plato hondo pueden ser utilizados para recoger el líquido amniótico y la sangre.

6. Si hay tiempo, colocar a la mujer sobre la cama (o sobre la mesa), con las nalgas algo fuera del borde de la cama; la mujer colocará las manos debajo de sus muslos para mantenerlos elevados. Un par de sillas pueden servirle de apoyo para los pies. Le puede poner unos cojines o almohadas debajo de los hombros y la cabeza, eso la ayudará acomodarse en una posición semi sentada. Si está esperando ayuda médica y el bebé no ha aparecido, deje a la madre acostada así para retardar el parto. Proteja las superficies como se describe en el punto número 5.

7. Cuando la parte superior de la cabeza del bebé empiece a aparecer, indicarle a la madre que jadee o sople (que no empuje) y aplicar una contrapresión suave para impedir que la cabeza salga súbitamente. Dejar que la cabeza emerja gradualmente —no tirar *nunca* de ella. Si existe una vuelta de cordón umbilical alrededor del cuello del bebé, colocar un dedo debajo de él y hacerlo pasar suavemente por encima de la cabeza del bebé.

8. A continuación, tomar la cabeza con las dos manos, suavemente, y empujarla con gran suavidad hacia abajo (no estirar) pidiendo a la madre que empuje para extraer el hombro que se presenta primero. Cuando aparece el brazo, levantar la cabeza cuidadosamente, vigilando la salida del otro hombro. Una vez que los hombros han quedado libres, el resto del bebé debería resbalar con facilidad.

9. Envolver rápidamente al bebé en una sábana, una manta, una toalla o cualquier otra prenda que haya a mano (preferiblemente algo limpio; una tela recién planchada es relativamente estéril). Colocarlo sobre el abdomen de la madre o si el cordón es suficientemente largo (no tirar de él) sobre su pecho.

Continúa en la página siguiente…

...viene de la página anterior

10. No intentar extraer la placenta. Pero si esta sale naturalmente antes de que llegue la ambulancia, envolverla en toallas o papel de periódico y mantenerla elevada por encima del nivel del bebé. No intentar seccionar el cordón umbilical.

11. Mantener a la madre y al bebé calientes y cómodos hasta que llegue la ayuda.

De camino hacia el hospital

Si la mujer se encuentra en su propio coche y el parto es inminente, detener el vehículo. Tocar la bocina o conectar las luces señalizadoras. Si alguien se detiene para ayudar, pedirle que busque un teléfono y llame a urgencias. Si la mujer se encuentra en un taxi, le pedirá al taxista que llame por la radio.

Si es posible, ayudar a la madre a que se tienda en el asiento trasero. Colocar un abrigo, una chaqueta o una manta debajo de ella. Luego proceder como si fuera a tener el bebé en casa (ver cuadro). Tan pronto como el parto haya terminado, continuar a toda prisa hasta el hospital más próximo.

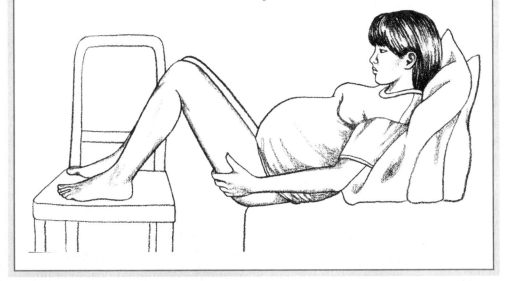

la enfermera con una máquina impersonal), la práctica poco a poco ha ido perdiendo terreno en la obstetricia. Algunos hospitales lo hacen, otros no.

Si su embarazo es de bajo riesgo es posible que nunca se tope con uno de estos aparatos; si su embarazo es de alto riesgo (o si han inducido su parto o tiene la epidural) es posible que la conecten a esta máquina. Es bueno que conozca los diferentes tipos de monitores y que sepa cómo funcionan:

Monitor externo. En este tipo de monitor, que es el utilizado con mayor frecuencia, se fijan con esparadrapo dos dispositivos al abdomen de la madre.

Uno de ellos, un transductor de ultrasonidos, registra el latido cardíaco fetal. El otro, un marcador sensible a la presión, mide la intensidad y la duración de las contracciones uterinas. Ambos están conectados a un monitor que muestra en una pantalla o imprime las lecturas. Esto no significa que la parturienta deba permanecer inmóvil en cama, acoplada a la máquina como el monstruo de Frankenstein, durante horas y horas. En la mayoría de los casos, la monitorización sólo es necesaria de modo intermitente, y la mujer podrá pasearse entre cada lectura. Algunos hospitales están equipados con monitores portátiles que se pueden colgar de la ropa de la paciente, lo que le da a esta una completa libertad para pasear por los pasillos mientras se van mandando datos de su bebé a la cabecera de su cama o a una unidad de asistencia.

Durante la segunda fase del parto (expulsión), cuando las contracciones pueden ser tan rápidas e intensas que es difícil saber cuándo empujar y cuándo detenerse, el monitor puede señalar exactamente el inicio y el final de cada contracción. O también es posible que el uso del monitor sea abandonado por completo durante esta fase, para no interferir en la concentración de la madre. En este caso, se controlará periódicamente el latido cardíaco con un estetoscopio.

Monitor interno. Cuando se necesitan resultados más exactos –a menudo cuando se sospecha que existe sufrimiento fetal– se suele emplear un monitor interno. Dado que el electrodo que transmite las lecturas del latido cardíaco fetal ha sido fijado al cuero cabelludo del bebé a través del cuello uterino, la monitorización interna sólo es posible si el cuello uterino está dilatado por lo menos 1 o 2 cm y si las membranas ya se han roto. Las contracciones pueden ser medidas con un manómetro fijado con esparadrapo al abdomen de la madre o bien mediante un catéter (tubo) lleno de líquido insertado en el útero. Puesto que el monitor interno no puede ser desconectado y conectado de nuevo periódicamente, la movilidad queda algo limitada –pero son posibles los cambios de posición de la madre.

En algunas ocasiones, la monitorización interna utiliza la telemetría, que lee y transmite los signos vitales por medio de ondas de radio. Esta técnica, utilizada por primera vez en el programa espacial, permite que la paciente sea monitoreada sin una limitación de su movilidad. Con la telemetría, la parturienta puede adoptar cualquier postura que encuentre cómoda, puede ir al lavabo o incluso ir a dar un paseo.

Al igual que todo procedimiento médico agresivo (que penetra en el cuerpo), la monitorización fetal interna comporta un cierto riesgo –sobre todo de infección. En algunos casos, el feto puede desarrollar más tarde una erupción, u ocasionalmente absceso, en el punto en que había sido fijado el electrodo; incluso puede mostrar, en unos pocos casos, una mancha calva permanente en dicho punto. También es posible que la inserción del electrodo provoque al bebé un dolor o una molestia momentáneos. Debido a sus riesgos, por muy reducidos que sean, la monitorización fetal interna sólo se utiliza cuando sus beneficios son significativos.

Si el monitor fetal indica que existe algún problema, la futura madre no debe experimentar pánico. La tecnología no es perfecta y es frecuente que la máquina produzca lecturas equivocadas. Algunas veces, el monitor no funciona bien; otras veces la interpretación de la lectura es errónea. A menudo, la posición de la madre causa un cambio no deseable en el latido cardíaco del feto, debido a que la presión sobre el cordón umbilical o sobre la vena cava de la madre obstaculiza el flujo sanguíneo hacia el feto. El problema queda muchas veces resuelto con un cambio de posición de la madre, para acostarse sobre el lado izquierdo. Si la administración de oxitocina es la causante del problema, la reducción de la dosis o la eliminación total de la infusión eliminarán el problema. La administración de oxígeno a la madre puede ser también la solución.

Si las lecturas anormales continúan se pueden adoptar varias medidas. Si el peligro para el feto parece grande, el médico puede optar por una cesárea inmediata. Además, se realizarán algunos tests rápidos para confirmar el diagnóstico de sufrimiento fetal: se observará el líquido amniótico para detectar la presencia de meconio; se determinará el pH de una muestra de sangre fetal, tomada del cuero cabelludo; y/o se comprobará la respuesta del corazón fetal a la estimulación sonora, la presión o al ser pellizcado. Dado que es necesario un acceso directo al feto para que se puedan realizar algunas de estas determinaciones, las membranas deben romperse artificialmente en ese momento, si no lo han hecho ya espontáneamente. Además, el historial médico y obstétrico de la madre puede revisarse para determinar si las anormalidades del latido cardíaco fetal están relacionadas con una infección o enfermedad crónica de la madre, o con la medicación que está tomando, en vez de con el sufrimiento fetal. Un obstetra experimentado e informado tendrá en cuenta muchos factores antes de llegar a la conclusión de que un bebé está en problemas. En algunos casos, las gráficas del monitor pueden enviarse por fax a un experto para obtener una segunda opinión. Si se confirma la existencia de sufrimiento fetal, se suele decidir practicar una cesárea de inmediato. En algunos casos, el médico usará fármacos para intentar mejorar las condiciones del feto en el útero. Cuando tiene éxito, este intento proporciona más tiempo para preparar el parto por cesárea*, aumenta las probabilidades de dar a luz un niño despabilado y en algunos casos incluso puede permitir que tenga lugar un parto vaginal.

RUPTURA ARTIFICIAL DE LAS MEMBRANAS

"Me da miedo que si no rompo fuentes el doctor deba romper las membranas artificialmente. ¿Eso va a doler?"

La mayoría de mujeres no siente nada cuando le cortan las membranas de manera artificial, especialmente si ya están en trabajo de parto (hay dolores más intensos). Algunas se sienten un poco incómodas pero es más porque tiene que entrar a la vagina un aparato, que por la ruptura. Lo más probable es que solamente sienta un chorrito de agua seguidos por más contracciones (la ruptura de las membranas también sirve para llevar a cabo otros procedimientos como el monitoreo fetal interno y el parto con fórceps cuando es necesario).

VER LA SANGRE

"Cuando veo sangre me siento desfallecer. ¿Y si me desmayo cuando estoy asistiendo a mi propio parto?"

La visión de la sangre hace que a muchas personas les tiemblen las piernas. Pero es notable que, si bien pueden des-

mayarse al ver un parto en una película o al asistir al parto de otra persona, incluso las mujeres más remilgadas consiguen asistir a todo el propio parto sin necesidad del frasco de las sales.

En primer lugar, tampoco hay tanta sangre como se cree –no mucha más que durante la menstruación (aunque se puede producir alguna hemorragia adicional en caso de episiotomía o desgarro). En segundo lugar, la mujer no asiste a su parto como espectadora, sino como participante muy activa que dedica toda su concentración y su energía a empujar al bebé hacia el mundo exterior. Arrastrada por la excitación y el interés (y, por qué negarlo, por el dolor y el cansancio), lo más probable es que ni se dé cuenta de la existencia de la sangre y mucho menos que se sienta mareada por verla. En realidad muy pocas madres pueden explicar después del parto si durante este se produjo mucha o poca sangre.

Pero si la futura madre siente en su interior que no desea ver sangre, lo más sencillo es que desvíe la mirada del espejo (si se le ha colocado uno) durante la episiotomía y el momento del nacimiento. En lugar de ello mirará hacia abajo, más allá de su barriga, para poder ver a su hijo en el momento en que salga de su vientre. Desde este punto de observación le resultará imposible ver la sangre. También algunos padres se preocupan por su reacción ante la sangre. Si su esposo está angustiado por este

---

* Entre otros beneficios, este tiempo extra puede permitir el uso de la epidural, en vez de usar la anestesia general que se utiliza usualmente en cirugías de emergencia.

punto en particular, dígale que lea la página 581.

EPISIOTOMÍA

"¿La episiotomía hará el parto más fácil para mí y más seguro para mi bebé?"

En un tiempo se pensó que la respuesta sería sí. De hecho, desde la mitad del siglo pasado, esta cirugía menor (en la que se hace una incisión en el perineo para agrandar la apertura de la vagina justo antes de que salga la cabeza del bebé) se consideraba casi rutinaria, pero hoy existen opiniones diversas y las instituciones de salud dicen que la episiotomía *no* debe hacerse de manera rutinaria.

La razón es simple: aparentemente los beneficios de este procedimiento ya no existen. Históricamente la episiotomía se originó en Irlanda en 1742 para facilitar los partos difíciles, para prevenir complicaciones en la madre incluyendo el desgarre del perineo y la incontinencia urinaria y fecal. Se pensaba que la episiotomía reducía el riesgo de trauma de nacimiento en el bebé (por empujar la cabeza contra el perineo) que podía generar problemas neurológicos. Pero las investigaciones recientes muestran que los niños de madres sin episiotomía están perfectamente y no experimentan ningún trauma y las madres también están bien, si no mejor, sin la episiotomía. El tiempo *total* del parto no es mayor y las madres pierden me-

nos sangre, menos infecciones, menos incontinencia y menos dolor perineal después de dar a luz. Tampoco hay mayor riesgo de complicaciones posparto.

Pero aunque las episiotomías por rutina ya no se recomiendan, todavía son necesarias en algunos casos: cuando el bebé es grande, cuando se van a utilizar los fórceps o se va a extraer al bebé o cuando el hombro del bebé se queda atorado en el canal de nacimiento.

Existen dos tipos básicos de episiotomía: la mediana y la mediolateral. La incisión mediana se realiza directamente hacia atrás, en dirección al recto. A pesar de sus ventajas (proporciona más espacio por centímetro de incisión, cicatriza bien y es fácil de reparar, provoca menos pérdida de sangre y ocasiona menos infecciones y molestias en el posparto) es utilizada con menos frecuencia ya que presenta un mayor riesgo de desgarrarse por completo hasta el recto. Para evitar este desgarro, la mayoría de los médicos prefieren realizar incisión mediolateral, que se dirige hacia un costado, alejándose del recto, especialmente en el caso de las que dan a luz por primera vez.

Para reducir la posibilidad de tener una episiotomía y para facilitar el parto sin una episiotomía, es bueno que practique los ejercicios Kegel (vea la página 262) y haga los masajes perineales (vea la página 435) de seis a ocho semanas antes de la fecha programada. Durante el parto le puede ayudar lo siguiente: compresas tibias para aliviar la incomodidad perineal, masaje perineal, una posición parada o en cuclillas, exhalar o gritar mientras puja para facilitar el estiramiento del perineo. Evite la anestesia local porque pone los músculos perineales flácidos. Durante la etapa en que puja puede recibir apoyo perineal de uno de las ayudantes: hacer presión en el perineo para que la cabeza del bebé no empuje muy rápido y cause un desgarramiento innecesario.

Discuta este punto con su médico si no lo ha hecho. Seguramente también piensa que el procedimiento no debe ser de rutina. Escriba lo que piensa en su plan para dar a luz (vea la página 274) para que todo el personal sepa qué es lo que quiere. Pero deberá recordar que la decisión final debe tomarse en la sala de partos, siendo los factores decisivos el bienestar de la madre y el nacimiento rápido y seguro del bebé.

DISTENSIÓN PROVOCADA POR EL NACIMIENTO

"Lo que más me asusta es la idea de que la vagina se estire y desgarre. ¿Volveré a ser la misma de antes?"

La vagina es un órgano notablemente elástico, formado por pliegues en acordeón que se estiran para dejar pasar el hijo. Normalmente es tan estrecha que la inserción de un tampón puede resultar difícil, pero puede expandirse para dejar pasar a un bebé de 3,5 kilos sin desgarrarse. Después del nacimiento, vuelve casi a su tamaño original.

El perineo, la zona que se extiende entre la vagina y el recto, es también elástico, pero menos que la vagina. En algunas mujeres, el perineo se estirará suficientemente para dejar pasar el bebé sin desgarrarse. Pero en otras se desgarrará a menos que se les practique una episiotomía. El estiramiento puede dejar los músculos algo más laxos que una episiotomía practicada a tiempo, es decir, efectuada antes de que el perineo haya podido estirarse exageradamente.

Muchas parejas encuentran que las relaciones después del parto son incluso más satisfactorias que antes, gracias a la mayor conciencia muscular y al control que la mujer desarrolla como resultado de su preparación para el parto. En otras palabras, es posible que la mujer no vuelva a ser la misma después del parto ¡es posible que sea mejor!

En algunas pocas ocasiones, no obstante, en una mujer a la que "le iba bien" antes, la distensión vaginal del parto es lo suficientemente grande para reducir el goce sexual. A menudo los músculos vaginales se vuelven a estrechar con el paso del tiempo. Realizar fielmente los ejercicios de Kegel, a intervalos frecuentes durante el día —al ducharse, orinar, lavar los platos, pasear al bebé, conducir, estando sentada en la mesa del despacho— puede ayudar a acelerar el proceso. Si después de seis meses la vagina aún está demasiado floja, se deberá consultar con el médico para considerar otros posibles tratamientos.

FIJACIÓN A LA MESA DE PARTOS

"La idea de que me aten a la mesa de partos me horroriza. ¿Es realmente necesario?"

Afortunadamente, aunque antes era un procedimiento rutinario, hoy en día ha sido en gran parte abandonado. La mayoría de los obstetras le pedirán simplemente a la mujer que mantenga sus manos por encima de su cintura, fuera del campo estéril; si olvidara esta indicación en medio de una contracción particularmente dolorosa, su acompañante y/o la enfermera está allí para recordárselo. El que los pies de la mujer descansen sobre unos estribos durante el parto (no hay necesidad de ello durante la fase de dilatación) y el que sus piernas sean fijadas a los estribos, depende de las costumbres del hospital, de las preferencias del médico y, a veces, de los deseos de la paciente.

El uso de los estribos durante el parto se debe a varias razones. Primera: mantienen las piernas de la mujer elevadas y fuera del camino, de modo que el médico tenga espacio suficiente para trabajar. Segunda: impiden que la mujer se golpee involuntariamente contra algún objeto durante una contracción intensa.

Finalmente, mantienen a los pies de la mujer fuera del campo estéril.

Una de las razones para que los estribos se utilicen con menos frecuencia en muchos hospitales –y prácticamente nunca en todos los centros de nacimiento, en los que unas camas especiales de partos han sustituido a las mesas de partos– estriba en que diversas posiciones de alumbramiento han sustituido a la postura estándar de la mujer tendida sobre la espalda y con las piernas levantadas. Otra razón se halla en la intensa oposición ejercida por las mujeres que desean conservar toda la dignidad y el control posibles durante el parto. Además, las mujeres suelen estar hoy en día mejor preparadas para el nacimiento de sus hijos, y por ello es poco probable que se agiten incontroladamente de dolor y de miedo ante lo desconocido. No obstante, muchos médicos continúan pidiéndoles a sus pacientes que usen los estribos durante la expulsión, debido a que creen que eso les proporciona más espacio para maniobrar y por lo tanto para un parto seguro.

La futura madre debe hablar de este tema con su médico, exponiéndole sus deseos y escuchando sus opiniones. Es muy probable que los deseos de la madre sean tomados en consideración.

LA UTILIZACIÓN DEL FÓRCEPS

"He oído que muchos doctores utilizan los fórceps o extraen al bebé, ¿eso es seguro?"

En 1598, el cirujano británico Peter Chamberlen el Viejo ideó el primer par de fórceps, utilizando este instrumento en forma de tenazas para extraer a los bebés del canal del parto cuando un alumbramiento difícil habría costado de otro modo la vida a la madre y al hijo. Pero en vez de publicarlo en la principal revista de obstetricia, el doctor Chamberlen mantuvo en secreto su descubrimiento –utilizando sólo por cuatro generaciones de médicos Chamberlen y por sus pacientes, muchas de las cuales pertenecían a la realeza. De hecho, el uso de los fórceps podría haber terminado para siempre con la carrera del último doctor Chamberlen si a principios del siglo XIX no se hubiera encontrado una caja de instrumentos escondida bajo una tabla del piso en la casa solariega de la familia.

En opinión de algunas personas de nuestros días, el uso de los fórceps debería haber muerto con los Chamberlen. Los médicos estaban preocupados porque los fórceps hacían más daño que bien y probablemente causaban heridas serias en madres e hijos, por lo que los riesgos de los fórceps eran claramente inferiores a sus beneficios. Pero los últimos estudios demuestran que los partos con fórceps tienen los mismos riesgos que otras formas de parto, así que tienen un lugar en la obstetricia moderna.

FÓRCEPS Y EXTRACCIÓN

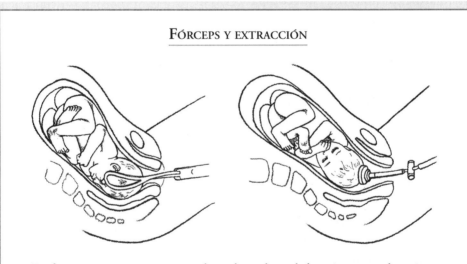

Los fórceps, que se parecen un poco a las cucharas de ensalada, se insertan en la vagina y se ponen alrededor de la cabeza del bebé. El médico guía al bebé suavemente hacia al canal de nacimiento. La extracción utiliza un "vaso" plástico que se aplica a la cabeza del bebé, se succiona suavemente. Generalmente se utiliza para sacar a un bebé que está atorado.

Como cualquier otro procedimiento, los fórceps deben manejarlos médicos expertos y solamente cuando existan razones válidas para hacerlo como: segunda fase del parto muy prolongada (vea la página 482), madre exhausta (la madre está muy cansada, no puja bien o tiene una enfermedad de corazón, muscular, neurológica o respiratoria que le impide pujar bien), hay latido anormal del corazón del feto, sangrado vaginal por posible *placenta abruptio* o prolapso en el cordón umbilical.

Antes de utilizar los fórceps es necesario que el cuello uterino esté completamente dilatado y borrado para que las membranas ya estén rotas y poder tomar la cabeza del bebé. Cuando la madre está lista, le ponen anestesia local para dormir el área perineal. A continuación, las palas curvadas y romas del instrumento se introducen suavemente una a una alrededor de la cabeza que ya corona, sobre las sienes, para ayudar a nacer al bebé.

La ventosa obstétrica, una alternativa al fórceps de salida, succiona al bebé para que salga del canal del parto. Se trata de una ventosa metálica o de plástico que se aplica a la cabeza y lo ayuda a salir por el canal de nacimiento. Se ha convertido en un procedimiento popular en las prácticas de obstetricia y está superando el uso de fórceps. Tanto el fórceps como la ventosa obstétrica tienen procedimientos similares y los dos son más seguros que una cesárea. La ventosa no debe utilizarse antes de la semana 34 de embarazo y tampoco debe usarse si el bebé viene en posición de nalgas. Si el procedimiento no está funcionando debe abandonarse. El médico debe ser un experto y debe estar listo para una posible cesárea.

Si durante el trabajo de parto el médico sugiere el uso de fórceps o ventosa, intente decirle que va a esperar otras contracciones (el tiempo permitido) antes. También puede intentar cambiar de posición: arrodíllese en cuatro o de cuclillas, la fuerza de gravedad puede ayudar a que salga la cabeza del bebé.

EXAMEN DE APGAR

"He escuchado a mis amigos con bebés recién nacidos hablar del examen de Apgar, ¿qué es eso?"

Es el primer examen de su bebé. El examen de Apgar fue desarrollado por la doctora Virginia Apgar, renombrada anestesióloga ya fallecida, para permitir al personal médico una rápida valoración del estado de un recién nacido. A los 60 segundos del nacimiento, una enfermera o un médico examina el aspecto (color), el pulso (latido cardíaco), las muecas (reflejos), la actividad (tono muscular) y la respiración del bebé. Los que tienen una valoración arriba de 6 están bien, los que tienen una valoración comprendida entre 4 y 6 necesitan a menudo ser reanimados –generalmente con aspiración

TABLA DE APGAR

SIGNO	PUNTOS		
	0	1	2
Aspecto (color)*	Pálido o azul	Cuerpo rosado, extremidades azules	Todo rosado
Pulso	No detectable	Menos de 100	Más de 100
Mueca (irritabilidad refleja)	Ninguna reacción al estímulo	Mueca	Grito fuerte
Actividad (tono muscular)	Fláccida (débil o ninguna)	Algún movimiento de extremidades	Mucha actividad
Respiración	Ninguna	Lenta, irregular	Buena (con llanto)

* En los niños no blancos se examina el color de las membranas mucosas de la boca, de la córnea, los labios, las palmas de las manos y las plantas de los pies.

de las vías aéreas y administración de oxígeno. Los bebés con una puntuación inferior a 4 necesitan que se les apliquen técnicas de reanimación más radicales.

El examen de Apgar se realiza de nuevo a los cinco minutos del nacimiento. Si la puntuación es de 7 o más elevada en ese momento, las perspectivas para el bebé son muy buenas. Si es baja, significa que el bebé necesita de una estrecha vigilancia, pero aún es muy probable que todo vaya bien.

Hay otros exámenes para su bebé, para mayor información sobre el tema, lea *El primer año del bebé*.

POSICIONES PARA EL PARTO

"Yo sé que las mujeres no deben acostarse boca arriba durante el parto. ¿Cuál es la mejor posición?"

La mejor posición para el parto es en la que usted esté más cómoda, la única excepción es que esté completamente boca arriba, eso hace más lento el trabajo de parto y comprime los vasos sanguíneos, lo que puede interferir con la llegada de sangre al feto. Cualquier otra posición o combinación de posiciones suele funcionar bien. Las más efectivas son las posiciones de pie porque emplean la fuerza de gravedad, hacen más rápida la dilatación y hacen que el bebé descienda más rápido; las investigaciones demuestran que incluso hacen que el parto sea más corto. Las mejores posiciones son: parada, sentada (en la cama, en una silla mecedora, en los brazos de su acompañante), de cuclillas o arrodillada a medias, de cuclillas pero a medias (en el suelo o en la cama) o encima de una silla. Los últimos estudios dicen que caminar durante el trabajo de parto probablemente no acelera el proceso pero tampoco hace daño ni produce incomodidad. A algunas mujeres les parece cómodo arrodillarse en cuatro (en la cama o en el suelo).

Si se siente más cómoda acostada en la cama, acuéstese del lado izquierdo para promover una mejor circulación y haga los ejercicios de la pelvis regularmente (vea la página 264).

QUÉ ES IMPORTANTE SABER:
Las fases del nacimiento

Existen pocos embarazos que parezcan sacados de un manual de obstetricia —con unos mareos matutinos que desaparecen al final del primer trimestre, con unos movimientos fetales percibidos exactamente a las 20 semanas, y con el aligeramiento ocurrido exactamente dos semanas antes del inicio del parto. Análogamente, pocos alumbramientos corresponden exactamente al descrito en un libro de texto —inicio con contracciones regulares y poco intensas, muy separadas y que aumentan con un ritmo predecible hasta el nacimiento del bebé. Sin embargo, del mismo modo que resulta útil tener una idea general acerca de lo que una mujer puede esperar típicamente cuando está esperando, también es valioso saber cómo es un parto por término medio —siempre que la mujer acepte que es muy probable que se produzcan unas variaciones notables del proceso que convertirán a su alumbramiento en una experiencia personal inolvidable.

El alumbramiento es dividido (de modo menos estricto por la naturaleza, más rígido por la ciencia obstétrica) en tres fases. La primera fase es la dilatación, con sus etapas precoz, activa y de transición, y que acaba con la dilatación completa (apertura) del cuello uterino, la segunda fase es la de expulsión, que culmina en el nacimiento del bebé; y la tercera consiste en la expulsión de la placenta. Todo el proceso suele durar, por término medio, unas 14 horas en las madres primerizas, y unas 8 horas para las mujeres que ya habían tenido otros hijos, pero el rango es enorme, va desde unas pocas horas hasta algunos días.

A menos que la dilatación sea interrumpida por una cesárea, todas las

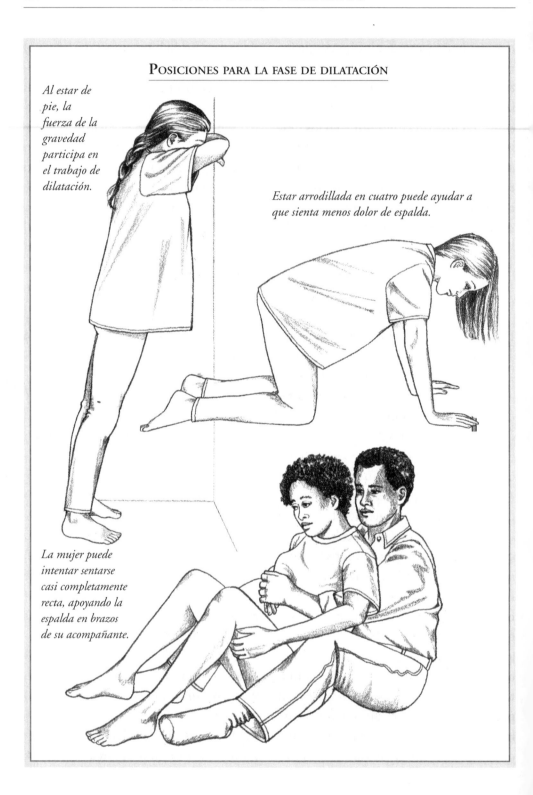

POSICIONES PARA LA FASE DE DILATACIÓN

Al estar de pie, la fuerza de la gravedad participa en el trabajo de dilatación.

Estar arrodillada en cuatro puede ayudar a que sienta menos dolor de espalda.

La mujer puede intentar sentarse casi completamente recta, apoyando la espalda en brazos de su acompañante.

ETAPAS Y FASES

DEL TRABAJO DE PARTO

Etapa uno: trabajo de parto

Fase 1: Latente o temprana. Borramiento del cuello uterino y dilatación de 3 cm.

Fase 2: Activo. Dilatación del cuello uterino de 7cm.

Fase 3: Transicional. Dilatación del cuello uterino de 10 cm. (completamente dilatado)

Etapa dos: Nacimiento del bebé.

Etapa tres: Expulsión de la placenta.

ción se completa cuando el cuello uterino ha llegado a dilatarse 10 centímetros. En unas pocas mujeres, toda la fase de dilatación pasa inadvertida; se puede decir que no se dan cuenta de que van ya de parto hasta que sienten la necesidad de empujar que caracteriza a la segunda fase.

La frecuencia y la intensidad de las contracciones permiten determinar en qué punto del parto se halla una mujer en un momento determinado. Si se realiza un examen interno del nivel de dilatación, se confirmará la estimación.

Si parece que la dilatación no sigue su curso normal, muchos médicos harán aumentar los esfuerzos de la Madre Naturaleza (con oxitocina, por ejemplo) y si eso fallara, se adjudicarán sus funciones mediante una cesárea. Otros dejarán pasar algo más de tiempo antes de tomar esta decisión, siempre que se tenga la seguridad de que la madre y el hijo estén en buen estado.

mujeres cuyo embarazo ha llegado a término pasan por las tres etapas de la primera fase. Sin embargo, algunas de ellas pueden no darse cuenta de que van de parto hasta la segunda, o incluso la tercera etapa, debido a que sus contracciones iniciales fueron muy suaves o indoloras. La tercera etapa de la dilata-

PRIMERA FASE DEL PARTO: Dilatación

LA PRIMERA ETAPA: DILATACIÓN PRECOZ O LATENTE

Esta etapa suele ser la más larga y, afortunadamente, la menos intensa de la fase de dilatación. La dilatación del cuello uterino hasta 3 cm y el borramiento concomitante que caracterizan a esta etapa pueden ser alcanzados durante un

período de días o semanas sin que se produzcan contracciones perceptibles o molestas o durante un período de dos a seis horas (o hasta 24 horas) de dolores inconfundibles.

En esta etapa, las contracciones (si es que son percibidas) suelen durar entre 30 y 45 segundos. Su intensidad es de

FACTORES QUE PUEDEN INFLUIR EN EL DOLOR

No hay duda, las contracciones duelen, pero no hay razón para que duelan más. La cantidad de dolor que siente puede aumentar o disminuir gracias a un número de factores que están bajo su control, especialmente si lo planea con anterioridad.

La presión del dolor puede verse aumentada por:	Puede ser reducida por:
Estar sola.	Tener la compañía y el apoyo de las personas amadas y/o de un personal médico experimentado.
Cansancio.	Estar bien descansada (intentar no exagerar las tareas durante el noveno mes); intentar descansar y relajarse entre las contracciones.
Hambre y sed.	Tomar tentempiés ligeros en las primeras fases del parto; chupar pedazos de hielo durante todo el proceso.
Pensar en el dolor y esperarlo.	Dirigir la mente a otros pensamientos y distracciones; pensar en las contracciones en términos de lo que consiguen y no en términos de lo mucho que duelen; y recordar que, por intensas que sean las molestias, su duración será relativamente breve.
Ansiedad y estrés; ponerse en tensión durante las contracciones.	Utilizar las técnicas de relajación entre las contracciones; concentrarse en el esfuerzo mientras se producen las contracciones.
Miedo a lo desconocido.	Aprender todo lo posible sobre el parto, con antelación; tomarse el parto enfrentándose a las contracciones de una en una; y no pensar en lo que vendrá después.
Autocompasión.	Pensar en la felicidad que se posee y en el maravilloso premio que llegará.
Sentirse fuera de control e indefensa.	Asistir a unos buenos cursos de preparación al parto; saber lo suficiente para sentir un cierto control y una cierta confianza.

escasa a moderada; pueden ser regulares o irregulares (a intervalos de entre 5 y 20 minutos) y pueden resultar progresivamente más próximas, pero no necesariamente con un aumento continuo. Algunas mujeres no las notan en absoluto.

La futura madre se dirigirá probablemente hacia el hospital al final de esta etapa o al principio de la siguiente.

Qué se puede sentir o percibir. Entre los signos y síntomas más habituales de esta etapa se cuentan el dolor de espalda (ya sea con cada contracción o de modo constante), los dolores cólicos parecidos a los de la menstruación, la indigestión, la diarrea, una sensación de calor en el abdomen, y unas pérdidas sanguinolentas (unas pérdidas mucosas teñidas de sangre). La futura madre puede experimentar todos estos síntomas, o quizá sólo uno o dos de ellos. Las membranas pueden haberse roto antes del inicio de las contracciones, pero es más probable que se rompan en algún momento de la fase de dilatación. (Si no se rompen espontáneamente, es posible que el médico decida romperlas artificialmente en algún momento de la fase activa).

Desde el punto de vista emocional la futura madre puede sentir excitación, alivio, expectación, inseguridad, ansiedad, temor; algunas mujeres se hallan relajadas y se sienten parlanchinas, mientras que otras están tensas y sienten aprensión.

QUÉ PUEDE HACER USTED:

◆ Relajarse. El médico le habrá dicho probablemente que no le avise hasta que entre en una fase más activa. O le habrá sugerido que llame más pronto si el parto empieza durante el día o si las membranas se han roto. Sin embargo, la mujer deberá avisar a su médico si las membranas se han roto y el líquido amniótico es oscuro o verdoso, si pierde sangre de color rojo brillante, o si no nota la actividad del feto (es posible que la actividad fetal resulte difícil de percibir, ya que la futura madre se halla concentrada en sus contracciones; por ello es aconsejable que haga la prueba descrita en la página 326). Aunque la mujer no tenga muchas ganas de ello, es mejor que sea ella misma y no su acompañante, quien llame por teléfono y hable con el médico. En los diálogos a través de terceras personas se pueden perder muchos datos.

◆ Si es de noche, la mujer intentará dormir. Es importante que descanse ahora, ya que es probable que más tarde no pueda hacerlo. Y no debe temer quedarse dormida y no percibir de la fase siguiente del parto —las contracciones serán demasiado insistentes. Si no consigue dormir, es aconsejable que no permanezca en la cama contando las contracciones— con ello sólo conseguirá que el parto le parezca más largo. En lugar de ello, es mejor que se levante y haga cualquier tarea que la distraiga. Limpiar el lavabo; poner las sábanas en la cuna del bebé; terminar de hacer la maleta para el hospital; preparar un bocadillo que su acompañante pueda comer en el hospital; hacer solitarios con una baraja de naipes. Visite un cuarto de embarazo para ver si encuentra a alguien en su misma situación.

• Si las contracciones de dilatación se presentan durante el día, la mujer continuará con su rutina diaria –siempre que ésta no la aleje de su casa. Si no tiene ninguna tarea por hacer, deberá buscar algo que la mantenga ocupada. Puede intentar algunas de las distracciones citadas antes, o bien dar un paseo (la fuerza de la gravedad ayuda en el trabajo de dilatación), mirar la TV, o preparar y congelar uno o dos platos para tenerlos a punto a la vuelta del hospital. Es mejor que avise a su marido, pero no es necesario que este acuda –aún– corriendo a casa. Si tiene una partera, este es el momento de llamarla.

• Póngase cómoda. Tomar un baño (sólo si aún no se han roto las membranas) o una ducha (pero con cuidado de no resbalar); utilizar una bolsa de agua caliente si le duele la espalda –pero no tomar una aspirina o tenderse sobre la espalda.

• Tomar un tentempié ligero si se siente hambrienta (una taza de caldo, una tostada con mantequilla y mermelada, o un jugo de fruta). No deberá comer copiosamente y evitará los alimentos difíciles de digerir, tales como las carnes, los productos lácteos y las grasas. La digestión de una comida pesada competirá con el proceso del parto en cuanto a los recursos del cuerpo, y además un estómago lleno podría plantear problemas en caso de que, más tarde, la mujer debiera ser anestesiada. Evite también las cosas ácidas como el jugo de naranja.

• Contar las contracciones (desde el principio de una hasta el principio de la otra) durante una media hora si parece que se presentan con menos de 10 minutos de separación, y contarlas periódicamente incluso si no son aún tan frecuentes. Pero no es necesario permanecer con los ojos pegados al reloj.

• Orinar con frecuencia para evitar la distensión de la vejiga, que podría inhibir el proceso de dilatación.

• Aplicar las técnicas de relajación (vea la página 173) si resultan útiles, pero no empezar aún con los ejercicios de respiración, ya que en caso contrario la mujer se encontrará agotada y cansada de ellos mucho antes de que los necesite.

QUÉ PUEDE HACER EL ACOMPAÑANTE: Si el acompañante está cerca durante esta etapa, hay algunas maneras de ayudar. Si la partera también está, puede compartir cualquiera o todas las siguientes tareas:

◆ Practicar la cuenta de las contracciones. El intervalo entre las contracciones se cuenta desde el comienzo de una hasta el comienzo de la siguiente. Contarlas periódicamente, y anotar los datos. Cuando se presentan con menos de 10 minutos de separación, cronometrarlas más a menudo.

◆ Procurar ser una influencia calmante. Durante esta fase precoz del parto, la función más importante del acompañante consiste en mantener relajada a la futura madre. Y la mejor manera en que puede conseguirlo es mantenerse relajado él mismo, tanto por dentro como por fuera. Su ansiedad y su tensión pueden comunicarse involuntariamente a la embarazada, no sólo a través de las palabras sino también del contacto. Pueden resultar útiles las técnicas de relajación o un masaje suave y tranquilo. Sin embargo, es aún demasiado pronto para empezar a practicar los ejercicios respiratorios.

◆ Ofrecer consuelo, seguridad y apoyo. Ella necesitará las tres cosas a partir de ahora.

◆ Conservar el sentido del humor y ayudar a mantenerlo; después de todo, el tiempo vuela si uno se está divirtiendo. Es más fácil reír ahora que cuando las contracciones sean más frecuentes e intensas.

◆ Ayudar a la futura madre a distraerse. Sugerir actividades que permitan mantener alejada la mente de ella, y también de él, del tema del parto: leer en voz alta, jugar a las cartas u otros juegos de sociedad, ver programas de televisión divertidos o dar un corto paseo. Evite los lugares con olores fuertes.

LA SEGUNDA ETAPA: DILATACIÓN ACTIVA

La segunda etapa de la dilatación, o etapa activa, suele ser más breve que la primera; por término medio dura entre dos y tres horas y media (aunque las variaciones son grandes al respecto). Los esfuerzos del útero son ahora más concentrados y consiguen más en menos tiempo. Las contracciones resultan más intensas, más largas y frecuentes (generalmente, a tres o cuatro minutos de intervalo y con una duración de 40 o 60 segundos), y el cuello de la matriz se dilata hasta 7 cm. El tiempo de descanso entre cada contracción es más reducido.

Es probable que usted esté ya en el hospital en esta etapa, a menos de que la dilatación del cuello uterino ocurra

En marcha hacia el hospital

Llegar al hospital. Hacia el final de la etapa precoz o el principio de la fase activa (probablemente cuando las contracciones llegan cada cinco minutos o menos, o más pronto si la mujer vive lejos del hospital o si este no es su primer parto), siguiendo las indicaciones de su médico, la futura madre tomará su maleta y se dirigirá al hospital. Es importante que pueda contactar a su esposo en cualquier momento y en cualquier lugar a través de un teléfono celular o un busca personas para que él pueda llegar lo más rápido posible (*no intente manejar usted misma hacia el hospital**). Este viaje puede resultar más fácil si ya se ha planeado con anticipación el recorrido, si se conocen los lugares en que se puede aparcar y se sabe cuál de las entradas conduce más directamente hasta el piso de obstetricia. (Si la cuestión del aparcamiento puede ser un problema, es más razonable tomar un taxi.) Es posible que la mujer se encuentre más cómoda en el asiento trasero, con el cinturón de seguridad holgadamente abrochado por debajo del vientre, con una manta si siente escalofríos, y con una almohada debajo de la cabeza.

Admisión en el hospital. Los procedimientos de admisión pueden variar, pero por término general son los siguientes:

---

* Si por cualquier razón no puede encontrar a su acompañante debe tener otro posible chofer o el teléfono de un taxi de confianza. Su acompañante puede verla en el hospital.

- Si la futura madre no se ha registrado con antelación (y sería mejor que lo hubiera hecho), este requisito suele ser breve; si el parto se encuentra ya en la fase activa, el marido puede ocuparse de ello.

- Una vez en el ala de dilatación y parto, la mujer será llevada a una sala de dilatación o de parto por la enfermera de turno. En función de las normas del hospital, es posible que el marido y otros familiares deban esperar fuera mientras la mujer es admitida y preparada. (Nota para el acompañante: este es un buen momento para efectuar algunas llamadas telefónicas prioritarias, para comer algo, para llevar la maleta a la habitación de la esposa y para poner a enfriar la champaña de la celebración. Si al cabo de 20 minutos no le avisan que ya puede ir a reunirse con su mujer, será mejor que se lo recuerde a una enfermera. Deberá estar preparado para la posibilidad de que le pidan que se ponga una bata estéril sobre su ropa).

- La enfermera hará un breve historial, preguntando, entre otras cosas, cuándo empezaron las contracciones, qué intervalo las separa, si se han roto aguas y cuándo comió la madre por última vez.

- La enfermera le pedirá a la madre que firme los papeles rutinarios del hospital.

- La enfermera le proporcionará a la futura madre una bata del hospital para que

Continúa en la página siguiente…

...viene de la página anterior

se la ponga y recogerá una muestra de orina. Comprobará el pulso, la presión sanguínea, la respiración y la temperatura; examinará el perineo por si se produjera pérdida de líquido amniótico o de sangre; escuchará el latido cardíaco del feto mediante un estetoscopio o conectará a la madre a un monitor fetal; posiblemente también evaluará la posición del feto y tomará una muestra de sangre.

♦ Según las normas del hospital o del médico, y posiblemente según sus preferencias, el área púbica de la futura madre será parcial o totalmente afeitada; se administrará un enema y/o se iniciará un goteo intravenoso.

♦ La enfermera, el médico de la paciente o un médico residente efectuará un examen interno de la paciente para determinar el grado de dilatación y de borramiento del cuello uterino. Si las membranas no se han roto espontáneamente y la dilatación es de por lo menos 3 o 4 cm (muchos médicos prefieren esperar hasta una dilatación de por lo menos 5 cm), se procederá a la ruptura artificial de las mismas –a menos que la mujer y su médico hayan decidido dejarlas intactas hasta un momento posterior del parto. Esta intervención es indolora; todo lo que la mujer notará es la salida de líquido templado.

Si la mujer tiene alguna pregunta –acerca de las políticas del hospital, acerca de su condición, acerca de los planes de su médico– que no ha sido contestada con anterioridad, ahora es el momento de hacerla.

en un período de una o dos semanas. En ese caso el parto no será tan evidente sino hasta la próxima etapa (transición).

Qué se puede sentir o percibir. Los signos y síntomas más comunes de esta etapa son: la creciente molestia de las contracciones (es posible que la futura madre no pueda hablar mientras está pasado por una de ellas), el creciente dolor de espalda, molestias en las piernas, cansancio, pérdidas sanguinolentas más abundantes. Puede experimentar todos estos síntomas o tan sólo uno o dos. La ruptura de las membranas se puede producir ahora si no ha ocurrido antes.

Desde el punto de vista emocional, la parturienta se puede sentir intranquila y tener más dificultad para relajarse; pero también es posible que su concentración sea más intensa y quede completamente absorbida en el trabajo que está efectuando. Puede suceder que su confianza empiece a tambalearse y que tenga la sensación de que el proceso nunca terminará; o puede sentir que las cosas sólo están empezando a suceder. Sin importar qué sienta, acepte sus sentimientos y prepárese para estar "activa".

QUÉ PUEDE HACER USTED:

- Iniciar los ejercicios respiratorios, si planea utilizarlos, tan pronto como las contracciones resulten demasiado intensas para poder hablar mientras se producen. (Si nunca ha practicado dichos ejercicios, algunas sugerencias respiratorias simples por parte de la enfermera pueden ayudarla a sentirse más cómoda.) Sin embargo, si parece que los ejercicios la hacen sentir incómoda o tensa, es mejor que no los aplique. Las mujeres han dado a luz sin ellos durante siglos.

- Si el médico lo permite (algunos lo hacen, particularmente si no se está administrando medicación), tomar bebidas ligeras para reemplazar los fluidos y mantener la boca húmeda. Si la embarazada está hambrienta, y de nuevo con el permiso del médico, podrá tomar un tentempié ligero a base de un alimento sin fibra ni grasas (por ejemplo, un zumo de manzana o un sorbete). Si el médico le prohibe tomar nada, podrá chupar cubitos de hielo para refrescarse. No obstante, algunos médicos y hospitales desaconsejan incluso los cubitos y usan el goteo intravenoso para mantener a sus pacientes hidratadas (vea la página 456).

- Realizar un esfuerzo consciente para relajarse entre las contracciones. Esto resultará cada vez más difícil, a medida que las contracciones sean más frecuentes, pero también es cada vez más importante que la futura madre lo consiga, ya que su energía empieza a gastarse. Utilizar las técnicas de relajación que aprendió (ojalá) en las clases prenatales o las de la página 173.

- Andar un poco de arriba abajo, o por lo menos cambiar a menudo de posición, probando cuál de ellas resulta más cómoda. (Vea la página 468 para algunas posiciones para el parto).

- Orinar periódicamente; es necesario que la mujer se acuerde de ello, ya que debido a la tremenda presión pélvica, es posible que no sienta la necesidad de vaciar su vejiga.

- Si cree que necesita algún tipo de alivio para el dolor, debe hablar de ello con el especialista que la atiende. Es posible que este sugiera esperar unos 20 minutos o media hora antes de administrar una medicación –para entonces, el parto puede haber progresado tanto que ya no haya necesidad de la medicina, o también puede ser que la parturienta haya renovado sus fuerzas y ya no la desee.

QUÉ PUEDE HACER EL ACOMPAÑANTE:
Si una partera está con usted o tiene un acompañante, pueden ayudarla con lo siguiente:

- Repartan una copia del plan para dar a luz (vea la página 364) a cada enfermera y ayudante del hospital para que sepan cuáles son sus preferencias. Si cambia el turno, asegúrese de que el personal nuevo tenga una copia también.

- Si es posible, mantener cerrada la puerta de la sala de dilatación o de partos, dejar sólo algunas luces encendidas y conseguir que la habitación esté tranquila para favorecer una atmósfera apaciguante. Una música suave, si está permitida, puede ser también útil. Continuar con las técnicas de relajación entre las contracciones. Y conservar toda la calma posible, puede hacer ejercicios de meditación y respiración.

- Cronometrar las contracciones. Si la esposa está conectada a un monitor fetal, pedirle al médico o a la enfermera el modo de leer los datos del monitor, para que más tarde, cuando las contracciones se sucedan con rapidez, pueda avisar a su mujer del momento en que empieza cada nueva contracción. (El monitor puede detectarlas antes de que la mujer las experimente.) También puede ayudarla anunciándole cuándo empieza a pasar el momento culminante de cada contracción. Esto les proporcionará a ambos algún sentido de control sobre la dilatación. Si no se dispone de monitor, el acompañante puede aprender a reconocer la llegada y el final de las contracciones

colocando su mano sobre el abdomen de la esposa.

- Respirar con ella a lo largo de las contracciones difíciles, si esto la ayuda. No presionarla a hacer los ejercicios si ella los encuentra incómodos o desagradables, si la hacen estar en tensión o si la aburren.

- Si la mujer muestra cualquier síntoma de hiperventilación (vahídos, visión borrosa, hormigueo en los dedos de manos y pies), colocarle una bolsa de papel delante de la boca (la enfermera proporcionará una bolsa si la pareja no ha traído una de casa) o bien hacerla respirar a través de las manos juntas. Debe inhalar el aire que ha sacado en la respiración anterior. Se encontrará mejor después de repetir varias veces este proceso. Si no fuera así, se informará a la enfermera o al médico de inmediato.

- Ofrecer palabras tranquilizadoras (si ello no pone a la embarazada más nerviosa); elogiar, pero no criticar, sus esfuerzos (pensando lo que le gustaría que ella le dijera si los roles estuvieran invertidos). Particularmente si el progreso es lento, recordarle que se concentre en una contracción cada vez, y que cada dolor la acerca más al momento de ver a su bebé. Si le parecen irritantes los comentarios, no los haga.

- Hacer un masaje al abdomen o a la espalda de la futura madre, o aplicar la contrapresión o cualquier otra de las técnicas aprendidas, para que se sienta más cómoda. Dejarse dirigir por ella; pedirle que manifieste el tipo de masaje que le va mejor. Si prefiere que no la toquen en absoluto (algunas mujeres lo encuentran molesto), es mejor ayudarla verbalmente.

- No pretender que el dolor no existe, incluso si ella no se queja; ella necesita comprensión. Y no decirle que sabe como se siente (el padre no lo sabe).

- Recordarle que debe relajarse entre las contracciones.

- Recordarle que debe orinar por lo menos una vez cada hora.

- Asegurarse de que la mujer tiene a su disposición los cubitos de hielo para chupar o líquidos para sorber. Preguntarle de vez en cuando si desea chupar uno.

- Utilizar una toalla húmeda para refrescarle el cuerpo y la cara; mojar con frecuencia la toalla con agua fría.

- Si tiene frío en los pies, ofrecerle ir a buscar un par de calcetines y ayudarla a ponérselos (para ella no es fácil alcanzar sus propios pies).

- Continuar con las distracciones que resultan útiles (juegos de cartas, conversación entre las contracciones, lectura en voz alta) con el aliento y el consuelo.

- Sugerir un cambio de posición; andar arriba y abajo con ella, si esto es posible.

- No tomarlo como una ofensa personal si la mujer no responde a los consuelos verbales –o incluso si parece irritada con ello. El humor de una mujer durante el parto es cambiante. El acompañante debe estar allí para proporcionarle apoyo si ella lo necesita y desea. El acompañante debe recordar que su papel es importante, aunque a veces pueda llegar a sentirse superfluo.

- Servirle de mensajero con el personal médico tanto como sea posible. Interceptar las preguntas que pueda contestar, pedir la explicación de las medidas adoptadas, el equipo, cualquier medicación administrada, de modo que le pueda explicar a ella lo que está sucediendo. Por ejemplo, ahora podría ser el momento para averiguar si se puede conseguir un espejo para que ella pueda ver el parto. Hacerle de abogado defensor cuando sea necesario, pero intentar luchar por ella tranquilamente, quizás fuera de la habitación, con el fin de no molestarla.

- Si la mujer pide una medicación, transmitir este deseo a la enfermera o al médico, pero sugerir un período de espera antes de la administración. Durante este tiempo, el médico deseará probablemente discutir la necesidad de la medicación y realizar un examen interno para evaluar el progreso del parto. Es posible que la noticia de que el parto ha progresado mucho (o incluso tan sólo un breve período para pensarlo) confiera nuevas fuerzas a la mujer y esta se muestre dispuesta a continuar sin medicación. No sentirse molesto si la mujer y el médico deciden que es necesaria una medicación. El nacimiento de un hijo no es una prueba de resistencia, y la esposa no habrá fracasado si pide o acepta un alivio. Si la mujer aguanta mucho dolor puede hacer que el parto sea más lento e incluso puede detenerlo.

QUÉ HARÁ EL PERSONAL DEL HOSPITAL:

- Proporcionar un ambiente relajado y cómodo, y responder a todas las preguntas y preocupaciones que le vayan surgiendo a la mujer (no dude en expresar sus dudas o que su partera o su acompañante lo hagan por usted).

- Continuar monitorizando el estado del bebé con un estetoscopio o con un monitor fetal electrónico, y a través de la observación del líquido amniótico (un color pardo verdoso es un signo de posible sufrimiento fetal). La posición del feto es determinada mediante palpación externa.

- Continuar controlando la presión sanguínea de la madre.

- Evaluar periódicamente la frecuencia y la intensidad de las contracciones, y la cantidad y la calidad de las pérdidas sanguinolentas. (Las compresas colocadas bajo las nalgas de la madre serán cambiadas siempre que sea necesario). Cuando se produce un cambio evidente en la frecuencia o la intensidad de las contracciones, o cuando las pérdidas tienen más sangre, se efectuará un examen interno para poder controlar el progreso del parto.

- Posiblemente, estimular la dilatación si esta progresa muy despacio, mediante el uso de oxitocina o la rotura artificial de las membranas si aún están intactas, y si no se había hecho con anterioridad.

- Administrar sedantes y/o analgésicos si es necesario y lo solicita la madre.

LA TERCERA ETAPA: DILATACIÓN ACTIVA AVANZADA O DILATACIÓN DE TRANSICIÓN

La transición es la etapa más agotadora de la dilatación. La intensidad de las contracciones aumenta bruscamente. Son muy fuertes, se producen a intervalos de dos o tres minutos y duran

Si el parto no progresa

El progreso del parto se mide por la dilatación o apertura del cuello uterino y por el descenso del feto a través de la pelvis. Se cree que un progreso satisfactorio requiere tres componentes principales: contracciones uterinas intensas que dilaten eficazmente el cuello; un bebé de tamaño adecuado y en la posición adecuada para poder salir fácilmente; y una pelvis lo bastante espaciosa para permitir el paso del bebé.

Si falta uno o varios de estos factores, se suele producir un parto anormal (o no funcional) en el que el progreso es lento o nulo. Existen varios tipos de parto anormal:

Etapa latente prolongada –cuando se produce una dilatación muy escasa o nula después de 20 horas de trabajos de parto en una madre primeriza, o después de 14 horas en una mujer que ya ha tenido otros hijos. Algunas veces, el progreso es lento porque el parto no ha comenzado realmente, y porque las contracciones experimentadas fueron las de un parto falso (vea la página 440). A veces, la causa se halla en una medicación excesiva antes de que el proceso de dilatación esté bien establecido. Se cree que, en otros casos, la causa puede ser psicológica: la mujer siente pánico cuando empieza el parto, desencadenando así la liberación de unos productos químicos en el cerebro que obstaculizan las contracciones uterinas.

En general, el médico puede sugerir la estimulación de una primera etapa lenta mediante la actividad (por ejemplo, andar) o mediante lo contrario (dormir y descansar, posiblemente, con la ayuda de las técnicas de relajación, y si la mujer está demasiado inquieta para relajarse, mediante la administración de un sedante, o de una bebida alcohólica). Este tratamiento ayudará también a descartar un parto falso (las contracciones de un parto falso suelen desaparecer con la actividad o con un breve sueño).

Una vez establecida la verdadera etapa latente de la dilatación, es posible acelerarla con un laxante o con aceite mineral, con un paseo, o con la administración de oxitocina. (Nota: es importante orinar periódicamente, ya que la vejiga llena podría obstaculizar el descenso del feto). Si estas tácticas resultan infructuosas, el médico puede explorar la posibilidad de que exista una desproporción de tamaño entre la cabeza del feto y la pelvis de la madre (desproporción fetopélvica).

La mayoría de los médicos llevarán a cabo una cesárea tras 24 o 25 horas (a veces menos) si no se han hecho bastantes progresos en ese momento; algunos esperarán más, siempre que la madre y el bebé se hallen en buen estado.

Disfunción primaria de la etapa activa (fase 2) –cuando la segunda etapa, la etapa activa, de la dilatación progresa muy lentamente (menos de 1-1,2 centímetros por hora en las mujeres que van a tener su primer

Continúa en la página siguiente…

...viene de la página anterior

hijo, y menos de 1,5 centímetros por hora en las que ya han tenido otros hijos). Si existe un progreso, por muy lento que sea, muchos médicos dejan que el útero marque su propio ritmo –con la teoría de que la mujer acabará dando a luz de modo natural, tal como sucede en dos de cada tres casos de disfunción primaria. La mujer puede a veces acelerar el trabajo de su útero andando, si le es posible, no teniéndose sobre la espalda y manteniendo vacía su vejiga. Es probable que se le administre líquido por vía intravenosa si el parto se alarga, para evitar la deshidratación de la madre (vea la página 456).

Estancamiento de la dilatación –cuando, durante la etapa activa de dilatación, no se produce ningún progreso durante dos o más horas. Se calcula que en aproximadamente la mitad de estos casos existe una desproporción fetopélvica que requiere un parto por cesárea. En la mayoría de los casos restantes, la oxitocina (a veces junto con la rotura artificial de las membranas) pondrá de nuevo en marcha el parto, sobre todo cuando el útero sufre únicamente de cansancio. También aquí, la mujer puede contribuir algo a la lucha contra un parto lento aprovechando la fuerza de la gravedad (sentándose bien recta o permaneciendo de pie si es posible) y vaciando periódicamente su vejiga.

Descenso anormal del feto –cuando el bebé se desplaza a lo largo del canal del parto a una velocidad inferior a 1 cm por hora en las mujeres que van a tener su primer hijo, o inferior a 2 cm por hora en las demás. En la mayoría de estos casos, el parto será lento pero por lo demás completamente normal. Hoy en día, la estimulación con oxitocina y/o la rotura artificial de las membranas son los medios preferidos, asumiendo que ya no haya contracciones.

Segunda fase prolongada –una segunda fase que dura más de dos horas en un primer parto o algo menos de dos horas en los partos siguientes. Muchos médicos utilizan rutinariamente el fórceps de salida o practican una cesárea cuando la segunda fase dura más de dos horas; otros permiten que el parto vaginal espontáneo continúe si existen progresos y si la madre y el feto (cuyo estado es monitorizado cuidadosamente) están bien. Algunas veces, la cabeza del feto es extraída suavemente el poco trecho que le queda mediante un fórceps de salida. La rotación de la cabeza (de modo que mire hacia adelante, lo que le permite pasar mejor a través de la pelvis) puede ser también eficaz, ya sea manualmente o con el fórceps de salida. También aquí puede ser útil la ayuda de la fuerza de gravedad; una posición semisentada o medio en cuclillas es muy eficaz durante el parto.

Es importante notar que, para una mujer que ha recibido la epidural, las expectativas del progreso del parto son diferentes. Todo (la primera y la segunda etapa) serán más largas.

entre 60 y 90 segundos –con puntos máximos muy intensos que se prolongan durante la mayor parte de la contracción. Algunas mujeres, en especial las que ya han tenido algún hijo, experimentan puntos máximos múltiples. Puede parecer que las contracciones no llegan a desaparecer por completo y que no es posible relajarse bien entre ellas. Los últimos 3 centímetros de dilatación, hasta llegar a los 10 centímetros, se producirán probablemente en un tiempo muy breve: por término medio, entre 15 minutos y una hora.

Qué se puede sentir o percibir. Durante la etapa de transición es probable que se experimente una intensa presión sobre la parte baja de la espalda y/o sobre el perineo. La presión rectal, con o sin una necesidad de empujar o evacuar, puede provocar gruñidos involuntarios de la parturienta. La mujer puede sentirse acalorada y sudada, o bien sentir frío o escalofríos; también es posible que alterne ambos estados. Las pérdidas vaginales sanguinolentas aumentarán a medida que se rompen los capilares del cuello uterino. La mujer puede tener las piernas frías y con calambres, y puede temblar de modo incontrolable. También es posible que experimente náuseas y/o vómitos; puede sentir somnolencia entre las contracciones ya que el flujo de oxígeno es desplazado desde el cerebro hasta la zona corporal del parto. No resulta sorprendente que pueda sentirse exhausta.

Desde el punto de vista emocional, la mujer se puede sentir vulnerable y abrumada, como si se le estuviera acabando la cuerda. Además de la frustración de no poder aún empujar, puede sentirse irritable, desorientada, descorazonada e intranquila, con dificultades para concentrarse y relajarse (esto último puede resultarle imposible). También puede sentir una gran emoción entre todo el estrés que siente.

Qué puede hacer la mujer:

- Tener ánimo. Al final de esta etapa, el cuello uterino ya está completamente dilatado y habrá llegado el momento de empujar al bebé hacia el mundo exterior.

- En lugar de pensar en todo lo que queda, intentar pensar en todo el camino que ya se ha recorrido.

- Si siente la necesidad de empujar, intentará jadear o soplar, a menos que haya recibido otras instrucciones. Al empujar contra el cuello uterino aún no totalmente dilatado podría provocar que el cuello de la matriz se hinchara, lo que podría retrasar el parto.

- Si no desea que nadie la toque si no es necesario, si las manos antes confortadoras del acompañante le resultan ahora irritantes, no debe dudar en manifestarlo.

- Si las encuentra útiles, utilizará las técnicas respiratorias que ha aprendido (o le pedirá a la enfermera que le sugiera algunas), que sean apropiadas para esta etapa de la dilatación.

- Intentará relajarse entre las contracciones (si le resulta humanamente posible) con una respiración torácica lenta y rítmica.

QUÉ PUEDE HACER EL ACOMPAÑANTE:
Si una partera está con usted, puede ayudarlo a:

- Ser específico y directo en sus instrucciones, sin malgastar palabras. La mujer puede encontrar incómodas las frases superfluas. Si ella no desea recibir ayuda en algún momento y quiere que la dejen sola, no tomarlo como una ofensa personal. Proporcionar el espacio que ella necesite durante el tiempo que precise, pero quedándose cerca por si pudiera ser de alguna ayuda.

- Ofrecer todo el aliento y las alabanzas posibles, a menos que ella prefiera que su acompañante esté callado. En ese momento, la mirada directa y comprensiva puede ser un medio de comunicación más expresivo que las palabras.

- Tocarla únicamente si ella lo encuentra reconfortante. El masaje abdominal puede resultar molesto en este momento, aunque la contrapresión aplicada a la zona lumbar puede proporcionar algo de alivio al dolor de espalda.

- Respirar con ella a través de cada contracción, si ello la ayuda a soportarlas.

- Recordarle que debe enfrentarse de una en una a las contracciones. Es posible que la mujer necesite la ayuda de su acompañante para avisarle del momento en que empieza una contracción y del momento en que disminuye.

- Ayudarla a relajarse entre las contracciones, acariciándole suavemente el abdomen para indicarle cuando ya ha pasado la contracción. Recordarle que debe respirar de modo lento y rítmico.

- Si parece que las contracciones son cada vez más frecuentes y/o si la mujer siente la necesidad de empujar –y no ha sido examinada recientemente– avisar a la enfermera o al médico. Es posible que ya haya dilatado completamente.

- Ofrecerle a menudo cubitos de hielo si se le permite, y limpiarle la frente con una toalla húmeda y fría.

- Mantenga clara la meta, ha sido un proceso largo para los dos, pero no pasará mucho tiempo desde que la mujer empieza a pujar y llegue el momento final.

Qué hará el personal del hospital:

* Continuar ofreciendo ayuda y consuelo.

* Continuar monitorizando el estado de la madre y del feto.

* Continuar controlando la duración y la intensidad de las contracciones, y los progresos que se producen.

* Preparar el momento del nacimiento, haciendo pasar a la madre a la sala de partos si es necesario.

LA SEGUNDA FASE DEL PARTO:
La madre puja y el bebé nace

La participación de la futura madre en el nacimiento de su hijo ha sido muy reducida hasta el momento. Aunque es indudable que la mujer ha tenido que soportar las consecuencias del proceso, su cuello uterino y su útero (y el bebé) han realizado la mayor parte del trabajo. Pero ahora que la dilatación ha terminado, se necesita la ayuda de la madre para empujar al bebé a través del canal del parto y hacia el mundo exterior. Este proceso suele durar entre media hora y una hora, pero puede ocurrir en 10 breves minutos o en dos, tres o más horas muy largas.

Las contracciones de la segunda fase son más regulares que las de la transición. Continúan durante unos 60 a 90 segundos, pero a veces están más distanciadas (por lo general se presentan cada dos a cinco minutos) y es posible que sean menos dolorosas –aunque a veces son más intensas. Entre cada contracción debería producirse ahora un período bien definido de reposo, aunque es posible que la mujer encuentre aún difícil reconocer el comienzo de cada nueva contracción.

Qué se puede sentir o experimentar. En la segunda fase es habitual una abrumadora necesidad de empujar (aunque no todas las mujeres la sienten). Es posible que la parturienta experimente un nuevo brote de energías (como una reserva de fuerzas) o de fatiga; una presión rectal tremenda; contracciones muy visibles, y el útero se endurece visiblemente en cada una de ellas; un posible aumento de las pérdidas sanguinolentas; una sensación de estiramiento, hormigueo, quemazón o punzadas en la vagina, cuando la cabeza del bebé corona y una sensación húmeda y resbaladiza cuando el bebé emerge.

Desde el punto de vista emocional, puede sentirse aliviada ante la posibilidad que tiene ahora de empujar (aunque algunas mujeres se sienten inhi-

NACIMIENTO DEL BEBÉ

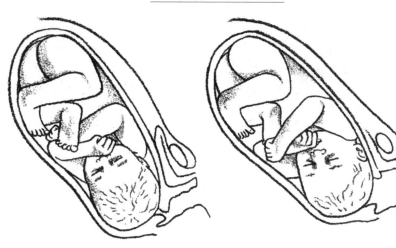

1. El cuello uterino ha adelgazado algo (borramiento), pero aún no ha empezado a dilatarse.

2. El cuello uterino está ya totalmente dilatado y la cabeza del bebé ha empezado a presionar hacia el canal del parto (la vagina).

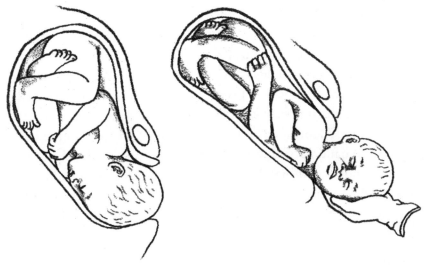

3. Para que la parte menos ancha de la cabeza fetal pueda empezar a pasar a través de la pelvis materna, el bebé suele girarse ligeramente durante el parto. En la ilustración, la cabeza algo deformada ha empezado a coronar.

4. La cabeza, que es la parte más ancha, ya ha sido expulsada. El resto del parto debe ser ahora rápido y sin problemas.

bidas); también es posible que se sienta excitada y feliz, o si la fase se prolonga mucho más de una hora, frustrada y abrumada. Cuando la segunda fase se prolonga, la preocupación de la mujer no se centra tanto en poder ver finalmente a su hijo como en la necesidad de que el calvario termine de una vez; esta es una reacción normal y transitoria, que de ningún modo refleja una incapacidad para el amor maternal.

Qué puede hacer usted:

◆ Adoptar una postura cómoda para empujar (dependerá de las normas del hospital, de las preferencias del médico, de la cama o la silla utilizada y, si es posible, de lo que resulte más cómodo y eficaz para la madre). Una posición semi sentada o en cuclillas es probablemente la mejor, ya que aprovecha la fuerza de la gravedad para acelerar el proceso y proporciona a la madre una mayor fuerza para empujar. Algunas veces, si el bebé no está bajando por el canal de nacimiento, puede cambiar de posición, si estaba semi sentada, puede intentar arrodillarse en cuatro o ponerse de cuclillas.

◆ Dar todo lo posible. Cuando más eficazmente empuje y cuanta más energía dedique al esfuerzo, tanto más rápidamente atravesará su bebé el canal del parto. Pero controlando sus esfuerzos, coordinando su ritmo con las instrucciones del médico o la enfermera. Si empuja de modo desorganizado y frenético, consume su energía pero adelanta poco. Evite pujar con la parte de arriba del cuerpo, eso puede causarle dolor de pecho después del parto. Concéntrese un punto arriba del ombligo e imagine que está pujando desde ahí, como si estuviera defecando. Trate de no involucrar su cara en el proceso, eso puede dejarle los cachetes amoratados y los ojos muy irritados.

◆ No dejar que la inhibición o la vergüenza rompan el ritmo de su esfuerzo. Puesto que la mujer está empujando con toda su zona perineal, cualquier cosa que se encuentre en su recto será expulsada también; si intenta controlar la defecación al mismo tiempo que empuja, no conseguirá gran cosa. Una pequeña evacuación involuntaria (o incluso una pequeña micción) se da en casi todos los partos. Ninguna de las personas que se encuentran en la sala de partos tendrá nada que decir sobre ello, y lo mismo debería hacer la parturienta. La enfermera utilizará gasas estériles para limpiar inmediatamente cualquier excreción.

◆ Dejarse llevar por los impulsos naturales. Empujar si siente la necesidad de ello y si no se le dice lo contrario. Respirar varias veces, profundamente, cuando empieza la contracción;

luego tomar aire y aguantarlo. A continuación, cuando la contracción alcanza su máxima intensidad, empujar con todas las fuerzas hasta que ya no se pueda retener más el aliento. Es posible que la mujer experimente hasta cinco veces la necesidad de empujar en cada contracción. Se dejará llevar por esta necesidad, en lugar de intentar contener el aliento y empujar durante toda la contracción; contener el aliento durante períodos de tiempo largo puede provocar agotamiento y privar al feto de oxígeno. También puede aumentar el riesgo de romper vasos sanguíneos de los ojos y la cara. Respirar hondo varias veces cuando la contracción mengüe ayudará a recuperar el equilibrio respiratorio. Si parece que el ritmo no se establece naturalmente –y no lo hace en todas las mujeres– el médico ayudará a dirigir los esfuerzos de la madre y a reorientarlos si esta se desconcentra.

- Relajar todo el cuerpo, incluyendo los muslos y el perineo mientras se empuja. La tensión va en contra de los esfuerzos para empujar.

- Dejar de empujar cuando se reciben instrucciones al respecto (como puede suceder para impedir que la cabeza del bebé salga al exterior con demasiada rapidez). En lugar de empujar, la mujer deberá jadear o soplar.

- Descansar entre las contracciones, con la ayuda del acompañante y del personal del hospital. Si la mujer está muy exhausta, especialmente si la segunda fase se prolonga, es posible que el médico le sugiera que no empuje durante varias contracciones, para así poder acumular energías.

- No sentir frustración si se ve la cabeza del bebé que corona y luego desaparece de nuevo. El nacimiento es un proceso que se realiza con dos pasos hacia adelante y uno hacia atrás.

- Recordar echar una ojeada de vez en cuando al espejo (si se ha dispuesto uno). Al ver la cabeza del bebé coronada (y alargar la mano para tocarla, si el médico lo aprueba), la mujer sentirá más motivación para empujar cuando sea necesario. Además, no habrá una "segunda sesión", a menos que el acompañante esté grabando en video el proceso del nacimiento y en tal caso será como espectadora.

QUÉ PUEDE HACER EL ACOMPAÑANTE:
Si una partera está con usted, puede ayudarlo a:

- Continuar ofreciendo apoyo y consuelo, pero sin sentirse herido si la mujer parece no notar su presencia. Es evidente que sus energías están centradas en otra parte.

- Guiarla durante sus esfuerzos de empujar y sus ejercicios respiratorios, utilizando las señales que se habrán aprendido durante las clases de preparación al parto; o bien fiarse de las instrucciones proporcionadas por la enfermera o el médico.

- No sentirse intimidado por la experiencia del equipo médico profesional que asiste al parto. La presencia del acompañante es también importante. De hecho, un "te quiero" murmurado al oído de la mujer le puede servir más en este momento que cualquier cosa que los expertos puedan ofrecerle.

- Ayudarla a relajarse entre las contracciones, por medio de palabras tranquilizadoras, una toalla humedecida con agua fría aplicada a su frente, su nuca y sus hombros, y si es factible, con ayuda de un masaje en la espalda o una contrapresión para aliviarle el dolor de espalda.

- Si se le permite, continuar proporcionándole pedazos de hielo para humedecerle la boca.

- Aguantarle la espalda mientras empuja, si es necesario; cogerle la mano, limpiarle la frente –o cualquier otra cosa que parezca ayudarla. Si resbala y queda en mala posición, será imprescindible ayudarla a volver a la posición adecuada.

- Indicarle periódicamente los progresos efectuados. Cuando el bebé empieza a coronar, recordarle echar una

ojeada al espejo para que pueda tener la confirmación visual de lo que está consiguiendo; cuando no esté mirando al espejo, o si no dispone de espejo, hacerle una descripción detallada de lo que sucede. Tomar su mano y tocar juntos la cabeza del bebé para renovar la inspiración.

- Si el acompañante tiene la oportunidad de "atrapar" al bebé cuando este emerge o más tarde, la de cortar el cordón umbilical, nada de pánico. Ambas cosas son fáciles –y además el acompañante recibirá instrucciones paso a paso, apoyo y comprensión del personal del hospital. Sin embargo debe saber que el cordón umbilical no se puede manipular tan fácilmente, es más resistente de lo que usted piensa.

Qué hará el personal del hospital:

- Llevarla a la sala de partos, si no se encuentra ya allí. Si la madre se halla sobre una cama de partos, se limitarán a quitar los pies de la cama para preparar el parto.

- Proporcionarle apoyo e instrucciones a medida que progresa el parto.

- Continuar el control periódico del estado del feto, habitualmente conectado brevemente el monitor fetal. En algunos casos puede estar conectada al monitor, lo mismo que el bebé, en otros casos no lo estará, se utilizará el estetoscopio para

UNA PRIMERA MIRADA AL BEBÉ

Los que esperan que su bebé llegue al mundo tan redondeado y liso y rosado como un querubín de Botticelli pueden recibir una buena sacudida. Los nueve meses de baño en el líquido amniótico y la docena de horas de compresión en el útero en contracción y en el canal del parto, dejan sus huellas en el aspecto de un recién nacido. Los bebés nacidos mediante cesárea tendrán temporalmente cierta ventaja en cuanto al aspecto.

Afortunadamente, la mayoría de las características menos afortunadas del aspecto de los bebés son sólo transitorias. Una mañana, después de un par de meses de haber llevado a casa desde el hospital a un pequeño ser arrugado, ligeramente flacucho y con los ojos hinchados, la pareja se despertará para encontrarse que el querubín de Botticelli se encuentra realmente en la cuna.

Una cabeza de forma extraña. En el momento de nacer, la cabeza del bebé es, proporcionalmente, la parte más ancha de su cuerpo, con un diámetro aproximadamente igual al de su tórax. A medida que el bebé crece, el resto del cuerpo va ganando terreno. Con frecuencia, la cabeza se ha deformado para poder pasar a través de la pelvis materna, por lo que presenta una forma extraña, ligeramente puntiaguda; la presión contra el cuello uterino poco dilatado puede deformar aún más la cabeza, provocando la aparición de un bulto (denominado *caput succedaneum*). El caput desaparecerá

en uno o dos días; el aspecto deforme al cabo de dos semanas –cuando, la cabeza del bebé empezará a adoptar la forma redondeada de un Botticelli.

El cabello del recién nacido. El cabello que cubre la cabeza del recién nacido puede tener poca relación con el cabello que poseerá más tarde el bebé. Algunos recién nacidos son virtualmente calvos; otros tienen espesas melenas, pero la mayoría tendrán un ligero birrete de suave pelo. En definitiva todos perderán su pelo de recién nacidos (aunque no se note), que gradualmente será reemplazado por el nuevo, seguramente con un nuevo color y una nueva textura.

La capa de vérnix caseosa. La sustancia grasa que recubre al feto en el útero está destinada, por lo que se cree, a proteger la piel del bebé contra la prolongada exposición al líquido amniótico. Los bebés prematuros tienen una capa de este tipo muy gruesa, los posmaduros casi no la presentan, excepto en los pliegues de la piel y debajo de las uñas.

Hinchazón de los órganos genitales. Esta característica es común en los niños y niñas recién nacidos, y es particularmente pronunciada en los niños que han nacido por cesárea. Los pechos de los recién nacidos, niños y niñas, también pueden estar hinchados (a veces incluso congestionados y con secreción de una sustancia blanca) a causa de la estimulación provocada por las hormonas de la madre. Estas hormonas

Continúa en la página siguiente...

...viene de la página anterior

pueden ocasionar también una secreción vaginal blanquecina, lechosa, incluso teñida de sangre en las niñas. Estos fenómenos no son anormales y desaparecen en una semana o 10 días.

El lanugo. Una fina pilosidad, denominada lanugo, puede cubrir los hombros, la espalda, la frente y las sienes de los bebés a término. Habitualmente suele desprenderse hacia el final de la primera semana de vida. Esta pilosidad puede ser más abundante y duradera en un bebé prematuro.

Ojos hinchados. La hinchazón que se observa alrededor de los ojos de los recién nacidos es provocada a menudo por las gotas que se les aplican para protegerles contra las infecciones, y desaparece en unos pocos días. Los ojos de los bebés de raza blanca son casi siempre de color azul pizarra, independientemente del color que tendrán más tarde. En las razas de piel oscura, los bebés tienen los ojos marrones al nacer.

Marcas de nacimiento y lesiones cutáneas. Una mancha rojiza en la base del cráneo, sobre el párpado o en la frente es muy común, especialmente en los niños de raza blanca. Las manchas mongólicas, pigmentaciones de color gris azulado de las capas profundas de la piel, pueden aparecer en la espalda, las nalgas y a veces en los brazos y los muslos, y son más frecuentes en los asiáticos, los europeos meridionales y los negros. Estas marcas desaparecen con el tiempo, habitualmente cuando el niño tiene unos cuatro años. Los hemangiomas, unas marcas protuberantes y de color rojo intenso, tienen un tamaño que oscila entre diminuto y el de una moneda. Con el tiempo palidecen, adquiriendo una coloración gris perla y finalmente desaparecen por completo. Las manchas de color café con leche pueden aparecer en cualquier parte del cuerpo, por lo general son poco evidentes y no palidecen. El recién nacido puede presentar también diversos tipos de erupción y granitos, todo lo cual es sólo temporal. También puede presentar resequedad de la piel, debido a la primera exposición al aire, esto también pasará.

---

revisar el latido cardíaco cada cinco minutos.

- En el momento en que la cabeza empieza a coronar, prepararlo todo para la expulsión —extender sábanas estériles, disponer los instrumentos, poner al médico la bata y los guantes, embadurnar el área perineal con antiséptico.

- Practicar una episiotomía inmediatamente antes de la salida de la cabeza del bebé, solamente si es necesario (vea la página 463). Probablemente primero se inyectará un anestésico local en el perineo. Ello se hará en el momento culminante de una contracción, cuando la presión de la cabeza del bebé entumezca de forma natural la zona; la incisión se realizará también en el momento culminante de una contracción y si el perineo está anes-tesiado, probablemente no será dolorosa.

◆ Optar por la utilización del fórceps, espátulas o ventosa para sacar la cabeza del bebé si es necesario. Generalmente se administrará un anestésico regional si no se ha aplicado ya una anestesia epidural o de otro tipo, para aminorar los dolores de un parto con fórceps.

◆ Una vez emergida la cabeza, se succionará rápidamente la nariz y la boca del bebé para eliminar las mucosidades, y luego se ayudará a salir a los hombros y el cuerpo.

◆ Pinzar y cortar el cordón umbilical, posiblemente mientras el recién nacido se halla sobre el abdomen de la madre. Es posible que se le pida al marido que sea él el que seccione el cordón. (Algunos médicos prefieren esperar a que la placenta haya sido expulsada o a que el cordón haya dejado de latir para cortarlo).

◆ Proporcionar los cuidados iniciales de protección al recién nacido: evaluar su estado y compararlo en la escala Apgar al cabo de un minuto y de cinco minutos del nacimiento (vea la página 468); proporcionarle un masaje rápido, estimulante y secarlo; identificar al bebé tomando las huellas de sus pies y las huellas dactilares para el registro del hospital, y fijándole una banda de identificación en la muñeca y/o el tobillo del bebé; administrarle un colirio no irritante para evitar las infecciones oculares; pesar al bebé y envolverlo para evitar las pérdidas de calor. (En algunos hospitales no se llevan a cabo algunos de estos procedimientos; en otros se llevarán a cabo más tarde, en la sala dedicada a los bebés).

◆ Mostrar el bebé ya limpio a sus padres. A menos que existan problemas, ambos deberían poder cogerlo en brazos durante algún tiempo. La madre podrá, si así lo desea, intentar amamantarlo (sin preocuparse si las cosas no funcionan inmediatamente –vease el apartado dedicado a los primeros días de la lactancia, página 525).

◆ Cuando los miembros de la familia se hayan familiarizado unos con otros, probablemente se llevarán al bebé a la sala de recién nacidos (al menos temporalmente) y transferirán a la madre a su habitación.

LA TERCERA FASE DEL PARTO:
Expulsión de la placenta

Lo peor ya ha pasado, y lo mejor ya ha llegado. Todo lo que queda por hacer ahora es atar algunos cabos sueltos, por decirlo así. Durante esta fase final del nacimiento (que generalmente dura entre cinco minutos y media hora o más), será expulsada la placenta, que constituyó la fuente de vida para el bebé en el seno materno. La mujer continuará experimentando débiles contracciones de aproximadamente un minuto de duración, aunque también es posible que no las note. El estrechamiento del útero separa a la placenta del útero y la desplaza hacia el segmento inferior del útero y hasta la vagina, con lo que puede ser extraída. Una vez expulsada la placenta, el médico se ocupará de suturar la episiotomía o cualquier desgarro que se haya producido.

Qué se puede sentir o experimentar. Ahora que el trabajo se ha terminado, la mujer puede sentirse exhausta o, por el contrario, llena de energías. Es probable que tenga mucha sed y también hambre, especialmente si el parto ha sido largo. Algunas mujeres tienen escalofríos en este momento; todas ellas experimentan una pérdida vaginal sanguinolenta (denominada loquios), comparable a la de una menstruación intensa.

Para muchas mujeres, la reacción emocional inmediata es un sentimiento de alivio. También puede sentirse animada y parlanchina; o sentir exaltación, frenada un poco por un nuevo sentido de responsabilidad; impaciencia por tener que expulsar la placenta o por haber de someterse a la sutura de la episiotomía o un desgarro, aunque es posible también que ello le tenga sin cuidado por encontrarse demasiado excitada o cansada. Algunas mujeres experimentan una fuerte sensación de intimidad con el marido y un lazo inmediato con el nuevo bebé; otras se sienten algo distanciadas (¿quién es este bebé extraño?) o incluso resentidas (¡cómo me ha hecho sufrir!), en especial después de un parto difícil. Esto no quiere decir que no vaya a amar a su bebé intensamente (vea la página 518).

QUÉ PUEDE HACER USTED:

- Ayudar a expulsar la placenta, empujando a la indicación del médico.

- Mantenerse tranquila mientras le suturan la episiotomía o un posible desgarro.

- Alimentar o coger en brazos al bebé, una vez el cordón umbilical ha sido cortado. En ciertos hospitales, y en determinadas circunstancias, el recién nacido es mantenido durante un rato en una incubadora o en los brazos de su padre.

◆ Sentirse orgullosa de lo que ha conseguido, relajarse y ser feliz. Y no hay que olvidar darle las gracias al acompañante.

QUÉ PUEDE HACER EL ACOMPAÑANTE:

Si una partera o partera está con usted, puede ayudar con los aspectos más prácticos del posparto mientras usted pasa un tiempo con su pareja.

◆ Decir a la mujer algunas palabras de aliento bien merecidas –y felicitarse a sí mismo por el trabajo bien hecho.

◆ Empezar a formar los vínculos con el bebé teniéndolo en brazos y apretándose contra él. Recuerde que este bebé seguramente reconoce su voz, oírla será reconfortante para él.

◆ No olvidarse tampoco de los vínculos entre marido y mujer.

◆ Pedirle a la enfermera un poco de hielo para el área perineal.

◆ Pedirle a la enfermera que le traiga algún jugo u otra bebida a la mujer, que se sentirá muy sedienta. Después de que ella se haya rehidratado, y si los dos se sienten con ganas de ello, descorchar la botella (limite la champaña para la mamá si está deshidratada o si está amamantando).

◆ Tomar fotografías, y grabar el primer llanto del bebé si se ha ido preparado para esto.

QUÉ HARÁ EL PERSONAL DEL HOSPITAL:

◆ Ayudar a extraer la placenta. El procedimiento exacto varía según el médico y la situación. Algunos médicos tiran suavemente del cordón con una mano, mientras que con la otra presionan sobre el útero; otros médicos ejercen una presión descendente sobre la parte superior del útero, pidiéndole a la partera que empuje en el momento apropiado. Muchos médicos utilizarán la oxitocina, por inyección o IV, para acelerar las contracciones uterinas, lo que acelerará la expulsión de la placenta y reducirá la hemorragia.

◆ Examinar la placenta para asegurarse de que está intacta. Si no lo está, el médico inspeccionará manualmente el útero para extraer cualquier fragmento residual de la placenta.

◆ Cortar el cordón umbilical si no se había hecho antes.

◆ Suturar la episiotomía o un desgarro, si es necesario. Probablemente se aplicará un anestésico local (si no había sido utilizado con anterioridad o si sus efectos ya han desaparecido) para insensibilizar la zona. La mujer sentirá un pellizco.

◆ Revisar la vagina para quitar los coágulos de sangre o las esponjas usadas en la reparación de la episiotomía.

◆ Lavar la parte inferior del cuerpo de la paciente, ayudarla a ponerse una bata limpia y a colocarse una compresa perineal fijada con un cinturón. Puede pedir una bolsa de hielo para el área perineal que debe estar hinchada.

◆ Trasladar a la madre a la sala de recuperación o a su habitación (más o menos después de una hora). Si la mujer se halla en una cama de partos, volverán a colocar los pies de ésta en su lugar.

◆ Llevar al bebé a la sala de recién nacidos para que le den un baño y le apliquen algunas medidas preventivas adicionales. (Si el bebé debe alojarse en la habitación, será trasladado a ella lo más pronto posible).

¡FELICITACIONES,
LO LOGRÓ!
AHORA RELÁJESE Y
DISFRUTE
SU NUEVO BEBÉ

PARTO DE NALGAS

En lo que se refiere a la madre y a su acompañante, el parto de un feto que se presenta de nalgas no difiere mucho del que se presenta de vértice (cabeza abajo); los consejos para enfrentarse a los dolores y para proporcionar consuelo y ayuda son virtualmente idénticos. Sin embargo, las actividades del personal del hospital serán diferentes, y variarán también en función del tipo de presentación de nalgas y del procedimiento de parto que el médico decida seguir.

Hasta la segunda fase, un parto vaginal de nalgas progresa más o menos igual que un parto de vértice. Pero siempre es considerado un parto de ensayo, al que sólo se le permitirá progresar si el proceso sigue su curso normal. Debido a la posibilidad siempre presente de que llegue a ser necesaria una cesárea, la mujer será probablemente

instalada en una sala de partos/operaciones. En función de la posición de nalgas exacta del feto, el médico elegirá el modo más seguro y eficaz de proceder (vea la página 390). Un procedimiento habitual consiste en dejar que el feto sea expulsado naturalmente hasta la salida al exterior de sus piernas y de la parte baja de su cuerpo. A continuación se administra un anestésico local y el médico extrae los hombros y la cabeza del feto, con o sin la ayuda de los fórceps.

A menudo es necesaria una amplia episiotomía para el parto de nalgas, aunque en algunas ocasiones puede ser evitada. La posición de parto para el nacimiento vaginal de nalgas es variable, en función de las circunstancias y de la experiencia del médico. Algunos consideran que pueden controlar mejor la situación si la mujer se halla tendida de espaldas, con las piernas levantadas y apoyadas en los estribos.

Una vez extraído el feto, el proceso continúa igual que en un parto de vértice.

LA CESÁREA: Parto quirúrgico

A diferencia de lo que sucede en el parto vaginal, en un parto por cesárea la mujer no puede participar activamente. Y, de hecho, su contribución más importante al éxito del nacimiento por cesárea de su hijo puede ser realizada antes de la llegada al hospital –posiblemente incluso antes de que la futura madre sepa que deberá ser sometida a una cesárea. Esta contribución consiste en la preparación. Al estar preparada, tanto intelectualmente como emocionalmente, para una cesárea, en el caso de que llegara a ser necesaria, se reducirá la desilusión que muchas mujeres experimentan ante la noticia, y la experiencia del parto quirúrgico será positiva.

Gracias a la anestesia local y a la liberalización de las normas de los hospitales, muchas mujeres (y con frecuencia sus maridos) pueden ser espectadoras de su parto por cesárea. Puesto que no deben preocuparse por empujar ni sienten molestias, a menudo son capaces de relajarse y de apreciar el nacimiento –cosa que las mujeres con un parto vaginal rara vez consiguen. Esto es lo que se puede esperar en un parto típico por cesárea:

- Se afeita el abdomen, y se inserta un catéter (un tubo fino) en la vejiga, para mantenerla vacía y fuera del área de acción del cirujano.

- En la sala de operaciones se dispondrán unas sábanas estériles alrededor del abdomen al descubierto de la madre, que será lavado con una solución antiséptica. Si la madre permaneciera despierta durante el parto, se colocará una pantalla aproximadamente al nivel de sus hombros, para que no pueda observar la incisión practicada.

- Se conectará un gota a gota intravenosa (si no la han puesto ya), con el fin de disponer de un acceso fácil para la medicación adicional o los fluidos.

- Se administrará anestesia: un bloqueo epidural o caudal (que insensibiliza la parte interior del cuerpo, pero que permite a la mujer continuar consciente) o bien una anestesia general (que hace dormir a la madre; a veces es necesario cuando el bebé debe ser extraído inmediatamente).

- Si la mujer ha recibido un anestésico local y el acompañante asiste al parto, se le suministrarán prendas estériles. Permanecerá sentado cerca de la cabeza de la mujer, para procurarle su apoyo, y tendrá la oportunidad de observar la intervención quirúrgica. (Independientemente de que la mujer sepa o no con antelación si va a necesitar una cesárea, es una buena idea que hable con tiempo a su médico de las condiciones bajo las cuales su esposo no podrá estar con ella durante el procedimiento quirúrgico.) Si se aplica anestesia general, se le pedirá al marido que espere fuera del quirófano.

- Si se trata de una cesárea de emergencia, las cosas irán muy aprisa. La futura madre no debe dejarse trastornar por la gran actividad que la rodea en estos casos. Estar preparada para la posibilidad de la política del hospital, y la preocupación por

---

¿HAY ALGÚN PEDIATRA EN LA HABITACIÓN?

A menos que tenga una razón para pensar que algo anda mal con el bebé, parece que no es necesario tener un pediatra a mano durante un parto vaginal o una cesárea. Los exámenes de Apgar son iguales en los dos procedimientos y los bebés están bien.

---

la seguridad de la madre y el bebé, dictaminen que el marido se vaya durante la expulsión, que puede durar sólo cinco o diez minutos.

- Cuando el médico está seguro de que la anestesia ha hecho efecto, practica una incisión en la parte baja del abdomen. Si la mujer está despierta, puede notar una sensación como de "abrir una cremallera", pero no sentirá dolor.

- A continuación se practica otra incisión (horizontal o vertical*), esta vez en el segmento inferior del útero. Se abre el saco amniótico, si aún no se había roto, y se succiona el líquido que contiene; la mujer puede oír una especie de gorgoteo.

- Luego se extrae el bebé, ya sea manualmente o con ayuda del fórceps; habitualmente, un ayudante presiona al mismo tiempo el extremo superior del útero. Si la mujer ha sido sometida a una anestesia epidural, probablemente notará una cierta sensación de presión. Si la mujer está ansiosa por presenciar la llegada de su bebé, puede pedirle al médico si fuera posible bajar un poco la pantalla, lo que le permitirá ver el nacimiento, pero no los detalles más gráficos.

---

* Se prefiere la incisión transversal (horizontal) porque es en la parte más baja y más fina del útero y produce menos sangrado. Pero en algunos casos, cuando la placenta está baja en el útero o su bebé está en una posición inusual, se necesita una incisión vertical.

◆ Después se succiona la nariz y la boca del bebé, que emitirá su primer grito; si el cordón umbilical es lo suficientemente largo, la madre podrá dar una primera ojeada a su hijo.

◆ El cordón es luego pinzado y cortado rápidamente, y mientras el bebé es sometido a las mismas atenciones que el bebé que ha nacido por parto vaginal, el médico procederá a extraer manualmente la placenta.

◆ A continuación, el médico examinará rápidamente los órganos reproductores de la madre y suturará las incisiones practicadas. La incisión uterina se reparará con puntos absorbentes que no tienen que quitarse después. La incisión abdominal seguramente la cerrarán con puntos o con grapas quirúrgicas.

◆ Es posible que se administre una inyección de oxitocina, ya sea por vía intramuscular o a la botella del intravenoso, para ayudar a contraer el útero y controlar la hemorragia. Pueden administrarse antibióticos por vía intravenosa para minimizar las posibilidades de infección.

◆ En función del estado de la madre y del bebé, así como de las normas del hospital, la madre podrá o no coger a su hijo en brazos en la misma sala de operaciones. Si no le es permitido, quizá pueda hacerlo el padre. En caso de que el bebé sea trasladado rápidamente a la unidad de cuidados intensivos neonatales, los padres no deben alarmarse. Se trata de una medida rutinaria en muchos hospitales, y no indica que el estado del bebé sea motivo de inquietud. En lo que hace referencia al establecimiento del vínculo con el recién nacido, también más tarde será posible establecerlo sin ninguna clase de problemas.

Tercera parte

El último pero no el menos importante

CAPÍTULO QUINCE

Posparto: La primera semana

El momento por el que tanto esperó y por el que tanto luchó, finalmente está acá. Ese pequeñito finalmente está entre sus brazos y no en su barriga. Usted es oficialmente mamá. Pero tenga en cuenta que esa transición del embarazo al posparto viene con más cosas que un bebé; viene con una variedad de síntomas (adiós dolores e incomodidades del parto, bienvenidos los del posparto) y una variedad de preguntas: ¿por qué sudo tanto?, ¿Por qué todavía parezco con seis meses de embarazo?, ¿De quién son estos pechos?

QUÉ SE PUEDE SENTIR

Durante la primera semana del posparto, dependiendo del tipo de parto que la mujer haya tenido (fácil o difícil, vaginal o por cesárea) y de otros factores individuales, experimentará todos o solamente algunos de los siguientes síntomas:

FÍSICAMENTE:

- Pérdidas vaginales sanguinolentas (loquios), parecidas a las de la menstruación.

- Calambres abdominales (entuertos) al contraerse el útero

- Un gran cansancio

- Molestias perineales y/o dolor y entumecimiento, si el parto fue vaginal, y especialmente si se han aplicado puntos de sutura (el dolor empeora al estornudar y toser)

- Dolor en la incisión y más tarde entumecimiento de la zona si el parto fue con cesárea (y especialmente si fue el primero)

- Molestias al sentarse y andar si se le practicó una episiotomía o tiene la cicatriz de una cesárea o un desgarro

- Dificultades al orinar durante un día o dos; dificultades y molestias al defecar durante los primeros días; estreñimiento

- Dolor general, especialmente si empujar fue difícil

- Ojos inyectados en sangre; marcas de morados alrededor de los ojos, en las mejillas y en otros lugares, debido a los esfuerzos de empujar

- Sudoración, quizá abundante, después del primer par de días

- Molestias y congestión en los pechos en el tercer o cuarto día del posparto

- Pezones adoloridos o con grietas si se da pecho al bebé

EMOCIONALMENTE:

- Exaltación, depresión o ambos sentimientos alternados

- Sentimiento de ineficacia y ansiedad ante la maternidad, especialmente si se da el pecho al bebé

- Se siente abrumada por todos los síntomas físicos y emocionales que tiene ahora y a los que debe enfrentarse

- Frustración, si la mujer se halla aún en el hospital mientras desearía irse a casa (o si usted está en casa y el bebé en el hospital por unos días más)

QUÉ PUEDE PREOCUPAR

HEMORRAGIAS

"Me habían dicho que después del parto sufriría una pérdida de sangre grande, pero cuando me levanté por primera vez de la cama y vi la sangre que me bajaba por las piernas me quedé realmente alarmada".

No hay motivo de alarma. Esta pérdida de sangre residual, mucosidad y tejido procedente del útero, que recibe el nombre de loquios, suele ser tan intensa (o a veces incluso más intensa) que la pérdida de un período menstrual durante los tres primeros días del posparto. Y aunque probablemente parezca más copiosa de lo que es en realidad, no llegaría a llenar dos tazas antes de empezar a disminuir. Una pérdida más abundante y súbita en el momento de levantarse de la cama en los primeros días es habitual, y no debe causar preocupación. Y puesto que la sangre y algún coágulo ocasional son los elementos predominantes de los loquios durante el primer período del posparto, las pérdidas serán bastante rojas durante dos o tres días, volviéndose gradualmente más rosadas, luego pardas y finalmente de color blanco amarillento en el transcurso de una o dos semanas. Se deben utilizar compresas higiénicas y no tampones para absorber estas pérdidas que pueden continuar con más o menos intensidad durante un tiempo (incluso por tres meses). El flujo es diferente en todas las mujeres.

La lactancia al pecho y la administración intramuscular o intravenosa de oxitocina o unas gotas de ergobasina (prescrita de modo rutinario por algunos médicos después del parto) pueden reducir el flujo de los loquios, ya que favorecen las contracciones uterinas y ayudan a que el útero recupere más rápidamente su tamaño normal. La contracción del útero después del parto es importante ya que estrangula los vasos sanguíneos que han quedado al descubierto en el lugar en que la placenta se separó del útero, impidiendo así una hemorragia. Si el útero está demasiado relajado y no se contrae, se produce una hemorragia excesiva (esto *no* es lo que usted está sintiendo).

Si mientras se halla en el hospital, percibe cualquiera de los signos de una hemorragia puerperal de la lista de la página 687 (algunos de los cuales también pueden indicar infección), notifique a una enfermera de inmediato. Si cualquiera de estos síntomas apareciera ya al estar en casa, llame a su médico de inmediato.

CONDICIONES FÍSICAS DURANTE EL POSPARTO

"Tengo el aspecto y me siento como si hubiera estado en un ring *de boxeo en vez de en una sala de partos. ¿Cómo ha sido eso?"*

Posiblemente, esta mujer ha trabajado más duramente al dar a luz a su hijo que la mayoría de boxeadores en el *ring*. Por lo tanto, no es sorprendente que, gracias a las poderosas contracciones y a las extenuantes maniobras de la expulsión, tenga el aspecto y se sienta como si hubiera boxeado varios *rounds*. A muchas mujeres les sucede, particularmente después de un parto largo y/o difícil. No son excepcionales durante el posparto:

- Dolor pélvico como resultado del estiramiento.

- Dolor en el lugar de las incisiones (episiotomías o cesárea) o las reparaciones. El dolor normalmente desaparece en siete o diez días, pero en algunos casos continúa por un mes o más.

- Ojos morados o inyectados en sangre (las gafas de sol los disimularán en público hasta que los ojos vuelvan a la normalidad, y las compresas frías aplicadas durante 10 minutos varias veces al día acelerarán dicha vuelta).

- Magulladuras, que van desde pequeños puntitos en las mejillas hasta grandes hematomas o morados en la cara o la parte alta del pecho. Esto se da porque involucra la cara cuando puja.

- Dificultades para respirar hondo debido a los esfuerzos excesivos de los músculos del pecho mientras se empujaba (puede reducir las molestias con baños o duchas calientes o una bolsa de agua caliente).

- Dolor y sensibilidad en la zona del cóccix (hueso de la rabadilla) debido a lesiones de los músculos de la parte baja de la pelvis o debido a que el cóccix realmente se ha fracturado (los masajes y el calor pueden ser de gran ayuda).

◆ Dolor generalizado (de nuevo, el calor puede ser muy útil).

Aunque tener el aspecto y sentirse como si se hubiera recibido una paliza es normal durante el posparto, deberá informar de cualquiera de estos síntomas o de algún otro que fuera inusual a la enfermera o al médico sin tardanza.

DOLORES EN EL ABDOMEN

"Tengo unos dolores parecidos a los del parto en el abdomen, sobre todo mientras doy el pecho a mi bebé".

Desafortunadamente las contracciones no terminan cuando da a luz, estos dolores son provocados por las contracciones que experimenta el útero cuando desciende de nuevo a su posición normal en la pelvis después del parto. Es más probable que estas contracciones sean experimentadas por aquellas mujeres cuya musculatura uterina es fláccida (sin tono) a causa de los partos anteriores o de una distensión excesiva del útero (por ejemplo en el caso de mellizos).

Los dolores pueden ser más pronunciados durante la lactancia, al ser liberada la oxitocina por la succión del lactante, que estimula las contracciones. En caso necesario se pueden prescribir analgésicos suaves, pero el dolor debe desaparecer naturalmente entre el cuarto y el séptimo día. Si los analgé-sicos no alivian los síntomas, o si éstos persisten durante más de una semana, se deberá acudir al médico para descartar otros problemas en el posparto, incluyendo una infección.

DOLOR EN EL ÁREA PERINEAL

"No tuvieron que practicarme una episiotomía y tampoco me desgarré. ¿Por qué estoy tan dolorida?"

Nadie puede esperar que unos tres kilos y medio de bebé atraviesen la pelvis sin dejar rastro. Incluso si el perineo permaneció intacto durante el nacimiento del bebé, esta zona se ha visto distendida, magullada y traumatizada; y las molestias, que varían entre benignas y no tan benignas, son el resultado totalmente normal de ello.

También es posible que al expulsar al bebé le hayan salido hemorroides y posiblemente fisuras anales. Eso puede causar incomodidad o dolor severo. Para más información sobre cómo lidiar con las hemorroides, vea la página 328.

"El lugar de la episiotomía me duele tanto que me temo que los puntos se habrán infectado. ¿Cómo puedo saberlo?"

La dolencia perineal experimentada después de todos los partos vaginales se ve acrecentada en el caso de que el perineo se desgarrara o fuera cortado quirúrgicamente. Al igual que toda herida recién suturada, el lugar de la episiotomía o de una laceración necesita tiempo para cicatrizar –generalmente entre 7 y 10 días–. Durante este tiempo, la presencia únicamente de dolor, a menos que sea muy intenso, no indica que se haya producido una infección.

La infección es posible, pero muy poco probable, si se ha cuidado adecuadamente la zona perineal. Mientras la madre permanece en el hospital, el médico o la enfermera controlarán el peri-neo por lo menos una vez al día para tener la seguridad de que no se ha presentado una inflamación u otro signo de infección. También instruirá a la madre sobre las medidas de higiene del perineo durante el posparto, que son importantes para evitar una infección no sólo de la región de la sutura sino también del tracto genital (fiebres puerperales). Por esta razón, las mujeres que no sufrieron ni un desgarro ni una episiotomía deben tener las mismas precauciones. Las medidas que deben aplicarse durante 10 días en cuanto a la higiene perineal son las siguientes:

- Utilizar una compresa higiénica limpia por lo menos cada cuatro o seis horas. Fijarla bien para que no pueda desplazarse adelante o atrás.

- Quitarse la compresa tirando hacia atrás, para evitar arrastrar gérmenes desde el recto hacia la vagina.

- Limpiar con agua tibia (o con una solución antiséptica si el médico lo ha recomendado) la zona del perineo después de orinar o defecar. Secar con una gasa procediendo siempre de delante hacia atrás.

- No tocarse esa zona con las manos hasta que la cicatrización sea completa.

Aunque las molestias serán probablemente mayores en caso de que se haya practicado una sutura (en este caso, el dolor puede ir acompañado de picor alrededor de los puntos), las sugerencias para aliviarlas suelen ser bien recibidas por todas las mujeres que acaban de dar a luz. Para aliviar el dolor en la zona perineal:

Manténgala fría. Para reducir la hinchazón, póngase un guante especial con hielo o un parche con hielo. Colóquelo en el área afectada cada dos o tres horas durante las primeras veinticuatro horas después del parto.

Manténgala caliente. Baños de asiento calientes por veinte minutos, tres veces al día, compresas calientes o exposición a una lámpara de calor* para aliviar la incomodidad.

Manténgala dormida. Anestésicos locales en forma de aerosoles, cremas o

---

* Estas lámparas solamente deben utilizarse bajo supervisión en el hospital. Para usarlas en casa, pida explicaciones a su médico para evitar las quemaduras.

emplastes; el médico prescribirá quizás analgésicos suaves.

Manténgala alejada. Permanecer tendida sobre el costado; evitar los largos períodos en posición sentada o de pie, para reducir la tensión sobre la zona. Puede servir de ayuda sentarse sobre un cojín o sobre un neumático hinchado; también es útil contraer las nalgas antes de sentarse.

Manténgala suelta. No utilice ropa pegada, especialmente ropa interior pegada, eso puede irritar la herida y aumentar el dolor.

Ejercite. Realizar los ejercicios Kegel (vea la página 262) con la mayor frecuencia posible después del parto y durante todo el puerperio, para estimular la circulación en la zona, lo que favorecerá la cicatrización y mejorará el tono muscular. (No deberá alarmarse si no llega a sentir los músculos cuando efectúa los ejercicios; la zona está entumecida después del parto. La sensibilidad volverá gradualmente al perineo en las semanas siguientes.)

Si el perineo se vuelve muy rojo, muy doloroso e hinchado o si detecta un olor desagradable, es posible que tenga una infección. Llame inmediatamente a su médico.

DIFICULTADES PARA ORINAR

"Han pasado ya varias horas desde que nació mi bebé y aún no he podido orinar".

La dificultad para orinar en las 24 horas del posparto es normal. Algunas mujeres no sienten la necesidad de orinar; otras sienten esta necesidad pero son incapaces de satisfacerla. Finalmente, algunas mujeres llegan a orinar pero con dolores y quemazón. Existen numerosas razones para que el vaciado de la vejiga represente realmente un esfuerzo tan grande después del parto:

- La capacidad de retención de la vejiga aumenta porque bruscamente dispone de más espacio; por consiguiente, la mujer nota con menor frecuencia la necesidad de orinar.

- La vejiga puede haber sido traumatizada o contusionada durante el parto, a causa de la presión provocada por el feto, quedando temporalmente paralizada. Incluso cuando está llena puede no enviar las señales necesarias de urgencia.

- Los fármacos o la anestesia pueden reducir la sensibilidad de la vejiga o la conciencia de la madre a las señales de su vejiga.

- El dolor en la zona perineal puede provocar espasmos reflejos en la uretra, dificultando así la micción. El edema (hinchazón) del perineo obstaculiza también la micción.

- La sensibilidad de la sutura de una episiotomía o una laceración puede provocar quemazón y/o dolor al orinar. La quemazón puede ser aliviada orinando de pie sobre el retrete, de modo que la orina fluya directamente hacia abajo sin tocar los puntos dolorosos. También puede poner agua tibia mientras orina (la enfermera puede darle una botellita de agua tibia), eso minimiza la incomodidad.

- Diversos tipos de factores psicológicos pueden inhibir la micción: temor de sentir dolor al orinar, falta de intimidad, vergüenza de utilizar un orinal plano o el reparo natural de necesitar ayuda para ir al baño.

Por difícil que resulte orinar después del parto, es esencial que la vejiga sea vaciada al cabo de seis u ocho horas para evitar la infección del tracto uterino, la pérdida de tono muscular en la vejiga a causa de la hiperdistensión y la hemorragia que podría ser provocada si la vejiga impidiera el descenso del útero. Por consiguiente, después del parto la madre puede esperar que la enfermera le pregunte a menudo si ya ha orinado. Es posible que le pida que la primera vez que orine después del parto lo haga en un recipiente, para poder medir la cantidad de orina; la enfermera suele también palpar la vejiga para asegurarse de que no está distendida.

Si la mujer no ha orinado al cabo de unas ocho horas, el médico prescribirá un sondaje para vaciar la vejiga de la orina. Este proceso puede ser evitado quizás aplicando las siguientes medidas:

- Tome mucho líquido, lo que entra debe salir.

- Andar un poco. Levantarse de la cama y dar un pequeño paseo tan pronto como sea posible después del parto ayudará a poner en movimiento la vejiga (y los intestinos).

- Si la presencia de la enfermera cohibiera a la madre, ésta le puede pedir que espere fuera de la habitación mientras intenta orinar. La enfermera volverá a entrar cuando la madre haya terminado, para enseñarle los principios de higiene perineal.

- Si la madre se encuentra demasiado débil para levantarse e ir al lavabo, y por lo tanto debe utilizar un orinal plano, puede pedir que se le conceda un poco de intimidad; la enfermera podría calentar el orinal (si es de metal) y proporcionar un poco de agua caliente para que la madre la vierta sobre su zona perineal (esto puede estimular la micción); también puede ser útil sentarse sobre el orinal en vez de permanecer tendida sobre él.

- Calentar la zona con un baño de asiento o bien enfriarla con una bolsa de hielo; cada mujer deberá determinar cuál de los dos procedimientos resulta más eficaz en su caso.

◆ Abrir un grifo mientras se intenta orinar. El ruido del agua al caer en el lavabo estimula realmente la micción.

Después de 24 horas, el problema menor se convierte en un problema mayor, a secas. En el posparto, las mujeres empiezan a orinar con frecuencia y abundantemente a medida que es eliminado el exceso de líquidos corporales del embarazo. Si la micción resulta aún difícil, o si las cantidades de orina excretada es escasa, podría ser que existiera una infección del tracto urinario. Entre los síntomas de una cistitis simple (infección de la vejiga) se cuentan: dolor y/o quemazón al orinar (que se prolongan incluso cuando ya ha disminuido o desaparecido la sensibilidad debida a la sutura de una episiotomía o laceración); frecuencia y urgencia con poca cantidad de orina; y, a veces, una fiebre muy alta. Los síntomas de una infección renal son más graves y pueden incluir fiebre de 38 a 40 °C y dolor en la espalda, en uno o ambos lados, por lo general, además de los síntomas de la cistitis. En caso de que la infección se confirme, el médico prescribirá normalmente un tratamiento con antibióticos específicos del microorganismo causante de la infección. La mujer puede ayudar a acelerar la recuperación bebiendo gran cantidad de líquido, especialmente jugo de arándano.

"No puedo controlar la orina, se sale sola"

El estrés físico de dar a luz puede cambiar las cosas temporalmente, incluyendo el control de la vejiga. Algunas mujeres no pueden orinar, otras, como usted, no pueden controlar la salida de orina. Esta incontinencia urinaria se debe a la pérdida de tonificación de los músculos en el área perineal. Los ejercicios Kegel, recomendados siempre en el posparto, pueden ayudar a restaurar la tonificación y pueden ayudar a recuperar el control de la vejiga. Para mayor información sobre incontinencia, vea la página 382. Si el problema persiste, llame a su médico.

DEFECACIÓN

"Hace casi una semana que tuve a mi bebé y aún no he podido defecar. Aunque he sentido la necesidad, tenía demasiado miedo que el esfuerzo abriera los puntos de la episiotomía".

La primera evacuación después del parto es un hito en el período puerperal. Cada día que pasa sin que se produzca la evacuación aumenta la tensión física y emocional.

Existen varios factores fisiológicos que pueden obstaculizar la vuelta al funcionamiento normal de los intestinos. Por un lado, los músculos abdominales que ayudan a la eliminación se han visto distendidos durante el parto y han quedado fláccidos e ineficaces. Por otro, es posible que el propio intestino haya sido traumatizado por el parto y haya quedado perezoso. Y, naturalmente, se habrá vaciado antes durante el parto y permanecerá vacío ya que la mujer no tomó alimentos sólidos durante todo el tiempo que duró el parto.

Pero los inhibidores más potentes de la actividad intestinal después del parto son quizás los de orden psicológico: el temor infundado de que se abran los puntos; la vergüenza natural a causa de la poca intimidad en el hospital y la presión que se hace sobre la madre para que evacue; cosa que muchas veces dificulta aún más el proceso.

Aunque por lo general la regularidad del sistema no se consigue sin esfuerzo, tampoco es necesario sufrir indefinidamente. Existen varias medidas que se pueden adoptar para solucionar este problema:

No preocuparse. No hay nada que impida más eficazmente la evacuación que la constante preocupación sobre la necesidad de evacuar. La mujer no debe preocuparse de si sus puntos se abrirán, pues no lo harán. No debe preocuparse si pasan varios días antes de que las cosas empiecen a moverse: es muy normal.

Pedir los alimentos adecuados. Si es posible, se seleccionarán los cereales integrales y las frutas y verduras frescas del menú del hospital. Complementar la dieta hospitalaria, que muchas pacientes consideran que favorece el estreñimiento, con alimentos traídos de fuera y que estimulen los intestinos. Las manzanas, las pasas y otras frutas secas, las nueces, los bollos de salvado y las galletas integrales pueden ser útiles. El chocolate y los bombones –que tan a menudo se regalan a las mujeres que acaban de ser madres– sólo empeoran el estreñimiento.

Beber mucho. No sólo es necesario compensar la pérdida de líquidos que se produce durante el parto, sino que la mujer debe tomar más bebidas –en especial agua y zumos de fruta– para ayudar a ablandar las heces en caso de estreñimiento.

Levantarse. Es evidente que la madre no irá a correr una maratón el día después del parto, pero debería dar pequeños paseos por los pasillos. Un cuerpo inactivo favorece la inactividad de los intestinos. Los ejercicios de gimnasia, que pueden ser practicados en la cama casi inmediatamente después del parto, ayudarán a tonificar no sólo el perineo, sino también el recto. En la casa puede caminar con le bebé. Para más ideas sobre ejercicios posparto, vea la página 562.

No esforzarse. Los esfuerzos no abrirán los puntos de la sutura, pero pueden provocar hemorroides. Si la mujer sufre de hemorroides, encontrará alivio con los baños de asiento, los anestésicos tópicos, los supositorios y las compresas calientes o frías.

Utilice ablandadores. Algunos hospitales mandan a la madre a casa con algún ablandador y laxantes, así que si todo lo anterior falla, trate esto.

Las primeras evacuaciones pueden causar grandes molestias. Pero a medida que las heces se ablanden y la función intestinal sea más regular, sin duda alguna las molestias irán desapareciendo.

"Desde el nacimiento del bebé siento vergüenza porque no puedo controlar mis movimientos fecales. También tengo muchos gases"

Aunque sí es un poco vergonzoso, es normal. Durante el trabajo de parto los músculos y los nervios se estiran y a veces se dañan, lo que no les permite trabajar como antes. En la mayoría de los casos el problema se resuelve solo; usted puede acelerar el proceso haciendo los ejercicios Kegel. Si el problema persiste, hable con su doctor acerca de posibles tratamientos y soluciones (vea la página 330). A veces es necesaria la cirugía. Si sigue la cirugía con los ejercicios Kegel, la recuperación es mejor.

TRANSPIRACIÓN EXCESIVA

"Me despierto por las noches empapada de sudor. ¿Es normal?"

Es incómodo, pero es normal. Lo que el médico suele denominar diaforesis, pero que habitualmente se llama transpiración o sudoración, es una de las maneras que tiene el cuerpo para librarse de los líquidos acumulados durante el embarazo, y suele durar una semana. Pero es frecuente que la transpiración continúe siendo un problema durante varias semanas debido a los reajustes hormonales del posparto. No existe motivo para preocuparse, pero es necesario que los líquidos sean reemplazados –sobre todo si la mujer amamanta a su bebé– mediante ingestión suficiente de bebidas. Una toalla colocada sobre la almohada puede hacer que la mujer se sienta más cómoda si suda especialmente por la noche.

Como precaución es una buena idea tomarse la temperatura e informar al médico si sube por encima de los 37,5 ºC.

LECHE SUFICIENTE

"Hace ya dos días que nació mi bebé, y de mis pechos no sale nada, ni tan sólo calostro, cuando los aprieto. Tengo miedo de que mi hijo esté pasando hambre".

El recién nacido no se morirá de hambre; por el momento, ni siquiera tiene hambre. Los bebés no nacen con apetito ni con necesidades inmediatas de nutrición. Y en el momento en que el bebé empiece a desear un pecho lleno de leche (a los tres o cuatro días del parto), su madre será capaz, indudablemente, de satisfacerlo.

Lo que no quiere decir que los pechos de la madre estén ahora vacíos. El calostro (que proporciona al bebé suficiente alimento y además importantes anticuerpos que su cuerpo aún no produce, y que le ayuda a vaciar el sistema digestivo del exceso de mucosidades y de meconio) se halla ya presente en la reducida cantidad necesaria. (Lo que necesita en este momento el bebé equivale a algo así como una cucharadita de calostro.) Pero exprimir manualmente los pechos no es fácil antes del tercero o cuarto día después del parto, momento en que los pechos empiezan a hincharse y a notarse llenos (lo que indica que la leche ya ha subido). Incluso un bebé de un día, sin experiencia previa, está mejor dotado que su madre para extraer el calostro que necesita.

PECHOS CONGESTIONADOS

"Finalmente me subió la leche, haciendo que mis pechos se hincharan hasta tener un tamaño tres veces superior al normal; además, están tan duros, congestionados y adoloridos que no puedo ni ponerme el sostén. ¿Es esto lo que me espera hasta que destete al bebé?"

Si unos pechos doloridos, duros como el granito y del tamaño de los de una bailarina exótica es lo que debieran esperar las madres para todo el período de la lactancia, lo más probable es que la mayoría de los bebés fueran destetados antes de la segunda semana de vida. La congestión, causada por la subida de la leche (a veces llega con un poco de fiebre*), puede hacer que dar el pecho resulte muy doloroso para la madre y, debido a que los pezones quedan aplanados a causa de la hinchazón, muy frustrante para el bebé. La situación puede verse agravada si la primera mamada no se produce ya sea por una situación de la madre o por una situación del bebé.

Afortunadamente, la congestión y sus desagradables efectos disminuyen gradualmente a medida que se establece un sistema bien equilibrado de oferta y demanda de leche –en cuestión de días. El dolor de los pezones –que suele ser máximo hacia la vigésima mamada– desaparece también rápidamente cuando los pezones se endurecen con el uso. Algunas mujeres, especialmente las de piel clara, pueden experimentar también la presencia de grietas y heridas sangrantes en los pezones. Con los cuidados adecuados, esta molestia será asimismo temporal (vea el apartado dedicado a esto, página 534).

Hasta que la lactancia se convierta en algo tranquilo, gratificante y sin dolor, como usted lo imaginó, hay ciertos pasos que puede dar para reducir la in-

---

* Si la fiebre sube mucho, llame a su médico.

Cuándo llamar al médico

Pocas mujeres se sienten perfectas después del posparto, especialmente durante las primeras seis semanas en las que aparecen los dolores y las molestias. Durante las seis primeras semanas después de dar a luz, existe la posibilidad de alguna complicación posparto. Podría delatarse mediante uno o más de los siguientes síntomas, todos los cuales requieren una consulta inmediata con el médico:

◆ Una hemorragia que sature más de una compresa por hora durante más de unas pocas horas. La mujer hará que alguien la lleve a un servicio de urgencias, si no puede contactar de inmediato con su médico. Durante el camino, o mientras espera ayuda, se echará y mantendrá una bolsa de hielo (o una bolsa de plástico bien cerrada llena de cubitos de hielo y un par de toallitas de papel para absorber el agua de la fusión) en la parte baja del abdomen (directamente sobre el útero, si es que lo puede localizar, o en el foco de dolor), si le es posible.

◆ Hemorragia de color rojo *vivo* en cualquier momento después del cuarto día. Pero no hay que preocuparse si el flujo tiene un tinte sangriento ocasional, por un breve episodio de hemorragia indolora al cabo aproximadamente de unas tres semanas, o por un flujo de sangre algo aumentado cuando está activa o amamantando.

◆ Loquios con un olor desagradable. Deberían oler como un flujo menstrual normal.

◆ Coágulos de sangre grandes (del tamaño de un limón o mayores) con los loquios. La aparición ocasional de pequeños coágulos durante los primeros días es normal.

◆ Ausencia de loquios durante las dos primeras semanas del posparto.

◆ Dolor o molestias, con o sin hinchazón, en la parte baja del abdomen después de los primeros días.

◆ Dolor persistente en el área perineal, después de los primeros días.

◆ Después de las primeras 24 horas, una temperatura de más de 37,5 grados durante más de un día. Pero una breve elevación de hasta 38 grados inmediatamente después del parto (debida a la deshidratación) o una fiebre muy ligera en el momento de la subida de la leche no constituyen motivos de preocupación.

◆ Mareo.

◆ Náuseas y vómito.

◆ Dolor localizado, hinchazón, enrojecimiento, calor y sensibilidad localizados en un pecho una vez ha bajado la congestión, que podría ser un signo de mastitis o infección del pecho. Se iniciará el tratamiento casero (página 535) mientras se espera localizar al médico.

Continúa en la página siguiente…

...viene de la página anterior

- Hinchazón y/o enrojecimiento, calor y exudación localizados en el lugar de la incisión de la cesárea.

- Dificultades para orinar; dolor o escozor al hacerlo; frecuentes ganas de orinar con resultados escasos; orina oscura y/o escasa. Beber mucha agua mientras se intenta contactar con el médico.

- Dolor pectoral agudo, que podrá indicar la presencia de coágulos sanguíneos en los pulmones (no debe confundirse con un dolor normal en el pecho por el esfuerzo de las contracciones). La mujer llamará a un servicio de urgencias si no puede contactar inmediatamente con su médico.

- Dolor, sensibilidad y calor localizados en el muslo o la pantorrilla, con o sin enrojecimiento, hinchazón y dolor al flexionar el pie, que podrán ser signos de que existe un coágulo de sangre en una vena en la pierna (página 668). La mujer debe descansar con las piernas levantadas mientras intenta localizar al médico.

- Depresión que afecta a la capacidad de hacerse cargo de las obligaciones, o que no se resuelve al cabo de unos días (vea la página 546); sentimientos de hostilidad hacia el bebé, particularmente si van acompañados de impulsos violentos.

comodidad y acelerar una buena producción de leche (vea *Los primeros días de la lactancia* en la página 525).

CONGESTIÓN CUANDO NO SE DA EL PECHO

"No voy a dar el pecho a mi bebé. He oído decir que extraer la leche puede ser doloroso".

Tanto si se da el pecho como si no, en el tercer o cuarto día después del parto los pechos quedarán llenos de leche. Este proceso puede ser molesto, incluso doloroso. Afortunadamente, es sólo transitorio.

Algunos médicos utilizan hormonas para suprimir la producción de leche. Pero debido a que los fármacos tienen unos efectos muy serios y no son fiables (a veces no alivian la congestión y si lo hacen, ésta a menudo se vuelve a presentar cuando se deja de tomar la medicación), el Comité Consultivo de Salud Maternal de los Estados Unidos ha recomendado que no se usen. Dado que la congestión de los pechos en el posparto es un proceso natural, es mejor dejar que la naturaleza lo resuelva, lo que finalmente siempre hace.

Los pechos sólo producen leche cuando es necesario. Si la leche no es utilizada, su producción se detiene. Aunque la salida ocasional de leche por los pezones pude continuar durante varios días, o incluso semanas, la congestión intensa no debería durar más de 12 o 24 horas. Durante este tiempo, pueden aplicarse bolsas de hielo y analgésicos suaves. El uso de un sostén bien adaptado es importante. Evite las duchas calientes, eso estimula la producción de leche.

FIEBRE

"Acabo de volver del hospital y tengo unos 38,5 °C de fiebre. ¿Puede estar relacionada con el parto?"

Gracias al Dr. Semmelweiss, las probabilidades de que una mujer que acaba de tener un hijo sufra de fiebres puerperales, son extremadamente bajas hoy en día. Fue en el año 1847 cuando este joven médico vienés descubrió que si el personal que atendía a los partos se lavaba las manos antes de ayudar a nacer a los bebés, se podía reducir en gran medida el riesgo de infecciones relacionadas con el nacimiento (aunque en aquel momento, su teoría fue considerada tan ridícula que el doctor Semmelweiss fue expulsado de su puesto y condenado al ostracismo, muriendo más tarde en un manicomio). Y gracias a Sir Alexander Fleming, el científico inglés que desarrolló los primeros antibióticos para luchar contra las infecciones, los reducidos casos que se presentan se curan con facilidad.

Los casos más graves de infección suelen empezar dentro de las 24 horas que siguen al parto. La fiebre durante el tercero o cuarto día, cuando la mujer ya ha vuelto a casa, podría ser un signo de infección del posparto –pero también podría ser provocada por un virus u otro problema menor. Una fiebre baja (de aproximadamente 37,5 °C) acompaña en ocasiones a la subida de la leche. Informe al médico de cualquier fiebre que dure más de cuatro horas durante las primeras semanas –incluso si va acompañada de síntomas obvios de gripe o de vómitos– de forma que su causa pueda instaurar un tratamiento si fuera necesario. Vea la página 526 si se sospecha que existe o se ha diagnosticado una infección posparto.

VÍNCULO AFECTIVO

"Mi bebé fue prematuro y no podré tomarlo en brazos por lo menos durante dos semanas. ¿Será entonces demasiado tarde para establecer un buen vínculo afectivo?"

El proceso de establecer el vínculo entre la madre y su hijo recién nacido se ha convertido en los últimos años en un tema muy comentado. Todo empezó en los años 70; ciertos estudios demostraron que la separación del bebé de la madre inmediatamente después del parto significaba una amenaza para la relación ente madre e hijo durante toda la vida y también para las futuras relaciones del hijo con otras personas. Algunos cambios muy positivos que se han producido en las normas sobre el período después del parto han sido debidas a estos trabajos. Actualmente, muchos hospitales permiten que las madres tomen en brazos a su bebé inmediatamente después del nacimiento y que lo acaricien e incluso le den el pecho durante un tiempo que oscila entre los 10 minutos y una hora o más, en lugar de trasladar apresuradamente a los bebés hacia la sala de recién nacidos tan pronto como se ha seccionado el cordón umbilical. También pueden autorizar que esté con el bebé en el cuarto, eso permite que los padres estén casi tiempo completo con su hijo recién nacido.

Pero, como sucede a veces cuando una buena idea se populariza, el concepto del vínculo ha sido mal entendido y se ha abusado de él (uno de los médicos que publicó el primer libro sobre el tema afirmó más tarde: "desearía no haberlo escrito nunca"), lo que ha tenido resultados desafortunados. Las madres que han pasado por un parto quirúrgico y que no pueden ver a su hijo recién nacido se preocupan y temen que su relación madre-hijo haya quedado afectada para siempre. El mismo temor acecha a los padres cuyos bebés deben permanecer en la unidad de cuidados intensivos neonatales durante varios días o semanas. Algunas parejas están tan obsesionadas con la necesidad de establecer inmediatamente este vínculo afectivo, que exigen la posibilidad de ello incluso en caso de riesgo para el bebé.

Naturalmente, el primer contacto en la sala de partos es algo muy bonito. Permite que la madre y el hijo se sientan unidos, piel contra piel. Es el primer paso en el desarrollo de un vínculo duradero. Pero sólo el *primer* paso. Y no tiene que producirse necesariamente en el momento del nacimiento. Puede ocurrir más tarde, en la cama del hospital, o a través de las compuertas de la incubadora, o incluso semanas más tarde, en el hogar. Cuando nacieron nuestros padres, probablemente vieron poco a sus madres y aún menos a sus padres hasta que fueron llevados a casa –habitualmente a los 10 días del parto– y la gran mayoría de esta generación "despojada" creció con lazos familiares intensos y profundos. Las madres que tuvieron la suerte de poder tomar en brazos, en la sala de partos, a uno de sus hijos pero no pudieron hacerlo con los otros, no suelen experimentar diferencias en cuanto a sus sentimientos frente a ellos, al menos esta no sería la razón en ningún momento. Y los padres adoptivos, que con frecuencia no conocen a sus hijos hasta que estos salen del hospital (o incluso mucho más tarde), consiguen a pesar de todo establecer un lazo profundo con ellos. De hecho, algunos expertos creen que el establecimiento del vínculo afectivo no se produce realmente hasta algún momento de la segunda mitad del primer año de vida del bebé. En cualquier caso, es evidente que se trata de un proceso complejo que no se consigue en cuestión de minutos o días.

Nunca es demasiado tarde para atar los lazos que unen. Por consiguiente, en lugar de gastar energías deplorando el tiempo perdido, la mujer lo que debe hacer es prepararse para sacar el máximo y mejor partido de toda la vida de maternidad que tiene por delante.

Eso no significa que no intente tocar, hablar o incluso abrazar a su bebé aunque esté en la unidad de cuidados intensivos. Muchos hospitales permiten el contacto con los padres. Hable con la enfermera encargada de la unidad de cuidados intensivos y vea cuál es la mejor forma de estar con su bebé durante este tiempo. Para mayor información sobre el cuidado de bebés prematuros, lea *El primer año del bebé*.

"He oído decir que el vínculo afectivo une cada vez más a la madre y al hijo, pero cada vez que tomo a mi bebé en brazos tengo la sensación de que es un extraño".

El amor a primera vista es un concepto que florece en los libros y las películas románticas, pero que rara vez se materializa en la vida real. El tipo de amor que dura toda una vida suele exigir tiempo y mucha paciencia para crecer y profundizarse. Y esto se aplica tanto al amor entre un recién nacido y sus padres como al amor entre un hombre y una mujer.

La intimidad física entre la madre y el bebé, inmediatamente después del nacimiento, no garantiza una intimidad emocional inmediata. Los sentimientos de afecto no fluyen con tanta rapidez y seguridad como los loquios; esos primeros segundos que siguen al parto no están automáticamente bañados en el resplandor del amor maternal. De hecho, la primera sensación que una mujer experimenta después del parto será con mayor probabilidad la de alivio más que la de amor –alivio de que el bebé sea normal y, especialmente si el parto ha sido difícil, de que todo haya pasado finalmente–. No es raro, ni mucho menos, que la madre considere un extraño a ese bebé chillón e insociable –muy poco parecido al pequeño feto idealizado que llevó en su seno durante nueve meses– y que sus sentimientos hacia él sean poco más que tibios. Un estudio realizado al respecto encontró que se necesitan un promedio de dos semanas (y a menudo incluso nueve semanas) para que las madres empiecen a tener sentimientos positivos hacia sus bebés recién nacidos.

El modo en que una mujer reacciona ante su recién nacido la primera vez que lo ve depende de diversos factores: la duración y la intensidad del parto; si ha recibido o no tranquilizantes y/o anestésicos durante el parto; su experiencia anterior (o su falta de experiencia) con bebés; sus sentimientos ante el hecho de tener un hijo; su relación con su marido; preocupaciones ajenas a la maternidad; su salud general y probablemente lo más importante, su personalidad. La reacción de cada mujer es normal para *ella*.

Siempre que la madre experimente un creciente sentimiento de cariño hacia su bebé a medida que pasan los días, no existe motivo de preocupación. Algunas de las mejores relaciones empiezan lentamente. La madre deberá darse a sí misma y a su bebé la oportunidad de conocerse y apreciarse mutuamente y dejar que el amor crezca de forma natural sin darle prisas.

Si al cabo de unas pocas semanas no se siente un creciente afecto, o si se siente disgusto o antipatía hacia el bebé, es necesario discutir estos sentimientos con el pediatra. Es importante exteriorizarlos pronto y eliminarlos.

EL BEBÉ EN LA HABITACIÓN

"En las clases de preparación al parto, tener a mi bebé en la habitación me parecía un sueño celestial. Pero desde que ha nacido, esto más bien parece un infierno. No consigo que el bebé deje de llorar, pero ¿qué tipo de madre pareceré si le pido a la enfermera que se lo lleve?"

Sólo parecerá una madre muy humana. Acaba de realizar un trabajo más que hercúleo (Hércules no habría podido hacerlo), el de dar a luz, y está a punto de embarcarse en una misión aún mayor: la de criar y educar a un hijo. Necesitar unos pocos días de reposo en cama entre ambas cosas no es nada que deba hacer sentir culpabilidad.

Es cierto que algunas mujeres se apañan muy bien con el bebé en su habitación. Es posible que hayan pasado por un parto fácil que las ha dejado alborozadas en lugar de agotadas. O puede que ya tengan experiencia en el trato con recién nacidos, ya sean propios o de otras mujeres. Para estas madres, un bebé inconsolable a las tres de la madrugada puede no ser muy divertido pero tampoco es una pesadilla. Sin embargo, para una mujer que no ha dormido desde hace 48 horas, cuyo cuerpo ha quedado exhausto después del parto y los únicos bebés que ha tenido cerca son los de los anuncios de comida infantil, estas serenatas nocturnas pueden hacer que se pregunte al borde de las lágrimas: "¿Qué me hizo pensar que me gustaría tener un hijo?".

Hacerse la mártir puede hacer surgir resentimientos contra el bebé, y éste probablemente lo notará. Si en vez de ello el bebé pasa la noche en la sala de recién nacidos, a la mañana siguiente tanto él como su madre estarán más descansados y tendrán una oportunidad de compenetrarse.

La estancia del bebé en la habitación de la madre durante las 24 horas del día es una nueva y maravillosa opción del enfoque de la maternidad –pero no es adecuada en todos los casos. La madre *no* debe sentirse fracasada o considerarse una mala madre si no disfruta teniendo el bebé en la habitación o si está demasiado cansada para ello. No debe dejar que nada la empuje a ello si no lo desea; y tampoco debe engañarse a sí misma si, después de pedir que le dejaran al bebé en la habitación, no se siente con ánimos y cambia de opinión. Una buena solución de compromiso puede ser la de tener el niño en la habitación durante el día pero no durante la noche. O quizás dormir de un tirón toda la primera noche después del parto, y tener el bebé en la habitación a partir de la segunda (asegúrese de que, si está amamantando, le traigan a su bebé para cada sesión de alimentación).

Es importante ser flexible. Durante el tiempo de permanencia en el hospital, la madre debe preocuparse más por la calidad del tiempo que pasa con su hijo que por la cantidad. Muy pronto volverá a casa y lo tendrá las 24 horas del día. Y en aquel momento, si ha sido razonable mientras se hallaba en el hospital, deberá estar preparada física y emocionalmente para esto. Pero va a necesitar apoyo extra. Idealmente su esposo podría traer al bebé para la sesión de media noche, cambiar algunos pañales, llevarle al bebé y regresarlo a la cuna. Si no tiene un compañero, debería buscar a alguien –pagada o voluntaria– que se quede con usted por lo menos unas noches, mientras se recupera del parto.

RECUPERACIÓN EN CASO DE CESÁREA

"¿Cómo va a ser mi recuperación de la cesárea?"

La recuperación en un caso de cesárea es similar a la recuperación en cualquier intervención quirúrgica abdominal mayor, con una deliciosa diferencia: en lugar de haber perdido la vesícula biliar o el apéndice, la mujer ha ganado un bebé.

Evidentemente, existe también otra diferencia, algo menos deliciosa: además de recuperarse de una intervención quirúrgica, la mujer deberá recuperarse también del parto. A excepción de un perineo intacto, la madre experimentará todas las molestias que sufriría si el parto hubiera sido vaginal –entuertos, loquios, congestión de los pechos, cansancio, cambios hormonales, pérdida de cabello, transpiración excesiva y la depresión del bebé.

En lo que se refiere a la intervención quirúrgica, la mujer puede esperar lo siguiente en la sala de recuperación:

Efectos de la anestesia. Hasta que la anestesia general se elimine, la mujer se hallará bajo vigilancia en la sala de recuperación. Es posible que más tarde, los recuerdos sobre ello sean borrosos o totalmente inexistentes. Puesto que cada persona responde de modo distinto a los fármacos, y puesto que cada fármaco es diferente, la mujer podrá tener la cabeza despejada al cabo de unas pocas horas o sólo al cabo de un día o dos, en función de su propia constitución y de las medicaciones que se le hayan administrado. Si se siente desorientada, o sufre alucinaciones o pesadillas al despertarse, su propio marido o tal vez una enfermera comprensiva podrán ayudarla a volver rápidamente a la realidad.

La madre deberá permanecer también en la sala de recuperación si fue sometida a un bloqueo espinal o epidural. Estas anestesias tardan más en eliminarse –y además suelen hacerlo empezando por los dedos de los pies. Se le pedirá a la mujer que mueva los dedos de los pies y luego los pies tan pronto como pueda. Si recibió raquianestesia, deberá permanecer tendida sobre la espalda durante unas 8 a 12 horas. Es posible que se permita la visita del marido y del bebé en la sala de recuperación.

Dolor en la zona de la incisión. Una vez eliminada la anestesia, la herida, como todas las heridas, empezará a doler; aunque el grado de intensidad dependerá de muchos factores, entre ellos, el umbral de dolor de la mujer y el número de cesáreas a las que ha sido sometida. (La primera es habitualmente la más molesta.) Probablemente se le administrará algún analgésico si es necesario, que puede dejarle una sensación de embotamiento o somnolencia. También le permitirá dormir un poco, que bien lo necesita. La mujer no debe preocuparse si quiere darle el pecho a su bebé; la medicación no pasará al calostro y en el momento en que le suba la leche lo más probable es que ya no necesite medicación. Si el dolor sigue durante más semanas, como a veces lo hace, puede tomar medicamentos tranquilamente, de todas maneras hable con su doctor para que le recomiende algunos. Para acelerar la curación, trate de evitar levantar cosas pesadas y evite manejar durante las primeras semanas después de la cirugía.

Posibles náuseas con o sin vómitos. Esto no siempre constituye un problema, pero si lo es, se administrará a la mujer un antiemético para evitar los vómitos. (Si la mujer vomita con facilidad, es aconsejable que hable de ello con su médico, ya que quizá se le podría proporcionar la medicación adecuada antes de que aparezcan los síntomas.)

Ejercicios de respiración y tos. Ayudan al cuerpo a eliminar los restos de anestesia general, a dilatar los pulmones y a mantenerlos limpios para evitar una neumonía. Estos ejercicios pulmonares necesarios pueden resultar muy incómodos si la mujer los ejecuta correctamente. Es posible aliviar las molestias apretando un cojín contra la herida.

Cansancio extremo. Es posible que se sienta débil después de la cirugía, en parte por la pérdida de sangre y en parte por la anestesia. Si pasó por algunas horas de trabajo de parto antes de la cirugía, es casi seguro que se sienta todavía más cansada.

Evaluaciones regulares del estado de salud. Una enfermera controlará los signos vitales (temperatura, presión sanguínea, pulso, respiración) de la paciente, su producción de orina, su flujo vaginal, el estado de su herida y el nivel y firmeza de su útero (a medida que se reduce de tamaño y vuelve hacia su posición original en la pelvis). También comprobará el goteo intravenoso y el catéter urinario.

Una vez trasladada a su habitación del hospital, la mujer puede esperar:

Continuación de la vigilancia de su estado. Continuarán siendo controlados con regularidad sus signos vitales, su producción de orina, sus pérdidas vaginales, su herida y su útero, así como el intravenoso y el catéter (mientras no se prescinda de ellos).

Eliminación del catéter. Quitarán el catéter después de la cirugía. La mujer puede encontrar dificultades para orinar; es aconsejable que siga los consejos de la página 508. Si no dan resultados, es posible que la sonda sea insertada de nuevo hasta que la paciente pueda orinar por sí misma.

Entuertos. Empiezan pasadas 12 o 24 horas del parto. Véase la página 506 para más detalles sobre estas contracciones ocasionales.

Retorno *lento* a la dieta normal. Dependiendo de su condición, le quitarán el intravenoso aproximadamente a las 24 horas de la intervención quirúrgica, o cuando los intestinos de la paciente empiezan a mostrar signos de actividad (producción de gas), se desconectará la perfusión y la mujer podrá tomar algún líquido por vía oral. Las investigaciones demuestran que las mujeres que empiezan a comer sólidos desde antes (gradualmente pero empezando de cuatro a ocho horas después de la operación), tienen un movimiento de los intestinos antes y salen del hospital 24 horas antes que las mujeres que solamente toman líquidos. Las políticas de los hospitales son diferentes y los médicos también opinan de maneras diversas. Tenga en cuenta que la reintroducción a los sólidos es por etapas, empieza por líquidos, después por alimentos blandos como la gelatina y termina con los sólidos. La dieta debe ser blanda por lo menos durante unos días, no se le ocurra pensar en hamburguesas. Cuando coma sólidos, no deje de lado los líquidos, especialmente si está amamantando.

Dolor referido en el hombro. La irritación del diafragma a causa de la intervención quirúrgica puede provocar intenso dolor en el hombro. Se puede administrar un analgésico.

Posible estreñimiento. Pueden pasar algunos días antes de que se produzca la primera evacuación, y ello no es motivo de preocupación. Quizá se prescriba un laxante para acelerar las cosas. La mujer puede ensayar las medidas que se describen en la página 510, pero sin tomar alimentos ricos en fibra durante los primeros días. Si no ha evacuado en el quinto o sexto días, es probable que se le administre una enema o un supositorio.

Molestias abdominales. A medida que el tracto digestivo (que ha quedado temporalmente fuera de circulación a causa de la intervención quirúrgica) empieza a funcionar de nuevo, el gas atrapado en él puede provocar un dolor considerable, sobre todo cuando presiona contra el lugar de la incisión. Estas molestias pueden empeorar al reír, toser o estornudar. La paciente deberá hablar de su problema con el médico o con la enfermera, que sugerirá algún remedio. Los narcóticos no suelen estar recomendados porque pueden prolongar las dificultades, que por lo general no duran más de un día o dos. Se puede administrar una enema o un supositorio para hacer salir el gas. También es posible que se le aconseje a la paciente que pasee por el pasillo. Tam-

bién puede ser eficaz tenderse sobre la espalda o sobre el costado izquierdo, con las rodillas levantadas y respirar profundamente aguantando el lugar de la herida con las manos. Si el dolor continúa siendo intenso, cosa que no hay que descartar, se puede insertar un tubo en el recto para ayudar a la salida de los gases.

Ejercicio. Antes de que se le permita levantarse de la cama, se alentará a la mujer a que mueva los dedos de los pies, flexione los tobillos, empuje con los pies contra el borde de la cama y gire el cuerpo de un lado al otro. También puede probar los siguientes ejercicios: (1) Tendida sobre la espalda, flexionar una rodilla y extender la otra pierna intentando contraer ligeramente el abdomen; repetir con la otra pierna. (2) Tendida sobre la espalda, con las rodillas flexionadas y los pies apoyados planos sobre la cama, levantar la cabeza unos 30 segundos. (3) Tendida sobre la espalda, con las rodillas flexionadas, contraer el abdomen y estirar un brazo por encima del cuerpo hasta el borde contrario de la cama, aproximadamente a nivel de la cintura. Repetir con el otro brazo.

Estos ejercicios mejoran la circulación, especialmente la de las piernas y previenen la formación de coágulos sanguíneos (pero algunos de estos ejercicios pueden resultar bastante dolorosos, por lo menos durante las primeras 24 horas).

Levantarse pasadas 8 a 24 horas de la intervención. Con la ayuda de la enfermera, empezará por sentarse, apoyada en el cabezal elevado de la cama. Luego, apoyándose en las manos, deslizará las piernas por encima del borde de la cama y las sacudirá durante unos minutos. Luego, lentamente, la enfermera la ayudará a poner los pies en el suelo, con las manos aún apoyadas en la cama. Si siente vahídos (cosa muy normal), se sentará de nuevo en la cama. Esperará un par de minutos antes de dar algunos pasos. Estos pasos pueden ser extremadamente dolorosos. Deberá mantenerse lo más recta posible, aunque la tentación de inclinarse para aliviar las molestias puede ser grande. Esta dificultad para andar es temporal; usted tendrá pronto más ánimos de pasear que la mujer que ha tenido un parto vaginal; y le será mucho más fácil sentarse.

Medias elásticas. Mejoran la circulación y ayudan a prevenir coágulos sanguíneos en las piernas.

Pasar tiempo con el recién nacido. Usted aún no puede levantar a su bebé, pero puede tenerlo en brazos y darle el pecho. (Si le da el pecho, colocará al bebé sobre una almohada dispuesta sobre la incisión de la cesárea.) En función del estado de la madre y de las normas del hospital, es posible que la madre pueda tener a su hijo en la habitación durante ciertas horas; algunos hospitales le permiten tenerlo en la habitación todo el día.

Baños con la esponja. Hasta que le saquen los puntos (o se hayan absorbido), la paciente no podrá tomar un verdadero baño o una ducha.

Los puntos. Si los puntos de la sutura no son de los que se absorben solos, serán eliminados pasados cinco o seis días. Y aunque esto no es demasiado doloroso, es posible que la mujer lo encuentre molesto. Cuando la herida ha quedado al descubierto, la paciente puede examinar la incisión; le preguntará al médico cuánto tiempo tardará en curar, se informará sobre los cambios normales que se pueden producir y sobre los que requieren atención médica.

En la mayoría de los casos, lo normal es volver a casa al cabo de tres a cinco días después de dar a luz. Pero seguirá necesitando ayuda con el bebé y necesitará seguir cuidándose. Trate de tener a alguien que le ayude durante las primeras semanas.

DOLOR DE ESPALDA

"Mi hermana dijo que había tenido dolor de espalda después del parto porque le habían puesto la epidural. A mí no me pusieron la epidural y me duele la espalda"

Antes se pensaba que solamente las mujeres que habían tenido una epidural tenían dolores de espalda después. Pero las investigaciones demuestran que el dolor es normal. Seguramente los dolores están relacionados con los músculos abdominales (sus músculos ya no son lo que eran antes) que son muy débiles ahora para apoyar el peso de su espalda adecuadamente. Los ejercicios posparto (ver Recobrar la figura, en la página 562) le ayudarán a recuperar la fuerza de los músculos. Por ahora evite cargar cosas pesadas (salvo a su bebé).

QUÉ ES IMPORTANTE SABER:
Los primeros días de la lactancia

Desde que Eva le dio el pecho a Caín por primera vez, la lactancia ha sido algo que les viene naturalmente a las madres y a los recién nacidos. ¿No es cierto?

Bien, no siempre, o por lo menos, no inmediatamente. Aunque la lactancia viene naturalmente, lo hace, claro está, algo más tarde para algunas mujeres y algunos bebés que para otros. Algunas veces existen factores físicos que hacen que los primeros intentos fracasen; otras, el elemento del fracaso es una simple falta de experiencia por parte de los dos participantes. Pero sea cual fuere la razón que separa al bebé del pecho de la madre, no deberá pasar mucho tiempo antes de que se compenetren perfectamente, a menos que la madre renuncie a ello. Algunas de las relaciones mutuamente más satisfactorias entre un bebé y el pecho de su madre empezaron con varios días de torpezas, esfuerzos fracasados y lágrimas.

El conocimiento de lo que se puede esperar y del modo de enfocar los problemas puede ayudar a facilitar la adaptación mutua. Es bueno que tome una clase prenatal para amamantar, también le serán útiles los consejos siguientes:

- Empezar lo más pronto posible después del parto. Lo mejor sería empezar ya en la sala de partos, siempre que sea factible. (vea el cuadro sobre las bases de la lactancia en las páginas 528-529). Pero a veces la madre no se encuentra en estado de dar el pecho, o bien es el bebé el que no puede hacerlo; en ambos casos, esto no significa que no se pueda empezar con éxito más tarde. (Esto no quiere decir que si la mujer se encuentra bien y el bebé también, esta primera experiencia de lactancia haya de ser necesariamente perfecta. Ambos tienen mucho que aprender).

- Buscar el apoyo del médico con anterioridad al parto, para asegurarse de poder dar el pecho al bebé en la sala de partos si todo transcurre con normalidad. Disponer también que el bebé pueda permanecer todo el día, o parte de él, en la habitación de la madre, o pedir que traigan el niño cada vez que tenga hambre.

- Pedir ayuda al personal del hospital o a su médico. Si tiene suerte, una enfermera de la sala de recién nacidos permanecerá con usted durante la primera vez que dé el pecho a su bebé, para proporcionarle instrucciones prácticas, consejos útiles y, tal vez, algún libro adecuado. Si ello no entra dentro de las prácticas habituales del hospital (o por algún motivo no ha sido posible), la mujer puede intentar buscar consejo en alguna organización de apoyo a las madres que amamantan.

- Limite los visitantes para que haya más oportunidad de amamantar, si el bebé está con usted todo el tiempo. Es mejor que su esposo la acompañe la mayoría del tiempo, porque les permite a los tres conocerse mejor mientras están en un ambiente tranquilo para la lactancia.

- Tener paciencia si el bebé se está recuperando aún del parto. Si la madre recibió anestesia o tuvo un parto largo y difícil, puede esperar que su bebé se muestre amodorrado y perezoso durante unos pocos días. Esto no es un reproche a la madre ni a su capacidad de darle pecho. Tampoco

hay peligro de que el bebé pase hambre, ya que los recién nacidos tienen pocas necesidades de alimentos durante los primeros días de vida. Lo que sí necesitan es cariño. En este momento, el contacto con el pecho de la madre es tan importante como la leche que pueda chupar.

- Asegurarse de que el apetito y el instinto de succión del bebé no son saboteados entre las tomas. En algunos hospitales se suele tranquilizar a los bebés que lloran con un biberón de agua azucarada entre las tomas. Esto puede tener un doble efecto perjudicial. En primer lugar, satisface para varias horas el hambre aún reducida del neonato. Luego, cuando el bebé sea llevado a su madre para que le dé el pecho, es posible que no tenga ganas de mamar, y los pechos de la madre no serán estimulados a producir leche; así ha comenzado un círculo vicioso. En segundo lugar, la tetina de goma del biberón le exige menos esfuerzo y ello puede debilitar su reflejo de succión. Enfrentado al mayor esfuerzo de succionar la leche del pecho, es posible que el bebé se dé por vencido. La madre no deberá permitir que le den agua azucarada a su hijo. Dará órdenes estrictas al respecto —a través del pediatra—, para que en la sala de recién nacidos no se le dé ninguna alimentación suplementaria al bebé a menos que sea médicamente necesario.

- Aliméntelo cuando lo pida. De todas maneras debe alimentarlo por lo menos de ocho a doce veces al día, aunque la demanda no llegue a ese nivel. Esto mantendrá contento al bebé y aumentará su producción de leche. No deje mucho tiempo sin amamantar porque puede producir irritación en los pechos y un bebé mal nutrido después.

- Alimente al niño hasta que él quiera. Antes se pensaba que las sesiones cortas (cinco minutos por pecho) ayudaban a prevenir el dolor en los pezones. Pero hoy se sabe que el dolor se debe a las malas posiciones del bebé al chupar. Muchos de los recién nacidos requieren sesiones de cuarenta o cuarenta y cinco minutos, así que si encuentra la posición correcta puede cumplir con este requerimiento, esto es más importante que asegurarse de que el bebé tome de los dos pechos*. Así que no presione al bebé, déjelo en uno de los pechos hasta que él quiera. Recuerde empezar la próxima sesión en el pecho que no terminó y que todavía tiene algo de leche.

- No dejar que el bebé continúe durmiendo si esto significa que deberá saltarse una de las tomas. Si el bebé se halla en la misma habitación de la madre, esto no constituirá un problema: la madre podrá alimentar al bebé cuando éste sienta hambre y dejarlo dormir en caso contrario. Pero si la madre depende del personal del hospital para traerle el niño –según el horario de la sala de recién nacidos, y no según el horario del bebé– es posible que se dé el caso de que el período destinado a la lactancia haya pasado antes de que el niño se despierte. Esto no debe suceder. Si el bebé está dormido cuando llega a la habitación de su madre, ésta deberá despertarlo. Esto puede parecer más cruel de lo que es en realidad. La madre lo colocará suavemente sobre su cama, en posición sentada; con una mano le aguantará la barbilla y con la otra la espalda. A continuación inclinará al bebé hacia adelante, doblándolo por la cintura. Tan pronto como empiece a moverse, la madre adoptará la postura de lactancia. Si el bebé está envuelto, se soltará la manta o el chal para que pueda tener contacto con la madre. Los bebés huelen muy bien la leche y ese olor los despertará para que puedan comer.

- No intentar dar el pecho a un bebé que chilla. Al lactante inexperimentado ya le resulta bastante difícil en-

---

* Si el pecho no está lleno, el bebé no recibe una parte de la leche que es la que contiene más calorías para el aumento de peso del niño.

BASES DE LA LACTANCIA MATERNA

1. Escoja un lugar tranquilo, hasta el día en que usted y su bebé manejen muy bien la lactancia es mejor buscar un lugar sin distracciones y con poco ruido.

2. Tome algo como leche, jugo o agua para reemplazar los fluidos. Evite las bebidas calientes (pueden regarse y quemarla a usted o a su bebé). Si no quiere tomar nada frío, tome algo tibio. Cómase algo ligero y saludable si ha pasado bastante tiempo después de la última comida.

3. Cuando se sienta más cómoda con la lactancia, puede tener a mano un libro o una revista para las sesiones muy largas (pero no olvide mimar al niño periódicamente para que interactúen los dos). No prenda la televisión, eso ya es demasiada distracción, tampoco hable por teléfono, ponga la máquina contestadora o dígale a alguien más que conteste.

4. Busque una posición cómoda para usted y para el bebé. Si está sentada puede poner un cojín en su regazo para que el niño quede a una altura cómoda. Asegúrese de que sus brazos están bien apoyados en un cojín o en una silla, de lo contrario pueden dolerle los brazos o sentir calambres por el peso. Eleve sus piernas si puede.

5. Ponga al bebé de lado, frente a su pezón. Asegúrese de que todo el cuerpo del bebé está de frente a usted, con los oídos, los hombros y la cadera en línea recta, que no se voltee la cabeza del bebé (imagine lo difícil que sería para usted tomar algo con la cabeza de lado, es lo mismo para el bebé). Una posición adecuada es esencial para prevenir el dolor en el pezón y dificultades en la lactancia.

6. Los especialistas recomiendan dos posiciones durante las primeras semanas: la

Posición cruzada

Posición de balón de fútbol americano

primera se llama la posición cruzada: sostenga la cabeza del bebé con la mano opuesta (si va a amamantar con el pecho derecho, tome al bebé con la mano izquierda). Su mano debe descansar entre los hombros del bebé con el pulgar detrás de una oreja y los otros dedos detrás de la otra oreja. Utilice su mano derecha para sacar su pecho derecho, ponga su pulgar debajo del pezón y su aureola (la parte oscura), en el punto en el que el bebé tocará su pecho. Su dedo índice debe estar en el lugar en el que la quijada del bebé tocará el pecho. Apriete *suavemente* su pecho. Ahora está lista para lactar (ver paso 7). La segunda posición es la posición de fútbol americano*: ponga

---

* Esta posición es muy buena si usted tuvo una cesárea porque evita que el bebé toque el abdomen, es buena si sus pechos son grandes, si su bebé es pequeño o prematuro o si está amamantando gemelos.

al bebé a su lado en una posición semi sentado, frente a usted, con las piernas del bebé debajo de su brazo (su brazo derecho si va a amamantar con el pecho derecho). Sostenga la cabeza del bebé con la mano derecha y saque el pecho igual que si estuviera en la posición cruzada. Cuando se sienta cómoda amamantando, puede añadir la posición de cuna, en la que la cabeza del bebé descansa en su brazo y puede añadir la posición de lado, en la que los dos están de lado, frente a frente. Esta es una buena posición si está amamantando en la mitad de la noche.

7. Dirija suavemente los labios del bebé hacia el pezón hasta que la boca esté bien abierta. Algunos especialistas sugieren dirigir el pezón hacia la nariz del bebé y después hacia el labio superior para que abra la boca bien grande; esto hace que el labio inferior no se quede "perezoso"

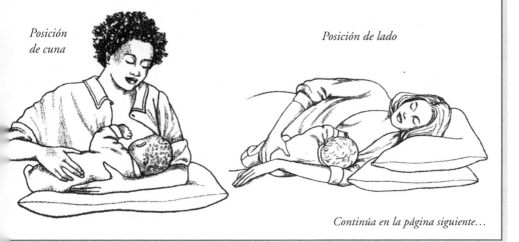

Posición de cuna

Posición de lado

Continúa en la página siguiente…

...*viene de la página anterior*

durante la lactancia. Si el bebé se voltea, corra suavemente su cachete hacia usted. El reflejo de succión hará que el bebé se voltee otra vez hacia su pecho.

8. Cuando la boca ya esté abierta acerque más al bebé, no mueva el pecho hacia el bebé, muchos de los problemas de la lactancia son porque la mamá va hacia el niño y no el niño hacia la mamá.

9. No meta el pezón si el niño no quiere, deje que él tome la iniciativa, serán varios intentos antes de que él abra bien la boca.

10. Asegurarse de que tanto la areola como el pezón, y no solamente el pezón, quedan dentro de la boca del bebé. La succión efectuada sólo sobre el pezón no comprime las glándulas de la leche y además puede causar dolor y grietas. También es necesario asegurarse de que el bebé está chupando el pezón. Algunos recién nacidos tienen tantos deseos de chupar que se agarran a cualquier parte del pecho (incluso sin obtener leche) y pueden provocar una lesión dolorosa si succionan el sensible tejido del pecho.

11. Si su pecho bloquea la nariz del bebé, baje *suavemente* el pecho con su dedo. Eleve suavemente al bebé para que pueda respirar bien. Mientras hace la maniobra asegúrese de que el niño no pierda el agarre de la aureola.

12. La madre puede asegurarse de que el niño está chupando si observa un movimiento rítmico y continuado en sus mejillas.

13. Si el bebé ya ha terminado de chupar, pero continúa cogido al pecho, intentar separarlo bruscamente puede dañar el pezón. Primero se interrumpirá la succión apretando sobre el pecho o colocando un dedo en la comisura de la boca del bebé, para permitir la entrada del aire.

contrar el pezón cuando está tranquilo. Puede serle imposible si está sobreexcitado. Antes de empezar a darle el pecho, la madre le acunará y tranquilizará.

♦ Conserve la tranquilidad. Por muy frustrante que pueda resultar el dar el pecho al bebé, la madre intentará conservar la calma. Procurará empezar bien relajada; se despedirá de las visitas unos 5 minutos antes de la hora y durante este tiempo se abstendrá de leer la factura del hospital o de hacer cualquier otra cosa que pueda ponerla nerviosa. Luego se esforzará en permanecer tranquila durante todo el rato que tenga al bebé al pecho, por muy mal que vayan las cosas. Trate de hacer algunos ejercicios de relajación (vea la página 173), ponga música o haga algo que la relaje. La tensión no sólo obstaculiza la producción y secreción de leche, sin que además puede causar ansiedad en el bebé. El recién nacido es extremadamente sensible al estado de ánimo de la madre y reacciona en consecuencia.

◆ Sígale la pista. Hasta el momento en que la lactancia esté bien establecida, mantenga una libreta para anotar las sesiones del bebé (cuándo comienzan y cuándo terminan) y de los pañales con líquido o sólido de cada día. Así podrá saber cómo va la lactancia y podrá hablar con el doctor si algo anda mal. Siga alimentando al bebé de ocho a doce veces diarias pero sin forzarlo. Cuando se acostumbren los pechos y los pezones, las sesiones de alimentación deberán durar más o menos media hora por pecho (a veces los niños se quedan dormidos antes de pasar al otro pecho, no hay problema si el pecho número uno está vacío*). Para saber mejor si el niño está comiendo bien, revise su peso y los pañales. Debería haber al menos seis pañales mojados (la orina debe ser clara y no amarilla oscura) y al menos tres defecadas en veinticuatro horas. Si el peso es bueno y los pañales indican que todo está bien, no importa cuánto se demore chupando el bebé.

◆ Si su bebé debe pasar por la unidad de cuidados intensivos y no puede ir a casa con usted, no deje de amamantarlo. Los bebés prematuros o con otros problemas se mejoran más rápido si toman leche materna. Hable con el neonatólogo y con la enfermera encargada para ver cómo puede alimentar al niño. Si no puede alimentarlo directamente a lo mejor puede extraer leche y dársela a través de un tubo o de un biberón. Si esto tampoco es posible, trate de extraer leche para que el suministro no se corte y pueda alimentar directamente a su hijo después.

LA SUBIDA DE LA LECHE

Justo en el momento en que la madre y su hijo parecen haberle encontrado el truco a la lactancia, la madre experimenta la subida de la leche. Hasta aquel momento, el bebé había venido chupando pequeñas cantidades de calostro y los pechos no ocasionaban demasiadas molestias a la madre. Y luego, en unas pocas horas, los pechos quedan repletos, duros y doloridos. La lactancia resulta difícil para el lactante y dolorosa para la madre por un tiempo**. Afortunadamente, este período de congestión es breve. Pero mientras dura, existen diversos modos para aliviar las molestias, como pueden ser:

---

* Para asegurarse de estimular los dos pechos utilice un recordatorio: pude ser una cinta en su sostén, del lado que comió el bebé primero, también puede anotarlo en un diario.

** Unas pocas madres afortunadas no experimentan ninguna molestia cuando les sube la leche, posiblemente debido a que sus bebés chuparon vigorosamente desde después de nacer, las molestias de la subida de la leche se reducen también normalmente a partir del segundo hijo.

LA DIETA IDEAL DURANTE LA LACTANCIA

La calidad de la leche que usted produce se relaciona directamente con la calidad de lo que usted come. Los niveles de proteína, grasa e hidratos de carbono de la leche materna no suelen verse afectados por los niveles de dichos nutrientes en la dieta de la madre; pero sí los niveles de ciertas vitaminas (A, y B_{12}, por ejemplo). Si bien la calidad de la leche no está siempre directamente relacionada con la calidad de la dieta de la madre, la cantidad de leche sí suele estarlo. Así, por ejemplo, las mujeres cuyas dietas son deficientes en proteínas y/o calorías, producen una leche de composición adecuada pero en cantidad menor. Para producir una leche de buena calidad y en cantidad suficiente, la madre continuará tomando el suplemento de vitaminas y minerales del embarazo (o una especial para la lactancia), y seguirá fielmente la dieta explicada en el capítulo 4, pero con las siguientes modificaciones:

- Aumentar la ración diaria de calorías en unas 500 calorías con respecto a las necesidades antes del embarazo. Esta norma es flexible y, al igual que durante el embarazo, la madre puede guiarse por su báscula. Si tiene mucha grasa acumulada durante el embarazo (o de un período anterior), puede ingerir menos calorías, ya que la grasa será quemada para producir leche (y la madre perderá peso). Si la madre tiene un peso demasiado bajo, probablemente necesitará más calorías

que las 500 adicionales (la ración diaria recomendada presupone un cierto consumo de las reservas de grasa, de la que carecen las madres demasiado delgadas). Independientemente de su peso, la madre puede darse cuenta de que necesita más calorías a medida que su bebé crece y necesita más leche. También en este caso la báscula le puede servir de orientación. Si su peso empieza a disminuir por debajo del peso ideal, deberá aumentar su ingestión diaria. Si no está perdiendo peso, deje la dieta. La báscula del bebé también puede orientarla en la cantidad de calorías que consume, si el bebé está creciendo bien, puede asumir que usted está comiendo bien y que por lo tanto produce suficiente leche.

- Si es vegetariana, siga consumiendo los suplementos recomendados para el embarazo.

- Aumentar la cantidad de calcio a cinco raciones diarias. El jugo y la leche fortificada con calcio pueden ayudar a cumplir con el requerimiento. También puede agregar un suplemento de calcio.

- Beber por lo menos ocho vasos de líquido (leche, agua, caldo o sopas y zumos); beber incluso más si hace calor y si se pierde mucho líquido a través de la transpiración. (Aunque la madre puede tomar ahora cantidades moderadas de té, café y bebidas alcohólicas, no debe incluirlas en

Continúa en la página siguiente...

…viene de la página anterior

su ración diaria de líquidos, ya que tienen un efecto deshidratante.) De todos modos, no son buenos los excesos; paradójicamente, la ingestión de cantidades exageradas de líquido (más de 12 vasos al día) puede *frenar* la producción de leche. La sed y la cantidad de orina excretada permitirán calibrar las necesidades.

- Siga consumiendo alimentos que tengan un contenido alto de ácido decosahaxaenóico (vea la página 125).

- Saltarse la dieta de vez en cuando. La madre habrá pasado por nueve meses de abstinencia; se merece un premio, por lo menos de vez en cuando. La clave es aquí la moderación. Una pequeña cantidad de azúcar no perjudicará la producción de leche, pero sí que puede hacerlo una dieta basada únicamente en pasteles y caramelos, ya que quitará el apetito para los alimentos necesarios. Lo mismo se puede decir de otros alimentos superfluos desde el punto de vista dietético, como las patatas fritas o el pan blanco; la madre disfrutará con ellos sólo *después* de haber cumplido con sus obligaciones dietéticas.

- Ponga calor en la aureola al principio de la sesión para suavizarla e incitar la bajada de la leche. Para hacer esto ponga una toallita tibia en el área o meta el pezón en un recipiente con agua tibia. También puede dar algunos masajes para que salga la leche.

- Aplicar bolsas de hielo para reducir la congestión. Por raro que suene, también puede ponerse unas hojas de repollo, moje un poco el pecho antes de ponérselas, abra un hueco en la mitad para el pezón y llévelas a los pechos.

- Es importante que el sostén (que no sea de plástico y que tenga varillas) aguante bien el pecho, sin embargo la presión contra los pechos hinchados y duros puede ser dolorosa. Utilice ropa suelta que no rose sus pechos sensibles.

- No caer en la tentación de saltarse una toma a causa del dolor. Cuanto menos chupe el bebé, más congestionados quedarán los pechos de la madre.

- Usar los dos pechos en cada toma, aunque sólo sea por pocos minutos, pero dar al bebé primero el pecho menos dolorido. Esto hará que fluya la leche y ablandará los pezones para que el bebé se puede agarrar mejor.

- Cambiar de posición en cada sesión (intente las posiciones de balón de fútbol americano y la posición de cuna, vea las páginas 528-529). Esto asegura que los ductos de leche se vacíen y puede ayudar a disminuir el dolor.

- Para dolores severos puede tomar acetaminofén u otro medicamento prescrito por el médico.

PEZONES ADOLORIDOS

La sensibilidad de los pezones complica a veces las dificultades del inicio de la lactancia. En la mayoría de los casos, los pezones se endurecen con rapidez, pero en algunas mujeres, especialmente las de piel clara, los pezones se vuelven adoloridos y presentan grietas. Para aliviar estas molestias:

- Asegurarse de que el bebé está en una buena posición, frente a su pecho (vea la página 400).

- Exponer al aire los pezones adoloridos o con grietas tanto como sea posible. Protegerlos contra la ropa y otros objetos que los pudieran irritar y rodearlos de un cojín de aire llevando almohadillas de protección. Cambie con regularidad los parches de lactancia si le sale mucha leche, asegúrese de que los parches no tengan una línea de plástico porque impiden la humectación.

- Si vive en clima húmedo, ponga un secador de pelo en "tibio" y diríjalo a su pecho (no tan cerca) durante dos o tres minutos (no más) después de cada sesión, es muy cómodo. En un clima seco, es mejor humectar.

Puede extraer unas gotas después de terminar cada sesión y masajear sus pechos con la leche, pero deje los pezones secos para ponerse el sostén.

- Dejar que la naturaleza –y no las firmas de cosmética– se ocupen de los pezones. Los pezones están naturalmente protegidos y engrasados por las glándulas sudoríparas y sebáceas. Un preparado comercial sólo deberá ser empleado si las grietas empeoran y en tal caso el producto deberá ser lo más puro posible. No usar lanolina, que podría estar contaminada, o ungüentos a base de petróleo (tales como la vaselina). En vez de ello se aplicará vitamina E que se sacará de las cápsulas abiertas directamente sobre los pezones. Lavar los pezones únicamente con agua –nunca con jabón, alcohol, tintura de benjuí o servilletas empapadas con algún producto– tanto si están adoloridos como si no: el bebé ya está protegido contra los gérmenes de la madre y la leche es limpia.

- Puede mojar bolsas de té en agua fría y ponerlas en sus pezones. El té tiene ciertas propiedades que le pueden ayudar.

- No favorezca uno de los pezones porque está menos irritado o porque no está agrietado, la única manera de que se mejoren es utilizándolos. Intente usar los dos pechos en cada sesión, aunque sea por unos minutos. Primero amamante con el menos herido porque el bebé va a chupar con más ganas. Si los dos pezones le duelen, empiece a amamantar con el pecho que utilizó al final.

- Relajarse unos 15 minutos antes de dar el pecho al bebé. La relajación favorecerá la salida de la leche, que ahora se ve obstaculizada por la tensión (el bebé no tendrá que chupar tan fuerte). Si el dolor es muy fuerte, hable con su médico a ver si puede tomar alguna medicina, tómela antes de amamantar.

- Si sus pezones están agrietados, esté atenta a las infecciones de pecho (vea más adelante) que pueden darse cuando entran gérmenes al ducto de la leche a través de una de las grietas del pezón.

COMPLICACIONES OCASIONALES

Una vez establecida la lactancia, por lo general continúa sin problemas hasta el destete. Pero de vez en cuando se presentan complicaciones, como por ejemplo:

Obstrucción de los conductos de la leche. Algunas veces, un conducto se obstruye y la leche se acumula. Puesto que este proceso (caracterizado por la presencia de un pequeño bulto rojo y doloroso en el pecho) puede provocar una infección, es importante intentar ponerle remedio con rapidez. El mejor modo consiste en ofrecer el pecho afectado siempre en primer lugar al bebé, haciendo que éste lo vacíe al máximo posible. Si el bebé no consigue vaciar el pecho, la leche restante deberá ser extraída manualmente o con un sacaleches. Eliminar toda posible presión sobre el conducto, asegurándose de que el sujetador no está demasiado apretado y variando la posición de lactancia para presionar sobre otros conductos. Observar también si la leche seca bloquea el pezón después de dar el pecho. En este caso, limpiarlo con un pedazo de algodón estéril estampado en agua hervida y enfriada. No destetar al bebé en este momento; la interrupción de la lactancia no haría más que agravar el problema.

MEDICACIÓN Y AMAMANTAMIENTO

Muchos medicamentos son totalmente compatibles con la lactancia materna; otros no. La mujer se asegurará de que cualquier médico que le recete medicación esté al tanto de que está amamantando a su bebé. Generalmente es mejor tomar la medicación justo después de dar el pecho, de forma que los niveles en la leche sean lo más bajos cuando se vuelve a amamantar.

Infección del pecho. Una complicación más grave de la lactancia es la mastitis, o infección de la mama, que suele producirse en uno o ambos pechos entre los 10 y los 28 días que siguen al parto y en aproximadamente del 7 al 10% de las madres –generalmente primíparas. Los factores que pueden combinarse para causar una mastitis son no dejar que los pechos se vacíen por completo de leche cada vez que se amamanta, que los gérmenes entren e los conductos de la leche por las grietas o fisuras del pezón (generalmente provienen de la boca del bebé) y una menor resistencia de la madre debido al estrés, la fatiga y una nutrición inadecuada.

Los síntomas más comunes de la mastitis son el dolor intenso, el endurecimiento, el enrojecimiento, el calor y la hinchazón del pecho, con escalofríos generalizados y fiebre de 38 a 39 ºC. La madre lactante que presente uno de estos síntomas deberá avisar al médico, que puede incluir reposo en cama, antibióticos, analgésicos, aumentar la ingesta de líquidos y la aplicación de hielo o de calor. Durante el tratamiento, continuará dando el pecho a su bebé. Puesto que la infección de la madre se debe probablemente a gérmenes contagiados por el bebé, éste no sufrirá ningún daño. Y el vaciado del pecho ayudará a evitar la obstrucción de los conductos de la leche. Dar primero al bebé el pecho enfermo y vaciarlo con el sacaleches si el bebé no lo ha hecho. Si el dolor es tan fuerte que no puede amamantar, intentará bombear la leche de sus pechos mientras está dentro de una bañera llena de agua con los pechos flotando confortablemente. No debe usarse una bomba eléctrica.

El retraso en el tratamiento de la mastitis podría conducir a la formación de un absceso en el pecho, cuyos síntomas son: dolores muy intensos; hinchazón localizada, sensibilidad anormal y calor en el área del absceso; fiebre ente los 37,5 y los 39,5 ºC. El tratamiento consiste en la administración de antibióticos y, generalmente, en el drenaje quirúrgico bajo anestesia. El drenaje debe permanecer en su lugar después de la cirugía. En la mayoría de los casos se puede seguir con la lactancia.

En pocos casos, cuando la mastitis es muy severa y es mejor no amamantar con el pecho enfermo, se puede utilizar una bomba para vaciar regularmente el pecho, hasta que se cure y la lactancia pueda continuar. Mientras tanto puede amamantar con el pecho sano.

Los problemas que se puedan plantear durante la lactancia del primer bebé nacido no deberían hacer que la madre renunciara a dar el pecho a sus futuros hijos. La congestión y el dolor en los pezones son mucho menos frecuentes en los nacimientos siguientes.

AMAMANTAR GEMELOS

Algunas madres de gemelos prefieren alimentar un niño a la vez porque les parece más fácil y más satisfactorio; hay otras madres que prefieren no pasar todo el día amamantando y alimentan a los dos niños al mismo tiempo. Acá hay dos posiciones que puede utilizar mientras amamanta gemelos. 1. Coloque a los dos bebés en posición de balón de fútbol americano, utilice almohadas para apoyar las cabezas de los bebés. 2. Combine la posición de cuna con la posición # 1, utilice las almohadas para las cabezas de los niños y experimente hasta que usted y sus bebés estén cómodos.

DAR EL PECHO DESPUÉS DE UNA CESÁREA

El tiempo que debe pasar hasta que la mujer que ha sufrido una cesárea puede amamantar al recién nacido dependerá de cómo ésta se sienta y del estado del bebé. Si ambos están en buena forma, probablemente se podrá poner el bebé al pecho en la sala de partos después de acabado el procedimiento quirúrgico, o en la sala de recuperación poco después.

Si la mujer está atontada por la anestesia general o el bebé necesita cuidados inmediatos, se deberá esperar. Si después de 12 horas la mujer aún no ha sido capaz de estar junto al bebé, probablemente debería preguntar si usa un sacaleches para sacar la leche (en ese momento se trata en realidad de calostro) para empezar la lactancia.

Puede que en un principio el amamantamiento después de una cesárea sea molesto; para la mayoría de las madres lo es. Lo será menos si intenta no aplicar ninguna presión sobre la incisión: colocará una almohada sobre su regazo debajo del bebé o se echará de lado. Tanto los entuertos que la mujer experimentará al amamantar como el dolor en el lugar de la incisión, son normales e irán disminuyendo al pasar los días.

DAR EL PECHO A MELLIZOS

La lactancia, como prácticamente todos los aspectos del cuidado de mellizos recién nacidos, parece imposible hasta que se consigue el ritmo. Una vez establecida la rutina, no sólo es posible sino muy beneficioso. Para amamantar satisfactoriamente a los mellizos, la madre deberá:

- Cumplir todas las recomendaciones dietéticas para las madres lactantes (vea *La dieta ideal durante la lactancia* en la página 532), con los siguientes puntos adicionales: tomar entre 400 y 500 calorías más que las necesarias antes del embarazo, pero *por cada* bebé que se alimente al pecho (es posible que la madre deba aumentar su ingesta calórica a medida que los niños crecen y tienen más hambre, o bien disminuirla si les da un biberón como suplemento, o si tiene unas reservas de grasa considerables que desea quemar); una ración adicional de proteína (cuatro en to-

tal(y una ración adicional de calcio (seis en total) o un suplemento de calcio.

- Beber entre 8 y 12 tazas de líquido al día, pero no más, ya que un exceso de líquidos puede inhibir la producción de leche.

- Obtener toda la ayuda posible para las tareas domésticas, la preparación de las comidas y los cuidados de los recién nacidos, para ahorrar energías. La fatiga puede reducir la producción de leche.

- Experimentar las diversas opciones: amamantar a uno de los bebés y alimentar con biberón al otro; alternar la lactancia materna y con biberón para ambos bebés; darles el pecho por separado (lo que puede exigir 10 horas diarias o más al día sólo para amamantarlos) o bien a los dos a la vez (ver la ilustración de la página 537). La combinación de la lactancia individual y a dos, y dar el pecho una vez al día a cada bebé por separado, puede ser una buena solución de compromiso que fomenta la intimidad entre madre e hijo. El padre puede darle el biberón al otro bebé durante esta mamada "en privado" del mellizo. Estos biberones que dará el padre u otra persona, pueden ser de una leche para neonatos o de leche previamente extraída del pecho de la madre.

- Reconocer que los mellizos tienen necesidades, personalidades y ritmos de alimentación diferentes y no intentar tratarlos de modo idéntico.

Realizar anotaciones para asegurarse de que ambos mellizos son alimentados cada vez.

CAPÍTULO DIECISÉIS

Posparto:

Las seis primeras semanas

Seguramente en estos momentos debe estar acomodándose a su nueva vida de mamá o preguntándose cómo cuidar a este bebé y posiblemente lidiar con él más grande. Probablemente sus días y noches se concentren en atender al recién nacido. Pero eso no quiere decir que se descuide. Las primeras seis semanas después del nacimiento de un niño, todavía son semanas de recuperación, su cuerpo está asimilando todo para volver a la normalidad. Mientras tanto, como muchas de sus preguntas tendrán que ver con el bebé, seguramente habrá algunas relacionadas con usted misma, desde el estado de sus emociones (¿voy a dejar de llorar con los comerciales de televisión algún día?), el sabor de sus relaciones sexuales (¿voy a querer tener sexo otra vez?), hasta el tamaño de su cintura (¿me voy a volver a poner mis jeans otra vez?). La respuesta de casi todas las preguntas es sí, simplemente deje que pase un poco de tiempo.

QUÉ SE PUEDE SENTIR

Durante las primeras seis semanas del posparto, dependiendo del tipo de parto que la mujer tuvo (fácil o difícil, vaginal o por cesárea), de cuánta ayuda tenga en su casa y de otros factores individuales, experimentará todos o sólo algunos de estos síntomas:

FÍSICAMENTE:

- Continuación de las pérdidas vaginales (loquios) que se habrán vuelto parduscas y luego blanco-amarillentas

- Cansancio

- Un cierto dolor, molestias y entumecimiento del perineo, si el parto fue vaginal (especialmente si tuvieron que darse puntos de sutura), o si estuvo en trabajo de parto antes de una cesárea

- Disminución del dolor de la incisión, continuación del entumecimiento si el parto fue con cesárea (especialmente si fue la primera)

- Sigue el estreñimiento (aunque debería estar desaparecido en la primera semana de posparto)

- Reducción gradual del abultamiento del abdomen a medida que el útero vuelve a su posición en la pelvis (pero sólo la práctica de ejercicio devolverá totalmente a la mujer su silueta de antes del parto)

- Pérdida *gradual* de peso

- Molestias en los pechos y dolor en los pezones hasta que la crianza al pechó esté bien establecida

- Dolores en los brazos y la nuca (de llevar al niño en brazos)

- Caída del cabello

EMOCIONALMENTE:

- Júbilo, depresión o alternancia de ambos estados de ánimo

- Un sentimiento de agobio, un creciente sentimiento de confianza o alternancia entre ambos sentimientos

- Disminución o aumento del deseo sexual

QUÉ SE PUEDE ESPERAR EN LA VISITA DE POSPARTO

Probablemente el médico concertará una visita para una revisión a las cuatro o seis semanas después de dar a luz*. Durante esta visita, la paciente puede esperar que se controlen los siguientes puntos, aunque el contenido exacto de la visita puede variar en función de las necesidades particulares de la mujer y de las costumbres del médico.

- Presión sanguínea

- Peso, que debería haber bajado ya entre unos 7,5 y unos 9,5 kilos o más

- El útero, para ver si ha vuelto a su tamaño, forma y localización normales

- Estado del cuello uterino, que irá ya volviendo a su estado anterior al embarazo, pero que aún se hallará algo congestionado y con la superficie posiblemente erosionada

- Estado de la vagina, que ya se habrá contraído y habrá recuperado gran parte de su tono muscular

- El lugar de sutura de la episiotomía o laceración. Si se practicó; o si fue necesaria una cesárea, el lugar de la incisión

- Los pechos, para detectar cualquier anomalía

- Hemorroides o venas varicosas, si las posee

- Preguntas o problemas que la mujer desee discutir: es aconsejable llevar una lista a la consulta

---

* Si ha sido necesario practicar una cesárea, el médico deseará también examinar la incisión aproximadamente a las tres semanas del parto

En esta visita, el médico discutirá también con su paciente acerca del método de control de la natalidad que ella desea utilizar. Si planea utilizar un diafragma y si el cuello de su útero ya se ha recuperado suficientemente, se le podrá adaptar uno; en caso contrario, deberá utilizar preservativos hasta que el diafragma pueda serle adaptado. Si la mujer no está dando el pecho al bebé y planea tomar píldoras anticonceptivas, le pueden ser recetadas sin ningún problema en esta visita. Hay pastillas anticonceptivas que se pueden tomar con seguridad durante la lactancia como las "mini píldoras". Si usted está amamantando y quiere utilizar las píldoras, dígale a su médico que si le puede prescribir las mini píldoras.

QUÉ PUEDE PREOCUPAR

DEPRESIÓN

"Tengo todo lo que siempre había deseado: un marido maravilloso, un hermoso bebé, ¿por qué me siento tan melancólica?"

Entre el 60% y el 80% de todas las madres se sienten un poco deprimidas, al menos ocasionalmente, durante uno de los momentos más felices de la vida. Esta es la paradoja de la depresión posparto.

Las hormonas, consideradas muchas veces las culpables de los saltos de humor de las mujeres, pueden ofrecer una explicación del fenómeno. Los niveles de estrógeno y progesterona caen bruscamente después del parto y pueden desencadenar una depresión, al igual que pueden hacerlo las fluctuaciones hormonales que ocurren antes de la menstruación. Se cree que el hecho de que la sensibilidad a los cambios hormonales varíe de una mujer a otra podría explicar, por lo menos en parte, el que si bien todas las mujeres experimentan el mismo cambio en los niveles hormonales después del parto, sólo un 50% aproximadamente sufre la depresión posparto.

Pero existen muchos otros factores que probablemente contribuyen a la melancolía de la mujer que acaba de tener un hijo y que es más frecuente hacia el tercer día después del parto, pero que puede presentarse en cualquier momento durante el primer año, y que aflige con más frecuencia a las madres tras el parto del segundo hijo que tras el nacimiento del primero. Puede que se sorprenda, y se sienta aliviada, al saber que lo que usted siente lo sienten muchas otras madres también. Algunos de los sentimientos son:

Un sentimiento de desilusión ante el parto y/o ella misma. Si la idea poco realista que se había hecho la madre sobre la experiencia del nacimiento no se realiza, es posible que la madre piense que ha fracasado.

Un sentimiento de desilusión ante el bebé. El recién nacido es tan pequeño, está tan rojo y se muestra tan insensible: muy distinto al bebé de anuncio que se había imaginado la madre. El sentimiento de culpabilidad se añade a la depresión.

Un sentimiento de anticlímax. Ya ha pasado el nacimiento, el gran acontecimiento para el que la madre se preparó y en el que puso tantas ilusiones.

Quedar relegada a un papel secundario. El bebé es ahora la estrella de la función. Las visitas suelen acudir a la sala de recién nacidos en lugar de permanecer junto al lecho de la madre, interesándose por su salud. Este cambio de status acompaña a la mujer a su vuelta a casa; la princesa embarazada ha pasado a ser la Cenicienta del posparto.

Hospitalización. La madre se siente ansiosa por volver a su casa y empezar a hacer de madre; puede resultarle frustrante la sensación del poco control que posee sobre su vida y sobre la de su bebé mientras se halla en el hospital.

Volver a casa. Es frecuente que la madre se sienta agobiada por el trabajo y las responsabilidades con que se encuentra al volver a casa (particularmente si ya tiene otros hijos y no dispone de ayuda).

Agotamiento. La fatiga ocasionada por un parto agotador y por las pocas horas de sueño en el hospital se ve agravada por el trabajo de cuidar a un recién nacido, y la madre tiene a menudo la sensación de no estar a la altura de lo que se exige de ella.

Se siente inútil. Pañales, baños, alimentación, cuidados… hay muchas cosas que debe aprender si es una mamá primeriza, habrá muchos ensayos de prueba y error, ¿esto de la maternidad no llegaba de forma natural?

Seguramente pasará por muchos momentos de duda, incluso si es mamá por segunda vez, ¿cómo podrá manejar las necesidades de dos niños?, ¿Por qué este es tan diferente al primero?, ¿Por qué lo que servía para uno no sirve para el otro?

Dificultades para amamantar. Dolor en los pechos, pezones agrietados y frustración; es posible que hasta que la lactancia no se haya establecido bien usted tenga dudas sobre su instinto natural para amamantar.

Un sentimiento de añoranza por los tiempos pasados. La mujer libre de cuidados, posiblemente orientada hacia su carrera profesional, ha de cambiar de vida (por lo menos temporalmente) con el nacimiento de su bebé.

Tristeza ante su aspecto. La madre se sentía antes gorda y embarazada; ahora se siente simplemente gorda. No puede soportar más las prendas de maternidad, pero ninguno de sus otros vestidos le va bien.

Ajustes en su relación de pareja. Cuando llega el bebé, cambia la dinámica de la pareja. Mientras ustedes dos encuentran su equilibrio como pareja (una pareja de padres y no solamente una pareja), probablemente su vida romántica tendrá que esperar un poco. Eso puede se un poco estresante para los dos.

Otros problemas posibles. A lo mejor el suyo no fue un embarazo planeado o a lo mejor no lo quería, a lo mejor tiene problemas en el trabajo o problemas de dinero, a lo mejor usted está pasando por un cambio radical en su vida: un cambio de lugar, un divorcio, una enfermedad o la muerte de un familiar.

Probablemente, la única cosa buena que se puede decir de la depresión del posparto (además del hecho de ser completamente normal y común) es que no suele ser muy duradera –unas 48 horas en la mayoría de los casos. Y aunque no tiene otro tratamiento que el paso del tiempo, existen modos de aliviarla:

◆ Deje la culpa. Convertirse en mamá es un cambio monumental y todo el mundo (médicos, enfermeras y ex-pertos en niños) tiene mucho que aprender e incluso cuando aprenda, no espere la perfección. No existen los padres perfectos ni los hijos perfectos. Si acepta eso, la vida será más fácil.

◆ Si la depresión se presenta en el hospital, la mujer le puede pedir a su marido que traiga una cena especial para dos; limitar las visitas si su charla le ataca los nervios, pero telefonear a parientes y amigos para que vengan al hospital si ello levanta el ánimo de la madre. Si es el ambiente del hospital lo que la deprime, informarse acerca del día en que le darán de alta.

◆ Combatir el cansancio aceptando la ayuda de los demás, dejando para otro momento las tareas que pueden esperar, intentando dormir o descansar un poco mientras el bebé duerme. Emplear el tiempo dedicado a dar el pecho como períodos de reposo, alimentando al bebé en la cama o en un sillón cómodo con las piernas levantadas.

◆ Seguir la dieta para embarazadas (vea la página 532) para conservar las fuerzas (descontando 500 calorías y tres raciones de calcio si no se da el pecho al bebé). Evitar los azúcares (especialmente combinados con chocolate), que puedan tener efectos depresivos.

+ Llore si quiere llorar pero también ríase mucho. Vea su novela favorita o rente algunas películas. La risa es una de las mejores medicinas para la depresión y para casi todo lo demás.

+ Intente tomar medicina o utilice cualquier otra técnica de relajación para recobrar la calma cuando empiece a perderla (vea la página 173).

+ Contratar a una niñera e ir a cenar fuera, si es posible. Si no lo es, hacer ver que sí: pedir una cena (o dejar que el marido cocine), ponerse el mejor vestido, crear un ambiente de restaurante con velas y música suave. Y tener a mano el sentido del humor, para el caso de que el bebé decida interrumpir la cena romántica.

+ Si se ve bien, se siente bien. Cualquier persona se deprime si se queda todo el día en pijama y encerrada. Báñese antes de que su esposo se vaya en la mañana (o a lo mejor pierde su oportunidad), péinese, maquíllese si lo hace regularmente, cómprese ropa nueva (que se pueda lavar, claro) que le quede suelta ¡pero que se pueda acomodar para cuando pierda más peso (lo hará)!

+ Salir de casa. Ir de paseo con el bebé o sin él, en caso de que haya algún voluntario para quedarse en casa a vigilarlo. El ejercicio (vea *Recuperar la figura* en la página 562) ayuda a ahuyentar la depresión del posparto y a rebajar las grasas que podrían influir en ella.

+ Si se tiene la sensación de que los problemas compartidos son menos problema, busque la compañía de otras madres recientes para hablar y discutir de los sentimientos que se experimentan. Si no se tiene ninguna amiga que acabe de tener un hijo, buscar una nueva amiga. Preguntarle al pediatra el nombre de alguna mujer del vecindario que haya dado recientemente a luz, o tomar contacto con las mujeres que asistieron a las clases de preparación al parto, organizando por ejemplo una reunión semanal de nuevas madres. O inscribirse en una clase de ejercicios posparto. También puede hablar con personas en Internet o puede hablar con su médico o el pediatra del bebé.

+ Si el tipo de melancolía es de los que prefieren la soledad, permitirse un poco de intimidad. Aunque la depresión suele alimentarse a sí misma, algunos expertos opinan que esto no es siempre cierto en la variedad de la depresión puerperal. Si las visitas a casa de amigos agradables o la visita de personas animadas hace que la madre se sienta aún peor, lo mejor que puede hacer es prescindir de ello. Pero no debe prescindir también del marido. La comunicación en el período inmediato al parto es vital para la pareja. (También los maridos son propensos a la depresión del posparto y necesitan tanto de sus esposas como éstas de ellos.)

- Si usted es soltera, pídales a sus amigos o parientes que le ayuden cuando lo necesite. Nadie debería estar solo en estos momentos.

"Mi bebé ya tiene un mes de nacido y yo sigo deprimida. ¿No debería sentirme mejor ahora?"

Cuando la tristeza persiste, es probable que tenga una depresión fuerte. La tristeza y la depresión posparto, aunque se parecen, son cosas diferentes. La depresión posparto seria no es tan común (afecta más o menos al 10% o 20% de las mujeres) y es más larga (puede durar desde una semana hasta un año o más); puede comenzar con el nacimiento del bebé pero generalmente aparece un mes o dos meses después. A veces se tarda hasta que la mujer tiene su primera menstruación o hasta que desteta al niño (las hormonas vuelven a fluctuar). Las mujeres que han tenido depresión fuerte con anterioridad y las que sufren de un síndrome premenstrual fuerte, las que se sienten bastante mal después del embarazo y/o tienen embarazos y partos complicados o bebés enfermos, tienen más probabilidades de enfermarse.

Los síntomas son parecidos a los de la tristeza pero más pronunciados: llanto, irritabilidad, problemas para dormir (que no puede dormir o que duerme todo el día), problemas para comer (que no tiene apetito o come demasiado), sentimiento constante de tristeza, desánimo, sentimiento de inutilidad, falta de deseo para cuidarse a usted misma o al bebé y pérdida de memoria.

Si no ha intentado seguir los consejos de la página 543, intente seguirlos ahora, le pueden servir mucho. Pero si

BUSCAR AYUDA PARA LA DEPRESIÓN POSPARTO

Hasta hace poco la depresión posparto era algo que estaba por debajo del tapete en el ámbito médico, al igual que el síndrome premenstrual. Era ignorado por el público, muy poco discutido por los doctores y sufrido con pena y en silencio por las mujeres que lo experimentaban. Esta situación hizo que las mujeres no se enteraran bien del significado de la depresión posparto y de las terapias que existen para combatirla. Lo peor es que la mujeres que han necesitado la ayuda no la han obtenido.

Afortunadamente, gracias a nuevos esfuerzos, se han hecho algunos avances en el tema.

Para mayor información averigüe en su localidad, en hospitales y centros de salud.

los síntomas persisten por más de dos o tres semanas, es posible que la depresión no desaparezca sino con ayuda profesional, no espere tanto, llame a su médico y pídale un examen de tiroides, ya que las irregularidades en los niveles de la hormona tiroides pueden causar inestabilidad emocional; este es uno de los primeros pasos cuando se evalúa la depresión fuerte (vea la página 542). Si los niveles de tiroides son normales haga una cita *urgente* con un terapista experto en depresiones fuertes, es posible que le ayuden con consejos y antidepresivos (existen muchos que son seguros, incluso si está amamantando). Existen diversas terapias que pueden aliviar su condición, pueden hacerse solas o combinadas con medicamentos. Tenga en cuenta que la intervención médica en estos casos es esencial, de lo contrario puede ser difícil relacionarse con su hijo, cuidar de él y disfrutar de él, también puede perjudicar la relación con su esposo o con otros hijos y puede perjudicarla a usted misma.

Las investigaciones recientes demuestran que las mujeres que están en alto riesgo pueden tomar antidepresivos como el Zoloft y el Prozac justo después del parto para prevenir la depresión fuerte. Incluso hay doctores que prescriben dosis muy pequeñas de antidepresivos durante el último trimestre de embarazo. Si decide volver a quedar embarazada es mejor que discuta estos puntos con su doctor.

Hay mujeres que en lugar de sentirse deprimidas se sienten demasiado felices, tanto que experimentan ataques de pánico con taquicardia y respiración cortada, momentos de mucho calor o mucho frío, dolor de pecho, mareo y temblores. Estos síntomas también requieren asistencia médica y posiblemente necesiten medicamentos.

Existe algo más raro y más peligroso todavía: la psicosis, los síntomas son: pérdida de la realidad y alucinaciones. Si usted tiene sentimientos de suicidio, de violencia y de agresión, si oye cosas o ve cosas raras, llame *inmediatamente* a un especialista para que la trate con urgencia. No se confíe de lo que siente y no deje que le digan que todo hace parte de la depresión posparto porque no es así. Para asegurarse de no hacer nada indebido mientras consigue ayuda, pídale a un vecino, a un pariente o a un amigo que se quede con usted.

"Me siento fantásticamente bien, y he estado así desde el nacimiento de mi hijo hace tres semanas. ¿Desembocará toda esta felicidad en un caso terrible de depresión?"

La melancolía del posparto es frecuente. Pero no es, ni mucho menos, un elemento indispensable del período que sigue al nacimiento de un hijo. Y no hay ninguna razón para que la madre tema la llegada de un derrumbe emocional por el simple hecho de que se haya sentido muy animada. Puesto que la mayoría de las depresiones posparto se presentan en la primera semana después del nacimiento, lo más probable es que, en este caso, la madre haya escapado a ella. Pero si quiere ir aún más sobre seguro (o si se desea prevenir la depresión que suele darse con el destete), véanse más arriba los consejos para hacer desaparecer tales estados de ánimo.

El hecho de que la mujer no esté sufriendo una depresión puerperal, no obstante, no significa que la familia haya escapado a este problema por completo. Los estudios demuestran que mientras que es poco probable que los nuevos padres estén deprimidos mientras sus esposas lo están, su riesgo de caer en una depresión durante el posparto aumenta espectacularmente cuando la madre tiene un buen estado de ánimo. Por lo tanto, la mujer deberá asegurarse de que su marido no esté pasando por un estado depresivo. Algunos padres ocultan sus sentimientos para no molestar a su pareja (para mayor información vea la página 573).

RECUPERAR EL PESO Y LA FIGURA

"Ya me esperaba que inmediatamente después del parto no tendría una silueta como para llevar bikini, pero al cabo de una semana aún parece que estoy de seis meses".

Aunque el parto provoca una pérdida de peso más rápida que todas las dietas de adelgazamiento combinadas (por término medio, unos 5,5 kilos), la mayoría de las mujeres opinan que esta pérdida no es aún bastante rápida. Sobre todo después de haberse visto en el espejo al levantarse del parto –la silueta puede recordar aún en gran medida a la que se tenía durante el embarazo.

Ninguna mujer sale de la sala de partos con una figura más esbelta que antes. En parte, la razón del abdomen protuberante se halla en el útero aún dilatado, que se habrá reducido a su tamaño normal hacia las seis semanas después del parto, devolviendo al abdomen su aspecto habitual. (La mujer puede seguir los progresos de su útero si le pide a la enfermera o al médico que le enseñe a palpar la matriz en su abdomen. Cuando ya no pueda notarla, es señal de que el útero ha vuelto a la pelvis.) Otra razón para que la barriga continúe estando hinchada estriba en el exceso de líquidos, unos 2,5 kilos que desaparecerán en unos pocos días. Pero el resto del problema reside en la distensión de los músculos y la piel del abdomen, que perdurará toda la vida a menos que la mujer se esfuerce en realizar unos ejercicios adecuados (vea *Recuperar la figura* en la página 562).

Por más difícil que parezca, sáquese de la cabeza la idea de pensar en su figura durante las seis semanas que siguen al parto, especialmente si va a amamantar. Este es un periodo de recuperación en que la nutrición abundante es importante para tener energías y resistencia a las infecciones. Es bueno que siga los pasos de la dieta para lactantes si está lactando (o la misma dieta sin las 500 calorías adicionales y sin tres de las raciones de calcio* si no dan el pecho), empezarán a perder peso de modo lento y constante. Si después de seis semanas no ha perdido peso, puede bajar un poco la ingesta de calorías, si está lactando no exagere porque comer menos de 1.800 calorías al día puede reducir la producción de leche y quemar las grasas muy rápido puede liberar toxinas en la sangre y éstas pueden terminar en la leche materna. Pasadas las primeras seis semanas, las madres que no den el pecho a sus hijos pueden someterse a una dieta de reducción de peso bien equilibrada.

Las madres lactantes que tengan una cantidad considerable de grasa excesiva pueden reducir algo su ingesta calórica sin perjudicar la producción de leche y perder así también un poco de peso. Habitualmente, acabarán de perder todos los kilos excesivos al destetar.

Naturalmente, la rapidez con que se recupera el peso y la figura anteriores al embarazo depende del número de kilos y de centímetros que se hayan acumulado en estos nueve meses. Las mujeres que aumentaron unos 12 kilos de peso,

o menos, deberán ser capaces, sin someterse a una dieta, de eliminar el exceso de peso antes de llegar al final del segundo mes. Si subió mucho de peso tendrá que hacer un mayor esfuerzo y dedicar más tiempo (de diez meses a dos años) a perder ese peso de más.

LECHE MATERNA

"¿Todo lo que como y bebo pasa a la leche?" ¿Hay algo que pueda dañar al bebé?"

Alimentar al bebé que ya ha salido del vientre materno no exige una existencia tan espartana como el alimentarlo mientras está aún en él. Pero mientras se da el pecho, unas pocas restricciones en cuanto a lo que se come y bebe asegurarán que el bebé no reciba nada que pueda perjudicarle.

La composición básica en grasas, proteínas e hidratos de carbono de la leche materna no depende de lo que la madre coma. Si una mujer no toma suficientes calorías y proteínas para producir la leche, las reservas del cuerpo irán siendo utilizadas y el bebé será alimentado hasta que se agoten las reservas. Sin embargo, algunas deficiencias vitamínicas en la alimentación de la madre afectan también al contenido vitamínico de su leche. Lo mismo sucede con un exceso de ciertas vitaminas. Una gran variedad de sustancias, desde medicamentos hasta condimentos, pueden pasar también a la leche, con resultados variables.

---

* Podría ser una buena idea que las mujeres que no están amamantando continúen ingiriendo cantidades adecuadas de calcio para prevenir el desarrollo de una osteoporosis más adelante. Si fuera necesario, tomarán un suplemento de calcio para que la ingesta llegue a los 1.200 mg diarios.

¿La tiroiditis la tiene mal?

Casi todas las nuevas mamás se sienten cansadas, algunas tienen problemas para perder peso, algunas tienen cierto grado de depresión y algunas pierden pelo. No es un buen panorama, pero para la mayoría de las mamás es algo normal durante el periodo posparto y es algo que va desapareciendo poco a poco. Entre el 5% y el 9% de las mujeres sufren de tiroiditis posparto, desafortunadamente para esas mujeres no mejora el panorama. El problema es que los síntomas son muy parecidos a los que tienen *todas* las mamás, por eso la enfermedad puede quedar sin diagnosticar y sin tratar.

Para la mayoría de las mujeres la tiroiditis posparto puede empezar del primero al tercer mes después del parto con un breve episodio de hipertiroidismo (probablemente a causa de la inflamación y ruptura de la glándula tiroides debido a un ataque de anti-cuerpos, que estimula la falta de la hormona tiroides). Este periodo en el que hay un exceso de la hormona tiroides circulando por la sangre puede durar unas semana más. Durante este periodo de hipertiroidismo la mujer se puede sentir cansada, irritada, nerviosa, se puede sentir muy caliente y suda mucho y tiene insomnio; todos esos síntomas son comunes en el periodo del posparto y eso hace que el diagnóstico se pierda a veces. Generalmente no se necesita tratamiento para esta fase.

A este periodo usualmente le sigue el del hipotiroidismo, cuando la glándula tiroides no produce bien por el daño causado por los anticuerpos (sin embargo, en algunas mujeres, la tiroiditis termina con el periodo de hipertiroidismo porque el daño hecho a la glándula tiroides no era tan grande como para reducir la producción de la hormona tiroides). Con el hipotiroidismo continúan la fatiga y la depresión (más duradera que la depresión posparto), los dolores musculares, la pérdida de pelo, la piel seca, la intolerancia al frío, la poca memoria y la incapacidad de perder peso.

Si los síntomas del posparto son más persistentes y pronunciados de lo que esperaba y si le impiden dormir, comer y disfrutar a su nuevo bebé, entonces debe hablar con su médico. Hay un examen que puede indicar si tiene o no tiroiditis. Algunos endocrinólogos piensan que la condición es tan normal después del parto, que *todas* las mujeres deberían examinarse la tiroides. Asegúrese de mencionarle al médico cualquier herencia de problemas de tiroides, porque existe un fuerte lazo genético.

La mayoría de las mujeres se mejora después de un año, mientras tanto puede tener un tratamiento con suplemento de la hormona tiroides, eso la hará sentirse mucho mejor, mucho más rápido. Sin embargo, más o menos el 25% de las mujeres quedan con problemas de hipotiroidismo y requieren tratamiento de por vida (simplemente consiste en tomarse una pastilla diaria y tomarse un examen de sangre al año). Incluso en las mujeres que se mejo-

Continúa en la página siguiente…

...viene de la página anterior

ran de forma espontánea, la tiroiditis puede reaparecer durante o después de otros embarazos. Algunas mujeres tendrán hipotiroidismo, otras tendrán hipertiroidismo más adelante en la vida. Por eso es bueno que todas las que tuvieron tiroiditis, se hagan un examen anual y, si planean tener otro embarazo, es bueno que las examinen durante el periodo de preconcepción y durante el embarazo.

Para conseguir que la leche materna sea segura y sana:

- Seguir la dieta ideal para la lactancia (página 532).

- Evitar los alimentos a los que parece sensible el lactante. El ajo, la cebolla, la col, los productos lácteos y el chocolate suelen hallarse en ese grupo, provocando unos molestos gases en algunos bebés. Algunas investigaciones demuestran que hay bebés a los que les encanta la leche materna cuando sus madres han comido ajo (¡tráeme la ensalada César mamá!); hay otros niños con el paladar muy sensible y no soportan los sabores fuertes (¡nada de curry mamá!). Es increíble pero parece que esos gustos y disgustos tienen que ver con las preferencias de la madre. Las comidas que le parecen familiares, porque la mamá comió mucho de eso durante el embarazo o en el parto, son las que más disfruta el bebé. Estos gustos puede que continúen en la vida del niño (una buena razón para que usted coma verduras).

- Tomar un suplemento vitamínico especialmente formulado para las embarazadas y/o las madres lactantes. No tomar otras vitaminas si no se las ha recetado el médico.

- No fumar. Muchas de las sustancias tóxicas del tabaco penetran en la sangre y luego pasan a la leche. (Además, fumar cerca del bebé puede causarle problemas respiratorios, e incluso es posible que esté relacionado con el síndrome de la muerte súbita en la cuna). Si no puede dejar de fumar, no deje de amamantar tampoco (vea la página 413).

- No tomar ningún medicamento ni ninguna droga "social" sin consultar al médico. La mayoría de los fármacos y drogas pasan a la leche, e incluso en pequeñas dosis pueden ser perjudiciales para el bebé. (Son particularmente peligrosos: antitiroideos, antihipertensores, fármacos anticancerosos; penicilina; narcóticos, incluidas la heroína, la metadona y los analgésicos que requieren prescripción médica; marihuana y cocaína; tranquilizantes, barbitúricos y sedantes; litio; hormonas como por ejemplo pastillas para el control de la natalidad; yodo radiactivo; bromuros.) Con frecuencia, se pueden encontrar fármacos seguros si la madre necesita una medicación; o quizás sea posible prescindir temporalmente de un medicamento durante el período de lactancia* (la madre lactante deberá informar de su estado a cualquier médico que deba recetarle una medicación). Todas las drogas ilícitas deben evitarse durante la lactancia.

◆ Evitar el alcohol por completo, o tomar una sola copa en alguna ocasión. Una ingesta diaria de alcohol o beber cantidades excesivas puede hacer que el bebé esté apático y sufra una depresión del sistema nervioso, y puede volver lento su desarrollo motor.

◆ Reducir la ingestión de cafeína. Una taza de café o de té al día probablemente no afectará al bebé. Pero seis tazas podrían ponerle nervioso, irritante y pueden interferir con su sueño. A algunos bebés les afecta una o dos tazas, si su bebé se ve nervioso y tiene problemas para dormir, deje la cafeína y observe si hay algún cambio.

---

* Por ejemplo, su médico puede sugerirle que tome una medicina justo antes de amamantar o una hora antes de la otra sesión para minimizar la cantidad de medicina que queda en la leche.

◆ No tomar laxantes (algunos de ellos podrían ejercer efectos laxantes sobre el bebé); en lugar de ello, aumentar la ingestión de líquidos y fibra en la dieta.

◆ Busque un remedio seguro para el dolor. Si está amamantando puede tomar acetaminofén y tratamientos alternos (vea la página 597 y el Apéndice). Tomar aspirinas o sustitutos de la aspirina únicamente con el permiso del médico, pero no tomar más que la dosis recomendada ni tomar frecuentemente.

◆ Optar por los alimentos que estén más cerca de su estado natural. Es conveniente leer las etiquetas para evitar los alimentos compuestos en gran parte por productos químicos sintéticos (vea la página 198).

◆ Tenga cuidado con los endulzantes (lea toda la información en la página 89).

◆ Reducir al máximo los pesticidas de los alimentos. Una cierta cantidad de pesticidas residuales en la dieta (procedente de los productos agrícolas, por ejemplo) y por consiguiente en la leche, es inevitable —y no se ha demostrado que resulte perjudicial para el bebé. Pero aunque la histeria acerca de la contaminación de la leche materna es injustificada, es prudente que la madre mantenga al nivel más bajo posible, sin por ello dejar de comer, la cantidad de pesticidas que toma con los alimentos. Pele o lave las frutas y verduras con un cepillo y agua y detergente; prefiera los productos lácteos bajos en grasa, las carnes magras, las aves de corral de carne blanca y eliminando la piel, y reduzca los guisos con hígado u otros despojos. (Los pesticidas ingeridos por los animales se acumulan en la grasa, la piel y algunos órganos.)

- Evitar el pescado que pueda estar contaminado. (La madre lactante seguirá las mismas normas de consumo de pescado y marisco que la mujer embarazada; vea la página 201). Como quiere evitar a toda costa una intoxicación, vea los consejos para comer de manera segura en la página 204.

- Si tiene niveles altos de plomo en la sangre (más de 40 mcg por decilitro) es posible que tenga que dejar de amamantar o que deba parar temporalmente hasta que bajen los niveles.

GOTEO DE LECHE

"Me salen gotas de leche todo el tiempo, ¿es normal?, ¿Cuánto va a tardar?"

Las primeras semanas de lactancia pueden resultar bastante húmedas. La leche gotea e incluso sale como un chorrito de sus pechos, lo malo es que puede pasar en cualquier momento y en cualquier lugar, sin advertencias.

Además de esos momentos inoportunos (¡era por eso que el señor del banco me miraba así!), la leche puede salir cuando está dormida, cuando se está bañando con agua caliente, cuando oye al bebé llorar o cuando piensa o habla de él. Es posible que la leche salga por un pecho mientras alimenta al niño con el otro y si su bebé tiene un horario regular, sus pechos pueden soltar la leche con anticipación, antes de tener al niño en brazos.

Aunque es incómodo y algo vergonzoso, es un efecto normal y común de la lactancia, especialmente en las primeras semanas. También es normal que no gotee o que gotee poco, de hecho muchas mamás por segunda vez notan que sus pechos gotean menos que antes. En muchos casos, mientras se establece la lactancia, el sistema se acomoda y para el goteo. Mientras tanto siga estos consejos para que se sienta mejor con la situación:

- Compre parches de lactancia. Durante las primeras semanas usted cambiará los parches cada vez que amamante y a veces más seguido. Tenga en cuenta que, al igual que un pañal, los parches deben cambiarse cuando se mojan. Escoja los parches sin línea de plástico o a prueba de agua, eso irrita los pezones. Hay mujeres que prefieren los parches desechables y otras que prefieren los parches de algodón.

- Proteja su cama. Si gotea mucho en las noches, utilice parches extra o acuéstese encima de una toalla para dormir. Lo último que desea hacer es cambiar las sábanas todos los días, o peor, comprar un nuevo colchón.

- No bombee sus pechos para prevenir el goteo, eso no controla la salida de leche, al contrario, entre más estimule sus pechos, más leche van a producir y por lo tanto más goteo.

- Intente parar el flujo de más. Cuando ya esté bien establecida la lactancia y su nivel de producción ya esté nivelada, trate de impedir el goteo presionando sus pezones (trate de no hacerlo en público) o cruzando sus brazos contra los pechos. Sin embargo, no haga esto durante las primeras semanas porque puede inhibir la salida de leche y puede tapar los ductos.

RECUPERACIÓN A LARGO PLAZO EN CASO DE CESÁREA

"Hoy volveré a casa, una semana después de haber sido sometida a cesárea. ¿Qué puedo esperar?"

Aunque ha recorrido un largo camino desde que dio a luz, todavía hay mucha recuperación por delante, por lo menos durante unas semanas más. Tenga en cuenta que entre más descanse y entre más se cuide ahora (siguiendo las indicaciones del médico), el tiempo de recuperación va a ser más corto. Mientras tanto puede esperar:

Necesidad de mucha ayuda. La ayuda asalariada es lo mejor para la primera semana, pero si no es posible, la madre le pedirá al marido, a su madre o a otro pariente que le echen una mano. Es mejor que no levante pesos (ni siquiera al bebé) ni realice tareas domésticas por lo menos durante la primera semana. Si debe levantar al recién nacido, hágalo a nivel de la cintura, utilizando los brazos y no el abdomen. Para coger algo del suelo, doble las rodillas y no la cintura.

Dolor escaso o nulo. El dolor ya debería haber desaparecido casi todo. Pero si siente dolor, un analgésico suave puede ayudarla. Sin embargo, si está dando el pecho a su bebé, no deberá tomar ningún medicamento que no haya sido aprobado por el médico.

Mejoría progresiva. La cicatriz estará sensible y dolorida durante unas pocas semanas, pero mejorará constantemente. Para evitar que se irrite se la puede cubrir con una gasa. Las prendas sueltas, poco apretadas, resultarán más cómodas. Una tirantez ocasional o unos dolores breves en la zona de la cicatriz son una parte formal de la curación y desaparecerán con el tiempo. Luego puede aparecer picor. El entumecimiento del abdomen, alrededor de la cicatriz puede durar más tiempo, posiblemente varios meses. La hinchazón del tejido cicatrizal disminuirá probablemente (a menos que la mujer tenga tendencia a desarrollar este tipo de cicatrices), y la cicatriz se volverá rosada o púrpura antes de palidecer.

Si el dolor se vuelve persistente, si la zona que rodea a la incisión adquiere un color rojo intenso, o si la herida presenta una supuración parda, gris, amarilla o verde, la mujer deberá llamar al médico. Es posible que la incisión se haya infectado. (Una reducida expulsión de líquido claro puede ser normal, pero de todos modos es mejor informar de esto al médico.)

Esperar por lo menos cuatro semanas antes de reanudar las relaciones sexuales. Los consejos son los mismos para las mujeres con parto vaginal y las mujeres con cesárea (claro que también depende de la sanación de su herida). Para mayor información lea las próximas páginas.

Empezar los ejercicios una vez desaparecido el dolor. Puesto que el tono muscular del perineo no habrá probablemente disminuido, no son necesarios los ejercicios perineales, aunque pueden ser beneficiosos para todo el mundo. La madre que ha sufrido una cesárea se concentrará más bien en los ejercicios para los músculos abdominales. (vea el apartado de recuperar la figura en la página 562) La divisa será "lento y seguro"; empezar el programa gradualmente y hacer los ejercicios cada día. Deberá esperar que pasen varios meses antes de volver a ser ella misma.

REANUDACIÓN DE LAS RELACIONES SEXUALES

"¿Cuánto tiempo debo esperar para volver a tener relaciones sexuales con mi esposo?"

En parte depende de usted, según los expertos, las mujeres pueden tener sexo en el momento en que se sientan listas. Evidentemente, algunos médicos aplican rutinariamente la norma de las seis semanas a todas sus pacientes de posparto, independientemente de su estado. Si la mujer cree que este es el caso de su médico, y tiene deseos de hacer el amor, le puede preguntar si no podría hacer una excepción a la norma. Esto será posible únicamente si el cuello uterino está cicatrizado y si los loquios ya han cesado. Además, es posible que la propia madre desee esperar hasta que el acto sexual no le provoque dolor en el área perineal. De todos modos, si el médico no atiende a su ruego, es mejor que siga las órdenes del doctor.

FALTA DE INTERÉS POR EL AMOR

"Tengo el visto bueno de mi médico pero lo último que quiero ahora es tener relaciones sexuales."

De todas las cosas que una mujer deja para la etapa posparto, el sexo está muy lejos y por una buena razón. El sexo requiere energía, concentración y tiempo; tres factores que son particularmente escasos en la vida de los nuevos padres. La libido de la mujer –y la de su marido– debe competir con las noches sin dormir, los días agotadores, los pañales sucios y un bebé infinitamente exigente. El cuerpo de la madre se está recuperando aún del trauma del parto; sus hormonas se están ajustando de nuevo. Su mente puede estar llena de temores (del posible dolor, de la posibilidad de lesionar su cuerpo internamente, de quedar embarazada de nuevo, demasiado pronto). Si está dando el pecho a su bebé, es posible que ello satisfaga, inconscientemente, sus necesidades sexuales. También es posible que el acto sexual estimule una salida desagradable de leche.

En resumidas cuentas, no es sorprendente –y además perfectamente normal– si su apetito sexual ha desaparecido temporalmente, por muy voraz que hubiera sido con anterioridad. (Por otro lado, algunas mujeres experimentan un fuerte impulso sexual en este momento, en particular en el período que sigue inmediatamente al parto, cuando existe una congestión de la región genital y eso también es normal aunque un poco inconveniente).

Si el problema estriba en la falta de interés, existen muchos modos de conseguir que vuelvan las ganas de hacer el amor. Cuál de ellos funcionará mejor en cada caso, depende de la mujer, de su marido y de los problemas que se les planteen:

Tomar como aliado el tiempo. El cuerpo de la mujer necesita por lo menos seis semanas para curarse, y a veces mucho más tiempo –sobre todo si el parto fue difícil o si fue necesario realizar una cesárea. Su equilibrio hormonal no habrá vuelto a la normalidad hasta que empiece a menstruar, y esto puede tardar mucho tiempo si le da el pecho a su hijo. No debe sentirse obligada a hacer el amor por el simple hecho de que el médico ya haya dado su permiso para ello, si no lo encuentra agradable, física o emocionalmente. Y cuando lo haga, empiece despacio, con besos y caricias pero sin penetración.

No dejarse desalentar por el dolor. Muchas mujeres quedan sorprendidas y descorazonadas al observar que las relaciones sexuales en el posparto pueden resultar realmente dolorosas. Si la madre sufrió una episiotomía o una laceración, las molestias (desde suaves a intensas) pueden durarle semanas, e incluso meses, hasta que los puntos estén curados. También puede sentir dolor con el acto sexual aunque el parto no lesionara el perineo; e incluso si fue sometida a una cesárea. Hasta que el dolor desaparezca, puede reducirlo con los consejos enumerados en el cuadro de la página 558.

Mantener las expectativas a un nivel realista. No insistir en la necesidad de conseguir un orgasmo simultáneo la primera vez que se hace el amor después del parto. Algunas mujeres, que habitualmente no tienen problemas en experimentar el orgasmo, no llegan a él durante varias semanas o incluso más tiempo. Con amor y paciencia, el sexo llegará a ser tan satisfactorio como antes, o incluso más.

Comunicación. Una relación sexual verdaderamente buena ha de estar construida sobre la confianza, la comprensión y la comunicación. Por ejemplo, si la madre se halla demasiado inmersa en la maternidad para sentirse sexual y atractiva una noche, no debe rechazar las proposiciones de su marido con la excusa de un dolor de cabeza. Ha de ser sincera. Es muy probable que el marido que ha sido incluido en todo el proceso de la maternidad desde el momento de la concepción no tenga problemas en comprender lo que le pasa a su mujer. Si el acto sexual le resulta doloroso a la madre, no es necesario que sea una mártir. Le puede explicar al marido cuáles son las cosas que le duelen, cuáles las que le agradan y cuáles preferiría dejar para más adelante.

Reajustar la vida sexual para adaptarla a la vida con el bebé. Cuando la familia pasa de dos a tres, la pareja ya no puede hacer el amor cuando y donde quiere. En lugar de ello, deberá aprovechar la oportunidad cuando se presente (si el recién nacido se ha quedado dormido a las 3 de la tarde del sábado, dejarlo todo y aprovechar la ocasión) o bien establecer un programa bien planificado. No se debe pensar que el sexo no espontáneo no es divertido. Por el contrario, la pareja debe considerar que esta planificación le da la oportunidad de pensar con tiempo y con ilusión en hacer el amor. Aceptará las interrupciones –que serán numerosas– con sentido del humor e intentará continuar tan pronto como sea posible allí donde se produjo la interrupción. Y si resulta que las relaciones sexuales son menos frecuentes que antes, buscar la calidad, no la cantidad.

No ser perfeccionista. En el posparto es natural el agotamiento; aprender a ser padres cuesta bastante esfuerzo. Pero una parte de este esfuerzo es innecesaria y debida a menudo a un intento de conseguirlo todo demasiado pronto. La madre deberá encerrar en un cajón sus ansias de limpieza y olvidarse durante un tiempo del polvo que pueda haber en la casa. Utilizará alimentos congelados en lugar de alimentos frescos. Procurará prescindir de algunas tareas no indispensables para que, de vez en cuando, le queden energías para hacer el amor.

EL RETORNO A LA SEXUALIDAD

Lubricación. Los niveles hormonales bajos durante el período del posparto (que en la madre lactante puede no aumentar de nuevo hasta el destete parcial o total del bebé) pueden provocar que la vagina esté desagradablemente seca. Utilizar una crema lubricante hasta que se produzcan de nuevo las secreciones naturales, puede reducir el dolor e incrementar el placer.

Medicación, si es necesaria. El médico puede prescribir una crema de estrógenos para aliviar el dolor y la sensibilidad anormal.

Tranquilidad. Intente hacer ejercicios de relajación (vea la página 173), una ducha para dos, un masaje o cualquier otra cosa que la relaje. Si no está amamantando (o en ocasiones incluso si está amamantando), puede tomarse una copita de vino pequeña. Pero tenga en cuenta que tomar mucho alcohol interfiere con el deseo sexual.

Organice el ambiente. Baje las luces (prenda velas de aromas), eso es más romántico y puede ser mejor para no tener que mostrar su figura (si está incómoda con ella, tenga en cuenta que su pareja no sabe qué es exactamente lo que le molesta de su cuerpo, el puede tener otra perspectiva). Ponga música suave y no conteste llamadas.

Varias las posiciones. Las posiciones de lado o con la mujer encima permiten un mayor control de la penetración y ocasionan menos presión sobre el lugar de la episiotomía. La pareja deberá probar qué posición les resulta más cómoda.

Busque alternativas de gratificación. Si la relación sexual todavía no es placentera, busquen el placer a través de la masturbación mutua o el sexo oral. Si no les interesa eso, busquen la satisfacción de estar juntos. No hay nada de malo (y todo está bien) en acostarse los dos en la cama, consentirse, besarse y contarse historias del bebé.

No preocuparse. A pesar de lo que sienta en este momento la nueva madre, vivirá para amar de nuevo, con tanta pasión y placer como siempre. (Y puesto que la paternidad compartida une con frecuencia aún más a la pareja, es posible que se encuentre con que la llama no sólo vuelve a encenderse, sino que es más brillante que antes.) La preocupación al respecto no hará más que frenar innecesariamente la relación sexual de la pareja.

QUEDAR EMBARAZADA DE NUEVO

"Pensaba que dar el pecho al bebé era una forma natural de control de la natalidad. Pero ahora me han dicho que sí puedo quedar embarazada mientras crío e incluso antes de volver a tener la menstruación".

A menos de que quiera quedar embarazada otra vez (a lo mejor no es una buena idea ni para usted ni para su bebé) ni se le ocurra recurrir a la lactancia como método anticonceptivo.

Es cierto que las mujeres que dan el pecho a sus hijos presentan de nuevo sus ciclos menstruales normales más tarde, por término medio, que las madres que no crían a sus hijos. En las madres no lactantes, la menstruación empieza habitualmente entre las cuatro y las ocho semanas después del parto, mientras que en las madres lactantes el promedio se halla entre los tres y los cuatro meses. Pero, como siempre, los términos medios pueden inducir a error. Se conocen casos de madres lactantes que vuelven a tener la menstruación a las 6 semanas del parto o, por el contrario, a los 18 meses del mismo. El problema estriba en que no existe un modo seguro de predecir el momento en que volverá la menstruación, aunque este proceso está influido por diversas variables. Por ejemplo, la frecuencia de las mamadas (más de tres veces al día parece suprimir con mayor seguridad la ovulación), la duración de la lactancia (cuanto más tiempo dura, más tarda en producirse la ovulación) y el hecho de si la leche materna es suplementada o no de algún modo (el bebé toma biberones, alimentos sólidos, incluso agua; todo ello son factores que pueden reducir el efecto inhibidor que la lactancia ejerce sobre la ovulación).

¿Por qué preocuparse del control de la natalidad antes del primer período menstrual? Porque el momento en que la mujer ovulará por primera vez después del parto es tan impredecible como el momento en que menstruará de nuevo. Algunas mujeres tienen un primer período estéril; es decir, no ovulan durante el ciclo. Otras ovulan antes del período y por consiguiente pueden pasar de un embarazo a otro sin haber tenido una menstruación. Puesto que no se sabe qué vendrá primero, el período o el óvulo, es altamente aconsejable tomar precauciones en forma de contracepción. Para mayor información sobre métodos de control natal vea *El primer año del bebé*.

Desde luego pueden darse los accidentes. La ciencia médica aún tiene que desarrollar un método anticonceptivo (con excepción de la esterilización) que sea efectivo en un 100%. Así, incluso cuando la mujer esté usando un método anticonceptivo –y sobre todo, si no lo hace– aún es posible que quede embarazada. Por desgracia, el primer síntoma del embarazo que se buscaría en condiciones normales (la ausencia de la menstruación) no será aparente si la mujer está amamantando y no menstrúa. Pero debido a los cambios hormonales (durante el embarazo y la lactancia actúan diversos tipos de hormonas), el suministro de leche probablemente disminuirá en gran medida poco después de establecerse el nuevo embarazo. Además, la mujer podría experimentar alguno o todos los demás síntomas de embarazo. Desde luego, si la mujer tiene alguna sospecha de que podría estar embarazada, lo mejor que puede hacer es visitar al médico tan pronto como sea posible. Debido a que es prácticamente imposible llevar a cabo bien la doble función de amamantar a un bebé y alimentar a un feto en desarrollo al mismo tiempo, los médicos siempre aconsejan que es muy poco recomendable el hecho de continuar dando el pecho cuando se está embarazada.

CAÍDA DEL CABELLO

"El cabello ha empezado súbitamente a caerse ¿Me voy a quedar calva?"

No es necesario encargar un sombrero. La caída del cabello es normal y se detendrá mucho antes de llegar a la calvicie. Normalmente, la cabeza pierde unos 100 cabellos al día, que son sustituidos continuamente. Durante el embarazo (al igual que cuando se toman contraceptivos orales), los cambios hormonales impiden que estos cabellos caigan. Pero esta mayor abundancia de cabello es sólo temporal: estos cabellos estaban destinados a caer, y lo harán pasados de tres a seis meses del parto (o del momento en que se deja de tomar la píldora. Algunas mujeres que están dando el pecho como método exclusivo de alimentación ven que la caída del pelo no comienza hasta el destete de su bebé cuando se suplementa el amamantamiento mediante una leche de farmacia o con sólidos.

Para mantener el pelo sano, habrá que asegurarse de tomar la dieta ideal para el posparto, continuar con el suplemento vitamínico del embarazo, y tratar el cabello con cuidado. Ello significa lavarlo con champú sólo cuando sea necesario, usar un acondicionador para reducir la necesidad de desenredar, usar un peine de púas muy separadas para hacerlo, y evitar la aplicación de calor (con secadores, rizadores o rulos calientes). También puede ser una buena idea evitar mayores daños retrasando las permanentes, teñidos y los tratamientos para estirar el pelo, hasta que la melena vuelva a su estado normal.

Si la caída es excesiva, especialmente si tiene otros síntomas de enfermedad de la tiroides (vea la página 550), hable con su médico.

Que se haya perdido mucho pelo después de este embarazo no significa que vaya a suceder lo mismo la vez siguiente. Las reacciones del cuerpo ante cada embarazo, como seguramente podrá comprobar la mujer, pueden ser muy distintas.

TOMAR UN BAÑO

"Me llegan todo tipo de consejos contradictorios sobre la posibilidad de tomar un baño en la bañera durante el posparto. ¿Qué debo hacer?"

Antiguamente, a las nuevas madres no se les permitía meter un pie en la bañera por lo menos durante todo el mes que seguía al parto, por temor a que el agua del baño les provocara una infección. Actualmente se sabe que el agua de la bañera no penetra en la vagina, y por ello se ha descartado el riesgo de infección que se atribuía a los baños. De hecho, algunos médicos recomiendan a sus pacientes que se bañen en el hospital (si la habitación dispone de bañera), pues consideran que al bañarse se eliminan los loquios del perineo –y de los pliegues de los labios– de un modo más eficaz que al ducharse. Además, el agua caliente resulta agradable para aliviar el dolor de una episiotomía y de las hemorroides (también puede tomar un baño sentada con tan sólo un poco de agua caliente).

En caso de que la madre se bañe durante la primera o las dos primeras semanas después del parto, deberá asegurarse de que la bañera está escrupulosamente limpia (pero sin que sea ella la que efectúe dicha limpieza). Además, es conveniente que solicite ayuda para entrar y salir de la bañera en los primeros días después del parto, mientras aún se encuentra débil.

De todos modos, es posible que el médico le recomiende a la mujer que no tome un baño hasta que haya vuelto a casa, o incluso hasta más adelante. Si la madre tiene deseos de bañarse (o si no dispone de una ducha en su casa), puede hablar del tema con su médico.

AGOTAMIENTO

"Hace ya casi dos meses que tuve a mi bebé, pero me siento más cansada que nunca. ¿Estoy enferma?"

Muchas madres recientes se han arrastrado hasta la consulta de su médico quejándose de un intenso cansancio crónico, convencidas de que son víctimas de alguna enfermedad fatal. ¿Y cuál es casi siempre el diagnóstico? Un caso clásico de maternidad.

Rara es la madre que escapa a este síndrome materno de fatiga, caracterizado por un cansancio que nunca cesa y por una falta casi total de energía. Y no es sorprendente. No hay otra tarea tan agotadora, física y emocionalmente como la de ser madre. A diferencia de la mayoría de los trabajos o profesiones, la tensión no está limitada a una jornada de ocho horas por día y de cinco días a la semana. (Además, las madres tampoco disfrutan de las pausas para el café ni del descanso para el almuerzo.) En el caso del primer hijo, la maternidad comporta además el estrés inherente a cualquier trabajo nuevo: siempre hay algo nuevo que debe ser aprendido, errores que deben ser corregidos, problemas que deben ser resueltos. Y si todo ello no fuera suficiente para provocar los síntomas, añádase la energía que se gasta dando el pecho al bebé, la fuerza necesaria para acarrear a un bebé que cada día pesa más, y el sueño interrumpido una y otra vez, noche tras noche. La fatiga puede ser más fuerte en el caso de una madre con un bebé de poco peso o un bebé con otros problemas, también para las madres con otros hijos en casa.

La madre deberá acudir al médico para descartar una posible causa física de su cansancio (como la tiroiditis posparto, vea la página 550). Si el médico la encuentra en buena salud, podrá estar segura de que el tiempo, la experiencia y el sueño más tarde ininterrumpido del bebé le ayudarán a superar gradualmente la fatiga. Además, cuando su cuerpo se adapte a las nuevas exigencias, su nivel de energía subirá también un poco. Trate de no hacer muchas cosas (si hace muchas cosas deje las menos importantes como el mantenimiento del hogar), dígale a su esposo que la ayude (con el bebé y con las cosas de la casa). Busque todas las oportunidades (aunque parezca imposible) para descansar y coma bien y de manera regular. Mientras tanto, puede intentar aplicar los consejos sugeridos para aliviar la depresión del posparto (página 546), que está estrechamente relacionada con el cansancio.

QUÉ ES IMPORTANTE SABER:
Recuperar la figura

Una cosa es parecer embarazada durante seis meses si *realmente* se está embarazada, y otra muy distinta tener aspecto de embarazada cuando ya se ha dado a luz. Sin embargo, la mayoría de las mujeres pueden esperar salir de la sala de partos con una figura no mucho más esbelta de la que tenían al entrar, con un pequeño paquete de carne en los brazos y con varios paquetes aún alrededor de la cintura. En lo que se refiere a la falda tubo que con tanto optimismo la futura madre colocó en la maleta para ponérsela al salir del hospital, lo más probable es que no se mueva de la maleta y que sea sustituida por unos pantalones de maternidad.

¿Cuánto tiempo deberá pasar para que una nueva madre deje de parecer una futura madre? Con bastante ejercicio, la silueta de antes del embarazo (o una silueta incluso más esbelta) está sólo a un par de meses de distancia.

"¿Más ejercicio?"*, puede preguntarse la madre. "He estado en perpetuo movimiento desde que volví a casa del hospital. ¿No es bastante ejercicio?

Desgraciadamente, la respuesta es no. Por agotadora que sea, esta actividad general no tensa los músculos perineales y abdominales que han quedado distendidos por el embarazo. Esto sólo lo conseguirá un buen programa de ejercicios. Debe hacer los ejercicios

*También depende de su herencia y de su metabolismo

REGLAS BÁSICAS PARA LAS PRIMERAS SEIS SEMANAS

* Utilizar un sostén con soporte y ropa cómoda.

* Las sesiones de ejercicios deben ser breves y frecuentes, más que agruparse en una sola sesión prolongada al día (varias sesiones diarias tonifican mejor los músculos).

* Empezar siempre cada sesión con el ejercicio menos cansado, a modo de calentamiento.

* Efectuar los ejercicios lentamente; no ejecutar series rápidas de repeticiones sin un tiempo de recuperación suficiente tras ellas (los músculos se tonifican así, no cuando está en movimiento).

* No efectuar ejercicios de movimientos erráticos, de balanceo, de "rodillas contra el pecho", de flexiones abdominales fuertes o de levantamiento de las dos piernas a la vez durante las seis primeras semanas del posparto.

* Monitoree su ritmo cardiaco.

* Tome mucho líquido mientras hace ejercicio.

* Vaya lento y con calma, si no siente el dolor no hay ganancia. No hacer más ejercicios, o más repeticiones de cada ejercicio, de lo recomendado, incluso si cree tener las fuerzas necesarias para ello. Detenerse antes de sentir cansancio. Si se exagera, las consecuencias no se hacen notar hasta el día siguiente y entonces no habrá ejercicio.

* No dejar que el cuidado del bebé impida hacer los ejercicios; al bebé le gustará mucho permanecer tendido sobre la barriga de su madre mientras ésta hace los ejercicios.

adecuados para el posparto, le ayudará a mejorar la espalda, le ayudará a sanar las heridas del parto, le ayudará a endurecer las partes sueltas, mejorará la circulación y reducirá el riesgo de otros síntomas posparto como las venas varicosas y los calambres. Los ejercicios Kegel que atacan el área perineal, le ayudarán a evitar la incontinencia urinaria y le ayudarán con los problemas sexuales. Finalmente, el ejercicio puede tener beneficios psicológicos porque libera endorfinas, eso mejora su humor y sus habilidades. Todo lo anterior la hará sentirse mejor en su tarea como madre.

Puede empezar antes de lo que se imagina si tuvo un parto vaginal sin complicaciones y no tiene problemas graves de salud, si es así, los ejercicios de un programa de posparto pueden empezar a hacerse a las 24 horas del parto, pero cuidando de no esforzarse en demasía. El programa que se explica a continuación está pensado para aquellas mujeres que han pasado un parto vaginal sin complicaciones. Si el parto fue quirúrgico o traumático, la mujer deberá pedir consejo al médico antes de comenzar el programa. Debe empezar despacio y con cuidado. La siguiente guía de tres fases puede ayudarle. Puede suplementar con un video, un libro o una clase para ejercicios posparto (la camaradería aumenta la motivación y hay muchos lugares a los que puede llevar al bebé).

PRIMERA FASE: 24 HORAS DESPUÉS DEL PARTO

Ejercicios de Kegel. Se puede empezar a hacer estos ejercicios inmediatamente después del parto, aunque al principio la madre no sentirá sus músculos al hacerlos. (Vea las indicaciones en la página 262). Este ejercicio se puede hacer en muchos lugares: acostada, parada, en la fila del supermercado,

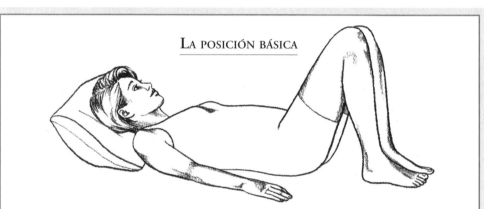

LA POSICIÓN BÁSICA

Acuéstese boca arriba con las rodillas dobladas, separe un poco los pies y ponga las plantas contra el suelo. Ponga un cojín detrás de su cabeza y sus hombros como apoyo. Los brazos deben descansar de lado.

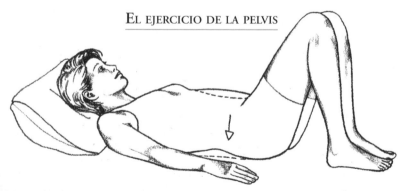

EL EJERCICIO DE LA PELVIS

Acuéstese en la posición básica. Respire, luego exhale mientras pega la parte baja de la espalda al suelo, mantenga la posición por diez segundos. Relaje. Para empezar, repita tres o cuatro veces, vaya aumentando hasta doce y después hasta veinticuatro.

lactando, cambiando pañales, leyendo, en la ducha, etcétera. Haga 25 repeticiones, seis veces al día y hágalo toda la vida para tener una buena salud de la pelvis (¡aumente el placer sexual!).

Respiración diafragmática profunda. En la posición básica, colocar las manos sobre el abdomen, para poder notar cómo se levanta a medida que respiramos lentamente por la nariz; contraer los músculos abdominales a medida que se deja salir lentamente el aire por la boca. Empezar con sólo dos o tres respiraciones profundas, para evitar la hiperventilación. En caso de haberse excedido, los signos serán vahídos, zumbidos en los oídos o visión borrosa.

SEGUNDA FASE: TRES DÍAS DESPUÉS DEL PARTO

A los tres días del parto se pueden empezar algunos ejercicios más activos. Pero sólo si se está segura de que los dos músculos verticales de la pared abdominal (denominados músculos abdominales rectos) no se han separado durante el embarazo. Esta separación (o diastasis) es bastante común, sobre todo en las mujeres que ya han tenido varios hijos y empeorará si se realiza cualquier ejercicio algo intenso antes de que se haya curado. La mujer puede preguntarle al médico o a la enfermera sobre el estado en que se hallan sus músculos rectos del abdomen, o bien puede examinarlos ella misma, de este modo: tendida en la posición básica, levantar ligeramente la cabeza, con los brazos extendidos; buscar si existe un bulto blando justo debajo del ombligo. Este bulto es signo de que se ha producido la separación.

En caso de tener una separación, puede acelerar su curación realizando el siguiente ejercicio: adoptar la posición básica, tomar aire. Cruzar entonces las manos sobre el abdomen, usando los dedos para juntar los lados de los músculos abdominales al mismo tiempo que se saca al aire y se levanta lentamente la cabeza. Repetir 3 o 4 veces, dos veces al día. Una vez cerrada la separación, o si ésta no se ha llegado a producir, se pasará a los ejercicios descritos aquí (ver ilustraciones): elevación de la cabeza, deslizamiento de las piernas y ejercicios de la pelvis.

Todos estos ejercicios deben hacerse desde la posición básica. Al principio pueden hacerse en la cama y después en una superficie más dura como el suelo. Es bueno que compre un colchón especial para hacer ejercicio, es más fácil y más cómodo, además su bebé puede dar vueltas ahí y practicar el gateo durante el próximo año.

TERCERA FASE: DESPUÉS DEL CHEQUEO DEL POSPARTO

Ahora, con el permiso del médico, la mujer puede poner en práctica un programa de ejercicios más activo. Puede volver gradualmente o empezar un pro-

DESLIZAMIENTO DE LAS PIERNAS

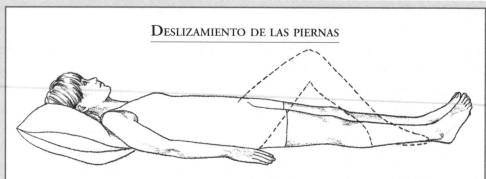

Tenderse en la posición básica. Extender lentamente las dos piernas hasta que descansen sobre el suelo. Deslizar el pie derecho, con la planta plana sobre el suelo, hacia las nalgas. Mantener la parte lumbar de la espalda aplicada contra el suelo. Volver a deslizar la pierna hacia adelante. Repetir con el pie izquierdo. Empezar con tres o cuatro deslizamientos con cada pierna, y aumentar gradualmente el número de repeticiones hasta efectuar una docena o más. Después de las tres semanas, cambiar a un ejercicio de elevación de las piernas (levantar una pierna lentamente y bajarla de nuevo hasta el suelo, también muy lentamente), resulta cómodo.

ELEVACIÓN DE LA CABEZA

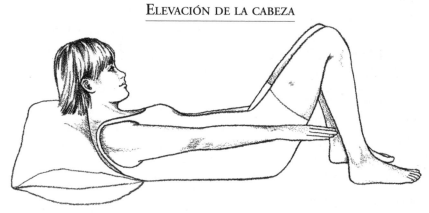

Tenderse en la posición básica. Realizar una respiración profunda y luego levantar un poco la cabeza, sacando el aire al mismo tiempo. Volver a bajar la cabeza lentamente y tomar aire. Levantar la cabeza un poco más cada día, pasando gradualmente a levantar también un poco los hombros del suelo. No intentar llegar a la posición sentada por lo menos hasta después de tres o cuatro semanas y entonces sólo siempre que se haya tenido un tono muscular abdominal muy bueno.

grama que incluya pasear, trotar, nadar, aeróbicos, ir en bicicleta, yoga, Pilates, pesas o actividades similares. Puede asistir a una clase de ejercicios posparto. No trate de hacer mucho desde ahora, como siempre, deje que su cuerpo la guíe.

CAPÍTULO DIECISIETE

Los padres también están esperando

Aunque es cierto que solamente las mujeres pueden quedar embarazadas (sin tener en cuenta la ciencia ficción y las películas de Hollywood), también es cierto que los futuros padres están esperando. Son un miembro esencial del equipo, deben cuidar y apoyar a sus esposas, son indispensables para el nuevo bebé. Como futuro padre va a participar del proceso, de la emoción, de las responsabilidades y de las preocupaciones del embarazo. Las dudas no siempre serán las mismas que las de la madre. Al igual que la madre usted necesita seguridad y confianza, no solamente durante el embarazo sino también en el periodo posparto.

De ahí la razón de este capítulo –dedicado al compañero en la reproducción, que con frecuencia es tratado con una cierta negligencia. Pero este capítulo no está pensado sólo para los maridos, del mismo modo que el resto del libro no va destinado sólo a las esposas. La futura madre puede llegar a comprender mejor lo que siente, teme y espera su marido tanto en el transcurso del embarazo, como en el parto y posparto, si lee atentamente este capítulo; el futuro padre obtendrá un mejor conocimiento de los cambios físicos y emocionales que sufre su mujer durante el embarazo, el parto y el posparto, y al mismo tiempo se preparará mejor él mismo para su propio papel.

QUÉ PUEDE PREOCUPAR

SENTIRSE EXCLUIDO

"Mi mujer ha recibido tanta atención desde que quedó embarazada, que me siento como si yo no tuviera nada que ver en esto".

En las generaciones del pasado, la implicación del padre en el proceso reproductivo terminaba cuando su espermatozoide había fecundado el óvulo de su mujer. Los padres contemplaban el embarazo desde lejos, y no presenciaban en absoluto el parto.

Es indudable que en las últimas décadas se ha luchado mucho en favor de los derechos de los padres. Pero los cam-

> **¡En sus marcas, listos, fuera!**
>
> Si quiere darle lo mejor a su hijo, puede empezar desde antes de que el espermatozoide fecunde al óvulo. Si su pareja todavía no está embarazada, es tiempo para que los dos se pongan en forma. Lea el capítulo 21 y siga las sugerencias del periodo de preconcepción. Si su esposa ya está embarazada no se preocupe por lo que no hizo, simplemente empiecen a cuidarse desde ahora.

bios en la educación social no han modificado el hecho de que el embarazo se produce dentro del cuerpo de la mujer. O el hecho de que algunos padres se encuentren aún perdidos en lo que aún es un asunto principalmente femenino. O el hecho de que los padres acaben por sentirse olvidados, excluidos –incluso celosos de sus esposas.

En algunos casos, la mujer es involuntariamente responsable de ello, en otros casos el responsable es el hombre. De cualquier manera, es vital que los sentimientos del padre queden resueltos antes de que el resentimiento crezca y llegue a estropear lo que debería ser una de las experiencias más maravillosas de la vida de la madre y del padre. El mejor modo de conseguirlo estriba en que el padre participe de tantos aspectos como pueda del embarazo de su mujer:

Hablar. Es posible que la mujer le esté excluyendo sin darse cuenta de ello; es posible que ni tan siquiera se dé cuenta de que el futuro padre desea intervenir más en todo el proceso. Es muy probable que se sienta feliz de hacer que el marido participe de su embarazo como si fuera una parte de él. La comunicación de pareja ahora es más importante que nunca.

Visitar a un obstetra (o una partera o partera). El de la esposa, tan a menudo como lo haga ella, si es posible. La mayoría de los médicos animan a que el marido asista a la visita mensual. Si los horarios de trabajo del marido no le permiten asistir a todas las visitas mensuales, quizás podrá arreglárselas para estar libre y acompañar a su esposa en las visitas más importantes; por ejemplo, aquélla en la que se oirá por primera vez el latido cardíaco del bebé y a las pruebas prenatales (especialmente la ecografía, cuando se puede ver el bebé).

Actuar como si estuviera embarazado. No es necesario que acuda al trabajo vestido con prendas de maternidad ni que empiece a beber un litro de leche cada día. Pero sí puede realizar con su mujer los ejercicios aconsejados para el embarazo, renunciar a las comidas rápidas y fuertes durante nueve meses, dejar de fumar (si es fumador). Y cuando alguien le ofrezca una bebida, puede contestar: "No, gracias".

UN COMPAÑERO EN LA PATERNIDAD

Muchos de los términos utilizados en este capítulo también se refieren a cualquier compañero no tradicional. Escoja las preguntas y respuestas que se acomoden a sus necesidades.

Recibir educación. Incluso un profesional tiene mucho que aprender cuando se trata del embarazo y el parto. El padre puede leer todos los libros y artículos que caigan en sus manos sobre el tema. Asistirá a las clases de preparación al parto junto con su mujer; irá a clases para padres, si se imparten en su localidad. Hablará con los amigos y colegas que han sido padres por primera vez hace poco. También puede buscar con quién hablar en Internet.

Tomar contacto con el bebé. La esposa ha tenido la ventaja de conocer al bebé antes de nacer debido a que se hallaba confortablemente instalado en su útero, pero ello no significa que el padre no pueda también empezar a conocer al nuevo miembro de la familia. Le hablará, leerá y cantará con frecuencia; el bebé puede oír su voz, y después del parto la reconocerá. Disfrutará de las patadas y retorcimientos poniendo la mano o la mejilla sobre el abdomen desnudo de su mujer cada noche; también es una buena forma de compartir la intimidad con ella.

Comprar la ropa. Y la cuna, y el cochecito. Ayudar a la esposa a decorar la habitación del bebé. De modo general, mostrar actividad en todo lo que se relacione con la planificación y preparación de la llegada del bebé.

CAMBIOS DE ACTITUD EN CUANTO AL SEXO

"Ahora que estamos embarazados ya no me interesa tanto el sexo, ¿es normal?"

Al igual que las mamás, los futuros padres también experimentan varias reacciones en cuanto al sexo durante el embarazo, todas son normales. Hay muchas razones para que se sienta así. A lo mejor usted y su esposa intentaron tener un bebé durante mucho tiempo y el sexo se volvió un trabajo pesado; a lo mejor está tan concentrado en el bebé y en convertirse en padre que su lado sexual está en descanso; a lo mejor se está acostumbrando a los cambios en el cuerpo de su esposa (también son un recordatorio de lo poco o mucho que ha cambiado su relación); a lo mejor tiene miedo de herir a su esposa o al bebé durante el acto sexual (no lo hará).

La apatía sexual en su pareja es igual de normal, por las mismas razones, además de otros factores físicos: náusea, ganas de orinar, fatiga y dolor en los pechos, todo esto disminuye el deseo y limita el placer.

Si no hay una buena comunicación de pareja, estos sentimientos se pueden confundir: él siente que ella no está interesada y se vuelve frío y viceversa.

Ahora importa más la calidad de la intimidad que el número de veces que tengan sexo, ya verá que la calidad de la intimidad en otro nivel puede llevarla a sentir más actividad sexual. Aunque está bien que baje el apetito sexual (temporalmente porque el bebé todavía no duerme en las noches), trate de no dejar que el bebé interfiera en su relación de pareja. Haga del romance una prioridad (sorprenda a su esposa con flores, velas en la cena o masajes en la cama), abra los canales de comunicación (no dude en compartir sus dudas y miedos y anímela para que comparta los suyos), siga con los besos y los abrazos (una y otra vez…), seguramente volverá la pasión.

Para mayor información sobre cómo disfrutar del sexo, vea Sexo durante el embarazo, en la página 312.

"Mi esposa me parece increíblemente sexy ahora, pero no tiene ganas de nada desde el día en que se enteró del embarazo."

Incluso las parejas que siempre han tenido buen sexo pueden sentirse algo fríos en el embarazo. Hay muchos factores físicos y emocionales que influyen en el deseo sexual y en el placer. A algunos hombres les parece muy erótica la forma de la mujer embarazada, también puede ser que su lujuria se deba al gran afecto que le tiene a su esposa y al hecho de tener un hijo con ella.

Así como es entendible su deseo, también es normal que ella no quiera. Seguramente los síntomas del embarazo como el vómito y las náuseas, bajaron su libido. A lo mejor ella no se siente tan bien como usted con su aspecto redondo o a lo mejor todavía no se acomoda al hecho de ser mamá y amante a la vez.

Sin importar la causa de su incompatibilidad sexual, no se preocupe, sólo es temporal. Muchas mujeres desean tener relaciones sexuales en el segundo trimestre porque hay más flujo sanguíneo hacia sus pechos y sus órganos sexuales. Si no siente el deseo, concéntrese en otros aspectos de su relación, seguramente la pasión está por regresar, así sea después del parto.

Mientras tanto, no presione el sexo, aumente las caricias, los besos y la comunicación. Esto los hará sentirse más cerca y como es un afrodisíaco para las mujeres, a lo mejor encuentra lo que busca. Prepare el terreno y demórese en los preparativos para llegar a lo que quiere. Recuerde preguntar qué le gusta y qué no, desde la concepción el cuerpo cambia y los gustos también. Es bueno que busquen posiciones cómodas para los dos. Si no quieren sexo pueden buscar alternativas como la masturbación, el sexo oral y los masajes.

No olvide decirle a su esposa lo sexy que se ve embarazada. Las mujeres pueden ser intuitivas pero no saben leer la mente.

TEMOR ANTE EL SEXO

"Aunque el médico nos ha asegurado que las relaciones sexuales no plantean ningún riesgo durante el embarazo, a menudo me cuesta sobreponerme al temor de dañar a mi mujer o al feto."

El sexo no es nunca un tema tan preocupante –para el padre y la madre– como durante el embarazo. Esto es cierto sobre todo a medida que la gestación avanza y que la mente (y la libido) deben enfrentarse a un tema bien patente: la barriga embarazada cada vez más voluminosa y su precioso contenido.

Afortunadamente, la pareja puede tranquilizar sus mentes y disfrutar del tema. Por muy vulnerables que la madre y el bebé le puedan parecer a un padre ansioso que piensa en la posibilidad de un acto sexual, en los embarazos de bajo riesgo que progresan normalmente, ni la madre ni el hijo son vulnerables. (Existen unos pocos obstáculos, particularmente en los dos últimos meses, que se citan en el apartado dedicado a hacer el amor durante el embarazo, página 312).

Hacer el amor a la esposa no sólo no la perjudicará (siempre que se tengan en cuenta los obstáculos antes citados), sino que incluso puede hacerle mucho

bien, ya que el embarazo es un período de intimidad emocional y física. Y en cuanto al bebé, aunque es básicamente indiferente a todo el tema, puede verse tranquilizado por el suave movimiento del acto sexual y del útero que se contrae durante el orgasmo.

En cuanto al bebé, él está perfectamente protegido en el útero*. El bebé no puede verla tener sexo y no tendrá memoria para recordarlo. Lo máximo que puede pasar es que se quede dormido por que se siente arrullado.

SUEÑOS

"He tenido más sueños sexuales últimamente de los que he tenido en toda mi vida, aunque el sexo es lo último que quiero ahora, ¿qué será lo que me pasa?"

Para mamás y papás, el embarazo es un periodo de sentimientos intensos, desde angustia extrema hasta felicidad incontrolable. Muchos de estos sentimientos se manifiestan a través de los sueños en donde el subconsciente se encarga de procesarlos de una manera segura. Los sueños acerca del sexo (especialmente si son con otra pareja) simplemente son el subconsciente que dice lo que usted ya sabe: que está preocupado por el embarazo y que tener un bebé va a afectar su vida sexual. Estos sentimientos son válidos y normales,

---

* Sin embargo, si la penetración causa dolor, debe evitarla.

significan que está conciente de que la relación de dos va a pasar a ser una relación de tres.

Los sueños sexuales son más comunes al principio del embarazo, después serán sueños de familia. Es posible que sueñe con sus padres o abuelos, está trayendo las generaciones pasadas a las futuras. Es posible que sueñe con ser niño otra vez, está pensando en las enormes responsabilidades que vienen y en la falta de responsabilidades de la niñez. Es posible que sueñe que usted está embarazado, está siendo solidario con su esposa o siente el deseo de conectarse con el bebé, también puede significar que siente que está en duda su masculinidad, es posible que tenga sueños de "macho" como correr coches o ganar alguna prueba de fuerza. Puede tener varios sueños en una noche, por ejemplo puede soñar que cuida a su esposa y a sus hijos, es la forma como se prepara en el proceso. Hay sueños comunes como los de soledad o los de sentirse excluido.

No todos los sueños serán de ansiedad, algunos como alimentar al bebé, estar en el bautizo del niño o jugar con la familia en el parque muestran la emoción que tiene por convertirse en padre.

Hay algo seguro: no está soñando solo. Las futuras madres (por razones hormonales) son más susceptibles a soñar cosas más raras y más vívidas. Pueden compartir juntos los sueños en las mañanas, tómenlo como una terapia saludable siempre y cuando los dos entiendan que son sueños y no la realidad.

IMPACIENCIA ANTE LOS CAMBIOS DE HUMOR DE LA ESPOSA

"Ya sé que son los cambios hormonales que experimenta mi esposa los que la hacen ser tan sentimental y veleidosa. Pero no sé hasta dónde podré aguantarlo".

Si la paciencia es una virtud, el marido deberá ser muy virtuoso durante el resto del embarazo de su esposa. Aunque la estabilización de los niveles hormonales que se produce hacia el cuarto mes reduce la tendencia al llanto y los cambios de humor de los primeros tiempos del embarazo, las tensiones del estar embarazada continúan. Y muchas mujeres sufren ataques súbitos de llanto y sensibilidad hasta el mismo momento del parto. Indudablemente, la situación no es fácil para el marido, quien muchas veces la encontrará casi imposible. Pero también es indudable que sus esfuerzos se verán recompensados. La susceptibilidad tratada con comprensión se disipa antes que la susceptibilidad tratada con enojo y frustración; el hombro que el marido ponga a disposición de su esposa, para que llore sobre él durante 15 minutos, no deberá soportar el peso de la ansiedad no disipada de la mujer durante días y días.

El marido debe intentar recordar siempre que el embarazo *no* es un estado permanente, y que los cambios que observa en el estado emocional de su esposa son tan transitorios como los cambios que se producen en su silueta.

CAMBIOS DE HUMOR

"Desde que el test del embarazo de mi esposa dio positivo, parece que ella y yo estamos pasando por una serie de cambios de humor de signos opuestos. Cuando ella se siente bien, yo estoy deprimido, y viceversa".

Recientemente se están haciendo más estudios sobre el padre "embarazado", debido a que se está haciendo cada vez más aparente que aunque él no lleva ningún feto en su vientre, puede experimentar muchos de los síntomas de embarazo que son corrientes en las mujeres. Uno de ellos es la depresión durante la gestación y el posparto. Aunque en aproximadamente un 1% de los casos ambos progenitores sucumben a una depresión al mismo tiempo, la mayoría de las veces la depresión se da sólo en uno de ellos. Ello puede deberse a que los signos de depresión en un ser querido pueden darnos la fuerza interna necesaria para elevar nuestra moral y poderle apoyar.

El futuro papá no tiene que preocuparse sobre su depresión gestacional —es un hecho corriente y es probable que se autolimite— pero deberá tomar medidas para aliviarla. Manténgase activo y no se deje llevar por sus propios sentimientos; hable de ellos con su esposa (si parece que está dispuesta a escuchar), con un amigo que haya tenido un hijo hace poco, o incluso con su propio padre; evite el alcohol y otras drogas, que pueden agravar la depresión y los cambios de humor; y prepárese para el bebé tanto mental como prácticamente (participando en las compras, pintando la habitación, arreglando sus finanzas, etcétera). Pueden hacer ejercicio juntos, eso sube las endorfinas (con el visto bueno del médico) y los mantiene felices. Incluso pueden caminar antes o después de cenar en la noche.

También podrá probar algunos de los consejos dirigidos a las madres que sufren depresión gestacional (vea la página 173). Si parece que nada funciona, y la depresión profundiza y empieza a interferir con el trabajo y otros aspectos de la vida, es recomendable acudir a la ayuda profesional —de un miembro del clero, del médico, de un terapeuta o de un psiquiatra.

La depresión posparto también puede atacar a los padres. Para mayor información vea la página 585.

SÍNTOMAS POR SIMPATÍA

"Si es mi mujer la que está embarazada, ¿por qué estoy sufriendo mareos matutinos?"

La mujer no es la única que sufre los síntomas del embarazo. Es posible que el marido forme parte del grupo de futuros padres (estimado entre un 11 y un 65%, según los estudios) que sufren del síndrome de *couvade* durante el embarazo de sus esposas. Los síntomas de *couvade* (palabra que deriva del francés *couver*, "incubar") aparecen con mayor frecuencia en el tercer mes y luego otra vez durante el parto y pueden imitar en un hombre virtualmente todos los síntomas normales que presenta una mujer durante su embarazo —náuseas y vómitos, dolor abdominal, variación del apetito, aumento de peso, antojos, estreñimiento, calambres en las piernas, vahídos, fatiga y cambios de humor.

Se han sugerido muchas teorías para explicar la *couvade*, todas las cuales, o sólo algunas, o ninguna en absoluto, pueden ser apropiadas en cada caso: simpatía por la mujer embarazada e identificación con ella; celos por verse excluido y un deseo de llamar la atención; culpabilidad por ser responsable de haber colocado a la esposa en una situación tan incómoda; estrés por vivir con una mujer que se ha vuelto irritable, caprichosa y posiblemente no muy receptiva en el campo sexual; y ansiedad ante el inminente aumento de la familia. Algunos hombres tienen alzas de hormonas femeninas durante esta etapa (y después del nacimiento del bebé), puede ser la manera en que la madre naturaleza le hace saber que va a ser padre.

Naturalmente, los síntomas podrían indicar también la existencia de una enfermedad, por lo que es una buena idea la de acudir al médico. Pero si el examen médico no revela ninguna causa física, es probable que el diagnóstico sea *couvade*. La causa, si se llega a identificar, puede ser la clave de la curación. Por ejemplo, si la causa reside en los celos, una mayor implicación en el embarazo de la esposa puede aliviar los mareos matutinos. O si se trata de la ansiedad de tomar en brazos y cuidar por primera vez a un recién nacido, puede resultar útil acudir a unas clases sobre cuidados infantiles, o leer un buen libro al respecto, e incluso dedicar un cierto tiempo al bebé de unos amigos.

Pero incluso si el marido no puede llegar a detectar la causa de sus síntomas, el hecho de hablar con su esposa acerca de sus sentimientos ante el embarazo, el parto y la paternidad puede aliviar sus dolores por simpatía. También puede dar buenos resultados hablar de ello con otras parejas que asistan a las clases de preparación al parto. Y en caso de que ninguna de estas medidas sea eficaz, el futuro padre puede estar seguro de que sus reacciones son normales y de que todos los síntomas que no desaparezcan durante el embarazo lo harán después del parto.

Naturalmente, también es normal el futuro padre que no siente ni un mareo durante todo el embarazo de su esposa. El que no sufra de mareos matutinos o no aumente de peso no significa que el futuro padre no se identifique con su esposa.

ANSIEDAD SOBRE LA SALUD DE LA ESPOSA

"Sé bien que el embarazo y el parto carecen de riesgos hoy en día, pero de todos modos no puedo dejar de temer que algo le suceda a mi esposa".

Hay algo indudablemente vulnerable en las mujeres embarazadas y algo muy natural en el deseo del esposo que desea proteger a su amada esposa de todo posible daño. Pero el marido puede estar tranquilo. Su mujer no corre virtualmente ningún peligro. En la actualidad, las mujeres mueren muy rara vez como resultado del embarazo o el parto –y la gran mayoría de los casos mortales se producen en madres que no han recibido cuidados prenatales o una nutrición apropiada.

Pero aunque el embarazo no constituye una amenaza física seria para la esposa, el marido puede ayudar a que la experiencia resulte aún más segura y agradable para ella: asegurándose de que recibe la mejor atención médica posible y que sigue la mejor dieta posible (vea el capítulo 4), permitiéndole descansar más de lo habitual y ocupándose de lavar la ropa, preparar la cena o limpiar la casa; y proporcionándole el tipo de apoyo emocional que no puede obtener en ninguna otra parte (por mucho que avance la ciencia obstétrica, las mujeres embarazadas serán siempre *emocionalmente* vulnerables).

Es bueno informarse bien sobre el embarazo (leyendo este libro y cualquier otro que caiga en sus manos), eso lo hará sentir más confianza y estar más seguro, así bajarán sus niveles de ansiedad.

ANSIEDAD SOBRE LA SALUD DEL BEBÉ

"Tengo tanto miedo de que al bebé le pase algo que no puedo ni dormir por las noches".

Las futuras madres ocupan un lugar destacado en el mercado de las preocupaciones. Y al igual que casi todas las mujeres embarazadas, virtualmente todos los futuros padres se preocupan acerca de la salud y el bienestar del hijo no nacido. Afortunadamente, casi todas estas preocupaciones son innecesarias. Las probabilidades de que el hijo nazca vivo y completamente normal son altísimas; mucho más que en anteriores generaciones.

Además, por suerte, el padre no debe limitarse a recostarse en su asiento y esperar lo mejor. Puede tomar algunas medidas para ayudar a asegurar la buena salud de su hijo:

◆ Asegurarse de que su esposa recibe buenos cuidados médicos desde el principio del embarazo; asegurarse de que vaya a todas las citas del médico y siga sus instrucciones. Trate de acompañarla y tome notas, pregunte si tiene cualquier duda.

• Reducir el estrés físico y emocional de la vida de su esposa en lo posible. Ayudar en la casa, hacer suyas algunas de las tareas que tradicionalmente había desempeñado ella, animarla a que reduzca su carga de trabajo si su estilo de vida es muy frenético. Si el calendario social de la pareja suele estar lleno a rebosar, intentar despejarlo y pasar más noches en casa relajándose. Si son efectivos para ambos miembros de la pareja, se intentará practicar algunos ejercicios de relajación juntos (vea página 173).

• Animarla para que siga la dieta ideal, que mejorará significativamente las posibilidades de tener un bebé sano. Si el padre sigue la dieta con ella, no sólo será más probable que ella la siga fielmente, sino que el padre obtendrá el beneficio sobreañadido de mejorar su salud. No la presione, simplemente anímela.

• Asegurarse de que ella se abstiene de fumar y de tomar alcohol y drogas. Las investigaciones demuestran que la mejor forma de ayudarla es que el padre también se abstenga, al menos en su presencia. Si el marido cree que éste es un gran sacrificio, valorará los sacrificios que ella está haciendo para tener el bebé. Si usted fuma, déjelo, puede afectar la salud del bebé.

• Compartir los miedos con la esposa, y dejar que ella comparta los suyos con él. Ello servirá para aliviarlos a ambos, o al menos para hacer que la carga de las preocupaciones sea más fácil de llevar.

Naturalmente, ni las estadísticas más tranquilizadoras serán capaces de eliminar todos los temores de los padres; esto sólo lo conseguirá el nacimiento de un hijo sano. Pero saber que se está haciendo todo lo posible para esta finalidad tan importante hará que la espera –y dormir– sea un poco más fácil.

ANSIEDAD SOBRE LOS CAMBIOS DE VIDA

"Desde el momento en que vi a nuestro hijo en una ecografía, he estado esperando ansiosamente su nacimiento. Pero también me he estado preocupando sobre si me gustará ser padre".

Esto posiblemente lo han pensado todos los futuros padres de la historia. Al menos tanto, y posiblemente incluso más, que la futura madre, se preocupa el padre por el nuevo miembro de la familia y por los efectos que éste tendrá en su vida. Las preocupaciones más comunes incluyen:

¿Seré un buen padre? Pocas personas han nacido siendo buenos padres (o madres). Se aprende a enfrentarse al desafío mediante un entrenamiento sobre la marcha, perseverancia y amor. Pero si el futuro padre cree que se sentirá más cómodo desempeñando las tareas que se avecinan si recibe una preparación formal, deberá tomar clases para cuidar al bebé –si es que se imparten en su localidad– para aprender a cambiarle los pañales, bañarle, alimentarle, tenerle en brazos, vestirle y jugar con él. Si no tiene adónde ir a clase, o si el futuro padre tiene una insaciable sed de estar preparado, tiene a mano un sinnúmero de libros sobre el tema en las librerías, empiece por *El primer año del bebé*. Si tiene amigos con bebés, hable con ellos para que le ayuden. Dígales que lo dejen alzar al niño, cambiarlo y jugar con él.

¿Cambiará nuestra relación de marido-mujer? Cada pareja de nuevos padres se encuentra con que su relación sufre algunos cambios después del parto. Y anticiparse a ellos durante el embarazo es un primer paso importante para enfrentarse a ello en el posparto. Estar solos ya no será tan fácil como cerrar las persianas y descolgar el teléfono; desde el momento en que el bebé llegue del hospital, la intimidad espontánea y la intimidad completa se convertirán en algo precioso y a menudo inalcanzable. El idilio deberá planificarse (durante las dos horas en que la abuela se lleve el bebé al parque, por ejemplo) en vez de llegar espontáneamente, y las interrupciones serán la norma (no

se puede "descolgar" el bebé). Pero siempre y cuando ambos se tomen la molestia de buscar tiempo qué dedicar el uno al otro –tanto si ello significa saltarse el espectáculo de televisión favorito para poder compartir una cena tardía después de que el bebé esté en la cama, como si se trata de renunciar al golf del sábado con los amigos de forma que se pueda hacer el amor durante la siesta matinal del bebé– la relación podrá adaptarse bien a los cambios. De hecho, muchas parejas encuentran que vivir a tres profundiza, refuerza y mejora su relación de pareja.

¿Cómo nos repartiremos el cuidado del bebé? Para los padres de hace una o dos generaciones, esto no constituía ningún problema, ya que el cuidado de los niños era considerado por casi todos como un trabajo de mujeres. Pero la mayoría de los padres de hoy en día son conscientes, hasta cierto punto, de que cuidar de los hijos es una tarea para dos personas (al menos cuando existen dos progenitores), aunque no estén seguros exactamente de cómo debería dividirse el trabajo. Es mejor que el padre no espere hasta que el bebé necesite su primer cambio de pañales a media noche o su primer baño para decidir al respecto. Adelántese en lo posible. Puede que algunos detalles cambien cuando los padres empiecen a desempeñar sus funciones (ella se había comprometido a cambiar los pañales, pero él lo hace mejor), pero explotar teóricamente las opciones con adelanto hará que el padre se sienta más confiado sobre cómo funcionará el cuidado del bebé más adelante.

¿Puedo seguir con mi ritmo de trabajo y ser un buen padre? Eso depende de su horario, si generalmente trabaja largas horas con poco tiempo libre, necesitará hacer cambios serios para que la paternidad sea la prioridad en su vida. No espere hasta convertirse oficialmente en padre, tómese el tiempo para acompañar a su esposa al médico y ayudarle a preparar lo del bebé. Intente salir más temprano y no se quede en la oficina trabajando, por lo menos lleve el trabajo a casa. Evite los viajes y las jornadas largas de trabajo durante los dos meses antes y después del parto. Y si es posible tómese unas vacaciones en las primeras semanas de vida de su hijo.

¿Deberemos renunciar a nuestra vida social? Después del nacimiento del niño, la pareja no deberá renunciar por entero a su vida social, pero debe estar preparada para que sufra algunos cambios, al menos si ambos tienen planeado participar activamente en el cuidado de su hijo. Un recién nacido toma, y debería tomar, un papel central dentro de la familia, desplazando algunos de los antiguos estilos de vida al menos durante un tiempo. Las fiestas, películas y espectáculos deberán limitarse al tiempo que quedan entre los ratos de alimentar al bebé; la cena para dos en un restaurante favorito será menos frecuente, y se comerá más veces en restaurantes *familiares* que toleren las inevitables molestias de los bebés. También puede cambiar el gusto en cuanto los amigos; las parejas sin niños puede que de repente tengan poco en común con los flamantes papás, y puede que éstos empiecen a decantarse hacia otros paseantes de bebés en busca de un comprensivo compañerismo. Trate de pensar que la vida con el bebé es todo un nuevo mundo para explorar, con espacio para lo mejor de sus vidas pasadas y con muchos placeres por descubrir.

¿Puedo mantener una gran familia? Especialmente hoy en día, cuando los costes de criar a los hijos llegan a la estratosfera (así como los de mantener o ampliar dicho techo), muchos futuros padres no pueden dormir haciéndose esta pregunta tan legítima. Pero una vez ha llegado el bebé, a menudo ven que la alteración de las prioridades hace que se disponga del dinero necesario para el recién nacido. Optar por el amamantamiento en vez de por la alimentación con biberón si ello es posible, aceptar todos los artículos de segunda mano que se le ofrezcan a la pareja (de todos modos, los vestidos nuevos empiezan a parecer de segunda mano después de que el bebé

ESTAR PRESENTE

La mejor manera de empezar la tarea como padre es estando presente en casa con el bebé y la mamá. Así que si es posible y financieramente viable, considere unas vacaciones el mayor tiempo posible después del nacimiento de su hijo. Averigüe cuáles son las políticas de su empresa o intente trabajar sólo medio tiempo o hacer un poco del trabajo en casa.

No deje que el trabajo lo absorba, asegúrese de estar en casa lo más que pueda, aprenda a decir no a las jornadas muy largas, a las reuniones muy temprano o muy tarde y a los viajes de negocios, trate de programarlos para después. Usted debería es-

tar en casa, especialmente en el periodo posparto, cuando las mamás todavía se están recuperando del parto y trate de ayudar lo más que pueda con las labores del hogar y los cuidados del niño. Tenga en cuenta que no importa cuán estresante físico y emocionalmente sea su trabajo, ser mamá de tiempo completo es agotador.

La relación con su hijo es una prioridad, pero no deje de lado a su esposa. Consiéntala cuando está cerca y dígale que la piensa cuando no la puede ver. Llámela y déle ánimos (déjela quejarse todo lo que quiera). Sorpréndala con flores o llévela a su restaurante favorito.

vomite unas cuantas veces), y hacer saber a los amigos y la familia qué regalos se necesitan en vez de permitir que llenen las estanterías del bebé de cucharillas de plata y otros artículos que acabarán cubiertos de polvo, puede ayudar a reducir los costos de cuidar del recién llegado. Si la nueva mamá ha planeado no volver a su puesto de trabajo de inmediato y ello preocupa al padre desde el punto de vista económico, hay que reconocer que teniendo en cuenta los costos de unos cuidados de calidad para el niño, el guardarropa necesario para ir al trabajo y los transportes, las pérdidas económicas realmente pueden ser mínimas.

NO RESISTIR EL PARTO

"Me temo que me desmayaré o me marearé durante el parto".

Muy pocos padres entran sin temores en la sala de partos. Incluso los obstetras que han asistido al nacimiento de miles de bebés de otras parejas, pueden experimentar una brusca pérdida de la seguridad en sí mismos al enfrentarse con el nacimiento de su propio hijo.

Pero muy poco de estos temores –de temblar, desmoronarse, desmayarse o sentirse mareado mientras se asiste al parto– llegan a realizarse. Y si bien el estar preparado para el nacimiento (mediante la asistencia a las clases apropiadas, por ejemplo) suele conseguir que la experiencia sea más satisfactoria, la mayoría de los futuros padres, incluso los menos preparados, consiguen pasar a través del parto mucho mejor de lo que esperaban.

Pero al igual que todo lo que es nuevo y desconocido, el nacimiento de un hijo resulta menos atemorizador e intimidante si se conoce lo que se debe esperar. Por ello, aconsejamos al padre que se convierta en un experto en el tema. Por ejemplo, puede leer todo el capítulo dedicado al parto y que empieza en la página 443. Puede asistir a las clases de educación al parto, observando atentamente las películas que se proyecten en ellas. Puede también visitar con anterioridad el hospital para familiarizarse con la tecnología que se utilizará en la sala de partos. También puede resultarle de utilidad hablar con algún amigo que haya pasado ya por esta experiencia. Lo más probable es que le expliquen que también tenía los mismos temores antes del parto, pero que luego la experiencia fue fantástica.

Aunque es importante conseguir educación sobre el tema, también es importante recordar que el parto no es el examen final del curso de educación para el parto. El padre no debe tener la sensación de que ha de sacar buenas notas (la misma sensación que tienen algunas mujeres) en el parto. Las enfermeras y los médicos no lo estarán examinando ni tampoco comparando con el futuro padre de la habitación de al lado. Y, lo que es aún más importante, tampoco su esposa lo examinará y comparará. No se lo tendrá en cuenta si olvida todas las técnicas de asistencia que aprendió en las clases de educación para el parto. Para la mujer, la presencia del esposo que la conforta y le proporciona el consuelo de tener junto a sí una cara conocida, es mucho más importante que tener a la cabecera de su cama de partos al propio doctor Lamaze.

Algunas parejas contratan una partera para que los ayude a los *dos* a sentirse menos estresados y más cómodos en el parto. Para mayor información sobre las parteras, vea la página 425.

"Me mareo cuando veo sangre, tengo miedo de ver el parto."

Muchas madres y padres sienten miedo de la reacción que tendrán al ver la sangre en el parto, pero casi ninguno termina por prestarle atención, por muchas razones. La primera es que realmente no hay mucha sangre; la segunda es que la emoción de ver a su bebé mantiene ocupados a los padres.

Si a primera vista la sangre lo molesta, mantenga la vista en su esposa y apóyela para que puje, probablemente voltee la vista cuando ya venga el bebé, en ese momento la sangre va a ser lo último que vea.

"Mi mujer será sometida a una cesárea planificada. Las normas del hospital no me permitirán estar presente, y me temo que esto no constituye el mejor comienzo para nuestra nueva familia".

No deberá darse por vencido antes de haber luchado, civilizadamente, para imponer sus deseos. Con al apoyo del obstetra de su mujer (suponiendo que éste apoye sus deseos) debe intentar primero persuadir al personal del hospital a que flexibilicen –o incluso cambien– sus normas. (Puede resultar útil recordarles que la mayoría de los hospitales permite hoy en día a los padres asistir a los partos quirúrgicos que no son de emergencia.) Si la campaña no tiene éxito (o si un parto precipitado impide la presencia del padre al mismo), el marido tiene todo el derecho a sentirse defraudado. Pero no tiene el derecho de permitir que su desilusión haga palidecer la alegría que debería rodear al nacimiento del hijo. La no asistencia al parto sólo puede amenazar su relación con su hijo si el padre lo permite al albergar sentimientos de culpabilidad, resentimiento o frustración.

LOS MIEDOS DE LOS PADRES

"Quiero ser un buen padre pero me da pánico. Nunca he visto un recién nacido y mucho menos lo he cargado ni cuidado de él."

Tenga en cuenta que lo que usted siente lo sienten no solamente muchos futuros padres sino también muchas futuras madres. Eso se debe a que, aunque el amor paternal es algo natural, las habilidades paternales deben aprenderse. Si aprende lo básico con anterioridad se sentirá mucho mejor: cómo poner un pañal, cómo bañar a un bebé, cómo cargarlo, cómo sacarle los gases, cómo consentirlo, primeros auxilios, etcétera.

Afortunadamente ahora existen (muy pocas) clases para futuros padres. Busque esas clases hablando con amigos, en el hospital o en Internet, no las encuentra, vaya al hospital y pida que lo dejen ver y aprender sus técnicas.

Y recuerde, todas las madres y padres tienen diferentes técnicas. Relájese, confíe en sus instintos (¡sorpresa, los papás también los tienen!) y siéntase libre para encontrar el estilo que mejor se acomode a usted y a su bebé. Antes de que se dé cuenta ya será un buen papá.

LOS ABUELOS

"Mi esposa y yo estamos discutiendo la posibilidad de que sus padres se queden con nosotros después del nacimiento del bebé. Ellos sólo quieren ayudar, pero no sé si funcione."

Es bueno tener el apoyo y los consejos de los mayores (o al menos de los más experimentados) para que los guíen esos primeros días. Tener a los padres cerca puede resultar benéfico, especialmente si le van a ayudar con las taras necesarias: pañales, baños, cocina, limpieza, etcétera.

Sin embargo, eso también tiene sus contras. Primero, tres generaciones pueden ser mucha gente, mucha gente que puede interferir en algo que debe ser íntimo entre padres y bebés. Demasiado apoyo y consejos de los abuelos pueden alejarlo de su propia forma de ser padre y aunque su ayuda lo mantenga alejado de los errores, éstos son un paso importante. Claro que si los consejos no son buenos, puede que cometa más errores. Otro problema: tener huéspedes en casa puede aumentar la fatiga, especialmente la de la madre; incluso si son buenos huéspedes (de los que ordenan en lugar de desordenar) ustedes estarán pendientes de lo que necesiten.

A lo mejor puede esperar unas semanas antes de invitar a los abuelos, así los dos se sentirán más cómodos en su nuevo papel, la mujer se sentirá mejor de los síntomas posparto y el bebé estará más despierto y animado para las cámaras.

Si los abuelos viven cerca, dígales que hagan visitas cortas, que cuiden al bebé mientras ustedes salen a caminar o van al cine. Es mejor que las visitas no sean tan largas como para que interfieran en su vida como pareja.

Sea firme pero amoroso al hablar de las visitas "esperamos ser tan buenos padres como lo fueron ustedes, pero para eso necesitamos resolver las cosas entre los dos". Sus padres entenderán por qué deben darles tiempo a los tres, para que se conozcan mejor.

SENTIRSE EXCLUIDO DURANTE LA LACTANCIA

"Mi esposa está pensando en amamantar al bebé, pero yo no estoy seguro de poder manejarlo."

No hay mejor comida para un recién nacido que la leche materna y no hay mejor fuente que los pechos de la madre. Por muy buena que sea la fórmula, no se compara con mamá. La lactancia ofrece demasiados beneficios para la salud del bebé: evita alergias, obesidad y muchas enfermedades, además de que promueve un mejor desarrollo cerebral. También la madre encuentra innumerables beneficios: recuperación más rápida del posparto y reducción del riesgo de cáncer de mama, entre otras cosas.

Es obvio que la decisión de amamantar cambia radicalmente la vida del bebé y la de la mujer. Usted puede ayudarla. Las investigaciones demuestran que cuando los padres apoyan la lactancia, las mamás son más exitosas en su empeño.

Hable con otros padres en la misma situación, eso lo hará sentir mejor, lea más acerca de la lactancia (vea la página 408) para que conozca su importancia. Tenga en cuenta que se trata de un proceso natural que existe desde que existen los animales. Si tiene problemas para aceptar el hecho de que su esposa quiera amamantar al bebé, vea la pregunta a continuación.

"Mi mujer está dando el pecho a nuestro hijo. Existe una intimidad que yo no comparto, y me siento excluido".

Existen ciertos aspectos biológicos inmutables de la procreación que excluyen al padre: no puede dar a luz, y no puede amamantar al bebé. Pero, como descubren cada año millones de nuevos padres, las limitaciones físicas naturales del hombre no tienen por qué relegarle al papel de espectador. Puede compartir casi todas las alegrías, esperanzas, preocupaciones y tribulaciones del embarazo y el parto de su esposa –desde la primera patada hasta la última contracción de expulsión– como participante activo y solidario. Y aunque nunca podrá ponerse a su bebé al pecho (por lo menos no con los resultados que espera el bebé), *puede* intervenir en el proceso de lactancia participando en los siguientes aspectos:

Ser el alimentador suplementario del bebé. Existe más de un modo de alimentar a un recién nacido. Y aunque el padre no puede darle el pecho, puede ser él quien le dé los biberones de suplemento. Con ello, no sólo proporcionará a su esposa un respiro (ya sea en medio de la noche o en medio de la cena), sino que además tendrá la oportunidad de sentirse próximo a su hijo.

No debe desperdiciar esta oportunidad metiendo simplemente el biberón en la boca del bebé. Tomará al bebé como lo hace la madre para darle el pecho, abrazándole y acunándole. Quítese la camisa para permitir el contacto piel con piel, eso enriquecerá la experiencia.

No dormir toda la noche de un tirón hasta que el bebé también lo haga. Compartir las alegrías de la lactancia significa también compartir las noches sin dormir. Incluso si el padre no le da el biberón suplementario, puede convertirse en una parte del ritual de la lactancia nocturna. Puede ser el padre quien levante al bebé de la cuna, quien le cambie los pañales, lo lleve a la madre para que ésta lo alimente e incluso quien lo devuelva a la cuna cuando haya vuelto a dormirse.

Observar maravillado y con atención. La simple observación del milagro de la lactancia materna puede proporcionar una enorme satisfacción, al igual que la observación del milagro del nacimiento. En lugar de sentirse excluido, el padre debe sentirse privilegiado de poder ser testimonio del amor que se da entre la madre y el hijo durante los momentos de la lactancia.

Participar en todos los demás rituales diarios. Dar el pecho es el *único* trabajo diario exclusivo de la mujer. Y lo más probable es que si el padre se responsabiliza de cualquier otra tarea, se encontrará demasiado ocupado para sentirse celoso.

VÍNCULO AFECTIVO

"Estoy tan emocionado por el nacimiento de nuestro nuevo hijo que tengo miedo de estar excediendo la atención."

No se preocupe, puede amar y cuidar a su hijo todo lo que quiera. Los niños llaman la atención de los padres y no hay una mejor manera para cimentar la relación con su descendencia. Es bueno que pase mucho tiempo con su hijo, así la madre no se siente con toda la carga y los dos pueden conectarse mejor con el niño.

Si se siente sorprendido por su entusiasmo, no importa; las investigaciones recientes demuestran que los hombres (en los animales) sufren un aumento de hormonas femeninas con el nacimiento de sus hijos, es algo instintivo.

Sin embargo tenga en cuenta que no debe dejar de lado la relación con su esposa, asegúrese de que sepa lo mucho que le importa y lo mucho que la quiere.

"Mi mujer tuvo que ser sometida a una cesárea en el último minuto y no se me permitió estar con ella. No pude tomar en brazos a mi hijo hasta pasadas 24 horas, y tengo miedo de no haberme ligado a él".

Hasta los años 60 pocos padres fueron testigos del nacimiento de sus hijos, y puesto que esta idea del "vínculo" no surgió hasta los años 70, ninguno de ellos llegó tan siquiera a ser consciente de la posibilidad de establecerlo. Pero esta falta de conocimientos no impidió el desarrollo durante generaciones de maravillosas relaciones entre padres e hijos. Y viceversa, todo padre que asiste al parto de su hijo y que puede "ligarse" a él, no tiene automáticamente la garantía de una intimidad perdurable con el hijo.

Permanecer junto a la esposa durante el parto es una experiencia ideal, y el ser privado de esta oportunidad es una razón para sentirse defraudado; particularmente si el futuro padre se ha pasado meses preparándose para ello. Pero no es razón para una relación menos satisfactoria con el bebé. Lo que realmente le ata a su hijo es el contacto diario lleno de amor: cambiarle los pañales, bañarle, darle de comer, mecerle y mimarle. Hacer contacto con los ojos, con la piel (abra su camisa y cargue a su hijo mientras le canta una canción para que se duerma); todo eso hará que el vínculo sea más especial y de acuerdo con las investigaciones también ayudará al desarrollo cerebral del niño, así que es algo bueno para los dos.

Si siente que su esposa monopoliza el cuidado del bebé (puede hacerlo sin darse cuenta), dígale que lo deje ayudar, pase tiempo a solas con el bebé mientras su esposa va a una clase de gimnasia, mientras toma café con las amigas o lee un libro en la bañera para que las buenas intenciones maternas no interfieran con el hecho de que se conozcan más usted y su hijo. El tiempo que pase con su hijo puede ser en la casa o afuera, empaque unos pañales, todo lo necesario y salgan a dar una vuelta los dos.

No deje que el arrepentimiento ni la culpa nublen los primeros meses del bebé, el hecho de no haber asistido al parto no tendrá un impacto en el bebé pero de acá en adelante debe estar con él.

LA DEPRESIÓN

"Estoy feliz de ser papá y más porque voy a tener una niña, ¿por qué me siento tan triste?"

Los padres no están exentos de la depresión posparto, hay muchos síntomas de las mamás que se manifiestan también en los papás, al menos de una manera modificada: se sienten abrumados, deprimidos, exhaustos y sienten que su vida de familia y su estilo de vida cambian por completo. Las hormonas también tienen que ver, ya que se ha demostrado que las hormonas femeninas aumentan y eso genera una variedad de síntomas, incluyendo la depresión. A los padres les damos los mismos consejos que a las madres para superar la depresión: ejercicio (se liberan endorfinas que suben el ánimo) y comunicación (hable de sus sentimientos con su pareja y con otros padres en la misma situación).

El mejor remedio es el paso del tiempo, entre más pase, más se acomodará a su nueva vida y vivirá más feliz. Para mayor información vea las páginas 542-548.

En algunos casos ni la madre ni el padre experimentan la depresión constante, sino que tienen picos de tristeza y alegría; entre los dos pueden ayudarse para sentirse mejor y evitar la tristeza.

Si la depresión no desaparece o aumenta, especialmente si interfiere con su trabajo, su relación con el bebé o con su esposa o si interfiere con su manera de comer y dormir, busque ayuda profesional.

SENTIRSE POCO SEXUADO DESPUÉS DEL PARTO

"El parto fue una experiencia milagrosa. Pero parece que el haber visto a mi hijo saliendo de la vagina de mi esposa me ha quitado todo interés sexual".

Comparada con la de otros animales, la respuesta sexual humana es extremadamente delicada. Se halla a merced no sólo del cuerpo sino también de la mente. Y, en ciertas ocasiones, la mente puede provocar verdaderos estragos en este campo. Una de estas ocasiones se presenta durante el embarazo, como probablemente ya saben todos los nuevos padres. Otra ocurre en el período del posparto.

Es muy posible que el brusco desinterés sexual no tenga nada que ver con el hecho de haber observado el nacimiento del hijo. La mayoría de los nuevos padres se encuentran con que tanto su espíritu como su carne tienen menos deseos después del parto (aunque los que no se sienten así no tienen nada de anormales) y esto por varias razones bien comprensibles: cansancio, especialmente mientras el bebé no duerme aún toda la noche de un tirón; el sentimiento de que hay una tercera persona en casa; temor del que el bebé se despertará llorando a la primera caricia (particularmente si duerme en la misma habitación que los padres); preocupación por hacer daño a la esposa si se mantienen relaciones sexuales antes de que esté totalmente recuperada; y finalmente, una preocupación física y mental general acerca del recién nacido, preocupación que centra la energía del padre en aquello que es más necesario durante esta época de su vida. El deseo también puede verse disminuido por el aumento de hormonas femeninas que experimentan muchos padres. Las hormonas que disparan el deseo son las masculinas, en hombres y mujeres.

En otras palabras, probablemente está muy bien que el padre no se sienta sexualmente motivado en este momento, sobre todo si su mujer (como muchas mueres en el primer tiempo del posparto) no se encuentra tampoco preparada emocional o físicamente para hacer el amor. Es imposible predecir cuánto tiempo tardará en volver el deseo del marido, y el de la esposa. Como sucede en todos los aspectos de la sexualidad, el margen de lo "normal" es muy amplio. Para algunas parejas, el deseo volverá incluso antes del visto bueno del médico a las seis semanas. Para otras, pueden pasar seis meses antes de que el amor y el bebé coexistan en armonía dentro del hogar. (Algunas mujeres no experimentan deseo hasta que dejan de dar el pecho al bebé, pero ello no significa que no puedan disfrutar de la intimidad de las relaciones sexuales con el hombre que aman.)

Algunos padres, incluso si estaban preparados para el nacimiento, salen de la sala de partos con el sentimiento de que su "territorio" ha sido "violado", que la zona especial que estaba destinada al amor ha adquirido bruscamente una finalidad práctica. Pero a medida que pasan los días pasa también este sentimiento. El padre empieza a darse cuenta de que la vagina tiene dos funciones, igualmente importantes y milagrosas. Ninguna de las dos excluye a la otra, y de hecho están estrechamente relacionadas. También llega a reconocer que la vagina es el lugar de paso para el bebé sólo durante el breve tiempo del parto, mientras que es una fuente de placer para el marido y la mujer a lo largo de toda una vida.

Si el deseo sexual no vuelve, y su ausencia empieza a provocar tensión, la pareja puede pedir el asesoramiento de un especialista.

"Antes de la llegada del bebé, los pechos de mi mujer eran un centro de placer sexual para los dos. Ahora que está dando el pecho al bebé, me parecen demasiado funcionales para ser atractivos sexualmente".

Al igual que la vagina, los pechos están destinados a un fin práctico y a un fin sexual (que, desde el punto de vista estrictamente reproductivo, también es un fin práctico). Y aunque estas finalidades no son mutuamente excluyentes a largo plazo, pueden entrar en conflicto temporalmente durante la lactancia.

Algunas parejas encuentran que la lactancia es un incentivo sexual. Otras, por razones estéticas (flujo de leche, por ejemplo) o porque se sienten incómodas al utilizar la fuente de alimento del bebé para el placer sexual, encuentran que es un potente inhibidor, pero lo van viendo como algo natural a medida que pasa el tiempo.

Sea cual sea el efecto, éste será el normal para la pareja. Si el marido encuentra que los pechos de su mujer son demasiado funcionales ahora para resultar sexualmente atractivos, no debe forzarse a sí mismo a tener otros sentimientos. Puede no incluirlos en los juegos amorosos por el momento, con la seguridad de que volverá a encontrarlos atractivos cuando el lactante esté destetado. Sin embargo, es necesario que se muestre abierto y sincero con su mujer; abstenerse de repente de ciertas caricias habituales puede hacer que la esposa se sienta rechazada. También debe poner cuidado en no albergar ningún resentimiento contra el bebé que está utilizando ¡sus" pechos; debe pensar en la lactancia como en un "préstamo" temporal y disfrutar de los "beneficios" del préstamo: un bebé sano y bien alimentado.

CUARTA PARTE

Preocupaciones especiales

CAPÍTULO DIECIOCHO

Si se enferma

Todas las mujeres esperan sucumbir al menos a algunos de los síntomas menos deseables del embarazo durante la gestación; por ejemplo mareos matutinos y calambres en las piernas o mala digestión y cansancio. Pero a algunas les sorprende descubrir que también son susceptibles a síntomas que no tienen nada que ver con el embarazo: los que están asociados a enfermedades tan "comunes" como el resfriado, la gripa y la gastroenteritis. Afortunadamente, aunque algunas enfermedades afectan la manera en que se sienten, muchas no van a afectar su embarazo. Desde luego, la prevención es la mejor forma de tener un embarazo saludable. Pero aunque esto fallara, un tratamiento inmediato y seguro, en la mayoría de los casos, bajo la supervisión del médico, es esencial para proteger a la mujer y a su bebé.

QUÉ PUEDE PREOCUPAR

PADECER UN RESFRIADO O GRIPA

"Tengo un resfriado terrible y me preocupa que pueda afectar a mi bebé".

La mayoría de las mujeres sufren de un resfriado o una gripe al menos una vez durante los nueve meses, y aunque pueden sentir muchas molestias, una enfermedad benigna como ésta no afectará al embarazo. No obstante, la medicación que la mujer acostumbra a tomar para estas enfermedades, tal como las tabletas para el resfriado y los antihistamínicos, sí podría ser perjudicial. Por lo tanto, no se tomarán esos u otros medicamentos, incluyendo la aspirina o grandes dosis de vitamina C y zinc, sin la aprobación del médico. Éste podrá decir qué tratamientos para el resfriado son seguros durante el embarazo, y cuál será mejor en cada caso. Ninguno, desde luego, curará el resfriado, pero algunos aliviarán sus síntomas (véase la página 598 para información sobre la medicación durante el embarazo).

Si usted ya ha tomado unas pocas dosis de una medicación u otra, no tiene que asustarse, pero hable con el médico para asegurarse de que todo esté bien.

Por fortuna para usted y el bebé, algunos de los mejores remedios contra el resfriado y la gripa son también los más seguros, estos consejos le pueden ayudar a combatir la gripa antes de que se convierta en sinusitis u otra infección secundaria, también le ayudarán a sentirse mejor, más rápidamente. Apenas sienta el primer estornudo o dolor de garganta:

• Descanse si siente que debe hacerlo. Ir a la cama no hace que la gripa desaparezca más rápido, pero es bueno que el cuerpo tenga un descanso. Por otro lado, si quiere (y si no tiene fiebre o tos), puede hacer ejercicio moderado.

• No mate de hambre al resfriado, la fiebre o al bebé. Manténgase en las directrices de la dieta ideal tanto si se tiene apetito como si no. Coma cosas que se le antojen o por lo menos no deje de comer. Asegurarse de tomar cítricos o sus jugos cada día (uvas, naranjas), también coma frutas y verduras con vitamina C (vea la página 133), pero no tome suplementos de vitamina C (no más de los que se toman con el complejo vitamínico especial para el embarazo) si no son prescritos por el médico. Le damos la misma recomendación para el consumo de zinc (en tabletas puede ser). No tome nada sin la autorización de su médico.

• Inundarse de líquidos. La fiebre, los estornudos y la secreción nasal harán que el cuerpo pierda líquidos que tanto la madre como el bebé necesitan con urgencia. Tener un termo con mosto caliente o naranjada (1/2 taza de concentrado de jugo helado y no endulzado disuelto en 1 litro de agua caliente) cerca de la cama, y beber al menos una taza cada hora. Probar también con una fórmula tan eficaz como la sopa de pollo. Las investigaciones médicas han demostrado que no sólo reemplaza los fluidos, sino que también ayuda a que los que sufren el resfriado se encuentren más cómodos. Tome jugos y sopas para cumplir con el requerimiento.

• Al estar acostada o al dormir, mantener la cabeza ligeramente levantada para facilitar la respiración.

• Mantener los orificios nasales húmedos mediante un humidificador, y humectando el interior de la nariz con un atomizador lleno de agua salada; son de venta libre.

• Si la garganta está adolorida o pica, o si tiene tos, se recomiendan gargarismos con agua salada (1 cucharada de té de sal disuelta en 220 ml de agua), caliente como una infusión pero que no escalde.

• Hacer bajar la fiebre de forma natural. Para mayor información sobre tratamientos para la fiebre, vea la página 596.

◆ No deje de llamar al doctor si se siente mal, no todas las medicinas son malas para el embarazo, simplemente dígale al doctor que está embarazada.

Desafortunadamente, los resfriados suelen durar más si se está embarazada, posiblemente debido a que el sistema inmunitario trabaja un poco más despacio para proteger al bebé (un cuerpo extraño) del rechazo inmunológico. Si el resfriado o la gripa son lo suficientemente graves para interferir con la ingestión de alimentos o el sueño, si se expectoran esputos verdosos o amarillentos, si tiene sinusitis (ver la próxima pregunta) o si los síntomas duran más de una semana, hay que llamar al médico. Puede que éste prescriba una medicina para su seguridad y la del bebé.

SINUSITIS

"Tuve gripa durante una semana y ahora mi frente y mis mejillas me duelen bastante, ¿tiene que ver con la gripa?, ¿Qué debo hacer?"

Parece que su gripa se convirtió en sinusitis, los signos de la sinusitis son: dolor y sensibilidad en la frente y/o en las dos mejillas (detrás del ojo), en los dientes (el dolor se intensifica cuando mueve la cabeza) y además mucosidad gruesa y oscura (verdosa o amarillenta).

Es común que después de la gripa aparezca la sinusitis y es más común en mujeres embarazadas porque las hormo-

¿Es una gripa o un resfriado?

Acá le decimos cómo reconocer la diferencia:

Un resfriado: incluso si es fuerte, es más leve que una gripa, generalmente viene con dolor de garganta (que dura solamente un día o dos) que sigue con un aumento gradual de síntomas como nariz congestionada, muchos estornudos y un poco de dolor y fatiga leves. Hay poca o nada de fiebre; puede que haya tos, especialmente al final y puede que siga por una semana o más.

Influenza (gripa): es más fuerte y llega de repente. Los síntomas son: fiebre, dolor de cabeza, dolor de garganta (que empeora al segundo o tercer día), dolores musculares y debilidad y fatiga (que puede durar un par de semanas o más). También puede haber estornudos ocasionales y una tos que puede convertirse en severa. En algunos casos puede haber náuseas y vómito, no debe confundirse con un mal de estómago, vea la página 602.

nas tienden a hinchar la mucosa, esto hace que se produzcan bloqueos y aparezcan gérmenes que se multiplican. Como resultado, si no se tratan los síntomas de la infección, ésta puede persistir durante varias semanas o volverse crónica. Los antibióticos y los descongestionantes pueden ayudar, así que llame al doctor.

INFLUENZA

"Es época de influenza y no sé si debo vacunarme, ¿es seguro hacerlo durante el embarazo?"

La vacuna es la mejor defensa. Las instituciones de salud recomiendan que todas las mujeres embarazadas que vayan a pasar la época de influenza durante el segundo o tercer trimestre de embarazo, deberían vacunarse. Aunque la vacuna se considera segura en cualquier momento del embarazo, hay muchos expertos que dicen que es mejor no recibir la vacuna durante el primer trimestre.

La vacuna la deben poner *antes* de cada época de enfermedad, o al menos al principio de la época, para que proteja más. No es 100% efectiva ya que solamente protege contra el virus de influenza que se espera cause el mayor número de problemas en un año específico; de todas maneras, reduce los riesgos. Aunque no previene la infección, generalmente sí reduce la severidad de los síntomas. Los efectos secundarios son raros y si los hay, son muy leves.

Si sospecha que tiene influenza (vea los síntomas en el cuadro de la página anterior), llame inmediatamente al doctor para recibir tratamiento (mientras tanto trate de controlar la fiebre, vea la página 596). Esto es particularmente importante en el último trimestre, cuando una infección sin tratamiento pue-de empeorar y convertirse en neumonía y hasta puede provocar un parto prematuro. El tratamiento es sintomático, reduce la fiebre, los dolores y la incomodidad nasal. Lo más importante es que descanse y tome mucho líquido, es esencial para prevenir la deshidratación.

INFECCIÓN DEL TRACTO URINARIO

"Tengo miedo de tener una infección del tracto urinario".

Las infecciones del tracto urinario son tan comunes durante el embarazo que el 10% de gestantes pueden esperar padecer al menos una y las que ya la han tenido tienen 1 posibilidad entre 3 de una recidiva. Lo más probable es que se trate de una cistitis, una simple infección de la vejiga urinaria. En algunas mujeres la cistitis transcurre sin producir síntomas o "silenciosamente", y se diagnostica en los cultivos de orina rutinarios. En otras, los síntomas pueden ser de leves a bastante incómodos (necesidad de orinar con frecuencia, quemazón al orinar –a veces sólo una gota o dos–, dolor agudo en el bajo vientre). La orina también puede tener un olor muy malo y estar turbia, posiblemente tenga algo de sangre.

Tanto si existen síntomas como si no, una vez diagnosticada la infección debería ser tratada de inmediato por el médico, mediante un antibiótico que sea seguro para el embarazo*. Completar el tratamiento es vital para prevenir las recidivas; no hay que ceder a la tentación de dejar el tratamiento al sentirse mejor.

En un 20 a un 40% de los casos, una infección de la vejiga no tratada durante el embarazo da lugar a una infección de los riñones (pielonefritis), que constituye una amenaza para la madre y el bebé. Ello sucede con mayor frecuencia durante el último trimestre, y puede desencadenar un parto prematuro. Los síntomas son los mismos que los de la cistitis, pero a menudo van acompañados de fiebre (a menudo de hasta 39 °C), escalofríos, sangre en la orina y dolor de espalda (en la zona lumbar o en uno o ambos laterales). Si usted experimenta estos síntomas, lo notificará al médico *de inmediato*. Generalmente los antibióticos pueden curar una infección de riñón, pero es posible que se necesite hospitalizar al paciente para que puedan administrar las medicinas por vía intravenosa.

Hoy en día, muchos médicos intentan evitar que se produzca una infección del riñón practicando un cultivo a todas las embarazadas durante su primera visita, para detectar si son susceptibles a dicha enfermedad. Si el cultivo de orina demuestra la existencia de bacterias (lo que se da en un 7 a un 10% de las gestantes**), se administran antibióticos para prevenir el desarrollo de cistitis o infección de riñón.

Existen algunos remedios y medidas preventivas caseros, que usados en combinación con el tratamiento médico, pueden ayudar a acelerar la recuperación cuando se da la infección:

♦ Beber muchos líquidos, especialmente agua, eso ayuda a que pueda expulsar cualquier bacteria. También pueden ser beneficiosos los jugos de cítricos y arándanos sin endulzar. Pero debe evitar el café y el té (incluso si son descafeinados) y el alcohol que puede aumentar el riesgo de infección.

♦ Lavar el área vaginal y vaciar la vejiga justo antes y después de tener relaciones sexuales.

♦ Cada vez que se orine, tomarse el tiempo necesario para asegurarse de que la vejiga está bien vacía. Inclinarse hacia adelante mientras se orina puede ayudar a asegurarse de que así sucede. A veces también puede ser de ayuda "vaciar doblemente"; después de orinar, esperar cinco minutos y luego intentarlo de nuevo. Y no aguantarse la orina las mujeres que suelen hacerlo aumentan las posibilidades de sufrir una infección.

---

* No tomar una medicación previamente prescrita para usted o para otra persona, incluso si lo fue para una infección del tracto urinario.

** Pueden tomarle una muestra de orina en la oficina de su médico o puede preguntar por un paquete de examen para la casa.

◆ Llevar ropa interior y medias con la entrepierna de algodón y evitar la ropa que apriete mucho. No llevar medias debajo de los pantalones. Y dormir sin ropa interior.

◆ Mantener la zona vaginal y perineal meticulosamente limpias. Lavarse a diario y evitar los jabones perfumados, los atomizadores y los polvos en esa zona. Limpiarse siempre de delante hacia atrás después de ir al baño. Y preguntar al médico si es aconsejable usar un agente limpiador antibacteriano.

◆ Comer yogur o yogur helado sin azúcar que contenga cultivos activos cuando se tomen antibióticos, para ayudar a reponer el equilibrio bacteriano intestinal. Si es intolerante a la lactosa o simplemente no le gusta el yogur, hable con su médico para ver si puede tomar *lactobacillus acidophilus, L. bulgaricus* o *streptococcus thermophilus* en tabletas o en cápsulas.

◆ Mantener altas las defensas tomando una dieta nutritiva, descansando mucho, haciendo ejercicio, no trabajando hasta el punto de fatiga y no llevando una vida demasiado agitada.

FIEBRE

"Tengo fiebre. ¿Debo tomar aspirina para que baje?"

Durante la mayor parte de nuestras vidas, la fiebre no debe ser temida ni combatida. De hecho, es uno de los aliados más fuertes de nuestro cuerpo en la guerra contra las infecciones. Durante el embarazo, no obstante, un aumento de la temperatura corporal a más de 40 °C durante un día o más puede causar defectos congénitos; particularmente durante las semanas tercera a séptima del embarazo. A veces pueden producirse daños (no se sabe bien a qué temperatura) cuando se mantiene una temperatura de 38 °C más o menos durante dos días o más. Así lo más seguro es hacer bajar la fiebre cuanto antes, en vez de dejarla seguir su curso. Como la fiebre es una fuente de infección ligada a complicaciones en el embarazo, la infección por sí misma debe examinarse.

La mejor manera de hacer bajar la fiebre dependerá de cuánto haya subido, y de las recomendaciones del médico. Se llamará a éste el mismo día en que se tenga una fiebre entre 37,5 y 38 °C; se hará de inmediato si ésta es de 38 °C o más. Para una temperatura de menos de 38, los remedios caseros, tales como los baños fríos (véase el *Apéndice,* página 713) pueden hacer un buen servicio sin recurrir a la medicación. Para temperaturas mayores, relacionadas con infecciones bacterianas, probablemente se prescribirá acetaminofén, junto con un antibiótico (existen varios que se consideran seguros durante el embarazo). La aspirina no debe tomarse de forma rutinaria para combatir la fiebre (vea más abajo).

Si ha tenido fiebre alta antes, en el embarazo, y no la reportó al médico, debe hacerlo ahora. Aunque las probabilidades de que haya causado algún daño son bajas, entre más información tenga el doctor, mejor podrá cuidarlos a usted y a su bebé.

ASPIRINA, NO ASPIRINA Y DOLORES DE CABEZA

"La semana pasada tomé dos aspirinas para un dolor de cabeza terrible, y ahora he leído que la aspirina puede causar sangrados en el embarazo. Tengo los nervios destrozados".

De los millones de personas que hoy en día abren su botiquín y toman una caja de aspirinas, pocos piensan dos veces – o incluso una– sobre su seguridad. Y para la mayoría de la gente, el uso ocasional de la aspirina no sólo constituye una ayuda, sino que es perfectamente inocuo. Pero durante el embarazo, existe la preocupación de que la aspirina, al igual que muchos otros remedios que se venden sin receta y que de ordinario son inocuos, pueda resultar peligrosa.

Si la mujer ha tomado inconscientemente una o dos aspirinas, en una o incluso unas pocas ocasiones durante el primer trimestre, no debe preocuparse; no existen pruebas de que ello pueda perjudicar al bebé. Se estima que 1 de cada 2 embarazadas toma al menos una dosis de aspirina durante el embarazo, aparentemente sin efectos dañinos.

Durante el resto del embarazo, no obstante, es aconsejable que esta mujer trate la aspirina como haría con cualquier otro fármaco, tomándola sólo cuando sea absolutamente necesario o cuando se lo recomiende un médico que sepa de su estado.

El uso de la aspirina es más peligroso durante el tercer trimestre, cuando incluso una sola dosis puede interferir con el crecimiento fetal y causar otros problemas*. Debido a que es una antiprostaglandina, y las prostaglandinas se hallan implicadas en el mecanismo de la dilatación, la aspirina puede prolongar tanto el embarazo como la dilatación y provocar otras complicaciones durante la expulsión. Y dado que interfiere en la coagulación sanguínea, la aspirina tomada durante dos semanas antes del parto puede aumentar el riesgo de hemorragias e incluso puede provocar problemas de pérdida de sangre en el recién nacido.

Sustituir indiscriminadamente la aspirina por otros fármacos no es una solución lógica durante el embarazo. Aunque parece que el uso moderado de acetaminofén (como el Tylenol por ejemplo) durante el embarazo no presenta problemas, tampoco debería tomarse si no es realmente indispensable,

---

* En algunos casos la terapia con dosis baja de aspirina se puede administrar en la semana 36 del embarazo, a algunas mujeres para la prevención de preeclampsia y para las mujeres en alto riesgo.

y *sólo* con la aprobación del médico. Hable con él para que le diga si puede o no tomar acetaminofén.

El ibuprofeno constituye un elemento relativamente nuevo entre los analgésicos. Similar a la aspirina en algunos aspectos, puede desencadenar una reacción en las personas que son sensibles a la aspirina. Aunque no se ha informado de la existencia de problemas cuando el ibuprofeno se usa al principio del embarazo, su uso durante el último trimestre puede producir problemas en el bebé, un embarazo demasiado largo y/o una dilatación prolongada. Debido a estos riesgos, no se usará este medicamento durante los tres últimos meses del embarazo, y se usará antes únicamente si lo recomienda un médico que sepa que la paciente está embarazada. (Pero no hay que preocuparse del ibuprofeno que ya se ha tomado antes de saber que se estaba embarazada.)

El ketoprofeno y el naproxen son dos medicinas antiinflamatorias sin esteróides que NO deben utilizarse durante el embarazo; tienen propiedades antiprostagladina y pueden causar otros efectos secundarios severos.

Aunque es imperativo tener precaución en el uso de estos fármacos, evitar su uso por completo es injustificado. Existen momentos en que el dolor no puede ser aliviado ni la fiebre bajada de ningún otro modo. Lo más sensato durante el embarazo es probar primero los remedios no medicamentos (vea el *Apéndice*, en la página 713) para el dolor o la fiebre no muy alta, y luego intentarlo con productos del tipo acetaminofén –bajo supervisión médica– si dichos métodos fallan.

TOMAR MEDICACIÓN

"¿Cómo puedo saber qué medicamentos, si hay alguno, son seguros durante el embarazo y cuáles no?"

Ningún fármaco, ya sea prescrito o adquirido sin receta, es 100% seguro en el 100% de las personas el 100% de las veces. Y cuando se está embarazada, cada vez que se toma un fármaco hay dos individuos en peligro, uno de los cuales es muy pequeño y vulnerable. Aunque se ha demostrado que unos pocos fármacos son particularmente peligrosos para el feto, muchos medicamentos han sido usados con seguridad durante el embarazo, y existen situaciones en las que la medicación es absolutamente esencial para la vida y/o la salud. Si la mujer debe tomar un fármaco en particular en un momento determinado durante el embarazo, es algo que la mujer y su médico deberán decidir sopesando los riesgos potenciales del medicamento frente a los beneficios que ofrece. En cualquier caso, la regla general debería ser: tomar fármacos sólo bajo la supervisión de un médico que sepa que la mujer está embarazada, y sólo cuando sea absolutamente necesario*.

El fármaco que se tome en una situación específica dependerá de las últimas informaciones disponibles sobre la seguridad de éste durante el embarazo. Las numerosas listas de fármacos seguros, posiblemente seguros, posiblemente inseguros y definitivamente inseguros pueden ser de alguna ayuda, pero la mayoría están anticuadas y no son fiables en el momento de su publicación. Los prospectos y etiquetas de los medicamentos son de un uso limitado, dado que la mayoría advierten del peligro de su uso durante el embarazo sin la supervisión de un médico, incluso cuando se cree que el producto es seguro. Las mejores fuentes de información serán:

* Un médico bien informado (no todos están familiarizados con la seguridad de los fármacos durante el embarazo); un especialista en medicina materno-fetal podría ser especialmente útil.

* Si precisa algún tipo de medicación durante el embarazo, siga estos pasos para aumentar sus beneficios y disminuir sus riesgos.

---

* Si usted es diabética, tiene otros problemas de salud crónicos o toma cualquier tipo de medicina de manera regular, asegúrese de dar esa información al médico, ya que muchos de los remedios que son buenos para otros, puede que no lo sean para usted.

> **COMPRAR LAS MEDICINAS POR INTERNET**
>
> ¿Está muy ocupado o muy cansado como para salir a comprar la medicina?, ¿Prefiere comprarla a través del Internet? Si va a hacerlo es mejor que se asegure de que es una buena farmacia y que no habrá ningún tipo de riesgo.

* Discuta con el médico la posibilidad de tomar la medicación en las dosis efectivas menores posibles y durante el menor tiempo posible.

* Tome la medicación cuando vaya a ser más beneficiosa; los fármacos para el resfriado de noche, por ejemplo, para que hagan su efecto mientras se duerme.

* Siga cuidadosamente las instrucciones tanto del médico como las del prospecto. Algunos medicamentos deben tomarse con el estómago vacío; otros con comida o leche. Si el médico no ha dado instrucciones, pregunte al farmacéutico, él le dará una guía (incluyendo los efectos secundarios) de cómo utilizarlo.

* Explorar remedios alternativos sin medicina, y usarlos para complementar el uso de los fármacos —eliminando todos los alérgenos posibles de la casa, por ejemplo, de forma que el médico pueda reducir la cantidad de antihistamínicos.

MANTENGA LA CASA HÚMEDA

El aire caliente y seco puede provocar resequedad en la piel, tos y posiblemente un aumento en las gripas y otros problemas respiratorios. Es bueno que humecte su casa para reducir esos inconvenientes, pero tenga cuidado.

Los vaporizadores y los humidificadores deben escogerse con cuidado. Los vaporizadores de vapor hechos antes de 1970 son buenos y efectivos, aunque si sus hijos andan por ahí, debe poner el vaporizador fuera del alcance de los niños. Los vaporizadores de bruma fría, que se hicieron populares porque no había peligro de quemadas, son malos porque esparcen los gérmenes y son focos de bacterias. Los humidificadores ultrasónicos sueltan pequeñas partículas de bacterias y otras impurezas del agua que hay en el aire, esto puede causar reacciones alérgicas o enfermedades si no se limpian todos los días. Los recipientes de agua en los radiadores sí pueden ayudar a humectar el ambiente pero no es buena idea tenerlos si hay niños en la casa. El agua caliente debajo de una toalla tempo funciona si hay niños en la casa, se pueden quemar.

Los fabricantes han intentado hacer humidificadores seguros, los que calientan un poco el aire (hierven el agua antes de mezclarla con el agua fría para producir la bruma) y los humidificadores de mecha (que utilizan mechas para eliminar las impurezas) parece que sueltan menos gérmenes que los humidificadores antiguos. Todos los humidificadores deben drenarse y limpiarse antes de guardarlos y deben limpiarse a fondo cuando se van a utilizar.

Cualquier método que utilice para mantener humectada su casa, no lo use por mucho tiempo. No lo deje prendido todo el día, esto puede hacer que nazca moho en las plantas y los muebles. Trate de que el aire de su casa no se vuelva seco o muy caliente, deje que entre el aire por algunas puertas y ventanas (esto también va a minimizar la polución de adentro, como el radón).

• Asegurarse de que el medicamento se dirige adonde se supone que debe ir tomando un sorbo de agua antes de tragar una cápsula o tableta, para que baje más fácilmente, y bebiendo todo un vaso después, para que vaya más rápidamente adonde debe ser absorbido. Tomar el medicamento estando sentada o de pie, en vez de acostada o semi incorporada, también puede ayudar a una buena deglución.

• Para mayor seguridad, trate de llevar todas su prescripciones a la misma farmacia, es posible que el farmacista tenga su historia en el computador y pueda advertirle de cualquier contraindicación. Asegúrese de que tiene la prescripción adecuada (o que tiene la medicina correcta o la hierba adecuada); revise el nombre y la dosis en la etiqueta para que esté segura de que es la que le dijo el doctor (hay muchas medicinas con nombres parecidos); de todas maneras pregúntele otra vez al farmacéutico para qué es ese medicamento. Por ejemplo, si usted sabe que le deben dar un antihistamínico para una alergia y le dan una medicina para la hipertensión, pues tiene mal el medicamento.

◆ Pregunte por los efectos secundarios y cuáles debe reportar al médico. Por ejemplo, los antihistamínicos (incluyendo las píldoras de ajo) a veces pueden causar orina en la noche, dolor, acidez y dificultades para orinar.

Una vez que esté segura de que un fármaco que se le ha prescrito se considera seguro durante el embarazo, no dude en tomarlo porque aún tiene miedo de dañar al bebé. No será así; pero retrasar un tratamiento sí podría ser peligroso.

CURAS A BASE DE HIERBAS

"No quiero ni pensar en tomar fármacos durante el embarazo. ¿Pero es bueno sustituirlas por hierbas medicinales?"

Las hierbas medicinales *son* fármacos — y a veces muy potentes. Algunas lo son tanto que se usan en los laboratorios para producir los fármacos. Otras han sido usadas durante generaciones en algunas sociedades para inducir abortos, y algunas se han asociado con abortos espontáneos. Incluso en una taza de té, aparentemente reconfortante, algunas hierbas son capaces de producir síntomas tales como la diarrea, los vómitos y las palpitaciones cardíacas. El uso de las hierbas medicinales presenta un riesgo sobreañadido que no se encuentra en los medicamentos de venta en farmacias. No se han fabricado bajo ningún control de calidad y pueden ser peligrosamente fuertes o demasiado débiles. También pueden contener contaminantes dañinos, incluyendo alérgenos tales como partes de insectos, polen y mohos, e incluso agentes tóxicos como el plomo o el arsénico.

Así que, durante el embarazo, se tratarán las hierbas medicinales como si fueran cualquier otro fármaco. No se tomarán a menos que lo recomiende el médico. Si usted experimenta síntomas que precisan tratamiento, consultará con su médico en vez de intentar automedicarse. Si ya está tomando algo, hable con su médico para saber si puede seguir haciéndolo. Si su médico le prescribe un medicamento de hierbas, trate de comprar los que están hechos en Alemania o los que están hechos por compañías farmacéuticas grandes en los Estados Unidos, por lo menos sus productos están "estandarizados".

Los suplementos nutricionales, que no están regulados todavía, pueden representar un riesgo en el embarazo, a menos de que los prescriba el médico.

No deje de lado las medicinas tradicionales, a veces son necesarias para usted y para el bebé (vea la pregunta anterior).

ENFERMEDADES GASTROINTESTINALES

"Tengo molestias en el estómago y no puedo ingerir nada. ¿Será malo para mi bebé?"

Por suerte, la gastroenteritis (una inflamación del estómago y los intestinos) generalmente dura poco; a menudo no más de 24 horas, muy raras veces más de 72. Y siempre que el equilibrio de líquidos se mantenga al ser éstos reemplazados, incluso si faltan por completo los alimentos sólidos durante un día o dos, no dañará al bebé.

Sin embargo, el hecho de que el virus no afecte a la salud del bebé no significa que se le deba ignorar. Se tomarán las siguientes medidas para aumentar el bienestar y acelerar la recuperación mientras se espera que las molestias del estómago desaparezcan.

Consultar con el médico. Discutir con él todos los síntomas, por si acaso es algo más que un dolor de estómago. Además de vómito y diarrea usted puede tener: fiebre, mucus, sangre o gusa-

nos cuado defeca, dolor abdominal persistente, orina infrecuente o amarilla oscura (signos de deshidratación). Si otras personas que han comido con la embarazada también se ponen enfermas, podría tratarse de una intoxicación alimentaria en vez de un virus. O si hace poco se ha viajado a un destino exótico, los responsables de la enfermedad podrían ser los parásitos y otros organismos infecciosos exóticos. Si se sospecha de este tipo de infección, se consultará con el médico.

Siga las recomendaciones del médico, llame de nuevo si los síntomas persisten por más de 48 horas, es posible que se necesite un tratamiento adicional. No tome ningún medicamento sin la recomendación de su doctor. En algunos casos (como cuando hay infección bacterial o parásitos) es mejor dejar que siga la diarrea para que limpie los intestinos de los organismos que causan la enfermedad, a veces es mejor no trancar el flujo porque puede prolongar la enfermedad. Acá le damos otros consejos:

Guardar cama, si es posible. Parece que el reposo en cama, particularmente en una habitación oscura y tranquila, reduce los síntomas de gastroenteritis.

Reemplazar los fluidos perdidos. La diarrea y los vómitos son extremadamente deshidratantes. Y dado que la ingesta de fluidos es más importante que la de sólidos a corto plazo, es esencial que los líquidos continúen entrando en nuestro cuerpo. Se tomarán en cualquier forma: agua, té descafeinado flojo, jugo de naranja diluido con una cantidad igual de agua, o si también se padece de diarrea, jugo de manzana o uva diluido, a pequeños sorbos tan a menudo como sea posible (se intentará que sea cada 15 minutos). Si la embarazada no puede ni siquiera tomar esto, chupará trocitos o cubitos de hielo*. Se evitará el tradicional remedio de las bebidas refrescantes azucaradas como la cola que sólo prolongarán los síntomas. Puede que la leche tenga el mismo efecto. No tomar nada con cafeína (ni colas, ni café, ni té) ya que ésta incre-menta la pérdida de fluidos en el cuerpo y eso empeora la deshidratación.

Modificar la dieta. La sabiduría tradicional dice que a menos que se esté realmente hambrienta, probablemente es mejor no comer nada durante las primeras 12 horas aproximadamente, cuando se tiene un virus en el estómago. No obstante, las investigaciones más recientes sugieren que en realidad ingerir sólidos puede ser preferible a pasar hambre. Hay que consultar con el médico. Tanto si se continúa tomando só-lidos como si se espera de 12 a 24 horas, la dieta deberá ser simple. En primer lugar se tomarán zumos de frutas no ácidas diluidos, caldos claros, cremas de trigo o de arroz diluidas, pan blanco tostado sin mantequilla, arroz blanco hervido o al vapor, patatas hervidas o asadas sin la piel, plátanos, zumo de manzana y postres a base de gelatina (hay que prepararlos con gelatina sin azúcar y con zumos de fruta en vez de las mezclas azucaradas). Añadir gradualmente, según se vayan apeteciendo, requesón, yogur, pollo, pescado y luego hortalizas cocidas y fruta, antes de volver a la dieta normal. Escuche a su cuerpo y coma de acuerdo con lo que le dice.

Suplementar la dieta, si es posible. Especialmente ahora es una buena idea ingerir el seguro de las vitaminas; así se intentará tomar el suplemento cuando sea menos probable que sea devuelto. No obstante no hay que preocuparse si no se puede tomar durante unos pocos días; no será perjudicial.

Lo mejor es prevenir la enfermedad y no luchar contra ella, vea los consejos de prevención en las páginas 204 y 614.

LISTERIOSIS

"Una amiga que está embarazada me dijo que no tomara productos lácteos porque pueden causar enfermedades durante el embarazo, ¿es verdad?"

---

* En algunas farmacias se consiguen cubitos de hielo para la rehidratación de los niños, es bueno que tenga un paquete en su congelador por si acaso.

La leche y los quesos sin pasteurizar (*mozzarella*, queso azul, quesos mexicanos, brie, camambert y feta) pueden enfermarla en cualquier momento pero especialmente cuando está embarazada. Estas comidas, al igual que las carnes, pescados, comida de mar y pollo crudos y los huevos, los vegetales sin lavar y los embutidos, pueden tener listeria, una bacteria que causa la enfermedad de la listeriosis, sobre todo en individuos en alto riesgo como los niños pequeños, adolescentes, los que tienen sistemas inmunológicos comprometidos y las mujeres embarazadas. La listeria, a diferencia de muchos otros gérmenes, entra directamente al flujo sanguíneo y puede llegar rápidamente al bebé a través de la placenta (otros contaminantes de la comida, generalmente se quedan en el tracto digestivo y sólo causan problemas si llegan al líquido amniótico).

La listeriosis es difícil de detectar, los síntomas pueden aparecer desde doce horas después, hasta treinta días después de haber comido algo contaminado. Además los síntomas (dolor de cabeza, fiebre, fatiga, dolor muscular, náuseas ocasionales y diarrea) se parecen a los de la gripa y a veces hasta se confunden con efectos secundarios del embarazo. En casos más serios, la infección puede causar otra infección en la sangre o propagarse al sistema nervioso central y causar meningitis (cuello rígido, dolores de cabeza, confusión y pérdida de equilibrio). La listeriosis se cura con antibióticos, si no se trata puede causar convulsiones e incluso la muerte. En una mujer embarazada, la enfermedad puede desencadenar un parto prematuro, la pérdida del bebé o infección en el feto.

Evidentemente es importante prevenir la infección, aléjese de la comida que represente riesgos, especialmente ahora. Para mayor información sobre seguridad en las comidas y la prevención de enfermedades que vienen de la comida, vea la página 204.

TOXOPLASMOSIS

"Aunque le he traspasado a mi marido todas las tareas del cuidado de los gatos, el hecho de vivir con ellos hace que me preocupe contraer una toxoplasmosis. ¿Cómo podré saber que he contraído la enfermedad?"

Probablemente esta mujer no podría saberlo. La mayoría de la gente que es infectada por esta enfermedad no presenta síntoma alguno, aunque algunos sienten un ligero malestar, algo de fiebre e hinchazón de los ganglios dos o tres semanas después de la exposición, seguidos de un sarpullido uno o dos días después.

La única forma de determinar realmente si existe una infección es mediante un análisis de sangre; éste indicará si el parásito *Toxoplasma gondii*, se ha desarrollado súbitamente en una mujer que previamente no poseía anticuerpos. Consulte con su médico para saber si pasó un análisis antes de quedar en estado. Si entonces tenía anticuerpos –lo que es muy probable si se ha estado viviendo con gatos– ya está inmunizada y no tiene que preocuparse, ya que no desarrollará la enfermedad. Si no tenía anticuerpos, no está inmunizada. En ese caso, el procedimiento recomendado es repetir un análisis de anticuerpos IgG cada mes o dos hasta el parto. Si los análisis dieran un resultado positivo en cualquier momento, es muy probable que se haya producido una infección.

En el poco probable caso de que tuviera lugar la infección, el próximo paso sería una concienzuda discusión de las opciones con el médico, con un especialista en medicina maternofetal, o posiblemente con un consejero genético. Un factor a tener en consideración es el momento en que tiene lugar la infección. El riesgo de que un feto sea infectado durante el primer trimestre es relativamente pequeño, probablemente menor del 15%, pero el peligro de que se produzcan daños serios en dicho feto es grande. Durante el segundo trimestre, la posibilidad de infección es un poco mayor, pero los riesgos de daños al feto son algo menores. Durante el tercer trimestre el bebé tiene muchas posibilidades de ser infectado, pero los peligros de daños graves son los menores. Sólo un bebé de cada 10.000 nace con una toxoplasmosis congénita grave.

Otro factor a tener en consideración es si el mismo feto ha sido infectado o no. Los avances tecnológicos recientes han hecho posible analizar mediante amniocentesis si existe infección fetal, así como mediante un examen de una muestra de sangre fetal y/o líquido amniótico, aunque generalmente no antes de la semana 20 o 22. Si el feto no ha sido infectado, probablemente no se verá afectado. Finalmente, se recomienda que si una mujer embarazada presenta una infección y no desea poner fin a su embarazo cualesquiera que sean los resultados de los análisis, sea tratada con unos antibióticos especiales; posiblemente durante varios meses. Parece que dicho tratamiento reduce en gran medida los riesgos de que el bebé nazca con problemas graves.

Si la mujer no se hizo antes un análisis, se cree, según las últimas investigaciones, que no vale la pena que se analice ahora, a menos que presente los síntomas. Los exámenes no son lo bastante exactos para mostrar si una mujer que nunca se los ha hecho antes tiene una infección nueva o simplemente presenta los anticuerpos de una infección aguda.

El mejor "tratamiento" para la toxoplasmosis (y para la mayoría de las enfermedades) es la prevención. Vea la página 91 para los consejos para evitar esta infección.

CITOMEGALOVIRUS (CMV)

"Trabajo en una guardería y me han dicho que debería pedir una licencia durante mi embarazo porque podría contraer

el citomegalovirus, y podría hacerle daño a mi bebé".

Aunque entre un 25 y 60% de los preescolares son portadores del citomegalovirus y pueden excretarlo con la saliva, la orina y las heces durante meses o durante años, las probabilidades de que esta mujer contraiga la infección de sus jóvenes alumnos y se la pase a su bebé con resultados adversos son muy pequeñas. En primer lugar, este virus no es extremadamente contagioso. En segundo lugar, la mayoría de los adultos estuvieron infectados durante su infancia. Si este es su caso no podrá "tomar" el CMV de los niños que ahora está cuidando. (Si el CMV es reactivado, los riesgos para el bebé son menores que si se contrae la infección por primera vez durante el embarazo). En tercer lugar, aunque aproximadamente 1 de cada 100 bebés nace con el virus, sólo un pequeño porcentaje de ellos muestra alguno de los efectos perjudiciales que comúnmente se asocian con la infección por CMV intrauterina, que incluyen icterícia, problemas oculares y sordera de los tonos agudos.

Sin embargo, algunos médicos, sugieren que a menos que una mujer sepa con seguridad que ya ha sido infectada (la mayoría de la gente no tiene esta información a menos que hayan sido analizados, dado que el CMV generalmente viene y se va sin producir síntomas obvios), es una buena idea pedir una ex-

cedencia de un trabajo que la ponga en contacto diario con muchos preescolares, al menos durante las 24 primeras semanas del embarazo, durante las cuales los riesgos para el feto son mayores. Otros recomiendan llevar guantes en el trabajo, lavarse cuidadosamente después de cambiar pañales (lo que siempre se debería hacer) y resistirse a besar a los niños a su cargo o comerse las sobras de su comida. Aunque las embarazadas con otros hijos en edad preescolar podrían preocuparse por la posibilidad de que éstos contrajeran el CMV en la guardería, la posibilidad es tan remota que toda preocupación es innecesaria. Ello no significa, desde luego, que se ignoren las normas higiénicas en el hogar; se deberían practicar tanto si la mujer está preocupada por el CMV como si no.

No obstante, si usted padece lo que parece ser una gripa o una mononucleosis (fiebre, fatiga, ganglios linfáticos hinchados, garganta dolorida), deberá consultar con su médico. Tanto si dichos síntomas son causados por el CMV como por otra enfermedad, precisan un tratamiento. Si le diagnostican la enfermedad, el tratamiento tendrá inmunoglobulina para tratar de evitar que se infecte el feto. Es posible que el doctor le mande examinar el líquido amniótico o que le mande pedir una muestra de sangre fetal (después de 21 semanas de gestación y 7 semanas después de su diagnóstico) para saber si el niño contrajo la enfermedad*. Si el resultado es positivo, debe hacerse otro examen en dos semanas, si vuelve a salir positivo, debe discutir las opciones con su médico.

QUINTA ENFERMEDAD

"He leído que una enfermedad de la que nunca había oído hablar –la quinta enfermedad– podría causar problemas en el embarazo".

La quinta enfermedad –técnicamente, eritema infeccioso, causada por el parvovirus humano B19– es la quinta de un grupo de seis enfermedades que pueden causar fiebre y sarpullidos en los niños. Pero a diferencia de las demás enfermedades de su grupo (como la varicela), la quinta enfermedad no se conoce mucho porque sus síntomas son leves y pueden pasar inadvertidos. La fiebre se presenta sólo en un 15 a un 30% de los casos. El sarpullido –que durante los primeros días hace que parezca que las mejillas hayan sido abofeteadas, luego se esparce con el aspecto de un encaje por el tronco, las nalgas y los muslos, yendo y viniendo (generalmente en respuesta al calor del sol o de un baño) durante una a tres semanas; a menudo se confunde con el sarpullido de la rubéola y otras enfermedades infantiles. Una exposición concentrada al parvovirus por tener que cuidar a un niño con la quinta enfermedad o por dar clases en una escuela donde ésta es epidémica pone a la futura madre en un riesgo mayor de desarrollar la enfermedad que si el contacto fuera casual.

Como muchas de las mujeres embarazadas tuvieron esta enfermedad cuando eran niñas, ya son inmunes, por eso la enfermedad no es común entre las mujeres embarazadas. La exposición al parvovirus B19, que causa la quinta enfermedad, se puede detectar fácilmente a través de un examen de sangre para buscar anticuerpos; si el resultado dice que ya tuvo la infección no hay nada de qué preocuparse. Incluso si el resultado dice que tuvo una infección más reciente, es muy poco probable que la pase a su bebé, menos del 1% de probabilidades, según los últimos estudios.

Si el resultado dice que *no* es inmune y no está infectada, las probabilidades de contraer la enfermedad son remotas. Como precaución, si trabaja con niños, debe pedir una licencia si hay época de enfermedad. Si su propio hijo se enferma, debe tomar las precauciones necesarias (vea la página 614).

Recientemente se ha relacionado la quinta enfermedad con un riesgo ligeramente mayor de aborto espontáneo en las mujeres que la contraen. Pero dado que la mayoría de las mujeres en edad de procrear ya son inmunes debido a que fueron infectadas de niñas, la infección de mujeres embarazadas no es común. Sin embargo, si la enferme-

---

* Mientras que estos exámenes dan un diagnóstico correcto, los ultrasonidos (a veces recomendados) no lo hacen.

dad es causa de aborto espontáneo en un embarazo, no es probable que lo sea en el siguiente.

En muy raras ocasiones, la quinta enfermedad puede producir una forma poco común de anemia fetal, parecida a la enfermedad de incompatibilidad del Rh. Por esta razón, las mujeres que padecen la quinta enfermedad durante el embarazo suelen ser examinadas periódicamente mediante ultrasonidos para detectar la hinchazón (resultante de la retención de líquidos) del feto que es característica de este tipo de anemia; si se detecta, probablemente será necesario aplicar un tratamiento.

VARICELA

"Tengo un hijo en edad preescolar que ha sido expuesto a la varicela en la guardería. Si la contrae, ¿podría resultar perjudicial para el bebé que estoy esperando?"

No es probable. Bien aislado del resto del mundo, el feto no puede contraer la varicela de una tercera persona; sólo de su madre. Y primero ésta debería contraerla, lo que muy bien podría ser imposible. Existen muy pocas posibilidades que la madre no pasara esta infección de pequeña (del 85 al 95% de la población adulta actual la ha pasado) y que no se haya inmunizado. Pregunte a su madre, o consulte su expediente médico para saber si ha pasado la varicela. Si no lo puede saber con

seguridad, pídale a su médico que le haga un análisis para saber si está inmunizada.

Aunque las posibilidades de que esta mujer sea infectada son pequeñas incluso si no está inmunizada (aproximadamente de 1 a 5 entre 10.000), se recomienda una inyección de la inmunoglobulina de la varicela zoster (IGVZ) dentro de las 96 horas después de la exposición. No está claro si ello protegerá al bebé de contraer la varicela, pero debería minimizar las complicaciones para la madre, lo que es de gran importancia, dado que esta enfermedad benigna de la infancia puede ser bastante grave en los adultos, ya que a veces causa una neumonía. (Se discute si ésta es aún más grave en las embarazadas.) Si la gestante es víctima de una infección grave, se instaurará un tratamiento con un fármaco antivírico para reducir los riesgos de complicaciones.

Cuando la madre es infectada, existe un riesgo de que el feto resulte dañado, pero es muy pequeño. Incluso si el feto es expuesto durante el período en que es más vulnerable –la primera mitad del embarazo– sólo existe de un 2 a un 10% de posibilidades de que presente los defectos típicos del síndrome congénito de la varicela. Cuando la exposición tiene lugar durante la segunda mitad del embarazo, los daños al feto son extremadamente raros.

La varicela vuelve a constituir una amenaza cuando se acerca la fecha de salida de cuentas, cuando la infección de la madre puede producir en el bebé una varicela neonatal. El riesgo se reduce si el parto no ocurre hasta que la madre ha desarrollado anticuerpos y los pasa al feto a través de la placenta, lo que puede tardar 1 o 2 semanas. Pero si la madre enferma de varicela 4 o 5 días antes de dar a luz, existe del 15 al 30% de posibilidades de que el recién nacido llegue infectado y que presente el sarpullido característico al cabo de una semana o así. Dado que la varicela neonatal puede ser muy grave, se suele administrar IGVZ al bebé. El riesgo de que el bebé resulte infectado es pequeño si la madre lo ha sido entre 5 y 21 días antes de dar a luz, eso le permite crear anticuerpos y pasarlos al feto a través de la placenta. Las consecuencias graves son raras en este caso.

El herpes zoster, que es una reactivación del virus de la varicela en un paciente que la tuvo antes, parece que no tiene malas consecuencias para el feto, probablemente debido a que la madre y por lo tanto el bebé ya tienen anticuerpos contra el virus.

Las mujeres que no estén inmunizadas y que hayan escapado a la infección, deben hablar con el doctor para que las vacune después del parto. Eso protegerá cualquier embarazo futuro. La vacuna debe ponerse por lo menos un mes antes de cualquier nueva concepción.

FIEBRE DE LAS MONTAÑAS ROCOSAS (O ENFERMEDAD DE LYME)

"Sé que vivo en una zona donde existe un alto riesgo de contraer la fiebre de las Montañas Rocosas o enfermedad de Lyme. ¿Es peligroso tenerla cuando se está embarazada?".

La enfermedad de Lyme –que ha recibido su nombre de Lyme, Connecticut, el lugar donde se diagnosticó por primera vez en los Estados Unidos– es muy común entre la gente que pasa mucho tiempo en los bosques, donde viven ciervos, ratones u otros animales portadores de garrapatas, pero también puede contraerse en las ciudades por medio de plantas traídas del campo. La enfermedad de Lyme puede pasar al feto, pero no está del todo claro si el feto puede sufrir daños permanentes. Se sospecha, pero no se ha demostrado, que esta enfermedad puede estar relacionada con defectos cardíacos de los bebés de madres infectadas.

La mejor manera de proteger al bebé así como a la madre es mediante medidas preventivas. Si usted se halla en zonas boscosas o herbosas, o si maneja plantas que provienen de dichas zonas, deberá llevar pantalones largos cuyas perneras introducirá dentro de sus botas o los calcetines, y llevará manga larga; aplicará un repelente de insectos que sea efectivo contra las garrapatas a sus ropas, pero no sobre la piel. Al volver a casa, revisará su piel cuidadosamente en busca de las garrapatas (sacárselas poco después de que ataque elimina casi por entero la posibilidad de infección) y se duchará concienzudamente. Antes de volver a quedar embarazada, hablará con su médico sobre la vacuna, ésta puede prevenir una infección.

Si la mujer sospecha que ha sido infectada, visitará al médico de inmediato. (Los primeros síntomas pueden incluir una pústula rojiza en el lugar de la picadura, fatiga, jaqueca, fiebre y escalofríos, dolorimiento generalizado e hinchazón de los ganglios cercanos al lugar del mordisco; otros posibles síntomas son enrojecimiento o hinchazón de los ojos, conducta errática, garganta dolorida, tos seca sin esputos y urticaria u otro sarpullido generalizado.) Un tratamiento inmediato puede prevenir que la infección pase al bebé, y que la madre se ponga gravemente enferma.

SARAMPIÓN

"Soy maestra, y un niño de mi escuela tiene el sarampión. ¿Debo vacunarme?"

No. La vacuna del sarampión no debe administrarse durante el embarazo, debido al riesgo teórico para el feto, a pesar de que no existen informes de malformaciones de recién nacidos cuyas madres fueron vacunadas sin saber que estaban embarazadas. Además existen muchas posibilidades de que la mujer

ya esté inmunizada contra el sarampión, dado que la mayoría de mujeres en edad de procrear han sido vacunadas durante su infancia. Si la embarazada no ha sido inmunizada (su médico puede llevar a cabo un análisis para determinar si lo está), los riesgos de contraer el sarampión son pequeños, ya que la mayoría, si no todos, los niños de la clase han sido vacunados contra esta enfermedad y es poco probable que ellos mismos la contraigan. También nos puede tranquilizar el hecho de que el sarampión, a diferencia de la rubéola, parece que no causa defectos congénitos, aunque puede relacionarse con un aumento del riesgo de abortos espontáneos o partos prematuros y a veces es una enfermedad bastante grave en las mujeres embarazadas.

No obstante, si la mujer se ha visto expuesta *directamente* a alguien que padecía la enfermedad y no está inmunizada, puede que el médico le administre una gammaglobulina durante el período de incubación —entre la exposición y el inicio de los síntomas, para que la enfermedad sea menos grave. Si una embarazada contrae el sarampión cerca de la fecha prevista para su salida de cuentas, existe un riesgo de infección del recién nacido, que podría ser grave. Nuevamente, le será administrada una gammaglobulina para reducir la gravedad de la infección. Para mayor información sobre vacunas seguras durante el embarazo, vea la página 54.

PAPERAS

"Un compañero acaba de contraer pape-
ras. ¿Debo vacunarme?"

Su compañero es un caso raro porque
ahora existe la vacuna contra las paperas. Sin embargo esta vacuna no se recomienda en el embarazo porque puede hacerle daño al feto. Pero es probable
que usted ya esté vacunada (de sarampión, paperas y rubéola) o que haya tenido la enfermedad cuando era chica.
Pregúntele a sus padres o hable con el
doctor que la cuidó de niña, si es posible*. Incluso si no está vacunada, el riesgo de contraer paperas es bajo ya que
no es una enfermedad que se contagie
de manera casual. No obstante y debido a que parece que esta enfermedad
desencadena contracciones uterinas y
por lo tanto puede producir un aborto
espontáneo a principios del embarazo
o un parto prematuro más tarde, la
embarazada debería estar alerta para
detectar los primeros síntomas de esta
enfermedad (posiblemente un dolor
vago, fiebre y pérdida del apetito antes
de que las glándulas salivales o parótidas
se hinchen; luego dolor de oído y al
masticar o al tomar bebidas o alimentos ácidos o agrios). La mujer deberá
notificar de inmediato estos síntomas
al médico, ya que un tratamiento rápi-

do puede reducir las posibilidades de
que surjan problemas. Debe pensar en
ponerse la vacuna antes de volver a quedar embarazada.

RUBÉOLA

"He estado expuesta a la rubéola durante
un viaje al extranjero. ¿tendré que abor-
tar?"

Esta es una cuestión a la que sólo tiene
que enfrentarse 1 de cada 7 embarazadas. Por suerte, las otras seis son inmunes a la rubéola, ya que la han contraído en algún momento de sus vidas
(generalmente durante la infancia) o
porque han sido vacunadas contra ella
(generalmente al iniciarse la adolescen-
cia o cuando se casaron). Puede que la
embarazada no sepa si es inmune, pero
esto se puede saber mediante un simple
análisis, que mide el nivel de anticuerpos contra el virus que se hallan en la
sangre, y que llevan a cabo rutinariamente la mayoría de los obstetras durante la primera visita prenatal. Si no se
hizo este análisis, ahora es el momento
de hacerlo.

Si resulta que la mujer no es inmune, todavía no se debe considerar la
posibilidad de tomar medidas drásticas
de inmediato. La simple exposición no
puede dañar al bebé. Para que el virus
pueda ser dañino, la madre debe contraer la enfermedad. Los síntomas, que
aparecen dos o tres semanas después
de la exposición, suelen ser benignos

---

* Haga una lista de todas las vacunas y enfermedades de
su hija para que ella pueda acceder a esta información
cuando sea adulta.

(malestar, fiebre no muy alta e hinchazón de los ganglios, seguidos de un ligero sarpullido que aparece un día o dos más tarde) y a veces pueden pasar desapercibidos. No obstante, un análisis sanguíneo en ese momento puede demostrar si la paciente está sufriendo una infección activa o no. Hacia la semana 22 es posible saber si el feto ha sido infectado (antes, puede que la infección no sea detectable), pero raras veces se precisa realizar este análisis.

Por desgracia, no existe ninguna forma de prevenir por completo que una mujer que se ha visto expuesta a la infección contraiga la enfermedad. Hace tiempo el procedimiento de rutina consistía en inyectar gammaglobulinas, pero se ha visto que no contribuyen a prevenir la infección. Si la mujer contrae efectivamente la rubéola, deberá discutir con su médico todos los posibles riesgos que ello supone para el feto antes de tomar la decisión de poner fin al embarazo. Es importante comprender que los riesgos disminuyen cuanto más avanzado está el embarazo. Si una mujer contrae la infección durante el primer mes, el peligro de que su bebé presente malformaciones congénitas es alto, de un 35% aproximadamente. Durante el tercer mes, el riesgo baja a un 10-15%. Después, el peligro es muy pequeño.

Por suerte, las posibilidades de verse expuesta a la rubéola son pequeñas. Dado que en muchos países la inmunización es una práctica rutinaria, la enfermedad se está haciendo cada vez más rara. No obstante, si la mujer no está inmunizada y no contrae la rubéola durante este embarazo, evitará posibles preocupaciones en los embarazos siguientes haciendo que el médico la vacune después del parto. Como medida de preocupación, se le pedirá que no quede embarazada durante dos o tres meses después de la vacuna. Pero si concibe accidentalmente durante este período —o si fue vacunada al principio de este embarazo, antes de saber de su estado— no deberá preocuparse. Aunque existe un riesgo teórico de daños al feto, no se ha informado de defectos congénitos del tipo asociado a la rubéola congénita en bebés cuyas madres fueron vacunadas al principio de un embarazo inadvertido o que concibieron después de la vacuna.

HEPATITIS

"A uno de los niños en edad preescolar de la guardería donde trabajo se le acaba de diagnosticar una hepatitis A. Si me he contagiado, ¿podría afectar mi embarazo".

La hepatitis A es muy común (casi 1 de cada 3 niños la pasa antes de cumplir los cinco años), casi siempre es una enfermedad benigna (a menudo sin síntomas notables), y no se sabe que pase al feto o al recién nacido. Por lo tanto, no debería afectar al embarazo de esta mujer. Sin embargo, es mejor no contraer ningún tipo de infección. Dado que la hepatitis A se contagia por vía fecal-oral, hay que asegurarse de lavarse las manos después de cambiar los pañales o de acompañar a los niños pequeños al baño, así como antes de comer. También puede preguntarle a su médico sobre la convivencia de vacunarse contra la hepatitis A.

"¿La hepatitis B es contagiosa? Mi marido la ha contraído, lo que es muy raro, ya que no está dentro de la categoría de alto riesgo".

No es tan raro, en realidad. Aunque aproximadamente 6 de cada 10 hepatitis B caen en el grupo denominado de alto riesgo*, 1 de cada 3 casos se da en pacientes sin ningún factor de riesgo conocido. Estos casos se deben a comida contaminada, a agua contaminada (nadar en ella por ejemplo) y a otros comportamientos de alto riesgo no relacionados.

Dado que esta infección del hígado, que es más común durante la edad de procreación, entre los 15 y los 39 años, puede pasar de la madre al feto, debe preocupar a los futuros padres. Y dado que se transmite de persona a persona, debe preocupar a esta mujer. Para evitar que se contagie, ella y su esposo deberán tomar precauciones especiales: no compartir los cepillos de dientes, cuchillas de afeitar y otros objetos personales, y abstenerse de mantener relaciones sexuales. A diferencia de la hepatitis A, para la cual todos los habitantes de la casa pueden recibir inyecciones preventivas, en el caso de la hepatitis B sólo se inmunizará a la esposa (o compañera sexual). Por lo tanto, se debe preguntar al médico sobre la inmunización.

Si la embarazada no ha sido analizada para saber si ha pasado la hepatitis B, y experimenta algunos de sus síntomas (ictericia de la piel o la parte blanca del ojo, junto con vómitos, dolor abdominal y pérdida del apetito), le pedirá al doctor que ordene un análisis. Ello puede ser una buena idea incluso si la mujer no experimenta ningún síntoma, dado que muchos casos de hepatitis son tan leves que no los producen, o éstos son parecidos a los de una gripe estomacal.

Cuando la futura madre (o cualquier otra persona) tiene una hepatitis B activa, los fundamentos del tratamiento son el reposo en cama y la dieta nutritiva. Deben evitarse las bebidas alcohólicas, pero de todos modos esto se aplica a todas las embarazadas.

La sangre de la paciente se analiza periódicamente para controlar los progresos de la enfermedad. En el 95% de los casos puede esperarse una recuperación

---

* Los que tienen un mayor riesgo de contraer una hepatitis B, que se transmite a través de la sangre y los fluidos corporales, son los drogadictos intravenosos, los hombres homosexuales y los heterosexuales que tienen más de un compañero en un período de seis meses. También presentan un alto riesgo los que trabajan con enfermos y los inmigrantes de China, el Sudeste Asiático y otras zonas de alta incidencia. Existe una vacuna, que es muy recomendable para dichos grupos.

completa; en los demás, la enfermedad puede hacerse muy grave y crónica.

Si el virus de la hepatitis B se halla presente en la madre en el momento del parto, bañar el recién nacido tan pronto como sea posible, para eliminar todo rastro de sangre y secreciones de la madre, y administrar la vacuna de la hepatitis B e inmunoglobulinas durante las primeras 12 horas de vida, suele prevenir que la infección se apodere del bebé. El tratamiento se repite al cabo de 1 y 6 meses, y suele practicarse un análisis al bebé a los 12 y 15 meses para asegurarse de que la terapia ha sido efectiva.

Existen otras formas de hepatitis, tales como la hepatitis C, que se puede transmitir de madre a hijo, a través del útero y no en el parto. El porcentaje de transmisión es bajo, del 3s% al 4% y como la hepatitis C generalmente se transmite a través de la sangre (por ejemplo con las inyecciones de drogas ilegales o las transfusiones de sangre), no es muy probable que las mujeres se infecten. Si se diagnostica la infección, generalmente puede tratarse.

QUÉ ES IMPORTANTE SABER:
Encontrarse bien

Durante el embarazo, debido a los efectos potencialmente dañinos para el bebé de tanto las enfermedades como los medicamentos, es mejor prevenir que curar. Las siguientes sugerencias aumentarán las probabilidades de encontrarse bien, tanto si se está embarazada como si no.

Vacunas. Vea la página 53.

Mantener altas las defensas. Tomar la mejor dieta posible, dormir lo suficiente y hacer un ejercicio adecuado y no agotarse. Si reduce el estrés lo más que pueda, el sistema inmunológico va a funcionar muy bien.

Evitar a las personas enfermas. Intentar mantenerse alejada de cualquiera que tenga un resfriado, una gripe, un virus estomacal o cualquier otra enfermedad contagiosa detectable. Distanciarse de los que tosen en el autobús, evitar comer con los compañeros que se quejan de que les duele la garganta, y evitar estrechar la mano de un amigo que tenga un resfriado nasal (los gérmenes, al igual que los saludos, pueden pasarse mediante un apretón de manos). También se evitarán en lo posible los espacios cerrados muy concurridos o atestados. La embarazada se lavará las manos concienzudamente después de estar expuesta a la gente o de viajar en transportes públicos.

Lavarse las manos. Las manos son las portadoras de infecciones por excelencia, así que lávelas constantemente con agua, con jabón y agua tibia de diez a veinte segundos, especialmente si ha estado con alguien enfermo o en espacios públicos. Lávese las manos antes de comer.

Mantenga la distancia. En casa, limitar en lo posible el contacto con los niños o con el esposo enfermo (dejar que tome el papel de enfermero otro miembro de la familia, una niñera o una amiga no embarazada). Evitar comerse los restos de su comida, beber de sus vasos o besarles en la cara. Lavarse las manos después de cualquier contacto con los pacientes, su ropa interior o sus pañuelos sucios, especialmente antes de tocarse los ojos, la nariz o la boca. Procurar que se laven las manos con frecuencia, y que se tapen la boca al estornudar o toser. Utilizar un desinfectante en el teléfono y otras superficies que ellos toquen. Aislar los cepillos de dientes contaminados y reemplazarlos cuando los enfermos ya se hayan curado de su enfermedad.

Si el propio hijo o un niño con el que normalmente se pasa mucho tiempo presenta un sarpullido de cualquier tipo, evitar un contacto estrecho con él y llamar al obstetra de inmediato a menos que se sepa que se es inmune a la rubéola, la varicela, la quinta enfermedad y el citomegalovirus (CMV).

Mascotas cuidadas. Se mantendrán las mascotas en buena salud, teniendo al día el calendario de vacunas. Si se posee un gato, hay que tomar precauciones para evitar la toxoplasmosis (vea la página 91).

Cuídese de la enfermedad de Lyme. Se evitarán las zonas abiertas donde sea endémica la enfermedad de Lyme, o se visitarán con la protección adecuada (vea la página 609).

No comparta. No se compartirán los cepillos de dientes u otros objetos personales.

Coma seguro. Para evitar las enfermedades que vienen de la comida, tenga buenos hábitos de preparación y refrigeración de los alimentos (vea la página 204).

CAPÍTULO DIECINUEVE

Cuando se padece
una enfermedad crónica

ualquiera que haya vivido con una enfermedad crónica sabe que la vida puede complicarse mucho, ya sea con dietas especiales, la medicación o el control médico. Cualquier mujer que haya padecido una enfermedad crónica mientras estaba embarazada sabe que dichas complicaciones pueden duplicarse, que la dieta especial debe modificarse, que la medicación se deberá alterar y que los controles médicos se multiplicarán.

En el pasado, existía otra complicación para las mujeres que padecían una enfermedad crónica estando embarazadas: un mayor riesgo para ellas y sus bebés. Por suerte, hoy en día, gracias a los numerosos avances científicos, dicha complicación es mucho menos común y la mayoría de enfermedades crónicas son compatibles con el embarazo. No obstante, se precisan precauciones especiales por ambas partes, por la de la madre y por la del médico. Este capítulo perfila dichas precauciones para las enfermedades crónicas más comunes. Si las recomendaciones de este capítulo difieren de las del médico, la embarazada ha de seguir las de este último, dado que probablemente ya se habrán adaptado a sus necesidades personales.

QUÉ PUEDE PREOCUPAR

ASMA

"Soy asmática desde la infancia. Me preocupa que los ataques y los fármacos que tomo puedan afectar a mi bebé."

Aunque es cierto que una enfermedad asmática grave puede poner en gran peligro un embarazo, los estudios han demostrado que este riesgo puede eliminarse casi por completo. Las asmáticas que se hallan bajo una estrecha y experta supervisión médica (preferiblemente por parte de su internista y/o alergista en colaboración con el obstetra) durante todo el embarazo tienen tan buenas probabilidades de tener un embarazo normal y un bebé sano que las no asmáticas. Pero aunque el asma, si está controlada, tiene sólo un efecto mínimo sobre el embarazo, este a menudo tiene un efecto considerable sobre la enfermedad. Con aproximadamente un tercio de las embarazadas asmáticas el efecto es positivo –su asma mejora. En otro tercio, su enfermedad sigue igual. En el tercio restante (generalmente en aquellas con una enfermedad más grave), el asma empeora, generalmente después del cuarto mes. Si ya ha estado embarazada con anterioridad su asma se comportará igual que en los otros embarazos.

Tanto si el asma es ligera como si es grave, la mujer y el bebé se beneficiarán si la enfermedad está bajo control antes de concebir o al menos al principio del embarazo. Las siguientes medidas serán de gran ayuda:

- Si la mujer fuma, deberá dejarlo de inmediato. Vea la página 83 para los consejos de cómo hacerlo.

- Identificar los factores ambientales desencadenantes. Los factores más comunes son el polen, las descamaciones de los animales (puede que se tenga que dejar el animal de compañía en casa de un amigo), el polvo y el moho. El humo del tabaco, los productos de limpieza del hogar y los perfumes también pueden provocar una reacción y es una buena idea prescindir de ellos. (Vea *Alergias*, página 256, para los consejos para evitar los alergenos). Si la mujer empezó un tratamiento de inyecciones para la alergia antes de quedar en estado, probablemente podrá seguir con él. Si fuera necesaria, dicha terapia se iniciará durante el embarazo. Los ataques también pueden ser provocados por el ejercicio; estos generalmente se pueden evitar tomando antes del ejercicio la medicación prescrita por el médico con este propósito.

- Intentar evitar los resfriados, la gripa y otras infecciones respiratorias. Puede que el médico prescriba una medicación para prevenir un ataque de asma al iniciarse un pequeño resfriado, y probablemente querrá tratar todas las infecciones respiratorias, excepto las más pequeñas, con antibióticos. También puede que la mujer se deba vacunar contra la gripe y las infecciones por neumococos.

- Si sufre de sinusitis o reflujo, que los dos son más comunes en el embarazo; asegúrese de tratarlos, ya que pueden interferir con el manejo del asma.

- Monitoree su respiración, de acuerdo a las indicaciones del médico.

- Se tomarán sólo medicamentos que haya prescrito el médico durante el embarazo, y se tomarán sólo de la forma prescrita para el embarazo. Si los síntomas son débiles, puede que no se requiera medicación. Si son de moderados a fuertes, existen varios fármacos, tanto para ingerir como para inhalar, que son considerados como "probablemente seguros" para el feto. Los riesgos de tomar tales medicamentos, si es que los hay, son bastante pequeños comparados con los beneficios: un buen flujo de oxígeno para usted y para el bebé.

♦ Si sufre un ataque de asma, deberá tratarlo de inmediato con la medicación prescrita por el médico, para evitar que el feto se vea privado de oxígeno. Si la medicación no ayuda, la mujer se dirigirá al servicio de urgencias más cercano o llamará a su médico de inmediato.

Un ataque de asma puede provocar contracciones uterinas adelantadas, pero estas generalmente paran cuando para el ataque. Si las contracciones siguen, necesita recibir tratamiento para intentar detenerlas.

La falta de aliento que afecta a la mayoría de las mujeres a finales del embarazo (vea la página 380) puede ser alarmante para una futura madre asmática, pero no es peligrosa. No obstante, durante el último trimestre, cuando respirar se hace más laborioso debido a que el gran tamaño del útero empuja a los pulmones, puede que las embarazadas asmáticas noten un empeoramiento de las crisis asmáticas. Un tratamiento inmediato es especialmente importante durante tales ataques.

La mayoría de las mujeres que tienen asma la saben manejar con ejercicios de respiración como los Lamaze y otras técnicas. Aunque los ataques durante el parto son raros, es bueno que siga tomando su medicina. Si su asma ha sido tan grave como para que le dieran esteróides orales o medicinas con cortisona, es posible que también necesite esteróides intravenosos para ayudarla a pasar el estrés del parto. Le revisarán la oxigenación cuando llegue al hospital y si es baja le darán medicina preventiva. Es posible que le pongan la epidural y seguramente evitarán la analgesia narcótica porque puede estimular la salida de histamina y provocar un ataque de asma. Aunque algunos bebés de madres con asma respiran muy rápidamente después del parto, es sólo una condición temporal.

La tendencia a tener alergias y asma es hereditaria, y por lo tanto es aconsejable que los asmáticos pospongan exponer a sus bebés a posibles alergenos alimentarios amamantándolos en exclusiva durante al menos seis meses, retrasando así el comienzo de la sensibilización alérgica de sus hijos y posiblemente reduciendo su riesgo a largo plazo de ser alérgicos.

DIABETES

"Soy diabética, y estoy preocupada por los efectos que pueda tener mi enfermedad sobre el bebé."

Hasta hace poco, quedar embarazada era una aventura peligrosa para una mujer diabética, y aún más peligrosa para su futuro hijo. Hoy en día, con los cuidados y la guía de un experto y unos escrupulosos cuidados de la madre, la mujer diabética tiene tan buenas posibilidades de tener un embarazo feliz y un bebé sano como cualquier otra embarazada. De hecho, según un estudio realizado, las mujeres diabéticas se cuidaron tan bien durante todo el embarazo que ellas y sus bebés tuvieron *menos* problemas que sus homólogas no diabéticas.

Las investigaciones han demostrado que la clave para llevar con éxito un embarazo con diabetes es mantener la euglicemia (niveles de glucosa en la sangre) normales. La disponibilidad durante los últimos años de un método de control casero, de la administración de dosis fraccionadas de insulina e incluso las bombas de insulina, han hecho que esto sea cada vez más fácil.

Tanto si la mujer ya era diabética al concebir como si se le desarrolló una diabetes gestacional, todas las consideraciones siguientes serán importantes para conseguir un embarazo seguro y un bebé sano.

El médico adecuado. El médico que supervise su embarazo debe tener mucha experiencia en el área y debe trabajar junto con el doctor que ha estado a cargo de su diabetes.

Ayuda adicional. Es más probable que su tratamiento tenga éxito si la acompañan un nutricionista y un enfermero. Es bueno por la información y el apoyo que puedan darle. El apoyo también puede venir por parte de su esposo, otro hijo (si tiene), amigos o parientes.

Las órdenes del médico. Probablemente la mujer diabética visitará a su obstetra más a menudo que otras futuras mamás (así como también a su internista o endocrinólogo). Recibirá muchas más órdenes, y tendrá que ser mucho más escrupulosa al seguirlas.

Una buena dieta. Se deberá planificar cuidadosamente una dieta especial para cubrir los requerimientos personales con la ayuda del médico, un especialista en nutrición o con una enfermera con competencia para tratar a embarazadas diabéticas. Dicha dieta probablemente será rica en carbohidratos complejos, particularmente judías (aproximadamente la mitad de las calorías diarias deberían provenir de los carbohidratos), moderada en cuanto a las proteínas (20% de las calorías ingeridas), baja en colesterol y grasas (30% de las calorías, no más del 10% saturadas), y no contendrá dulces azucarados. Será muy importante ingerir gran cantidad de fibra con la dieta (se recomiendan de 40 a 70 gramos diarios), dado que algunos estudios demuestran que la fiebre puede reducir los requerimientos de insulina en las embarazadas diabéticas. Probablemente se restringirán las calorías, particularmente si la mujer sobrepasa el peso ideal.

Hasta qué punto se restringirán los carbohidratos dependerá de la forma en que el cuerpo reaccione ante los alimentos en particular. Algunas mujeres aceptan bien las frutas y los zumos de frutas; otras experimentan agudos aumentos del azúcar en la sangre al consumirlos, y por lo tanto deberán obtener una mayor proporción de los carbohidratos a partir de las hortalizas, los cereales y las legumbres que de las frutas (y quizás no podrán adherirse a ciertos festines de la dieta ideal). Para mantener unos niveles de azúcar en la sangre normales, la embarazada deberá ser particularmente cuidadosa en tomar suficientes carbohidratos por la mañana. Los tentempiés también serán importantes, y sería ideal que incluyeran tanto carbohidratos complejos (tales como el pan integral) como proteínas (tales como la carne o el queso). Dejar pasar las comidas o los alimentos entre comidas puede bajar peligrosamente el azúcar, así que asegúrese de comer en los horarios precisos, incluso si las náuseas matutinas o las incomodidades del embarazo la dejan sin apetito. Lo mejor que puede hacer es comer de seis a ocho mini comidas en el día, espaciadas, planeadas y con los suplementos necesarios.

El perfeccionamiento del control dietético en las embarazadas diabéticas es tan importante que muchos especialistas recomiendan un entrenamiento hospitalario para las mujeres diabéticas antes de la concepción o al principio del embarazo. En algunos casos, el entrenamiento hospitalario también podría ser recomendado a las mujeres que desarrollan una diabetes al ir progresando su embarazo (*diabetes gestacional,* vea la página 654).

Un aumento de peso razonable. Es mejor intentar alcanzar el peso ideal antes de concebir (algo que la mujer debe recordar si desea tener otro bebé). Pero si el embarazo empieza con un sobrepeso, no se intentará utilizar el período de gestación para adelgazar. Para el bienestar del bebé es vital tomar calorías suficientes. El aumento de peso deberá progresar de acuerdo con las directrices establecidas por el médico. Algunas veces los hijos de diabéticas nacen grandes, incluso si sus madres no suben mucho de peso. El aumento de peso del bebé será monitoreado cuidadosamente a través de ultrasonidos.

Ejercicio. Un programa de ejercicios moderado proporcionará más energía, y ayudará a la regulación del azúcar en sangre y a estar en forma para el parto. Pero debe ser planificado en relación con el horario de la medicación y con el plan de alimentación, por un equipo médico o con su ayuda. Si la mujer no sufre otras complicaciones médicas o del embarazo y está físicamente en forma, es posible que se le sugieran ejercicios moderados tales como los paseos a un ritmo vivo, nadar y pedalear en la bicicleta estática sin forzarse (pero no trotar). Si la mujer no estaba en forma antes del embarazo o si existen signos de problemas de la diabetes, del embarazo o del crecimiento del bebé, sólo se le permitirá realizar ejercicios ligeros.

Las precauciones que se le pedirán a la mujer que observe cuando esté realizando ejercicio incluyen tomar un tentempié antes, tal como leche; no permitir que el pulso exceda del 70% del pulso seguro máximo permitido para su edad (vea el recuadro de la página 623) durante el ejercicio; y nunca ejercitarse en un ambiente caliente (con temperatura de 26 grados o más). Si la embarazada está tomando insulina, probablemente se le aconsejará que evite inyectarse en las partes del cuerpo que se ejercitarán (las piernas, por ejemplo, si va a pasear) y no reducir la toma de insulina antes del ejercicio.

Descanso. Especialmente durante el tercer trimestre, un descanso adecuado es muy importante. Se evitará agotar las energías, y se intentará tomarse algún tiempo de descanso, poner los pies en alto o hacer la siesta a mediodía. Si la embarazada tiene una profesión y especialmente una que le exija mucho esfuerzo, puede que el médico le recomiende que se tome una excedencia por maternidad con un cierto adelanto.

Regulación de la medicación. Si la dieta y el ejercicio por sí solos no pueden controlar el nivel de azúcar en la sangre, probablemente la mujer deberá tomar insulina. Si esta ha estado tomando medicación oral para la diabetes antes de concebir, se le cambiara por inyectables, que es menos probable que afecten adversamente al feto, durante el embarazo. Si la mujer precisa la insulina por primera vez, puede que se la hospitalice brevemente, de forma que su nivel de azúcar en la sangre pueda ser estabilizado bajo una estrecha vigilancia médica. Debido a que los niveles de hormonas del embarazo, cuya acción es contraria a la de la insulina, aumentan al progresar este, puede que la dosis de insulina deba ser aumentada periódicamente. Quizás también deba volverse a calcular al aumentar el tamaño de la madre y el bebé, o si esta está enferma o bajo tensión emocional. Las nuevas investigaciones dicen que el nuevo medicamento *glyburide* es una alternativa eficiente para la terapia con insulina durante el embarazo.

Además de asegurarse de que su medicina para la diabetes esté totalmente aprobada por su médico, debe tener cuidado con cualquier otra medicina que tome, hay muchos remedios que pueden afectar sus niveles de insulina y algunos no son seguros en el embarazo, así que no tome *nada* hasta que hable con el médico que lleva su embarazo y con el médico que cuida su diabetes.

Regulación del azúcar en la sangre. Puede que la mujer deba comprobar su nivel de azúcar en la sangre (mediante el simple método de la punción en el dedo) al menos cuatro o hasta diez veces al día para asegurarse de que los niveles son seguros. Para mantener la euglicemia, deberá comer con regularidad (no saltarse ninguna comida), ajustar su dieta y ejercicio según sea necesario y, si fuera preciso, tomar medicación. Si la mujer tomaba insulina antes del embarazo, deberá tener en cuenta que está más sujeta a padecer episodios de hipoglucemia (un nivel bajo de azúcar en sangre) que cuando no estaba gestando. Ello es especialmente común durante el primer trimestre.

En un futuro, es posible que haya otra aproximación para normalizar el azúcar en la sangre y es posible que se convierta en una terapia de rutina para el embarazo: el trasplante de células del páncreas.

Monitorear la orina. Como su cuerpo produce ketones, (las sustancias aciditas que resultan cuando el cuerpo quema la grasa) durante esta regulación cuidadosa de la diabetes, es bueno que revisen su orina regularmente.

Un control cuidadoso. No hay que alarmarse si el médico ordena que se realicen muchos análisis (en el hospital y fuera de él), especialmente durante el tercer trimestre, o incluso si sugiere la hospitalización durante las últimas semanas del embarazo. Ello no significa que algo vaya mal, sólo que el facultativo desea estar seguro de que todo sigue bien. Ante todo, los tests irán dirigidos a una evaluación regular de la situación de la madre y de la del bebé, para determinar el momento óptimo del parto y si se precisa alguna otra intervención.

Probablemente se examinarán los ojos de la mujer con regularidad, para comprobar las condiciones de la retina, y se realizarán análisis sanguíneos para evaluar el funcionamiento renal (los problemas de la retina y de los riñones tienden a empeorar durante el embarazo, pero en general suelen revertir al estado anterior después del parto). Posiblemente se evaluarán las condiciones del bebé y de la placenta a través de exámenes de estrés y de no-estrés (vea la página 428), perfiles biofísicos, amniocentesis (para determinar la madurez de los pulmones y si el bebé está listo para nacer), y una ecografía (para determinar el tamaño del bebé para asegurarse de que está creciendo como bebé, de forma que el nacimiento pueda tener lugar antes de que su tamaño sea excesivo para un parto vaginal).

Después de la semana número 28 de embarazo, puede que se le pida a la madre que controle los movimientos fetales tres veces al día (vea la página 326 para una forma de hacerlo). Si no se perciben movimientos durante cualquier período de exámenes, se deberá llamar al médico de inmediato.

Como existe un mayor riesgo de preeclampsia en las diabéticas, es importante estar pendiente de los síntomas (vea la página 655) y reportarlos inmediatamente al médico si siente alguno.

Parto adelantado a elección. Debido a que los bebés de muchas diabéticas tienden a ser demasiado grandes para un parto vaginal a término (particularmente cuando no se ha mantenido la euglicemia durante todo el embarazo); debido a que sus placentas a menudo empiezan a deteriorarse pronto (privando al feto de nutrientes vitales y de oxígeno durante las últimas semanas); y debido a que están sujetos a acidosis (un equilibrio ácido-base anormal en la sangre) y a otros problemas, a menudo se provoca el parto antes de la fecha de término, generalmente de las 38 a 39 semanas más o menos. Los diversos tests mencionados más arriba ayudan al médico a decidir cuándo inducir el parto o llevar a cabo una cesárea –lo bastante tarde como para que los pulmones fetales estén lo suficientemente maduros para funcionar fuera del claustro materno, y no tan tarde como para que la seguridad del feto se ponga en peligro. Las mujeres que han desarrollado una diabetes gestacional, así como las que ya padecían una diabetes

ligera, y a veces incluso una enfermedad moderada y bien controlada, a menudo pueden llegar hasta la fecha de salida de cuentas sin ningún problema.

No se preocupe si el bebé está en la unidad de cuidados intensivos después del parto, es algo de rutina en muchos hospitales. Al bebé lo van a observar para detectar problemas respiratorios (que son raros si se examinaron los pulmones y se dijo que estaban maduros para el nacimiento) e hipoglucemia (que aunque es más común en bebés de madres diabéticas, se puede tratar perfectamente y muy rápido).

PULSO SEGURO DURANTE EL EJERCICIO PARA EMBARAZADAS DIABÉTICAS

Generalmente se recomienda que las embarazadas que sufren de diabetes no realicen ejercicios que pongan su pulso más allá de un 70% del pulso seguro máximo según su grupo de edad, que se determina restando la edad de 220, y multiplicando el resultado por 0,70. Si la mujer tiene 30 años, por ejemplo, calculará la cifra de este modo: 220 − 30 = 190; luego 0,70 por 190 = 133. Ello significa que 133 latidos cardíacos por minuto serán su límite superior seguro de intensidad del ejercicio, el nivel que no debería exceder.

HIPERTENSIÓN CRÓNICA

"He sufrido de hipertensión durante años. ¿Cómo afectará eso a mi embarazo?"

Dado que un número cada vez mayor de mujeres eligen tener sus hijos a los treinta y pico o cuarenta y pico años, y la hipertensión (presión sanguínea alta) es más común al hacerse mayor, esta característica aparece más y más en las mujeres embarazadas. Así, esta mujer no es la única. No obstante, un embarazo con hipertensión es considerado de alto riesgo, lo que significa que la mujer visitará al médico o a los médicos más a menudo (preferiblemente comenzando con el asesoramiento anterior al embarazo), y tendrá que seguir sus consejos con mayor rigor. Pero asumiendo que la presión sanguínea siga bajo control, con unos buenos cuidados médicos y a sí misma es muy probable que tanto la mujer como el bebé tengan un buen embarazo. Los estudios más recientes demuestran que incluso aquellas mujeres con hipertensión que tienen algún tipo de deterioro renal normalmente pueden tener éxito en su embarazo.

Los siguientes consejos pueden ayudar a aumentar las posibilidades de tener un embarazo con éxito:

Los médicos adecuados. Los médicos deben tener mucha experiencia en el área y deben trabajar junto con el médico que la ha atendido para la hipertensión.

Relajación. Hay que recomendar el poner mucha atención en los tipos de ejercicios de relajación que se mencionan en la página 173. También se deben practicar cualesquiera otros recomendados por el médico. Está demostrado que la relajación puede ayudar a bajar la hipertensión.

Otras aproximaciones alternativas. Intente cualquier cosa que le recomiende su médico.

Control de la presión sanguínea. Puede que se le recomiende a la embarazada que se tome la presión sanguínea a diario, usando un equipo doméstico. La tensión se tomará cuando la mujer esté más relajada.

Una buena dieta. La dieta ideal debe ser modificada con la ayuda del médico, seguramente debe moderar el consumo de sodio, comer muchas frutas y verduras, debe comer alimentos bajos en grasa o eliminar los productos lácteos y lo que más le puede ayudar para mantener la presión sanguínea baja, son los granos.

Los líquidos adecuados. Aunque el intestino nos dicte, al detectar una ligera hinchazón en los pies y tobillos debido a la retención de líquidos, reducir su ingesta, en realidad se debe hacer justamente lo contrario. Beber más agua (hasta cuatro litros diarios), en vez de menos, ayudará a deshacerse de los excesos, pero no tome más de dos vasos a la vez. En la mayoría de los casos no se recomiendan los diuréticos (una droga que ayuda a sacar los líquidos del cuerpo) durante el embarazo.

Mucho reposo. Tomarse pausas para descansar, preferiblemente con los pies en alto, tanto por la mañana como por la tarde. Si la embarazada tiene un trabajo que le produce mucho estrés, considerará la posibilidad de renunciar hasta que el bebé llegue. Si se tiene más hijos que dan mucho trabajo, se conseguirá ayuda –pagada o voluntaria.

La medicación prescrita. Si la mujer ha estado tomando medicación para controlar su presión sanguínea, puede que el médico apruebe que siga con ella, o que le prescriba otra que se considere más segura para el embarazo. Existen diversos fármacos reguladores de la presión sanguínea que se cree que son seguros cuando se toman siguiendo las indicaciones.

Atención al propio cuerpo. Estar alerta a los signos de complicaciones del embarazo (vea la página 177), y contactar con el médico de inmediato si se detecta alguno de ellos.

Control médico estrecho. Probablemente el médico deseará visitar a la mujer con mayor frecuencia, y la someta a más pruebas. Las investigaciones recientes demuestran que incluso las mujeres hipertensas con problemas en los riñones, pueden tener embarazos exitosos, con un excelente cuidado médico. La proteína en la orina durante los primeros meses de embarazo y la preeclampsia (vea la página 655) indican posibles complicaciones para la madre y para el bebé.

Si la presión sanguínea es muy alta y sigue estándolo a pesar de la medicación, y/o tiene efectos secundarios graves, tales como las hemorragias de retina, un grave deterioro de las funciones renales, o un aumento del tamaño del corazón, los riesgos de un resultado poco favorable aumentan. En tales casos, puede que la mujer, contando con el asesoramiento de sus médicos, tenga que sopesar los riesgos y los beneficios antes de decidirse a intentar quedar embarazada o a continuar con un embarazo ya en curso.

ENFERMEDAD CORONARIA (EC)

"Mi médico me ha advertido que no quede embarazada, debido a que tengo una enfermedad coronaria. Pero he concebido accidentalmente y no quiero abortar. Queremos a este bebé más que a nada en el mundo."

La situación de esta mujer no es tan rara como hace años. La EC, que se hace más frecuente al avanzar la edad de la mujer, se está haciendo más común durante el embarazo al optar un número cada vez mayor de mujeres por tener sus bebés a mayor edad.

Si es seguro o no que esta mujer prosiga con su embarazo depende de la naturaleza de su enfermedad. Si la enfermedad es benigna (si no pone limitaciones a la actividad física, y generalmente la actividad no causa una fatiga excesiva, palpitaciones, falta de aliento o angina) o moderada (la mujer tiene ligeras limitaciones de su actividad física, está completamente bien durante el descanso, pero presenta síntomas durante la actividad física ordinaria), tiene buenas posibilidades de poder, bajo una supervisión médica muy estrecha, llevar un embarazo a término sin riesgos. Si la enfermedad es grave (la mujer puede tener acusadas limitaciones de su actividad física, e incluso una actividad ligera causa síntomas, aunque se encuentre bien cuando descansa) o muy grave (cualquier actividad física causa molestias, los síntomas se notan incluso al descansar), probablemente el médico le dirá que el embarazo puede poner su vida en peligro.

Si el cardiólogo cree que la mujer se puede enfrentar con seguridad al embarazo, probablemente le dará algunas instrucciones muy estrictas. Estas varían según la enfermedad pero puede que incluyan:

- Evitar el estrés físico y emocional; en algunos casos puede que se le pida a la madre que limite sus actividades durante el embarazo, posiblemente incluso que guarde reposo en cama.

- Tomar la medicación rigurosamente (hay que asegurarse de que esta sea segura para el bebé; parece que muchas lo son).

- Vigilar cuidadosamente la dieta, de forma que no se gane demasiado peso, lo que podría suponer más esfuerzo para el corazón.

- Una dieta baja en colesterol, grasas saturadas y grasas en general si la enfermedad lo requiere, pero no una dieta sin grasas; es esencial algo de grasa para un desarrollo fetal sano. Se suele recomendar una restricción moderada del sodio (unos 2.000 mg diarios), pero no mayor que esta. Generalmente se receta un suplemento de hierro.

- Llevar medias con la presión graduada, para ayudar a reducir la acumulación de sangre en las piernas.

- Dejar de fumar, si es que lo hace. Esta es una recomendación para todas las mujeres embarazadas o no.

Hacia el final del embarazo, es probable que la mujer tenga que someterse a frecuentes ecografías y exámenes de no-estrés, de forma que el médico pueda mantenerse informado de las condiciones del niño. Los exámenes también ayudarán a asegurarse de que todo va bien.

Si la mujer pasa todo su embarazo sin complicaciones cardíacas o pulmonares, no es probable que tenga problemas durante el parto. Ni tampoco es probable que precise una cesárea más que otras mujeres.

ENFERMEDAD DE LA TIROIDES

"Cuando era adolescente me dijeron que tenía hipotiroidismo y todavía tomo hormonas, ¿es seguro para el bebé?"

Es crucial que siga tomando las medicinas. Una de las razones es que las mujeres que tienen la enfermedad (la glándula tiroides no produce las cantidades adecuadas de la hormona tiroxina) y no las tratan son más propensas a perder el bebé. Otra de las razones es que las hormonas de la tiroides se necesitan para el desarrollo del cerebro del feto; los bebés que no reciben suficientes hormonas en el útero pueden nacer con problemas como retardo, daño cerebral y posiblemente con sordera (si no existe la tiroxina adecuada antes de que se desarrolle el sentido auditivo en el feto). Sin embargo es necesario que cambie su dosis por los efectos del embarazo en la glándula. Hable con el endocrinólogo y el obstetra para que le den la dosis apropiada.

La deficiencia de yodo puede interferir en la producción de la hormona tiroides, así que asegúrese de tomar la cantidad adecuada de este mineral. Se encuentra más en la sal yodada y en la comida de mar.

"Tengo la enfermedad de Graves, ¿es un problema para mi embarazo?"

Esta enfermedad es la forma más común de *hiper*tiroidismo (la glándula tiroides produce cantidades excesivas de la hormona tiroides). El hipertiroidismo también puede deberse al crecimiento de la glándula tiroides, a un exceso en la medicina para la tiroides, al exceso de yodo (la glándula tiroides utiliza el yodo para producir hormonas) y a la tiroiditis (una inflamación temporal de la glándula tiroides). Algunas veces, la gonadotropina crónica humana, una hormona que se produce en grandes cantidades al principio del embarazo, puede provocar un hipertiroidismo leve que puede que no necesite tratamiento.

Los casos leves de hipertiroidismo pueden aumentar a veces en el embarazo porque el cuerpo necesita más hormonas tiroides que antes. Pero el hipertiroidismo moderado o severo es otra cosa. Si no se tratan puede llevar a complicaciones serias para usted y para el bebé, así que es necesario un tratamiento apropiado. Para las personas que no están embarazadas existen tres tipos de tratamiento para la enfermedad de Graves: cirugía para reducir la tiroides (tiroidectomía), la utilización de yodo radiactivo y la administración de medicina antitiroides. Para las mujeres embarazadas, el tratamiento que se escoge es la medicina antitiroides propiltiou-racil (PTU) en la dosis más baja que sea efectiva. Si la mujer es alérgica a la PTU, se puede utilizar metimazole (Tapáosle). Si no se puede usar ninguna de las dos drogas, es necesaria la cirugía. El yodo radiactivo no es seguro durante el embarazo, pero puede que el yodo orgánico ayude en un periodo de tiempo corto justo antes de la cirugía, eso baja la producción de tiroxina. Además del tratamiento debe dejar de fumar, si lo hace (si necesita ayuda para dejarlo, vea la página 83) y debe minimizar el estrés (vea la página 171) ya que los dos son factores de riesgo para la enfermedad de Graves.

UN TRASTORNO DE LA ALIMENTACIÓN

"Durante los últimos diez años he estado luchando contra la bulimia. Había creído que sería capaz de acabar con el ciclo de excesos/expiaciones ahora que estoy embarazada, pero parece que no. ¿Le hará daño a mi bebé?"

No si lo deja en seguida. El hecho de que la mujer haya sido bulímica (o anoréxica) durante varios años pone a su bebé y a su cuerpo inmediatamente en desventaja —probablemente sus reservas de nutrientes son bajas. Por suerte, a principios del embarazo las necesidades de alimentarse son menores de lo que serán después, de forma que la mujer tendrá la oportunidad de reco-

brarse del abuso hecho a su cuerpo antes de que pueda hacerle daño al bebé.

Se han hecho muy pocas investigaciones sobre el tema de los trastornos de la ingestión de alimentos y el embarazo, en parte debido a que dichos trastornos causan interrupciones en el ciclo menstrual, lo que hace que muy pocas mujeres que sufren tales problemas queden embarazadas. Pero los estudios realizados sugieren lo siguiente:

* Una mujer con un trastorno de este tipo que *busca ayuda para controlar* su peligroso hábito durante el embarazo tiene tantas probabilidades como cualquier otra de tener un bebé sano —siendo todas las demás circunstancias iguales.

* Es importante que el facultativo que esté cuidando de la embarazada esté al tanto de su trastorno.

* Dejarse asesorar por un médico que tenga experiencia en tratar este tipo de trastornos es aconsejable para cualquiera que los sufra, pero es esencial si además la paciente está embarazada. Los grupos de apoyo también pueden ser de gran ayuda.

* Los laxantes, diuréticos y otros fármacos tomados por los bulímicos son dañinos para el feto en desarrollo si la madre los continúa tomando una vez se ha enterado de que está embarazada. Estos hacen desaparecer nutrientes y líquidos del cuerpo

de la madre antes de que puedan ser utilizados para nutrir al bebé (y más tarde para producir la leche); y pueden producir anormalidades fetales. Estos medicamentos, como todos los demás, no deberían tomarlos las gestantes a menos que fueran prescritos por un médico que supiera de su embarazo.

También queda claro que es necesario para esta mujer –y para cualquiera que tenga un trastorno de este tipo, comprender la dinámica del aumento de peso durante el embarazo. Es necesario que tenga en cuenta lo siguiente:

- La silueta de la embarazada es bella, y no gorda ni repugnante. Mientras que el exceso de grasa generalmente es poco sano y nada atractivo, el aumento de peso durante el embarazo es vital para el crecimiento y bienestar del bebé, así como también para la salud de la madre.

- Ganar una cantidad de peso moderada cada semana durante el segundo y tercer trimestres de embarazo no sólo es normal, sino también deseable (vea la página 229). Si la mujer sigue las directrices recomendadas (que son más altas para aquellas mujeres que empiezan el embarazo pesando demasiado poco), después de la llegada del bebé será bastante más fácil perder peso.

- Si el peso se gana a base de alimentos de gran calidad como los recomendados en la dieta para embarazadas, las probabilidades de tener un bebé sano aumentan, así como las posibilidades de que la mujer recobre la figura más de prisa durante el posparto.

- El ejercicio puede ayudar a evitar un aumento de peso excesivo, y puede asegurar que este peso que se gana acabe en el lugar apropiado –pero debería ser el ejercicio apropiado para una embarazada (vea la página 258).

- Todo el aumento de peso del embarazo no desaparece los primeros días después de dar a luz. Con una alimentación sensata, la mujer promedio vuelve casi a su peso anterior al embarazo unas seis semanas después del parto, aunque para algunas mujeres el proceso de pérdida de peso puede ser más largo. Si los sentimientos negativos sobre la imagen del propio cuerpo hacen que la mujer vuelva al ciclo de excesos y expiaciones durante el posparto (lo que podría interferir con su capacidad para recuperarse del parto, para cuidar bien del niño y para producir la leche si elige darle el pecho), es importante que continúe con el asesoramiento profesional de alguien que tenga experiencia en el tratamiento de los trastornos en la alimentación, o que se consiga ayuda si antes no se había buscado.

Si parece que la mujer no puede evitar excederse, vomitar, tomar diuréticos o laxantes o ponerse a dietas muy estrictas, debería discutir con su médico la posibilidad de hospitalizarse hasta que tenga su enfermedad bajo control. Si la mujer no lo considera aceptable, quizás deba pensar si ese es un buen momento para quedar embarazada.

LUPUS ERITEMATOSO DISEMINADO (LED)

"Últimamente mi lupus a estado muy inactivo. Acabo de quedar embarazada. ¿Es probable que sufra recaídas? ¿Mi bebé tendrá lupus?"

Hoy en día todavía se desconocen muchas cosas del lupus eritematoso diseminado, una enfermedad autoinmune que afecta sobre todo a las mujeres de 15 a 65 años, más a las de raza negra que a las blancas. Los estudios realizados hasta ahora parece que indican que el embarazo no afecta al curso a largo plazo del lupus. Durante el embarazo mismo, algunas mujeres encuentran que su estado mejora, y otras que empeora. Lo que sucede en un embarazo no predice lo que pasará en los siguientes. Durante el posparto, parece que se da un aumento de la crisis.

No obstante, el efecto del LED sobre el embarazo no está del todo claro.

Parece ser que las mujeres que obtienen mejores resultados son aquellas que, como la que nos consulta, conciben durante un período de bienestar. Aunque el riesgo de que el embarazo se malogre es ligeramente mayor, las posibilidades de tener un bebé sano son excelentes. Las que tienen un pronóstico no tan bueno son las mujeres con LED que tienen un deterioro renal grave (sería ideal que la función de los riñones hubiera estado estable durante los seis meses anteriores a la concepción) o padecen lo que se llama el lupus anticoagulante en plasma. No importa cuan grave sea el lupus de una embarazada; es extremadamente improbable que el bebé nazca con esta enfermedad.

Si fuera necesario, debido a los síntomas de artritis o a que la mujer tiene el lupus anticoagulante en plasma, la toma diaria de aspirina y del esteroide de prednisona a las dosis efectivas más bajas, parece que reduce los riesgos. Durante el embarazo pueden usarse muchos esteroides con toda seguridad —algunos debido a que no atraviesan la barrera placentaria. Algunos que sí lo hacen siguen siendo inocuos, y otros son realmente beneficiosos para el feto al apresurar la maduración pulmonar.

Debido al lupus, los cuidados a la embarazada serán más complicados que los de la mayoría, con exámenes más frecuentes y posiblemente con más limitaciones. Pero con la madre, su obstetra o especialista en medicina materno-fetal, y el médico que trata el lupus trabajando en colaboración, las posibilidades están muy a favor de que el resultado sea feliz y que los esfuerzos realizados hayan valido la pena.

ARTRITIS REUMATOIDEA

"Tengo artritis reumatoidea, ¿cómo va a afectar mi embarazo?"

Es posible que su enfermedad no afecte mucho el embarazo, pero su embarazo sí afectará a la enfermedad y para bien. Muchas mujeres con artritis reumatoidea notan una disminución significante del dolor y la hinchazón en las articulaciones, aunque hay probabilidades de que los síntomas posparto sean más fuertes para ellas.

El mayor cambio que puede notar es en el manejo de la enfermedad, ya que algunas de las medicinas que se utilizan para tratar la artritis (como el ibuprofeno y el naproxeno) no son buenas durante el embarazo; es posible que su médico le cambie el tratamiento y le dé esteroides. Las mujeres que utilizan esteroides durante el embarazo tendrán que recibir esteroides por vía intravenosa durante el parto.

Durante el parto, tendrá que escoger las posiciones que no presionen las articulaciones afectadas. Hable con el médico que trata su artritis y con el médico que lleva su embarazo para que le recomienden la mejor posición.

ESCLEROSIS MÚLTIPLE (EM)

"Hace varios años me diagnosticaron esclerosis múltiple. Sólo he tenido dos episodios de EM, y fueron relativamente suaves, ¿la EM afectará mi embarazo? ¿Afectará el embarazo la EM?"

Hay buenas noticias para usted y para el bebé. Parece ser que la esclerosis múltiple tiene poco efecto, si es que lo tiene, sobre el embarazo. Sin embargo, los cuidados prenatales tempranos y regulares, junto con las visitas regulares al neurólogo, son un deber. Probablemente se prescribirán suplementos de hierro para prevenir la anemia, y si fuera necesario, laxantes para combatir el estreñimiento. Dado que las infecciones del tracto urinario son más comunes durante el embarazo, y debido a que podrían causar que los síntomas de la EM se reavivaran, puede que se prescriban antibióticos como medida preventiva si la mujer tiene un historial con ITUs. Generalmente el parto no se ve afectado por la EM. Parece que la anestesia epidural, si es necesaria, es un procedimiento seguro.

Tampoco parece que el embarazo tenga ningún efecto sobre la EM. De hecho, durante el embarazo, la mayoría de las mujeres que sufren de EM ven cómo su enfermedad se estabiliza, aunque durante los últimos meses, al aumentar el peso, las que tenían problemas al andar los sufren en mayor medida. Si se precisan esteroides, se considera que el uso de prednisona en dosis de bajas a moderadas es seguro. Algunos otros fármacos usados para la EM lo son menos; así la mujer se asegurará de que el médico ha comprobado que la medicación es segura para su uso durante el embarazo antes de tomarla.

Aunque parece que el riesgo de recaídas no aumenta durante el embarazo, sí lo hace durante los primeros seis meses a partir del parto. No obstante, no parece que este riesgo sea tan serio como se había supuesto, o que afecte al número de recaídas durante el resto de la vida o la extensión de la incapacidad final. Para reducir el riesgo de recaídas durante el posparto, la mujer deberá tomar sus suplementos de hierro tal como se le hayan prescrito, y para minimizar el estrés, descansar lo suficiente y evitar las infecciones y que la temperatura corporal suba excesivamente (como al hacer ejercicio o con un baño caliente). Volver a trabajar pronto después de dar a luz podría aumentar el cansancio y el estrés, de forma que la mujer discutirá los riesgos con el médico antes de decidir la fecha de su vuelta al trabajo.

Sin embargo el embarazo puede afectar a la enfermedad. Mientras que hay algunas medicinas permitidas para tratar la enfermedad en el embarazo, hay otras que no se deben consumir. Antes de tomar cualquier medicamento, asegúrese de que su doctor le dé el visto bueno. Hay mujeres que necesitan esteroides durante el parto para bajar el estrés. Será posible dar pecho, incluso si de vez en cuando se deben tomar esteroides; en pequeñas dosis, poca cantidad de fármaco pasa a la leche. Si la mujer tiene que tomar grandes dosis durante una temporada, podrá extraerse la leche y tirarla, dándole al bebé una leche de farmacia o leche extraída previamente hasta que el medicamento desaparezca de ella. Si dar el pecho supone un gran estrés, se considerará la posibilidad de alimentar al bebé mediante un biberón, parcial o completamente –y la mujer no deberá sentirse culpable por su decisión. Los bebés se crían muy bien con una buena fórmula y siempre están bien si la mamá está bien.

La mayoría de madres con EM pueden permanecer activas durante 25 años o más después de que su enfermedad se haya diagnosticado y son capaces de cuidar de sus hijos sin dificultades. No obstante, si la EM interfiere con la actividad de la mujer mientras el niño es pequeño, vea la próxima pregunta para los consejos sobre cómo los padres incapacitados pueden cuidar a sus hijos*.

---

* Muchas mujeres con EM están preocupadas sobre si pasarán la enfermedad a sus hijos. Aunque existe un componente genético en la enfermedad que hace que estos niños tengan mayores probabilidades de verse afectados de adultos, el riesgo es bastante pequeño. Entre un 90 y un 95 % de los niños con madres con EM no desarrollan esta enfermedad. No obstante, si la mujer está preocupada deberá consultar con un asesor genético.

INCAPACIDAD FÍSICA

"Estoy parapléjica debido a una herida en la espina dorsal, y estoy confinada en una silla de ruedas. Mi marido y yo hace tiempo que deseamos tener un bebé. Por fin me he quedado embarazada. ¿Qué viene ahora?"

Como todas las mujeres embarazadas, esta necesitará primero lo esencial: seleccionar un médico. Y como toda mujer que se halla dentro de una categoría de alto riesgo, sería ideal que el médico fuera un obstetra o un especialista en medicina materno-fetal que tenga experiencia en tratar con mujeres que se enfrentan a los mismos desafíos y posibles riesgos que la que nos ha escrito. Si en el lugar donde se vive no existe una persona de este tipo, se buscará un médico que se preste a aprender "sobre la marcha", y que sea capaz de ofrecer el incondicional apoyo que tanto la embarazada como su esposo precisarán. Hacia el final del embarazo también se tendrá que empezar a buscar un pediatra o médico de familia que ofrezca un gran apoyo a una madre que se enfrenta a un tal desafío físico.

Las medidas especiales que se deberán tomar para que el embarazo tenga éxito dependerán de las limitaciones físicas. En cualquier caso, restringir el aumento de peso a los límites recomendados (11 a 16 kilos) ayudará a minimizar el estrés sobre el cuerpo de la madre. Alimentarse con la mejor dieta

posible mejorará el bienestar físico general y hará disminuir las probabilidades de que se den complicaciones. Y continuar con la terapia física ayudará a asegurar que se tenga la máxima fuerza física y movilidad cuando llegue el bebé. La terapia en agua puede ser especialmente benéfica y segura.

Deberá ser muy tranquilizador saber que, aunque el embarazo puede ser más difícil para una mujer con una incapacidad física, para el bebé no será más estresante que si la madre fuera normal. No existen pruebas de que haya un aumento de las anormalidades fetales entre los bebés de las madres con daños de la espina dorsal (o de aquellas con otras incapacidades físicas no relacionadas con la herencia o con una enfermedad sistémica). Las mujeres con daños en la espina dorsal son más susceptibles a problemas del embarazo tales como las infecciones renales y las dificultades de la vejiga, las palpitaciones y la sudoración, la anemia y los espasmos musculares. También el parto puede aportar problemas especiales, aunque en muchos casos será posible el parto vaginal. Debido a que probablemente las contracciones uterinas serán indoloras, la mujer deberá recibir instrucciones para detectar otros signos de que se acerca el momento de dar a luz.

Mucho antes de la fecha de la salida de cuentas, se ideará un plan infalible para llegar al hospital —uno que tenga en cuenta el hecho de que puede que la mujer esté sola en casa cuando se inicie la dilatación (puede que la mujer desee ir al hospital al iniciarse la dilatación para evitar los problemas causados por los retrasos en el camino); se preparará al personal del hospital para sus necesidades especiales.

Cuidar de los hijos siempre constituye un desafío. Aún lo será más para la mujer incapacitada y su esposo. Una planificación anticipada la ayudará a enfrentarse a dicho desafío con más éxito. Se harán las modificaciones necesarias en la casa para que el cuidado de los hijos sea más fácil (quizá se intente contactar con otras madres incapacitadas físicamente para saber los trucos que han aprendido); se obtendrá ayuda (ya sea pagada o de otro tipo) al menos para empezar; se alistará al esposo para los preparativos de la llegada del bebé, y se repartirán los trabajos domésticos y de cuidado del bebé para el momento en que este llegue a casa. Hay que ser creativa. Las cosas no tienen por qué hacerse "como en el libro", –se harán como funcione mejor para la mujer. Amamantar al bebé, si ello es posible, lo simplificará todo –no habrá que esterilizar biberones, ir a toda prisa a la cocina para preparar un biberón cuando el bebé empieza a llorar, o ir a comprar una leche de farmacia. Un servicio de entrega de pañales (puede suministrar pañales de tela o desechables) también ahorrará esfuerzos y tiempo. La

mesa donde se cambiará el bebé deberá estar diseñada para usarla desde una silla de ruedas, y la cuna deberá tener un lateral abatible para que la mujer pueda meter y sacar al bebé con facilidad. Si la madre va a ser quien bañe al bebé (aunque esta es una tarea que a los padres a menudo les gusta mucho y hacen muy bien), se tendrá que poner la bañerita en una mesa que sea accesible para ella. Dado que bañar al bebé a diario no es obligatorio, se podrá lavar al niño con una esponja sobre la mesa en que se le cambia o sobre la falda en días alternos. Un dispositivo para transportar al bebé podría ser una forma muy conveniente de llevarlo de acá para allá dejando las manos libres para controlar la silla. Unirse a un grupo de apoyo de padres con incapacidades físicas no sólo puede constituir una fuente de bienestar y fuerza, sino también una mina de oro de ideas y consejos*.

No será fácil, para la madre ni para su esposo, que quizá deba aportar algo más que el 50% en el cuidado del bebé. Pero saber que no son los primeros en hacerlo –y que la gran mayoría de los que ya lo han hecho han informado que las satisfacciones compensan de sobras los esfuerzos– debería ser muy tranquilizador.

---

* Para mayor información, busque libros especializados en el tema.

EPILEPSIA

"Soy epiléptica, y me muero de ganas de tener un bebé. ¿Es seguro concebir?"

Con unos cuidados médicos expertos, preferiblemente iniciados antes de la concepción, tanto para la epilepsia como para el embarazo, las posibilidades están muy a favor tanto de la madre como del bebé; las epilépticas tienen un 90% de posibilidades de tener un bebé sano. Si la mujer aún no ha empezado a visitar un obstetra, deberá hacerlo lo antes posible, e informará al médico que trata su epilepsia de que está embarazada; será necesario un control estrecho de la enfermedad, y posiblemente unos ajustes frecuentes de los niveles de la medicación, también será necesaria la comunicación estrecha entre sus doctores.

No parece que las futuras mamás epilépticas tengan una mayor incidencia de los serios problemas del embarazo y el parto tales como el aborto espontáneo, la preeclampsia y el parto prematuro, pero es más probable que experimenten náuseas y vómitos excesivos (hiperémesis).

Se cree que el ligero incremento en la incidencia de ciertos defectos congénitos de los hijos de madres epilépticas se debe en gran medida al uso de ciertos fármacos contra las convulsiones durante el embarazo, aunque parece que algunos están relacionados con la epilepsia misma. Sería ideal que la mujer epiléptica discutiera con su médico con anticipación suficiente la posibilidad de dejar la medicación antes de concebir. Si debe continuar medicándose, quizás sea posible cambiar a un fármaco menos peligroso. Pero la mujer no debería dejar de tomar una medicación necesaria por miedo a perjudicar a su bebé; no tomarla –y tener ataques frecuentes– podría ser más peligroso para el feto.

Dado que el mayor riesgo de que se desarrollen anormalidades se da durante los tres primeros meses, no existen muchas razones para preocuparse sobre los efectos de la medicación después de este período. Algunas veces los ultrasonidos o los tests de la alfa-fetoproteína pueden determinar al principio del embarazo si el feto se ha visto afectado. Si la mujer ha estado tomando ácido valproico, quizás el médico desee investigar específicamente sobre los defectos del tubo neural, tales como la espina bífida.

Es muy importante que las mujeres con epilepsia que están embarazadas descansen mucho y se alimenten muy bien, deben tomar mucho líquido. Incluso con una buena dieta, las mujeres epilépticas a menudo desarrollan una anemia por deficiencia en folatos (y las investigaciones demuestran que esta también puede estar relacionada con los defectos del tubo neural de sus bebés), por lo que los médicos prescribirán un suplemento de ácido fólico para las embarazadas epilépticas incluso aunque en algunos raros casos aumenta el número de ataques. También puede que se recomiende un suplemento de vitamina D a las mujeres que toman ciertos fármacos contra las convulsiones. Durante los dos últimos meses del embarazo, puede que se prescriban suplementos de vitamina K para reducir el mayor riesgo de que el recién nacido sufra hemorragias. También es posible que como método alternativo se le suministre al bebé una inyección de vitaminas al nacer.

La mayoría de mujeres epilépticas encuentran que su embarazo no tiene efectos negativos en su enfermedad. La mitad de ellas no experimentan ningún cambio, y un pequeño porcentaje ve cómo sus ataques se hacen menos frecuentes y más débiles. No obstante, unas pocas ven aumentar sus ataques y que estos se hacen más fuertes. Ello podría deberse a las diferencias individuales o debido a que la medicación ha sido vomitada o demasiado diluida en le exceso de fluidos corporales del embarazo. El problema de perder la medicación al vomitar a menudo puede minimizarse tomando un anticonvulsivo de liberación lenta antes de irse a dormir, lo que permite que la medicación se incorpore antes de que empiecen los vómitos matinales. Se preguntará al médico sobre la conveniencia de tales fármacos. Si el problema es la excesiva dilución del medicamento, podrá ser necesario que el médico reajuste la dosis.

El parto no debería ser más complicado que el de otras mujeres sanas, aunque es importante que le sigan administrando medicina anticonvulsiones durante el parto, para minimizar el riesgo. Se puede utilizar la anestesia epidu-ral para controlar el dolor.

Una vez haya llegado el bebé, si la mujer desea amamantarlo, la epilepsia no debería ser un problema. La mayoría de fármacos contra dicha enfermedad pasan a la leche materna en dosis tan bajas que es poco probable que afecten al bebé. Pero se consultará con el pediatra para asegurarse de que los fármacos que se están tomando no tienen problemas. Y si el niño amamantado está demasiado adormilado después de que la madre haya tomado la medicación, se informará al médico. Podría ser necesario un cambio.

FENILCETONURIA (FCU)

"Yo nací con FCU. Mis médicos me dieron permiso para dejar la dieta baja en fenilalanina cuando tenía quince años, y me encontraba bien. Pero cuando hablé de quedar embarazada con mi obstetra, este me dijo que debía volver a adherirme a dicha dieta y mantenerla durante todo el embarazo. ¿Tengo que hacer caso de su consejo incluso si me encuentro bien con una dieta normal?"

Esta mujer no sólo debe seguir su consejo, debería agradecérselo. Hace muy poco se ha reconocido que las mujeres embarazadas con fenilcetonuria que *no* siguen una dieta baja en fenilalanina ponen a sus hijos en un gran peligro de nacer demasiado pequeños, con una circunferencia cefálica demasiado pequeña, con malformaciones y posiblemente con daños cerebrales. Sería ideal, tal como ha dicho el médico de esta mujer, que se volviera a la dieta especial desde antes de la concepción y que los niveles sanguíneos de fenilalanina se mantuvieran bajos hasta el parto. El sucedáneo de leche sin fenilalanina y las cantidades medidas de otros alimentos permitidos en esta dieta deberían suplementarse con micronutrientes (zinc, cobre, etc.) que de otro modo podrían estar ausentes de ella. Y, desde luego, todos los alimentos endulzados con aspartame están *rigurosamente* prohibidos.

Aunque esta dieta no resulta muy atractiva, la mayoría de las madres creen que vale la pena sacrificarse para proteger a sus bebés de los daños. Si a pesar de este incentivo, la embarazada tiene un desliz en cuanto a la dieta, intentará obtener ayuda profesional de un terapeuta que esté familiarizado con este tipo de problemas. También puede acudir a un grupo de ayuda de mujeres con esa enfermedad, es bueno conocer gente que se encuentra en la misma situación. Si el asesoramiento no ayuda, la embarazada deberá considerar las diferentes opciones con el médico.

ANEMIA FALCIFORME

"Padezco de anemia falciforme y acabo de saber que estoy embarazada. ¿Estará bien mi bebé?"

No hace demasiados años, la respuesta no hubiera sido muy tranquilizadora. No obstante, hoy en día, y gracias a los principales avances médicos, las mujeres que padecen anemia falciforme tienen buenas probabilidades de dar a luz sin peligro y con el resultado de un bebé sano. Incluso aquellas mujeres con tales complicaciones de la anemia falciforme como enfermedades cardíacas o renales a menudo son capaces de tener un embarazo con éxito.

Sin embargo, el embarazo en las mujeres con anemia falciforme suele clasificarse como de alto riesgo. Debido al estrés sobreañadido que debe soportar su cuerpo, sus posibilidades de padecer una crisis aumentan; y debido a la enfermedad, los riesgos de ciertas complicaciones del embarazo, tales como el aborto espontáneo y el parto prematuro, también aumentan. La preeclampsia, o toxemia, también es más común en las mujeres con anemia falciforme, pero no está claro si ello se debe a la anemia falciforme o a que son de raza negra y por ello están más sujetas a hipertensión.

El pronóstico tanto para la mujer como para su bebé, será mejor si reciben cuidados médicos excelentes. La mujer deberá pasar controles médicos con mayor frecuencia que otras embarazadas –posiblemente cada dos o tres semanas hasta la semana 32, y cada semana después. Sería ideal que el obstetra estuviera familiarizado con la anemia falciforme y que trabajara en estrecha colaboración con un especialista en medicina maternofetal, un internista o un hematólogo bien informados. Es probable que se prescriban suplementos vitamínicos y de hierro para embarazadas. Y probablemente al menos una vez (generalmente al iniciarse la dilatación o justo antes de la expulsión), y posiblemente periódicamente durante todo el embarazo (aunque este tratamiento es discutido), la paciente recibirá una transfusión sanguínea. Es tan probable que la mujer que sufre de anemia falciforme tenga un parto vaginal como cualquier otra mujer. En el posparto puede que se le prescriban antibióticos para prevenir una infección.

Si ambos progenitores son portadores del gen de la anemia falciforme, el riesgo de que su bebé herede una forma seria de dicha enfermedad es grande. Al principio del embarazo (si no antes de la concepción), deberá hacerse un estudio del marido para saber si es portador. Si lo es, es posible que la pareja desee visitar a un consejero genético, y posiblemente tener un diagnóstico prenatal (vea la página 63) para ver si el feto está afectado.

FIBROSIS QUÍSTICA

"Tengo fibrosis quística y sé que eso hace que el embarazo sea complicado, ¿pero qué tan complicado será?"

Como una persona que ha vivido toda la vida con fibrosis quística, usted ya conoce los retos que la enfermedad presenta, solamente que los retos aumentan en el embarazo.

El primer reto es aumentar suficiente peso, eso es algo que debe revisar de cerca con sus doctores (y posiblemente con un nutricionista) para que su bebé crezca correctamente. Es muy importante el cuidado pulmonar, especialmente por el crecimiento del útero que hace más difícil la expansión de los pulmones. Si tiene problemas severos en los pulmones, es posible que la enfermedad aumente mucho durante el embarazo, por eso todas las mujeres con fibrosis quística deben tener mucho cuidado con las infecciones pulmonares y cuidarse con la ayuda del doctor.

Su embarazo, como el cuidado de los pulmones, debe cuidarse muy de cerca; debe tener más citas médicas prenatales, se limitará la actividad y como está en mayor riesgo de tener un parto prematuro, debe minimizar el riesgo. También es posible que tenga que estar hospitalizada regularmente. Le recomendamos que haga exámenes para saber si el bebé viene con fibrosis quística.

El embarazo nunca es fácil y realmente presenta más retos para las mujeres enfermas, de todas maneras, la alegría de traer un niño al mundo hace que todos los esfuerzos valgan la pena.

QUÉ ES IMPORTANTE SABER:
Vivir con un embarazo de alto riesgo o problemático

El embarazo es un proceso "normal" que se experimenta, no una enfermedad que deba ser tratada. Pero si el embarazo de una mujer se clasifica como de alto riesgo, esta habrá tomado conciencia de que esta no es una verdad universal. Para muchas mujeres el embarazo es un período de miedo, ansiedad, cuidados médicos constantes, hospitalizaciones frecuentes y de sentir que "nadie sabe lo que estoy pasando". Otras parejas de futuros padres están viviendo con ilusión, pero la pareja con embarazo de alto riesgo vivirá con:

Ansiedad. Mientras otros padres están preparándose con alegría para el nacimiento de su bebé al final de los nueve meses, los padres de alto riesgo sólo esperan que el feto aún esté vivo mañana.

Resentimiento. Una mujer que está acostumbrada a ser independiente puede odiar su súbita y total dependencia, especialmente si se restringe su actividad ("¿Por qué a mí? ¿Por qué tengo que dejar mi trabajo? ¿Por qué tengo que guardar cama?"). Puede que la agresividad se dirija hacia el bebé, el esposo o cualquier otra cosa. El marido, desde luego, puede tener su propia ración de resentimientos ("¿Por qué recibe ella todas las atenciones? ¿Por qué tengo que hacer yo todo el trabajo? ¿De verdad tiene que guardar cama? ¿Y de verdad tengo que pasarme todas las tardes en casa con ella?"). Puede que existan también resentimientos de los que no se hable, sobre lo caros que son sus cuidados médicos y sobre lo poco que hacen el amor, si es que el médico lo ha prohibido. A lo mejor los dos están resentidos por sus propios sentimientos de resentimiento y su inhabilidad para controlarlos.

Culpabilidad. La mujer puede atormentarse pensando qué puede haber hecho para que este embarazo sea de alto riesgo, o para que se malograran los embarazos anteriores, aunque en la gran mayoría de los casos sus acciones no han sido la causa. Puede que piense que es una perezosa, quedándose en cama o dejando de trabajar demasiado pronto. Puede tener miedo de estar destruyendo su relación con su esposo o con sus otros hijos. También el esposo puede sentirse culpable; puede sentirse mal porque su mujer está cargando con todos los sufrimientos, o puede sentir remordimientos por los resentimientos que está albergando.

Sentimientos de ineficacia. Puede que la mujer que no puede tener un embarazo "normal" se subvalore (¿por qué no puedo ser como todo el mundo?).

Presión constante. Los futuros padres de alto riesgo a menudo tienen que tener en mente el embarazo y sus exigencias durante todos los momentos del día; ella tendrá que pararse casi constantemente para preguntarse "¿Puedo hacer esto? ¿Me está permitido? ¿Sí tomé mis medicinas?"

Estrés marital. Cualquier tipo de crisis es estresante para el matrimonio, pero el embarazo de alto riesgo a menudo añade el estrés de limitar o prohibir las relaciones sexuales, lo que puede dificultar mucho que la pareja tenga intimidad. El estrés también puede provenir del alto costo de un embarazo de alto riesgo (puede que la seguridad social no se haga cargo de muchos de los gastos) y de la pérdida de ingresos si la futura madre no puede continuar trabajando.

La angustia de estar sola. Si usted es soltera y tiene un embarazo de alto riesgo, el estrés puede ser enorme. Debe acudir a los demás más seguido, a lo mejor no tiene quién le de la mano cuan-

do lleguen los resultados del último examen ni podrá hablar de las consecuencias. A lo mejor debe pasar muchas noches sola, sin nadie al lado. A lo mejor se pregunte por qué se metió en esta situación.

Aunque la recompensa final puede hacer que todos los esfuerzos hayan valido la pena, es innegable que los nueve meses pueden constituir una carga para la pareja de alto riesgo. Los siguientes consejos pueden ayudar a que todo transcurra de forma un poco más fácil:

Planificación financiera. Al igual que otros padres ahorran para mandar a sus hijos a la universidad, los que se enfrentan a un embarazo de alto riesgo deberán hacerlo para que el niño nazca bien. Saber con anticipación que el embarazo será de alto riesgo, y por lo tanto caro, sería lo ideal, pero no siempre es posible, al menos la primera vez. Si se sabe con anticipación, sería una buena idea buscar el mejor plan de seguros posible, y renunciar a las vacaciones caras y otros gastos superfluos para poder ahorrar algo antes de que empiece el embarazo. Si no se ha sabido antes, se empezarán a tomar medidas para apretarse el cinturón tan pronto como se descubra la situación.

Planificación social. Si el embarazo requiere reposo en cama, ya sea parcial o completo, los padres no deberán resignarse a una vida de ermitaños. Invitarán a sus mejores amigos a cenar en el dormitorio (encargando una pizza). O se invitará a los amigos a jugar al Monopoly, al Scrabble o a las cartas o a ver una película que acaba de editarse en video. Si la pareja debe perderse un acontecimiento familiar importante, una boda de un amigo o una fiesta anual en la empresa, se dispondrá que el marido asista y grabe (en su corazón, en video o con una cámara fotográfica) los acontecimientos de forma que pueda compartirlos con su esposa más tarde. Si una hermana se casa a 1.000 Km. de distancia y el médico ha prohibido viajar, se grabará en video un mensaje de felicitación, o se escribirá una poesía especial para ser leída en la recepción. Se le pedirá que grabe la ceremonia en video para poder compartirla.

MAMÁS QUE AYUDAN A OTRAS MAMÁS

A menudo, la mujer con un embarazo de alto riesgo o difícil, o que ha tenido un aborto, se siente distinta de todas las demás; es muy consciente de que su experiencia es muy diferente de la de las amigas que han tenido un embarazo "normal". Si la mujer se siente así, podrá encontrar consuelo y apoyo en un grupo de mujeres que estén pasando por una experiencia similar.

Las discusiones pueden tratar de temas tales como sentirse culpable sobre no ser capaz de tener un embarazo normal; cómo soportar estar confinada en casa o en el hospital; preocupación sobre los siguientes embarazos; lamentarse por la pérdida de un bebé; encontrar fuentes de apoyo emocional; enfrentarse a los sentimientos de soledad. En los grupos de apoyo también se intercambia gran cantidad de consejos prácticos –cómo cuidar de la casa cuando se está guardando cama; hacer que la familia funcione mientras se tiene un bebé en cuidados intensivos; conseguir los mejores cuidados para una enfermedad particular. Y continuar en dicho grupo después de sentirse mejor también ayuda a llevar la propia experiencia a todo el círculo, y a sanar mientras se brinda el apoyo a otras mujeres necesitadas.

Si la mujer cree que podrá beneficiarse de un grupo de apoyo, intentará saber si existe alguno en la zona en que reside (preguntará en el hospital, a los médicos, las parteras y las enfermeras). Si no existiera, y la embarazada tiene energías suficientes, considerará la posibilidad de recoger los nombres de las mujeres que se encuentran en una situación parecida y organizará el grupo ella misma.

Si la mujer está confinada en cama y no puede asistir a un grupo de apoyo, obtendrá el aliento que necesita en reuniones "telefónicas" con otras madres que tampoco pueden ponerse en pie, o invitará al grupo a reunirse periódicamente en su casa.

Llenar el tiempo. Pasar semanas o incluso meses en la cama puede parecer una sentencia de cadena perpetua. Pero también puede ser el momento de hacer todas las cosas que la mujer no ha tenido tiempo de hacer en su agitada vida. Leerá todos los éxitos literarios de los que todo el mundo hablaba, o algunos de los viejos clásicos que nunca se llegó a disfrutar. Se inscribirá e un video-club que ofrezca una buena selección y buenos precios. (¿Cuánta gente más tiene tiempo para aprovechar de la ventaja de las ofertas de "dos películas al precio de una?"). Estudiará una lengua extranjera o se cultivará un nuevo interés por medio de las cintas de audio. Aprenderá a hacer punto, ganchillo o a bordar –y se hará algo para sí misma, el marido, su madre o para el médico si es demasiado supersticiosa para hacer algo para el bebé. Si se le permite estar sentada, conseguirá un computador portátil y organizará su vida financiera. Llevará un diario donde anotará todas sus impresiones, tanto las buenas como las malas, tanto para pasar el tiempo como para combatir los resentimientos. Coleccionará algunos de los mejores catálogos y comprará por teléfono o por correo.

Lo mejor de todo es que hará algo por los demás, no hay nada mejor que eso. Haga llamadas para una obra de caridad, ayude a alguna organización que le interese, escriba cartas para sus amigos y parientes.

Preparación para el parto. Si la embarazada no puede asistir a las clases de preparación, puede pedir al marido que vaya y las grabe en video, o que tome notas y le informe verbalmente. Si el dormitorio es grande y la clase pequeña, les pedirá a las demás alumnas que hagan al menos una sesión en su casa. Aunque puede que la mujer piense que aprender sobre un parto normal puede traer mala suerte al propio, será muy bueno para ella estar lo mejor informada posible. Lea todo lo que pueda sobre el tema en este libro o en otro; incluso puede ver un video o dos sobre el parto. Y aunque no le apetezca saberlo, también aprenderá todo lo que pueda sobre lo que es el parto para alguien con su problema.

Apoyo mutuo. Un embarazo de alto riesgo, particularmente cuando existen muchas restricciones, es una verdadera prueba para un matrimonio. La embarazada pasará por un período de meses donde muchos de los placeres normales del matrimonio no existirán (sexo, salir juntos, viajes de fin de semana, por ejemplo) y donde incluso la alegría de esperar un bebé queda empañada. Para asegurarse de que la aventura termina con un hijo y un matrimonio sanos, cada uno de los miembros de la pareja deben pensar en las necesidades del otro. Necesitará apoyo en todo, desde adherirse a una dieta muy estricta hasta acostumbrarse a una actividad restringida.

Pero puede que las necesidades del padre, que debe proporcionar una gran parte de este apoyo, sean descuidadas. La mujer, incluso desde su reclusión en cama o con las restricciones que sean, debe reconocer los sentimientos de su esposo y hacerle saber lo importante que él es. Es cierto que no siempre será fácil, pero saque tiempo para el romance cada vez que pueda: una cena con velas en la cama (pídala por teléfono, a menos de que su esposo quiera cocinar), eso puede ayudar a que se mantenga viva la relación de pareja.

Sublimación sexual. Hacer el amor no siempre tiene que significar tener relaciones sexuales. La pareja leerá sobre cómo tener intimidad durante el embarazo incluso cuando el médico dice "nada de sexo" (página 318).

Apoyo espiritual. Puede buscar ayuda en la meditación, la relajación, la visualización o la oración, es un camino de paz emocional y física. Se ha demostrado que estas técnicas complementarias ayudan a que el sistema inmunológico responda mejor, a reducir el dolor y a mejorar el estado de ánimo de los pacientes con problemas médicos.

Conseguir ayuda. Como en tantas crisis de la vida, ser capaz de hablar con otras personas en la misma situación puede suponer una gran ayuda. Esto es especialmente importante para las madres solteras. Para más consejos al respecto, vea el cuadro de la página 641.

CAPÍTULO VEINTE

Cuando algo va mal

Considerando los procesos tan intrincados que se hallan implicados en la creación de un bebé, desde las divisiones impecablemente precisas del óvulo fecundado hasta la espectacular transformación de un agregado informe de células en una delicada forma humana, no es nada menos que milagroso que todo vaya bien la mayoría de las veces. Y no es sorprendente que en algunas pocas ocasiones algo vaya mal debido a la genética, a factores ambientales, a una combinación de ambos o simplemente debido a un capricho de la naturaleza. La medicina y la higiene modernas, y la comprensión de la importancia de la dieta y del estilo de vida, han hecho mejorar abrumadoramente las posibilidades de que un embarazo (y el parto que le sigue) sean completados con éxito y con toda seguridad, aunque aún existe un cierto riesgo. Afortunadamente, teniendo la tecnología actual de nuestra parte, incluso cuando algo va mal, un diagnóstico y una intervención precoces a menudo pueden enderezar la situación, permitiendo que el embarazo tenga un final feliz*.

La mayoría de las mujeres tiene un embarazo y parto sin complicaciones. Este capítulo, que describe las complicaciones más comunes, sus síntomas y tratamientos, no ha sido dedicado a ellas. No lo lea y evítese las preocupaciones innecesarias.

COMPLICACIONES DURANTE EL EMBARAZO

Los problemas siguientes, aunque son más comunes que algunas complicaciones durante el embarazo, no son muy recurrentes, así que lea este capítulo solamente si le han diagnosticado alguna complicación o si tiene síntomas que la indiquen. Si está enferma, esta puede ser una guía pero deberá recibir información más específica (y posiblemente diferente) por parte de sus médicos.

---

* Muchas de las complicaciones del posparto se encuentran registradas en *El primer año del bebé*.

ABORTO PRECOZ

¿Qué es? Un aborto es la expulsión espontánea o provocada del útero de un embrión o feto antes de que sea capaz de vivir fuera del claustro materno. Un aborto durante el primer trimestre se denomina aborto precoz o embrionario. Es muy común (muchos médicos creen que casi todas las mujeres tendrán al menos uno durante sus años reproductivos), y se da en el 40% al 60% de las concepciones. La mayoría tiene lugar tan pronto que ni siquiera se sospechaba el embarazo (por eso la tasa de pérdida de bebés en mujeres embarazadas es menor); por lo tanto, a menudo esos abortos pasan desapercibidos. La gran mayoría de mujeres que ha tenido una pérdida así, podrá tener embarazos completamente normales en el futuro.

El aborto precoz suele relacionarse con una anormalidad cromosómica o genética del embrión; a que el cuerpo de la madre deja de producir un suministro adecuado de hormonas del embarazo; o a que ella tiene una reacción inmunitaria contra el embrión. Los factores ambientales, como baja nutrición, infecciones, cigarrillo, alcohol, etcétera, también pueden afectar. En un embarazo normal, la pérdida del bebé no se debe al ejercicio, al sexo, al trabajo o a cargar cosas pesadas. Las náuseas y los vómitos, aunque sean severas, tampoco causan la pérdida del bebé. De hecho hay evidencias de que las mujeres con estos síntomas son *menos* propensas a perder sus bebés. Tampoco es verdad que un susto produzca la pérdida de un bebé.

Signos y síntomas. Generalmente, hemorragia con calambres o dolor en el centro de la parte baja del abdomen. A veces, dolor fuerte o persistente que dura 24 horas o más y no va acompañado de hemorragia; hemorragia fuerte (como una menstruación) sin dolor; manchado ligero y persistente (que dura 3 días o más). Puede que se pierdan coágulos de sangre o un material grisáceo cuando realmente empieza el aborto.

Tratamiento. Cuando hay sangrado o calambres, la situación se llama amenaza de aborto; no necesariamente abortará, pero existe la posibilidad. Si al ser examinada la embarazada, el médico encuentra que la cérvix está dilatada, se asumirá que ha tenido lugar un aborto o que se está iniciando. En tales casos nada puede hacerse para evitar la pérdida. En muchos casos el embrión ya habrá muerto antes de que se inicie el aborto, lo cual lo desencadenará.

Por otra parte, si se descubre mediante una ecografía o con un aparato de Doppler que el feto aún vive, existen muchas posibilidades de que el aborto no se llegue a producir.

Algunos médicos prescribirán reposo en cama y restricción a otras actividades, incluyendo las relaciones sexuales, posiblemente prescribirán medicinas para el dolor hasta que el sangrado o el dolor hayan pasado. Algunos médicos sugerirán que no se aplique ningún tratamiento particular, siguiendo la teoría de que un embarazo condenado terminará en aborto, se aplique terapia o no, y que un embarazo sano permanecerá (también con o sin terapia). Las hormonas femeninas, que hace tiempo se recetaban rutinariamente cuando existía una hemorragia temprana, ahora se usan raras veces, debido a que existen dudas sobre su eficacia y preocupación por los daños potenciales al feto si el embarazo prosigue. No obstante, en muy pocos casos, las pacientes con un historial de abortos y de las que se tienen pruebas de que producen demasiado pocas hormonas, pueden beneficiarse de la administración de progesterona. Cuando se produce más de una pérdida y cuando la causa es el exceso de prolactina, es posible que se pueda continuar con el embarazo si se administra medicina para reducir los niveles de prolactina en la sangre de la madre.

Algunas veces, cuando se produce un aborto, este es incompleto; sólo se expulsan partes de la placenta, la bolsa y le embrión. Si la mujer ha tenido, o cree que ha tenido un aborto, y la hemorragia y/o el dolor prosiguen, se llamará al médico de inmediato. Probablemente se precisará una dilatación y raspado*

para que cese la hemorragia. Se trata de un procedimiento simple pero importante, por el cual se dilata la cérvix y los tejidos fetales o placentarios que quedaban se raspan y aspiran. Probablemente el médico querrá examinar el material para tener alguno que otro indicio de la causa del aborto. En la mayoría de los casos el útero expulsa lo que haya quedado adentro sin necesidad de una intervención (guarde lo que salga en un recipiente limpio, eso puede ayudar al médico a determinar qué fue lo que causó la pérdida del bebé). Parece que el uso de medicamentos para expulsar lo que quedó en el útero es menos efectivo, para mayor información vea el cuadro de arriba.

Si tiene mucho dolor, es posible que el médico prescriba alguna medicina. No dude en pedir alivio si lo necesita.

Prevención. La mayoría no se pueden prevenir porque se deben a un defecto en el embrión o en el feto. Pero puede tomar medidas para prevenir la pérdida como revisar los niveles de tiroides y utilizar sal yodada en sus comidas, controlar las enfermedades crónicas antes de concebir, evitar el estrés físico (como ejercicio pesado o levantar cosas demasiado pesadas), evitar el alcohol y el cigarrillo y empezar a tener un buen estilo de vida como el que le

---

* Más adelante en el embarazo el procedimiento se llamará dilatación y evacuación.

HEMORRAGIAS AL PRINCIPIO DEL EMBARAZO

Las hemorragias al principio el embarazo pueden ser miedosas pero no indican necesariamente que ocurra nada grave. Dos de las causas más comunes de las hemorragias del primer trimestre, *y que no indican la existencia de problemas*, son:

Implantación normal del embarazo en la pared uterina. Tales hemorragias, que a veces se dan cuando el óvulo fecundado se adhiere a la pared del útero, son breves y escasas, duran un día o dos. La implantación generalmente ocurre de cinco a diez días después de la concepción.

Cambios hormonales en el momento en que normalmente se tendría la menstruación. La hemorragia suele ser escasa, aunque algunas mujeres tienen lo que parece un período normal.

A veces no se puede determinar la causa precisa y no pasa nada, la hemorragia para espontáneamente y el embarazo sigue normalmente, pero por precaución, siempre se debería informar al médico. La mujer será muy precisa en la descripción de la hemorragia: ¿es intermitente o continua? ¿Cuando comenzó? ¿El color es rojo oscuro o brillante, pardusco o rosado? ¿Es lo bastante abundante para empapar una compresa en una hora, o sólo manchas ocasionales o intermedias? ¿Tiene un olor inusual? ¿Parece que se han perdido fragmentos de tejido (trozos de material sólido) junto con la sangre? (Si así fuera, se intentará guardarlos en un pote o bolsa de plástico). La embaraza-

da también se asegurará de informar de cualquier síntoma acompañante, tal como náuseas y vómitos excesivos, rampas o dolor de cualquier tipo, fiebre, debilidad, etcétera.

Un manchado o teñido que no vaya acompañado de dichos síntomas no se considera una situación de emergencia; si comenzara a medianoche, se puede esperar hasta la mañana para llamar al médico. Cualquier otro tipo de hemorragia requiere una llamada de inmediato o, si no se puede contactar con el médico, ir a un servicio de urgencias. Las causas menos comunes y más preocupantes de las hemorragias del primer trimestre incluyen:

Aborto espontáneo. Generalmente una hemorragia fuerte acompañada de dolor abdominal y posiblemente con la pérdida de material embrionario. Generalmente pasa material del embrión a la sangre. Si tiene descargas de color café, eso puede significar aborto fallido (vea la siguiente página). A veces, cuando el óvulo fertilizado no se desarrolla, el saco queda vacío y no pasa nada de material del embrión.

Embarazo ectópico. Manchas vaginales pardas o hemorragia escasa, intermitente o continua, acompañada de dolor en el abdomen y/o los hombros, que a menudo puede ser muy fuerte (vea la página 652).

Embarazo molar. El primer síntoma de este problema es una descarga café intermitente o permanente (vea la página 672).

aconsejamos a continuación:

♦ Buena nutrición.

♦ Suplementos nutricionales apropiados para las mujeres embarazadas como ácido fólico y otras vitaminas B. Las nuevas investigaciones muestran que las mujeres tienen problemas para concebir debido a la deficiencia de vitamina B_{12}.

♦ Control del peso, no debe aumentar mucho ni perder mucho peso cuando conciba.

♦ Cuidado en el uso de medicinas, tome solamente las dosis prescritas por el

CUANDO EL ABORTO ES INEVITABLE

Cuando a los padres les dan la noticia de que el aborto es inevitable les dan dos opciones: que la naturaleza haga lo que tiene que hacer o hacer una intervención de dilatación y raspado. Si usted está en esta situación, debería considerar lo siguiente junto con su médico:

♦ En qué momento perdió al bebé. Si el sangrado y los calambres son fuertes, seguramente perdió al bebé hace rato, en ese caso es mejor no someterse al procedimiento. Por otro lado, si a través del ultrasonido se determina que el feto murió pero casi no ha habido sangrado o no ha habido sangrado en absoluto, es mejor someterse al procedimiento.

♦ En qué momento del embarazo se encuentra. Entre más tejido fetal haya, es más probable que le hagan la dilatación y el raspado para limpiar completamente el útero.

♦ Su estado físico y emocional. Esperar a que se termine la pérdida (puede tomar tres o cuatro semanas en algunos casos) puede ser desgastante tanto física como emocionalmente para el padre y la madre. Es posible que no pueda enfrentar la pérdida hasta que todo el proceso haya terminado.

♦ Riesgos y beneficios. Ya que la dilatación y el raspado son procedimientos invasivos, representan un pequeño riesgo casi siempre de infección (de 0% a 10% de posibilidades), pero es mayor el beneficio para las mujeres. Con el proceso natural es probable que el útero no quede completamente limpio y de todas maneras se necesitará la intervención para terminar de limpiar.

♦ Evaluación del aborto. Cuando se hace la dilatación y el raspado, es más fácil examinar el tejido fetal para buscar la causa de la pérdida.

Sin importar cuál haya sido la causa o los procedimientos escogidos, la pérdida será difícil de aceptar. Para saber cómo manejar la situación, vea las páginas 651 y 689.

HEMORRAGIA A MEDIADOS O FINALES DEL EMBARAZO

Una hemorragia ligera o en forma de manchas durante el segundo o tercer trimestre no suele ser causa de preocupación. A menudo es el resultado de un trauma de la cérvix, que cada vez es más sensible, durante un examen interno o las relaciones sexuales, o simplemente, las causas son desconocidas. No obstante, a veces constituye un signo de que se precisa atención médica de inmediato. Dado que sólo el médico puede determinar la causa, se le debería notificar si la embarazada sufre alguna hemorragia de inmediato, si ésta es fuerte y el mismo día incluso si sólo se trata de manchas y no existen síntomas acompañantes.

Las causas más comunes de las hemorragias son:

Placenta previa, o placenta baja. La sangre suele ser de color rojo vivo y no hay dolor. Suele comenzar espontáneamente, aunque puede ser desencadenada por la tos, los esfuerzos al hacer de vientre o las relaciones sexuales. Puede ser abundante o escasa, y suele parar para reaparecer más adelante. Vea la página 661 para más información.

Abruptio placentae, **o separación prematura de la placenta.** La hemorragia puede ser tan ligera como una menstruación poco abundante, tan fuerte como una menstruación abundante, o mucho más, dependiendo del grado de separación. Las pérdidas pueden incluir coágulos y la intensidad de los calambres, el dolor y la sensibilidad abdominal que la acompañan también dependerán del grado de separación. Con una separación importante, los signos del shock debido a la pérdida de sangre pueden ser evidentes. Vea la página 516.

Otra posible causa de hemorragia. En ocasiones se puede desgarrar una parte del útero y causar hemorragia como cualquier otra cortada. Puede que sienta mucho dolor debido a la acumulación de sangre cerca del cuello uterino. Debe quedarse en cama para que sane la herida.

Aborto tardío. Cuando existe peligro de aborto, la hemorragia puede ser primero rosada o parda; cuando la hemorragia es fuerte y va acompañada de dolor, el aborto es inminente. Vea la página 676.

Dilatación prematura. La dilatación se considera prematura cuando comienza después de la semana 20 pero antes de la 37. Un flujo sanguinolento y mucoso acompañado de contracciones podría señalar una dilatación anticipada. Vea la página 666.

médico que sabe que está embarazada y evite las medicinas que sabe que representan un riesgo en el embarazo.

- Tome medidas para prevenir la infección como las enfermedades de transmisión sexual o las infecciones en las encías*.

Si ha tenido más de una pérdida debe averiguar la causa para evitar futuros problemas, los factores más comunes son: problemas de tiroides, anormalidades en la producción de otras hormonas endocrinas, problemas inmunes o autoinmunes (en los que el sistema inmunológico de la madre ataca al feto) o un útero enfermo. Ahora existen muchos exámenes para averiguar las causas de un aborto como los anticuerpos antitiroides o la deficiencia de vitamina B_{12} y se pueden sugerir métodos para evitar las pérdidas. Algunos son efectivos y otros están bajo investigación.

ABORTO TARDÍO

¿Qué es? La expulsión espontánea de un feto entre el fin del primer trimestre y la vigésima semana se denomina aborto tardío. (Después de la vigésima semana, cuando el feto es capaz de vivir fuera del útero –incluso si lo hace sólo con mucha ayuda del personal y el equipo de sala de recién nacidos– el aborto se denomina fetal o alumbramiento de un mortinato**.

La causa del aborto tardío suele relacionarse con la salud de la madre, las condiciones de la cérvix o del útero, que se haya visto expuesta a ciertos fármacos u otras sustancias tóxicas, o a problemas de la placenta.

Signos y síntomas. Pérdidas rosáceas durante varios días o una escasa pérdida parda durante varias semanas, indican que existe la amenaza de un aborto. Una hemorragia más fuerte, especialmente si va acompañada de calambres, probablemente indica que el aborto es irremediable, especialmente si la cérvix está dilatada. (puede haber otras causas para el sangrado como el desgarre, vea la página 649).

Tratamiento. Cuando existe una amenaza de aborto tardío, a menudo se prescribe reposo en cama. Si el manchado se detiene, esto se toma como que no estaba relacionado con un aborto, y generalmente se permite que la embarazada vuelva a asumir sus actividades normales. Si el cuello uterino ha empezado a dilatarse podría hacerse un diagnóstico de cérvix incompetente y se prevendría el aborto mediante un cerclaje (cosido de la cérvix para cerrarla, vea la página 46).

Una vez que empiezan la hemorragia fuerte y los calambres, que indican que se inicia un aborto, el tratamiento va dirigido a proteger la salud de la madre. Puede que se requiera hospitalización para prevenir las hemorragias. Si los calambres y la hemorragia prosiguen

---

* La inflamación que viene de una infección puede causar la producción de prostaglandinas y eso puede inducir el parto.

** Cuando un bebé nace muerto después de la semana número 20 de embarazo, no se llama aborto.

SI SE HA SUFRIDO UN ABORTO

Aunque es difícil que los padres lo acepten en ese momento, cuando se produce un aborto, suele ser una bendición. El aborto temprano suele ser un proceso de la selección natural en el cual un embrión o un feto defectuoso (defectuoso debido a factores ambientales, tales como la radiación o los fármacos; debido a una mala implantación en el útero; debido a anormalidad genética, una enfermedad materna, un accidente o a otras razones desconocidas) es desechado, probablemente porque no es capaz de sobrevivir o es enormemente defectuoso.

A pesar de ello, perder un bebé, incluso aunque sea muy pronto, es traumático. Pero no hay que permitir que los sentimientos de culpabilidad agraven la desgracia; *un aborto no es culpa de la madre.* Esta no deberá afligirse. Compartir sus sentimientos con el esposo, el médico o un amigo, será de gran ayuda. En algunas comunidades existen grupos de apoyo para las parejas que han tenido un aborto. Se preguntará al médico si conoce alguno en la zona, o se preguntará en el hospital. Ello puede ser especialmente importante si la mujer ha tenido más de un aborto. Para más sugerencias de cómo enfrentarse a esta pérdida, vea la página 689.

Posiblemente la mejor terapia sea volver a quedar embarazada de nuevo tan pronto como sea seguro. Pero antes de hacerlo, se discutirán las posibles causas del aborto con el médico. Generalmente, un aborto es simplemente un suceso aislado y azaroso, causado por anormalidad cromosómica, infección, exposición a productos químicos o teratogénicos o por el azar, y no es probable que vuelva a suceder. Los abortos repetidos (más de dos) a menudo están relacionados con una insuficiencia hormonal de la madre o con que el sistema inmunitario de la madre rechaza al "intruso", el embrión. En ambas situaciones, la instauración de un tratamiento cuando se vuelve a concebir, o incluso antes, a menudo puede prevenir que se vuelva a abortar. En algunas raras ocasiones, los abortos repetidos se deben a factores genéticos que se detectan mediante análisis cromosómicos de ambos esposos anteriores a la concepción. La mujer preguntará al médico si tales análisis son indicados en su caso.

Cualquiera que sea la causa del aborto, muchos médicos sugieren esperar de tres a seis meses antes de volver a intentar concebir, aunque a menudo las relaciones sexuales pueden reanudarse al cabo de seis semanas. (Se utilizará un método anticonceptivo fiable, preferiblemente del tipo de barrera —condón, diafragma— cuando el médico dé permiso). Se aprovecharán las ventajas de este período de espera; se pasará mejorando la dieta y los hábitos de salud, además de preparar al cuerpo (vea el capítulo 21). Por suerte, hay muy buenas posibilidades de que la siguiente vez la mujer tenga un embarazo normal y un bebé sano. La ma-

Continúa en la página siguiente...

...viene de la página anterior

yoría de las mujeres que han tenido un aborto no quieren repetir la experiencia. De hecho, un aborto constituye un seguro de fertilidad, y la gran mayoría de mujeres que pierden un bebé de esta forma pueden tener otro.

después de un aborto, podría ser necesaria una dilatación y un raspado para extraer los restos del embarazo que pudieran permanecer en el útero.

Prevención. Si puede determinarse la causa del aborto tardío, podría ser posible prevenir una repetición de esta tragedia. Si fue responsable una cérvix incompetente que no se había diagnosticado, pueden prevenirse los futuros abortos mediante un cerclaje a principios del embarazo, antes de que la cérvix empiece a dilatar. Si la culpable fue una insuficiencia hormonal, podría permitir que los futuros embarazos llegaran a término. Si una enfermedad crónica, tal como la diabetes o la hipertensión, es la responsable, podrán establecerse unos controles mejores. Una infección aguda o una mala alimentación pueden prevenirse o tratarse. Y un útero de forma anormal o deformado por el crecimiento de fibroides u otros tumores benignos puede, en algunos casos, corregirse quirúrgicamente.

EMBARAZO ECTÓPICO

¿Qué es? Se trata de un embarazo que se implanta fuera del útero, generalmente en las trompas de Falopio. El diagnóstico y tratamiento precoces son muy efectivos. Sin ellos, el feto continuará creciendo en la trompa y esta finalmente estalla, lo que destruye su capacidad de transportar hasta el útero los óvulos fecundados durante los futuros embarazos. La rotura de una trompa que no se trate adecuadamente puede acabar con la vida de la madre.

Signos y síntomas. Dolor espasmó-

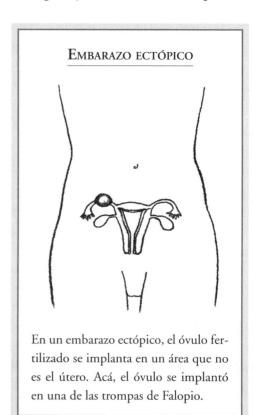

EMBARAZO ECTÓPICO

En un embarazo ectópico, el óvulo fertilizado se implanta en un área que no es el útero. Acá, el óvulo se implantó en una de las trompas de Falopio.

dico y parecido a un calambre, con sensibilización, que empieza en un costado y a menudo se extiende por todo el abdomen; el dolor puede empeorar al ir de vientre, toser o moverse. A menudo se presentan manchas pardas o una ligera hemorragia vaginal, intermitente o continua, que puede preceder al dolor en varios días o semanas. A veces, náuseas y vómitos, debilidad o mareos, dolor en los hombros y/o presión rectal. Si la trompa se rompe, puede que se inicie una gran hemorragia, y son comunes los signos de shock (pulso rápido y débil, piel fría y húmeda, y desvanecimientos) y el dolor se hace muy agudo y persistente durante un corto período de tiempo antes de difundirse a toda la región pélvica.

Tratamiento. Es importante acudir al hospital de inmediato. Las nuevas técnicas de diagnóstico precoz y tratamiento de los embarazos tubáricos han suprimido la mayoría de los riesgos para la madre, y han mejorado mucho las posibilidades de que esta siga siendo fértil.

El diagnóstico suele llevarse a cabo por la combinación de dos procedimientos: (1) una serie de análisis del embarazo altamente sensibles que den a conocer el nivel de la hormona GCh en la sangre materna (si dichos niveles bajan o dejan de subir al progresar el embarazo, se sospecha de la existencia de un embarazo anormal, posiblemente tubárico); y (2) ecografías de alta resolución para visualizar el útero y las trompas de Falopio (la ausencia de un saco embrionario en el útero* y aunque esto no siempre es visible, que se esté desarrollando un embarazo en una trompa de Falopio, son indicaciones de embarazo ectópico). Si existe alguna duda, se suele confirmar visionando las trompas directamente, por medio de un delicado laparoscopio insertado por el ombligo. Las herramientas de diagnóstico de alta tecnología tales como ésta han hecho posible el diagnóstico precoz de los embarazos ectópicos, detectándose el 80% de ellos antes de la ruptura.

El éxito del tratamiento de un embarazo ectópico también depende de la medicina de alta tecnología. Hace tiempo se operaba rutinariamente a las pacientes para acabar con el embarazo anormal, practicando una gran incisión en el abdomen, pero recientemente se ha hecho más común la laparoscopia, dado que permite una estancia más corta en el hospital y una recuperación más rápida. La laparoscopia se realiza a través de dos diminutas incisiones, una en el ombligo para la inserción del instrumento para visionar, el laparoscopio y la otra en la parte baja del abdomen, para los ins-

---

* A las mujeres que les hicieron tratamientos de fertilidad con gonadotropinas (Clomid y Perganol) para estimular la salida de muchos óvulos a través de los ovarios, es muy raro que les pase que un óvulo fertilizado vaya al útero mientras otro se quede en las trompas de Falopio. Es bueno que el doctor haga un ultrasonido.

trumentos quirúrgicos. Dependiendo de las circunstancias, se usarán los rayos láser, la electrocauterización o incluso fármacos para extraer el embrión de la trompa de Falopio. Como alternativa a la cirugía se puede proporcionar una sola dosis de metotrxato* y/o misoprostol, esto destruye al embrión mal ubicado. En algunos casos es posible determinar que el embarazo ectópico ya no se está desarrollando e irá desapareciendo con el tiempo, lo cual, a su vez, eliminaría la necesidad de una cirugía. Dado que los materiales residuales del embarazo podrían dañar la trompa si permanecieran en ella, se realiza un análisis de seguimiento de los niveles de GCh para asegurarse de que todo ha sido extraído.

La mayoría de las mujeres que han sido tratadas por embarazo ectópico pueden volver a concebir y tener un embarazo normal un año después.

Prevención. Buscar un tratamiento inmediato para las enfermedades de transmisión sexual y prevenirlas (a través de la práctica del sexo seguro). Eso y dejar de fumar, pueden reducir los riesgos de embarazo ectópico.

---

* Hay un riesgo muy bajo de que el tratamiento con esta medicina lleve a la neumonía. Hable con el doctor si nota que está tosiendo o si tiene problemas para respirar.

DIABETES GESTACIONAL

¿Qué es? Se trata de una enfermedad temporal, parecida a otros tipos de diabetes, en la cual el cuerpo no produce cantidades adecuadas de insulina para enfrentarse a la mayor cantidad de azúcar en sangre del embarazo. A las mujeres se les hace un examen alrededor de la semana 28 de embarazo porque es cuando la placenta produce más hormonas. Este tipo de diabetes es más común en mamás mayores y casi siempre aparece después del parto.

La diabetes, tanto la del tipo que empieza durante el embarazo como la que empieza antes de la concepción, generalmente no es peligrosa para el feto ni para la madre si es controlada. Pero si se permite que circule demasiado azúcar por el torrente sanguíneo de la madre, y por lo tanto que entre en circulación fetal a través de la placenta, los problemas potenciales para la madre y el bebé son graves. Si no se trata la diabetes gestacional, hay riesgo de tener un bebé muy grande y de preeclampsia (hipertensión inducida por el embarazo).

Signos y síntomas. El primer signo podría ser la presencia de azúcar en la orina, pero también lo puede ser una sed excesiva, orinar frecuente y muy copiosamente (que se distingue de la micción también frecuente pero escasa de principios del embarazo) y fatiga (que puede ser difícil de diferenciar de la fatiga del embarazo).

Tratamiento. Por suerte, prácticamente todos los riesgos potenciales asociados con la diabetes durante el embarazo pueden ser eliminados mediante un escrupuloso control de los niveles de azúcar en la sangre, que se consigue mediante unos buenos cuidados médicos y por parte de la misma embarazada. Si se siguen las instrucciones del médico (vea la página 472 para los cuidados recomendados), la madre diabética y su bebé tendrán casi tan buenas probabilidades como cualquier madre normal y su bebé de pasar sanos y salvos por el embarazo y el parto. Incluso cuando los exámenes están en el límite, es bueno tratar la enfermedad. Si tiene la enfermedad debe revisarse unos meses después del parto para asegurarse de que los niveles de azúcar estén normales. Siempre debe estar pendiente de los síntomas (orina frecuente, sed y aumento de azúcar en la orina y en la sangre) porque es propensa a tener la enfermedad más adelante.

Prevención. Para minimizar el riesgo siga una buena dieta, haga ejercicio y cuide su peso. Las mujeres obesas que hacen ejercicio reducen el riesgo de la enfermedad en un 50%.

PREECLAMPSIA (HIPERTENSIÓN INDUCIDA POR EL EMBARAZO)

¿Qué es? También denominada toxemia, la preeclampsia es una forma de hipertensión relacionada con el embarazo. Se caracteriza por la hinchazón, la presión sanguínea elevada y la proteína en la orina. La preeclampsia se da entre el 5% y el 10% de los embarazos.

Las mujeres que tienen mayor riesgo son las que cargan fetos múltiples, las mujeres mayores de 40 años, las diabéticas y las mujeres que ya tienen presión arterial alta. Es más probable que la enfermedad se presente en el primer embarazo. Nadie conoce sus causas, pero parece que se trata de algo genético. Si su mamá o la mamá de su esposo tuvieron preeclampsia cuando los esperaban a ustedes, es más probable que usted desarrolle la enfermedad.

Las investigaciones también ligan a la enfermedad con una mala nutrición, baja en vitaminas C y E y baja en magnesio. Las mujeres con preeclampsia también tienen niveles altos de triglicéridos que pueden ser el resultado de una dieta alta en azúcar. También creen que las mujeres con esta enfermedad tienen algún defecto en sus vasos sanguíneos y eso hace que no llegue suficiente sangre a los riñones y al hígado.

Además se piensa que la preeclampsia es una respuesta inmune a un intruso: el bebé; eso significa que el cuerpo de la mujer es "alérgico" al bebé y a la placenta, esto causa una reacción que puede dañar su sangre y sus vasos sanguíneos. Seguramente las investigaciones avanzarán para actuar mejor contra esta enfermedad.

Signos y síntomas. La preeclampsia se diagnostica cuando hay presión sanguínea alta (140/90 o más en mujeres que nunca antes habían tenido la presión alta; y albúmina en la orina). La enfermedad puede progresar muy de prisa hasta un estado grave, caracterizado por un mayor aumento de la presión sanguínea (generalmente a 160/100 o más), mayores cantidades de albúmina en la orina, visión borrosa, jaquecas, irritabilidad, cantidades escasas de orina, confusión, dolor gástrico fuerte y/o funcionamiento anormal del riñón o el hígado y valores anormales de las plaquetas sanguíneas. Puede haber también un mal crecimiento del feto y cantidades inadecuadas de líquido amniótico en el útero. Las mujeres embarazadas con esta enfermedad puede que no tengan ninguno de los síntomas o puede que los tengan todos.

Por suerte, en las mujeres que reciben cuidados médicos regulares, la enfermedad se detecta casi invariablemente en sus inicios y es tratada con éxito, evitándose los malos resultados. La preeclampsia grave que no es tratada puede progresar muy rápidamente hasta una eclampsia u otras condiciones graves (vea la página 675).

Algunas veces la preeclampsia o hipertensión inducida por el embarazo no aparece hasta el parto, o incluso hasta el posparto. Un tal aumento súbito de la presión sanguínea puede ser una mera reacción al estrés o una verdadera preeclampsia. Por lo tanto, las mujeres que presentan una elevación de la presión sanguínea son cuidadosamente vigiladas con frecuentes comprobaciones no sólo de la presión sanguínea, sino también con análisis de orina (en busca de proteína), de sangre y comprobación de los reflejos.

Tratamiento. El tratamiento variará según la gravedad de la enfermedad, las condiciones de la madre y el bebé, la fase del embarazo y el criterio del médico. Pero la única cura es el parto.

Con una enfermedad benigna, a la mujer que está cerca de la fecha de la salida de cuentas y cuya cérvix está madura (blanca y adelgazada) se le suele inducir el parto de inmediato. La mujer que no está madura suele ser hospitalizada para un reposo total en cama (lo mejor es estar acostada sobre el lado izquierdo) y una observación de cerca, generalmente sin diuréticos, una medicación para la hipertensión o una reducción drástica del sodio. En algunos casos muy benignos, se permite que la mujer guarde el reposo en cama en su casa, una vez que la presión sanguínea se ha normalizado. Si se le permite volver a su casa, la embarazada debe ser controlada por una enfermera y deberá hacer frecuentes visitas a la consulta de su médico. Se le informa sobre los signos de peligro —jaqueca fuerte, trastornos de la visión o dolor abdominal alto o medio— que pueden avisarla de que su estado está empeorando, y se le indica que debe buscar atención médica de urgencia de inmediato si experimenta alguno de ellos.

Se evalúa la situación del bebé con regularidad: se comprobarán a diario los movimientos fetales, se practicarán tests de estrés y no-estrés, ecografías, amniocentesis y otros procedimientos según se precise. Si en algún momento el estado de la madre empeora o los tests del feto indican que el bebé estaría mejor fuera del útero, se evaluará el estado de la madre para determinar la mejor manera de que dé a luz. Si la cérvix está preparada y el bebé no padece un sufrimiento agudo, se suele decidir inducir la dilatación, para un parto vaginal. De otro modo, se recomendará una cesárea.

En general, a una mujer con preeclampsia, incluso si esta no es grave, no se le permitirá salir de cuentas (no más de 40 semanas de gestación), dado que el ambiente del útero después de la fecha de salida de cuentas empieza a deteriorarse más rápidamente de lo normal.

El pronóstico para una embarazada con una preeclampsia benigna es muy bueno cuando los cuidados médicos son apropiados, y el resultado del embarazo es prácticamente el mismo que el de una mujer con una presión sanguínea normal.

Con una enfermedad grave, o si una preeclampsia benigna progresa, el tratamiento suele ser más agresivo. Pronto se inicia la administración intravenosa de sulfato de magnesio, ya que casi siempre evita las convulsiones, una de las complicaciones más serias de esta enfermedad. (Los efectos secundarios de este tratamiento son incómodos, pero generalmente no son serios). Si el feto está cerca de la fecha de término y/o se determina que sus pulmones están maduros, se suele recomendar un parto inmediato, dado que creen que es mejor tanto para la madre (para que se normalice su presión sanguínea y mejore su estado general) como para el bebé (que creen que estará mejor si continúa creciendo en una unidad de cuidados intensivos neonatales en vez del medio ambiente uterino de su madre, algo menos que hospitalario). Algunos médicos administran esteroides al feto para que los pulmones maduren más rápido antes del parto.

Entre las semanas 24 y 28, casi todos los médicos intentan manejar la preeclampsia con métodos conservadores, incluso cuando esta es grave, para poder proporcionarle al feto algo más de tiempo en el útero. Antes de las 24 semanas (cuando el feto raras veces es capaz de vivir fuera del útero y cuando por suerte la preeclampsia grave es poco común), a veces es necesario inducir el parto para poder detener el proceso de preeclampsia, incluso si el bebé no tiene ninguna posibilidad de sobrevivir. Las mujeres que padecen tan grave enfermedad es mejor que den a luz en un centro médico principal donde puedan disponer de cuidados óptimos para ellas, así como de cuidados neonatales para el bebé prematuro.

En el 97% de las mujeres con preeclampsia que no padecen además hipertensión crónica, la presión sanguínea vuelve a niveles normales después del parto. La bajada tiene lugar en la mayoría de los casos durante las primeras 24 horas del posparto, y en la mayoría de las demás, dentro de la primera semana. Si la presión sanguínea no ha vuelto a la normalidad en la visita de control de las seis semanas, el médico buscará una enfermedad subyacente.

Con unos cuidados médicos inmediatos y apropiados, las posibilidades de un final feliz para las madres que padece preeclampsia y excepto en raros casos, para sus bebés, son muy grandes.

Prevención. Las investigaciones recientes sugieren una dosis diaria de aspirina para las mujeres con riesgo de preeclampsia, puede tomarla de manera segura hasta la semana 36 de embarazo. Aunque los suplementos de calcio no parecen reducir el riesgo de preeclampsia en mujeres con ingesta adecuada de calcio, hay evidencias de que puede ayudar a las mujeres que no tienen una buena ingesta. Lo que puede reducir el riesgo es una buena nutrición con antioxidantes, magnesio, vitaminas (especialmente vitamina C) y minerales. Si minimiza el estrés, también minimiza el riesgo de preeclampsia.

RETRASO DEL CRECIMIENTO INTRAUTERINO (RCIU)

¿Qué es? Algunas veces, cuando el ambiente uterino no es el ideal –debido a una enfermedad materna, a su estilo de vida, a una incapacidad placentaria o a otros factores– el feto no crece tan de prisa como debiera. Si no se interviene, ese bebé nacerá, ya sea prematuramente o a término, demasiado pequeño para su edad gestacional. Pero si el RCIU es diagnosticado antes de nacer, como suele suceder si la madre está recibiendo unos cuidados médicos regulares, se tomarán medidas que pueden hacer desaparecer el problema.

El RCIU aparece entre el 2.5% y el 3% de los embarazos, es más común durante el primer embarazo y el quinto y subsiguientes. También es algo más común entre las mujeres de menos de 17 y más de 35 años. Afortunadamente el 90% de los bebés que nacen pequeños tienen buena salud, alcanzan su peso y su normalidad en los primeros años de vida. De todas maneras es importante combatir la enfermedad cuando se diagnostica, porque un pequeño porcentaje de los niños tiene problemas para alcanzar su tamaño normal y para desarrollarse correctamente.

Signos y síntomas. Tener un abdomen de pequeño tamaño no suele ser un indicio de RCIU –así como tener un gran vientre o haber ganado mucho peso no necesariamente significa que el bebé vaya a ser grande. En la mayoría de los casos no existen síntomas externos que puedan poner alerta a la madre. El médico, después de medir el abdomen, puede sospechar que el útero o el feto son demasiado pequeños para la fecha. El diagnóstico puede confirmarse o descartarse mediante una ecografía.

Tratamiento. Cuando fallan las medidas preventivas, y se diagnostica un RCIU, pueden ponerse a prueba varios remedios para enfrentarse al problema, dependiendo de las causas que se sospeche que están implicadas. Entre los procedimientos que podrían ser beneficiosos se encuentran el reposo en cama en el hospital, especialmente si el ambiente del hogar no es el ideal; una mejora de la alimentación, con énfasis en las proteínas, las calorías y el hierro, y alimentación intravenosa si fuera necesaria; medicación para mejorar el flujo sanguíneo a la placenta o para corregir un problema diagnosticado que podría contribuir al RCIU; y finalmente, un parto temprano si el medio uterino es muy pobre y no se puede mejorar y los pulmones del bebé están maduros.

Prevención. Dado que la mayoría de los bebés que nacen demasiado pronto son pequeños (aunque pueden tener un tamaño apropiado para su edad gestacional y no necesariamente padecen de RCIU), la alteración de los factores que provocan una dilatación prematura y hacen que ésta se detenga cuando empieza o se ve venir (vea la página 666) pueden tener mucho impacto sobre los riesgos de tener un bebé de bajo peso al nacer.

Ciertos factores maternales que contribuyen a un crecimiento fetal pobre no pueden eliminarse, pero pueden contro-

---

BEBÉS CON UN BAJO PESO AL NACER EN REPETIDAS OCASIONES

Una mujer que ya ha tenido un bebé con un bajo peso al nacer sólo tiene un riesgo ligeramente mayor que las demás de tener otro y tiene a su favor que las estadísticas demuestran que cada bebé que le siga es probable que pese algo más que el precedente. Que sus siguientes bebés sean pequeños o no, depende en gran medida de la razón por la que el primer bebé fue pequeño y de si existe el mismo factor o factores la siguiente vez que concibe.

Ya sea o no conocida la causa del retraso del crecimiento intrauterino, RCIU, del bebé anterior, la mujer que está planeando volver a quedar embarazada o que ya lo está, debería poner gran atención en todos los factores que pueden reducir los riesgos.

larse para minimizar cualquier amenaza para el crecimiento del bebé. Dichos factores incluyen enfermedades crónicas (diabetes, hipertensión, enfermedades pulmonares o renales); enfermedades relacionadas con el embarazo (anemia, preeclampsia); y enfermedades agudas no relacionadas con el embarazo (infecciones del tracto urinario). Para aprender cómo se tratan dichas afecciones, véanse las secciones pertinentes.

Para que la intervención sea efectiva, deberán alterarse algunos otros factores de riesgo antes de que se inicie el embarazo. Estos incluyen un peso de la madre significativamente escaso (ganar algo de peso y mejorar el estado de nutrición antes de concebir puede ayudar); susceptibilidad a la rubéola (la inmunización elimina el riesgo); un espaciado inadecuado entre embarazos (menos de seis meses entre el final de uno y el inicio del siguiente puede ser perjudicial para el siguiente bebé, aunque una nutrición excelente, grandes cantidades de reposo y unos cuidados médicos de la mejor calidad harán mucho en favor de la mejora de las condiciones uterinas si ya ha empezado un embarazo de este tipo); un útero mal formado o/y otros problemas de los órganos reproductivos o urinarios (la cirugía u otras terapias los pueden remediar); exposición a sustancias o ambientes tóxicos, incluyendo los peligros derivados del trabajo (vea la página 104).

Las más recientes investigaciones han puesto al descubierto diversos factores más que podrían estar implicados en la producción de bebés demasiado pequeños. Estos incluyen el estrés (físico, in-

---

DISMINUIR LOS RIESGOS DE UN BEBÉ EN PELIGRO

Si existe alguna razón para creer que un bebé puede ser algo menos que sano al nacer, es importante asegurarse de que este llegue al mundo bajo las mejores condiciones posibles. En la mayoría de los casos, ello significa que tendrá que nacer en un centro médico principal, uno que esté equipado para enfrentarse a los más serios problemas de las emergencias de los recién nacidos. (Los estudios demuestran que ello es preferible a trasladar un bebé enfermo después de nacer). Si el embarazo de una mujer es de alto riesgo, y pone a su bebé en grave peligro, ella deberá hablar con su médico sobre organizar el parto en un centro médico terciario, y luego hacer los arreglos necesarios para llegar allí cuando sea el momento. Puede que existan ambulancias especialmente equipadas o incluso helicópteros para transportarla rápidamente, en caso de que ello fuera necesario.

Asegúrese de que el especialista (o los especialistas) que están familiarizados con su caso, estén presentes en el parto.

cluyendo la fatiga y posiblemente psicológico); un aumento inadecuado del volumen de plasma sanguíneo de la madre; y una deficiencia de progesterona y posiblemente de otras hormonas. Es bueno que intente controlar estos factores para reducir el riesgo de tener un bebé pequeño.

Algunos factores que hacen que una mujer tenga mayores probabilidades de tener un bebé que no crezca bien son muy difíciles o imposibles de alterar. Estos incluyen ser pobre, no haber recibido una educación y/o estar soltera (probablemente debido a que las circunstancias hacen menos probable que la mujer reciba una nutrición y unos cuidados prenatales óptimos); exposición al DES antes de nacer (página 57); vivir a una gran altura (aunque el riesgo aumenta muy poco); haber tenido ya otro bebé de poco peso, un bebé con un defecto congénito o múltiples abortos; estar esperando gemelos, trillizos o más; tener hemorragias durante el primero o segundo trimestre, problemas placentarios (tales como una placenta previa o *abruptio placentae*), o náuseas y vómitos muy fuertes que continúen después del tercer mes; tener demasiado líquido amniótico o demasiado poco, una hemoglobina anormal o sufrir una rotura prematura de las membranas; o problemas de Rh o isoinmunización (vea la página 38). Si la misma madre ya fue pequeña al nacer, tiene mayores posibilidades de que su bebé

también sea pequeño. Pero en casi todos los casos, una nutrición óptima y la eliminación de cualquier otro factor de riesgo existente pueden mejorar las posibilidades de que el crecimiento fetal sea normal.

Incluso cuando las medidas preventivas y el tratamiento no han tenido éxito y el bebé ha nacido más pequeño de lo normal, las posibilidades de supervivencia e incluso una salud excelente son cada vez mejores debido a los milagros de la medicina moderna. Y a menudo, los niños de bajo peso al nacer alcanzan tanto en crecimiento como en desarrollo a sus semejantes de más peso.

PLACENTA PREVIA

¿Qué es? Placenta previa suena como una enfermedad en la placenta, pero no lo es en absoluto. Este término se refiere a la posición de la placenta, no a su estado. En la placenta previa, esta se halla unida a la mitad inferior del útero, recubriendo, cubriendo en parte o tocando el borde de la boca del útero. A principios del embarazo, es bastante común que la placenta esté baja; pero al ir progresando el embarazo y crecer el útero, en la mayoría de los casos esta se desplaza hacia arriba*. Incluso cuando no lo hace, es poco probable que

---

* Incluso las placentas bajas que se diagnostican bastante tarde durante el embarazo a veces pueden continuar desplazándose hacia arriba, lo que permite un parto normal a término.

cause problemas serios a menos que realmente toque la zona cervical de la boca del útero. En el pequeño porcentaje de casos en los que la toca, puede causar problemas más tarde durante el embarazo y el parto. Cuanto más cerca se halle la placenta de la boca del útero, mayores serán las posibilidades de hemorragia. Cuando la placenta bloquea la cérvix parcial o completamente, en general el parto vaginal se hace imposible.

El riesgo de tener placenta previa es mayor en las mujeres que tienen cicatrices en la pared uterina de embarazos anteriores, cesáreas, cirugía uterina o la dilatación y el raspado que siguen a un aborto. La necesidad de una mayor superficie placentaria, debido a unas mayores necesidades de oxígeno o nutrientes por parte del feto (debido a que la madre fuma, vive a gran altura, o está esperando más de un bebé) también puede aumentar las posibilidades de tener una placenta previa.

Signos y síntomas. Las hemorragias indoloras cuando la placenta se aleja de la porción inferior del útero que se estira, a veces antes de la semana 28, pero más a menudo entre la 34 y la 38, constituyen el signo más común de placenta previa, aunque se estima que de un 7 a un 30% de las mujeres con placentas bajas no sangran en absoluto antes del parto. La sangre suele ser de color rojo vivo, no va asociada con un dolor abdominal o sensibilidad significativos y el inicio de la hemorragia es espontáneo, aunque puede desencadenarse por la tos, los esfuerzos al hacer de vientre o las relaciones sexuales. Puede ser escasa o abundante, y a menudo se detiene para recomenzar más tarde. Debido a que la placenta está bloqueando su camino de salida los fetos con una placenta baja no suelen "caer" en la pelvis antes del parto.

En las mujeres que no presentan síntomas, esta situación puede descubrirse en un examen ecográfico rutinario o en el momento del parto.

Tratamiento. Debido a que la mayoría de los casos de placenta baja que

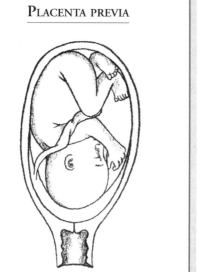

PLACENTA PREVIA

Acá, la placenta cubre completamente la boca del útero, haciendo que un parto vaginal sea imposible.

se detectan pronto se corrigen por sí mismos mucho antes del parto y nunca causan problemas, esta situación no requiere tratamiento antes de la vigésima semana. Después, cuando no existen síntomas, la mujer con un diagnóstico de placenta previa puede que vea cómo su ritmo de actividad se va modificando, al aumentar el reposo en cama. Cuando existe hemorragia, se hace necesaria la hospitalización para evaluar la situación de la madre y el bebé, y si fuera necesario para intentar estabilizarlas. Si la hemorragia se detiene o es muy escasa, se suele recomendar un tratamiento conservador. Este consiste en la hospitalización, incluyendo reposo en cama, un cuidadoso seguimiento, la prescripción de suplementos de hierro y posiblemente vitamina C, y las transfusiones que sean necesarias hasta que el feto esté lo suficientemente maduro para nacer. Puede que se prescriba una dieta con mucha fibra y laxantes para reducir la necesidad de esforzarse al ir de vientre. A veces, una embarazada que no haya sangrado durante una semana, que pueda acceder fácilmente al hospital (en el plazo de 15 minutos), que pueda estar segura de que permanecerá en cama, y que pueda tener un adulto que la acompañe las 24 horas del día (y si fuera necesario que la pueda llevar en coche al hospital) recibe el permiso de volver a casa para seguir allí un régimen igual de restringido. También hay, en algunas áreas, equipos especiales para las mujeres que se quedan en casa. Averigüe en el hospital.

La meta es intentar que el embarazo llegue al menos hasta la semana 36. En ese momento, si los tests dan como resultado que los pulmones están maduros, puede que se practique una cesárea, para reducir el riesgo de una hemorragia masiva. Desde luego, si antes de ese momento la madre y/o el bebé se encuentran en peligro debido a las hemorragias, no se retrasará más el parto, incluso si ello significa que el bebé será prematuro. Gracias a la habilidad y cuidados del personal de las unidades de cuidados neonatales intensivos, estará mucho mejor conectado a los equipos de una de dichas unidades que a una placenta que sangre dentro del útero.

Aproximadamente 3 de cada 4 mujeres con un diagnóstico de placenta previa darán a luz mediante cesárea antes de que empiece la dilatación. Si esta situación no se descubre hasta que se ha iniciado la dilatación, la hemorragia es escasa y la placenta no bloquea la cérvix, puede intentarse un parto vaginal. En cualquier caso, los resultados suelen ser buenos; aunque hace años la placenta previa suponía una amenaza muy seria, hoy en día casi el 99% de las madres pasan por el trance sin problemas, como casi tantos de sus bebés.

CORIOAMNIONITIS

¿Qué es? Esta infección del líquido amniótico y de las membranas fetales. Se diagnostica en sólo 1 de cada 100 embarazos, pero se sospecha que la verdadera incidencia podría ser mucho mayor. Se cree que la infección es una causa principal de la ruptura prematura de las membranas, así como de la dilatación prematura.

Signos y síntomas. En algunos casos, la corioamnionitis es asintomática (no presenta síntomas), particularmente al principio. El diagnóstico es complicado, por el hecho de que no existe ningún test simple que pueda confirmar la presencia de la infección. A menudo, el primer signo de la corioamnionitis es un latido cardíaco rápido (taquicardia) de la madre la cual también podría ser causada por deshidratación, por la medicación, por una presión sanguínea baja o la ansiedad, pero en cualquier caso debería informarse de ella al médico. Luego aparece una fiebre de más de 38 grados, y en muchos casos existe sensibilidad uterina. Si las membranas se han roto, también puede notarse un olor fétido del líquido amniótico; si estas están intactas, puede haber un flujo vaginal de olor desagradable, que se origina en la cérvix. Los tests de laboratorio revelarán un aumento de los leucocitos (un signo de que el cuerpo está luchando contra una infección). Puede

que el feto dé unos resultados pobres del perfil biofísico (vea la página 428), lo que indica sufrimiento fetal. El recién nacido está en riesgo de infectarse (puede tratarse con antibióticos) y posiblemente tiene puntajes bajos en la prueba de Apgar, pero generalmente no está en riesgo de tener problemas a largo plazo.

Tratamiento. La corioamnionitis puede ser causada por una amplia gama de microorganismos, y el tratamiento dependerá de cuál sea el organismo implicado, así como de las condiciones de la madre y el feto. Generalmente se descartarán otras causas para los síntomas, se harán análisis de laboratorio para intentar determinar el tipo de organismo infeccioso implicado, y se controlará el feto antes de empezar el tratamiento. Si el embarazo está cercano a su término y las membranas se han roto, y/o si el feto o la madre están en problemas, generalmente se prefiere desencadenar un parto inmediato. Si el feto es extremadamente inmaduro y es poco probable que sobreviva fuera del útero, y es aceptable retrasar el parto, se administrarán grandes cantidades de antibióticos que puedan atravesar la placenta, mientras la situación se controla cuidadosamente. El parto se retrasa, si es posible, hasta que el feto está más maduro.

Prevención. Los recientes avances médicos que permiten un diagnóstico y un tratamiento más rápidos han reducido en gran medida los riesgos de la corioamnionitis tanto para la madre como para el bebé; las mejoras ulteriores de las herramientas de diagnóstico, junto con una mejor comprensión de cómo prevenir tales infecciones reducirán los riesgos aún más.

RUPTURA PREMATURA DE LAS MEMBRANAS (RPDM)

¿Qué es? Se refiere a la ruptura de las membranas coriónicas o la "bolsa de aguas", antes de que empiecen las contracciones, estas sostienen al feto hasta la semana 37 de embarazo. El mayor riesgo es un parto prematuro, hay otros riesgos como infección del líquido amniótico (y posiblemente del feto), compresión o prolapso del cordón umbilical y *placenta abruptio* (ruptura prematura de las membranas que no significa parto prematuro, es decir que sucede después de la semana 37 de embarazo, pero antes del parto, vea la página 444).

Signos y síntomas. Salida más o menos abundante de líquido de la vagina; el flujo es mayor cuando la mujer se halla acostada. El examen que el médico hace de la vagina revela la existencia de un líquido alcalino (en vez de ácido, que sería el caso de la orina), que sale de la cérvix. Hay muchos exámenes que diagnostican la enfermedad.

Tratamiento. La mayoría de los médicos están de acuerdo en que en un principio, por un período que puede ser de unas pocas horas a todo un día, la futura madre cuyas membranas se han roto prematuramente debería ser estrechamente observada, para evaluar las condiciones del bebé y observar a la madre para detectar contracciones y la posibilidad de infección. Durante la evaluación inicial, la madre suele ingresar en un hospital para que repose en cama y se controle cuidadosamente su estado y el de su bebé. Se comprobará periódicamente su temperatura y el recuento de glóbulos blancos, de forma que los médicos puedan entrar en acción de inmediato si se desarrolla una infección, lo que podría producir un parto prematuro. También es posible que se haga un cultivo de la cérvix para ver si existe infección, y en algunos casos se administrarán antibióticos por vía intravenosa incluso antes de obtener el resultado del cultivo, para prevenir que cualquier infección pase al interior de la bolsa amniótica, ahora abierta. Parece que los antibióticos prolongan el tiempo para el parto, favoreciendo al feto. Es posible que se administren esteroides para que los pulmones del bebé maduren y para que puedan prevenir (posiblemente) otras complicaciones en el recién nacido.

Si empiezan las contracciones y se cree que el feto está inmaduro, se administrará medicación para tratar de detenerlas. Mientras la madre y el bebé estén bien, se proseguirá con este tratamiento conservador hasta que se crea que el bebé está lo bastante maduro para nacer. Si en algún momento se cree que la madre o el bebé están en peligro, se provocará el parto de inmediato. Raras veces sana la ruptura de las membranas y la salida de líquido amniótico se detiene por sí misma. Si ello sucede, se le permite a la madre volver a casa y volver a su rutina diaria estando alerta de los signos de otra posible salida de líquido amniótico.

Algunos médicos intentan retrasar el parto hasta la semana 33 o 34 del embarazo. En ese momento, algunos de ellos inducirán la dilatación; otros continuarán intentando posponer el parto hasta la semana 37. (Para ayudarse a decidir si inducir el parto o no, algunos practicarán una amniocentesis o comprobarán el líquido amniótico de la vagina para determinar la madurez de los pulmones del bebé).

Con unos buenos cuidados, tanto la madre como el bebé deberían estar bien, aunque si el bebé es prematuro, puede que pase un buen tiempo en la unidad de cuidados intensivos para bebés.

Prevención. Las investigaciones demuestran que la ruptura prematura de las membranas se relaciona a veces con una mala nutrición, así que coma lo mejor que pueda, dentro de los parámetros de la dieta ideal. Otra de las causas son las infecciones vaginales, así que cuide bien esas infecciones.

PARTO PREMATURO

¿Qué es? La dilatación se inicia después de la edad de viabilidad (20 semanas) y antes de la semana 37 (cuando se considera que el bebé está a término). Existe una gran diversidad de causas asociadas con el parto prematuro como mujeres menores de 18 años o mayores de 40, falta de cuidado o cuidado inadecuado en el embarazo, cigarrillo, cocaína, otros abortos anteriores, otros partos prematuros anteriores, bajo peso en el embarazo, útero malformado, cuello uterino incompetente, fibroides, infecciones vaginales, del líquido amniótico, del tracto urinario u otras (incluyendo las de las encías), producción temprana de la hormona oxitocina, hipertensión u otra enfermedad crónica, exceso de líquido amniótico, ruptura prematura de las membranas, placenta previa, sangrado en el segundo trimestre, estar embarazada de gemelos o más niños, estrés físico extremo en el trabajo (especialmente si camina o se queda parado más de cinco horas diarias durante el tercer trimestre) o abuso físico de parte de alguien más.

Los nacimientos prematuros también son más comunes en mujeres en desventaja y entre niñas adolescentes y madres solteras porque tienen mayores niveles de riesgo en otros factores: porque no pueden recibir un buen tratamiento médico y apoyo durante el embarazo. De todas maneras todavía queda mucho por investigar porque al menos la mitad de las mujeres con partos prematuros no tienen factores de riesgo conocidos.

Signos y síntomas. Calambres parecidos a los de la menstruación, con o sin diarrea, náuseas o indigestión; dolor o presión en la parte baja de la espalda; presión o dolor en la pelvis, muslos o ingle; un flujo acuoso, rosado o pardusco, posiblemente precedido por la bajada de un tapón mucoso grueso y gelatinoso; y/o un goteo o flujo de líquido amniótico por la vagina, contracciones o presión uterina. Si en los exámenes sale alto el nivel de fibronectina fetal (una forma de proteína que se encuentra en los fluidos del cuerpo, vea el cuadro de la página 668) en los fluidos cervicales o vaginales –incluso si no hay síntomas–, puede que aumente el riesgo de parto prematuro. Los cambios en el cuello uterino (delgado, abierto o más pequeño –si lo mide el ultrasonido-) indicarán si hay o no un parto prematuro.

Tratamiento. Es importante una atención médica rápida a tales síntomas, dado que el tratamiento a veces puede detener o retrasar el parto prematuro, y cada día que el bebé permanece en el útero hasta la fecha de salida de cuentas mejora sus posibilidades de sobrevivir.

El retraso o prevención del inicio de una dilatación prematura a menudo puede conseguirse limitando las relaciones sexuales y otras actividades físicas, con reposo en cama, y si fuera necesario hospitalización. En aproximadamente la mitad de los casos de mujeres que tienen contracciones fuertes prematuras pero que no sangran y son portadoras de un solo feto vivo, el reposo en cama en un hospital, sin medicación alguna, hará detener las contracciones. Si además las membranas están intactas y la cérvix no se ha borrado ni dilatado, 3 de cada 4 mujeres llegarán hasta la fecha de salida de cuentas. Pueden administrarse agentes tocolíticos (fármacos que relajan el útero y pueden detener las contracciones) para mejorar las posibilidades. Si se cree que la dilatación ha sido desencadenada por una infección, también se recetarán antibióticos*. Sin embargo, los riesgos y los beneficios serán considerados en cada caso y se dará el tocolítico más seguro en el menor tiempo posible. No se recomienda el uso a largo plazo de estas drogas. Aunque pueden parar las contracciones y parar el parto de manera temporal, los tocolíticos no han demostrado que mejoren la condición del bebé en el nacimiento o después, además pueden efectos adversos en la madre. Hoy en día se estudian otras drogas

---

* Puede resultar inapropiado usar tocolíticos cuando hay sangrado vaginal, ruptura temprana de las membranas o dilatación avanzada del cuello uterino.

que probablemente serán más efectivas y más seguras.

Cuando la madre y/o el bebé están en peligro inminente de una enfermedad u otro problema (sucede en 1 de cada 4 nacimientos prematuros) no se debe posponer el nacimiento. A veces, cuando es seguro, se puede retrasar el parto por veinticuatro horas para administrar esteroides que ayuden a madurar los pulmones del feto. También le pueden dar antibióticos, especialmente si se cree que hay infección. Es importante que esté en un hospital con cuidados intensivos para bebés, así puede llegar desde antes para estabilizarse.

Prevención. No todos los nacimientos prematuros se pueden evadir, porque no todos se deben a factores que se puedan prevenir. Sin embargo, se pueden tomar medidas para reducir los riesgos: tener un buen cuidado prenatal desde el principio, tener un buen cuidado dental, evitar el cigarrillo, la cocaína, el alcohol y otras drogas que no haya prescrito el médico, hacerse el examen de infecciones (especialmente las genitales) y acudir al tratamiento si fuera necesario, seguir las recomendaciones del médico y limitar las actividades pesadas, incluyendo las relaciones sexuales, estar parada o sentada por mucho tiempo, especialmente si ya ha tenido partos prematuros. Reporte cualquier abuso y asegúrese de que no vuelva a suceder.

TROMBOSIS VENOSA

¿Qué es? Se trata de un coágulo sanguíneo que se forma en una vena. Las mujeres son más susceptibles a los coágulos durante el embarazo, el parto y *particularmente* el posparto. Ello se debe

---

PREDECIR EL PARTO PREMATURO

Incluso entre las mujeres de alto riesgo, los embarazos cumplen las semanas necesarias. Una de las formas de prevenir el parto prematuro es el examen de las secreciones cervicales o vaginales para descartar la fibronectina fetal. Las investigaciones demuestran que algunas mujeres con resultados positivos de este examen, son propensas a tener partos prematuros entre una y dos semanas después del examen. Sin embargo, el examen es mejor para diagnosticar a mujeres *sin* riesgo de parto prematuro (cuando no se detecta fibronectina fetal)*. Cuando se detecta fibronectina fetal, se deben tomar medidas para reducir las probabilidades de un parto prematuro. El examen no es conocido en todas partes, es costoso y generalmente está reservado para las mujeres con alto riesgo. Si no está entre ese grupo, usted *no* necesita el examen.

---

* Los falsos positivos se dan cuando se ha hecho un examen vaginal o si ha tenido relaciones sexuales u otro tipo de manipulación del cuello uterino durante las veinticuatro horas antes del examen.

a que la naturaleza, preocupada por la excesiva pérdida de sangre del parto, tiende a incrementar la capacidad de coagulación de la sangre –a veces demasiado– y a que el útero agrandado hace difícil que la sangre de la parte inferior del cuerpo vuelva hasta el corazón. Los coágulos de las venas superficiales (tromboflebitis) se dan en aproximadamente 1 o 2 de cada 100 embarazos. Las trombosis en venas profundas, que si no son tratadas pueden tener como resultado que un coágulo se desplace a los pulmones y amenace la vida de la paciente, son por fortuna mucho menos frecuentes. Las mujeres que tienen un riesgo algo mayor de tener coágulos son las que ya los han tenido antes; las mayores de 30 años; las que han tenido tres o más partos; han guardado cama durante largos períodos; pesan demasiado, están anémicas o tienen venas varicosas; o han sufrido partos por cesárea o con fórceps medio.

Signos y síntomas. En la tromboflebitis superficial, generalmente existe una zona frágil y enrojecida en forma de línea sobre una vena que está próxima a la superficie en el muslo o la pantorrilla.

En la trombosis de vena profunda, puede que la pierna se sienta pesada o adolorida, puede existir sensibilidad en el muslo o la pantorrilla, hinchazón (desde ligera a fuerte), distensión de las venas superficiales y dolor en la panto-

rrilla al flexionar el pie (doblar los dedos hacia el mentón). Para el diagnóstico de un coágulo sanguíneo se usan la ecografía u otros métodos. Cualquiera de estos síntomas, así como cualquier otro síntoma inusual en la pierna, una fiebre inexplicable o taquicardia, debería ser comunicada al médico. Si el coágulo se ha desplazado a los pulmones, puede haber dolor en el pecho, tos con esputos espumosos y teñidos de sangre, taquicardia y respiración rápida, labios y puntas de los dedos azulados y fiebre. Estos síntomas requieren atención médica *inmediata*.

Tratamiento. Una vez hecho el diagnóstico, el tratamiento dependerá del grado y del tipo del coágulo. Un trombo superficial será tratado con descanso, elevación de la pierna, pomadas locales, calor húmedo, un calcetín elástico de compresión y, posiblemente, durante el posparto, con aspirina. En el caso de una trombosis de vena profunda, se prescribirá un anticoagulante (casi siempre heparina), generalmente por vía intravenosa durante una semana o diez días, y luego por vía subcutánea hasta que comience la dilatación, cuando se dejará de administrar. Varias horas después del parto se volverá a iniciar el tratamiento, y se proseguirá durante unas pocas semanas. Si existe un trombo pulmonar, podrían ser necesarios los fármacos y la cirugía, así como un tratamiento para los posibles efectos secun-

darios. El tratamiento *posparto* es básicamente igual, pero, obviamente, no
hay interrupción para el parto.

Prevención. El mejor tratamiento es
la prevención: llevar medias elásticas si
se tiene tendencia a los coágulos; evitar
estar sentada durante más de una hora
sin dar un paseo y estirar las piernas;
ejercitar las piernas si se está guardando
cama y no dormir o ejercitarse estando
acostada sobre la espalda.

COMPLICACIONES DEL EMBARAZO POCO COMUNES

Las siguientes complicaciones del embarazo son poco comunes. La mujer
embarazada promedio no tiene que lidiar con estos síntomas. Así que, de
nuevo (esto merece repetirse), lea esta
sección sólo si lo necesita y sólo lea lo
que aplica en su caso. Si le diagnosticaron cualquiera de estas complicaciones,
utilice la información que le damos para
conocer la enfermedad y el tratamiento
(y cómo prevenirla en futuros embarazos), pero tenga en cuenta que el procedimiento de su médico puede ser diferente.

HYPEREMESIS GRAVIDARUM

¿Qué es? Esta forma exagerada de las
náuseas matutinas se da en menos de 1
de cada 200 embarazos. La hiperémesis
gravidarum, o vómitos excesivos durante el embarazo, es más común en las
primerizas, en las mujeres que están esperando más de un hijo, y en mujeres
que ya sufrieron este trastorno durante
un embarazo anterior. Parece que uno
de los factores es la sensibilidad del centro de vómito en el cerebro, que varía
de una persona a otra. El estrés psicológico también puede ser un factor que
contribuye a ello, otros factores pueden
ser la ingesta excesiva de grasa saturada,
desbalances endocrinos, deficiencia de
vitamina B e infección *H. pylori*.

Signos y síntomas. Las náuseas y
vómitos de principios del embarazo son
más frecuentes y fuertes de lo normal,
y pueden durar más –a veces durante
los nueve meses– en vez de desvanecer-
se hacia finales del primer trimestre.
Otros síntomas son: orina infrecuente
y orina amarilla oscura (signos de deshidratación por pérdida de fluidos en
el vómito), pérdida de peso de más del
5% del peso original, y/o sangre en el
vómito. Si no se tratan, lo vómitos frecuentes pueden producir mala nutrición, deshidratación, y posiblemente
dañar la salud de la madre y del bebé.
Debe reportar cualquiera de los síntomas al médico. Si además del vómito
tiene dolor abdominal severo (con o sin
otros síntomas), es posible que tenga un
problema en el páncreas y que necesite
ayuda médica inmediata.

Es muy raro que las náuseas y el vómito aparezcan en el tercer trimestre, acompañadas de dolor abdominal y, después, de confusión. Estos síntomas que son más probables en mujeres con desórdenes metabólicos, pueden ser un signo de preeclampsia o una enfermedad del hígado, cualquiera que sea el caso, necesita atención médica inmediata.

Tratamiento. Los casos más benignos pueden controlarse mediante medidas dietéticas, reposo, bandas (vea Bandas o Bandas con batería para el alivio del mareo) antiácidos y medicación antiemética (contra los vómitos)*. A veces es posible administrar medicina a través de una bomba. Esto generalmente es efectivo pero algunas mujeres presentan efectos secundarios tan severos que quieren dejar la terapia. Hay terapias complementarias y alternativas (acupuntura, meditación, hipnosis, etcétera) que pueden brindar alivio, vea la página 330. También es bueno que coma pequeñas cantidades de alimento varias veces al día y que tome mucho líquido. Evite el alcohol, el cigarrillo (esto es para *todas* las mujeres embarazadas), las bebidas carbonatadas, la cafeína, y las grasas. Si el vomito continúa y pierde mucho peso, es posible que necesite hospitalización.

Pueden que se hagan análisis para descartar causas ajenas al embarazo, tales como gastritis, un bloqueo intestinal o una úlcera. Puede que se oscurezca la habitación de la paciente y se limiten las visitas para reducir la estimulación; puede que ésta reciba psicoterapia para que se reduzca la tensión. Si fuera necesario, se le administrará alimentación intravenosa, junto con un antiemético. Cuando se ha recuperado el equilibrio hídrico (generalmente a las 24 o 48 horas), se inicia una dieta líquida. Si esta se tolera, la paciente pasa gradualmente a tomar pequeñas colaciones al día. Si la embarazada todavía no puede mantener los alimentos en el estómago, se continuará con la dieta intravenosa, aunque se intentará que tome algún alimento por la boca. Algunas veces, cuando el problema persiste durante bastante tiempo como para amenazar la nutrición adecuada del feto, se añadirán nutrientes especiales a los líquidos intravenosos, para mantener bien alimentados a la madre y al feto mientras se le proporciona descanso al tracto gastrointestinal durante unas semanas. Esto se denomina hiperalimentación intravenosa, y casi siempre permite seguir con el embarazo sin molestar a la madre o al bebé. La buena noticia es que, por más mal que se sienta, es poco probable que el niño sufra daños. No hay estudios que muestren diferen-

---

* No se tomará medicación antiemética sin la aprobación del médico. Dado que algunos de estos fármacos tienen interacciones adversas con otros medicamentos, la paciente se asegurará de que el médico sepa de cualquier medicación que esté tomando, antes de que le prescriba un antiemético.

cias entre niños de madres sanas y niños de madres con esta enfermedad.

EMBARAZO MOLAR, ENFERMEDAD TROFOBLÁSTICA O (MOLA HIDATIDIFORME)

¿Qué es? En aproximadamente 1 de cada 2.000 embarazos en los Estados Unidos, y más a menudo en mujeres de 45 años que en las madres más jóvenes, el trofoblasto –la capa de células que forra el saco embrionario y que normalmente da lugar a las vellosidades coriónicas– se convierte en una masa de vesículas transparentes parecidas a la tapioca en vez de en una placenta sana. Sin el sistema de soporte placentario, el óvulo fecundado se deteriora. Esta enfermedad es causada probablemente por una anormalidad cromosómica del óvulo fecundado.

Signos y síntomas. El primer signo de la enfermedad trofoblástica suelen ser unas pérdidas parduscas intermitentes, que a veces pueden ser continuas. Con frecuencia, los mareos matutinos normales del embarazo se vuelven inusitadamente fuertes. Al ir progresando el embarazo, 1 de cada 5 mujeres puede perder unas pocas de las diminutas vesículas por la vagina. Al iniciarse el segundo trimestre, el útero es mayor de lo que cabría esperar y es más bien blando que firme; no puede detectarse el latido cardíaco fetal. También puede presentarse preeclampsia (presión sanguínea elevada, excesiva hinchazón y albúmina en la orina), o en algunos casos pérdida de peso y otras indicaciones de que aumenta la actividad tiroidea. El diagnóstico definitivo dependerá del examen con ultrasonidos, que pondrá de manifiesto la ausencia de tejidos embrionarios o fetales y el útero distendido por las pequeñas vesículas. El tamaño de los ovarios también puede haber aumentado debido a los altos niveles de GCh acompañantes.

Tratamiento. La cérvix es dilatada y el contenido del útero cuidadosamente evacuado, como en un aborto espontáneo o terapéutico. Es importante el seguimiento, dado que aproximadamente de un 10 a un 15% de dichos embarazos no dejan de crecer de inmediato. Si los niveles sanguíneos de GCh dejan de volver a la normalidad, se repetirá la dilatación y el raspado. Si los niveles de GCh siguen siendo altos después del segundo procedimiento, el médico investigará si existe un nuevo embarazo o si se ha extendido tejido molar a la vagina o los pulmones. En muy raras ocasiones, un embarazo molar se maligniza (véase *Coriocarcinoma*, página 675), por lo que es especialmente importante un estrecho seguimiento médico después de un embarazo molar (esta enfermedad se puede curar con un diagnóstico y tratamiento precoces).

CUANDO SE DETECTA UN DEFECTO FETAL GRAVE

Es la pesadilla de cualquiera que esté esperando cualquier tipo de diagnóstico prenatal; resulta que algo está mal, tan mal que deberá considerarse la posibilidad de acabar con el embarazo. El hecho de que esta pesadilla sólo se haga realidad muy pocas veces no constituye ningún consuelo para las parejas que reciben el temido informe adverso.

Antes de que la mujer considere la posibilidad de terminar con el embarazo, debería asegurarse de que el diagnóstico es correcto y de que todas las opciones están claras. Es recomendable una segunda opinión, preferiblemente de un consejero genético o un especialista en medicina materno-fetal.

Si se debe dar fin al embarazo, puede que la mujer experimente que es difícil obtener consuelo. Puede que los amigos bienintencionados y los parientes no entiendan por lo que está pasando y puede que trivialicen lo que la mujer vive como una tragedia con comentarios como "ha sido lo mejor", o "puedes volverlo a intentar". El apoyo profesional –por parte del médico, un terapeuta, un asistente social o un consejero genético– podría ser necesario para que la mujer se pudiera enfrentar a esta dura situación. Esta será difícil de aceptar. Probablemente la mujer pasará por todas o la mayoría de las demás fases –negación, ira, negociación, depresión– antes de llegar a la aceptación. Otras parejas que reciben malas noticias se cargan a sí mismas con

una carga sobreañadida e innecesaria: la culpabilidad. Es importante saber que los defectos congénitos generalmente son debidos al azar. Los padres nunca dañarían expresamente al bebé, y si lo hicieron sin saberlo, no se deben culpar. Vea la página 689 para más consejos sobre cómo enfrentarse con la pérdida de un bebé.

Si la mujer decide terminar con el embarazo pero se halla trastornada por tenerlo que hacer, le puede ser de ayuda tener en cuenta que si no se hubiera tenido el diagnóstico prenatal, hubiera seguido el embarazo, llegándose a amar y conocer al bebé, durante nueve meses, sólo para perderlo poco después de nacer. O hubiera tenido un bebé que hubiera sobrevivido durante meses o años, pero sin semblanza alguna con la vida tal como la conocemos. En vez de ello, para la época en que la mujer hubiera salido de cuentas, quizás esta ya haya tenido la oportunidad de volver a quedar en estado; esta vez, de un bebé sano. Desde luego, todo ello no la priva del derecho de lamentar la pérdida del primero.

Si, a pesar de un diagnóstico desalentador, usted opta (por razones religiosas u otras razones) por seguir con su embarazo, necesitará mucho apoyo de otras parejas que hayan pasado por lo mismo y del equipo médico. Un buen médico que la acompañe durante el embarazo, el nacimiento y más adelante, sin duda marcará la diferencia en esos momentos tan difíciles.

Generalmente se recomienda que después de un embarazo molar no se intente concebir de nuevo hasta después de uno año. Las investigaciones demuestran que esos embarazos generalmente salen bien. Es vital un control cuidadoso del nuevo embarazo, ya que existe la posibilidad de que se desarrolle una nueva mola.

Prevención. Dado que existen algunas pruebas no definitivas que relacionan la enfermedad trofoblástica con una ingesta inadecuada de proteínas animales y vitamina A, la mujer debería cubrir estrictamente los requerimientos de las dos (vea los requerimientos de proteínas y hortalizas verdes y frutos amarillos de la dieta ideal) antes de volver a concebir, y debería seguir con ellos durante cualquier embarazo posterior.

EMBARAZO MOLAR PARCIAL

¿Qué es? En un embarazo molar parcial, al igual que en un embarazo molar completo (página 672), existe un desarrollo anormal del trofoblasto. No obstante, con una mola parcial, existe tejido embrionario o fetal identificable. Si el feto sobrevive, a menudo sufre un retraso del crecimiento y es probable que presente diversas anormalidades congénitas, tales como dedos con membranas interdigitales (conectados) y agua en el cerebro (hidrocefalia). Si nace un bebé normal, generalmente se descubre que era parte de un embarazo múltiple, perteneciendo la mola a un gemelo que se da deteriorado.

Signos y síntomas. Éstos son similares a los de un aborto incompleto. Suele existir una hemorragia vaginal irregular, generalmente no se oye el latido cardíaco fetal, y el útero es pequeño o normal para la fase en que se halla el embarazo. Sólo una pequeña proporción de las mujeres con un embarazo molar parcial tiene el útero agrandado, tal como sucede en el embarazo molar completo. En el diagnóstico del embarazo molar parcial se utilizan las ecografías y los niveles de GCh.

Tratamiento. Si el feto está vivo y se ve que está bien, a través del ultrasonido, es posible que el embarazo pueda continuar. Si no, el seguimiento y tratamiento son similares a los del embarazo molar completo, y no se recomienda un nuevo embarazo hasta que los niveles hormonales han sido normales durante seis meses.

Prevención. La mayoría de las mujeres pueden tener bebés sanos después de haber tenido un embarazo normal parcial, pero debido al riesgo de que éste se repita, es importante un examen ultrasónico temprano en los futuros embarazos para descartar esta posibilidad.

CORIOCARCINOMA

¿Qué es? El coriocarcinoma es un tipo de cáncer extremadamente raro que se relaciona directamente con el embarazo. Aproximadamente la mitad de los casos se desarrollan cuando existe una mola hidatidiforme (página 672), de un 30 a un 40% después de un aborto espontáneo y de un 10 a un 20% después de un embarazo normal.

Signos y síntomas. Los signos de la enfermedad incluyen hemorragias intermitentes que siguen a un aborto espontáneo, un embarazo o la extracción de una mola, junto con niveles altos de GCh y un tumor en la vagina, el útero o los pulmones.

Tratamiento. Quimioterapia. Con un diagnóstico y tratamiento tempranos, la paciente suele sobrevivir y continúa siendo fértil, aunque se le suele recomendar que retrase un nuevo embarazo, durante dos años, hasta que el tratamiento haya terminado y no quede evidencia de residuos de la enfermedad.

ECLAMPSIA

¿Qué es? La Eclampsia ocurre cuando la preeclampsia (vea la página 655) progresa e involucra al sistema nervioso central provocando convulsiones y a veces provocando coma. La eclampsia es una enfermedad muy seria pero muy poco común; si se deja sin tratamiento puede ser fatal tanto para la madre como para el bebé. Hay pocas mujeres que pasan de la preeclampsia a la eclampsia, si reciben un buen cuidado médico.

Signos y síntomas. La eclampsia se caracteriza por las convulsiones, estas aparecen sin previo aviso y generalmente se dan justo antes o durante el parto. También pueden presentarse convulsiones posparto, generalmente durante las primeras cuarenta y ocho horas después del parto, pero también pueden presentarse entre las tres semanas siguientes.

Tratamiento. Se evita que la paciente pueda herirse durante las convulsiones. Puede que se administre oxígeno y fármacos para parar los ataques; el ambiente de la paciente se mantendrá tan libre de estímulos, tales como la luz o los ruidos, como sea posible. Generalmente se inducirá la dilatación o se practicará una cesárea cuando la paciente esté estabilizada. Con unos cuidados óptimos la tasa de supervivencia es del 98% y la mayoría de las pacientes vuelven rápidamente a la normalidad después de dar a luz, aunque es necesario un cuidadoso seguimiento para estar seguros de que la presión sanguínea vuelve a la normalidad.

SÍNDROME DE HELLP

¿Qué es? HELLP (Hemólisis, enzimas hepáticas elevadas y plaquetas bajas

–por sus siglas en inglés–) es una enfermedad que puede aparecer sola o en conjunto con la preeclampsia; se caracteriza por anormalidades en las plaquetas del hígado y la sangre y dolor abdominal severo (del hígado), además de náuseas y vómito. Cuando se desarrolla esta enfermedad, hay mayor riesgo de complicaciones en la salud de la madre que puede llegar a afectar permanentemente el sistema nervioso central, los vasos sanguíneos, los pulmones, los riñones y otros órganos, además de la restricción de crecimiento (porque no llega suficiente sangre a través de la placenta) o llegada de oxígeno al bebé.

Signos y síntomas. Los síntomas son muy vagos: malestar general, dolor gastrointestinal, náuseas, vómito, dolor de cabeza y otras enfermedades de tipo viral durante el tercer trimestre. También puede haber picazón en todo el cuerpo y sensibilidad y dolor en la parte alta del abdomen. Los exámenes de sangre revelarán un bajo nivel de plaquetas, enzimas hepáticas elevadas y hemólisis (el colapso de los glóbulos rojos). El hígado de las mujeres con HELLP se deteriora rápidamente, por eso el tratamiento es crítico.

Tratamiento. Lo mejor para esta enfermedad es el parto, pero se debe posponer si el bebé todavía es muy prematuro (veintiséis semanas o menos). Se pueden esperar unos días mientras ad-

ministran esteroides al feto para que maduren sus pulmones, además ayuda a la madre. Esto solo se debe hacer en un buen hospital. Las mujeres con HELLP deben quedarse en cama (acostadas del lado izquierdo), se les da sulfato de magnesio para prevenir las convulsiones, además se les da medicina para la presión y líquidos. La condición del feto se monitorea constantemente.

Prevención. Las mujeres que han tenido el síndrome en un embarazo, seguramente lo tendrán en los siguientes, por eso es necesario que se monitoree constantemente a la paciente.

ABRUPTIO PLACENTAE

¿Qué es? Esta situación, en la que la placenta se separa prematuramente del útero, es responsable de aproximadamente 1 de cada 4 casos de hemorragia de las últimas fases del embarazo. Es más común en las madres mayores que ya han tenido bebés, y en las que fuman, padecen de hipertensión (crónica o inducida por el embarazo), han estado tomando aspirinas al final del embarazo o han tenido una separación prematura de la placenta anteriormente. Algunas veces la causa es un cordón umbilical demasiado corto o un trauma debido a un accidente.

Signos y síntomas. Cuando la separación es *pequeña*, la hemorragia puede ser tan escasa como la de una menstruación poco abundante o tan fuerte como la de una menstruación abundante, y puede contener o no coágulos. También pueden presentarse calambres o un dolor leve en el abdomen y sensibilidad uterina. Algunas veces, particularmente cuando ha habido un trauma en el abdomen, puede que no se dé la hemorragia.

Con una separación *moderada*, la hemorragia es más fuerte, el abdomen está sensible y duro, y el dolor abdominal puede ser más fuerte, siendo debido en parte a fuertes contracciones uterinas. Tanto la madre como el bebé pueden presentar signos de hemorragia.

Cuando se separa más de media placenta de la pared uterina, la situación es de peligro tanto para la madre como para el bebé. Los síntomas son parecidos a los de una separación moderada, pero más exagerados.

El diagnóstico se realiza utilizando el historial de la paciente, un examen físico y la observación de las contracciones uterinas y la respuesta fetal a ellas. Los ultrasonidos son muy útiles, pero sólo pueden verse ecográficamente la mitad de las *abruptios*.

Tratamiento. Cuando la separación es *pequeña*, el descanso en cama a menudo hace que se detenga la hemorragia y generalmente la madre puede reasumir su rutina, con algunas restricciones de la actividad, algunos días más tarde. Aunque no es usual, existe la posibili-

dad de que se repita el episodio hemorrágico o incluso se dé una hemorragia grande, de manera que se precisará un estrecho control médico durante el resto del embarazo. Si vuelven a aparecer signos del problema y la fecha de salida de cuentas está cercana, puede que se provoque el parto.

En la mayoría de los casos, una separación *moderada* también responde al reposo en cama. Pero a menudo se precisan transfusiones y otros tratamientos de emergencia. Es necesario un cuidadoso seguimiento tanto de la madre como del bebé, y si alguno de los dos presenta signos de sufrimiento, se hará esencial desencadenar el parto sin demora.

Cuando la separación es *grande*, una acción médica pronta, incluyendo transfusiones y un parto inmediato, se hace imperativa.

Hace años las perspectivas eran desoladoras tanto para la madre como para el bebé cuando la placenta se separaba prematuramente. Hoy en día, con unos buenos cuidados médicos inmediatos, prácticamente todas las madres con abruptio placentae y la mayoría de los bebés sobrevivirán a la crisis.

PLACENTA ACCRETA

¿Qué es? Es una enfermedad poco común en donde algunas veces la placenta crece hacia las capas más profundas de la pared uterina y se adhiere fuertemente. Dependiendo de la profundidad a la cual llegan las células placentarias, esta situación puede denominarse también placenta percreta o placenta increta. Esta situación es más común en las mujeres que tienen cicatrices en la pared uterina de operaciones o partos anteriores y especialmente las que tuvieron placenta previa o sufrieron una cesárea. A veces se puede diagnosticar a través de una monografía, una especie de ultrasonido y los resultados pueden ayudar a decidir un tratamiento.

Signos y síntomas. Puede que no existan signos aparentes así que, a menos de que se hubiera diagnosticado antes, es posible que no se reconozca hasta el tercer trimestre. Durante la tercera fase del parto, la placenta no se separa de la pared uterina. Es muy raro que la placenta llegue a romper el útero, en ese caso se sentirá mucho dolor y habrá sangrado.

Tratamiento. En la mayoría de los casos la placenta debe extraerse quirúrgicamente para que cese la hemorragia. Cuando esta no puede ser controlada ligando los vasos expuestos, se hace necesario extraer todo el útero.

HOLIGOIDRAMNIOS

¿Qué es? Es una enfermedad en la que hay muy poco líquido amniótico en el útero. La mayoría de mujeres con esta enfermedad puede tener un embarazo normal. Pero a veces esto puede desencadenar otros problemas. Al principio del embarazo hay riesgo de que el cordón umbilical se apriete o que haya problemas con el feto que no tiene mucho espacio en la matriz. Más adelante en el embarazo, puede haber sufrimiento fetal. Es posible que también se presenten algunos defectos en el feto como problemas en el sistema digestivo o urinario. La orina del bebé hace parte del líquido amniótico y si el feto no lo excreta de la manera correcta es posible que la madre sufra holigoidramnios. La enfermedad también puede ser causa de una deficiencia en la placenta.

Signos y síntomas. El único síntoma es un útero más pequeño de lo normal (eso también puede significar que calcularon mal la fecha de nacimiento del bebé). La enfermedad generalmente se detecta a través de un ultrasonido. Los signos son: poco movimiento fetal y posiblemente crecimiento lento. Durante el parto hay riesgo de bajo ritmo cardíaco del bebé.

Tratamiento. Algunos médicos piensan que la solución es reemplazar el líquido amniótico a través de la amnioinfusión. También se utiliza la hidratación materna y vía intravenosa. Si a usted le detectan esta enfermedad durante el embarazo, es posible que adelanten el parto. Es importante que coma bien, que descanse, que evite el cigarrillo y

CUANDO MÚLTIPLES FETOS NO PROSPERAN

Desde que existen los tratamientos de fertilidad hay más nacimientos múltiples. No es sorprendente que los gemelos, trillizos y cuatrillizos sean más propensos a un crecimiento fetal más pobre que los fetos únicos, especialmente durante el tercer trimestre. A ello se debe que las gestaciones múltiples se sigan tan de cerca con una serie de pruebas ecográficas a partir de la vigésima semana. Si uno o más fetos tienen un crecimiento pobre, se precisa una vigilancia intensiva, generalmente en el hospital. Se hará que los bebés nazcan ya sea cuando se determine que los pulmones del feto o fetos mayores están madurando o cuando la situación se haga peligrosa para el de menor tamaño, si continúa permaneciendo en el útero. Por suerte, tales circunstancias son *muy* raras.

A menudo la naturaleza resuelve tales situaciones por sí misma. Se cree que cada año se conciben miles de embarazos múltiples más de los que llegan a término. Generalmente, al principio de dichos embarazos, debido a que el cuerpo de la madre es incapaz de mantenerlos a todos, mueren todos menos un feto, a menudo sin dejar ninguna prueba visible de que existieron. No obstante, a veces los múltiples fetos continúan luchando juntos, sufriendo todos ellos, y ninguno se desarrolla lo bastante bien para sobrevivir. Entonces, y dado que la Madre Naturaleza no ha tomado la iniciativa, puede ser necesario que la ciencia médica la tome y sacrifique uno o dos en vez de dejar que padezcan todos.

Generalmente no existe forma de que la madre pueda decir que uno o más de sus fetos no están prosperando. Pero el médico, utilizando los ultrasonidos y otras técnicas de diagnóstico sofisticadas, generalmente puede evaluar la situación de los bebés.

Cuando se determina que los múltiples fetos no se están desarrollando bien, y que es demasiado pronto para que nazcan bien, la solución médica suele recomendar que se extraiga uno o más de esos fetos (generalmente los que están peor) del útero, de forma que el feto o fetos restantes tengan mejores posibilidades de sobrevivir. También es posible que se recomiende dicho procedimiento si uno de los fetos está gravemente malformado (le falta una parte o todo el cerebro, por ejemplo).

Algunos médicos reservan tal reducción para las situaciones en que existen cuatro o más fetos; otros reducirán también los trillizos, si les parece apropiado. Algunos investigadores sugieren que dado que hasta el final del primer trimestre la naturaleza aún puede reducir espontáneamente el número de fetos, el mejor momento para considerar la reducción es al final de dicho período.

Si se sugiere reducir el número de fetos, los futuros padres se ven enfrentados a la difícil tarea de decidir o no que los médicos

Continúa en la página siguiente...

...viene de la página anterior

lleven a cabo dicho procedimiento. Antes de decidir, deberían buscar una segunda opinión para asegurarse de que la evaluación de las pruebas de los fetos es exacta. Luego deberán discutir el peligro de que todos los fetos mueran como resultado del proceso. Este riesgo es bajo, desde luego, cuando el cirujano tiene mucha experiencia y éxito respecto a este procedimiento.

Finalmente, si la religión forma una parte importante de la vida de la pareja, puede resultar muy positivo dejarse aconsejar tanto espiritual como médicamente. Probablemente también sea necesario hablar con un especialista en ética médica (se consultará en el hospital local), un consejero genético, un especialista en medicina materno-fetal u otro consejero familiarizado con este tipo de problemas. En estas discusiones, probablemente la pareja encontrará que la mayoría de especialistas en ética (e incluso los teólogos católicos) creen que intentar salvar un bebé es preferible a dejar que todos ellos mueran. (Por otra parte, muchos cuestionarían que se llevara a cabo una reducción simplemente por conveniencia —porque la familia no tiene sitio para cuatro cunas, por ejemplo.) Puede ser de gran ayuda leer *Cuando se detecta un defecto fetal grave* (página 673) y *Para enfrentarse a la pérdida del bebé* (página 689). También puede contactar padres en la misma situación o acudir a grupos de apoyo. Hable con su doctor, busque en el hospital o en Internet.

Finalmente la decisión es suya, simplemente debe buscar un doctor que la apoye completamente.

Una vez que la pareja ha tomado la decisión, deberá aceptar que fue la mejor. Si las cosas no van como se había esperado, no deberán culparse a sí mismos.

que reporte cualquier signo de parto prematuro a su médico.

HIDRAMNIOS (POLIHIDRAMNIOS)

¿Qué es? Es cuando hay mucho líquido amniótico en el útero. La mayoría de los casos son leves, simplemente son el resultado de un cambio temporal en el balance normal de producción de líquido amniótico. Sin embargo hay muy pocos casos ligados a defectos en el feto: en el sistema nervioso central, la vejiga y los riñones o un problema para tragar (puede ser causado por una obstrucción gastrointestinal como estenosis del esófago o estenosis pilórica o deformidad facial como labio leporino). También puede ligarse a una diabetes mal tratada y es más común cuando hay más de un feto.

Signos y síntomas. Generalmente se detecta a través del ultrasonido. El útero puede resultar más grande de lo normal. Los síntomas: incomodidad abdominal, indigestión, hinchazón de las piernas, falta de aire, hemorroides, y puede poner al embarazo en riesgo de un parto de nalgas, parto prematuro, *placenta abruptio* o prolapso del cordón umbilical.

Tratamiento. Si la enfermedad está avanzada, es posible que la amniosentesis sea lo correcto para sacar líquido, a veces también se utilizan medicinas. El médico generalmente no rompe las membranas de manera artificial durante el parto porque hay riesgo de prolapso del cordón umbilical. Algunos médicos rompen muy suavemente las membranas para que el agua vaya saliendo de manera controlada. Si las membranas se rompen de manera natural, hay mayor riesgo de prolapso del cordón umbilical, así que llame inmediatamente al doctor si está enferma y se rompen las membranas.

NUDOS Y ENREDOS EN EL CORDÓN UMBILICAL

¿Qué son? De vez en cuando el cordón umbilical tiene nudos o se enreda alrededor del feto, generalmente alrededor del cuello. Es posible que no haya problemas o que haya una disminución de sangre hacia el feto, eso puede ser fatal así que se debe actuar de manera inmediata.

PRIMEROS AUXILIOS PARA EL FETO

A finales del embarazo, la ausencia de actividad fetal podría constituir un signo de que algo va mal (para el examen en casa, vea la página 325). Dado que la disminución de la actividad (que generalmente se detecta cuando por término medio se dan menos de diez movimientos durante un período de dos horas) a menudo se detecta antes de que el feto sucumba, se debería informar al médico de inmediato. Si no se le puede encontrar, la embarazada hará que alguien la lleve en seguida a un servicio de urgencias o a la unidad de partos del hospital local. Con una acción rápida, a veces es posible reanimar al feto.

Signos y síntomas. El signo más frecuente es la poca actividad fetal después de la semana 37 de embarazo (si usted está pendiente del movimiento fetal, será más fácil darse cuenta, vea la página 325). Otro posible signo es el hipo *frecuente* de la semana 36 a la semana 40 de embarazo, de dos a cuatro episodios en veinticuatro horas y cada uno de más de diez minutos. Si tiene alguno de estos síntomas o siente cualquier otra anormalidad en el comportamiento del feto, llame inmediatamente a su médico para revisar la condición del bebé. Si está en trabajo de parto y están monitoreando al feto, es posible que el problema se manifieste a través de irregularidades en el ritmo cardíaco del bebé. Se puede utilizar el ultrasonido para descubrir los problemas con el cordón umbilical.

Tratamiento. Si hay algún problema con el cordón umbilical, lo mejor es el parto inmediato, generalmente con cesárea.

PROLAPSO DEL CORDÓN UMBILICAL

¿Qué es? El cordón umbilical es la conexión vital del bebé con el útero. A veces, cuando las membranas amnióticas se rompen, el cordón resbala o sobresale a través de la cérvix, pudiendo llegar incluso al canal vaginal, arrastrado por el flujo de líquido amniótico. Entonces se hace vulnerable a la compresión por parte de la zona que el bebé presenta, que ejercen presión al pasar por la cérvix y por el canal durante el parto. Si el cordón queda comprimido, el suministro vital de oxígeno al feto puede verse reducido o incluso suspendido. El prolapso es más común en los partos prematuros (dado que la parte que presenta el bebé es tan pequeña que no llena por completo la pelvis) o cuando una parte distinta de la cabeza, especialmente un pie, se presenta primero (porque un pie, por ejemplo, llena menos espacio que la cabeza, lo que permite que el cordón se deslice hacia abajo). El prolapso también es más común cuando las membranas se rompen

antes de iniciarse la dilatación que si es al revés o si hay exceso de líquido amniótico (hidramnios).

Signos y síntomas. El cordón umbilical puede sobresalir tanto que puede verse colgar de la vagina, o puede sentirse sólo como "algo que está ahí". Si es comprimido, es probable que cualquier tipo de sufrimiento fetal sea detectado en el monitor u otros exámenes sobre el bienestar del bebé.

Tratamiento. Si la embarazada ve o siente el cordón umbilical de su bebé en la vagina o sospecha que puede haber sobresalido, se pondrá a gatas para reducir la tensión sobre éste. Si el cordón sobresale, se aguantará suavemente, sin presionarlo ni pellizcarlo, con gasas, una toalla limpia o una compresa higiénica caliente y mojada. La embarazada hará que alguien la lleve a toda prisa al hospital o llamará al equipo de urgencias de su localidad.

En el hospital se le inyectará una solución salina en la vejiga para amortiguar el cordón; si el cordón se halla fuera de la vagina probablemente será vuelto a introducir y mantenido en su lugar mediante un tampón estéril especial; también puede que se administren fármacos para detener las contracciones mientras se prepara a la madre para una cesárea de urgencias. Con un buen cuidado médico y a tiempo, los resultados generalmente son muy buenos.

COMPLICACIONES EN EL NACIMIENTO Y EN EL POSPARTO

Muchas de las enfermedades siguientes no se pueden anticipara antes del parto y el nacimiento del bebé. No es necesario que las lea (y que empiece a preocuparse) antes de tiempo, ya que las probabilidades de que le ocurran son muy bajas. Acá las incluimos porque si desafortunadamente usted debe vivirlas, puede aprender de ellas después, o en algunos casos, puede aprender a prevenirlas en el próximo parto.

SUFRIMIENTO FETAL

¿Qué es? Es el término usado para describir la situación en la cual se cree que el feto está en peligro, muy a menudo debido al descenso del flujo de oxígeno. El sufrimiento puede ser causado por diversos problemas, incluyendo la posición de la madre, que haga que se presionen los principales vasos sanguíneos; una enfermedad materna (anemia, hipertensión, enfermedad cardíaca), presión sanguínea anormalmente baja o shock; insuficiencia, degeneración o separación prematura de la placenta; compresión del cordón umbilical; actividad uterina prolongada o excesiva; o infección, malformación, hemorragia o anemia fetales.

Signos y síntomas. Las señales precisas enviadas por el feto varían según la causa del sufrimiento. Puede que la madre note un cambio en los movimientos fetales o una ausencia total de ellos. El médico puede detectar cambios en el latido cardíaco típicos del sufrimiento fetal mediante un estetoscopio de Doppler o mediante le monitor fetal (vea la página 431).

Tratamiento. Cuando se confirma la existencia de sufrimiento fetal, suele ser necesario que el niño nazca de inmediato. Si el parto vaginal no es inminente, se suele practicar una cesárea de emergencia. En algunos casos el médico elegirá reanimar al feto dentro del útero antes de practicar la cesárea, para hacer disminuir el riesgo que sufrirá debido a la privación de oxígeno. Ello suele llevarse a cabo administrando medicación a la madre para que las contracciones sean más lentas, lo que aumentará el flujo de oxígeno hacia el feto y para dilatar los vasos sanguíneos de la madre y para acelerar los latidos cardíacos, lo que también hará aumentar el flujo sanguíneo.

DISTOCIA DEBIDO A LOS HOMBROS DEL BEBÉ

¿Qué es? Distocia es una dilatación que no progresa; en la distocia debida a los hombros del bebé éstos quedan encallados al pasar por el canal del parto después de que la cabeza ya ha hecho su aparición.

Signos y síntomas. La expulsión se detiene después de salir la cabeza y antes de que lo hagan los hombros. Ello puede suceder inesperadamente en un parto que hasta el momento parecía normal.

Tratamiento. Pueden utilizarse diversos métodos para rescatar al bebé cuyo hombro se ha atascado en la pelvis, incluyendo practicar una episiotomía muy grande; intentar que el bebé rote y hacer maniobrar el hombro que sale último para que lo haga antes; hacer flexionar profundamente las rodillas de la madre sobre su abdomen; aplicar una presión moderada sobre la parte superior del útero y la pelvis; intentar otras diversas maniobras para obligar a salir el hombro, incluyendo romper la clavícula del bebé. Si fuera posible (y raras veces lo es), podría ser preferible volver a introducir la cabeza del bebé por la vagina y practicar una cesárea.

Prevención. Para asegurar que su bebé no sea demasiado grande para pasar por el canal de nacimiento, es bueno que mantenga un peso ideal a durante el embarazo, a través de una buena dieta y ejercicio correcto (aunque el peso de la madre no siempre coincide con el tamaño del bebé, generalmente si la mamá pesa mucho, el bebé también pesa mucho). Las diabéticas deben tener muchísimo cuidado con su condición (vea la página 618) para evitar tener un bebé demasiado grande.

RUPTURA UTERINA

¿Qué es? En algunas raras ocasiones, el útero se rompe o desgarra durante el embarazo o la dilatación (más frecuentemente durante la dilatación). La única causa de ruptura uterina es la existencia de una cicatriz en la pared del útero. Dicha cicatriz puede ser el resultado de una cesárea anterior con la clásica incisión vertical; una ruptura uterina reparada; cirugía uterina (para corregir la forma o extirpar fibroides); o una perforación uterina anterior. Las contracciones extremadamente violentas (espontáneas o inducidas) también pueden producir la ruptura; pero ello es raro, particularmente durante el primer embarazo, sin la existencia de una cicatriz que predisponga a ello. La ruptura es más común en las mujeres que ya han tenido cinco o más hijos, que tienen el útero muy distendido (debido a múltiples fetos o a una cantidad excesiva de líquido amniótico), han tenido una dilatación difícil anteriormente, o están pasando dificultades en el parto presente (particularmente distocia debida a los hombros del bebé, véase más abajo, o parto con fórceps medio). Las anormalidades relacionadas con la placenta (tales como una placenta que se separa prematuramente o que se halla implantada muy profundamente en la pared uterina) o con la posición fetal (tales como un feto atravesado en el útero), así como un severo trauma del abdomen (como el producido por un cuchillo o una bala), pueden aumentar el riesgo de ruptura uterina.

Signos y síntomas. La ruptura uterina no es una complicación que puedan esperar las embarazadas normales. Pero las mujeres que tienen un mayor riesgo de ruptura, debido a que su útero presenta una cicatriz o por cualquiera de los factores mencionados más arriba, deberían conocer los posibles signos de advertencia, por si acaso: fuerte dolor abdominal, desvanecimiento, hiperventilación (respiración rápida y profunda), taquicardia, inquietud y agitación). Si la embarazada experimenta dichos síntomas, que son más fuertes cuando la ruptura se produce en la mitad superior del útero, deberá buscar atención médica de emergencia de inmediato. El primer signo de que se ha producido la ruptura suele ser un dolor como una quemazón en el abdomen, acompañada por la sensación de que algo se está "desgarrando" en el interior. Ello suele seguirse de un breve período de alivio y luego aparece un dolor y sensibilidad abdominales difusos. A menos que la ruptura se produzca en la mitad inferior del útero, las contracciones generalmente cesarán. Puede darse un sangrado vaginal o no. El feto podrá ser palpado con mayor facilidad a través del abdomen y puede que muestre signos de sufrimiento (si el feto está siendo monitoreado, pueden aparecer anormalidades cardíacas de repente). Si tiene estos síntomas llame inmediatamente a su médico.

Tratamiento. Es necesario un parto quirúrgico inmediato, seguido de la reparación del útero, si ello fuera posible. Si el daño es extenso, podría requerirse una histerectomía. Algunas veces la ruptura no se reconoce hasta que se da una hemorragia después del parto. También en este caso el útero será reparado o extirpado.

Después de una ruptura, la madre es estrechamente controlada para asegurarse de que no se dan complicaciones, y puede que se le administren antibióticos para prevenir una infección. Dependiendo de la situación, se le permitirá que se levante de la cama en sólo seis horas o quizás deba esperar varios días.

Prevención. Se puede prevenir si, a las mujeres que ya han tenido una cesárea u otra intervención en el útero, se les evalúa la condición del útero antes del parto, a través de un ultrasonido transvaginal. Si se ve algo mal en el útero, entonces se debe programar otra cesárea. También se hará cesárea a las mujeres que ya hayan tenido dos o más intervenciones quirúrgicas porque el riesgo de ruptura uterina es mayor. Las mujeres que quieren un parto vaginal no deben inducirse.

INVERSIÓN UTERINA

¿Qué es? En algunas raras ocasiones, la placenta no se despega completamente después de nacer el bebé y cuando sale, arrastra consigo la parte alta o *fundus* del útero; algo muy parecido a darle la vuelta a un calcetín. Las mujeres más vulnerables son las que ya han tenido una inversión en otros partos, muchos otros partos anteriores o un parto muy largo (más de 24 horas), las que tienen la placenta implantada a través de la parte superior (*fundus*) del útero o que la tienen mal agarrada y las mujeres a las que les dieron sulfato de magnesio para relajar el útero durante el parto. El útero también se puede invertir si está demasiado relajado o si el fundus no se mantiene en su lugar mientras la placenta es sacada durante la tercera fase del parto. Es muy importante seguir el tratamiento inmediatamente para evitar hemorragias fuertes.

Signos y síntomas. Lo más importante es recibir un diagnóstico a tiempo. Los síntomas de inversión uterina incluyen un flujo de sangre excesivo y a veces indicios de shock en la madre. El facultativo, presionando el abdomen hacia abajo, no podrá notar el útero y si la inversión es completa, parte de este será visible por la vagina.

Tratamiento. En la mayoría de los casos el útero puede volver a ser colocado en su lugar a mano, aunque a veces se utilizan otras técnicas. Puede que sean necesarias transfusiones sanguíneas y de líquidos, si las pérdidas de sangre han sido grandes. Puede que se administren fármacos (tales como el sulfato de magnesio) para relajar aún más el útero para facilitar la colocación. Si en el útero permanecen fragmentos de placenta, deberán ser sacados antes o después de la colocación. En algunos casos muy raros, el útero no puede ser situado manualmente y se hace necesaria la cirugía abdominal.

Después de la colocación, se suele mantener la presión sobre el abdomen para mantener el útero en su sitio y se administran oxitocina u otros fármacos para que este se endurezca y no se vuelva a invertir. Puede que se receten antibióticos para prevenir una infección.

Dado que las mujeres que han padecido una inversión uterina tienen mayores posibilidades de tener otra, el obstetra deberá ser informado si la embarazada ya tuvo dicho problema en el pasado.

Prevención. Como las mujeres que ya tuvieron una inversión son las más vulnerables, debe informarle al médico si ya tuvo una.

LACERACIONES VAGINALES Y CERVICALES

¿Qué son? Desgarros en la vagina y/o cérvix, que pueden ser de pequeños a extensos. Estos se dan sólo algunas veces durante la dilatación y la expulsión.

Signos y síntomas. El síntoma más obvio puede ser un flujo de sangre excesivo, aunque también es posible que el médico pueda ver las laceraciones después de la expulsión.

Tratamiento. Generalmente todos los desgarros más largos de 2 cm o que continúan sangrando mucho son saturados (cosidos). Posiblemente se administrará primero un anestésico local, si no lo fue durante la expulsión.

Prevención. Para ayudar a mantener el área perineal más flexible y reducir el riesgo de laceraciones, son buenos los masajes perineales y los ejercicios Kegel (vea las páginas 262 y 435).

HEMORRAGIA POSPARTO

¿Qué es? La hemorragia posparto o pérdida de sangre muy abundante después del parto que es difícil de restañar es una complicación muy grave pero poco común. Cuando se trata de inmediato, raras veces se convierte en la amenaza vital que antes era. La pérdida de sangre excesiva puede tener lugar si el útero está demasiado relajado y no se contrae debido a una dilatación larga y agotadora; a una expulsión traumática; a que el útero estaba demasiado distendido debido a múltiples partos, un bebé grande o un exceso de líquido amnió-

tico; a una placenta de forma anormal, o que se ha separado prematuramente; a los fibromas, que impiden una contracción uterina simétrica; o a un estado de debilidad general de la madre en el momento del parto (debida, por ejemplo, a anemia, preeclampsia o una fatiga extrema).

La hemorragia puede tener lugar en seguida después del parto debido a la existencia de desgarros no reparados del útero, la cérvix, la vagina o en algún otro lugar de la pelvis, o debido a que el útero se ha roto o está invertido. Puede darse hasta una semana o dos después del parto, cuando se han retenido en el interior del útero algunos fragmentos de placenta. Una infección también puede causar hemorragia puerperal, inmediatamente después del parto o unas semanas más tarde. La hemorragia posparto suele darse más frecuentemente en mujeres que han tenido placenta previa o *abruptio placentae* antes del parto. En raras ocasiones, la causa de la hemorragia es un trastorno de la sangre de la madre no diagnosticado de origen genético o causado por el uso de aspirinas u otros fármacos (aspirina, ibuprofeno, gingko biloba, mucha vitamina E, hierbas, etcétera) que pueden interferir la coagulación sanguínea.

Signos y síntomas. Pérdidas de sangre anormales después del parto: hemorragia que satura más de una compresa cada hora durante más de unas pocas horas o es de color rojo vivo en cualquier momento después del cuarto día del posparto, especialmente si no disminuye cuando la mujer orina o defeca; un olor desagradable de los loquios; grandes coágulos sanguíneos (del tamaño de un limón o mayores); dolor y/o hinchazón en la zona baja del abdomen después de los primeros días del posparto.

Tratamiento. Dependiendo de la causa de la hemorragia, el médico probará uno o más de los siguientes procedimientos para detener la hemorragia: masaje uterino para estimular la contracción del útero; administración de fármacos (tal como oxitocina) para promover la contracción del útero; búsqueda y reparación de laceraciones; extracción de fragmentos de placenta que hubieran podido quedar retenidos. Si la hemorragia no se detiene rápidamente, se tomarán otras medidas: fluidos por vía intravenosa, y si fuera posible, transfusión; administración de agentes coagulantes si el problema es que la sangre no coagula, y de antibióticos para prevenir una infección. En algunas ocasiones, se hará necesario rellenar el útero de gasas para parar la hemorragia durante 6 a 24 horas, o intentar ligar la arteria uterina principal. Si fallan todos los intentos de parar la hemorragia, se hará necesario extirpar el útero.

Existen muchas posibilidades de que el tratamiento de las hemorragias posparto tengan éxito, y de que la madre se recupere rápidamente.

Prevención. Es mejor evitar cualquier medicina o suplemento que interfiera con la coagulación de la sangre (vea *Tratamiento,* arriba) especialmente en el último trimestre y en el periodo posparto.

INFECCIÓN POSPARTO

¿Qué es? Una infección relacionada con el parto, rara en las mujeres que han recibido unos buenos cuidados médicos y han tenido un parto vaginal sin complicaciones. La infección puerperal más común es la endometritis, una infección del endometrio del útero (capa que lo recubre), que es vulnerable después de la separación de la placenta. La endometritis es más probable después de una cesárea que siguió a una dilatación prolongada o una ruptura prematura de las membranas. También es más probable que suceda si se ha retenido un fragmento de placenta en el interior del útero. También es posible que se infecte una laceración de la cérvix, la vagina, la vulva, o el lugar de la episiotomía.

Signos y síntomas. Estos varían según el lugar de origen. La infección del endometrio se caracteriza por una fiebre no muy alta, un dolor vago en la parte baja del abdomen y a veces un flujo vaginal que huele mal. Si se infecta una laceración, generalmente existirá dolor y sensibilidad en la zona; a veces un flujo espeso y olor desagradable; dolor en el abdomen o el costado; o dificultades para orinar. En ciertos tipos de infección, la fiebre puede llegar hasta los 40-41 grados y la acompañan escalofríos, jaqueca y malestar. A veces, no existe otro síntoma obvio que la fiebre. La subida de la fiebre en el período del posparto debiera comunicarse al médico.

Tratamiento. El tratamiento con antibióticos es muy efectivo, pero de-

bería de empezar de inmediato. Puede que se realice un cultivo para determinar los organismos responsables, de forma que se pueda recetar el antibiótico adecuado.

Prevención. Se debe prestar mucha atención a la limpieza meticulosa durante el parto y el posparto. Siempre lávese las manos antes de tocar el área perineal, límpiela de adelante hacia atrás, no utilice tampones para el sangrado posparto y asegúrese de que los parches que utiliza estén limpios.

PARA ENFRENTARSE A LA PÉRDIDA DEL BEBÉ

No importa en qué momento del embarazo haya perdido al bebé, el dolor es profundo y tiene un gran impacto en su vida.

Aborto al principio del embarazo. Aunque el aborto sea al principio del embarazo, es igual de doloroso para los padres. Casi siempre se sentirá shock emocional, desespero, depresión y sentimientos de falla especialmente si se trata de un embarazo deseado. Perder un bebé en esta etapa puede resultar tan doloroso como perderlo después. Primero, los padres casi nunca comparten la noticia sino hasta el tercer mes de embarazo, a lo mejor ni sus amigos ni su familia lo sabía todavía y eso puede significar que el apoyo será un poco menor. Incluso la gente que sí cuenta

desde antes puede recibir menos apoyo que si perdieran al bebé más adelante, seguramente le dirán "no importa, puede volver a intentarlo" y ese hecho puede ser devastador; Segundo, el hecho de que no pueda abrazar al bebé, tomarle una foto o tener un funeral, hace las cosas más complicadas.

De todas maneras si usted tuvo una pérdida así (o un embarazo ectópico o un embarazo molar) es importante que sepa que tiene derecho a sentirse mal. Es bueno que exprese lo que siente, por ejemplo puede ofrecer una misa para amigos y familiares cercanos o por ejemplo puede hacer algo más privado, solamente con su pareja. También puede compartir sus sentimientos en un grupo de apoyo o en Internet con otras parejas que hayan pasado por la misma situación. Hay muchas mujeres que han vivido la experiencia. Puede leer los consejos para quienes perdieron al bebé en etapas posteriores. (Vea *Etapas del duelo* y puede leer también el cuadro de la página 697).

Acepte que siempre habrá un espacio en su corazón para el bebecito que perdió y que tiene el derecho a sentirse mal en fechas especiales o cuando quiera. A lo mejor puede plantar unas flores el día del aniversario o ir al parque y compartir una cena con su esposo.

Aunque es normal que purgue sus dolores, debe empezar a sentirse bien a medida que pasa el tiempo, si no mejora o si tiene problemas cotidianos como falta de sueño, falta de apetito, falta de atención o aislamiento de familia y amigos, busque ayuda profesional.

Una pérdida así le enseña que nuca se debe dar por sentado que el bebé nacerá, así su próximo embarazo será menos inocente. Por otro lado, no piense tanto en lo que le pasó cuando vuelva a estar embarazada por temor a perder otro bebé, más bien esté atento a todos los síntomas para reportarlos al médico.

Muerte en el útero. Cuando el feto no da señales de vida durante varias horas o más, es natural temer lo peor. Y desde luego lo peor es que el bebé no nacido haya muerto. Por suerte, raras veces es ese el caso. Pero cuando ocurre, puede ser devastador.

Después de que se le haya comunicado que el latido cardíaco no puede ser localizado y que el bebé ha muerto dentro del útero, es probable que la embarazada se vea sumida en una niebla de incredulidad y dolor. Puede que le sea difícil o incluso imposible continuar con la vida normal mientras transporta un feto que ya no vive, y los estudios demuestran que es mucho más probable que la mujer sufra una depresión grave después de dar a luz un mortinato si el parto es retrasado más de tres días después del diagnóstico de la muerte. Por ello, se tendrá muy en cuenta su estado mental mientras los médicos deciden qué es lo que van a hacer. Si la dilatación es inminente o ya ha comenzado, probablemente el parto será normal. Si no está claro que la dilatación vaya a comenzar, la decisión de si inducirla de inmediato o no, o de permitir que la mujer vuelva a casa hasta que ésta empiece espontáneamente, dependerá de lo lejos que se halle de la fecha de salida de cuentas, y de su estado físico y mental.

La aflicción que sentirá la madre si el feto ha muerto en el interior del útero probablemente será parecida a la de los padres cuyo bebé ha muerto durante o después del parto, aunque algunas veces tomar al feto en brazos o hacerle un funeral quizás no sea posible o práctico.

Muerte durante o después del parto. Algunas veces la muerte tiene lugar

PÉRDIDA DE UN GEMELO

Los padres que pierden un gemelo (o más bebés, en el caso de trillizos o cuatrillizos) tienen que enfrentarse a celebrar un nacimiento y a la pena de una muerte al mismo tiempo. Si la lectora se encuentra en esta situación, se sentirá demasiado deprimida por el luto por el hijo perdido para disfrutar del que está vivo, siendo ambos procesos de vital importancia. Típicamente, el sentimiento es de "Debería estar emocionada por tener un bebé, pero estoy tan trastornada, que no puedo cuidar de él". Entender por qué se siente así podrá ayudarla a sentirse mejor:

◆ La mujer perdió un bebé, el hecho de tener otro no minimiza la pérdida y tiene derecho a vivir el duelo; de hecho debe hacerlo porque si no puede tener dificultades. Tenga en cuenta los consejos para padres que perdieron a su bebé (en esta sección los encuentra), para que pueda aceptar más fácilmente la muerte del niño.

◆ La mujer ha perdido la ilusión y prestigio de ser madre de gemelos, una fantasía con la que puede haber estado jugando durante meses desde el momento en que se le diagnosticó un embarazo múltiple. Incluso si no sabía nada de los gemelos anticipadamente, puede que se sienta estafada. No deberá sentirse culpable; el desengaño es normal. La madre deberá afligirse por esta pérdida así como por la del bebé.

◆ La mujer cree que será difícil y embarazoso explicar que sólo ha tenido un bebé a los amigos y familiares que han estado esperando ávidamente a los gemelos. Para liberarse de esta carga, se requerirá la ayuda de un amigo o pariente que extienda la noticia. Cuando salga por primera vez de la casa con el bebé, se hará acompañar de alguien que pueda explicar la situación a la gente, si ella no se siente con fuerzas para ello.

◆ Puede que se sienta incapaz como mujer o como madre debido a que perdió uno de los bebés, particularmente si fueron concebidos mediante técnicas de fecundación asistida o transferencia de gametos intratubárica. Desde luego, lo que ha sucedido no tiene nada que ver con el valor como mujer o como madre.

◆ La mujer siente que está siendo castigada de algún modo –porque no hubiera podido cuidar de dos niños, o debido a que deseaba más un niño que una niña (o viceversa), o debido a que en realidad no quería tener gemelos. Aunque este sentido de culpabilidad es común en los padres que experimentan la pérdida de un bebé, carece por completo de fundamento.

◆ La mujer está preocupada porque cuando crezca el bebé superviviente –en los cumpleaños, los primeros pasos, el primer "mamá" y "papá"– recordará al hijo

Continúa en la página siguiente…

...viene de la página anterior

perdido y lo que podría haber sido. Y esto es cierto. Será de gran ayuda que la mujer y su esposo comporten sus sentimientos en tales ocasiones, y no intenten suprimirlos.

* La mujer teme que su hijo, al hacerse mayor, se vea atormentado por la pérdida. Aunque parece que algunos gemelos supervivientes sienten que les falta alguien o parecen más solitarios que otros niños, este hijo no debe sufrir a causa de la pérdida a menos que los padres hagan un problema de ello. Proporcionarle mucho cariño y atenciones le ayudará a asegurar que sea un joven seguro de sí mismo y feliz.

* Al intentar ayudar, puede que los amigos y familiares exageren la fanfarria al darle la bienvenida al bebé vivo y mantengan un educado silencio sobre el tema del que ha muerto. O pueden decirle a la madre que olvide el niño perdido y que aprecie al que está vivo. Estas actitudes insensibles pueden decepcionar y enfadar a la madre. Esta le hará saber a la gente que necesita lamentar la pérdida del bebé muerto igual que celebrar el nacimiento del otro.

* La mujer cree que disfrutar del bebé superviviente es desleal con el que ha muerto. Esta deberá deshacerse de este sentimiento, aunque es natural. Amar al hermanito, que pasó abrazado a él todos esos meses en el útero es una forma de honrar al hijo perdido, algo que desde

luego él hubiera querido. Por otra parte, idealizar al bebé perdido y hacer que el que vive deba competir con esta imagen idealizada podría ser muy perjudicial. Si la madre se siente incómoda por el bautizo o cualquier otro acontecimiento de bienvenida al bebé, deberá considerar la posibilidad de celebrar un funeral o ceremonia de despedida para el bebé muerto, con anterioridad o en el mismo momento.

* La mujer está pasando por una depresión del posparto. Es normal, tanto si se ha perdido un hijo como si no, que el caos hormonal haga más difícil enfrentarse a todo y que los sentimientos sean más conflictivos. Vea la página 546 para los consejos de cómo enfrentarse a la depresión puerperal.

* La madre tiene miedo de que la pérdida experimentada y la depresión consecuente dañen las relaciones con su esposo. Ello es muy poco probable si se comparten los sentimientos, tanto los positivos como los negativos. Un estudio ha demostrado que un 90% de los padres que han pasado por esta experiencia han experimentado que su matrimonio se ha fortalecido con la mutua ayuda para salir del período de dolor.

* La madre se siente culpable de que su ambivalencia esté dificultando los cuidados del bebé. Deberá recordar a sí misma que no tiene razones para sentirse culpable; sus sentimientos son del todo

Continúa en la página siguiente...

...viene de la página anterior

normales. Debe asegurarse de que las necesidades físicas y emocionales del otro bebé se satisfagan. Si la mujer y su esposo tienen problemas cuidando al bebé, deben buscar ayuda profesional.

La mujer se concederá algún tiempo. Es posible que pronto se encuentre mejor y, si se lo permite a sí misma, sea capaz de empezar a disfrutar verdaderamente del nuevo bebé.

durante la dilatación o la expulsión, y a veces justo después de ésta. De cualquier modo, a la mujer el mundo se le viene encima. Ha estado esperando a este bebé durante casi nueve meses. Ha soñado con él, ha sentido sus patadas y su hipo, y ha oído los latidos de su corazón. Ha comprado una cuna, una canastilla, ha preparado a sus amigos, su familia y su vida para el recién llegado y volverá a casa con las manos vacías.

Quizá no existe mayor dolor que el de perder a un hijo. Y aunque nada pueda hacer desaparecer el dolor, existen algunas medidas que pueden hacer el futuro más llevadero, y para hacer disminuir la inevitable depresión, depresión que es más fuerte cuando no hay más hijos, cuando ha habido más pérdidas o cuando es mayor y cree que no puede volver a embarazarse.

◆ Ver al bebé, tenerlo en brazos, darle un nombre. Sufrir el dolor es un paso vital para aceptar y recuperarse de la pérdida, pero nadie se puede afligir por un niño sin nombre al que nunca se ha visto. Incluso si el niño está malformado, los expertos indican que es mejor verlo que no verlo, debido a que generalmente lo que se imagina es peor que la realidad. Si la madre coge en brazos y nombra a su bebé, la muerte se hará más real para ella, y más fácil de sobrellevar a largo plazo. También se deberían preparar un funeral y un entierro, que darán una nueva oportunidad de despedirse. Y la tumba constituirá un lugar permanente donde se podrá visitar al bebé durante años.

◆ Si es posible, la mujer pedirá que no se le administren sedantes durante las horas que siguen a la noticia. Aunque ello aliviaría el dolor momentáneamente, los sedantes enturbiarían los recuerdos y la realidad de lo que está sucediendo. Ello dificulta enfrentarse al proceso de sentir el dolor y priva de la oportunidad de que los esposos se apoyen el uno en el otro.

◆ Discutir los hallazgos de la autopsia y otros detalles con el médico para acostumbrarse a la realidad de lo que ha sucedido y para ayudar al proceso de aflicción. Puede que la mujer haya recibido muchos detalles en la sala de partos, pero la medicación, el estado hormonal y el shock quizá hayan impedido que los haya entendido del todo.

◆ Tenga en cuenta que el proceso de duelo tiene varios pasos incluyendo la negación y el aislamiento, la rabia, la depresión y finalmente cuando acepta la pérdida (vea la página 696). No se sorprenda si sienta estas cosas. No las va a sentir en ese orden estrictamente o no las va a sentir todas o va a sentir otras cosas. Todos somos diferentes y reaccionamos de distintas maneras.

◆ Conservar una foto (muchos hospitales las hacen) u otros recuerdos, para tener algo tangible en las manos cuando la madre piense en el bebé perdido. Aunque ello pueda parecer morboso, los expertos dicen que ayuda. La madre intentará fijarse en los aspectos positivos —ojos grandes y pestañas largas, manos bonitas y dedos delicados, pelo abundante.

◆ La mujer pedirá a los amigos o parientes que no quiten todos los vestigios de los preparativos que hizo para el bebé en casa. Les dirá que quiere hacerlo ella misma. Aunque estén cargados de buenas intenciones, volver a una casa en la que parece que nunca se había esperado un bebé sólo servirá para fomentar la tendencia a negar lo que ha sucedido.

◆ Llorar tan largo y tan a menudo como lo necesite. El llanto es parte del proceso del dolor. Si la mujer no llora ahora, esto será algo que habrá dejado de hacer y que se encontrará que debe atender más tarde.

◆ Limitar el uso de tranquilizantes y sedantes. Aunque en un principio parece que ayudan, pueden interferir con el proceso de aflicción y también pueden crear dependencia. Evite el alcohol para mitigar sus penas, el alcohol es un depresivo y aunque se sienta bien al principio, una vez pasado el efecto, se sentirá aún más triste.

◆ Esperar tiempos difíciles. Puede que durante un tiempo la mujer se sienta deprimida, vacía; experimentará una intensa tristeza; tendrá problemas para dormir; peleará con su marido y descuidará a los otros hijos; incluso imaginará que oye a su bebé llorando a medianoche. Probablemente sentirá que necesita volver a ser niña, a ser amada, mimada y cuidada. Y ello es normal.

◆ Reconocer que los padres también sufren, pero que en algunos casos su dolor es o parece ser más corto y/o intenso, en parte debido a que, a diferencia de las madres, no han llevado a su bebé en su interior durante tantos meses. Y a menudo tienen formas diferentes de enfrentarse con su aflicción. Por ejemplo, puede que intenten encerrarla herméticamente, para poder estar fuertes al lado de sus esposas. Pero entonces a menudo el dolor viene de otras formas: malhumor, irresponsabilidad, pérdida de interés por la vida o puede que intenten usar el alcohol en un intento por sentirse mejor. Por desgracia, un padre afligido no será de mucha ayuda para su mujer, ni ella para él, y puede que ambos deban buscar apoyo en otra parte.

- Cuídense el uno al otro. El duelo puede envolverla en usted misma y a su esposo, es importante que se apoyen mutuamente y no se encierren. Es una situación difícil de manejar, seguramente habrá momentos en los que prefiera estar sola pero es importante que saque tiempo para compartir sus sentimientos con su pareja. Pueden ir juntos a una terapia o a un grupo de apoyo, eso no solamente los ayudará a superar el duelo sino que fortalecerá la relación.

- No enfrentarse sola al mundo, Si la mujer está posponiendo volver a la cotidianidad debido a que teme a las caras amistosas preguntándole, "¿qué ha tenido?", se hará acompañar de un amigo o amiga que pueda responder a las preguntas por ella durante las primeras visitas al supermercado, al banco, etc. Se asegurará de que sus compañeros de trabajo, de deporte y de las organizaciones en las que colabore estén informados antes de volver, de forma que no tenga que dar explicaciones difíciles.

- Esperar que algunos amigos y familiares no sepan cómo responder y que se retraigan durante un tiempo. Otros, intentando ayudar, harán afirmaciones irreflexivas como "Ya sé cómo te sientes", o "Oh, puedes tener otro bebé", o "Es mejor que el bebé haya muerto antes de que hayas podido tener contacto con él". No pueden entender que nadie que no haya perdido un bebé puede saber cómo se siente la mujer, que otro bebé nunca podrá sustituir al que se ha perdido, o que los padres pueden tomarle cariño a un bebé mucho antes de que este nazca, algunas veces incluso antes de la concepción. Si la mujer tiene que oír a menudo estos comentarios, le pedirá a un pariente o a un buen amigo que explique sus sentimientos y que indique que prefiere que la gente se limite a decir que lamenta lo sucedido.

- Buscar apoyo. Como muchos otros padres, la pareja podrá encontrar fuerzas uniéndose a un grupo de progenitores que han perdido a sus hijos. Pero evitará que el grupo se convierta en una forma de soportar la

ETAPAS DEL DUELO

La pérdida de un bebé siempre desencadena ciertas reacciones, sin importar en qué etapa del embarazo se esté. Esos sentimientos no se pueden apartar pero se pueden conocer y se pueden entender para superar el duelo. Estas etapas son comunes aunque el orden puede variar, así como los sentimientos que experimente.

- Shock y negación. Puede sentir incredulidad "esto no me puede pasar a mí", este es un mecanismo mental diseñado para proteger su psiquis del trauma de la pérdida.

- Culpa y rabia. Muchos padres se culpan a sí mismos por la pérdida "seguramente hice algo mal" o "si hubiera deseado más al bebé, todavía estaría vivo". También puede experimentar sentimientos de rabia y le puede parecer algo injusto, a lo mejor culpa a Dios o a su médico (incluso si no fue su culpa). Puede haber envidia hacia otras mujeres embarazadas o hacia otros padres.

- Depresión y desespero. A lo mejor se siente triste y llora todo el tiempo, no puede comer, no puede dormir y no tiene interés por nada. También puede pensar "nunca seré capaz de tener un bebé"

- Aceptación. Finalmente aceptará la pérdida. Eso no quiere decir que olvide lo que pasó sino que va a ser capaz de aceptarlo y seguir con su vida.

---

rabia o el dolor. Si después de un año aún se tienen problemas para aceptar la situación (más pronto, si se tienen problemas para enfrentarse con las actividades cotidianas), se deberá pasar a una terapia individual.

- Cuídese. Con tanto dolor, es posible que deje de lado el físico, pero no debe hacerlo. Debe tratar de comer bien, dormir bien y hacer ejercicio, eso es vital no solamente para su salud sino para su recuperación. Aunque no tenga hambre, haga un esfuerzo por comer; báñese con agua caliente o haga ejercicios de relajación antes de acostarse; trate de hacer alguna actividad física, así sea una caminata antes de cenar y descanse del duelo de vez en cuando. Vaya a ver una película, acepte las invitaciones de sus amigos, salga de la ciudad un fin de semana y disfrute de la vida sin sentimientos de culpa, para seguir viviendo.

- Recuerde a su hijo haciendo algo por otros niños: regale una beca a un niño de bajos recursos, done libros a una biblioteca pública, métase de voluntaria a alguna asociación o haga cualquier cosa significativa para usted. Por ejemplo puede plantar una mata o un árbol en un jardín infantil o en su propio patio en memoria de su hijo.

◆ Volverse hacia la religión si se encuentra consuelo en ella. Algunos padres están demasiado enfadados con Dios para hacerlo, pero para muchos la fe es un gran alivio.

◆ No esperar que tener otro bebé resolverá un dolor no resuelto. La mujer volverá a quedarse embarazada, si es eso lo que los dos desean, esperando primero todo el tiempo que el médico haya recomendado. Pero no hay

que intentar concebir para sentirse mejor, aliviar la culpabilidad o la rabia, o conseguir la tranquilidad de espíritu. Eso no funciona, y podría suponer una pesada carga para el que va a venir. Cualquier decisión sobre la futura fertilidad de la mujer –ya sea tener otro bebé o ser esterilizada– debería posponerse hasta que haya pasado el período de tristeza más profunda.

◆ Esperar que el dolor disminuya con el tiempo. Al principio sólo habrá días malos, luego unos pocos buenos entre los malos; finalmente más días buenos que malos. Pero hay que es-

¿POR QUÉ?

Puede que la pregunta filosófica "¿por qué?" nunca obtenga una respuesta. Pero suele ser de gran ayuda que los afligidos padres tomen contacto con la realidad de la tragedia conociendo las causas físicas de la muerte del feto o el recién nacido. A menudo el bebé parece perfectamente normal, y la única forma de descubrir la causa de la muerte es examinar cuidadosamente el historial del embarazo y realizar un examen completo del feto o del bebé. Si el feto murió en el útero o murió al nacer, también será importante que un patólogo examine histológicamente la placenta. Puede ser que a primera vista no parezca que saber la causa de la muerte hará que la aceptación de la pérdida sea más fácil,

pero a la larga hay que reconocer que será así. Saber lo sucedido no nos dice la razón de lo sucedido a la mujer y al bebé, pero pone una conclusión al acontecimiento, y ayudará a que la mujer se prepare para un futuro embarazo.

Desde luego, algunas veces es imposible determinar qué es lo que ha ido mal, y en ese caso la afligida pareja debe aceptar el acontecimiento a la luz de su propia filosofía personal. Puede que lo consideren la voluntad de Dios, o un suceso al azar sobre el que los seres humanos no tienen ningún control. En cualquier caso, la pérdida de un bebé nunca debería ser vista como un castigo.

tar preparada para la posibilidad de que el dolor nunca desaparezca por completo. El proceso de sentir el dolor, con pesadillas y recuerdos que la asalten, a menudo no se completa del todo hasta el cabo de dos años, pero lo peor suele haber pasado al cabo de tres a seis meses de la pérdida. Si después de seis a nueve meses el dolor continúa siendo el centro del universo, si la mujer pierde el interés por todo lo demás y parece que no puede desempeñar sus funciones, deberá buscar ayuda. También buscará ayuda si desde el principio no ha podido sufrir ningún dolor.

- Reconocer que la culpabilidad puede unirse a la tristeza y hacer que sea más difícil adaptarse a la pérdida. Si la mujer cree que la pérdida del bebé ha sido un castigo por haber sido ambivalente sobre el embarazo, o por falta de cuidados y otras cualidades necesarias para la maternidad, buscará ayuda profesional para poder entender que tales sentimientos no son responsables en modo alguno de la pérdida. También buscará ayuda si se siente insegura sobre su feminidad y ahora cree que sus dudas han sido confirmadas (no ha podido producir un bebé vivo), o si cree que ha defraudado a su familia y amigos. Si la mujer se siente culpable incluso por volver a su vida normal debido a que cree que sería desleal con su bebé muerto, podrá serle de gran ayuda pedirle a su bebé, en espíritu, que la perdone o pedirle permiso para volver a disfrutar de la vida.

- Si existe la posibilidad o la certeza de que no puede volver a quedar embarazada, no se desespere, hay muchos niños hermosos que necesitan padres amorosos como ustedes. No se precipite, estará lista cuando tenga que estarlo. A lo mejor la adopción no es lo que busca ahora, pero un niño adoptado se convierte en parte de usted y de su vida, como si lo hubiera tenido usted misma.

QUINTA PARTE

El próximo bebé

CAPÍTULO VEINTIUNO

Preparándose para el próximo bebé

En el mejor de los mundos seríamos capaces de planificar la vida según nuestros deseos. En el mundo real en el que vivimos la mayoría de nosotros, los planes mejor pensados sufren a menudo los cambios y giros inesperados de la fortuna, sobre los que tenemos muy poco control –sólo podemos aceptar, y aprovechar del mejor modo posible lo que se nos presenta.

En el mejor de los embarazos, sabríamos por adelantado el momento de la concepción y podríamos hacer todos los cambios y todas las adaptaciones de nuestro modo de vida para ayudar a asegurar que el bebé tuviera todas las posibilidades de nacer vivo y sano. Esta planificación por adelantado es un lujo poco frecuente que muchas mujeres no podrán permitirse nunca (a causa de la irregularidad del ciclo menstrual y/o de los fallos de la contracepción). Y como se ha venido diciendo a lo largo de todo este libro, lo que la mujer hace antes de saber que está embarazada (unas pocas, algunos deslices dietéticos, una radiografía en el dentista) afecta muy poco a las posibilidades de su bebé. Pocas mujeres actúan como embarazadas desde el momento de la concepción, y sin embargo la gran mayoría dan a luz a bebés normales y sanos.

Pero no sería lógico descuidar ofrecer un plan para el mejor de los embarazos –debido a que para un número cada vez mayor de mujeres existe esta posibilidad, al ser más fiables las técnicas de planificación familiar. El plan es apropiado tanto si la mujer se halla ya en el proceso de intentar quedar en estado como si sólo está pensando en ello. Aunque nunca es demasiado tarde para empezar a cuidar su propio cuerpo, nunca es tampoco demasiado pronto. Y, de hecho, una buena atención durante el embarazo beneficiará no sólo al hijo, sino también a los hijos de este.

Hay muchas formas en que los futuros padres pueden aumentar su fertilidad mientras buscan el mejor de los embarazos, el más seguro y el más saludable. Tenga en cuenta que si ya está embarazada no debe preocuparse si no tomó todas las precauciones antes de concebir, simplemente empiece a leer este libro en el capítulo 1.

PREPARACIÓN
PARA CONCEBIR

Someterse a un buen examen físico. Tanto la mujer como el esposo deberían visitar al internista o al médico de la familia. Un examen detectará todos los problemas potenciales que necesitan ser corregidos con anterioridad, o que deberán ser controlados durante el embarazo.

Visitar al dentista. Pedir hora para una limpieza y para una revisión a fondo. Solicitar que se efectúe ahora todo el trabajo necesario, incluidas las radiografías, los empastes y las intervenciones quirúrgicas dentales o periodontales. Tenga una buena higiene dental en casa, si no la tiene todavía, empiece ahora.

Seleccionar un médico y acudir a un examen previo al embarazo. Resulta más fácil escoger un médico ahora, sin prisas, que cuando el primer control prenatal es ya necesario. Así que haga sus investigaciones y tómese su tiempo para dar con el médico adecuado. Pida la cita para el examen. Si tiene un médico de la familia, hable con él para la que la guíe. Si no hay alto riesgo en su embarazo, entonces puede escoger cualquier médico que desee (vea el capítulo 1 para las opciones). Incluso si la mujer considera que preferirá la asistencia de una partera titulada, escogerá un ginecólogo o un médico de familia cuya opinión le merezca respeto y le vi-

sitará para este examen con el fin de saber si su próximo embarazo caerá en la categoría de alto riesgo. Si el historial médico y/o los exámenes físicos sugieren que existe esta posibilidad, la mujer precisará los cuidados de un obstetra o incluso de un especialista en medicina materno– fetal durante el embarazo. Puede escoger el médico que quiera. Vea el capítulo 1 para más opciones.

Revise su historia clínica. Si ha tenido problemas en embarazos anteriores como pérdida, nacimiento prematuro u otra complicación, hable con su médico para saber cómo prevenirlas en un futuro.

Revise la historia clínica de su madre. Si sabe o sospecha que su mamá tomó la medicina dietilstilbestrol cuando estaba embarazada de usted, debe decírselo al médico. Seguramente el doctor va a revisar su vagina y su útero.

Examínese. Antes de concebir le recomendamos hacerse estos exámenes:

- Hemoglobina o hematócrito (para detectar una anemia)

- El del Rh (para saber si es positivo o negativo). Si es negativo, su pareja debe hacerse un examen para saber si es positivo (si los dos son negativos, no hay necesidad de pensarlo dos veces, vea la página 38).

- Revisar la vacuna de la rubéola.

- Revisar la vacuna de la varicela.

- Revisar la orina para descartar diabetes.

- Tuberculosis. Este examen es necesario si vive en una zona de alto riesgo.

- Hepatitis B. Si se halla dentro de una categoría de alto riesgo, tal como la de los trabajadores de sanidad.

- Citomegalovirus. Para determinar si la mujer es inmune o no al CMV (vea la página 605). Si tiene la enfermedad, generalmente debe esperar seis meses, cuando los anticuerpos aparecen en la sangre, para tratar de concebir.

- Si la mujer tiene un gato o come a menudo carne cruda o de extraña procedencia o bebe leche no pasteurizada, también es recomendable pasar la prueba de los anticuerpos de la toxoplasmosis. Si es inmune no se preocupe, pero si no lo es, es mejor que tome sus precauciones, vea la página 91.

- Función de la tiroides. Es bueno que *todas* las mujeres se hagan este examen porque puede afectar seriamente el embarazo, con mayor razón si ha tenido problemas de tiroides, si los tiene o si alguien en su familia los tiene (vea la página 627).

- Enfermedades de transmisión sexual. Incluso si está segura de no ser portadora de una enfermedad de transmisión sexual, pedirá que se le practiquen los tests de la sífilis, la gonorrea, la infección por *Chlamydia* y el herpes. Si fuera necesario, será tratada. Si estuviera indicado, se hará la prueba del VIH (el virus del sida), pero se asegurará de poder disponer de asesoramiento, para el poco probable caso de que los resultados fueran positivos.

Busque tratamiento. Si cualquiera de las enfermedades requiere tratamiento, hágalo antes de intentar concebir, minimice, si es posible, las cirugías menores o mayores. También debe revisar algunos aspectos ginecológicos como:

- Pólipos uterinos, fibromas, quistes o tumores benignos.

- Endometriosis.

- Enfermedad inflamatoria pélvica.

- Infecciones urinaria recurrentes.

- Enfermedades de transmisión sexual.

- Si alguno de estos problemas requiere rayos láser, espere seis meses después de la cirugía para intentar concebir.

Actualizar las vacunas. Si la mujer no se ha vacunado contra el tétano durante los últimos diez años, deberá hacerlo ahora. También se deberá asegurar de ser inmune a la rubéola, ya sea por haber tenido la enfermedad o mediante una vacuna. Le preguntará al doctor sobre qué análisis de sangre debe hacerse antes de quedar embarazada. Si resulta que no es inmune, deberá quedar inmunizada y luego esperar tres meses antes de intentar concebir. Si la mujer nunca ha sido vacunada contra el sarampión ni ha tenido la enfermedad, o si está en peligro de contraer una hepatitis B, también sería recomendable que fuera inmunizada en este momento.

Poner bajo control cualquier otra enfermedad. Si la mujer padece de diabetes, asma, una enfermedad del corazón o cualquier otra enfermedad crónica, se asegurará de contar con el permiso del médico para quedar embarazada, de que la enfermedad está *bajo control* antes de concebir*, y de que empieza a recibir los mejores cuidados desde ese mismo momento (vea el capítulo 19). Si se fue una niña con fenilcetonuria (se preguntará a la madre si no se está segura, o se buscará en el historial médico), se empezará a tomar una dieta sin fenilalanina (por desagradable que sea) antes de concebir (vea la página 636) y se proseguirá durante todo el embarazo.

Si necesita inyecciones contra las alergias, póngaselas ahora. Como la depresión puede interferir con la concepción, también debe tratarla antes de hacer el intento.

Examen genético. Si alguno de los dos sufre un defecto genético (por ejemplo una fibrosis cística, un síndrome de Down, distrofia muscular, FCU, espina bífida o defectos congénitos) en su historial personal o de los parientes consanguíneos, deberá visitar a un especialista en medicina materno-fetal. También se deberá pasar un test de cualquier enfermedad genética común en el grupo étnico al que se pertenece. La enfermedad de Tay-Sachs, si alguno de los dos es de ascendencia judía europea o franco-canadiense; anemia falciforme si es de origen africano; una de las talasemias si se es de origen latino, del Sudeste Asiático o filipino. Las dificultades obstétricas previas (tales como dos o más abortos espontáneos, haber dado a luz un mortinato, un largo período de infertilidad o un hijo con un defecto congénito) o estar casado con un primo u otro pariente consanguíneo, también constituyen buenas razones para buscar consejo genético.

Evaluar el método de control de la natalidad. Si la pareja está utilizando un método anticonceptivo que pueda presentar algún riesgo (por ligero que sea) para un futuro embarazo, deberá cambiarlo antes de pensar en concebir un hijo. Las pastillas anticonceptivas deben ser abandonadas varios meses

---

* Idealmente debería tratar de controlar la enfermedad en todo momento, por si acaso concibe de manera inesperada

antes de la concepción, si es posible, para permitir que el sistema reproductor pase por lo menos dos ciclos normales antes de empezar a fabricar un bebé. El DIU debe ser quitado antes del deseo de quedar en estado. Puesto que los riesgos de los espermicidas están aún poco claros, lo mejor sería dejar de usarlos (junto con un diafragma o solos) entre un mes y seis semanas antes de querer quedar embarazada. El método de control de la natalidad a utilizar mientras tanto: el condón (usado con precaución y sin espermicidas).

Mejorar la dieta. Lo primero y los más importante es recibir suficiente ácido fólico. Las investigaciones demuestran que el consumo de esta vitamina en la dieta de una mujer antes de concebir y al principio del embarazo, reducen dramáticamente el riesgo de defectos neurales (como espina bífida) en el feto. El ácido fólico se encuentra de manera natural en los granos enteros, en los vegetales verdes y en muchos granos que vienen suplementados. También es importante que tome un suplemento especial para embarazadas (vea la página 128).

Debe eliminar las comidas rápidas y los azúcares refinados de la dieta, aumentando en cambio la fibra y los cereales integrales. Puesto que es mejor empezar el embarazo con un peso lo más próximo posible al ideal, se intentará llegar a él antes de la concepción, añadiendo o reduciendo el número de calorías, según sea necesario. (Utilizar la dieta ideal, capítulo 4, para conseguir un buen plan dietético de base; pero antes del embarazo sólo se necesitan al día 2 raciones de calcio y 2 raciones de proteínas.) No obstante, cualquier pérdida de peso debería obtenerse de una forma sensata, incluso si ello significa retrasar la concepción durante un par de meses más. Una dieta muy dura puede tener como resultado una deficiencia de nutrientes, algo con lo que la mujer no debería empezar el embarazo. Si la mujer ha hecho hace poco una dieta muy rápida, se concederá unos pocos meses para que el cuerpo se vuelva a equilibrar antes de intentar concebir.

Si la mujer tiene algún hábito dietético inusual (tal como el gusto por el almidón de planchar o la arcilla), sufre o ha sufrido de trastornos de la alimentación (tal como anorexia nerviosa o bulimia) o sigue una dieta especial (macrobiótica, para diabéticos o cualquier otra), deberá informar a su médico.

Acercarse al peso ideal. Estar muy por *debajo* del peso o muy por *encima* del peso no solamente reduce las probabilidades de concebir sino que, si concibe, el peso puede incidir en problemas durante el embarazo. Así que evite o añada calorías a su dieta. Si trata de perder peso, asegúrese de hacerlo despacio, aunque tenga que posponer la concepción por algunos meses; una dieta desbalanceada (incluyendo las dietas bajas en carbohidratos y altas en proteínas), pueden bajar las probabilidades de concepción y pueden provocar un déficit nutricional, esta no es una buena manera de empezar el embarazo. Si ha tenido alguna dieta fuerte recientemente, empiece a comer bien y dele a su cuerpo algunos meses para equilibrarse, antes de intentar concebir.

Tomar un suplemento vitamínico-mineral especial para el embarazo. Aunque esté comiendo alimentos altos en ácido fólico es recomendable que tome un suplemento que contenga 400 mcg de la vitamina, es preferible que lo tome dos meses antes de intentar concebir*. Otra de las razones para tomar un suplemento es que las investigaciones indican que las mujeres que toman un multivitamínico diario, que contenga al menos 10 miligramos de vitamina B6, antes de quedar embarazadas o durante las primeras semanas de embarazo, presentan menos vómito y menos náusea durante el embarazo (una vez que empiezan las náuseas matutinas ya no hay nada que hacer). El suplemento también debe tener 15 mg de zinc, que puede mejorar la fertilidad. Sin embargo es bueno que pare de tomar otros

suplementos nutricionales antes de concebir porque el exceso de algunos nutrientes puede ser riesgoso.

Mejorar la forma física, pero con calma. Un programa de ejercicios tonificará y reforzará los músculos de la mujer en preparación para las duras tareas del embarazo y el parto. También ayudará a eliminar el peso excesivo. No obstante, hay que evitar los sobrecalentamientos durante el entrenamiento, cuando se esté intentando quedar embarazada, dado que ello podría producir un aumento de la temperatura corporal potencialmente peligroso. Se evitarán los baños demasiado calientes y la exposición directa a las esterillas o las mantas eléctricas por la misma razón. También se tendrá en cuenta que aunque el ejercicio es bueno para la futura madre, no debe ser excesivo. El ejercicio en demasía puede interferir en la ovulación –y si no se ovula, no se concibe.

Evitar las drogas ilícitas. O como les dicen, las drogas recreacionales. Todas las drogas como pueden ser la cocaína, el crack, la marihuana y la heroína, pueden ser peligrosas para el embarazo. En varios grados, pueden evitar que se conciba, y cuando esto se consigue, son potencialmente peligrosas para el feto y también hacen aumentar los riesgos de aborto espontáneo, bebés prematuros y mortinatos. Si la mujer toma drogas, de vez en cuando o

---

* Idealmente, todas las mujeres en edad de concebir, deberían tomar un suplemento que contenga 400 mcg de ácido fólico, por si acaso llegaran a quedar embarazadas.

con regularidad, debe abandonarlas de inmediato. Si no pudiera, buscará ayuda antes de intentar concebir.

Limitar la toma de fármacos. Dado que la mayoría de fármacos no prescritos llevan advertencias sobre su uso durante el embarazo, se consultará al médico antes de tomarlos, una vez que se ha empezado a intentar concebir.

Comprobar la seguridad de cualquier fármaco recetado. Ciertos medicamentos (pero no todos) usados en el tratamiento de enfermedades o defectos crónicos están relacionados con el desarrollo de defectos congénitos; si la mujer está tomando cualquier medicina, consultará con su médico. Los fármacos potencialmente peligrosos deberían dejarse de tomar al menos un mes (según algunos, de tres a seis meses) antes de empezar a intentar quedar embarazada, optando por una terapia alternativa segura hasta que haya pasado el embarazo (o hasta después del destete si el medicamento también constituye una amenaza para el bebé que toma el pecho). A veces lo que funciona es una disminución de la dosis.

La medicina Accutane representa un riesgo extremadamente serio durante el embarazo. Si ha tomado esa droga, debe descontinuarla por lo menos un mes antes de intentar concebir, asegúrese de no quedar embarazada en ese tiempo.

Tenga cuidado con las medicinas herbales y alternativas. Las hierbas son naturales, pero que sean naturales no significa que sean seguras. Por ejemplo, las más populares como la equinácea, el ginkgo biloba o la hierba de San Juan, pueden interferir con la concepción. No tome estos productos ni suplementos, ni ninguna medicina alternativa sin la aprobación del médico.

Reducir la cafeína. El moderar (y gradualmente eliminar, si es posible) la ingestión de café, té y colas evitará más tarde la aparición de los síntomas de abstinencia al prescindir de estas sustancias una vez confirmado el embarazo (vea la página 86). Otra de las razones es que algunas investigaciones han ligado la ingesta alta de cafeína (más de tres tasas al día) con la infertilidad. No está claro si ello se debe a que la cafeína tiene algún efecto biológico sobre la fertilidad o si su uso frecuente suele formar parte de un estilo de vida con gran estrés que puede comprometer las posibilidades de concebir (o las dos). Sea lo que fuere, es una buena idea reducirla.

Reducir el consumo de alcohol. En la fase de preparación anterior al embarazo, un cóctel o un vaso de vino al día no son perjudiciales, pero es mejor evitar la ingestión excesiva de alcohol, lo que podría interferir en la fertilidad trastornando el ciclo menstrual. A partir del momento en que la pareja intenta llegar a concebir, marido y mujer se abstendrán totalmente del alcohol (vea la página 75).

Dejar de fumar. El tabaco no sólo es peligroso para el embarazo (vea la página 77) y aumenta el riesgo de sida y posible cáncer en el bebé, también puede evitar que la mujer quede embarazada, reduciendo la fertilidad tanto en los hombres como en las mujeres. Un ambiente sin humo es uno de los mejores regalos de nacimiento que se le puede hacer a un bebé.

Evitar exposiciones innecesarias a la radiación. Si por razones médicas son necesarios los rayos X, la mujer se asegurará de que sus órganos reproductivos queden protegidos (a menos que sean el objetivo) y de que se usen las dosis más pequeñas posibles. Una vez que la mujer ha empezado a intentar concebir, deberá tener en cuenta que quizás lo haya conseguido. Informará a cualquier médico que la esté tratando con radiaciones o a los técnicos de los rayos X de que puede que esté embarazada, y les pedirá que tomen todas las precauciones necesarias. Sólo se permitirán las exposiciones a radiaciones que sean absolutamente indispensables para la salud de la madre o del bebé (vea la página 95).

Evitar una exposición excesiva a productos químicos peligrosos. Algunos (aunque no todos y generalmente los que se usan en dosis muy grandes)

productos químicos y generalmente sólo en dosis muy grandes, son potencialmente peligrosos para el esperma del marido y para los óvulos de la mujer antes de la concepción, y más tarde para el embrión o el feto en desarrollo. Aunque el riesgo es en la mayoría de los casos muy pequeño, ambos miembros de la pareja deberían evitar las exposiciones potencialmente peligrosas en el trabajo. En ciertos campos (medicina y odontología, arte, fotografía, transportes, granjas y jardinería, construcción, peluquería y cosmética, tintorería y algunos trabajos industriales) deberían tomarse medidas especiales. Se contactará con los organismos oficiales para obtener las últimas informaciones sobre la seguridad en el trabajo y el embarazo; también se consultará la página 104. En algunos casos sería sensato cambiar de trabajo o tomar precauciones especiales antes de intentar concebir.

Debido a que los elevados niveles de plomo cuando se concibe podrían acarrear problemas para el bebé, la mujer debería pasar un análisis para saber si ha sido expuesta al plomo en el lugar de trabajo o en cualquier otro, como por ejemplo debido al suministro de agua. Si los niveles de plomo en la sangre son altos, los expertos recomiendan una terapia de quelación para quitar el plomo de la sangre, y luego reducir la exposición antes de intentar concebir. Hay que evitar una exposición excesiva a las toxinas domésticas (vea la página

97). Si tiene niveles altos en la sangre, los expertos recomiendan que siga una terapia especial para sacar el plomo de la sangre (el plomo es "atrapado" por un agente enviado vía intravenosa y se secreta a través de la orina) y luego se reduce la exposición antes de intentar la concepción. También evite la exposición a otras toxinas caseras.

Tenga en cuenta el dinero. Tener un bebé es costoso, debe revaluar su presupuesto y empezar a crear un plan financiero. Como parte de su plan, averigüe si el seguro médico cubre el cuidado prenatal, el parto y otros gastos después. Si el cubrimiento no empieza sino hasta después de cierta fecha, es mejor que se espere. Si planea cambiar de póliza, hágalo antes de quedar embarazada, algunos seguros tienen en cuenta los embarazos o las preexistencias. Averigüe cuánto tiempo le va dar su jefe para la licencia de maternidad (vea la página 151) y qué otros beneficios le corresponden. Y si no tiene todavía un testamento, es tiempo de hacerlo.

Empezar a seguir la pista. Cuando ya haya dado todos los pasos preparatorios, es hora de empezar. Las posibilidades de concebir cuando se desea serán mucho mayores si se tienen relaciones sexuales durante los días fértiles del ciclo. Saber exactamente cuándo se ha concebido también hará más fácil establecer una fecha de salida de cuentas.

Para llevar un registro, se anotará el primer día de cada período menstrual en un calendario o agenda; también se intentará anotar el día de la ovulación. Esta suele tener lugar en el punto medio del ciclo (el día 14 de un ciclo de 28, por ejemplo), pero es menos fácil de predecir en las mujeres con ciclos irregulares. De hecho, las investigaciones recientes demuestran que solamente el 30% de las mujeres ovulan en la mitad de su ciclo, la mayoría de mujeres es fértil en cualquier momento desde el día 10 hasta el día 17. Los signos físicos de la ovulación apenas son perceptibles para algunas mujeres y para otras están muy presentes. Durante la ovulación el mucus vaginal es claro, tiene la consistencia de una clara de huevo y se puede estirar. Puede que sienta dolor en la espalda o en uno de los lados del abdomen bajo. Otro de los signos que no notaría si no estuviera pendiente es la temperatura basal (la temperatura basal en la mañana, después de dormir). Para buscar ese cambio, busque un termómetro especial muy sensible y tome su temperatura todas las mañanas antes de salir de la cama (bata el termómetro y déjelo hacia abajo antes de meterse a la cama para no alterar el resultado con ese movimiento). La temperatura basal alcanza el punto más bajo del mes el día antes de que empiece el ciclo de la ovulación, después aumenta considerablemente (indicando que la ovulación es inminente) y permanece elevada hasta justo antes del periodo. Si tiene problemas para identificar la ovulación, si su ovulación es irregular (y más si sus períodos son regulares) tiene problemas para concebir o quiere utilizar un método más efectivo y más fácil, puede adquirir un equipo casero para predecir la ovulación. También es bueno que tenga registro de las relaciones sexuales para saber más o menos los días en que puede concebir, eso puede ayudar también a calcular más fácilmente la fecha estimativa del parto.

Relajarse. Esto es quizás lo más importante de todo. Sentirse inquieta y tensa ante el deseo de concebir puede impedir la concepción. Aprenda a hacer ejercicios de relajación, a meditar y a disminuir el estrés de su vida diaria (vea la página 171).

Déle tiempo. Tenga en cuenta que se necesitan en promedio seis meses para que una mujer normal, de buena salud y de unos veinticinco años pueda concebir, para las mujeres mayores se requiere más tiempo. También puede tomar más tiempo para su pareja es mayor. Así que mantengan la calma si el milagro no ocurre rápido y diviértanse haciéndolo. Esperen por lo menos un año antes de hablar con un doctor, y si es necesario, con un especialista en fertilidad. Si es mayor de 35 años, puede ver a un doctor después de seis meses.

PREPARACIÓN PRENATAL PARA LOS PADRES

Vaya al médico. Hágase un examen físico para asegurar que no tiene ningún problema médico (como cuando no descienden los testículos, cuando hay quistes testiculares o tumores o cuando hay depresión) porque eso puede interferir con la concepción o con un embarazo saludable de su pareja. Pregunte por los efectos secundarios sexuales de cualquier medicina sin prescripción o herbal, algunas pueden causar problemas de fertilidad y bajo conteo de esperma, seguramente es algo que no quiere ahora.

Hágase un chequeo genético, si es necesario. Hay algunas parejas que por herencia familiar, deben ver un consejero genético para hablar sobre la concepción. Vea la página 61 para saber si esto es importante para usted y su pareja.

Cambie de método de control natal, si es necesario. Si ha estado utilizando pastillas anticonceptivas, es bueno que las deje por lo menos unos meses antes de intentar la concepción. Mientras espera puede usar condones *sin* espermicida.

Mejorar la dieta. Cuanto mejor sea el estado de nutrición del marido, tanto más sanos serán sus espermatozoides. Para él, la dieta debería ser parecida a la dieta anterior al embarazo en la mujer (vea la página 705), con una ingestión calórica adaptada a su peso y su actividad. Para asegurar la ingesta de los nutrientes más importantes (como la vitamina C, la E, la D, el zinc y el calcio, que parece que afectan la fertilidad y la salud de la esperma), tome un suplemento de vitaminas y minerales; asegúrese de que el suplemento tenga ácido fólico. Se ha demostrado que los padres que ingieren poco de este nutriente, están ligados con una disminución de la fertilidad y con defectos de nacimiento en los niños. Si es diabético, debe controlar el azúcar en su sangre.

Cambie su estilo de vida. Aún no se conocen todas las respuestas, pero las investigaciones empiezan a demostrar que el uso de drogas (incluyendo las cantidades excesivas de alcohol) por parte del padre antes de la concepción podría evitar que esta se produjera o hacer que las consecuencias de ello fueran malas. Los mecanismos no están claros, pero parece ser que las drogas pueden dañar el esperma así como reducir su cantidad, pueden alterar la función testicular y reducir los niveles de testosterona, y son excretadas por el semen, lo que puede causar defectos en el niño. Las personas que toman mucho (equivalente a dos copas diarias o a cinco copas en cualquier día) en el mes antes de la concepción, pueden afectar el peso del bebé al nacer, tenga en cuenta que si deja de tomar será mucho más

fácil. Si la pareja no puede superar la adicción, es recomendable buscar ayuda ahora.

Deje de fumar ahora. Los hombres que fuman tienen una reducción de esperma, lo que hace más difícil la concepción; además, si deja de fumar ahora, mejorará la salud de toda la familia, ya que los fumadores pasivos también están en peligro. El humo puede aumentar el riesgo de muerte súbita en el bebé.

Evite los químicos. Trate de evitar los niveles altos de plomo y los altos niveles de algunos solventes orgánicos como los que se encuentran en las pinturas, en los pegantes, en los barnices y en los desgrasantes de metales. También evite los pesticidas o cualquier químico que interfiera con la fertilidad masculina. Limite su exposición mientras se prepara para concebir.

Relájese. La producción de esperma se ve perjudicada cuando los testículos se recalientan, de hecho, prefieren estar un poco más frescos que el resto del cuerpo. Así que evite las tinas calientes, los saunas, la ropa muy acalorada o muy apretada (utilice *boxers* en lugar de calzoncillos); evite las telas sintéticas en pantalones y ropa interior, eso lo puede acalorar demasiado en climas cálidos.

Protéjase. Si practica algún deporte pesado (incluyendo el fútbol americano, el fútbol, el baloncesto, el béisbol y montar a caballo) utilice ropa con protección para cuidar los testículos. Incluso si monta mucho en bicicleta, puede tener problemas, la presión constante en los genitales puede, de acuerdo a algunos expertos, interferir con la concepción porque daña nervios y arterias. Si tiene dolor en los testículos es bueno que pare de montar en bicicleta mientras intenta concebir. Si el dolor (o las molestias) persiste, llame a su médico.

Tranquilícese. Esto es importante para los dos, el estrés no solamente afecta la libido y el desempeño sexual, sino que también afecta los niveles de testosterona y la producción de esperma. Entre menos se preocupen, más rápido van a concebir; así que relájense ¡y disfruten intentando!

AHORA QUE YA LEYÓ EL FINAL...

Es hora de empezar por el principio. Cuando quede atrás el período de concepción, vaya al primer capítulo para empezar a leer sobre su embarazo ¡diviértase!

Apéndice

ANÁLISIS HABITUALES DURANTE EL EMBARAZO

Su médico omitirá algunos de los siguientes exámenes y agregará otros, eso dependerá de su historia médica y la opinión profesional. Para mayor información sobre temas individuales, vea el índice.

ANÁLISIS Y MOMENTO EN QUE SE REALIZA	PROCEDIMIENTO	RAZÓN
Tipo sanguíneo; primera visita.	Examen de la sangre extraída del brazo.	Para determinar el grupo sanguíneo, el Rh y el factor Kell.
Hematocrito o hemoglobina; en la primera visita y después a la semana 20.	Examen de la sangre extraída del brazo.	Si el examen demuestra que existe deficiencia de hierro o anemia, es necesario un suplemento de hierro.
Test de la rubéola; en la primera visita	Examen de la sangre extraída del brazo.	Para analizar si es inmune a la rubéola.
Sífilis (VDRL); en la primera visita.	Examen de la sangre extraída del brazo.	Si tiene sífilis, debe empezar pronto un tratamiento para evitar afectar al bebé.
Análisis para el Síndrome de la Inmunodeficiencia Adquirida (sida), en la primera visita.	Examen de la sangre extraída del brazo.	El diagnóstico y el tratamiento pueden ayudar a la madre a reducir el riesgo de transmitir el VIH al feto
Test de la hepatitis B, en la primera visita.	Examen de la sangre extraída del brazo.	Para descubrir una hepatitis B, de forma que la madre pueda ser tratada antes del nacimiento y el bebé inmediatamente después de este.

ANÁLISIS Y MOMENTO EN QUE SE REALIZA	PROCEDIMIENTO	RAZÓN
Citología para un Papanicolaou, en la primera visita.	Las secreciones cervicales son recogidas en un frotis y examinadas con un microscopio para detectar células anormales.	Para analizar si hay cáncer cervical u anormalidades en otras células.
Cultivo de gonorrea y herpes genital, en la primera visita.	Las secreciones vaginales son recogidas en un frotis y cultivadas en el laboratorio.	Si hay una infección, se puede tratar.
Test para la Chlamydia, en la primera visita.	La zona de alrededor de la cervix, la uretra o el recto se rasca para recoger los posibles organismos responsables de la infección.	Si hay una infección, se puede tratar.
Bacterias en la orina, en la primera visita.	Una muestra de orina es examinada.	La presencia de bacterias en la orina podría indicar propensión a las infecciones, que deben tratarse.
Detección de drogas, en la primera visita.	Una muestra de orina es examinada.	Cualquier abuso de drogas ilícitas durante el embarazo es peligroso para el feto y debería ser tratado de inmediato.
Presión sanguínea, en cada visita.	La presión sanguínea es medida con un manguito y un estetoscopio, o con un instrumento electrónico.	Para analizar hipertensión inducida por el embarazo o preecalmpsia.
Azúcar (glucosa) en la orina, en cada visita.	Una varilla tratada especialmente, se introduce en una muestra de orina.	El aumento persistente de azúcar en la orina podría indicar una diabetes gestacional que requerirá tratamiento.
Albúmina (proteína) en la orina, en cada visita.	Una varilla tratada especialmente, se introduce en una muestra de orina.	Los niveles altos de proteína en la orina pueden indicar una infección en la

Análisis y momento en que se realiza	Procedimiento	Razón
		vejiga o pueden estar relacionados con la preeclampsia.
Examen triple (MSAFP), entre la semana 15 y la 18.	Se examina la sangre extraída del brazo.	Exámenes de diagnóstico prenatal para analizar la *posibilidad* de defectos en el feto y la necesidad de más exámenes.
Test de tolerancia a la glucosa, a las 28 semanas (generalmente antes y más a menudo en diabéticas).	Examen de una serie de muestras de sangre, tomadas después de una bebida especial de glucosa.	Para descartar la diabetes gestacional.
Frotis para detectar estreptococos del grupo B, alrededor de la semana 37.	Con un algodón se examina la parte alrededor de la vagina y el recto, también se examina la orina.	Si existen estreptococos B, la madre es tratada al empezar la dilatación o cuando rompe aguas, para prevenir la infección del recién nacido.

TRATAMIENTOS SIN FÁRMACOS DURANTE EL EMBARAZO

SÍNTOMAS	TRATAMIENTO	PROCEDIMIENTO
Espalda dolorida	Calor	Tomar un largo baño caliente (no al máximo de calor que se pueda soportar), por la mañana y por la noche. Aplicar una bolsa de agua caliente o un parche caliente envuelto en una toalla durante unos 20 minutos, 3 o 4 veces al día.
	Medidas preventivas	Ejercicio, mecánica corporal adecuada, una buena postura; vea la página 283.
Magulladuras debidas a un golpe o herida	Bolsa de hielo	Usar una bolsa de hielo de las que se venden en el comercio y guardarla en el congelador; una bolsa de plástico llena de cubitos de hielo envuelta en unas pocas toallas de papel para absorber el agua de la fusión, cerrada con una goma; o una lata no abierta de zumo de vegetales o un paquete de verduras congeladas. Aplicar durante 30 minutos; repetir 30 minutos más tarde si la hinchazón o el dolor persisten, y cuando se precise.

SÍNTOMAS	TRATAMIENTO	PROCEDIMIENTO
	Compresas frías	Mojar un paño suave en un recipiente con cubitos de hielo y agua fría, escurrirlo y colocarlo sobre la zona afectada. Repetir cuando el frío se haya disipado.
Magulladuras en manos, muñecas y pies	Remojo en agua fría	Colocar una bandeja o dos de cubitos de hielo en un recipiente (es mejor un cubo de piliestireno) con agua fría y sumergir la parte afectada durante 30 minutos; repetir 30 minutos más tarde si fuera necesario.
Quemaduras	Compresas frías	Vea *Magulladuras.* No aplicar hielo directamente sobre una quemadura.
Resfriados	Gotas nasales de solución salina	Usar un preparado comercial o una solución de 1/4 de cucharada sopera de sal en 225 g de agua (medir cuidadosamente). Poner unas pocas gotas en cada orificio nasal, esperar de 5 a 10 minutos y sonarse.
	Pomadas mentoladas como Vick Vaporub	Seguir las instrucciones del envoltorio.
	Más líquido	Beber un vaso de líquido cada hora, incluyendo agua, jugos, sopas. Las bebidas calientes, particularmente la sopa de pollo, son las mejores. Limitar la ingesta de leche sólo si lo recomienda el médico.

SÍNTOMAS	TRATAMIENTO	PROCEDIMIENTO
	Inhalaciones	Utilizar un vaporizador, humidificador o un hervidor que saque vapor, preparar una tienda de campaña colgando una tela sobre un paraguas abierto que descanse contra el respaldo de una silla; colocar el humidificador en la silla. Pasar 15 minutos 3 o 4 veces al día bajo una especie de tienda de campaña; extender el tiempo a 30 minutos si no se está demasiado incómoda. (No se permanecerá en la tienda si se está incómodamente caliente.) Mantener el humidificador cerca cuando se esté descansando o durmiendo.
	Gotas nasales	Seguir las instrucciones del envoltorio.
Tos, debido a los resfriados o a la gripe	Inhalaciones	Vea *Resfriados*
	Mayor cantidad de líquidos	Vea *Resfriados*
Diarrea	Mayor cantidad de líquidos	Beber un vaso de líquidos cada hora, incluyendo agua, jugos de frutas diluidos (pero no de ciruela) y sopas.
Fiebre (llame a su médico el mismo día si su fiebre es mayor a 37.8 grados centígrados y no tiene ni resfriado ni gripa. Si su fiebre es mayor a los 39	Baño de agua fría	Usar una bañera de agua tibia y enfriarla gradualmente añadiendo cubitos de hielo —parando de inmediato cuando se empiece a tiritar.

SÍNTOMAS	TRATAMIENTO	PROCEDIMIENTO
grados centígrados, llame inmediatamente a su médico. Además trate de bajar la fiebre de 37.8 grados centígrados con acetaminofén).	Empapar con toallas	Mojar toallas en un recipiente que contenga 2 litros de agua, 1/2 litro de alcohol de hacer friegas y 1 recipiente de un litro de cubitos de hielo; aplicar toallas frías a la piel. Usar plásticos para recoger el agua que gotea. Parar si se empieza a tiritar.
Hemorroides	Baños de asiento	Sentarse en un baño con suficiente agua caliente (más caliente que la de un baño normal) para cubrir la zona afectada, durante 20 a 30 minutos, 2 o 3 veces al día.
Picor en el abdomen o en cualquier otro lugar	Medidas preventivas	Evitar las duchas y baños calientes muy prolongados y los jabones que resequen. Usar una buena crema hidratante, y extenderla mientras aún se está húmeda de la ducha. Para humedecer el aire del interior de la casa, vea la página 600.
Picor y supuración de los ojos	Baños templados	Usar un paño mojado en agua templada, no caliente (se comprobará la temperatura en la parte interna del brazo) y aplicar al ojo durante 5 o 10 minutos cada 3 horas.
Dolores musculares, magulladuras	Bolsas de hielo, compresas frías o baños fríos durante las primeras 24 a 48 horas	Vea *Magulladuras.*

SÍNTOMAS	TRATAMIENTO	PROCEDIMIENTO
Dolores musculares, magulladuras (*continuación*)	Después de 48 horas, baños calientes templados o parches calientes	Mojar una toalla con agua caliente, escurrirla y colocarla sobre la zona afectada, cubriéndola por completo con una bolsa de plástico. Colocar una esterilla eléctrica a media potencia sobre el plástico, vigilando que no entre en contacto con la toalla. Aplicar durante una hora dos veces al día.
Congestión nasal		Vea *Resfriados*.
Sinusitis	Alternar compresas frías y calientes	Mojar un paño en agua caliente, escurrirlo y aplicarlo a la zona dolorida hasta que el calor se disipe, aproximadamente durante 30 segundos; luego aplicar una compresa fría hasta que el frío se disipe. Continuar alternando el calor y el frío durante 10 minutos, 4 veces al día.
Dolor de garganta o picor en la garganta	Gárgaras	Disolver $^1/_4$ de cucharadita de sal en 250 ml de agua caliente (la temperatura del té) y hacer gárgaras durante 5 minutos; repetir cuando sea necesario o cada 2 horas.

CALORÍAS EN EL EMBARAZO Y REQUERIMIENTOS DE GRASAS

Los requerimientos de calorías y grasas varían según el peso y el nivel de actividad individuales; entran en juego factores tales como el metabolismo. Aunque las siguientes directrices son aproximadas, pueden ayudar a planificar la ingesta diaria de grasas durante el embarazo. Estas raciones toman en consideración el hecho de que la mujer tomará al menos una ración de grasa al día, en forma de "restos" de los alimentos "bajos en grasa".

Peso ideal en kilos)	Nivel de actividad*	Necesidades calóricas diarias**	Ingesta de grasas máxima (gramos)	Reacciones de grasas completas diarias
45	1	1.500	50	2 1/2
45	2	1.800	60	3 1/2
45	3	2.500	83	5
57	1	1.800	60	3 1/2
57	2	2.175	72	4
57	3	3.050	101	6
68	1	2.100	70	4
68	2	2.550	85	5
68	3	3.600	120	7 1/2

* Los niveles de actividad serán: 1 sedentario, 2 moderadamente activo, 3 extremadamente activo (muy pocas embarazadas entran dentro de la categoría de la actividad extrema).

** Vea la página 120.

Notas para
el embarazo

Resultados de los exámenes prenatales

Aumento de peso semanal

Semana 1	Semana 22
Semana 2	Semana 23
Semana 3	Semana 24
Semana 4	Semana 25
Semana 5	Semana 26
Semana 6	Semana 27
Semana 7	Semana 28
Semana 8	Semana 29
Semana 9	Semana 30
Semana 10	Semana 31
Semana 11	Semana 32
Semana 12	Semana 33
Semana 13	Semana 34
Semana 14	Semana 35
Semana 15	Semana 36
Semana 16	Semana 37
Semana 17	Semana 38
Semana 18	Semana 39
Semana 19	Semana 40
Semana 20	Semana 41
Semana 21	Semana 42

Primer mes

Primer mes

Segundo mes

Segundo mes

Tercer mes

Tercer mes

Cuarto mes

Cuarto mes

Quinto mes

Quinto mes

Sexto mes

Sexto mes

Séptimo mes

Séptimo mes

Octavo mes

Octavo mes

Noveno mes

Noveno mes

Trabajo de parto y parto

Posparto